JN060347

司法試験　予備試験

2025年版

完全整理
択一六法

司法試験&予備試験対策シリーズ

Civil Procedure

民事訴訟法

はしがき

★令和6年の短答式試験＜民事訴訟法＞の分析

　今年の民事訴訟法も、例年どおり、第一審手続に関する条文・判例の知識・理解を問う問題を中心に、各分野から満遍なく出題されています。また、全体の平均点については、令和元年から順に、「17.8点」（令和元年）→「15.1点」（令和2年）→「14.6点」（令和3年）→「15.1点」（令和4年）→「16.6点」（令和5年）→「15.6点」（令和6年）と推移しています。これらのデータから、今年の民事訴訟法科目の難易度は、令和元年からの直近6年間の中で、中間に位置する程度のものと思われます。

　民事訴訟法の学習に当たっては、論文式試験で問われ得る知識の習得を十分に行った後、争点整理手続、証拠調べ手続、訴訟の終了、上訴等の条文知識の習得を目指すと良いでしょう。

★令和6年の短答式試験の結果を踏まえて

　今年の予備試験短答式試験では、採点対象者12,469人中、合格者（270点満点で各科目の合計得点が165点以上）は2,747人となっており、昨年の短答式試験合格者数2,685人を62人上回りました。

　まず、「合格点」についてですが、過去の直近5年間（令和元年～令和5年）の合格点は「156点～168点以上」という幅のある推移となっており、特に昨年（令和5年）の合格点は、令和元年以降最も高い「168点以上」となっていました。このような近年の状況において、今年の合格点は「165点以上」と高い水準を維持する形となりましたが、来年の合格点については、引き続き「156点～168点以上」の間で推移するものと予測されます。

　また、「合格率」（採点対象者に占める合格者数の割合）についてですが、昨年（令和5年）の合格率は、予備試験が実施されるようになった平成23年から見て最も低い約20.26%でしたが、今年は約22.03%となり、約1.8%上昇しました。このように、予備試験短答式試験の合格率は、おおよそ20%台にあるといえますが、司法試験短答式試験の今年の合格率が約78.96%（採点対象者数：合格者数＝3,746：2,958）であることと比べると、予備試験短答式試験は明らかに「落とすための試験」という意味合いが強い試験だといえます。

　そして、受験者数・採点対象者数は、令和2年を除き、平成27年から微増傾向にあり、昨年（令和5年）の受験者数は、予備試験史上最も多い13,372人を記録していましたが、今年の受験者数は12,569人となり、一転して減少することとなりました。採点対象者数についても、昨年（令和5年）は13,255人と予備試験史上最も多い数字でしたが、今年は12,469人となり、増加傾向に歯止めがかかった形です。

受験率については、直近2年連続で80％台を維持していましたが、今年は「79.7％」となり、わずかに80％を割り込みました。もっとも、来年以降も同様の「受験率」が維持されるものと考えられ、合格者数も2,500～2,800人前後となることが予想されます。

予備試験短答式試験では、法律基本科目だけでなく、一般教養科目も出題されます。点数が安定し難い一般教養科目での落ち込みをカバーするため、法律基本科目については苦手科目を作らないよう、安定的な点数を確保する対策が必要となります。

このような現状の中、短答式試験を乗り切り、総合評価において高得点をマークするためには、いかに短答式試験対策を効率よく行うかが鍵となります。そのため、要領よく知識を整理し、記憶の定着を図ることが至上命題となります。

★必要十分な知識・判例を掲載

民事訴訟法は、手続法であることもあり、イメージを掴みにくく、特に短答式試験で問われるような細かい手続的規律の学習を苦手とする受験生も多いでしょう。さらに、論文式試験対策へ費やす時間や他の科目も学習しなければならないことを考えると、独力でゼロから知識を整理して理解することは非常に困難です。

そこで、本書は、民事訴訟法について逐条式に掲載し、重要条文については趣旨を記載することによって、理解を深める手助けをするとともに、効率的に学習できるようにしています。なお、民事執行法・民事保全法についても、条文とともに必要最低限の知識を紹介しています。

また、百選掲載判例・重判掲載判例を紹介する際には、判旨の重要箇所を青字にすることで、より効率的に判例を学習できるように工夫しています。

★司法試験短答式試験、予備試験短答式試験の過去問情報を網羅

本書では、司法試験・予備試験の短答式試験において、共通問題で問われた知識に共マーク、予備試験単独で問われた知識に予マーク、司法試験単独で問われた知識に司マークを付しています。また、司法書士試験についても効率的な試験対策を行えるよう、過去16年分（平成21年～令和6年）の司法書士試験で問われた知識に書マークを付しています。複数のマークが付されている箇所は、各短答式試験で繰り返し問われている知識であるため、より重要性が高いといえます。

★最新法改正対応

本書では、常に法改正の動向に注目しています。最新の情報をいち早く皆様に提供するために、令和6年8月末日までに公布された法改正を盛り込みました。

令和4年5月25日、令和4年改正民事訴訟法（令和4年法律第48号）が公布されました。民事訴訟手続を全面的にIT化する大規模な法改正ですが、そのほとんどの施行日が「公布の日から起算して4年を超えない範囲内において政令で定める日」とされています。そのため、来年（令和7年）の司法試験及び予備試験の出

題範囲に含まれるのは、ごく一部（映像と音声の送受信による通話の方法による口頭弁論等）ということになります。

★最新判例インターネットフォロー

　短答式試験合格のためには、最新判例を常に意識しておくことが必要です。そこで、ＬＥＣでは、最新判例の情報を確実に収集できるように、本書をご購入の皆様に、インターネットで随時、最新判例情報をご提供させていただきます。

　アクセス方法の詳細につきましては、「最新判例インターネットフォロー」の頁をご覧ください。

2024 年 9 月吉日

株式会社東京リーガルマインド
ＬＥＣ総合研究所　司法試験部

司法試験・予備試験受験生の皆様へ

LEC司法試験対策　総合統括プロデューサー
反町　雄彦　LEC専任講師・弁護士

はしがき

◆競争激化の短答式試験

　短答式試験は、予備試験においては論文式試験を受験するための第一関門として、また、司法試験においては論文式試験を採点してもらう前提条件として、重要な意味を有しています。いずれの試験においても、合格を確実に勝ち取るためには、短答式試験で高得点をマークすることが重要です。

◆短答式試験対策のポイント

　司法試験における短答式試験は、試験最終日に実施されます。論文式試験により心身ともに疲労している中、短答式試験で高得点をマークするには、出題可能性の高い分野、自身が弱点としている分野の知識を、短時間で総復習できる教材の利用が不可欠です。

　また、予備試験における短答式試験は、一般教養科目と法律基本科目（憲法・民法・刑法・商法・民事訴訟法・刑事訴訟法・行政法）から出題されます。広範囲にわたって正確知識が要求されるため、効率的な学習が不可欠となります。

　本書は、短時間で効率的に知識を整理・確認することができる最良の教材として、多くの受験生から好評を得ています。

◆短答式試験の知識は論文式試験の前提

　司法試験・予備試験の短答式試験では、判例・条文の知識を問う問題を中心に、幅広い論点から出題がされています。論文式試験においても問われうる重要論点も多数含まれています。そのため、短答式試験の対策が論文式試験の対策にもなるといえます。

　また、司法試験の憲法・民法・刑法以外の科目においても、論文式試験において正確な条文・判例知識が問われます。短答式試験過去問を踏まえて解説した本書を活用し、重要論点をしっかり学んでおけば、正確な知識を効率良く答案に表現することができるようになるため、解答時間の短縮につながることは間違いありません。

　司法試験合格が最終目標である以上、予備試験受験生も、司法試験の短答式試験・論文式試験の対策をしていくことが重要です。短答式試験対策と同時に、重要論点を学習し、司法試験を見据えた学習をしていくことが肝要でしょう。

◆苦手科目の克服が肝

　司法試験短答式試験では、短答式試験合格点（令和6年においては憲法・民法・刑法の合計得点が93点以上）を確保していても、1科目でも基準点（各科目の満点の40％点）を下回る科目があれば不合格となります。本年では、憲法で317人、民法で192人、刑法で122人もの受験生が基準点に達しませんでした。本年の結果を踏まえると、基準点未満で不合格となるリスクは到底見過ごすことができません。

　試験本番が近づくにつれ、特定科目に集中して勉強時間を確保することが難しくなります。苦手科目は年内に学習し、苦手意識を克服、あわよくば得意科目にしておくことが必要です。

◆本書の特長と活用方法

　完全整理択一六法は、一通り法律を勉強し終わった方を対象とした教材です。本書は、司法試験・予備試験の短答式試験における出題可能性の高い知識を、逐条形式で網羅的に整理しています。最新判例を紹介する際にも、できる限りコンパクトにして掲載しています。知識整理のためには、核心部分を押さえることが重要だからです。

　本書の活用方法としては、短答式試験の過去問を解いた上で、間違えてしまった問題について確認し、解答に必要な知識及び関連知識を押さえていくという方法が効果的です。また、弱点となっている箇所に印をつけておき、繰り返し見直すようにすると、復習が効率よく進み、知識の定着を図ることができます。

　このように、受験生の皆様が手を加えて、自分なりの「完択」を作り上げていくことで、更なるメリハリ付けが可能となります。ぜひ、有効に活用してください。

　司法試験・予備試験は困難な試験です。しかし、継続を旨とし、粘り強く学習を続ければ、必ず突破することができる試験です。

　皆様が本書を100％活用して、試験合格を勝ち取られますよう、心よりお祈り申し上げます。

CONTENTS

はしがき

司法試験・予備試験受験生の皆様へ

本書の効果的利用法

最新判例インターネットフォロー

民事訴訟法

●第1編　総則 ・・・ *2*

　第1章　通則 ・・・ *2*

　第2章　裁判所 ・・・ *8*

　　第1節　日本の裁判所の管轄権 ・・・・・・・・・・・・・・・・・・・・・・・・ *9*

　　第2節　管轄 ・・ *13*

　　第3節　裁判所職員の除斥及び忌避 ・・・・・・・・・・・・・・・・・・・ *31*

　第3章　当事者 ・・・ *35*

　　第1節　当事者の概念と当事者の確定 ・・・・・・・・・・・・・・・・・ *35*

　　第2節　当事者能力及び訴訟能力 ・・・・・・・・・・・・・・・・・・・・・・ *41*

　　第3節　共同訴訟 ・・・・・・・・・・・・・・・・・・・・・・・・・・・・・・・・・・・・・・ *65*

　　第4節　訴訟参加 ・・・・・・・・・・・・・・・・・・・・・・・・・・・・・・・・・・・・・・ *83*

　　第5節　代理人及び補佐人 ・・・・・・・・・・・・・・・・・・・・・・・・・・・・・ *109*

　第4章　訴訟費用 ・・ *116*

　　第1節　訴訟費用の負担 ・・・・・・・・・・・・・・・・・・・・・・・・・・・・・・・ *116*

　　第2節　訴訟費用の担保 ・・・・・・・・・・・・・・・・・・・・・・・・・・・・・・・ *120*

　　第3節　訴訟上の救助 ・・・・・・・・・・・・・・・・・・・・・・・・・・・・・・・・・ *121*

　第5章　訴訟手続 ・・ *122*

　　第1節　訴訟の審理等 ・・・・・・・・・・・・・・・・・・・・・・・・・・・・・・・・・ *122*

　　第2節　専門委員等 ・・・・・・・・・・・・・・・・・・・・・・・・・・・・・・・・・・・ *138*

　　　第1款　専門委員 ・・・・・・・・・・・・・・・・・・・・・・・・・・・・・・・・・・ *138*

　　　第2款　知的財産に関する事件における裁判所調査官の事務等 ・・ *140*

　　第3節　期日及び期間 ・・・・・・・・・・・・・・・・・・・・・・・・・・・・・・・・・ *141*

　　第4節　送達 ・・ *146*

　　第5節　裁判 ・・ *152*

　　第6節　訴訟手続の中断及び中止・・・・・・・・・・・・・・・・・・・・・・・・・・・ *177*

第6章　訴えの提起前における証拠収集の処分等・・・・・・・・・・・ *183*

第7章　電子情報処理組織による申立て等・・・・・・・・・・・・・・ *187*

第8章　当事者に対する住所、氏名等の秘匿・・・・・・・・・・・・ *188*

●**第2編　第一審の手続**・・・・・・・・・・・・・・・・・・・・・・・・・・・・・・ *191*
第1章　訴え・・・ *191*

第2章　計画審理・・・・・・・・・・・・・・・・・・・・・・・・・・・・・・・・・・・・ *262*

第3章　口頭弁論及びその準備・・・・・・・・・・・・・・・・・・・・・・・・ *263*
　第1節　口頭弁論・・・・・・・・・・・・・・・・・・・・・・・・・・・・・・・・・・・・・ *263*
　第2節　準備書面等・・・・・・・・・・・・・・・・・・・・・・・・・・・・・・・・・・ *291*
　第3節　争点及び証拠の整理手続・・・・・・・・・・・・・・・・・・・・・・ *295*
　　　第1款　準備的口頭弁論・・・・・・・・・・・・・・・・・・・・・・・・・・ *295*
　　　第2款　弁論準備手続・・・・・・・・・・・・・・・・・・・・・・・・・・・・ *298*
　　　第3款　書面による準備手続・・・・・・・・・・・・・・・・・・・・・・ *301*

第4章　証拠・・・ *305*
　第1節　総則・・ *305*
　第2節　証人尋問・・・・・・・・・・・・・・・・・・・・・・・・・・・・・・・・・・・ *329*
　第3節　当事者尋問・・・・・・・・・・・・・・・・・・・・・・・・・・・・・・・・・ *337*
　第4節　鑑定・・ *339*
　第5節　書証・・ *342*
　第6節　検証・・ *362*
　第7節　証拠保全・・・・・・・・・・・・・・・・・・・・・・・・・・・・・・・・・・・ *363*

第5章　判決・・・ *365*

第6章　裁判によらない訴訟の完結・・・・・・・・・・・・・・・・・・・・ *410*

第7章　大規模訴訟等に関する特則・・・・・・・・・・・・・・・・・・・・ *426*

第8章　簡易裁判所の訴訟手続に関する特則・・・・・・・・・・・・・ *427*

●第3編　上訴 ·· 432
　第1章　控訴 ·· 433

　第2章　上告 ·· 448

　第3章　抗告 ·· 458

●第4編　再審 ·· 464

●第5編　手形訴訟及び小切手訴訟に関する特則 ···················· 472

●第6編　少額訴訟に関する特則 ·· 476

●第7編　督促手続 ·· 481
　第1章　総則 ·· 481

　第2章　電子情報処理組織による督促手続の特則 ················· 485

●第8編　執行停止 ·· 488

民事執行法

　第1章　総則 ·· 492

　第2章　強制執行 ·· 499
　　第1節　総則 ·· 499
　　第2節　金銭の支払を目的とする債権についての強制執行 ·········· 511
　　　第1款　不動産に対する強制執行 ···································· 512
　　　第2款　船舶に対する強制執行 ······································· 538
　　　第3款　動産に対する強制執行 ······································· 540
　　　第4款　債権及びその他財産権に対する強制執行 ················· 545
　　　第5款　扶養義務等に係る金銭債権についての強制執行の特例 ·· 561
　　第3節　金銭の支払を目的としない請求権についての強制執行 ········ 562

　第3章　担保権の実行としての競売等 ································· 569

　第4章　債務者の財産状況の調査 ······································· 576
　　第1節　財産開示手続 ·· 576
　　第2節　第三者からの情報取得手続 ····································· 579

第5章　罰則 ·· 583

民事保全法

第1章　通則 ·· 586

第2章　保全命令に関する手続 ··· 588
　第1節　総則··· 592
　第2節　保全命令··· 592
　　　第1款　通則··· 592
　　　第2款　仮差押命令··· 594
　　　第3款　仮処分命令··· 594
　第3節　保全異議··· 597
　第4節　保全取消し··· 598
　第5節　保全抗告··· 600

第3章　保全執行に関する手続 ··· 601
　第1節　総則··· 601
　第2節　仮差押えの執行··· 602
　第3節　仮処分の執行··· 605

第4章　仮処分の効力 ··· 606

第5章　罰則 ·· 610

◆図表一覧
　訴訟と非訟··· 4
　管轄の種類·· 15
　裁判権と管轄権·· 15
　各種の移送·· 27
　氏名冒用訴訟における各説の処理·· 37
　死者を被告とする訴えの各説の処理·· 39
　当事者能力と当事者適格·· 42
　訴訟無能力者の訴訟行為·· 53
　訴訟能力の欠缺が看過されて本案判決が言い渡された場合·················· 57
　第1審で訴え却下判決が言い渡された場合の控訴審の処理·················· 58
　訴訟上の代理人の種類·· 59
　法定代理人と訴訟代理人の比較·· 61
　訴訟行為への表見代理の適用・類推適用······································ 64

共同訴訟の成立形態・・*66*
共同所有関係に関する訴訟・・・・・・・・・・・・・・・・・・・・・・・・・・・・・・・・・・・・*75*
共同訴訟の種類・・*77*
必要的共同訴訟における訴え・上訴の取下げ・・・・・・・・・・・・・・・・・・*78*
訴えの主観的追加的併合の諸場合・・・・・・・・・・・・・・・・・・・・・・・・・・・・*82*
参加人の地位の独立性と従属性・・・・・・・・・・・・・・・・・・・・・・・・・・・・・・*83*
既判力と参加的効力の差異・・・・・・・・・・・・・・・・・・・・・・・・・・・・・・・・・・*92*
参加承継・引受承継の手続・・・・・・・・・・・・・・・・・・・・・・・・・・・・・・・・・*103*
口頭弁論終結前の承継人と終結後の承継人との比較・・・・・・・・・・・*105*
訴訟参加の類型・・・*106*
口頭主義と書面主義・・・・・・・・・・・・・・・・・・・・・・・・・・・・・・・・・・・・・・・*124*
訴訟物・主要事実・間接事実の関係・・・・・・・・・・・・・・・・・・・・・・・・・*129*
主要事実と間接事実の比較・・・・・・・・・・・・・・・・・・・・・・・・・・・・・・・・・*130*
基準時後の形成権行使に関する結論の整理・・・・・・・・・・・・・・・・・・・*157*
既判力の生じる範囲についての具体的検討・・・・・・・・・・・・・・・・・・・*163*
第三者への判決効の拡張・・・・・・・・・・・・・・・・・・・・・・・・・・・・・・・・・・*170*
既判力と反射効の異同・・・・・・・・・・・・・・・・・・・・・・・・・・・・・・・・・・・・*172*
給付の訴えと確認の訴えの比較・・・・・・・・・・・・・・・・・・・・・・・・・・・・*192*
各種の訴えにおける認容判決と棄却判決・・・・・・・・・・・・・・・・・・・・・*194*
訴訟要件に関する整理・・・・・・・・・・・・・・・・・・・・・・・・・・・・・・・・・・・・*198*
訴訟要件の調査の開始と資料の収集・・・・・・・・・・・・・・・・・・・・・・・・*200*
本案の審判と訴訟要件の審判の比較・・・・・・・・・・・・・・・・・・・・・・・・*201*
第三者の訴訟担当・・*223*
訴訟担当と訴訟上の代理人・・・・・・・・・・・・・・・・・・・・・・・・・・・・・・・・*223*
単純併合・選択的併合・予備的併合の異同・・・・・・・・・・・・・・・・・・・*235*
訴え提起の効果・・*239*
二重起訴の禁止と相殺の抗弁に関する学説の整理・・・・・・・・・・・・・*247*
後発的複数請求の比較・・・・・・・・・・・・・・・・・・・・・・・・・・・・・・・・・・・・*260*
訴訟行為の分類と撤回の可否・・・・・・・・・・・・・・・・・・・・・・・・・・・・・・*265*
否認と抗弁・・*267*
当事者の一方が証拠制限契約に違反して証拠を提出した場合の効果・・・・・*270*
私法契約説と訴訟契約説の相違・・・・・・・・・・・・・・・・・・・・・・・・・・・・*271*
当事者の欠席等に関係する制度の整理・・・・・・・・・・・・・・・・・・・・・・*287*
準備書面を提出した場合の影響・・・・・・・・・・・・・・・・・・・・・・・・・・・・*293*
争点及び証拠の整理のための各手続の比較・・・・・・・・・・・・・・・・・・・*304*
権利が確定される過程・・・・・・・・・・・・・・・・・・・・・・・・・・・・・・・・・・・・*305*
事実認定のルート・・*305*
証拠の意義・・*306*
直接証拠と間接証拠・・・・・・・・・・・・・・・・・・・・・・・・・・・・・・・・・・・・・・*306*

主張責任と証明責任 ··· 308
証拠の偏在と法律要件分類説の修正 ····················· 317
不要証事実の位置付け ····································· 324
書証提出の流れ ··· 344
自己利用文書に関する判例の整理 ······················· 352
判決・決定・命令の異同 ··································· 366
判決の種類 ··· 370
債務不存在の確認の訴えと判決の態様 ··················· 379
債務不存在確認訴訟と既判力 ····························· 380
一部請求の訴訟係属中に残部請求をした場合 ············· 382
一部請求の判決確定後に残部請求をした場合 ············· 382
一部請求と判決の態様 ····································· 383
外側説と按分説 ··· 387
自由心証主義と法定証拠主義 ····························· 389
判決と決定・命令の自己拘束力の比較 ··················· 397
判決の既判力・執行力・形成力 ··························· 398
確定判決の効力 ··· 399
判決の不存在・無効判決・瑕疵ある判決の異同 ··········· 401
判決の更正と判決の変更の異同 ··························· 405
控訴の取下げと訴えの取下げ ····························· 411
請求の認諾・裁判上の自白・権利自白の比較 ············· 419
和解が解除された場合の争う方法 ························· 425
訴えの取下げ・請求の放棄・訴訟上の和解の比較 ········· 425
通常訴訟手続と簡易裁判所の手続 ························· 431
上告審の終了 ··· 456
第1審・控訴審・上告審の相違 ··························· 457
手形・小切手訴訟と少額訴訟の比較 ····················· 480
督促手続の流れ ··· 482
民事執行法と民事訴訟法との比較 ························· 492
民事執行の種類 ··· 494
民事執行法上の不服申立て ······························· 509
不動産強制競売手続の流れ ······························· 514
強制執行と担保執行の相違点 ····························· 570
民事保全の種類 ··· 586
手続の種類ごとの実体的要件 ····························· 589
債務者による不服申立手続 ······························· 591

◆論点一覧表

【司法試験】

年度	論点名	備考	該当頁
H18	共同訴訟人独立の原則		68
	共同訴訟人間の証拠共通の原則		68
	弁論の併合に伴う再尋問		279
	反射効の肯否		172
	既判力の時的限界（遮断効）・解除権		156
H19	文書成立の真正についての自白（擬制自白）の成否		322
	文書成立の真正の証明（二段の推定）		343
	裁判上の自白（擬制自白）の成否		319
	裁判上の自白の撤回		320
	時機に後れた攻撃防御方法の却下		284
	訴えの取下げ・請求の放棄・訴訟上の和解の比較・検討		425
H20	固有必要的共同訴訟（取締役解任の訴え）	最判平10.3.27・百選〔第三版〕Ａ７事件	71
	明文なき主観的追加的併合の許否		82
	当事者が文書提出命令に従わないときの224条３項の効果	現場思考	359
	固有必要的共同訴訟における224条３項の効果	現場思考	――
H21	建物買取請求権の行使の訴訟法的な意義（権利抗弁）		267
	弁論主義の第１原則（主張原則）の適用範囲		128
	主張共通の原則		127
	裁判上の自白の成否		319

CONTENTS

年度	論点名	備考	該当頁
H21	相手方の援用しない自己に不利益な事実の陳述（先行自白）		319
	主張責任を負う者への擬制自白（159 I）の適用の可否		289
	債務名義が存在する場合の給付訴訟の訴えの利益		205
	既判力の作用		153
	留保付判決の既判力の客観的範囲		159
	既判力の時的限界（遮断効）・解除権		155 156
H22	当事者確定の基準		36
	弁護士資格のない者による訴訟代理行為の効力		110
	債務不存在確認請求における自認部分の既判力	最判昭40.9.17・百選71事件	379
	条件付給付判決（質的一部認容判決）と処分権主義		377
	将来の給付の訴え		206
	条件付給付判決・全部棄却判決の既判力の客観的範囲		159
H23	権利自白の撤回の可否		323
	債権者代位訴訟における他の債権者による独立当事者参加（権利主張参加）の許否	最判昭48.4.24・百選103事件	94
	債権者代位訴訟における他の債権者による共同訴訟参加の許否	複数の法定訴訟担当が原告となった訴訟は類似必要的共同訴訟に当たるとする判例として、最判平12.7.7・百選96事件参照	76 106
	通常共同訴訟と固有必要的共同訴訟の区別・判断基準	最判昭43.3.15・百選94事件 最判昭46.10.7・百選A29事件	70 72 73

年度	論点名	備考	該当頁
H23	本訴請求と中間確認請求との間で生ずる実体法上の矛盾した結果を放置してよいかどうか	現場思考 前提として、通常共同訴訟（本訴請求）では請求の認諾の効力が生じる（39）が、固有必要的共同訴訟（中間確認請求）では請求の放棄の効力は生じない（40）ことを指摘する必要がある（出題趣旨参照）。 →中間確認請求の認容判決が確定した場合、Mは乙土地の共有者であるにもかかわらず、Nに対して乙土地の明渡義務を負うという、実体法上は矛盾した結果が生ずる（出題趣旨参照）	——
H24	処分証書の意義・訴訟上の機能		344
	二段の推定の意義・訴訟上の機能		343
	弁論主義の第1原則（主張原則）の適用範囲	最判昭33.7.8・百選43事件	131
	訴訟告知の参加的効力	被告知者が受ける参加的効力を制限する論拠としては、①被告知者と告知者との間に利害対立があるため参加的効力の趣旨（敗訴責任の分担を図ること）が及ばないこと、②Cの無権代理の事実は参加的効力の客観的範囲には含まれないこと、の2つが考えられる（出題趣旨・採点実感参照）。	92 108
	同時審判申出共同訴訟と上訴		80
H25	遺言無効確認の訴えにおける確認の利益	最判昭47.2.15・百選21事件	213
	遺言執行者の当事者適格	最判昭51.7.19・百選11事件	225
	相続による特定財産の取得を主張する者が主張すべき請求原因	①『Fは平成15年4月1日死亡』、②『GはFの子』、③『Jは土地乙をもと所有』、④『JF売買』（③④の代わりに『Fは①の当時土地乙所有』でもよい）を摘示する（出題趣旨参照）。	——
	主張共通の原則		127
	信義則（2）を理由とする既判力の縮小	現場思考 最判昭51.9.30・百選74事件 最判平10.6.12・百選75事件	——

年度	論点名	備考	該当頁
H26	訴訟上の和解に対する表見法理の適用	最判昭45.12.15・百選16事件	64
	訴訟上の和解についての訴訟代理人の代理権限の範囲	最判昭38.2.21・百選17事件	113
	訴訟上の和解の既判力の縮小・訴訟上の和解における合意内容の限定	現場思考 前提として、人身損害においては、その性質上将来的に後遺障害の程度の変化により変動する可能性があり、それを全て予測して訴訟追行をし、判決をすることは困難であることから、117条は、定期金方式により長期にわたって損害賠償を命じる場合について、将来の事情変動を考慮して損害額の再調整をすることを許しているということを確認する必要がある（出題趣旨参照）。	—
H27	二重起訴の禁止（142）と相殺の抗弁	最判平3.12.17・百選35①事件 最判平18.4.14・百選〔第5版〕A11事件	244 245
	不利益変更禁止の原則と相殺の抗弁	最判昭61.9.4・百選107事件	445
	既判力の作用	114条2項の既判力の内容は、基準時における反対債権の不存在の判断であるとの考え方に依拠することが前提とされている（出題趣旨参照）。	153
H28	総有権確認請求訴訟が固有必要的共同訴訟に当たる理由		45
	固有必要的共同訴訟における非同調者	最判平20.7.17・百選92事件	71
	固有必要的共同訴訟の係属中に新たな構成員が現れた場合の処理	現場思考 なお、共同訴訟参加（52Ⅰ）や、新たな構成員に対する訴え提起・弁論の併合の上申という方法が考えられる（採点実感参照）。	—
	法人の代表権存否確認の訴えと訴訟代理権存否確認の訴えの比較・検討	最判昭28.12.24	232
	反訴（146）の要件		258

年度	論点名	備考	該当頁
H28	権利能力なき社団が当事者となった判決の効力が当該社団の構成員に及ぶとする理論構成の検討	最判平6.5.31・百選10事件	48
	既判力の時的限界（遮断効）		155
	訴訟告知という方法を採り得たことと一般法理（信義則等）の適用について	現場思考 問題文中の「第1訴訟の段階でYとして採るべき手段」として最もふさわしいのは、前訴判決に参加的効力を生じさせ、判決理由中の判断について拘束力を発生させることができる「訴訟告知」である（採点実感参照）。	――
H29	弁論主義の第1原則（主張原則）の適用範囲	最判昭33.7.8・百選43事件	131
	引換給付判決をするために当事者からどのような申立てや主張がされる必要があるか	前提として、処分権主義（申立拘束原則、246）を指摘し、訴訟物の捉え方（訴訟物理論）を示す必要がある（出題趣旨参照）。 旧訴訟物理論の立場に立つ場合、予備的請求として、売買契約に基づく引渡請求の追加的変更（143）の申立てが必要となる（出題趣旨参照）。 なお、訴えの変更の書面性の要否につき、最判昭35.5.24参照。	196 372
	否認か自白かの整理	現場思考	――
	同時履行の抗弁権（権利抗弁）	同時履行の抗弁権が権利抗弁であること、そのために同時履行の抗弁権の主張が明確にされる必要があることを指摘する必要がある（出題趣旨参照）。	267
	一部認容判決（引換給付判決）と処分権主義		376
	代金額の認定と弁論主義（主張事実と認定事実の細部の不一致）		132
	引換給付文言が判決主文に掲げられていることの趣旨	最判昭49.4.26・百選80事件	159
	争点効又は信義則（2）による拘束力	最判昭51.9.30・百選74事件 最判平10.6.12・百選75事件	164

CONTENTS

年度	論点名	備考	該当頁
H30	二重起訴の禁止（142）	前提として、Bの債務不存在確認の訴えの訴訟物を明示する必要がある（出題趣旨参照）。 また、金銭債務不存在確認の訴えの被告は原告に対してその金銭の支払を求める反訴を提起することができ、これによると二重起訴の禁止の規定に抵触しないことを指摘する必要がある（出題趣旨参照）。 最判平16.3.25・百選26事件	241
	明文なき主観的追加的併合の許否	なお、AがBの訴えに対する反訴ではなく、別訴としてBとCを共同被告とする訴えを乙地裁に提起する場合には、「明文なき主観的追加的併合の許否」の論点は生じない（ただし、弁論の併合がされることにより二重起訴の禁止の趣旨に反しなくなることを指摘する必要がある（出題趣旨参照））。	82
	既に訴訟係属している金銭債務不存在確認の訴えの被告が、その原告等を被告とする給付訴訟を別の裁判所に別訴提起することの可否	現場思考	—
	文書提出義務（220④ハ・197Ⅰ②該当性）	最決平19.12.11・百選〔第4版〕A23事件	348
	第一審で補助参加していなかった者が被参加人のために控訴することの可否	第一審で補助参加をしていなかった者も、補助参加の申出とともに被参加人のために控訴をすることができる（43Ⅱ・45Ⅰ本文）。	88 89
	補助参加の利益（42）	最判昭51.3.30・百選A30事件	84
R元	管轄合意（専属的管轄合意と付加的管轄合意）		23
	17条の類推適用による自庁処理の可否	現場思考	—
	裁判上の自白の成立要件	自己に不利益な事実についての陳述であること、という要件の検討が中心となる（出題趣旨参照）。	319 321
	訴えの追加的変更がなされた後における自白の撤回の可否	現場思考	—
	自己利用文書（220④ニ）	最決平11.11.12・百選66事件 最決平13.12.7・平13重判1事件	350

年度	論点名	備考	該当頁
	敷金の返還を求める将来給付の訴えの適法性	最大判昭56.12.16・百選20事件（大阪国際空港事件） 最判昭63.3.31	206
	敷金関係の確認の訴えにおける確認の利益	最判平11.1.21・百選25事件	215
	和解手続における当事者の発言と自由心証主義（247）		389
	通常共同訴訟と固有必要的共同訴訟の区別・判断基準		70
R2	共同訴訟人独立の原則（39）		68
	証拠共通の原則		68
	共同訴訟において、訴えの取下げにより当事者ではなくなった者が、その取下げがされる前の期日において提出して取調べがされた証拠の証拠調べの結果を、事実認定に用いてよいかどうかの検討	現場思考 前提として、訴訟係属の遡及的消滅（262Ⅰ）という訴えの取下げの効果を指摘することが必要となる（出題趣旨参照）。 なお、証拠申出の撤回は、証拠調べの終了後においては、裁判官がすでに心証を得ている以上、許されないとした判例（最判昭32.6.25・百選A19事件）参照（出題趣旨参照）。	──
	原告の申出額とは異なる額の立退料の引換給付判決をすることの許否	現場思考 最判昭46.11.25・百選70事件 なお、①原告の意思の尊重と、②当事者に対する不利益の最大限の予告という246条の2つの趣旨から検討することが求められる（出題趣旨参照）。	372 376
	「承継」（50Ⅰ）の意義	最判昭41.3.22・百選104事件で用いられた「紛争の主体たる地位の移転」について、それがいかなるものであるか具体的に検討することが求められていた（出題趣旨・採点実感参照）。	103
R3	時機に後れた攻撃防御方法の却下	弁論準備手続後の新主張の説明義務（174、167）の指摘も期待されていた（出題趣旨参照）。	284
	訴訟承継の効果	50条の「承継人」は、承継原因発生時の訴訟状態を承認する義務を負う旨を論じた上で、そこでいう訴訟状態とはいかなるものであるかなどについて論述する必要がある（出題趣旨）。	104

年度	論点名	備考	該当頁
	当事者確定の基準		36
	裁判上の自白の成否		319
	裁判上の自白の撤回	大判大4.9.29・百選53事件	320
R4	明文なき主観的追加的併合	主観的追加的併合を申し立てる際に留意すべき4つの問題点（最判昭62.7.17・百選91事件）を踏まえて、申立てが認められる立論を検討することが求められる（出題趣旨参照）。	82
	新種証拠の証拠調べの方法（書証によるUSBメモリの取調べ）	「文書」（大阪高決昭53.3.6）の定義を明らかにした上で、USBメモリが「文書でないもの」に該当することの論証、及びUSBメモリが録音テープ等と同様に書証により取り調べることが許される理由の検討が求められる（出題趣旨参照）。	342 362
R5	違法収集証拠の証拠能力	東京高判昭52.7.15・百選〔第三版〕71事件 なお、違法収集証拠に関する一般的な基準を示した裁判例として、東京高判平28.5.19・百選63事件が挙げられる。	390
	相殺の抗弁と不利益変更禁止の原則	相殺の抗弁に対するいわゆる再抗弁について、訴訟上の相殺の再抗弁は不適法であるが、訴訟外の相殺の意思表示の主張は適法と解されること（最判平10.4.30・百選41事件）を前提として検討する必要がある（出題趣旨参照）。 不利益変更禁止の原則（304）に違反するかについては、同原則の趣旨を踏まえ、控訴裁判所の判決が確定した場合と原判決が確定した場合の既判力の比較により検討することが求められる（出題趣旨参照）。	164 444
	既判力の拡張（115Ⅰ）	Z（補助参加人）は、115条により既判力の拡張を受ける者ではないことを簡潔に論じることが求められる（出題趣旨参照）。	――
	参加的効力（46）の主観的範囲	参加的効力は、参加人と被参加人との間の敗訴責任の共同分担という根拠から認められる特別な効力であるから、参加人と被参加人との間には及ばない旨論じることが考えられる（出題趣旨・採点実感参照）。	92

年度	論点名	備考	該当頁
	争点効又は信義則（2）による拘束力		164
R5	補助参加人による被参加人に対する参加的効力の援用の許否	現場思考 46条の文言自体は、補助参加人による被参加人に対する参加的効力の援用を予定していないことを踏まえた上で、46条の根拠を敗訴責任の共同分担と捉える立場からは、補助参加人から被参加人に対して参加的効力を援用することは認められてしかるべきであると論ずることが考えられる（出題趣旨参照）。	——

【予備試験】

年度	論点名	備考	該当頁
	当事者の確定		36
H23	死者名義訴訟	大判昭11.3.11・百選5事件	38 406
	第一審判決で表示された当事者と異なる者が控訴した場合の取扱いやその適法性	現場思考	——
	争点効又は信義則（2）による拘束力	最判平10.6.12・百選75事件	164
H24	既判力の時的限界（遮断効）・相殺権		157
	相殺の抗弁の特殊性が裁判所の判断の仕方にどのような影響を与えるか		161
	債権者代位訴訟と債務者の参加		248
H25	債権者代位訴訟において被保全債権が存在しない場合に裁判所がすべき判決の内容		224
	債権者代位訴訟における既判力の主観的範囲	最判平12.7.7・百選96事件	76 167
H26	明文なき主観的追加的併合の許否	最判昭62.7.17・百選91事件	82

年度	論点名	備考	該当頁
H26	参加承継・引受承継後の審理		104
	訴訟承継の効果		101 104
H27	損害賠償請求の訴訟物	最判昭48.4.5・百選69事件	197
	一部請求と過失相殺	最判昭48.4.5・百選69事件	380 386
H28	弁論主義の適用範囲	裁判所が当事者の主張していない所有権の取得経過（譲渡担保に基づく所有権移転）を判決の基礎とすることの適否が問題となる（出題趣旨参照）。 最判昭41.4.12・百選A14事件 最判昭55.2.7・百選42事件	128 131
	釈明義務（法的観点指摘義務）		276 277
	口頭弁論終結後の「承継人」 （115 I ③）		168
H29	将来の給付の訴え	最大判昭56.12.16・百選20事件（大阪国際空港事件）	206 207
	相殺の抗弁に供した自働債権の残部請求の可否（「相殺をもって対抗した額」（114 II）についての解釈論）	一部請求後の残部請求に関する判例（最判平10.6.12・百選75事件）参照	161
H30	いわゆる両負けを避けるために原告として取るべき手段	単純併合・同時審判申出共同訴訟・主観的予備的併合について検討することが求められている（出題趣旨参照）。	79 80
	補助参加の利益（42）		84
	参加的効力（46）の客観的範囲		92
	弁論の分離（152）が違法となる場合		279
R元	固有必要的共同訴訟の成否	最判昭46.10.7・百選A29事件	72
	原告側での死者名義訴訟の処理	現場思考	――
	「請求の目的物を所持する者」 （115 I ④）	大阪高判昭46.4.8・百選A26事件	167

年度	論点名	備考	該当頁
R2	金額を明示しない債務不存在確認の訴えの適法性	最判昭40.9.17・百選71事件	231
	債務不存在確認の訴えにおいて給付訴訟（反訴）が提起された場合	最判平16.3.25・百選26事件	216
	給付訴訟（反訴）が一部請求である場合の処理	現場思考	——
	債務不存在確認訴訟（本訴）と給付訴訟（反訴）の既判力を踏まえた、後訴たる残部請求（後遺症による損害賠償の追加請求）の可否	現場思考 最判昭42.7.18・百選77事件	385
R3	債権者代位訴訟における債務者による共同訴訟参加の許否		106 248
	債権者代位訴訟における債務者による独立当事者参加（権利主張参加）の許否		94 248
	債権者代位訴訟における既判力の主観的範囲	債権者代位訴訟における既判力が債務者に及ぶかについて、改正後の民法下での理論構成を論じることが求められる（出題趣旨参照）。	167
	債権者代位訴訟における判決効の代位債権者以外の債権者への拡張	現場思考 債権者代位訴訟の判決効を代位債権者以外の債権者に拡張することが肯定されるかを、第三債務者の保護等の観点も勘案しつつ、その理論構成と合わせて検討することが求められる（出題趣旨参照）。	——
R4	権利能力なき社団の財産に係る総有権確認訴訟の原告適格	最判平6.5.31・百選10事件 ① 権利能力なき社団自身に総有権確認訴訟の原告適格が認められるか ② ①が肯定される場合でも、権利能力なき社団の代表者について、総有権確認訴訟を提起し、追行する訴訟上の権限があるか	45 46
	総有権確認請求訴訟が固有必要的共同訴訟に当たるか		70
	固有必要的共同訴訟における非同調者	最判平20.7.17・百選92事件	71
	二重起訴の禁止（142）		241

年度	論点名	備考	該当頁
R4	既判力の範囲・作用	前訴判決が請求棄却判決であるとの前提の下、前訴判決の既判力が生じる範囲、前訴及び後訴における訴訟物の内容や異同などを意識しながら、前訴判決の既判力の後訴に対する作用について検討することが期待されていた（出題趣旨参照）。	153
R5	訴えの交換的変更（143）	最判昭32.2.28・百選31事件	251 252
	再訴の禁止（262Ⅱ）	最判昭52.7.19・百選A27事件	414 415
	訴訟上の和解（267）と錯誤	最判昭33.6.14・百選88事件	423
	訴訟上の和解の瑕疵を争う方法		424

《略記表》

憲⇒憲法
行訴⇒行政事件訴訟法
民⇒民法
一般法人⇒一般社団法人及び一般財団法人に関する法律
刑⇒刑法
不登⇒不動産登記法
借地借家⇒借地借家法
商⇒商法
会⇒会社法
手⇒手形法
小⇒小切手法
規⇒民事訴訟規則
民訴費⇒民事訴訟費用等に関する法律

民執⇒民事執行法
民保⇒民事保全法
民調⇒民事調停法
家事⇒家事事件手続法
破⇒破産法
民再⇒民事再生法
会更⇒会社更生法
仲裁⇒仲裁法
人訴⇒人事訴訟法
非訟⇒非訟事件手続法
信託⇒信託法
裁判所⇒裁判所法
地自⇒地方自治法
国公⇒国家公務員法
地公⇒地方公務員法

本書の効果的利用法

第157条の2　（審理の計画が定められている場合の攻撃防御方法の却下）

第147条の3第3項は第156条の2（第170条第5項において準用する場合を含む。）の規定により特定の事項についての攻撃又は防御の方法を提出すべき期間が定められている場合において、当事者がその期間の経過後に提出した攻撃又は防御の方法については、これにより審理の計画に従った訴訟手続の進行に著しい支障を生ずるおそれがあると認めたときは、裁判所は、申立てにより又は職権で、却下の決定をすることができる。ただし、その当事者がその期間内に当該攻撃又は防御の方法を提出できなかったことについて相当の理由があることを疎明したときは、この限りではない。

【趣旨】 特定の事項についての攻撃防御方法の提出時期を定めるにあたって147条の3第3項が当事者双方との協議を必要としていること、156条の2が当事者の意見を聴取すべきことを定めていることから、[…読めない…]を提出し、計画審理の進行に支障を与えることは、それ自体が信義則違反といえる。そこで本条は、このような場合、訴訟の完結を遅延させるか否かを問うことなく、失権的制裁を課すこととしたものである。

第158条　（訴状等の陳述の擬制）

原告又は被告が［最初に］すべき口頭弁論の期日に出頭せず、又は出頭したが本案の弁論をしないときは、その者が提出した訴状又は答弁書その他の準備書面に記載した事項を陳述したものとみなし、出頭した相手方に弁論をさせることができる［…］。

【趣旨】 必要的口頭弁論の原則（87 I 本文）からすれば、判決をなすには原則として口頭弁論を経なければならず、かつ、そこに現れた訴訟資料のみを判決の基礎にしなければならない。しかし、この原則を貫くと、最初にすべき口頭弁論の期日に出頭せず、又は出頭したが本案の弁論をしない場合、冒頭陳述として審理の主題について口頭の陳述がないため訴訟を進めることができなくなる。そこで、かかる事態に対処するために、本条は、欠席者がそれまでに提出した書面に記載した事項を陳述したものとみなし、出頭した相手方に弁論をさせることができるものとした。

〈注 釈〉

１　最初の期日における一方当事者の欠席

(1)　欠席当事者

欠席者（原告又は被告）は、自らが提出した[…]
準備書面の記載事項につき自ら陳述したもの[…]
訴訟の最初の口頭弁論期日においても陳述擬制[…]

(2)　出頭当事者

出頭者は、自らが提出しておいた準備書面に[…]

存在を主張し、被告に対してそれを確認する判決を裁判所に対して求める訴えをいう。①その存在を主張する場合を積極的確認の訴えという（ex. 所有権確認の訴え）、②その不存在を主張する場合を消極的確認の訴えという（ex. 債務不存在確認の訴え）。

(2)　確認の訴えの機能

当事者間の現在の紛争を解決し、同時に以後の権利侵害の発生・続発を予防する機能

(3)　確認の訴えの対象

(a)　原則

現に争われている現在の権利又は法律関係の存否を対象とする。

(b)　例外

ア　過去の権利又は法律関係

多様な現在の権利関係の基礎となる基本的な法律関係を確認することによって、それから派生する現在の紛争の抜本的な解決に適切な場合は、確認の訴えの対象となる。

現在の権利・法律関係の前提となる過去の法律行為（遺言、団体の決議、遺産の範囲等）の効力の確認も、現在の権利関係の個別的な確認よりも現在の紛争処理にとって適切である場合は確認の対象となる。

イ　事実

法律関係を証する書面（契約書、遺言書等）が、作成名義人の意思に基づいて作成されたものであるかどうかについては、例外として確認の訴えが認められる（134の2）。 ⇒ p.211

(4)　確認の訴えに対する判決の効力［…］

原告主張の権利・法律関係の存否を確認する確認判決で、その存否の判断につき既判力が生じる。

<給付の訴えと確認の訴えの比較>

	給付の訴え	確認の訴え
意義	原告が被告に対する特定の給付請求権（被告の給付義務）の存在を主張し、裁判所に対して、被告に対する給付を命じることを求める訴え	原告が被告に対する権利若しくは法律関係の存在あるいは不存在を主張し、被告に対してそれを確認する判決を裁判所に対して求める訴え
目的	現状の変更が目的	現状の維持が目的
判決の効力	・請求認容判決 　→給付判決（既判力・執行力） ・請求棄却判決 　→確認判決（既判力のみ）	請求認容・請求棄却ともに、確認判決 →既判力のみ

各条文の趣旨を端的に指摘

2025年予備試験での出題が予想される項目を☑マークで明示

重要知識部分を青字で表示

当該項目と関連する部分や詳細な記述がなされている部分を ⇒p. で表示し、直ちに当該部分を参照することが可能

随所に図表を設け、ビジュアル的にわかりやすく情報を整理

第6編　少額訴訟に関する特則

重要な条文知識も青字で表示

重要な規則も併記

判例には〈判〉マーク、通説には〈通〉マークを明示し、短答式試験の過去問で問われた項目にも下記のマークを明示
司法試験　⇒〈司〉
予備試験　⇒〈予〉
司法試験・予備試験
共通問題　⇒〈共〉
司法書士試験　⇒〈書〉

少額訴訟

第368条（少額訴訟の要件等）

Ⅰ　簡易裁判所においては、訴訟の目的の価額が60万円以下の金銭の支払の請求を目的とする訴えについて、少額訴訟による審理及び裁判を求めることができる。ただし、同一の簡易裁判所において同一の年に最高裁判所規則で定める回数を超えてこれを求めることができない。〈書H30〉

Ⅱ　少額訴訟による審理及び裁判を求める旨の申述は、訴えの提起の際にしなければならない。

Ⅲ　前項の申述をするときは、当該訴えを提起する簡易裁判所においてその年に少額訴訟による審理及び裁判を求めた回数を届け出なければならない。

［規則］第223条（少額訴訟を求め得る回数）

法第368条（少額訴訟の要件等）第1項ただし書の最高裁判所規則で定める回数は、10回とする。〈書H30〉

第369条（反訴の禁止）〈書H30〉

少額訴訟においては、反訴を提起することができない。

第370条（一期日審理の原則）

Ⅰ　少額訴訟においては、特別の事情がある場合を除き、最初にすべき口頭弁論の期日において、審理を完了しなければならない。〈書〉

Ⅱ　当事者は、前項の期日前又はその期日において、すべての攻撃又は防御の方法を提出しなければならない。ただし、口頭弁論が続行されたときは、この限りでない。

第371条（証拠調べの制限）〈書H27〉

証拠調べは、即時に取り調べることができる証拠に限りすることができる。

第372条（証人等の尋問）

Ⅰ　証人の尋問は、宣誓をさせないですることができる。〈書〉

Ⅱ　証人又は当事者本人の尋問は、裁判官が相当と認める順序でする。〈書〉

Ⅲ　裁判所は、相当と認めるときは、最高裁判所規則で定めるところにより、裁判所及び当事者双方と証人とが音声の送受信により同時に通話を……

総則

論文式試験の過去問で問われた項目に下記のマークを明示
司法試験　⇒〈司R5〉
予備試験　⇒〈予R5〉
（数字は出題された年度を表しています。）

判例のポイントを青字で表示

出題可能性が高い重要判例の事案・判旨をコンパクトに掲載するとともに、一目でわかる青トーンの枠で表示

がいずれのものであっても異ならない）。すなわち、「原告の請求について裁判所が認定した全額」について「相殺をもって対抗した全額」について、これは、訴求債権のうち裁判所が認定しなかった部分については、そもそも相殺の抗弁を考える必要がないからである。

▼ **最判平10.4.30・百選41事件〈司H26〉〈予R2〉**

判旨：「被告による訴訟上の相殺の抗弁に対し原告が訴訟上の相殺を再抗弁として主張することは、……不適法として許されない」。なぜなら、①「訴訟外において相殺の意思表示がされた場合には、相殺の要件を満たしている限り、これにより確定的に相殺の効果が発生するから、これを再抗弁として主張することは妨げないが、訴訟上の相殺の意思表示は、相殺の意思表示がされたことにより確定的にその効果を生ずるものではなく、当該訴訟において裁判所により相殺の判断がされることを条件として実体法上の相殺の効果が生ずるものであるから、相殺の抗弁に対して更に相殺の抗弁を主張することが許されるものとすると、仮定の上に仮定が積み重ねられて当事者間の法律関係を不安定にし、いたずらに審理の錯雑を招くことになる」のであって〔……省略〕、②「原告の訴訟物である債権以外の債権を被告が相殺のために主張するのであれば、別訴を提起することにより右債権を当該訴訟において主張することや、又は別訴を提起することにより右債権を行使することが可能であり、……右債権による訴訟上の相殺の再抗弁を許さないとしても格別不都合はない」し、③「民訴法114条2項……の規定は判決の理由中の判断に既判力を生じさせる唯一の例外を定めたものであることにかんがみると、同条項の適用範囲を無制限に拡大するのは相当でないと解されるからである」。

解説：本判決は、相殺の抗弁に対するいわゆる再抗弁について、訴訟上の相殺の再抗弁は不適法であるが、訴訟外の相殺の意思表示の主張は適法であると判示している。さらに、訴訟上の相殺の主張の判断については、114条2項が適用ないし類推適用されると解するのが通説とされている。

2　争点効と信義則（21による拘束力）〈司R5〉〈予H29〉〈予R2〉

既判力は、訴訟物たる権利・法律関係の存否の判断について生じ、理由中の判断については生じないのが原則である（⇒p.158）。もっとも、前訴で敗訴した当事者による紛争の蒸し返しを防ぐため、例外的に、理由中の判断に拘束力を認めるべきではないかが問題となる。

(1)　争点効

争点効とは、前訴で当事者が主要な争点として争い、かつ、裁判所がこれを審理して下した争点についての理由中の判断に生ずる通用力で、同一の争点を主要な先決問題とした別異の後訴請求の審理において、その判断に反する主張立証を許さず、これと矛盾する判断を禁止する効力をいう。争点効を肯定する学説によれば、争点効の根拠は信義則や当事者間の公平に求めら

● 最新判例インターネットフォロー ●

　本書の発刊後にも、短答式試験で出題されるような重要な判例が出されることがあります。

　そこで、完全整理択一六法を購入し、アンケートにお答えいただいた方に、ウェブ上で最新判例情報を随時提供させていただきます。

・ユーザー名は〈WINSHIHOU〉、
　パスワードは〈kantaku〉となります。

※画面イメージ

アクセス方法

LEC司法試験サイトにアクセス
(https://www.lec-jp.com/shihou/)

↓

ページ最下部の「書籍特典 購入者登録フォーム」へアクセス
(https://www.lec-jp.com/shihou/book/member/)

↓

「完全整理択一六法 書籍特典応募フォーム」にアクセスし、
上記ユーザー名・パスワードを入力

↓

アンケートページにてアンケートに回答

↓

登録いただいたメールアドレスに最新判例情報ページへの
案内メールを送付いたします

完全整理　択一六法

民事訴訟法

第1編　総則

・第1章・【通則】

《概　説》

一　民事訴訟手続の必要性

　　民事訴訟は、私的紛争を公権的強制的に解決する手続であり、民事訴訟法はその内容を定める。

> ▼　**最大判昭56.12.16・百選〔第三版〕3事件**
>
> 　　判旨：　航空機の離発着の差止めを求める訴えは航空行政権の行使の取消変更を求める請求を包含するので、行政訴訟により何らかの請求をなし得るかはともかく民事訴訟としては不適法である。

二　民事訴訟の目的

　1　紛争解決の要請

　2　私法秩序維持の要請

　3　権利保護の要請

三　民事訴訟法の解釈原理

　1　紛争解決の要請、私法秩序の維持という国家側からの要請から派生する解釈原理

　（1）　訴訟経済の要請

　（2）　手続安定の要請

　（3）　手続の明確・画一的処理の要請

　（4）　一挙抜本的解決の要請

　2　権利保護の要請という国民側からの要請から派生する指導原理

　（1）　裁判を受ける権利の平等な保障の要請

　（2）　実体法的地位の手続保障の要請

　（3）　訴訟の公開の要請

　3　信義則（2）

　　　明文規定の解釈の基準であるとともに、明文を欠く場合の個別的問題の処理の基準とされる。

　（1）　矛盾挙動禁止の原則（訴訟上の禁反言）

　　　　一方当事者の訴訟追行態度を信頼して訴訟を追行してきた相手方当事者の信頼を裏切り、その訴訟上の地位を崩壊させるような場合は、先行行為と矛

盾する一方当事者の訴訟行為は信義則により否定される。(ex. 前訴で賃借権の存在を主張して所有者からの明渡請求を退けた勝訴者が、所有者からの賃料請求の後訴において、賃借権の存在を否定するような主張をする場合)

(2) 権利失効の原則

　　一方当事者が訴訟上認められた権利を長期間行使せず、もはや行使することはないとの信頼を相手方当事者に与えたといえる場合は、信義則により、もはやその権利を主張できなくなる。

(3) 訴訟状態の不当形成の排除

　　一方当事者が故意に一定の訴訟上の状態を作り出し、不当に利益を受けることは、信義則によって否定される。

(4) 訴訟上の権能の濫用禁止

　　訴訟上の権能を濫用することは、信義則(2)により否定される。

▼　最判昭63.1.26・百選34事件

事案：　前訴で勝訴し確定判決を得た前訴被告Xが前訴原告Yに対して、前訴の提起が不法行為に当たると主張し、前訴弁護士費用の賠償と慰謝料の支払を求めた。

判旨：　「民事訴訟を提起した者が敗訴の確定判決を受けた場合において、右訴えの提起が相手方に対する違法な行為といえるのは、当該訴訟において提訴者の主張した権利又は法律関係(以下『権利等』という)が事実的、法律的根拠を欠くものであるうえ、提訴者が、そのことを知りながら又は通常人であれば容易にそのことを知りえたといえるのにあえて訴えを提起したなど、訴えの提起が裁判制度の趣旨目的に照らして著しく相当性を欠くと認められるときに限られるものと解するのが相当である」とした。

四　訴訟と非訟

1　非訟事件とは、当事者間の権利義務に関する紛争を前提とせず、裁判所が一定の法律関係を形成するという性質の事件をいう。

2　具体的な非訟手続

(1) 家事審判

　　平成23年の改正(平成23法52)により家事審判法は家事事件手続法となった。親族間の扶養、遺産分割、夫婦の同居、推定相続人の廃除など別表第1及び第2に掲げる事項は同法によって審判されることとなった(家事39)。

(2) 借地非訟事件

　　借地をめぐる紛争のうち、一定の場合については、借地非訟事件(借地借家法四章)として処理される。

3 訴訟と非訟の区別・具体的相違

　訴訟は、実体法を具体的に適用して権利義務の存否を判断する司法作用であるのに対し、非訟は、国が私人間の生活関係に後見的に介入して調整を図る民事行政であるとして区別される（通説）。

(1) 訴訟

　二当事者対立構造、処分権主義、公開主義などを原則とし、判決により当事者の権利義務を判断する。

(2) 非訟

　対立当事者は不要で、処分権主義は排除され（職権探知主義が原則）〈司〉、非公開が原則とされる〈司〉。裁判所の判断は決定により示される。

▼ **最大決昭 40.6.30・百選 1 事件**〈司〉

事案：　夫婦の同居義務を家庭裁判所の審判事項としていること（民 752、家審 9 Ⅰ乙類①（現家事 39 別表 2 Ⅰ））が、裁判を受ける権利（憲 32）や裁判の公開（同 82 条）との関係で問題になった。

決旨：　「法律上の実体的権利義務自体につき争があり、これを確定するには、公開の法廷における対審及び判決によるべき」であるが、「審判は夫婦同居の義務等の実体的権利義務自体を確定する趣旨のものではなく」、夫婦の同居の義務等を前提とする審判が確定しても、「同居義務等自体については公開の法廷における対審及び判決を求める途が閉ざされているわけではない」から、憲法 82 条、32 条に反しない、と判断した。

＜訴訟と非訟＞

	訴訟	非訟
性質	司法手続	民事行政手続
手続原則	当事者主義 （処分権主義・弁論主義）	職権主義 （処分権主義の排除・職権探知主義）
手続方式	必要的口頭弁論	審問
公開の有無	公開主義	非公開主義
裁判	判決 拘束力あり	決定 事情変更による取消し・変更が可能
不服申立て	控訴・上告	抗告

4　非訟事件手続法及び家事事件手続法の平成23年法改正について

　平成23年に成立した非訟事件手続法（平成23法51）及び家事事件手続法（平成23法52）は、非訟事件に関する適正な審理と裁判を実現するため、以下のような新たな規定を設けている。

(1)　非訟事件手続法

　　当事者等の手続保障を図るための制度の拡充として、①裁判の結果に対する利害関係を有するものが手続に主体的に関与し、参加人として主張や反論等の手続行為をすることができるようにし（非訟20、21）、その前提として、②事件記録の閲覧謄写に関する制度を新設した（非訟32）。また、③裁判所が行った事実の調査の結果を当事者及び利害関係参加人に通知すること（非訟52）、証拠調べに関する当事者の申立権（非訟49Ⅰ）、文書提出命令の発令（非訟53）、抗告審の原裁判所の終局決定に対する取消しの制限（非訟70）などが新設された。

(2)　家事事件手続法

　　当事者の手続保障を図る視点から上記①、②に対応する規定を設けた（家事41・42、47）。また、上記③と同様に、家庭裁判所が行った事実の調査の結果を当事者及び利害関係参加人に通知すること（家事63）や、文書提出命令の発令も可能にした（家事64）。また、④意思能力のある子供を手続に参加させる（家事42Ⅲ）に当たり、弁護士を手続代理人に選任する可能性を認めること（家事23Ⅱ）などが新設された。

　　さらに、⑤紛争性が高いとみられる「家事調停をすることができる事項についての家事審判の手続の特則」として、家事審判の申立書の写しの送付（家事67Ⅰ本文）、審判前の当事者の陳述の聴取（家事68Ⅰ）、審問期日における他方当事者の立会権（家事69）、事実調査の通知（家事70）、審理の終結概念を導入し（家事71）、審判日を定めること（家事72）なども新設された。

第1条　（趣旨）

　民事訴訟に関する手続については、他の法令に定めるもののほか、この法律の定めるところによる。

第2条　（裁判所及び当事者の責務）

　裁判所は、民事訴訟が公正かつ迅速に行われるように努め、当事者は、信義に従い誠実に民事訴訟を追行しなければならない。

第3条　（最高裁判所規則）

　この法律に定めるもののほか、民事訴訟に関する手続に関し必要な事項は、最高裁判所規則で定める。

《注　釈》

◆　攻撃防御方法の提出と信義則

　　当事者の訴訟行為は、信義に従い誠実になされなければならない（2）。信義則違反については、①訴訟上の禁反言、②訴訟上の権能の濫用の禁止、③訴訟状態の不当形成の排除、④訴訟上の権能の失効の4類型に即して検討される。

1　①訴訟上の禁反言

▼　最判昭51.3.23・百選〔第5版〕42事件

判旨：　売買契約の無効等を原因として本訴請求がなされたのに対して、被告がその有効性を前提に反訴をなしたところ、原告は本訴請求を放棄して売買契約の有効性を前提に再反訴を提起した。これに対し、被告は反訴請求を放棄し、再反訴請求を拒むため売買契約の取消し・解除を抗弁として主張することは信義則に反し許されない。

▼　最判令元.7.5・百選40事件

事案：　Yに金員を交付し、Y所有建物の所有権移転登記を受けたAは、Yに対して、本件建物につき売買契約を締結したとして建物明渡請求訴訟を提起したが、棄却された（前訴1）。また、Xは、Yに対して、AがYと本件建物につき譲渡担保設定予約をし、予約完結権を行使した上で譲渡担保権を実行し、本件建物をXに売却したとして所有権に基づく建物明渡請求訴訟を提起したが、棄却された（前訴2）。いずれの訴訟においても、Yは、AY間で締結された契約は金銭消費貸借であると主張していた。

　　その後、XがAからYに対する貸金返還請求権を譲り受けたとして、Yに対して提起したXのYに対する貸金返還請求訴訟（本件訴訟）において、Xは、AY間の金銭消費貸借契約の締結を主張したのに対し、Yは、一転して金銭消費貸借契約の成立を否認した。

判旨：　「Xが各前訴におけるYの主張に合わせる形で金銭消費貸借契約の成立を前提として貸金等の支払を求める本件訴訟を提起したところ、Yは、一転して金銭消費貸借契約の成立を否認したというのである。各前訴の判決は確定しており、仮に、本件訴訟において上記の否認をすることが許されてXの貸金返還請求が棄却されることになれば、Yが本件金員を受領しているにもかかわらず、Xは、Yに対する本件建物の明渡請求のみならず上記貸金返還請求も認められないという不利益を被ることとなる。これらの諸事情によれば、本件訴訟において、Yが金銭消費貸借契約の成立を否認することは、信義則に反することが強くうかがわれる。なお、Xは、原審において、Yが各前訴では自らAの面前で金銭消費貸借契約書に署名押印したことや本件金員を返す予定であることを積極的かつ具体的に主張していたなどと主張しているところ、この主張に係る

事情は、Ｙが従前の主張と矛盾する訴訟行為をしないであろうというＸの信頼を高め、上記の信義則違反を基礎付け得るものといえる。」

2　②訴訟上の権能の濫用の禁止

　訴訟上の権能を濫用することは許されない。たとえば、忌避（24Ⅰ）の申立てがされると訴訟手続が停止してしまうため（26）、濫用的な忌避申立ては却下され得る。

　また、訴えの提起が訴権の濫用に当たる場合には、訴えの利益を欠くとして、訴えが却下されるとする見解が有力である。判例（最判昭 53.7.10・百選29事件）にも、訴権の濫用を理由に訴えの提起を却下したものがある。

▼ 最判昭 53.7.10・百選 29 事件

事案：　Ｙ有限会社は、Ｘとその娘Ａを中心として薬局を営む同族会社である。Ｙ会社は昭和47年に経営が行き詰まったため、Ｘらはその持分をＣ・Ｄ夫婦に譲渡した。Ｃ・Ｄ夫婦は持分譲渡の代償としてＹ会社の債務の弁済等のために500万円を出捐した。同日、上記持分譲渡について社員総会で承認されたとして登記がされたが、実際は社員総会の招集・開催はなかった。Ｘは、持分譲渡の合意後約3年を経た昭和50年5月、上記社員総会決議の不存在の確認を求めて訴えを提起した。

判旨：　本件事情のもとで、「Ｘが社員総会の持分譲渡決議の不存在を主張し、Ｙ会社の経営が事実上Ｃ・Ｄ夫婦の手に委ねられてから相当長年月経たのちに右決議及びこれを前提とする一連の社員総会の決議の不存在確認を求める本訴を提起したことは、特段の事情のない限り、Ｘにおいて何ら正当な事由なくＹ会社に対する支配の回復を図る意図に出たものというべく、Ｘのこのような行為はＣ・Ｄ夫婦に対して甚しく信義を欠き、道義上是認しえないものというべきである」とした上で、「Ｘの本訴の提起がＣ・Ｄ夫婦に対する著しい信義違反の行為であること及び請求認容の判決が第三者であるＣ・Ｄ夫婦に対してもその効力を有することに鑑み、Ｘの本訴提起は訴権の濫用にあたる」とした。

3　③訴訟状態の不当形成の排除

　故意により一定の訴訟状態を不当に作り上げた場合、信義則によりその効果は認められない。

　ex.　裁判籍を取得するためだけに特定の地域に居住する者を被告として追加し、訴訟係属した後に当該被告に対する訴えを取り下げた場合

4　④訴訟上の権能の失効

　訴訟上の権能を長期に行使しなかった場合、相手方の信頼を保護すべきであるから、もはやその行使を認めることはできない。

　ex.　長期間経過した後に通常抗告（328Ⅰ）をした場合

・第2章・【裁判所】

《概　説》

一　民事裁判権

　民事訴訟を処理する権能を民事裁判権という（刑事裁判権と合わせて裁判権又は司法権という）。ある裁判所が受訴裁判所となりうるためには、当該訴訟について裁判権をもつことと、管轄権をもつことが必要である。

二　民事裁判権の及ぶ人的範囲

1　原則

　民事裁判権は、原則としてわが国にいるすべての人（自然人、法人）に及ぶ。

2　例外

(1)　外国国家及び外国の元首や大使・公使など国際法上治外法権を認められている者には、民事裁判権は及ばない（外交関係に関するウィーン条約31、32、37、38等）。

(2)　天皇については、争いがあるが、近時の判例は否定説に立つ（最判平元.11.20）。

三　民事裁判権の及ぶ物的範囲

1　民事裁判権は、原則として、わが国内の事件に及ぶ。

2　国際的事件についてどの国の裁判所が裁判権を行使できるのかは国際裁判管轄権の問題となる。国際裁判管轄については、これまでは、条理を中心とした判例法理に従って判断がなされてきた（下記の判例参照）。こうした判断枠組みについては、ルールの明確性を欠き、予測可能性が高いとはいえないとの批判がなされてきた。

　そこで、国際裁判管轄に関する明文規定を含む「民事訴訟法及び民事保全法の一部を改正する法律案」が国会に提出され、同法は平成23年4月28日（第177回国会）に成立し、同年5月2日に公布された（平成24年4月1日施行）。

　新法では、まず国際裁判管轄に関する管轄原因（3の2以下）の有無が判断される。管轄原因の策定に当たっては、項目は同じではなく、新設、あるいは変更された管轄原因もある。たとえば、消費者契約及び労働関係に関する訴え（3の4、3の7ⅤⅥ）などが新設された。そのほか併合請求等と国際裁判管轄（3の6）、国際裁判管轄の合意（3の7）、応訴による国際裁判管轄（3の8）が規定されている。

　管轄原因がある場合においても、「特別の事情」（3の9）の有無を判断し、国際裁判管轄は否定される場合がある。ただし、日本の裁判所にのみ訴えを提起することができる旨の合意（専属的管轄合意）により日本の裁判所が管轄権

を有することとなる場合には、「特別の事情」による訴えの却下は許されない（3の9かっこ書）。当事者の意思に反することが理由である。

▼ 最判昭 56.10.16・百選〔第三版〕123 事件

判旨：　国際裁判管轄について、「当事者の衡平、裁判の適正・迅速を期するという理念により条理にしたがって決定するのが相当であり……民訴法の規定する裁判籍のいずれかがわが国内にあるときは、これらに関する訴訟事件につき、被告をわが国の裁判権に服させるのが右条理に適う」とした。

▼ 最判平 8.6.24・百選〔第三版〕A53 事件

判旨：　ドイツに居住するドイツ人Yが日本に居住する日本人Xに対し既にドイツで離婚の訴えを提起し、Yが勝訴したものの、日本で承認されないため日本では婚姻が継続している場合、日本に離婚の訴えを提起する以外にはXの救済の途がなく、日本の国際裁判管轄を認めることは条理に適うとした。

四　民事裁判権欠缺の効果

1　裁判所の取扱い

裁判権の存在は訴訟要件であるから、裁判権を欠くことがわかれば、請求の当否の審理に入らないで、訴えは不適法として直ちに却下される。裁判権の及ばない者は証人や鑑定人となる義務も負わない。裁判権の存否は職権調査事項であり、職権探知主義が妥当する。

2　看過してなされた判決の効力

判決が未確定の場合：当事者は、上訴で取消しを求めることができる。

判決確定後：再審事由（338）に該当しないため、再審の訴えを提起することはできない。

もっとも、裁判権に服さない者に対する判決は当然に無効とされ、既判力や執行力を生じないので、再審によって取り消す実益もない。

■第1節　日本の裁判所の管轄権

第3条の2　（被告の住所等による管轄権）

Ⅰ　裁判所は、人に対する訴えについて、その住所が日本国内にあるとき、住所がない場合又は住所が知れない場合にはその居所が日本国内にあるとき、居所がない場合又は居所が知れない場合には訴えの提起前に日本国内に住所を有していたとき（日本国内に最後に住所を有していた後に外国に住所を有していたときを除く。）は、管轄権を有する。

Ⅱ　裁判所は、大使、公使その他外国に在ってその国の裁判権からの免除を享有する日本人に対する訴えについて、前項の規定にかかわらず、管轄権を有する。

Ⅲ　裁判所は、法人その他の社団又は財団に対する訴えについて、その主たる事務所又は営業所が日本国内にあるとき、事務所若しくは営業所がない場合又はその所在地が知れない場合には代表者その他の主たる業務担当者の住所が日本国内にあるときは、管轄権を有する。

第３条の３　（契約上の債務に関する訴え等の管轄権）

Ⅰ　次の各号に掲げる訴えは、それぞれ当該各号に定めるときは、日本の裁判所に提起することができる。

①　契約上の債務の履行の請求を目的とする訴え又は契約上の債務に関して行われた事務管理若しくは生じた不当利得に係る請求、契約上の債務の不履行による損害賠償の請求その他契約上の債務に関する請求を目的とする訴え　契約において定められた当該債務の履行地が日本国内にあるとき、又は契約において選択された地の法によれば当該債務の履行地が日本国内にあるとき。

②　手形又は小切手による金銭の支払の請求を目的とする訴え　手形又は小切手の支払地が日本国内にあるとき。

③　財産権上の訴え　請求の目的が日本国内にあるとき、又は当該訴えが金銭の支払を請求するものである場合には差し押さえることができる被告の財産が日本国内にあるとき（その財産の価額が著しく低いときを除く。）。

④　事務所又は営業所を有する者に対する訴えでその事務所又は営業所における業務に関するもの　当該事務所又は営業所が日本国内にあるとき。

⑤　日本において事業を行う者（日本において取引を継続してする外国会社（会社法（平成17年法律第86号）第２条第２号に規定する外国会社をいう。）を含む。）に対する訴え　当該訴えがその者の日本における業務に関するものであるとき。

⑥　船舶債権その他船舶を担保とする債権に基づく訴え　船舶が日本国内にあるとき。

⑦　会社その他の社団又は財団に関する訴えで次に掲げるもの　社団又は財団が法人である場合にはそれが日本の法令により設立されたものであるとき、法人でない場合にはその主たる事務所又は営業所が日本国内にあるとき。

イ　会社その他の社団からの社員若しくは社員であった者に対する訴え、社員からの社員若しくは社員であった者に対する訴え又は社員であった者からの社員に対する訴えで、社員としての資格に基づくもの

ロ　社団又は財団からの役員又は役員であった者に対する訴えで役員としての資格に基づくもの

ハ　会社からの発起人若しくは発起人であった者又は検査役若しくは検査役であった者に対する訴えで発起人又は検査役としての資格に基づくもの

ニ　会社その他の社団の債権者からの社員又は社員であった者に対する訴えで社員としての資格に基づくもの

⑧　不法行為に関する訴え　不法行為があった地が日本国内にあるとき（外国で行われた加害行為の結果が日本国内で発生した場合において、日本国内におけるその結果の発生が通常予見することのできないものであったときを除く。）。

⑨　船舶の衝突その他海上の事故に基づく損害賠償の訴え　損害を受けた船舶が最初に到達した地が日本国内にあるとき。

⑩　海難救助に関する訴え　海難救助があった地又は救助された船舶が最初に到達した地が日本国内にあるとき。

⑪　不動産に関する訴え　不動産が日本国内にあるとき。

⑫　相続権若しくは遺留分に関する訴え又は遺贈その他死亡によって効力を生ずべき行為に関する訴え　相続開始の時における被相続人の住所が日本国内にあるとき、住所がない場合又は住所が知れない場合には相続開始の時における被相続人の居所が日本国内にあるとき、居所がない場合又は居所が知れない場合には被相続人が相続開始の前に日本国内に住所を有していたとき（日本国内に最後に住所を有していた後に外国に住所を有していたときを除く。）。

⑬　相続債権その他相続財産の負担に関する訴えで前号に掲げる訴えに該当しないもの　同号に定めるとき。

第3条の4　（消費者契約及び労働関係に関する訴えの管轄権）

Ⅰ　消費者（個人（事業として又は事業のために契約の当事者となる場合におけるものを除く。）をいう。以下同じ。）と事業者（法人その他の社団又は財団及び事業として又は事業のために契約の当事者となる場合における個人をいう。以下同じ。）との間で締結される契約（労働契約を除く。以下「消費者契約」という。）に関する消費者からの事業者に対する訴えは、訴えの提起の時又は消費者契約の締結の時における消費者の住所が日本国内にあるときは、日本の裁判所に提起することができる。

Ⅱ　労働契約の存否その他の労働関係に関する事項について個々の労働者と事業主との間に生じた民事に関する紛争（以下「個別労働関係民事紛争」という。）に関する労働者からの事業主に対する訴えは、個別労働関係民事紛争に係る労働契約における労務の提供の地（その地が定まっていない場合にあっては、労働者を雇い入れた事業所の所在地）が日本国内にあるときは、日本の裁判所に提起することができる。

Ⅲ　消費者契約に関する事業者からの消費者に対する訴え及び個別労働関係民事紛争に関する事業主からの労働者に対する訴えについては、前条の規定は、適用しない。

第3条の5　（管轄権の専属）

Ⅰ　会社法第7編第2章に規定する訴え（同章第4節及び第6節に規定するものを除く。）、一般社団法人及び一般財団法人に関する法律（平成18年法律第48号）第6章第2節に規定する訴えその他これらの法令以外の日本の法令により設立された社団又は財団に関する訴えでこれらに準ずるものの管轄権は、日本の裁判所に専属する。

総則

Ⅱ　登記又は登録に関する訴えの管轄権は、登記又は登録をすべき地が日本国内にあるときは、日本の裁判所に専属する。

Ⅲ　知的財産権（知的財産基本法（平成14年法律第122号）第2条第2項に規定する知的財産権をいう。）のうち設定の登録により発生するものの存否又は効力に関する訴えの管轄権は、その登録が日本においてされたものであるときは、日本の裁判所に専属する。

第3条の6　（併合請求における管轄権）

一の訴えで数個の請求をする場合において、日本の裁判所が一の請求について管轄権を有し、他の請求について管轄権を有しないときは、当該一の請求と他の請求との間に密接な関連があるときに限り、日本の裁判所にその訴えを提起することができる。ただし、数人からの又は数人に対する訴えについては、第38条前段に定める場合に限る。

第3条の7　（管轄権に関する合意）

Ⅰ　当事者は、合意により、いずれの国の裁判所に訴えを提起することができるかについて定めることができる。

Ⅱ　前項の合意は、一定の法律関係に基づく訴えに関し、かつ、書面でしなければ、その効力を生じない。

Ⅲ　第1項の合意がその内容を記録した電磁的記録（電子的方式、磁気的方式その他人の知覚によっては認識することができない方式で作られる記録であって、電子計算機による情報処理の用に供されるものをいう。以下同じ。）によってされたときは、その合意は、書面によってされたものとみなして、前項の規定を適用する。

Ⅳ　外国の裁判所にのみ訴えを提起することができる旨の合意は、その裁判所が法律上又は事実上裁判権を行うことができないときは、これを援用することができない。

Ⅴ　将来において生ずる消費者契約に関する紛争を対象とする第1項の合意は、次に掲げる場合に限り、その効力を有する。

①　消費者契約の締結の時において消費者が住所を有していた国の裁判所に訴えを提起することができる旨の合意（その国の裁判所にのみ訴えを提起することができる旨の合意については、次号に掲げる場合を除き、その国以外の国の裁判所にも訴えを提起することを妨げない旨の合意とみなす。）であるとき。

②　消費者が当該合意に基づき合意された国の裁判所に訴えを提起したとき、又は事業者が日本若しくは外国の裁判所に訴えを提起した場合において、消費者が当該合意を援用したとき。

Ⅵ　将来において生ずる個別労働関係民事紛争を対象とする第1項の合意は、次に掲げる場合に限り、その効力を有する。

① 労働契約の終了の時にされた合意であって、その時における労務の提供の地がある国の裁判所に訴えを提起することができる旨を定めたもの（その国の裁判所にのみ訴えを提起することができる旨の合意については、次号に掲げる場合を除き、その国以外の国の裁判所にも訴えを提起することを妨げない旨の合意とみなす。）であるとき。

② 労働者が当該合意に基づき合意された国の裁判所に訴えを提起したとき、又は事業主が日本若しくは外国の裁判所に訴えを提起した場合において、労働者が当該合意を援用したとき。

第3条の8 （応訴による管轄権）

被告が日本の裁判所が管轄権を有しない旨の抗弁を提出しないで本案について弁論をし、又は弁論準備手続において申述をしたときは、裁判所は、管轄権を有する。

第3条の9 （特別の事情による訴えの却下）

裁判所は、訴えについて日本の裁判所が管轄権を有することとなる場合（日本の裁判所にのみ訴えを提起することができる旨の合意に基づき訴えが提起された場合を除く。）においても、事案の性質、応訴による被告の負担の程度、証拠の所在地その他の事情を考慮して、日本の裁判所が審理及び裁判をすることが当事者間の衡平を害し、又は適正かつ迅速な審理の実現を妨げることとなる特別の事情があると認めるときは、その訴えの全部又は一部を却下することができる。

第3条の10 （管轄権が専属する場合の適用除外）

第3条の2から第3条の4まで及び第3条の6から前条までの規定は、訴えについて法令に日本の裁判所の管轄権の専属に関する定めがある場合には、適用しない。

第3条の11 （職権証拠調べ）

裁判所は、日本の裁判所の管轄権に関する事項について、職権で証拠調べをすることができる。

第3条の12 （管轄権の標準時）

日本の裁判所の管轄権は、訴えの提起の時を標準として定める。

■第2節 管轄

一 管轄の意義

管轄：各裁判所間の事件分担の定めのこと

管轄権：管轄の定めによって各裁判所が特定の事件につき裁判権を行使し得る権限

二 訴訟要件としての管轄権

管轄権の存在は、本案判決をする要件（訴訟要件）の1つとなり、裁判所は、

当事者が管轄違いの主張をしなくても、職権で事件についての管轄権の存在を確かめなければならない（職権調査事項）⟨予⟩。

1　法定管轄、合意管轄、応訴管轄、指定管轄（根拠の差異による分類）
　　→それぞれ、法律の規定、当事者間の合意、被告の応訴、裁判を根拠として管轄が生じる

2　職分管轄、事物管轄、土地管轄（実現する目的の差異による分類）

（1）職分管轄

　　　職分管轄とは、裁判権の種々の作用をいずれの裁判所に分担させるのが適当かという目的に照らして定められるものである。

　　　職分管轄には、審級管轄権や、簡易裁判所の管轄権、家庭裁判所の管轄権などがある。それぞれ、裁判所の判決に対する上訴、簡易迅速な処理を要する訴え、専門性の高い人事訴訟についての分担を定めたものである。

　　　職分管轄は、裁判権の合理的分担という公益的な観点から法律上定められるもの（法定管轄）であり、当事者の意思によって変更することは許されない（専属管轄）⟨共⟩。

（2）事物管轄

　　　事物管轄とは、第一審の受訴裁判所としての裁判権の行使を地方裁判所と簡易裁判所のいずれに分担させるのが適切かという目的に照らして定められるものである。

　　　訴訟の目的物の価額（訴額）が 140 万円を超えない場合には簡易裁判所の管轄に属し（裁判所 33 Ⅰ ①）、それ以外の請求については地方裁判所の管轄に属する（同 24 ①）。もっとも、簡易裁判所による簡易な手続（⇒ p.427）を選択するか否かについては、当事者の判断を尊重する余地を残すべきとの理由から、任意管轄とされている。そのため、当事者の合意（11）や応訴（12）によって変更され得る⟨予⟩。なお、「不動産に関する訴訟」の第一審については、その訴額が 140 万円を超えない場合であっても、地方裁判所の管轄に属する（同 24 ①）。そのため、140 万円を超えない価額の土地の明渡しを求める訴えの第一審は、簡易裁判所の管轄に属するとともに、地方裁判所の管轄にも属する⟨予⟩。

　　　また、簡易裁判所の事物管轄に属する事件について地方裁判所が管轄権を行使すること（16 Ⅱ本文）や、簡易裁判所の裁量移送（18）、一定の場合の必要的移送（19）が認められている。

　　　なお、8 条及び 9 条は、訴額の算定について規定している。

（3）土地管轄

　　　土地管轄とは、職分管轄及び事物管轄を有する裁判所が複数存在する場合に、いずれの地の裁判所に分担させるのが適切かという目的に照らして定められるものである。

　　土地管轄は、裁判籍のある裁判所に認められる。裁判籍には、普通裁判籍と特別裁判籍があり、複数の裁判籍が生じる場合、原告は裁判籍のある管轄裁判所の中から1つを選択して訴えを提起することができる。

　　当事者間の公平という視点から定められる法定管轄であり、特別の規定がある場合を除き（人訴4Ⅰ、会835Ⅰなど）、原則として任意管轄である。

3 　専属管轄、任意管轄（強制力の有無による分類）

(1) 　専属管轄

　　　特定の裁判所だけに管轄権が認められる場合。

　　　特に裁判の適正・円滑・迅速など公益的要求に基づいて管轄が決められている場合は、これに反する当事者の意思による管轄権設定は許されず、専属管轄とされる。

　　　ex. 　職分管轄、審級管轄

(2) 　任意管轄

　　　当事者双方の意思で、法定管轄とは異なる裁判所に管轄を認めることができる場合。

　　　特に当事者の便宜や被告の管轄の利益のために管轄が決められている場合で、当事者双方の意思に従って法定管轄と異なる裁判所に管轄を認めても支障のない場合、任意管轄とされる。

　　　ex. 　事物管轄、土地管轄は原則として任意管轄（例外：人訴4、会835）

<管轄の種類>

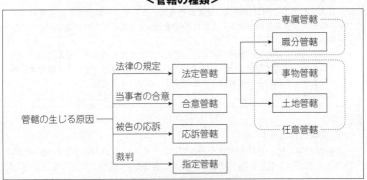

<裁判権と管轄権>

	裁判権	管轄権
共通点	・訴訟要件 ・職権調査事項 ・職権探知主義（＊）	

15

		裁判権	管轄権
相違点	意義	わが国の裁判所を一体としてみた場合の人に対する権限（人的限界）及び事件に対する権限（物的限界）であり、日本の裁判所全体について抽象的に考えられる権限	裁判権の存在を前提にして、具体的にこれをどの裁判所が行うかの問題
	欠缺の効果	裁判権を欠く訴えは不適法として却下	管轄違いの訴えは不適法として却下するのではなく、管轄権ある裁判所に移送しなければならない（16 I）

* 管轄については、公益性の強い専属管轄についてのみ職権探知主義が妥当し、任意管轄については弁論主義が妥当する。

第4条 （普通裁判籍による管轄）

I 訴えは、被告の普通裁判籍の所在地を管轄する裁判所の管轄に属する〈同予〉。

II 人の普通裁判籍は、住所により、日本国内に住所がないとき又は住所が知れないときは居所により、日本国内に居所がないとき又は居所が知れないときは最後の住所により定まる〈同書〉。

III 大使、公使その他外国に在ってその国の裁判権からの免除を享有する日本人が前項の規定により普通裁判籍を有しないときは、その者の普通裁判籍は、最高裁判所規則で定める地にあるものとする。

IV 法人その他の社団又は財団の普通裁判籍は、その主たる事務所又は営業所により、事務所又は営業所がないときは代表者その他の主たる業務担当者の住所により定まる〈同共〉。

V 外国の社団又は財団の普通裁判籍は、前項の規定にかかわらず、日本における主たる事務所又は営業所により、日本国内に事務所又は営業所がないときは日本における代表者その他の主たる業務担当者の住所により定まる〈署〉。

VI 国の普通裁判籍は、訴訟について国を代表する官庁の所在地により定まる。

《注 釈》

一 普通裁判籍（4）

普通裁判籍とは、事件の種類を問わずに、一般的・原則的に土地管轄の根拠となる地点をいい、被告の生活の拠点（住所、居所、事務所、営業所等）がこれに当たる。これは、一方的に裁判手続に巻き込まれる被告の応訴・防御上の利益の保護を図ったものである。

二 特別裁判籍（5～7）

特別裁判籍とは、特定の種類の事件について、普通裁判籍と競合して認められる土地管轄の根拠となる地点をいう。特別裁判籍は、独立裁判籍（5～6の2）

と関連裁判籍（7）に分けられる。

第5条　（財産権上の訴え等についての管轄）

次の各号に掲げる訴えは、それぞれ当該各号に定める地を管轄する裁判所に提起することができる。

① 財産権上の訴え　義務履行地〈司予〉

② 手形又は小切手による金銭の支払の請求を目的とする訴え　手形又は小切手の支払地

③ 船員に対する財産権上の訴え　船舶の船籍の所在地

④ 日本国内に住所（法人にあっては、事務所又は営業所。以下この号において同じ。）がない者又は住所が知れない者に対する財産権上の訴え　請求若しくはその担保の目的又は差し押さえることができる被告の財産の所在地

⑤ 事務所又は営業所を有する者に対する訴えでその事務所又は営業所における業務に関するもの　当該事務所又は営業所の所在地

⑥ 船舶所有者その他船舶を利用する者に対する船舶又は航海に関する訴え　船舶の船籍の所在地

⑦ 船舶債権その他船舶を担保とする債権に基づく訴え　船舶の所在地

⑧ 会社その他の社団又は財団に関する訴えで次に掲げるもの　社団又は財団の普通裁判籍の所在地

　　イ　会社その他の社団からの社員若しくは社員であった者に対する訴え、社員からの社員若しくは社員であった者に対する訴え又は社員であった者からの社員に対する訴えで、社員としての資格に基づくもの

　　ロ　社団又は財団からの役員又は役員であった者に対する訴えで役員としての資格に基づくもの

　　ハ　会社からの発起人若しくは発起人であった者又は検査役若しくは検査役であった者に対する訴えで発起人又は検査役としての資格に基づくもの

　　ニ　会社その他の社団の債権者からの社員又は社員であった者に対する訴えで社員としての資格に基づくもの

⑨ 不法行為に関する訴え　不法行為があった地〈司〉

⑩ 船舶の衝突その他海上の事故に基づく損害賠償の訴え　損害を受けた船舶が最初に到達した地

⑪ 海難救助に関する訴え　海難救助があった地又は救助された船舶が最初に到達した地

⑫ 不動産に関する訴え　不動産の所在地〈予書〉

⑬ 登記又は登録に関する訴え　登記又は登録をすべき地〈司〉

⑭ 相続権若しくは遺留分に関する訴え又は遺贈その他死亡によって効力を生ずべき行為に関する訴え　相続開始の時における被相続人の普通裁判籍の所在地

⑮ 相続債権その他相続財産の負担に関する訴えで前号に掲げる訴えに該当しないもの　同号に定める地

総則

第6条 （特許権等に関する訴え等の管轄）

Ⅰ 特許権、実用新案権、回路配置利用権又はプログラムの著作物についての著作者の権利に関する訴え（以下「特許権等に関する訴え」という。）について、前2条の規定によれば次の各号に掲げる裁判所が管轄権を有すべき場合には、その訴えは、それぞれ当該各号に定める裁判所の管轄に専属する。

① 東京高等裁判所、名古屋高等裁判所、仙台高等裁判所又は札幌高等裁判所の管轄区域内に所在する地方裁判所 東京地方裁判所

② 大阪高等裁判所、広島高等裁判所、福岡高等裁判所又は高松高等裁判所の管轄区域内に所在する地方裁判所 大阪地方裁判所

Ⅱ 特許権等に関する訴えについて、前2条の規定により前項各号に掲げる裁判所の管轄区域内に所在する簡易裁判所が管轄権を有する場合には、それぞれ当該各号に定める裁判所にも、その訴えを提起することができる。

Ⅲ 第1項第2号に定める裁判所が第一審としてした特許権等に関する訴えについての終局判決に対する控訴は、東京高等裁判所の管轄に専属する。ただし、第20条の2第1項の規定により移送された訴訟に係る訴えについての終局判決に対する控訴については、この限りでない。

第6条の2 （意匠権等に関する訴えの管轄）

意匠権、商標権、著作者の権利（プログラムの著作物についての著作者の権利を除く。）、出版権、著作隣接権若しくは育成者権に関する訴え又は不正競争（不正競争防止法（平成5年法律第47号）第2条第1項に規定する不正競争又は家畜遺伝資源に係る不正競争の防止に関する法律（令和2年法律第22号）第2条第3項に規定する不正競争をいう。）による営業上の利益の侵害に係る訴えについて、第4条又は第5条の規定により次の各号に掲げる裁判所が管轄権を有する場合には、それぞれ当該各号に定める裁判所にも、その訴えを提起することができる。

① 前条第1項第1号に掲げる裁判所（東京地方裁判所を除く。） 東京地方裁判所

② 前条第1項第2号に掲げる裁判所（大阪地方裁判所を除く。） 大阪地方裁判所

[趣旨]知的財産に関する訴訟には、権利の性質上、一般に専門的技術的な要素が存在することから、同種事件についての実務経験の蓄積があり、事件処理のための体制も整っていると考えられる特定の裁判所に管轄を認める。

《注 釈》

一 独立裁判籍

独立裁判籍とは、普通裁判籍と競合して他の事件と無関係にその事件について独立に認められる裁判籍をいう。

ex. 財産上の訴えは義務履行地（5①）、不法行為に関する訴えは不法行為地（5⑨）、手形又は小切手により金銭の支払の請求を目的とする訴えは手形

又は小切手の支払地（5②）、不動産についての訴えは不動産の所在地（5⑫）、特許権等の訴えについては東京地裁・大阪地裁（6、6の2）

▼ **東京地八王子支判昭36.8.31・百選〔第三版〕4事件**

判旨：　不法行為を原因とする管轄権の判断について、裁判所は原告主張の事実に基づいて管轄権を判断するとした。

▼ **大判昭3.10.20**

判旨：　「不法行為があった地」とは、行為のなされた地だけではなく損害の発生した地も含まれる。

二　具体例

1　債権者代位訴訟における訴訟物は被代位債権であるので、5条1号によって債権者の住所地に裁判籍が生じることはない〈司〉。

2　不動産の売買代金は、不動産に関する権利を目的とするものではないので、5条12号によって特別裁判籍が生じることはない〈司書〉。

第7条　（併合請求における管轄）

一の訴えで数個の請求をする場合には、第4条から前条まで（第6条第3項を除く。）の規定により一の請求について管轄権を有する裁判所にその訴えを提起することができる〈司〉。ただし、数人からの又は数人に対する訴えについては、第38条前段に定める場合に限る〈書〉。

《注　釈》

◆　関連裁判籍

1　意義

関連裁判籍とは、他の事件との関連から、その事件については本来管轄権のない裁判所に管轄権を認める場合の裁判籍をいう。

ex.　反訴（146Ⅰ）、中間確認の訴え（145Ⅰ）

2　訴えの客観的併合と併合請求の裁判籍（本文）〈供〉

原告が、1つの訴えで数個の請求をする場合、裁判所がそれらのすべてにつき管轄権をもたなくても、そのうちの1個につき管轄権があれば、その裁判所に他のすべての請求についても、管轄が生じる。

∵　原告及び被告の便宜、多数請求間に矛盾のない判決をすることについての裁判所ないし公共の利益

3　共同訴訟と併合請求の裁判籍（ただし書）

共同訴訟の場合は、38条前段の場合のみ併合請求が可能であり、同条後段の場合には適用されない。

∵　被告の利益に配慮しつつ、一定の範囲において共通の訴訟資料により裁判の統一と訴訟経済を図る

ex. 同一人が所有する複数の不動産のそれぞれの賃借人に対する、所有権に基づく建物明渡請求〔回〕

　もっとも、原告が、7条によって与えられる管轄選択権を濫用するような場合（いわゆる管轄原因の不法取得・裁判籍の盗取）には、併合請求の裁判籍による管轄裁判所への起訴は禁じられる。

▼　**札幌高決昭 41.9.19・百選 A2 事件**

　決旨：　本来管轄のない請求について自己に便利な管轄を生じさせるためだけの目的で、訴訟を追行する意思のない、その裁判所の管轄に属する請求を併せてなすことは、管轄選択権の濫用であり、許容できない。

第8条　（訴訟の目的の価額の算定）

Ⅰ　裁判所法（昭和22年法律第59号）の規定により管轄が訴訟の目的の価額により定まるときは、その価額は、訴えで主張する利益によって算定する。

Ⅱ　前項の価額を算定することができないとき、又は極めて困難であるときは、その価額は140万円を超えるものとみなす。

第9条　（併合請求の場合の価額の算定）

Ⅰ　一の訴えで数個の請求をする場合には、その価額を合算したものを訴訟の目的の価額とする。ただし、その訴えで主張する利益が各請求について共通である場合におけるその各請求については、この限りでない〔同予書〕。

Ⅱ　果実、損害賠償、違約金又は費用の請求が訴訟の附帯の目的であるときは、その価額は、訴訟の目的の価額に算入しない〔継〕。

〔趣旨〕 8条は、裁判所法の規定により訴訟の事物管轄が訴訟の目的の価額により定まることから（裁判所24①、33Ⅰ①）、その価額の算定方法を規定したものである。9条は、一の訴えで数個の請求をする場合には訴額の算定方法について疑義が生じることから、各請求の価額を合算したものを訴訟の目的の価額とすることを定めた〔回〕。

《注　釈》

◆　「訴えで主張する利益が各請求について共通である場合」（9Ⅰただし書）

　売買契約に基づく目的物引渡請求とその執行不能に備えた損害賠償請求を併合提起する場合（代償請求）〔下〕や、主債務者と保証人を共同被告として債務の履行を請求する場合（主観的併合）、賃貸借契約の終了に基づく債権の返還請求と所有権に基づく物権的返還請求を併合提起する場合（選択的併合）などが「訴えで主張する利益が各請求について共通である場合」（9Ⅰただし書）に当たる。

　この場合、訴額は合算しない（9Ⅰただし書）。

　→複数の請求のうち多額の請求を基準として、これに他の請求を吸収する形で

訴額を算定する

▼　最判昭49.2.5・百選〔第5版〕A1事件

判旨：　経済的利益が共通な場合、印紙額算定の基礎となる訴額は数個の請求のうち最も多額な請求の価額により定め、請求の価格を合算すべきではない。

▼　最決平23.5.18・平23重判1事件🖐

事案：　複数の貸金業者から金銭を借りていた債務者が、過払金の返還を求めて貸金業者3社を相手に38条後段の共同訴訟を提起したが、返還請求額はいずれも140万円を超えるものではなかった（ただし、合算すると140万円を超える）ため、相手方から、地方裁判所から簡易裁判所への移送の申立てがなされた。本件では、38条後段の共同訴訟では併合請求の管轄が生じないため（7条ただし書）、訴額の合算（9）も認められず、簡易裁判所の事物管轄とならないかが問題となった。

決旨：　①7条が、4条から6条の2までを受けている文理及び条文が置かれた位置に照らし、土地管轄について規定するものであって事物管轄について規定するものではないこと、②7条ただし書の趣旨が、一の請求の裁判籍によって他の請求についても土地管轄が認められることにより遠隔地での応訴を要求される他の請求の被告の不利益に配慮する点にあること、を理由として、「38条後段の共同訴訟であって、いずれの共同訴訟人に係る部分も受訴裁判所が土地管轄権を有しているものについて、7条ただし書により9条の適用が排除されることはない」とした。

「以上によれば……相手方の本件移送申立てを却下すべきであ」り、合算して140万円を超える場合には、地方裁判所の事物管轄に属するとした。

▼　最決平27.5.19・平27重判1事件

決旨：　民訴法9条2項が、果実等の請求が訴訟の附帯の目的であるときはその価額を訴訟の目的の価額に算入しないものとしているのは、「訴訟の附帯の目的である果実等の請求については、その当否の審理判断がその請求権の発生の基礎となる主たる請求の当否の審理判断を前提に同一の手続においてこれに付随して行われることなどに鑑み、その価額を別個に訴訟の目的の価額に算入することなく、主たる請求の価額のみを管轄の決定や訴えの提起等の手数料に係る算定の基準とすれば足りるとし、これらの基準を簡明なものとする趣旨によるものと解される。」

第10条　（管轄裁判所の指定）

Ⅰ　管轄裁判所が法律上又は事実上裁判権を行うことができないときは、その裁判所の直近上級の裁判所は、申立てにより、決定で、管轄裁判所を定める。

Ⅱ　裁判所の管轄区域が明確でないため管轄裁判所が定まらないときは、関係のある裁判所に共通する直近上級の裁判所は、申立てにより、決定で、管轄裁判所を定める。

Ⅲ　前2項の決定に対しては、不服を申し立てることができない。

〔趣旨〕本条は、抽象的な法定管轄の定めによっては対応できない場合、具体的事件の管轄についてどの裁判所に訴えを提起したらよいのか不明な場合に、具体的事件の管轄裁判所を指定することを定めた。

《概　説》

一　管轄の指定が必要な場合

管轄裁判所が法律上又は事実上裁判権を行使できないとき、及び裁判所の管轄区域が明確でないため管轄裁判所が定まらない場合。

二　管轄指定の手続

当事者の申立てにより、関係のある裁判所に共通する直近上級裁判所が、裁判によって、当該事件の管轄裁判所を定めることができる。

第10条の2　（管轄裁判所の特例）

前節の規定により日本の裁判所が管轄権を有する訴えについて、この法律の他の規定又は他の法令の規定により管轄裁判所が定まらないときは、その訴えは、最高裁判所規則で定める地を管轄する裁判所の管轄に属する。

第11条　（管轄の合意）

Ⅰ　当事者は、第一審に限り、合意により管轄裁判所を定めることができる《予書》。

Ⅱ　前項の合意は、一定の法律関係に基づく訴えに関し、かつ、書面でしなければ、その効力を生じない《予》。

Ⅲ　第1項の合意がその内容を記録した電磁的記録によってされたときは、その合意は、書面によってされたものとみなして、前項の規定を適用する《同予》。

《概　説》

◆　合意管轄

合意管轄とは、当事者の合意により生ずる管轄をいう。

1　合意管轄の趣旨

(1)　管轄裁判所を法定管轄以外とする当事者の便宜を尊重すべきである。

(2)　専属管轄以外の法定管轄は、当事者間の公平や訴訟追行の便宜を考慮して定められているから、当事者双方がこれと異なる管轄を望むときはこれを許容してもかまわない。

2　合意の要件・内容
(1)　第1審の裁判所についてなすこと（Ⅰ）
(2)　一定の法律関係に基づく訴えについてなすこと（Ⅱ）
(3)　法定管轄と異なる定めをすること
(4)　専属管轄の定めがないこと（13）
(5)　書面（電磁的記録を含む）ですること（ⅡⅢ）
(6)　起訴前になされること（15）

3　付加的合意と専属的合意 ▶同R元
(1)　付加的合意と専属的合意の意義
　(a)　付加的合意（競合的合意）の意義
　　　法定管轄のほかに1個又は数個の管轄裁判所を定める当事者の合意。
　(b)　専属的合意の意義
　　　特定の裁判所の管轄のみを認め、他の裁判所の管轄を排除する当事者の合意。
(2)　合意の内容が、専属的か付加的か明示されていない場合にいずれの合意と解するべきかについては争いがあるが、合意が法定管轄の中から選択されている場合のみ専属的合意と解し、それ以外の合意をしている場合には、付加的合意とするのが通説である。

4　合意の方式・時期
　　管轄の合意は書面（電磁的記録を含む）でなされることが必要である（ⅡⅢ）。合意の時期については、訴え提起時までになされることが必要である（15）。

5　合意の効力
(1)　合意により訴訟法上の効果として直接に管轄の発生・消滅の効果が生じる（通説）。
　　　付加的合意では、法定管轄のほかに、合意された裁判所に管轄権を生じ、専属的合意では、他の法定管轄は消滅する。ただし、専属的合意がなされても、法定の専属管轄ではないから、原告がそれ以外の裁判所に訴えた場合に被告が応訴するとその裁判所に応訴管轄が生ずる。
　　　また、合意管轄裁判所は、遅滞を避けるため必要であれば、事件を他の法定の管轄裁判所に移送しうる（17）。
(2)　管轄の合意は、訴訟契約の一種であるから訴訟行為の要件具備を要し、民法上の行為能力とは異なる訴訟能力が要求されるとするのが通説である。
　　　管轄の合意は、直接に訴訟法上の効果を発生するのであって、同時に締結された私法上の契約が取消し・解除等によって消滅しても、管轄の合意の効力には影響はない。
　　　ただし、管轄の合意は、法廷外で取引の一環としてなされる点で実体法上の契約と共通するから、意思表示の瑕疵による無効・取消しについての民法

総則

の規定の類推適用が認められる。

(3) 合意の効力は、第三者に及ばないのが原則である。

　　ただし、包括承継人（相続人等）には及ぶ。訴訟物たる権利関係の特定承継人につき、合意の効力が及ぶかについては争いがあるが、権利関係が、債権のように当事者がその内容を自由に定めうるものであれば、その合意の効力は承継人にも及ぶが、物権（物権法定主義）のように自由に定めることのできないものであれば、承継人には及ばないとするのが通説である〈同〉。

6　合意管轄の具体例

(1) A裁判所を専属管轄とする合意管轄の定めがある場合に、債権者代位権に基づいて、売主の債権者が買主に対して売買代金の支払を求める訴えを提起した。売主の債権者に対しても管轄の合意の効力が及ぶ〈同〉。

(2) A裁判所を専属管轄とする合意管轄の定めがある場合に、買主の債務不履行のため売主が売買契約を解除した。売主は、解除により管轄の合意の効力が失われると主張して、解除を理由とする目的物の返還を求める訴えを、法定管轄のあるB裁判所に提起することはできない〈同〉。

第12条　（応訴管轄）

被告が第一審裁判所において管轄違いの抗弁を提出しないで本案について弁論をし、又は弁論準備手続において申述をしたときは、その裁判所は、管轄権を有する〈同共予〉。

[趣旨] 原告が管轄違いの裁判所に訴えを提起した場合でも、被告が異議なく応訴しているのであれば、管轄について当事者に黙示の合意があったものといえる。そこで、当事者の意思を尊重し、当該裁判所に管轄を認めるものとした。

《概　説》

◆　応訴管轄

1　応訴管轄の要件

(1) 原告が管轄権のない第1審裁判所へ訴えを提起したこと

(2) 被告が管轄違いの抗弁を提出せずに本案について弁論をし、又は弁論準備手続で申述したこと〈同〉

　(a) 本案についての弁論とは、請求の当否に関する陳述をいう。訴訟要件の欠缺を理由とする訴え却下の申立て〈備〉や、裁判官の忌避〈備〉、弁論延期の申立てなどはこれに入らない。

　(b) 請求棄却の申立てについては争いがある。判例は、事実や理由を付すことなく単に請求棄却の判決を申し立てることは、本案の弁論に当たらないとしている（大判大9.10.14）。

　(c) 本案の弁論を記載した準備書面を提出していても、期日に出頭しない以上応訴したことにならない〈子〉。

∴ 被告は、管轄のない裁判所に出頭しなくてよいはずである

(3) 他に法定の専属裁判所がないこと（合意管轄の定めがある場合は含まれない（13））〈司〉。

2 応訴管轄の効果

管轄違いを主張しないで、本案についての弁論をし、又は弁論準備手続で申述をしたときは、その時点で応訴管轄が発生する。

第13条　（専属管轄の場合の適用除外等）

Ⅰ　第4条第1項、第5条、第6条第2項、第6条の2、第7条及び前2条の規定は、訴えについて法令に専属管轄の定めがある場合には、適用しない。

Ⅱ　特許権等に関する訴えについて、第7条又は前2条の規定によれば第6条第1項各号に定める裁判所が管轄権を有すべき場合には、前項の規定にかかわらず、第7条又は前2条の規定により、その裁判所は、管轄権を有する。

[趣旨] 法定管轄のうち、特に裁判の適正、円滑・迅速など公益的要請に基づいて専属管轄とされている場合には、これに反する当事者の意思を尊重するのは妥当でないから、普通裁判籍・特別裁判籍の諸規定、合意管轄及び応訴管轄の規定が適用されないことを定めた。

第14条　（職権証拠調べ）

裁判所は、管轄に関する事項について、職権で証拠調べをすることができる〈司共予書〉。

[趣旨] 管轄の存在は訴訟要件であるから、裁判所は職権をもって調査しなければならない（職権調査事項）ことを前提に、管轄原因をなす事実については、裁判所に職権による証拠調べを認めた。

第15条　（管轄の標準時）

裁判所の管轄は、訴えの提起の時を標準として定める〈司予書〉。

[趣旨] 訴え提起後審理中に管轄原因が消滅した場合に、審理が係属している裁判所が管轄権を有しないものとすると、それまでになされた訴訟追行が無駄になることから、管轄は訴え提起の時を基準として定めるべきことを規定した。

それゆえ、訴えが提起された後に事物管轄についての事情が変動しても（たとえば、その後に請求の減縮により訴額が140万円を超えないこととなった場合）、いったん生じた管轄には影響を及ぼさない〈共〉。

《その他》

・訴えの提起の時点で管轄がなかったとしても、その後、訴訟係属中に被告の転居などにより当該受訴裁判所内に管轄が発生（4Ⅱ）した場合には、管轄違いの瑕疵が治癒される〈訂〉。

総則

> **第16条　（管轄違いの場合の取扱い）**
>
> Ⅰ　裁判所は、訴訟の全部又は一部がその管轄に属しないと認めるときは、申立てにより又は職権で、これを管轄裁判所に移送する〈**予**〉。
>
> Ⅱ　地方裁判所は、訴訟がその管轄区域内の簡易裁判所の管轄に属する場合においても、相当と認めるときは、前項の規定にかかわらず、申立てにより又は職権で、訴訟の全部又は一部について自ら審理及び裁判をすることができる。ただし、訴訟がその簡易裁判所の専属管轄（当事者が第11条の規定により合意で定めたものを除く。）に属する場合は、この限りでない〈**予**〉。

[趣旨] 管轄違いの訴えは、訴訟要件を欠くため本案判決はできないが、これを却下すると原告に再訴手続の煩と費用支出が生じるほか、訴え提起による時効の完成猶予・期間遵守の利益を失うおそれがある。また、被告も、管轄権のある裁判所で審判すれば不利益はない。そこで、1項は、管轄権をもたない裁判所は、当該事件を直ちに管轄違いとして却下するのではなく、職権で管轄裁判所へ移送することとした。

　2項は、地方裁判所と簡易裁判所との間の事物管轄の定めがあるが、事件によっては、なお地方裁判所での審理が適当な場合もあるし、当事者がそれを望む場合もある。そこで、事物管轄の弾力化を図るため、本条は事物管轄違背にもかかわらず地方裁判所が審理を行うことを可能にしている。

《注　釈》
一　移送
　1　意義

　　ある裁判所にいったん係属した訴訟を、その裁判所の裁判によって、他の裁判所に係属せしめること。

　2　類型

　⑴　第1審の訴訟の移送（16、17、18、19、274）

　⑵　上級審における移送（309、324、325ⅠⅡ）

　⑶　上級審の原審への差戻しも広義の移送の例に当たる（307、308、325）。

二　移送の裁判
　1　移送の裁判（決定）

　　被告の申立てに応じ又は職権でなしうる（16、17、18、なお19と274は職権不可）。

　2　不服申立て

　　移送決定・移送申立てを却下した決定に対しては、即時抗告で争える（21）〈**同**〉。

　3　移送の裁判の拘束力

　　移送の裁判は、移送を受けた裁判所を拘束する（22）。したがって、移送を

受けた裁判所は事件をさらに他の裁判所に移送できない。

三　移送の効果

1　移送の決定が確定して争う余地がなくなると、訴訟は最初の訴え提起の時点から移送を受けた裁判所に係属したものとみなされる（22Ⅲ）。最初の訴え提起による時効の完成猶予や期間遵守の効果は失われない。

2　移送前に移送裁判所で行われた訴訟手続（自白、証拠調べ等）が移送後も効力を有するか。

　　→管轄違いの場合は管轄ある裁判所で裁判を受ける権利を保障するため、移送決定により手続は取り消されたものとみるべきである（308Ⅱ、309類推）が、管轄権ある裁判所からの移送の場合には訴訟係属の一体性から、効力を維持する（通説）

四　管轄原因の不法取得

原告が自己に有利な裁判所に管轄を生じさせるために作為的に事実を不当に作り出した（いわゆる管轄原因の不法取得・裁判籍の盗取）場合に、被告の保護をいかにして図るべきか。

管轄については17条に基づく裁量移送によって原告・被告の利害の調整は十分図ることができるので、管轄選択権濫用の法理を用いるまでもなく、裁判所は17条に基づいて移送を認めることができるとする見解が有力である。

＜各種の移送＞

```
                      ┌─ 管轄違いに基づく移送（16）
      ┌ 第一審の訴訟の移送 ┤
      │               └─ 管轄裁判所による移送（17、18、19、274）
      ├ 上級審における移送（309、324、325ⅠⅡ）
      │
      └ 上級審の原審への差戻し（307、308、325）
```

五　管轄違いに基づく移送（16）

1　管轄のない裁判所に訴えが提起された場合は、管轄のある裁判所に移送される（Ⅰ）。これは、管轄違いを理由として訴えを却下してしまうと、再訴のために再度手数料が発生する上、時効の完成猶予の効力も失われてしまうため、これらを防止する趣旨である。

もっとも、地方裁判所が相当であると認めるときは、簡易裁判所の専属管轄事件である場合を除き、移送せずに自ら審判することができる（自庁処理、Ⅱ）。注。「相当である」か否かの判断は、地方裁判所の合理的な裁量に委ねられ、その裁量の逸脱・濫用と認められる特段の事情がない限り、違法にならない（最決平20.7.18・百選A1事件）。

▼ **最決平20.7.18・百選A1事件**

決旨： 地方裁判所に、当事者からその管轄区域内の簡易裁判所への移送の申立がなされた場合、当該訴訟を簡易裁判所に移送すべきか否かは、「同法16条2項の規定の趣旨にかんがみ広く当該事件の事案の内容に照らして地方裁判所における審理及び裁判が相当であるかどうかという観点から判断されるべきものであり、簡易裁判所への移送の申立を却下する旨の判断は、自庁処理をする旨の判断と同じく、地方裁判所の合理的な裁量にゆだねられており……このことは、簡易裁判所の管轄が専属的管轄の合意によって生じた場合であっても異なるところはない（同16条2項ただし書）」。

2 審級管轄違いの場合

審級管轄違いを原因として上訴が排斥され上訴期間の徒過によって当事者の受ける不利益は、第1審の管轄違背を原因として訴えが却下されることによって原告が受ける不利益にも劣らないものであるから、移送を肯定すべきである（大決昭8.4.14、最判昭25.11.17、通説）。

第17条 （遅滞を避ける等のための移送）

第一審裁判所は、訴訟がその管轄に属する場合においても、当事者及び尋問を受けるべき証人の住所、使用すべき検証物の所在地その他の事情を考慮して、訴訟の著しい遅滞を避け、又は当事者間の衡平を図るため必要があると認めるときは、申立てにより又は職権で、訴訟の全部又は一部を他の管轄裁判所に移送することができる。

《注 釈》

◆ 遅滞を避ける等のための移送

旧法では、専属的な管轄の合意がある場合にも現行法17条に相当する旧法31条による移送が認められるかどうかにつき争いがあり、東京地決平11.3.17・百選〔第三版〕6事件は具体的な事情から当事者間の衡平のために移送を認めた。

しかし、現行法20条では、訴訟が係属する裁判所の専属管轄に属する場合の移送制限の中から当事者が合意で定めた専属管轄が除かれ、専属的な管轄の合意があっても移送できるとされている。

第18条 （簡易裁判所の裁量移送）

簡易裁判所は、訴訟がその管轄に属する場合においても、相当と認めるときは、申立てにより又は職権で、訴訟の全部又は一部をその所在地を管轄する地方裁判所に移送することができる。

[趣旨] 本条は、訴訟が簡易裁判所の管轄に属する場合でも、簡易裁判所の裁量判断により相当と認めるときは、訴訟の全部又は一部をその所在地を管轄する地方裁判所に移送することができるとして、地方裁判所と簡易裁判所の間の事物管轄の弾

力化を図った規定である。

第19条　（必要的移送）〈予〉

Ⅰ　第一審裁判所は、訴訟がその管轄に属する場合においても、当事者の申立て及び相手方の同意があるときは、訴訟の全部又は一部を申立てに係る地方裁判所又は簡易裁判所に移送しなければならない〈司〉。ただし、移送により著しく訴訟手続を遅滞させることとなるとき、又はその申立てが、簡易裁判所からその所在地を管轄する地方裁判所への移送の申立て以外のものであって、被告が本案について弁論をし、若しくは弁論準備手続において申述をした後にされたものであるときは、この限りでない〈共〉。

Ⅱ　簡易裁判所は、その管轄に属する不動産に関する訴訟につき被告の申立てがあるときは、訴訟の全部又は一部をその所在地を管轄する地方裁判所に移送しなければならない〈予書〉。ただし、その申立ての前に被告が本案について弁論をした場合は、この限りでない〈予書〉。

[趣旨]本条1項は、管轄ある裁判所に訴えが提起された後においても、訴訟手続を遅滞させるなど公益上の問題が生じない限り、当事者に広く管轄の合意を認め、その意思を尊重するために認められた規定である。また、本条2項は、簡易裁判所に不動産に関する訴訟が提起された場合において、不動産に関する訴訟は一般的に当事者の利害対立が強いこと、所有権や使用権限等の権利関係の審理が複雑化することが多いことから、可及的に地方裁判所での審理を保障するために、被告の申立てによる地方裁判所への移送を認めた規定である。

第20条　（専属管轄の場合の移送の制限）

Ⅰ　前3条の規定は、訴訟がその係属する裁判所の専属管轄（当事者が第11条の規定により合意で定めたものを除く〈共〉。）に属する場合には、適用しない〈共〉。

Ⅱ　特許権等に関する訴えに係る訴訟について、第17条又は前条第1項の規定によれば第6条第1項各号に定める裁判所に移送すべき場合には、前項の規定にかかわらず、第17条又は前条第1項の規定を適用する。

[趣旨]専属管轄は公益的考慮により定められていることから、当事者の意思を尊重して事件を移送することは妥当でない。そこで、本条は専属管轄に属する訴訟につき、17条から19条までの規定は適用しないものとした。

《概　説》

◆　専属的合意管轄と17条

20条において当事者が合意で定めた専属管轄が除かれているので、専属的な管轄の合意があっても移送できる（東京地決平11.3.17・百選〔第三版〕6事件参照）〈司〉。

総
則

第20条の2　（特許権等に関する訴え等に係る訴訟の移送）

Ⅰ　第6条第1項各号に定める裁判所は、特許権等に関する訴えに係る訴訟が同項の規定によりその管轄に専属する場合においても、当該訴訟において審理すべき専門技術的事項を欠くことその他の事情により著しい損害又は遅滞を避けるため必要があると認めるときは、申立てにより又は職権で、訴訟の全部又は一部を第4条、第5条若しくは第11条の規定によれば管轄権を有すべき地方裁判所又は第19条第1項の規定によれば移送を受けるべき地方裁判所に移送することができる。

Ⅱ　東京高等裁判所は、第6条第3項の控訴が提起された場合において、その控訴審において審理すべき専門技術的事項を欠くことその他の事情により著しい損害又は遅滞を避けるため必要があると認めるときは、申立てにより又は職権で、訴訟の全部又は一部を大阪高等裁判所に移送することができる。

第21条　（即時抗告）

移送の決定及び移送の申立てを却下した決定に対しては、即時抗告をすることができる〈同予書〉。

[趣旨] どの裁判所で裁判を受けるかを定める移送に関する決定は、当事者の裁判を受ける権利に重大な影響を与える。そこで、本条は移送の決定及び移送の申立てを却下する決定に対する方法として、即時抗告を認める旨を定める。

第22条　（移送の裁判の拘束力等）

Ⅰ　確定した移送の裁判は、移送を受けた裁判所を拘束する。

Ⅱ　移送を受けた裁判所は、更に事件を他の裁判所に移送することができない〈書〉。

Ⅲ　移送の裁判が確定したときは、訴訟は、初めから移送を受けた裁判所に係属していたものとみなす〈書〉。

[趣旨] 移送を受けた裁判所が事件を他の裁判所に移送し、又は移送決定をした裁判所に再度移送したりすると、本案審理が遅延し当事者の利益が害される。そこで1項及び2項は、移送決定が移送を受けた裁判所を拘束し、移送を受けた裁判所は更に事件を他の裁判所に移送することができない旨を規定した。また、訴え提起後に移送がなされた場合、移送の時点で新たな訴え提起がなされたとすると時効の完成猶予や期間遵守等に関する当事者の利益を害する。そこで、移送の裁判が確定したときは、訴訟は初めから移送を受けた裁判所に係属していたものとみなして、訴え提起の効果である期間遵守や時効の完成猶予の効力を維持するものとした〈同共予〉。

《注　釈》

◆　「移送の裁判」（22Ⅰ）

法令等の解釈について上告裁判所である高等裁判所の意見が最高裁判所等の判例と相反する（規203）としてされた高等裁判所の移送決定（324）は、移送を受けた裁判所（最高裁判所）を拘束する「移送の裁判」（22Ⅰ）には含まれな

い。

→最高裁判所は、民訴規則203条所定の事由があるとしてされた民訴法324条に基づく移送決定について、当該事由がないと認めるときは、当該移送決定を取り消すことができる（最決平30.12.18・令元重判5事件）

∵　民訴規則203条所定の事由の有無についての判断が異なる場合には、最高裁判所の判断が優先されるというべきであり、第1審裁判所の間で移送が繰り返されることによる審理の遅延等を防止するという民訴法22条1項の趣旨は妥当しない

▼　**東京地決昭61.1.14・百選〔第三版〕A3事件**〈司予書〉

決旨：　22条2項の下でも、前の移送とは別個の事由によって再移送することは妨げられない。

■第3節　裁判所職員の除斥及び忌避

第23条　（裁判官の除斥）

Ⅰ　裁判官は、次に掲げる場合には、その職務の執行から除斥される。ただし、第6号に掲げる場合にあっては、他の裁判所の嘱託により受託裁判官としてその職務を行うことを妨げない。

①　裁判官又はその配偶者若しくは配偶者であった者が、事件の当事者であるとき、又は事件について当事者と共同権利者、共同義務者若しくは償還義務者の関係にあるとき。

②　裁判官が当事者の4親等内の血族、3親等内の姻族若しくは同居の親族であるとき、又はあったとき。

③　裁判官が当事者の後見人、後見監督人、保佐人、保佐監督人、補助人又は補助監督人であるとき。

④　裁判官が事件について証人又は鑑定人となったとき。

⑤　裁判官が事件について当事者の代理人又は補佐人であるとき、又はあったとき。

⑥　裁判官が事件について仲裁判断に関与し、又は不服を申し立てられた前審の裁判に関与したとき。

Ⅱ　前項に規定する除斥の原因があるときは、裁判所は、申立てにより又は職権で、除斥の裁判をする。

第24条　（裁判官の忌避）

Ⅰ　裁判官について裁判の公正を妨げるべき事情があるときは、当事者は、その裁判官を忌避することができる。

Ⅱ　当事者は、裁判官の面前において弁論をし、又は弁論準備手続において申述をしたときは、その裁判官を忌避することができない。ただし、忌避の原因があることを知らなかったとき〈司〉、又は忌避の原因がその後に生じたときは、この限りでない。

【規則】第12条　（裁判官の回避）

　裁判官は、法第23条（裁判官の除斥）第1項又は第24条（裁判官の忌避）第1項に規定する場合には、監督権を有する裁判所の許可を得て、回避することができる。

総則

【趣旨】具体的事件において、それを取り扱う裁判官がたまたまその事件と特殊な関係にある場合には不公平な裁判を行うおそれがある。そこで、事件に関して裁判官が特殊な関係にある場合には、当該裁判官を裁判所の構成員から排除するものとした。

《注　釈》

一　除斥（23）

　除斥とは、法定事由があると、法律上当然に職務執行ができない場合をいう。

1　除斥原因（23）

　(1)　裁判官が事件の当事者と関係がある場合（23Ⅰ①〜③⑤）

　(2)　裁判官が事件自体と関係がある場合（23Ⅰ④⑥）

▼　**最判昭39.10.13・百選〔第三版〕8事件**▣

　判旨：　裁判官の除斥原因について、23条6号は、前審の裁判官と同一の裁判官に審判させては、予断をもって審判する結果、審級制度の存在理由が無意味になることを避ける趣旨のものであるから、「前審」とは審級関係にある下級審のみを指す。また、前審の「裁判に関与」したとは、評決及び裁判書の作成に参加したことをいい、口頭弁論の指揮や証拠調べはこれに含まれない。

2　除斥の効果

　(1)　ある裁判官に除斥事由があれば、法律上当然に、その事件の一切の職務を行えない（ただし、23Ⅰ⑥参照）。

　(2)　除斥原因のある裁判官の関与した訴訟行為は、訴訟法上無効である◀共▶。したがって、終局判決前であれば、その行為をやり直さなければならない◀共▶。その訴訟行為に基づいて終局判決がなされたときは、判決の瑕疵として上訴の理由となる。特に判決自体に関与したときは、当然に上告（312Ⅱ②）及び再審（338Ⅰ②）◀共▶の事由となる。

二　忌避（24）

　忌避とは、除斥原因以外に裁判官が不公平な裁判をするおそれがあるときに、当事者の申立てにより◀共▶、裁判によってこれを職務執行から排除する場合をいう。

1　忌避原因

　24条1項の「裁判の公正を妨げるべき事情」とは、裁判の不公正を疑わせるに足りる客観的な合理的事由をいう。裁判官に対する好悪の感情は忌避事由ではないし、また、その行状・能力などは懲戒や分限の事由たりうる場合はあ

ろうが、忌避事由には当たらない。

2　忌避の申立て

　申立ては、その裁判官が所属している裁判所に対してする。当事者は、裁判官の面前で弁論又は弁論準備手続において申述すれば、原則として忌避権を失う（24Ⅱ）。

3　忌避の効果

　忌避は、裁判で認められてはじめて職務執行ができなくなる（その裁判は形成的といえる）〈同〉。

▼　札幌高決昭 51.11.12

　決旨：「忌避の申立が……申立の時期、態様、主張される忌避事由等からその主張自体において本来の忌避目的を逸脱してなされていると客観的に認め得る場合、すなわち申立が忌避権の濫用に当ると明らかに認め得る場合には、……忌避原因ありと主張された裁判官自らにおいても当該忌避の申立を却下することが要請されているものというべきである（刑事訴訟法第24条参照。）。」

三　回避（規12）

　回避とは、裁判官自らが、除斥又は忌避の事由があると認めて職務執行を避ける場合をいう。

　回避するには、司法行政上の監督権のある裁判所の許可を得なければならない（裁判所80参照）。

　回避の許可は裁判でなく、司法行政上の行為で、除斥原因や忌避原因の存在を確定する効果はなく、その裁判官が後にその訴訟に関与したとしてもその訴訟行為は無効とはならない。

第25条　（除斥又は忌避の裁判）

Ⅰ　合議体の構成員である裁判官及び地方裁判所の1人の裁判官の除斥又は忌避についてはその裁判官の所属する裁判所が、簡易裁判所の裁判官の除斥又は忌避についてはその裁判所の所在地を管轄する地方裁判所が、決定で、裁判をする〈同共〉。

Ⅱ　地方裁判所における前項の裁判は、合議体でする。

Ⅲ　裁判官は、その除斥又は忌避についての裁判に関与することができない。

Ⅳ　除斥又は忌避を理由があるとする決定に対しては、不服を申し立てることができない〈共予〉。

Ⅴ　除斥又は忌避を理由がないとする決定に対しては、即時抗告をすることができる。

［趣旨］1項・2項は、除斥・忌避についての裁判機関について定める。また、除斥・忌避の対象となる裁判官が当該除斥・忌避の裁判に関与すると、裁判の公正を

害する。そこで3項は、除斥・忌避の対象となった裁判官は、除斥・忌避の裁判に
関与することができないものとした。また、裁判官が事件に関して特殊な関係をも
つと考えられる場合、当事者に当該裁判官の関与を排除する権利を認める必要があ
る。逆に、事件に関与する裁判官が事件について特殊な関係を有しない以上、その
他の裁判官による裁判を求める権利を認める必要はない。そこで、4項・5項は忌
避申立てを却下する決定に対しては即時抗告を認める一方、忌避決定に対する不服
申立ては許されないものとした。

《注　釈》

◆　除斥又は忌避の裁判

1　忌避申立てについての裁判

　　地方裁判所以上の裁判官の忌避（又は除斥）についてはその所属裁判所の合
議体が、簡易裁判所の裁判官の忌避（又は除斥）については管轄地方裁判所の
合議体が、決定で裁判する（25ⅠⅡ）。当人は、この裁判に関与できない（25Ⅲ）。

2　判例（最判昭30.1.28・百選3事件）は、裁判官が一方当事者の訴訟代理人
（弁護士）の女婿であることは忌避事由には当たらないと判示した。もっとも、
この判例に対して学説は批判的であり、23条1項2号との対比からも忌避事
由に当たるとする。

第26条　（訴訟手続の停止）

　　除斥又は忌避の申立てがあったときは、その申立てについての決定が確定するまで
訴訟手続を停止しなければならない。ただし、急速を要する行為については、この限
りでない回。

[趣旨] 除斥、忌避の裁判が確定した場合、裁判官がした行為は当然効力を失うこ
とになる。また、裁判官について忌避の申立てがあってから当該裁判官が審理をす
すめることは妥当でない。そこで、除斥又は忌避申立て後は、急速を要する行為を
除いて、訴訟手続は停止するものとした。

《注　釈》

一　除斥・忌避の申立てと本案手続の停止・要急行為

1　除斥・忌避の確定と要急行為の効力

　　26条ただし書は、除斥・忌避の裁判中も証拠保全などの急速を要する行為
への途を開くことによって当事者の権利保護の途を確保しようとするものであ
るから、要急行為は常に有効である。

2　除斥・忌避事由不存在の確定と不急行為の効力

　　訴訟手続停止中に急速を要しない行為がなされた場合、かかる行為は違法で
あり無効であることに争いはない。しかし、後に除斥・忌避の申立ては理由なし
との裁判が確定した場合に、その行為の瑕疵が治癒するか問題となる。この点、
判例（大決昭5.8.2、最判昭29.10.26）は瑕疵の治癒を認める有効説を採る。

二　忌避申立権の濫用

　訴訟遅延のみを目的とした忌避申立てがなされることがある。

　これに対処するため、実務上、忌避権の濫用の場合、25条3項の規定にもかかわらず、刑訴法24条2項を類推適用して、忌避を申し立てられた裁判官が自ら申立てを却下する（簡易却下）扱いがある。

第27条　（裁判所書記官への準用）

　この節の規定は、裁判所書記官について準用する*。この場合においては、裁判は、裁判所書記官の所属する裁判所がする。

[趣旨] 裁判所書記官は、事件に関する記録その他の書類の作成及び保管、その他、送達、執行文の付与、訴訟上の事項の公証など法律で定められた事項を取り扱うが、これらの事項についても取扱いの公正が要求される。そこで本条は、裁判所書記官についても除斥・忌避の規定を準用することとした。

・第3章・【当事者】

■第1節　当事者の概念と当事者の確定

《概　説》

一　当事者の概念

1　意義

　当事者とは、訴え又は訴えられることによって判決の名宛人となる者をいう（形式的当事者概念）。

　　→形式的当事者概念は、訴訟物たる実体法上の権利から切り離して当事者を捉える概念であり、訴訟物として他人の権利を主張する者であっても当事者となる*

2　二当事者対立の原則

(1)　意義

　民事訴訟手続においては対立する当事者の存在が不可欠であるという原則をいう。民事訴訟は特定の当事者間の争訟の解決を目的とするので、対立当事者の存在は訴訟要件の1つであり、裁判所は、職権をもってこれを調査する（職権調査事項）。

(2)　二当事者が対立しなくなった場合

　訴訟の成立後に、当事者が死亡や合併などにより実在しなくなった場合には、訴訟手続は原則として中断し、承継人がその訴訟を受継しなければならない（124 I ①②）。しかし、対立当事者構造が消滅する場合、訴訟は終了する。

(3)　二当事者対立の原則の例外

　共同訴訟：一方又は双方の当事者が数人の場合

　　　　　　　三面（多面）訴訟：独立当事者参加のように３人以上の当事者が相互に対
　　　　　　　　　　峙する場合
　　３　当事者権
　　⑴　当事者権：当事者が訴訟の主体たる地位につくことにより認められる諸権
　　　　利の総称
　　⑵　当事者権の趣旨：判決効を受ける当事者の利益主張の機会を手続上保障
　　⑶　具体例
　　　　移送申立権（16）、訴訟代理人選任権（54Ⅰ）、責問権（異議権、90）、上
　　　訴権（281、311）、処分権主義（246 参照）

　二　当事者の確定 ◀司H22 司R４ 予H23▶
　　１　当事者の確定の意義・必要性
　　　　当事者の確定とは、現実の訴訟の当事者が誰であるかを明らかにすることを
　　　いう。当事者は判決の名宛人や訴状などの送達の名宛人となるほか、裁判籍
　　　（４以下）、裁判官の除斥原因（23）、手続の中断や受継（124以下）、事件の同
　　　一性（142）、証人能力（207）、当事者能力、訴訟能力、当事者適格、既判力の
　　　主観的範囲（115Ⅰ①）が、当事者と確定された者について判定される。この
　　　ように、当事者という地位は、訴訟手続の全過程にわたる種々の事項を決定す
　　　るため、当事者を確定することが必要となる。
　　２　当事者確定の基準
　　　　A　意思説：原告（又は裁判所）が当事者にしようとした者を当事者である
　　　　　　とする
　　　　B　行動説：訴訟上当事者らしく振る舞い、又は当事者として取り扱われた
　　　　　　者を当事者とする
　　　　C　表示説（通説）：訴状の記載から合理的に解釈される者を当事者とする
　　　　D　適格説：訴訟上に与えられた徴表のすべてを総合して、解決を与えるこ
　　　　　　とが最も適切と認められる実体法上の紛争主体として訴訟に登
　　　　　　場する者を当事者と解する
　　　　E　規範分類説：これから手続を進めるに当たって誰を当事者として扱うの
　　　　　　かという問題（行為規範）と、すでに進行した手続を振り
　　　　　　返って誰が当事者であったかという問題（評価規範）を区
　　　　　　別し、前者については表示説を基準にとり、後者について
　　　　　　は手続関与の機会が現実に与えられていた当事者適格をも
　　　　　　つ者を当事者とする

　三　当事者確定に関する具体的問題
　　１　氏名冒用訴訟
　　　　他人の氏名を冒用した訴訟がなされた場合、どのような処理がなされるべきか。
　　　原告側の氏名冒用としては、ＡがＢと称してＣに対して訴えを提起する場

合が、また被告側の氏名冒用としては、Ａが訴状にＢを被告として訴えを提起したところ、実際には訴外ＣがＢの委任状を偽造して弁護士に訴訟追行を委任して応訴した場合が典型例である。

(1) 審理の途中で裁判所が氏名冒用に気付いたとき
　(a) 原告側の冒用の場合
　　① 表示説：訴状の記載に従って被冒用者Ｂが原告に確定する
　　② 意思説・行動説：冒用者Ａが原告に確定する
　(b) 被告側の冒用の場合
　　① 表示説・意思説：被冒用者Ｂが被告に確定する
　　② 行動説：冒用者Ｃが被告に確定する
(2) 氏名冒用に裁判所が気付かずに判決がなされた場合
　　ＡがＢと称しＣに対して提訴し、Ｂ敗訴判決が言い渡され、確定した。この判決の効力はＢに及ぶか。判決の効力は当事者に及ぶため（115Ⅰ①）、原告がＡＢいずれであったのかが問題となる。
　　① 表示説：訴状に記載された被冒用者が当事者となるので、氏名冒用を看過した判決の効力は被冒用者Ｂに及ぶ
　　② 規範分類説：それまでの訴訟追行の結果を帰せしめてもよい程度に手続保障を与えられた冒用者が当事者となるので、判決の効力は被冒用者に及ばない

＜氏名冒用訴訟における各説の処理＞

	原告側の氏名冒用訴訟				
	ＡがＢの名で、Ｃに提訴したところ、審理途中に氏名冒用が判明			ＡがＢの名で、Ｃに提訴し、Ｂ敗訴判決が確定	
	原告は誰か	取扱い		原告は誰か	取扱い
意思説	Ａ	訴状のＡへの訂正（137Ⅰ、規56）		Ａ	Ａに判決効が及ぶ（115Ⅰ①）
行動説	Ａ	訴状のＡへの訂正（137Ⅰ、規56）		Ａ	Ａに判決効が及ぶ（115Ⅰ①）
表示説	Ｂ	① Ｂが追認すれば、以後はＢが原告として訴訟追行 ② Ｂの追認なければ、当事者をＡに変更（任意的当事者変更） ③ 当事者の変更なければ、訴え却下		Ｂ	① Ｂに判決効が及ぶ ② Ｂは、再審請求できる（338Ⅰ③）

原告側の氏名冒用訴訟				
	AがBの名で、Cに提訴したところ、審理途中に氏名冒用が判明		AがBの名で、Cに提訴し、B敗訴判決が確定	
	原告は誰か	取扱い	原告は誰か	取扱い
適格説	A	訴状のAへの訂正（137Ⅰ、規56）	A	Aに判決効が及ぶ（115Ⅰ①）
規範分類説	B	① Bが追認すれば、以後はBが原告として訴訟追行 ② Bの追認がなければ、当事者をAに変更（任意的当事者変更） ③ 当事者の変更なければ、訴え却下	A	Aに判決効が及ぶ（115Ⅰ①）
	なお、規範分類説によると、審理が煮詰まった時点以降は、Aを原告と考えることもできる。その場合は、訴状の訂正による			

▼ **大判昭10.10.28・百選4事件**

判旨： 被告の氏名を冒用して訴訟代理人を選任して応訴させた事案において、被冒用者に再審の訴えの利益を認めた。

▼ **最判平2.12.4**

判旨： 冒用者の追行した第1審の判決に対して、被冒用者たる被告本人が控訴を申し立てその選任した代理人が訴訟を追行して控訴審判決がなされた場合には、冒用者の訴訟追行は、被告（被冒用者）の追認により瑕疵が治癒されたことになる。

2 死者に対する訴え
(1) 審理の途中で被告の死亡が判明した場合

　　Aは、Bの死亡を知らないでBを被告として訴えたところ、Bの相続人であるCが被告として訴訟を追行した。審理の途中でBの死亡が判明した場合、どのように取り扱われるか。

　　① 表示説：死者が当事者であり、当事者の一方が実在しない訴えとして却下されるのが原則
　　② 規範分類説：訴え提起段階では、訴状記載の死者が当事者と扱われる

(2) 裁判所が被告の死亡を看過して判決を出した場合 予H23

　　Aは、Bの死亡を知らないでBを被告として訴えたところ、Bの相続人であるCが被告として訴訟を追行した。裁判所がBの死亡を看過して判決を出した場合、その判決はいかなる効力を有するか。

① 表示説：(a) 相続人が訴訟に関与していなければ、判決は相続人には及ばない

         (b) 相続人の関与があっても、この者は当事者ではなく判決効は及ばないのが原則

しかし、

・実質的にみて被相続人に訴訟追行意思がある場合

（ex. 死者が訴状を生前受理、代理人選定後に死亡）

→黙示の受継があったとして、124条類推適用により処理する

∵ 当然承継の趣旨は、一方当事者の側に訴訟外の実体関係の変動が生じた場合に訴訟関係を維持することで、相手方に不利益を与えず、訴訟不経済を回避して手続保障を図る点にあるところ、この場合にもこの趣旨が妥当する

・信義則上、相手方が訴訟行為の無効を主張できない場合（最判昭 41.7.14）

等の例外が認められている

② 規範分類説：(a) 相続人が訴訟に関与していなければ、判決効は相続人には及ばない

         (b) 相続人が訴訟に関与していれば、相続人が当事者適格をもつ者で、しかも当事者に等しい手続関与の機会が現実に与えられていた者として当事者といえるので、判決効は相続人に当然に及ぶ

<死者を被告とする訴えの各説の処理>

	死者を被告とする訴え			
	Aが死者Bに対し提訴し、相続人Cが応訴したところ、審理途中にB死亡が判明		Aが死者Bに対し提訴し、相続人Cが応訴し、C敗訴判決が確定	
	被告は誰か	取扱い	被告は誰か	取扱い
意思説	C	訴状のCへの訂正	C	Cに判決効が及ぶ（115 I ①）
行動説	C	訴状のCへの訂正	C	Cに判決効が及ぶ（115 I ①）
表示説	B	① 原則として訴え却下 ② 当然承継の類推 ③ 任意的当事者変更	B	① 原則として判決は無効 ② 当然承継類推等によりCに判決効を及ぼしうる

総則

	死を被告とする訴え			
	Aが死者Bに対し提訴し、相続人Cが応訴したところ、審理途中にB死亡が判明		Aが死者Bに対し提訴し、相続人Cが応訴し、C敗訴判決が確定	
	被告は誰か	取扱い	被告は誰か	取扱い
適格説	C	訴状のCへの訂正	C	Cに判決効が及ぶ（115Ⅰ①）
規範分類説	B	① 原則として訴え却下 ② 当然承継の類推 ③ 任意的当事者変更 なお、規範分類説によると、審理が煮詰まった時点以降は、Cを被告と考えることもできる。その場合は訴状の訂正による	C	Cに判決効が及ぶ（115Ⅰ①）

四　当事者の表示の訂正と当事者の変更

　当事者の表示を甲から乙に訂正する場合、甲と乙との間に特定人としての同一性があれば（会社の旧商号を改める場合）、その訂正は単なる表示の訂正であり、その訂正は訴訟中いつでもなすことができ、その時までになされた訴訟追行の効果は当然すべて乙に及ぶ。

　甲と乙が別人と判断される場合は、当事者の変更（任意的当事者変更）になり、原則として、新当事者に従前の訴訟追行の効果は引き継がれない。

▼　大判昭11.3.11・百選5事件

判旨：　死者を被告とした事案において、実質的な被告は現に応訴している相続人であり、原告はその表示を誤ったとして表示の訂正を認めた。

▼　大阪地判昭29.6.26・百選〔第5版〕A3事件

判旨：　振出人「A株式会社代表取締役乙」という約束手形の所持人である甲は、A会社に支払を求めるためA会社に訴えを提起しようとしたところ、肩書地にA会社の登記がないので、被告を「A会社こと乙」として訴えを提起した。ところが第1審係属中にA会社がC社として別の場所に実在することが判明したという事案において、（実質的）表示説に立ちながらC会社を当事者として「A会社こと乙」から「C会社代表取締役乙」への表示の訂正を認めた。

五　当事者の確定と法人格否認の法理

　たとえば、Bは、「甲会社」（旧会社）の事業を現物出資して、同一商号・同一

内容の「甲会社」（新会社）を新しく設立したところ、Aはこの事実を知らずに「甲会社」を被告として訴えた場合、訴状の記載から当事者を確定するのは困難であり、訴訟の結果が誰に及ぶのかが問題となる。

当事者の確定について法人格否認の法理（会社の法人としての存在を認めながら、その法形態が法秩序の定める範囲を逸脱して利用される場合に、その背後にある実体を捉えて法人格を否定する理論）が適用されるかが問題となるが、判例は実質的にはこれを肯定しているといえる。

cf. 既判力と法人格否認の法理　⇒ p.167

▼　最判昭48.10.26・百選6事件〈回〉

事案：　A（商号＝N開発株式会社、代表取締役B）がXから居室を賃借していたが、賃料不払いを理由に解約通知を受けた。BはA会社の商号をI地所株式会社に変更し、かつ、N開発株式会社という同名商号の新会社Yを設立した（Y会社は、代表取締役、本店所在地、什器備品、従業員がA会社とほぼ同一であり、事業目的も同一であった）。Xがその事情を知らぬまま、「N開発株式会社」を被告と表示して訴えを提起した。審理途中でBは旧会社に対する賃貸借解除の事実を自白したが、その後、会社設立・商号変更等の事情を初めて明らかにして、Y会社はA会社とは別法人であるから、従前の自白は撤回する旨を申し立てた。

判旨：　「Yは……形式上は旧会社と別異の株式会社の形態をとってはいるけれども、新旧両会社は商号のみならずその実質が前後同一であり、新会社の設立は、Xに対する旧会社の債務の免脱を目的としてなされた会社制度の濫用であるというべきであるから、Yは取引の相手方であるXに対し、信義則上、Yが旧会社と別異の法人格であることを主張しえない筋合にあり、したがって、Yは前記自白が事実に反するものとして、これを撤回することができず、かつ、旧会社のXに対する本件居室明渡、延滞賃料支払等の債務につき旧会社とならんで責任を負わなければならないことが明らかである。」

■第2節　当事者能力及び訴訟能力

第28条　（原則）

当事者能力、訴訟能力及び訴訟無能力者の法定代理は、この法律に特別の定めがある場合を除き、民法（明治29年法律第89号）その他の法令に従う。訴訟行為をするのに必要な授権についても、同様とする。

[趣旨]民訴法は、実体法上の権利義務ないし地位に関する主張につき判断するものであるから、私権を享有する能力のある者を訴訟上も当事者とするのが適切である。そこで、民法上権利能力を有する者は当事者能力を有するものとした。

また、当事者能力が認められる場合であっても、訴訟においては様々な訴訟行為を行わなければならず、訴訟行為の結果によって当事者は重大な利益・不利益を受ける。民法上行為能力を欠く者は適切に訴訟行為をし、又は受けることを期待することはできないので、これらの者は民訴法上訴訟能力を欠くものとして保護を図ることにした。

《注 釈》

一 当事者能力の意義

当事者能力とは、民事訴訟の当事者（又は補助参加人）となることのできる一般的な資格をいう。

二 当事者能力と当事者適格の関係

1 共通点

両者はあいまって、誰が当該事件で原告・被告であるべきかを確定し、それ以外の者を排除するという共通の役割を果たす。いずれも訴訟要件である。

2 相違点

(1) 当事者能力：訴訟の主体となりうる者を割り出すための一般的な基準

(2) 当事者適格：当事者能力を有する者が、特定の訴訟物との関係から個別具体的に、原告あるいは被告として訴訟を追行し、判決の名宛人となるのに適した者であるのかを選別する基準

＜当事者能力と当事者適格＞

		当事者能力	当事者適格
共通点		ともに誰が当該事件で原告・被告であるべきかを確定し、それ以外の者を排除する役割を果たす。両方の基準をみたす者が訴訟を追行して判決の名宛人たるにふさわしい当事者である。いずれも訴訟要件である	
相違点	判断基準	当該訴訟の訴訟物とは無関係に一般的に、訴訟の主体たりうる者を割り出すための基準	当該訴訟の訴訟物との関係で、当事者とするのに適した者であるかを個別的に判断する基準
	判断の順序	まず、一般的に当事者としての有資格者を選別する基準を立て（当事者能力）、それに適合する者につきさらに、個別事件の訴訟物との関係で、訴訟主体として訴訟を追行し判決の名宛人とするに適する適格者を決定する（当事者適格）	

三 権利能力者

1 民事訴訟は、実体法上の権利義務ないし地位に関する主張につき判断するものであるから、私権を享有する能力のある者を訴訟上も当事者とするのが適切である。したがって、権利能力を有する者はすべて当事者能力を有するとされる。

2 自然人

自然人はすべて当事者能力を有する（民3Ⅰ）。

胎児は、不法行為に基づく損害賠償請求権・相続・受遺贈についてはすでに生まれたものとみなされ（民721、886、965）、これらに関する訴訟については、胎児のままで当事者能力を有する〈共〉。

自然人は死亡により当事者能力を失うが、破産しても当事者能力を失わない。

3　法人

法人も当事者能力を有する（民34）。法人は解散又は破産しても、清算又は破産の目的の範囲内で存続するものとみなされるから（一般法人207、会476）、その限度で当事者能力を有する〈共〉。清算が結了し、その旨の登記後は当事者能力を失う。

国は財産権の主体であり、国家賠償責任の主体ともなるので、当事者能力が認められ（4Ⅵ参照）、地方公共団体（地自2Ⅰ）、外国及び外国法人も同様に当事者能力が認められる（民35Ⅱ）。

四　当事者能力欠缺の効果

当事者能力の存在は、訴訟要件の1つである。したがって、裁判所はその存否を職権で調査し（大判昭3.11.7）、その判断資料の収集は裁判所の職責による。そして、その欠缺を認めるときは、訴えを不適法と判断し却下しなければならない。

原告が当事者能力を欠くために訴えを却下するときは、その訴えを代表者又は管理人として事実上提起した者に訴訟費用を負担させるべきである（70類推）。

1　当事者能力存否の判断基準

訴訟要件は本案判決の要件であり、本案判決は事実審の口頭弁論終結時までの資料に基づいてなされる。そこで、訴訟要件である当事者能力の存否の判断基準も事実審の口頭弁論終結時となる。

2　当事者能力の欠缺を看過した判決の効果

(1)　当事者能力の欠缺を看過して本案判決がされた場合には、上訴によって取り消すことができる。ただし、請求棄却判決に対して被告が却下判決を求めることはできない。

(2)　判決が確定すれば、再審事由（338Ⅰ参照）には当たらないことから取り消すことはできない。

(3)　判決の内容上の効力

→通説は、判決確定後はその事件に限って当事者能力があるものと扱う

第29条　（法人でない社団等の当事者能力）

法人でない社団又は財団で代表者又は管理人の定めがあるものは、その名において訴え、又は訴えられることができる。

[趣旨] 法人格のない団体や財産の集合であっても事実上の社会的活動を営んでいる場合が多く、これらの団体や財産の集合体と第三者との間で紛争を生じる場合が

ある。かかる場合、団体や財産の名で訴訟を追行する方が実際的であるし、他方、紛争の相手方としても当該団体や財産の集合体を相手方として扱った方が便宜である。そこで、法人でない社団又は財団で代表者又は管理人の定めがある場合には、当事者能力を認めるものとした。

《概　説》
一　法人でない社団又は財団で代表者又は管理人の定めのあるもの

1　「社団又は財団」の意義

　　通説は、「社団」「財団」の団体性の基準を、①団体が構成員から独立し構成員の変動にもかかわらず団体そのものが存続し、②代表者の定めがあって対外的に独立性があり、③団体独自の財産があり、④組織運営や財産管理など内部組織の定めがあることとする（最判昭39.10.15参照）。

▼　**最判昭42.10.19・百選7事件**🔗

判旨：　「法人格のない社団すなわち権利能力のない社団が成立するためには、団体としての組織をそなえ、多数決の原理が行われ、構成員の変更にもかかわらず団体そのものが存続し、その組織において代表の方法、総会の運営、財産管理等団体としての主要な点が確定していることを要する」。

　　もっとも、上記要件③（団体独自の財産があること）については、不可欠の要件ではなく考慮要素にすぎないとの見解も有力であり、判例（最判平14.6.7・百選〔第三版〕13事件）は、固定資産・基本的財産を有することは不可欠の要件ではないとして、預託金会員制ゴルフクラブにつき当事者能力を認めている。

▼　**最判平14.6.7・百選〔第三版〕13事件**🔗

判旨：　当事者能力が認められる法人格のない社団（29）の団体性が認められる基準はどのようなものなのかが争われた事案において、「財産的側面についていえば、必ずしも固定資産ないし基本的財産を有することは不可欠の要件ではなく、そのような資産を有していなくても、団体として、内部的に運営され、対外的に活動するのに必要な収入を得る仕組みが確保され、かつ、その収支を管理する体制が備わっているなど、他の諸事情と併せ、総合的に観察して、同条にいう『法人でない社団』として当事者能力が認められる場合があるというべきである」とした。

2　権利能力なき社団の当事者適格

（1）　はじめに

　　29条は、権利能力なき社団などの「法人でない社団又は財団」で代表者等の定めがあるものは、当事者能力が認められるとしている。一方、判例

（最判昭55.2.8 等）は、一貫して、権利能力なき社団に実体法上の権利能力は認められないとしている。

　したがって、社団自身の所有権確認の訴えや社団自身への所有権移転登記請求訴訟を提起しても、社団自身が私法上の権利義務の主体となることはない以上、これらの請求は主張自体失当として棄却される（最判昭47.6.2・百選〔第4版〕9事件、最判昭55.2.8）。

(2)　総有権確認請求訴訟の当事者適格（原告適格）〈予R4〉

　そこで、権利能力なき社団の資産たる不動産について、これを争う者が存在する場合、当該不動産が構成員全員に総有的に帰属することの確認を求める訴え（総有権確認請求訴訟）を提起することが考えられるが、問題は誰が原告となることができるかである。

(a)　権利の帰属主体である構成員全員が原告となる場合

　この場合、当該訴訟は、団体の構成員全員が当事者として関与し、その間で合一にのみ確定することを要する固有必要的共同訴訟となる（最判昭41.11.25、最判平20.7.17・百選92事件）〈司H28〉　⇒p.71 参照

　∵　固有必要的共同訴訟に該当するか否かは、実体法上の管理処分権を基準としつつ、訴訟政策的な考慮を加味して判断すべきところ、実体法上、総有権は共同でのみ行使されることに加え、その権利関係について判決をするには権利者である構成員全員の手続保障が不可欠であるため

　　　→なお、管理処分権を基準とするのは、訴えの提起が処分行為に類似するからである（敗訴した場合には、問題となった権利を処分したのと類似する状態に陥る）

　もっとも、この場合には、送達の困難や当事者の一部の死亡等による訴訟の中断（124 I ①）といった問題が生じ、訴えの提起が困難となるおそれがある。

　　　→なお、構成員の一部が当該訴えを提起することに反対している場合に当該訴えを適法に提起することの可否・方法については、後述する（⇒p.71）

(b)　権利能力なき社団が原告となる場合

　そこで、権利能力なき社団が原告となる場合が考えられる。

　もっとも、上記のとおり、権利能力なき社団には私法上の権利能力が認められない以上、総有権確認請求訴訟の訴訟物たる権利・法律関係は、社団自身ではなくその構成員全員に帰属することになる。そうすると、社団としては、第三者たる構成員に帰属する権利について訴えを提起することになるので、その当事者適格（原告適格）が認められるのかが問題となる。

判例（最判平6.5.31・百選10事件参照）は、結論として、権利能力なき社団に総有権確認請求訴訟の原告適格を認めた。

▼　**最判平6.5.31・百選10事件** 予R4

判旨：　「村落住民が入会団体を形成し、それが権利能力のない社団に当たる場合には、当該入会団体は、構成員全員の総有に属する不動産につき、これを争う者を被告とする総有権確認請求訴訟を追行する原告適格を有する」。なぜなら、「当事者適格は、特定の訴訟物について、誰が当事者として訴訟を追行し、また、誰に対して本案判決をするのが紛争の解決のために必要で有意義であるかという観点から決せられるべき事柄であるところ、入会権は、村落住民各自が共有におけるような持分権を有するものではなく、村落において形成されてきた慣習等の規律に服する団体的色彩の濃い共同所有の権利形態であることに鑑み、入会権の帰属する村落住民が権利能力のない社団である入会団体を形成している場合には、当該入会団体が当事者として入会権の帰属に関する訴訟を追行し、本案判決を受けることを認めるのが、このような紛争を複雑化、長期化させることなく解決するために適切であるからである」。

　　もっとも、権利能力なき社団に総有権確認請求訴訟の原告適格が認められても、実際に社団が原告として訴えを提起し、その訴訟を追行するには、社団の代表者に訴訟上の代表権限が認められなければならない。この点について、上記判例は、次のとおり判示した。

▼　**最判平6.5.31・百選10事件** 予R4

判旨：　「権利能力のない社団である入会団体の代表者が構成員全員の総有に属する不動産について総有権確認請求訴訟を原告の代表者として追行するには、当該入会団体の規約等において当該不動産を処分するのに必要とされる総会の議決等の手続による授権を要するものと解するのが相当である。けだし、右の総有権確認請求訴訟についてされた確定判決の効力は構成員全員に対して及ぶものであり、入会団体が敗訴した場合には構成員全員の総有権を失わせる処分をしたのと事実上同じ結果をもたらすことになる上、入会団体の代表者の有する代表権の範囲は、団体ごとに異なり、当然に一切の裁判上又は裁判外の行為に及ぶものとは考えられないからである」。

評釈：　上記にいう「授権」は、任意的訴訟担当のための授権ではない点に注意が必要である（⇒下記「(4)　権利能力なき社団に当事者適格を認めるための法律構成」参照）。

　　なお、権利能力なき社団が提起した共有持分権の確認を求める訴えにおいて、その請求の趣旨が「不動産の所有権が社団自身に帰属することの確認を求める」ものであったとしても、裁判所としては、「不動産の所有権が社団

の構成員全員に総有的に帰属することの確認を求める」ものであると解する余地があるときは、直ちに請求を棄却するのではなく、請求が後者の趣旨に出るものであるか否かについて釈明権を行使する必要があるとしている（最判令4.4.12・令4重判2事件）。

(3)　所有権移転登記請求訴訟の原告適格

第三者が権利能力なき社団の資産たる不動産の登記名義を有している場合において、社団自身への所有権移転登記請求訴訟を提起しても、社団自身が私法上の権利義務の主体となることはないから、社団は登記請求権を有するものではなく、その請求は主張自体失当として棄却される。では、どのような訴えを提起すればよいか。

まず、社団の構成員全員の共有名義への登記を求める訴えを提起することが考えられるが、構成員が多数に上る場合には非現実的であるとされる。

次に、判例（最判昭47.6.2・百選〔第4版〕9事件）予は、「社団構成員の総有に属する不動産は、右構成員全員のために信託的に社団代表者個人の所有とされるものである」から、当該社団の代表者は、自己の個人名義に所有権移転登記手続をすることを求める訴訟を提起することができるとしている。

では、上記の訴えについて、権利能力なき社団に原告適格が認められるかが問題となる。

▼　最判平26.2.27・百選9事件 予書

判旨：「当事者適格は、特定の訴訟物について、誰が当事者として訴訟を追行し、また、誰に対して本案判決をするのが紛争の解決のために必要で有意義であるかという観点から決せられるべき事柄である。そして、実体的には権利能力のない社団の構成員全員に総有的に帰属する不動産については、実質的には当該社団が有しているとみるのが事の実態に即していることに鑑みると、当該社団が当事者として当該不動産の登記に関する訴訟を追行し、本案判決を受けることを認めるのが、簡明であり、かつ、関係者の意識にも合致していると考えられる。また、権利能力のない社団の構成員全員に総有的に帰属する不動産については、当該社団の代表者が自己の個人名義に所有権移転登記手続をすることを求める訴訟を提起することが認められているが、このような訴訟が許容されるからといって、当該社団自身が原告となって訴訟を追行することを認める実益がないとはいえない。

そうすると、権利能力のない社団は、構成員全員に総有的に帰属する不動産について、その所有権の登記名義人に対し、当該社団の代表者の個人名義に所有権移転登記手続をすることを求める訴訟の原告適格を有する」。

総則

総則

> 評釈：　上記にいう「実益」としては、①訴訟係属中に代表者が交代した場合であっても、新代表者への移転登記手続を求める旨の訴えに変更すれば足り、訴訟承継の手続が不要となること（原告が交代しないこと）、②代表者が事故等により訴訟追行が困難となっても、特別代理人の選任により訴訟の続行が可能となること、③明渡訴訟をも併合提起する場合、いずれも社団が原告になれること、④代表者以外の構成員を登記名義人とする場合において、当該構成員が訴訟追行に消極的であっても、社団が原告となる訴訟を許容する必要があることなどが挙げられる。

　なお、繰り返しになるが、権利能力なき社団に原告適格が認められても、実際に社団が原告として訴えを提起し、その訴訟を追行するには、社団の代表者に訴訟上の代表権限が認められなければならない（最判平6.5.31・百選10事件参照）。

(4)　権利能力なき社団に当事者適格を認めるための法律構成

(a)　構成員のための法定訴訟担当として権利能力なき社団に当事者適格が認められると解するのが多数説である。

　∵①　判例（最判平6.5.31・百選10事件）は、権利能力なき社団に原告適格を認めるについて構成員の授権を一切問題としていない

　②　上記判例（最判平6.5.31・百選10事件）は「総有権確認請求訴訟についてされた確定判決の効力は構成員全員に対して及ぶ」としているが、法定訴訟担当と解すれば115条1項2号により判決効の拡張が説明できる〈司H28〉

　法定訴訟担当と解した場合、次に法律上の根拠が問題となるが、29条を根拠として挙げる見解が有力とされる。

　∵　法人でない団体に当事者能力を認めることが訴訟追行上及び紛争解決の観点から実際的かつ便宜であるという29条の趣旨に照らすと、29条は広く当事者適格を認める趣旨も含むと解される

(b)　(a)で説明した多数説と異なる見解も有力に主張されている。

①　(a)と同じく法定訴訟担当と解した上で、入会権などの共同所有の実体法上の性質自体が法律上の根拠となる（当然の法定訴訟担当となる）と解する見解

　←法律上の根拠としてはあいまいである

②　構成員の意思に関わりなく当然に社団の当事者適格が認められるとするのは問題があるとして、法定訴訟担当ではなく任意的訴訟担当と解した上で、任意的訴訟担当の要件である構成員の授権は、社団の成立時又は社団への加入時などに黙示的になされていると解する見解

　←提訴を前提として社団が形成されたものではない以上、授権とし

ては抽象的・擬制的に過ぎる

③　以上の訴訟担当構成と異なり、団体の固有の適格として当事者適格が認められると解する見解（固有適格構成）

←構成員全員に対して判決効が及ぶと解することが困難となる

3　権利能力なき社団を債務者とする債務名義の強制執行

権利能力なき社団を債務者とする金銭債権を表示した債務名義を有する債権者が、構成員の総有不動産に対して強制執行をしようとする場合、社団名義の登記は認められてないため、債務名義に表示される債権者と当該不動産の登記名義人に不一致が生じるが、判例（最判平22.6.29・平22重判6事件）（予）は、当該不動産につき当該社団のために第三者がその登記名義人とされているときは、債権者は、当該社団を債務者とする強制執行の申立てをすることができるとしている。

二　民法上の組合

1　民法上の組合の当事者能力

⑴　AはB組合に対し債権を有しているが、AはB組合自身を被告として訴えを提起できるか。

▼　最判昭37.12.18・百選8事件（予）

判旨：　「組合は、民訴29条所定の『権利能力なき社団にして代表者の定あるもの』として訴訟上の当事者能力のあることは、累次の大審院判例の趣旨とする所であって、現在維持せられて居る」として、3銀行が融資先の経営を管理してその再建と債権回収を目的としてつくった3銀行団債権管理委員会（民法上の組合）に当事者能力を認めた。

⑵　組合自体に当事者能力を認めた場合、実際の訴訟追行は組合の代表者が法定代理人に準じて行う（37）。そして、組合の名で受けた判決は組合財産にのみならず組合員にも及ぶ。

2　民法上の組合を当事者とする以外の訴訟追行方法

⑴　組合の構成員全員を原告として訴えを提起するか、その中から選定当事者（30）を選ぶ方法

⑵　組合の代表者が定められているときに、この代表者が自ら訴訟を提起する方法

⑶　いわゆる任意的訴訟担当により、業務執行組合員を担当者とする方法

→判決効は115条1項2号により組合員に及ぶ

⑷　組合の代表者を法令上の訴訟代理人として訴訟追行させる方法

総則

第30条　（選定当事者）

Ⅰ　共同の利益を有する多数の者で前条の規定に該当しないものは、その中から、全員のために原告又は被告となるべき1人又は数人を選定することができる〈予〉。

Ⅱ　訴訟の係属の後、前項の規定により原告又は被告となるべき者を選定したときは、他の当事者は、当然に訴訟から脱退する〈同予〉。

Ⅲ　係属中の訴訟の原告又は被告と共同の利益を有する者で当事者でないものは、その原告又は被告を自己のためにも原告又は被告となるべき者として選定することができる〈予〉。

Ⅳ　第1項又は前項の規定により原告又は被告となるべき者を選定した者（以下「選定者」という。）は、その選定を取り消し、又は選定された当事者（以下「選定当事者」という。）を変更することができる〈同〉。

Ⅴ　選定当事者のうち死亡その他の事由によりその資格を喪失した者があるときは、他の選定当事者において全員のために訴訟行為をすることができる〈予〉。

[趣旨] 29条によって当事者能力が認められない場合であっても、権利関係の主体が多数存在し、それらの者の間に共同の利益が認められる場合がある。そこで本条は、選定当事者制度について規定することで、訴訟手続の単純化・訴訟の迅速化を図ることとした。任意的訴訟担当の一場合である。

《概　説》

一　選定当事者の意義

選定当事者とは、共同訴訟人となるべき多数の者（選定者）の中から選ばれて、全員のためにこれに代わって当事者となる者をいう。

二　選定当事者による訴訟追行が発生する場合

1　共同の利益を有する者が訴えの提起前に選定当事者を選定し、当該選定当事者が訴えを提起し、又は当該選定当事者に対して訴えが提起される場合（Ⅰ）

2　訴訟の係属後共同の利益を有する者が選定当事者を選定し、訴訟から脱退する場合（Ⅱ）

3　係属中の訴訟の原告又は被告と共同の利益を有する者で当事者でない者が原告又は被告を選定当事者として選定する場合（追加的選定）（Ⅲ）

三　選定の要件・方法

1　選定の要件

(1)　多数者の存在

原告側、被告側を問わない。理論上は2人以上でよい。

(2)　多数者が「共同の利益」をもつこと

①多数の者が38条前段の関係にあり、かつ②主要な攻撃防御方法を共通にするときに認められる（最判昭33.4.17・百選〔第三版〕16事件、通説）〈予〉。

ex.　共有権者、債務者と連帯保証人、同一事故、公害訴訟による多数の被害者

(3) 選定当事者は共同利益者の中から選ぶこと

　　　第三者から選任できるとすると、弁護士代理の原則（54Ⅰ本文）や信託法10条の潜脱を生じうる。

2　選定の方法

(1) 各人がその意思に基づき個別に行う（選定者団の全体の意思を形成する場合ではない）。選定は、多数決によることはできず、また、選定当事者は1人でも数人であってもよい。

　　　→数人の選定当事者の訴訟上の関係は必要的共同訴訟(40)

　　　→選定者のグループがそれぞれ別個の選定当事者を選んだ場合、各選定当事者の訴訟上の関係は通常共同訴訟

　　　なお、訴訟係属中に選定がなされた場合には、選定者は脱退行為を要することなく、当然に訴訟から脱退する（30Ⅱ）。

(2) 選定には訴訟能力が必要である。

(3) 選定当事者は、訴訟代理人ではなく、当事者であるから、その権限については民訴法55条2項の適用を受けず、訴訟上の和解を含む一切の訴訟行為を特別の委任なしに行うことができるものであり、かつ、選定行為においてもその権限を制限することはできないのであって、たとえ和解を禁ずる等権限の制限を付した選定をしても、その選定は、制限部分が無効となる（最判昭43.8.27・百選A3事件）予。

　　　ただし、審級を限定した選定は許される（大判昭15.4.9）。

(4) 選定当事者の選定及び変更は書面で証明しなければならない（規15）司。

3　選定者に係る請求の追加

(1) 選定者に係る請求の追加の内容（144）司

　　　原告が選定当事者として選定されたときは当該原告が被告に対して、被告が選定当事者として選定されたときは原告が当該被告に対して、その選定者に係る請求を追加することができる。

(2) 選定者に係る請求の追加の趣旨

　　　選定者に係る請求の定立という訴訟行為は、係属中の訴訟の手続内で新たに審判を求める点では、訴えの変更（143）に類似する。しかし、新たな選定者に係る新訴提起の実質を有するものであるため、同一当事者間において申立事項を変更する訴えの変更の概念とは異なる。

　　　そこで法は、これを「請求の追加」という概念で捉え、選定者に係る請求の定立（請求の追加）を可能とする規定を設けた。

(3) 選定者に係る請求の追加の要件

(a) 請求の追加は、口頭弁論終結時まで可能であるが、著しく訴訟手続を遅滞させることになるときはできない（144Ⅲ、143Ⅰ）。控訴審では相手方の同意を要する（300Ⅲ）。

(b) 書面でなすことを要し（144Ⅲ、143Ⅱ）、相手方に送達する必要がある（144Ⅲ、143Ⅲ）。

(4) 不許の裁判

裁判所が請求の追加を不当であると認めるとき（144Ⅲ、143Ⅳ）に、決定でなす。

四　選定当事者の地位・効果

1　選定当事者の地位

(1) 選定当事者は、選定者のすべて及び自己の権利につき訴訟追行権をもつ。選定当事者は訴訟代理人ではなく、当事者適格者である。

→和解、請求の放棄・認諾、訴訟追行上必要な私法上の行為もできる（55条の適用はない）

(2) 選定当事者のうち死亡その他の事由により資格を喪失した者があるときは、他の選定当事者が全員のために訴訟追行をすることができる。

(3) 選定の取消し・変更

(a) 選定者は、いつでも選定の取消し・変更が可能（30Ⅳ）。ただし、相手方に通知しなければ効力を生じない（36Ⅱ）。

(b) 取消し・変更の通知をした者はその旨を裁判所に書面で届け出なければならない（規17）。

2　選定当事者の効果

選定当事者の追行した訴訟の判決は、選定者についても効力を生じる（115Ⅰ②、民執23Ⅰ②、27Ⅱ、33）。

第31条　（未成年者及び成年被後見人の訴訟能力）

未成年者及び成年被後見人は、法定代理人によらなければ、訴訟行為をすることができない[論]。ただし、未成年者が独立して法律行為をすることができる場合は、この限りでない[予]。

[趣旨] 未成年者及び成年被後見人は訴訟において、適切に訴訟行為をし又は受けることによって自己の利益を擁護しあるいは主張することが期待できない。そこで、本条は原則として未成年者及び成年被後見人は訴訟能力を欠くものとし、法定代理人によらなければ訴訟行為をすることができないものとした。

《注　釈》
一　訴訟能力総説

1　訴訟能力の意義

訴訟能力とは、訴訟当事者（又は補助参加人）が自ら単独で有効に訴訟行為をなし、あるいは、受けるために必要な能力である。

訴訟能力は、別段の定めがない限り、民法等の法令によると規定されており（28）、原則として、行為能力を基準にして訴訟能力の有無が決められる。行為能力者はすべて、訴訟能力者である。

＜訴訟無能力者の訴訟行為＞

	原則	単独で訴訟行為をなしうる場合
未成年者	単独では訴訟行為をなしえない（31）	① 許可を得て独立の営業を行う場合（民6Ⅰ）〈共〉 ② 許可を得て無限責任社員になる場合（会584）
成年被後見人	単独では訴訟行為をなしえない（31）	なし〈共〉
被保佐人 （・被補助人）	保佐人の同意を得れば単独で訴訟行為をなしうる（民13Ⅰ④）	相手方の提起した訴え又は上訴について訴訟行為を行う（32Ⅰ）

2　訴訟能力が要求される訴訟行為の範囲

　　訴訟能力は、訴訟手続内の行為だけでなく、訴訟外又は訴訟前に行われる訴訟行為（たとえば、管轄の合意、訴訟代理権の授与、選定）についても必要である。

3　訴訟能力と意思能力の関係

　(1)　訴訟能力者であっても意思能力（民3の2）を欠く状態でなした訴訟行為は訴訟行為としては不成立である。追認によって有効とすることもできない〈同〉。

　(2)　意思能力を欠く者に対して訴えを提起する場合には、法定代理人がないときは、35条を類推適用して特別代理人の選任を申請しなければならない。

　(3)　意思能力を欠く者による控訴提起を有効としつつ、その者による控訴取下げは効力を生じないとした判例がある（最判昭29.6.11・百選A4事件）。

4　人事訴訟における例外

　　身分上の行為は、できるだけ本人の意思を尊重すべきであるので、人事訴訟では、意思能力を有する限り訴訟能力をもつのが原則である（人訴13）〈同予〉。

　　成年被後見人については、成年後見人（その成年後見人が一方当事者である場合には成年後見監督人）が訴訟担当者となることができる（人訴14）〈同〉。

　　婚姻・離婚・養子・親子等に関する訴訟行為をなすには、法定代理人などの許可を要しない。ただし、離縁の訴えは、養子が満15歳に達しない間は、代諾権者から、また代諾権者に対して提起できるとされている（民815）ので、離縁事件については、満15歳に達しない養子は訴訟能力を有しない〈同〉。

二　訴訟無能力者

1　原則：未成年者及び成年被後見人には、訴訟能力はない（本文）。つまり、未成年者と成年被後見人は法定代理人によってのみ訴訟行為ができる

2　例外：未成年者が独立して法律行為をすることができる場合は、訴訟能力を

　　　もつ（ただし書）
　　　ex.　未成年者が独立して営業をすること（民6Ⅰ）・会社の無限責任社員に
　　　　　なること（会584）につき法定代理人の許可を得た場合のその訴訟に関す
　　　　　る限度〈回〉
　3　訴訟当事者が未成年者である場合、当事者の親権者であるA及びBは、訴
　　　訟法上も法定代理人となり、共同して代理権を有する〈回〉。

第32条　（被保佐人、被補助人及び法定代理人の訴訟行為の特則）

Ⅰ　被保佐人、被補助人（訴訟行為をすることにつきその補助人の同意を得ることを
　要するものに限る。次項及び第40条第4項において同じ。）又は後見人その他の
　法定代理人が相手方の提起した訴え又は上訴について訴訟行為をするには、保佐人
　若しくは保佐監督人、補助人若しくは補助監督人又は後見監督人の同意その他の授
　権を要しない〈予・論〉。

Ⅱ　被保佐人、被補助人又は後見人その他の法定代理人が次に掲げる訴訟行為をする
　には、特別の授権がなければならない〈予〉。
　①　訴えの取下げ、和解、請求の放棄若しくは認諾又は第48条（第50条第3項
　　　及び第51条において準用する場合を含む。）の規定による脱退〈論〉
　②　控訴、上告又は第318条第1項の申立ての取下げ
　③　第360条（第367条第2項及び第378条第2項において準用する場合を含
　　　む。）の規定による異議の取下げ又はその取下げについての同意

[趣旨] 保佐人・補助人あるいは後見監督人の同意を常に必要としたのでは、同意
が得られない場合に相手方が訴え提起、上訴の提起を妨げられることになり妥当で
ない。そこで、本条はこれらの者が相手方の訴え提起又は上訴について訴訟行為を
するには同意その他の授権を必要としないものとして、相手方の裁判を受ける権利
を保障することを図った。

《概　説》

◆　**制限的訴訟能力者（被保佐人及び被補助人）**

　1　被保佐人が訴訟行為を行う場合、原則として保佐人の同意が必要である（民
　　　13Ⅰ④）。
　　　　なお、同意は書面で証明しなければならず（規15）、保佐人の同意は、特定
　　　の事件の訴訟追行全般につき与えられることが必要であり、いったん与えた同
　　　意は訴え提起後に撤回することはできない。
　2　被保佐人が相手方の提起した訴え又は上訴について訴訟行為をするには、保
　　　佐人の同意を要しない（32Ⅰ）〈回〉。
　3　被保佐人が、判決によらないで訴訟を終結させる行為（訴え・上訴の取下げ、
　　　裁判上の和解〈論〉、請求の放棄・認諾等）をするには、特別の同意が必要である
　　　（Ⅱ）。

cf.　訴訟代理権の範囲（55Ⅱ）

4　訴訟行為をすることにつき、補助人の同意を得ることを要する旨の審判を受けている場合には、被補助人は被保佐人と同様の地位に立つ（民17Ⅰ）。

第33条　（外国人の訴訟能力の特則）〈醫〉

外国人は、その本国法によれば訴訟能力を有しない場合であっても、日本法によれば訴訟能力を有すべきときは、訴訟能力者とみなす。

［趣旨］外国人の実体法上の行為能力については、法の適用に関する通則法4条1項が適用され、本国の実体法に基づいて行為能力の有無が決定され、それに従って訴訟能力の有無が決定される。しかし、日本において訴訟能力を有する外国人を、日本人以上に保護する必要はない。そこで、33条はかかる者について、「特別の定め」（28前段）として、例外的に訴訟能力者として扱うことができることを定めた。

第34条　（訴訟能力等を欠く場合の措置等）

Ⅰ　訴訟能力、法定代理権又は訴訟行為をするのに必要な授権を欠くときは、裁判所は、期間を定めて、その補正を命じなければならない〈醫〉。この場合において、遅滞のため損害を生ずるおそれがあるときは、裁判所は、一時訴訟行為をさせることができる〈圖〉。

Ⅱ　訴訟能力、法定代理権又は訴訟行為をするのに必要な授権を欠く者がした訴訟行為は、これらを有するに至った当事者又は法定代理人の追認により、行為の時にさかのぼってその効力を生ずる〈同共予書〉。

Ⅲ　前2項の規定は、選定当事者が訴訟行為をする場合について準用する。

［趣旨］訴訟能力は、訴訟を有効に追行し、又は有効な訴訟行為の相手方たりうる要件である。裁判所は、訴訟能力の欠缺を発見した場合には、その者の訴訟行為を禁止すべきであるが、訴訟無能力者がなした訴訟行為についても追認の可能性があり（Ⅱ）、また、将来の訴訟行為は法定代理人が行う可能性も残されている。そこで、1項は、裁判所が当事者に対して訴訟能力欠缺の補正を命じなければならない旨を規定した。

《概　説》

一　訴訟能力欠缺の効果

1　訴訟能力欠缺の効果

訴訟能力は個々の訴訟行為の有効要件であり、訴訟無能力者の行った、又は受けた訴訟行為は当然に無効である（未成年者がなした専属管轄の合意は訴訟能力を欠くため無効である）〈圖〉。

訴訟能力を欠く者がした訴訟行為は、当然に無効である以上、取り消すことはできない〈予〉。

総則

2　追認

　　訴訟能力の欠けた者の訴訟行為でも、訴訟能力を有するに至った当事者又は法定代理人の追認によって遡って有効とすることができる（Ⅱ）。追認は従来訴訟無能力者が行った訴訟行為一切についてなすべきで、都合のよいものだけを選んで追認し、それのみを有効とすることはできない試。

3　裁判所の対応

　　裁判所は職権で訴訟能力の有無を調査しなければならない。

　　訴訟能力を欠いた訴訟行為でも、追認により有効になる余地があるし、また、必ずしもその者に不利な結果をもたらすとは限らないので、裁判所は、直ちにこの行為を排斥せず、期間を定めて補正を命じなければならない（Ⅰ前段）論。ただし、補正をまっていたのでは遅滞のため損害を生ずるおそれがあるときには、裁判所は一時訴訟行為をさせることができる（Ⅰ後段）。

二　訴訟能力の欠缺を看過した判決の効力

　　通説は、訴訟能力の欠缺を看過してなされた終局判決も当然には無効とならないとする。

三　訴訟能力の欠缺が手続に及ぼす影響論

　　訴訟無能力者が行った訴訟行為は無効となるが、それによって訴訟手続にどのような影響が生じるかは、訴訟能力がいずれの時点で欠けているのかによる。

1　訴訟成立の過程（訴えの提起又は訴状の受領）に訴訟能力の欠缺がある場合

(1)　訴訟係属が不適法であるから、裁判所は補正命令を出すべきであり（34Ⅰ）、追認されない限り、訴えを却下しなければならない。

(2)　第1審で訴訟能力の欠缺が看過されて本案判決が言い渡された場合、又は第1審で訴え却下の訴訟判決が言い渡された場合において、訴訟無能力者のなした上訴は適法か。

(a)　第1審で訴訟能力の欠缺が看過されて本案判決が言い渡された場合

ア　第1審で訴訟無能力者が敗訴した場合

(ⅰ)　訴訟無能力者からの上訴

①　訴訟能力のないことを理由に上訴を却下すべきでない。

∵　第1審の敗訴判決が確定してしまい訴訟能力を欠く者の保護に欠ける

②　上訴審は上訴を認め、本案判決を取り消して事件を第1審に差し戻し、補正の機会を与える。

(ⅱ)　相手方からの上訴

上訴の利益がなく、認められない。

イ　第1審で訴訟無能力者が勝訴した場合

(ⅰ)　訴訟無能力者からの上訴

勝訴しているため、一般的には上訴の利益がない。

(ii) 相手方からの上訴

上訴を認める必要はない。

∵　訴訟能力制度は訴訟能力を欠く者を保護する制度である

＜ 訴訟能力の欠缺が看過されて本案判決が言い渡された場合＞ 司予

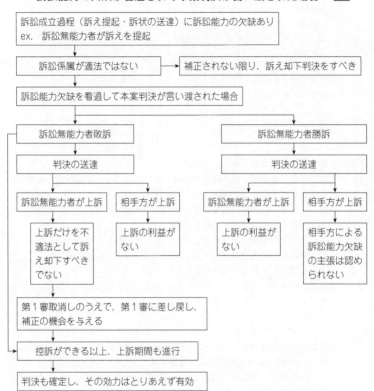

（b）　第1審で訴え却下の訴訟判決が言い渡された場合の控訴審の処理

＜第1審で訴え却下判決が言い渡された場合の控訴審の処理＞

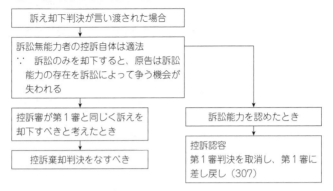

(3)　訴訟無能力者に対する判決の送達

　　　訴訟無能力者も適法に上訴をすることができるので、訴訟無能力者本人に対する送達によって上訴期間も進行し、その経過によって判決は確定する。ただし、確定した判決は再審による取消しの対象になる。

(4)　訴訟無能力者による訴えの取下げ

　　　訴訟無能力者保護の観点から、訴えの取下げは有効となる（通説）。

　　　∵　そもそも訴え提起自体が訴訟能力の欠缺によって不適法である

2　訴訟成立後に訴訟能力の欠缺が生じた場合

　　訴訟要件の不備にはならず、ただその後の訴訟行為が個別的に無効になるにすぎない。

3　訴訟能力の変動

(1)　訴訟係属中に当事者が訴訟能力を喪失すると（たとえば、訴訟係属中に成年後見開始の審判がなされたり、未成年者に対する営業の許可が取り消された場合）、訴訟手続は法定代理人が受継するまで中断する（124Ⅰ③）。

　　　→当事者が能力を取得・回復すると、法定代理権は消滅し、訴訟手続は本人が受継するまで中断する（124Ⅰ③）

(2)　保佐（補助）開始の審判又は取消しの場合は、本人が訴訟追行するから、中断の問題は起こらない。

第35条　（特別代理人）

Ⅰ　法定代理人がない場合又は法定代理人が代理権を行うことができない場合において、未成年者又は成年被後見人に対し訴訟行為をしようとする者は、遅滞のため損害を受けるおそれがあることを疎明して、受訴裁判所の裁判長に特別代理人の選任

　　　を申し立てることができる〈回〉。

Ⅱ　裁判所は、いつでも特別代理人を改任することができる。

Ⅲ　特別代理人が訴訟行為をするには、後見人と同一の授権がなければならない。

［趣旨］本人が単独で有効な訴訟行為をなしえない場合に、実体法上の法定代理人が存在するときには、その者が本人に代わって訴訟行為を行う。しかし、法定代理人が存在しないとき、又は法定代理人が代理権を行使することができないときには、訴訟行為をなしうる者、又は訴訟行為の相手方たるべき者が存在しない。そこで、実体法上の特別代理人が選任されるまでの間における相手方当事者の不利益を避けるために、本条は特別代理人の選任を申し立てることができる旨を規定した。

《注　釈》

＜訴訟上の代理人の種類＞

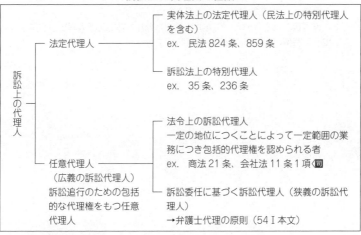

一　法定代理人の種類

1　実体法上の法定代理人

(1)　実体法上、法定代理人の地位にある者は、訴訟法上も法定代理人となる(28)。法定代理人が本人に代わって訴訟追行を行う趣旨である。

　　　ex.　未成年者の親権者（民824）・後見人（民838①、859）、成年後見人（民838②、859）、民法の規定する特別代理人（民826、860、775、25）

(2)　判例（最判昭31.9.18、最判昭43.5.31）は、遺言執行者は法定訴訟担当であるとする。　⇒p.225

2　訴訟法上の特別代理人

(1)　訴訟無能力者の特別代理人（35）

　　　法定代理人がいない未成年者・成年被後見人に対する訴訟を可能とするために選任される訴訟法上の特別代理人をいう。

　　　意思無能力者が後見開始の審判を受けていない場合（ただし、最判昭33.7.25・百選15事件は人事訴訟において特別代理人の選任を否定する。もとより代理に親しまない訴訟であるからである）、相続人不明の相続財産について相続財産管理人が選任されていない場合（大決昭5.6.28）、法人や権利能力なき社団・財団に代表者又は管理人がいない場合（大決昭11.7.15）にも、本条により特別代理人が選任されうる。

(2)　証拠保全と特別代理人（236）

　　　ここにいう特別代理人は、証拠保全の申立てをする際に相手方を指定できない場合、裁判所が選任する代理人をいう。

(3)　原告側の法定代理人・代表者の欠缺の場合の特別代理人制度の利用についても、判例はこれを認める（最判昭41.7.28）。

＜法定代理人と訴訟代理人の比較＞〈共〉

総則

	法定代理人	訴訟代理人
訴訟上の代理人の概念	当事者の名において、代理人たることを示して、当事者に代わり自己の意思に基づいて、訴訟行為をし、又は受ける者	
意　義	本人の意思に基づかないでなる種類の代理人	訴訟追行のための（包括的な）代理権をもつ任意代理人
趣　旨	自分だけでは有効に訴訟追行ができない訴訟無能力者について、その能力を補充するため	訴訟無能力者ではないが、訴訟追行に経験がないと困難であり、煩わしいことでもあることから
種　類	①　実体法上の代理人（28） ②　訴訟法上の特別代理人（35、236）	①　訴訟委任に基づく訴訟代理人 ②　法令上の訴訟代理人
比較検討の視点	本人の身代わり的存在	第三者的立場
代理権の範囲・消滅	民法等の法令による（28・32、民111・834等）	包括的なものに法定し、かつ個別に制限することを禁じている（55ⅠⅢ）。なお55Ⅱにも注意。2項3号から審級代理の原則が導かれる。また、代理権の消滅について、当事者の死亡等によっては当然には消滅しない（58） ∵　弁護士代理の原則による
代理人の表示〈共〉	訴状及び判決書の必要的記載事項（134Ⅱ①、253Ⅰ⑤）	規定なし
訴訟追行権及び訴訟追行上の地位	・本人が訴訟追行できない状態にあることから、訴訟追行について本人から干渉を受けることはない。また、裁判所及び相手方は、本人ではなく、法定代理人に対して訴訟行為をする必要がある（102Ⅰ、151Ⅰ①） ・尋問するには当事者尋問の手続（211）〈共〉	・本人が訴訟追行可能ゆえ本人自ら訴訟追行することも認められている。訴訟代理人による事実上の陳述については本人は是正することもできる（57）。また、送達につき、訴訟代理人がいるにもかかわらず本人に送達をしても適法。ただし、これが妥当かどうかは別問題 ・証人、鑑定人となることができる〈共〉
代理人の死亡によって訴訟手続が中断するか〈共〉	中断する（124Ⅰ③）	中断しない ∵　本人が訴訟追行をなしうる

＊　法令上の訴訟代理人については訴訟委任に基づく訴訟代理人より法定代理人に近く、これに類した取扱いが必要となる。

二　法定代理人の地位・範囲

1　法定代理人の地位

(1)　法定代理人は当事者ではないので、その訴訟行為の効果はすべて当事者たる本人に帰属する。また、裁判籍（4、5）や除斥原因など（23～25）も本人を基準とする。ただし、通説は、法定代理人は補助参加人と同様に本人の受けた判決の参加的効力（46）に拘束されるとする。

(2)　法定代理人は本人の能力を補充する者であるから、その地位が本人に準じて取り扱われることがある。

　　ex.　訴状・判決書への表示（134Ⅱ①、253Ⅰ⑤）、本人に代わる出頭（151Ⅰ①、規32Ⅰ）、送達の受領（102Ⅰ）、当事者尋問の規定の準用（211）

2　法定代理権の範囲

訴訟法に別段の定めのない限り、民法等の実体法の定めによる（28）。

▼　最判昭 33.7.25・百選 15 事件

判旨：　離婚訴訟において、民訴56条（現35条）の特別代理人による遂行が必要であるかが争われた事案。裁判所は、もともと代理に親しまない離婚訴訟においては56条の適用は認められないのであって、これは、心神喪失の常況にあって未だ後見開始の審判を受けていないものについても同様であるとした。

第36条　（法定代理権の消滅の通知）

Ⅰ　法定代理権の消滅は、本人又は代理人から相手方に通知しなければ、その効力を生じない〈司共書〉。

Ⅱ　前項の規定は、選定当事者の選定の取消し及び変更について準用する〈予〉。

[趣旨] 法定代理権の消滅は裁判所及び相手方からは必ずしも容易には知りえない。そこで、法定代理権の消滅は、本人又は代理人から相手方に通知しなければその効力を生じないとすることにより、訴訟手続の安定性と明確性を確保し、相手方の保護を図った。

《注　釈》

◆　法定代理権の消滅と通知

1　法定代理権の消滅原因は、民法等の実体法の定めによる。

2　法定代理権の消滅の通知

能力を取得し又は回復した本人から、又は新旧いずれかの代理人から、相手方に通知するまでは、知・不知にかかわらず（大判昭16.4.5）〈司〉、消滅の効果は生じない（Ⅰ）。もっとも、代理人が死亡し又は後見開始の審判を受けた場合には、本人は消滅の通知をすることを期待できないし、代理人側からも期待

することができない状況にあるから、通知がなくとも、その死亡又は後見開始の審判を受けた時に消滅の効果が生じると解されている（通説）。

また、判例（最判平19.3.27）は、「代表権の消滅が公知の事実である場合には、民訴法37条で準用される同法36条1項所定の通知があったものと同視し、代表権の消滅は、直ちにその効力を生ずる」としている《子》。

∵　36条1項の趣旨は訴訟手続の安定性と明確性を確保し、相手方の保護を図る点にあるところ、上記の場合には、代表権の消滅が直ちにその効力を生ずるとしても、訴訟手続の安定性と明確性は害されず、相手方の保護に欠けるところはない

3　法定代理権の消滅の効果

法定代理権の消滅の効果が生ずると、訴訟手続は中断する（124Ⅰ③）。

ただし、訴訟代理人がある場合には、法定代理権が消滅しても訴訟手続は中断しない（124Ⅱ）。

第37条　（法人の代表者等への準用）《同共》

この法律中法定代理及び法定代理人に関する規定は、法人の代表者及び法人でない社団又は財団でその名において訴え、又は訴えられることができるものの代表者又は管理人について準用する。

［趣旨］会社、民法その他の法令による法人、さらには法人でない社団又は財団でその名において訴え、又は訴えられることができるもの等は、民訴法上当事者能力を有するが（28、29）、その性質上、自ら実際に訴訟行為を行うことはできない。そこで、代表機関たる自然人が団体に代わって訴訟行為を行うことになるが、これらの関係は、訴訟無能力者と法定代理人との関係に類似していることから、法定代理及び法定代理人の規定を準用するものとした。

《注　釈》

一　法人等の代表者の意義

法人等の代表者とは、法人等の代表機関として、その法人等の名で、自己の意思に基づいて行為し、その効果が法人等に帰属する関係にある者をいう。法人等を当事者とする訴訟はこれらの者が追行する。

ex.　法人の理事（一般法人60Ⅰ）、会社の代表取締役（会349Ⅲ・Ⅳ）、権利能力なき社団・財団で当事者能力のあるもの（29）の代表者・管理人

▼　最判昭59.9.28《子》

判旨：　株主総会における取締役選任決議の無効確認請求訴訟を本案とする代表取締役の職務執行停止・職務代行者選任の仮処分が発令されている場合、「仮処分に別段の定めのない限り、右代表取締役は会社代表権の行使を含む一切の職務執行から排除され、これに代わって代表取締役の職務代行者として選任された者（以下、この者を『代表取締役職務代行者』

という。）が会社代表者として会社の常務に属する一切の職務を行うべきこととなるのであり、したがって、当該仮処分の本案訴訟において被告たる会社を代表して訴訟の追行にあたる者も右代表取締役職務代行者であって職務の執行を停止された代表取締役ではない」。

二　法人の代表と表見法理

　登記簿上の代表者に対する訴えの提起その他の訴訟行為にも、実体法上の表見代理規定の適用ないし類推適用があるか。

＜訴訟行為への表見代理の適用・類推適用＞ 回H26

	否定説 判 回	肯定説
理由	①　訴訟行為は取引行為と異なる ②　商法24条、会社法13条は表見支配人の代表権につき裁判上の行為を除外している ③　代表権の欠缺は絶対的上告事由・再審事由である ④　法人の、真の代表者による裁判を受ける権利を保護する必要がある	①　訴訟は実体法上の権利実現の過程であり、取引関係の延長である ②　商法24条、会社法13条も、登記のある表見支配人に関しては別に解しうる ③　登記を信じた者の信頼を保護すべきである ④　登記を基準にするため、手続の安定に役立つ
批判	第三者が真の代表者を知るのは困難であるうえ、登記を信じた者を保護しないと当事者の公平を害する	相手方の善意・悪意によって訴訟行為の効力が異なる結果、手続が不安定となる

▼　最判昭45.12.15・百選16事件 回

判旨：　民法109条［注：改正109条1項］および会社法354条の規定は、いずれも取引の相手方を保護し、取引の安全を図るために設けられた規定であるから、取引行為と異なる訴訟手続において会社を代表する権限を有する者を定めるにあたっては適用されない。

　　　　　代表権のない者に宛てた送達をもってしては、適式な訴状送達の効果を生じない。裁判所としては、民訴法138条2項、137条1項により、上告人に対し訴状の補正を命じ、また、被上告会社に真正な代表者のない場合には、上告人よりの申立に応じて特別代理人を選任するなどして、正当な権限を有する者に対しあらためて訴状の送達をすることを要する。そして上告人において右のような補正手続をとらない場合にはじめて裁判所は上告人の訴を却下すべきものである。

▼　最判昭43.4.16・百選〔第5版〕A6事件

判旨：　法人の代表者の交替があった場合でも、訴訟代理人の選任がなされていた場合には、代理人は58条1項により新代表者の委任により訴訟追

行をなしうるので、36条の通知がなくても判決に新代表者を表示することができる。

■第3節　共同訴訟
《概　説》
一　共同訴訟

1　総説

　　1個の訴訟手続に、原告・被告各1名にとどまらず、同時に（共同訴訟の場合）あるいは時間的に前後して（訴訟参加、任意的当事者変更や訴訟承継の場合）3人以上の者が、当事者ないしそれに準じた地位（補助参加人が加わる場合）につく訴訟形態を用意している。このような訴訟形態を総称して多数当事者訴訟と呼ぶ。

2　共同訴訟の種類

(1)　通常共同訴訟とは、各共同訴訟人と相手方との間で合一確定の必要がない共同訴訟のことをいう。

(2)　必要的共同訴訟とは、各共同訴訟人と相手方との間で合一確定の必要のある共同訴訟をいう。①固有必要的共同訴訟と、②類似必要的共同訴訟とがある。

二　共同訴訟の成立形態（発生原因）

1　主観的（単純）併合（固有の主観的併合）

(1)　主観的併合の意義

　(a)　主観的併合とは、共同訴訟人と相手方との間の複数の請求につき、訴えの当初から1個の訴えをもって同時に審判を求める場合である。

　(b)　主観的併合は共同訴訟が成立する形態の1つである。共同訴訟の成立形態としては、①訴え提起の当初から共同訴訟の形態をとる場合と、②訴訟係属後に新たに第三者が当該訴訟に当事者として加入し、あるいは加えられることによって、共同訴訟となる場合がある。主観的併合は①の場合である。

(2)　主観的併合の要件

　　通常共同訴訟の要件（38）を具備すること。

2　主観的予備的併合

　　主観的予備的併合とは、主位原告の又は主位被告に対する請求の認容を解除条件として、予備的に予備的原告の又は予備的被告に対する請求の審判を求める訴えをいう。　⇒p.80

＜共同訴訟の成立形態＞

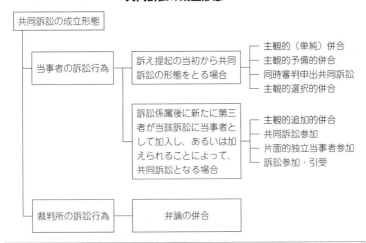

第38条　（共同訴訟の要件）

　訴訟の目的である権利又は義務が数人について共通であるとき、又は同一の事実上及び法律上の原因に基づくときは、その数人は、共同訴訟人として訴え、又は訴えられることができる。訴訟の目的である権利又は義務が同種であって事実上及び法律上同種の原因に基づくときも、同様とする。

[趣旨] 共同訴訟は、共通の審判により審理の時間、費用等を節約することができるが、他方、当事者を異にする訴訟手続の併合であるため、訴訟資料に共通性を欠く場合や主要な争点が異なる場合に、かえって当事者に訴訟遅延等の弊害が生じるおそれがある。そこで本条は、共同訴訟が許容される要件を限定した。

《注　釈》

一　通常共同訴訟の意義

　通常共同訴訟とは、本来個別に訴訟を提起し審判されうる数個の請求につき便宜上共同訴訟とすることが認められる場合であり、全員が共同で訴え又は訴えられる必要性も判決の合一確定の必要性もない場合をいう。

二　通常共同訴訟の要件

1　主観的併合要件

　本来個別の訴訟を1つの訴訟手続に関与させる以上、訴訟目的について関連ないし類似の関係が必要である。これを訴えの主観的併合要件という。

(1) 「訴訟の目的である権利又は義務が数人について共通であるとき」(38前段第1文)

　(a) 権利共通　ex.　数人の土地共有者による不法占拠者に対する明渡請求

　(b) 義務共通　ex.1　数人の連帯債務者に対する債権者の支払請求

　　　　　　　　ex.2　合名会社とその社員に対する会社債務の弁済請求

(2) 「同一の事実上及び法律上の原因に基づくとき」(38前段第2文)

　　　ex.1　同一事故による数名の被害者の損害賠償請求〈予〉

　　　ex.2　共同不法占拠者に対する所有権者の明渡請求

　　　ex.3　買主と転得者に対する売買の無効による移転登記抹消請求 (最判昭29.9.17)

　　　ex.4　主債務者と保証人に対する支払請求

　　　ex.5　数人の共有者に対する所有権確認請求 (最判昭34.7.3)

(3) 「訴訟の目的である権利又は義務が同種であって事実上及び法律上同種の原因に基づくとき」(38後段)

　　　ex.1　問屋の複数買主に対する売掛代金請求

　　　ex.2　数棟の家屋の賃貸人の各賃借人に対する賃料増額請求や明渡請求

　　　ex.3　賃借人に対する無断転貸による解除を理由とする賃貸借契約の終了に基づく建物明渡請求と、転借人に対する所有権に基づく建物明渡請求〈予〉

2 客観的併合要件 (136)

① 各請求が同種の手続によることができること

② 併合が禁じられないこと

③ 各請求につき受訴裁判所が管轄権をもつこと

3 一般の訴訟要件

　各請求について訴えがそれぞれ一般の訴訟要件を具備していなければならない。ただし、通常共同訴訟・類似必要的共同訴訟では、訴訟要件を欠く訴えのみを却下すれば足りる。他方、固有必要的共同訴訟では訴え全部が却下される。

第39条　（共同訴訟人の地位）

　共同訴訟人の1人の訴訟行為、共同訴訟人の1人に対する相手方の訴訟行為及び共同訴訟人の1人について生じた事項は、他の共同訴訟人に影響を及ぼさない〈同書〉。

[趣旨] 通常共同訴訟は、各訴訟当事者に関する個別の訴訟が同じ口頭弁論期日で共同して実施されるものにすぎず、本来個別の訴訟を提起することが許されるものであり、個別の訴訟では他の共同訴訟人の牽制を受けることなく自由に訴訟追行することができるのであるから、通常共同訴訟においても可能な限り個別の訴訟と同様に扱おうとする趣旨である。

《注　釈》

◆　審理方式（共同訴訟人独立の原則とその修正）

1　共同訴訟人独立の原則〈司H18〉

(1)　意義

　　共同訴訟人の1人の訴訟行為、共同訴訟人の1人に対する相手方の訴訟行為及び共同訴訟人の1人について生じた事由は、他の共同訴訟人に影響を及ぼさないとする原則をいう。

(2)　趣旨

　　通常共同訴訟は、各訴訟当事者に関する個別の訴訟が同じ口頭弁論期日で共同して実施されるものにすぎず、本来個別の訴訟を提起することが許されるものであり、個別の訴訟では他の共同訴訟人の牽制を受けることなく自由に訴訟追行することができるのであるから、通常共同訴訟においても可能な限り個別の訴訟と同様に扱おうとする趣旨である。

(3)　効果

　　1人について中断・中止の事由が生じても、他の者には影響を与えない〈予〉。また、各自独立に、請求の放棄・認諾、和解、訴えの取下げ、上訴、自白等ができる〈司予書〉〈司R2〉。

　　ex.　Xは、主債務者Yと保証人Zを共同被告として、貸金の返還と保証債務の履行を求めた。XのYに対する請求とZに対する請求について1つの判決がされた場合において、Yがこの判決に対して控訴をした場合でも、この判決のうちZに対する請求部分は確定する〈司〉

2　共同訴訟人独立の原則の限界

(1)　共同訴訟人間の証拠共通の原則〈司H18〉〈司R2〉

　　共同訴訟人の1人に対し又は1人により提出された証拠を、他の共同訴訟人に共通又は関連する事実の認定資料とすることができるとする原則をいう。判例・通説はこれを肯定する（大判大10.9.28等）〈司予書〉。

　　∵①　歴史的に1つしかない事実については、その認定判断も1つしかあり得ないことから、これを認めなければ、裁判所に対して矛盾した判断をさせることとなり、自由心証主義の不当な制約となる

　　　②　同一手続内の自然な事実認定をするための便宜

(2)　共同訴訟人間の主張共通の原則

(a)　問題の所在

　　例えば、債権者Xが主債務者Yと保証人Zを相手取って共同訴訟を提起した場合、Yのみが期日に出席し争うということがしばしばみられるが、この場合に共同訴訟人独立の原則を適用すると、Yは勝訴してもZは敗訴することとなる。しかし、このような結論では、YZ双方の期待（Yは事実上Zのためにも争っており、Zもそれを期待していることが多い）を裏

68

切るだけでなく、勝訴したはずのYに対して敗訴したZが求償せざるを得ない状況に追い込む結果、紛争を一層紛糾させるものとなる。

　そこで、共同訴訟人の1人の主張は他の共同訴訟人の訴訟にも直接影響を及ぼし、他の共同訴訟人のためにも主張されたものと扱うことはできないかが問題となる。

　　→原告・被告間の主張共通の原則の問題（⇒p.127）と混同しないよう注意を要する

(b)　共同訴訟人間の主張共通の原則を認める見解①（当然の補助参加の理論）

　共同訴訟人間に補助参加の利益が認められる場合には、特に補助参加の申出がなされなくとも、当然に補助参加がなされたものとして取り扱うことにより、主張共通の原則を認める見解もある（当然の補助参加の理論）。

　しかし、判例（最判昭43.9.12・百選90事件）同子は、「たとえ共同訴訟人間に共通の利害関係が存するときでも……共同訴訟人が相互に補助しようとするときは、補助参加の申出をすることを要する」として当然の補助参加の理論を否定しており、学説上も当然の補助参加の理論を否定するのが通説とされる。

　　∵　補助参加の申出がないにもかかわらず、他の共同訴訟人のために当然に補助参加がされたと同一の効果を認めると、どのような関係があればこの効果が生じるかに関して明確な基準を欠く以上、訴訟を混乱させるおそれがある

(c)　共同訴訟人間の主張共通の原則を認める見解②

　次に、学説上では、補助参加の利益の有無にかかわらず、ある共同訴訟人の主張が他の共同訴訟人に利益なものである限り、この者にもその効果が及ぶとして主張共通の原則を認める見解もある。

　　∵①　補助参加の利益の有無を問わないとすることにより、補助参加の利益について困難な審理をせずにまた、各共同訴訟人の自律を損なわずに妥当な解決を図ることができる

　　　②　共同訴訟人独立の原則は、各共同訴訟人にほかの共同訴訟人に制約されずに独立の訴訟追行をする権能を認める点に意義があり、各共同訴訟人がこの権能を行使しなかった場合の取扱いは、もはや共同訴訟人独立の原則とは関係がない

　もっとも、この見解に対しても、①「利益なもの」の定義が不明確である、②そもそも主張をしないということも各共同訴訟人の選択に委ねられている以上、共同訴訟人に利益なものであれば援用なくてもその効果が及ぶとするのは共同訴訟人独立の原則に反するといった批判がなされている。

以上より、判例（最判昭43.9.12・百選90事件）・通説は、補助参加の手続を経由しない限り、通常共同訴訟において共同訴訟人の1人の主張が他の共同訴訟人のための訴訟資料になることはないとして、共同訴訟人間の主張共通の原則を否定する立場に立っている。

第40条　（必要的共同訴訟）

Ⅰ　訴訟の目的が共同訴訟人の全員について合一にのみ確定すべき場合には、その1人の訴訟行為は、全員の利益においてのみその効力を生ずる〈同予書〉。

Ⅱ　前項に規定する場合には、共同訴訟人の1人に対する相手方の訴訟行為は、全員に対してその効力を生ずる〈同書〉。

Ⅲ　第1項に規定する場合において、共同訴訟人の1人について訴訟手続の中断又は中止の原因があるときは、その中断又は中止は、全員についてその効力を生ずる〈同予書〉。

Ⅳ　第32条第1項の規定は、第1項に規定する場合において、共同訴訟人の1人が提起した上訴について他の共同訴訟人である被保佐人若しくは被補助人又は他の共同訴訟人の後見人その他の法定代理人のすべき訴訟行為について準用する。

［趣旨］本条は、必要的共同訴訟における、共同訴訟人の1人の訴訟行為及びその者について生じた事項が他の共同訴訟人に対して有する効果につき、共同訴訟人独立の原則（39）の特則を定める。

《注　釈》

一　固有必要的共同訴訟

1　固有必要的共同訴訟の意義〈予〉

複数人が共同原告となり、又は複数人を共同被告として訴えを提起しなければ当事者適格を欠くことになるため、手続上のすべての段階で訴訟共同の必要があり、その結果として合一確定の必要がある共同訴訟の形態をいう。

2　固有必要的共同訴訟の趣旨

①　重複審理の回避（訴訟経済）

②　判決の矛盾回避

③　当事者適格者全員の訴訟関与確保という手続保障の実現

3　通常共同訴訟と固有必要的共同訴訟の区別・判断基準〈同H23司R2 予R4〉

実体法上の管理処分権の帰属態様を基準に、訴訟法上の観点も加味して決定する（判例・多数説）。

実体法上の管理処分権を基準とするのは、敗訴した場合、問題となった権利を処分したのと類似する状態に陥るため、訴えの提起は処分行為に類似するといえるからである。

4　固有必要的共同訴訟の具体例

(1)　他人間の権利関係の変動を生じさせる形成訴訟や右変動を生じさせるのと同程度に重大な影響を与える確認訴訟→原則としてその権利関係の主体全員

　　を当事者としなければならない。

　　ex.1　取締役解任の訴え（会854）（最判平10.3.27・百選〔第三版〕A7事
　　　　　件）司H20

　　　　　∵　形成訴訟

　　ex.2　第三者提起の婚姻無効確認・婚姻取消しの訴え（人訴12Ⅱ）

　　ex.3　共同相続人が、他の共同相続人に対し、その者が被相続人の遺産に
　　　　　つき相続人の地位を有しないことの確認を求める訴え（最判平
　　　　　16.7.6・平16重判4事件）

(2)　数人が共同してのみ管理処分すべき財産に関する訴訟

　　ex.　訴訟担当者（破産管財人・再生管財人・更正管財人・選定当事者な
　　　　　ど）が複数いる場合（破76Ⅰ、民再70、会更69、民訴30ⅠⅣ）

(3)　共同所有関係に関する訴訟

　(a)　総有・合有の場合

　　ア　原則：固有必要的共同訴訟とすべきである。

　　　　　　　∵　実体法上、総有・合有の場合は権利は共同でのみ行使され
　　　　　　　　　なければならないため、その権利関係につき判決をするには
　　　　　　　　　各権利者全員に手続保障が不可欠である

▼　**最判平20.7.17・百選92事件**　司H28 予R4

　事案：　Xは、本件土地に登記名義を有するYらに対して、本件各土地について
　　　　　共有の性質を有する入会権を有することの確認を求める訴えを提起した。

　判旨：　入会地であることの確認を求める訴えは、「入会集団の構成員全員が当
　　　　　事者として関与し、その間で合一にのみ確定することを要する固有必要
　　　　　的共同訴訟である」とし、「入会集団の構成員のうちに入会権確認の訴え
　　　　　を提起することに同調しない者がいる場合には、入会権の存在を主張す
　　　　　る構成員が原告となり、同訴えを提起することに同調しない者を被告に
　　　　　加えて、同訴を提起することも許される」とした上で、「このような訴え
　　　　　の提起を認めて、判決の効力を入会集団の構成員全員に及ぼしても、構
　　　　　成員全員が訴訟の当事者として関与するのであるから、構成員の利益が
　　　　　害されることはないというべきである」とした。

　評釈：　本判例は、Xと同じ入会集団の構成員であり提訴に同調しない者も被
　　　　　告と扱うことで、X・Y間の既判力を拡張することを認めたものである。
　　　　　①原告の訴権保護、及び②提訴を拒否する構成員も訴訟に関与すること
　　　　　ができるため、不利益を被らないことを理由とする。

　　イ　例外

　　　①　入会権に基づく自己の使用収益権の確認ないし妨害排除請求（最
　　　　　判昭57.7.1）予

　　　　　∵　使用収益権は各人が行使可能

② 合有財産たる組合財産につきなされた不法登記抹消請求（最判昭 33.7.22）

∵ 保存行為（民 252 Ⅴ）

③ 組合債務の履行請求訴訟

∵ 不可分債務の規定を類推適用（民 430、436）

(b) 共有の場合

ア 共有者が原告側の場合

(ⅰ) 共有権に関する訴訟

原則：固有必要的共同訴訟

∵ 共有権は、共有者全員の有する 1 個の所有権である

ex.1 共有権の確認訴訟（最判昭 46.10.7・百選 A29 事件）〈司予〉〈司H23〉

∵ 共有者全員の有する 1 個の所有権そのものが紛争の対象となっており、その紛争の解決いかんについては共有者全員が法律上利害関係を有することから、その判決は矛盾なくされることが要請される

ex.2 共有権に基づく所有権移転登記請求訴訟（最判昭 46.10.7・百選 A29 事件）〈予〉〈予R元〉

∵ 共有者全員の権利関係を登記に反映しなければならない

ex.3 共有地境界確定訴訟（最判平 11.11.9・百選〔第三版〕102 事件）〈司〉

例外：各共有者単独でなしうる保存行為（民 252 Ⅴ）をめぐる訴訟である場合

ex. 共有物の明渡請求（最判昭 44.7.24）

(ⅱ) 持分権に関する訴訟→個別訴訟が可能

∵ 各共有者が管理処分権を有する

ex.1 各共有者の持分確認訴訟（最判昭 40.5.20）〈予〉

ex.2 共有不動産に関する抹消登記請求訴訟（最判昭 31.5.10・百選〔第 4 版〕99 事件、最判平 15.7.11・百選 93 事件）〈共〉

▼ **最判昭 31.5.10・百選〔第 4 版〕99 事件**

事案： Aは、Bから本件不動産を買い受けたが、税金対策上の理由により、その所有権移転登記の名義をYのものとしていた。Aが死亡した後、Aの相続人Xが、Yの登記は登記原因を欠く無効なものであると主張して、その抹消登記手続請求をしたところ、Yは、他の相続人と共同でなければ訴えを提起できないとして争った。

判旨：　「ある不動産の共有権者の一人がその持分に基き当該不動産につき登記
簿上所有名義者たるものに対してその登記の抹消を求めることは、妨害
排除請求に外ならずいわゆる保存行為に属するものというべく、従って、
共同相続人の一人が単独で本件不動産に対する所有権移転登記の全部の
抹消を求めうる」。

※　この判例は、抹消登記手続請求が「保存行為」に属することを理由の1つ
としているが、持分権は共有物全部に及んでいる以上、保存行為を理由とす
るまでもなく、持分権に基づく妨害排除請求（抹消登記手続請求）を共有者
単独で行使していると構成すれば足りると批判されている。

▼　**最判平 15.7.11・百選 93 事件**

判旨：　「不動産の共有者の1人は、その持分権に基づき、共有不動産に対して
加えられた妨害を排除することができるところ、不実の持分移転登記が
されている場合には、その登記によって共有不動産に対する妨害状態が
生じているということができるから、共有不動産について全く実体上の
権利を有しないのに持分移転登記を経由している者に対し、単独でその
持分移転登記の抹消登記手続を請求することができる」。

※　この判例は、前掲判例（最判昭31.5.10・百選〔第4版〕99事件）を引用
しているが、「保存行為」を理由としていない。これは、前掲判例に対する批
判を前提にしているものと解される。

　　イ　共有者が被告側の場合
　　　　各共有者の利益に関し何らかの形でそれぞれの管理処分権を認めるこ
とができ、また他の共有者の手続保障上の地位を害しない限度では、通
常共同訴訟を認めうる。
　　　　ex.　共同賃借人の1人に対する賃貸借契約の終了に基づく目的物の引
渡請求（大判大 7.3.19）

▼　**最判昭 43.3.15・百選 94 事件**

判旨：　被告が共同所有している不動産について建物収去土地明渡訴訟を提起
する場合、共同所有者全員が被告とならなければならないかが問題とな
った。裁判所は、各共有者の利益に関し何らかの形でそれぞれの管理処
分権を認めることができ、また他の共有者の手続保障上の地位を害しな
い限度では、通常共同訴訟を認め得る、とした。

理由：　①　「共同相続人らの義務はいわゆる不可分債務であるから、その請求
において理由があるときは、同人らは土地所有者に対する関係では、
各自係争物件の全部についてその侵害行為の全部を除去すべき義務
を負うのであって、土地所有者は共同相続人ら各自に対し、順次そ
の義務の履行を訴求することができ、必ずしも全員に対して同時に
訴を提起し、同時に判決を得ることを要しない」。

総則

② 「これを固有必要的共同訴訟であると解するならば、共同相続人の
全部を共同の被告としなければ被告たる当事者適格を有しないこと
になるのであるが、そうだとすると、原告は、建物収去土地明渡の
義務あることについて争う意思を全く有しない共同相続人をも被告
としなければならないわけであり、また被告たる共同相続人のうち
で訴訟進行中に原告の主張を認めるにいたった者がある場合でも、
当該被告がこれを認諾し、または原告がこれに対する訴を取り下げ
る等の手段に出ることができず、いたずらに無用の手続を重ねなけ
ればならない」。

③ 「相続登記のない家屋を数人の共同相続人が所有してその敷地を不
法に占拠しているような場合には、その所有者が果して何びとであ
るかを明らかにしえないことで［ママ］稀ではない。そのような場
合は、その一部の者を手続に加えなかったために、既になされた訴
訟手続ないし判決が無効に帰するおそれもある」。

④ 「他面、これを通常の共同訴訟であると解したとしても、一般に、
土地所有者は、共同相続人各自に対して債務名義を取得するか、あ
るいはその同意をえたうえでなければ、その強制執行をすることが
許されないのであるから、かく解することが、直ちに、被告の権利
保護に欠けるものとはいえない」。

▼ **最判昭36.12.15**〔予〕

判旨：　土地売主の共同相続人に対する買主からの所有権移転登記請求訴訟に
ついて、各相続人の所有権移転登記義務は不可分債務であり、買主は各
相続人に対して全部の履行を請求できるから、必要的共同訴訟ではない
とした。

＊　なお、被相続人から贈与を受けた者が共同相続人のうちの1人に対して、
所有権移転登記手続請求訴訟を提起した場合についても、必要的共同訴訟で
はなく、通常共同訴訟とした（最判昭44.4.17）〔予〕。

ウ　共有者相互間の場合→固有必要的共同訴訟
∵　共同所有者全員について合一に確定すべき要請が強い
ex.1　共有物分割の訴え（大判明41.9.25）〔予〕
ex.2　共有権確認の訴え（最判昭41.11.25：入会権について）〔予〕
ex.3　遺産確認訴訟（最判平元.3.28・百選95事件）
ex.4　ある共同相続人が、他の共同相続人全員に対し、その者が被相
続人の遺産につき相続人の地位を有しないことの確認を求める訴
え（最判平16.7.6・平16重判4事件）〔司予〕

▼ **最判平 11.11.9・百選〔第三版〕102 事件**〈共予〉

> 判旨： 境界確定の訴えは、隣接する土地の一方又は双方が数名の共有に属する場合には、固有必要的共同訴訟と解されるが、共有者のうちに右の訴えを提起することに同調しない者がいるときには、その余の共有者は、隣接する土地の所有者と共にかかる者を被告として訴えを提起することができると解するのが相当である。けだし、境界確定の訴えにおいては、裁判所は当事者の主張に拘束されないで、自らその正当と認めるところに従って境界を定めることができ、このような訴えの特質に照らせば、共有者全員が必ず共同歩調をとることを要するとまで解する必要はなく、共有者の全員が原告又は被告いずれかの立場で当事者として訴訟に関与していれば足りると解すべきであり、このように解しても訴訟手続に支障を来すこともないからである。

<共同所有関係に関する訴訟>

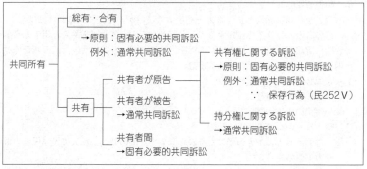

(4) 遺産確認の訴え

    遺産確認の訴えとは、当該財産が現に共同相続人による遺産分割前の共有関係にあることの確認を求める訴えをいう。

▼ **最判平元 .3.28・百選 95 事件**〈予〉

> 判旨： 「遺産確認の訴えは、当該財産が現に共同相続人による遺産分割前の共有関係にあることの確認を求める訴えであり、その原告勝訴の確定判決は、当該財産が遺産分割の対象である財産であることを既判力をもって確定し、これに続く遺産分割審判の手続及び右審判の確定後において、当該財産の遺産帰属性を争うことを許さないとすることによって共同相続人間の紛争の解決に資することができるのであって、この点に右訴えの適法性を肯定する実質的根拠があるのであるから……、右訴えは、共同相続人全員が当事者として関与し、その間で合一にのみ確定することを要するいわゆる固有必要的共同訴訟と解するのが相当である」。

▼　**最判平26.2.14・平26重判1事件**

　　事案：　相続分を他の共同相続人に全部譲渡をした共同相続人について、遺産確認の訴えの当事者適格の有無が争われた。

　　判旨：　遺産確認の訴えにつき、最判平元.3.28・百選95事件を引用して、共同相続人全員が当事者として関与することを要する固有必要的共同訴訟であるとする一方、「共同相続人のうち自己の相続分の全部を譲渡した者は、積極財産と消極財産とを包括した遺産全体に対する割合的な持分を全て失うことになり、遺産分割審判の手続等において遺産に属する財産につきその分割を求めることはできないのであるから、その者との間で遺産分割の前提問題である当該財産の遺産帰属性を確定すべき必要性はないというべきである。そうすると、共同相続人のうち自己の相続分の全部を譲渡した者は、遺産確認の訴えの当事者適格を有しない」とした。

二　類似必要的共同訴訟

1　類似必要的共同訴訟の意義

　　全員が共同訴訟人として訴えを提起することが不可欠であるわけではなく、一部の者のみで訴えを提起することも許されるが、各共同訴訟人と相手方当事者間に訴訟が係属した以上は個別訴訟は許されず、必要的共同訴訟の審判の原則が適用される共同訴訟である。

2　類似必要的共同訴訟の趣旨

(1)　審理の重複回避

(2)　判決の矛盾回避

3　合一確定の必要の意義・範囲

(1)　共同訴訟人の1人の受けた判決の既判力が他の共同訴訟人に及ぶ場合（既判力拡張の場合）

　　ex.1　数人の株主の提起する株主総会決議取消しの訴え・株主総会決議無効確認の訴え（会830、831）

　　ex.2　数人の提起する婚姻の無効や取消しの訴え（人訴24）

(2)　第三者に判決効が及ぶ場合（通説）　⇒p.170

　　ex.　数人の債権者が共同原告として債権者代位訴訟を提起した場合（株主代表訴訟につき、最判平12.7.7・百選96事件）

　　　∵　一部の債権者が債権者代位訴訟を提起した場合、その判決の効力は債務者に対して及び（115Ⅰ②）、その結果他の債権者もその効力を争うことができなくなる関係にある

＜共同訴訟の種類＞

		訴訟共同	判決の合一確定
通常共同訴訟		×	×
必要的共同訴訟	類似必要的共同訴訟	×	○
	固有必要的共同訴訟	○	○

○：該当する　×：該当しない

三　必要的共同訴訟の審判

1　共同訴訟人の1人がした訴訟行為は、全員の利益にのみ効力を生じる（40
　Ⅰ）。不利な行為は、全員がそろってしない限り他の全員についてだけでなく、
　当該共同訴訟人にも効力を生じない。

　⑴　1人がした自白や請求の放棄・認諾、訴訟上の和解は効力を生じない（た
　　だし、弁論の全趣旨として心証形成の一因となることはありうる）同。

　⑵　訴えの取下げ

　　ア　類似必要的共同訴訟　→単独で可能

　　イ　固有必要的共同訴訟

　　　→固有必要的共同訴訟における訴えの取下げについて、判例は、共同原告
　　　　の一部による訴えの取下げ、あるいは被告の一部に対する訴えの取下げ
　　　　は無効であるとする（最判昭46.10.7・百選A29事件）同予書

　⑶　上訴の取下げ

　　ア　固有必要的共同訴訟の場合

　　　→上訴の取下げは原判決を確定させるものであるという点で他の共同訴訟
　　　　人に有利な行為とはいえず、40条1項の反対解釈により無効となる

　　イ　類似必要的共同訴訟の場合

　　　→有効とされている

▼　最判平6.1.25・平6重判4事件

　判旨：　固有必要的共同訴訟である遺産確認の訴えにおいて、共同被告の一部
　　　　　に対する訴えの取下げは効力を生じないものとした。「このような固有必
　　　　　要的共同訴訟の係属中にした共同被告の一部に対する訴えの取下げは、
　　　　　効力を生じないものというべきである。けだし、いわゆる固有必要的共同
　　　　　訴訟においては、共同訴訟人全員について判決による紛争の解決が矛
　　　　　盾なくされることが要請されるが故に、共同訴訟人全員が当事者として
　　　　　関与することが必要とされるのであって、このような訴訟の係属中に一
　　　　　部の者に対してする訴えの取下げの効力を認めることは、右訴訟の本質
　　　　　と相いれないからである」と述べている。

＜必要的共同訴訟における訴え・上訴の取下げ＞

	訴えの取下げ	上訴の取下げ
類似必要的共同訴訟	単独で可能	有効
固有必要的共同訴訟	共同原告のとき→無効 （40Ⅰ反対解釈）〈予〉 共同被告のとき→無効 （合一確定の要請）	無効 （40Ⅰ反対解釈）

　ウ　相手方のなす訴えの取下げ

　　　同意を必要とする場合（261Ⅱ）には、全員の同意を要する。

2　共同訴訟人の1人に対してなされた相手方の訴訟行為は、全員に対して効力を生じる（40Ⅱ）。

　　ex.　期日に1人でも出頭していれば、相手方は準備書面に記載していない事実でも主張できる（161Ⅲ参照）

3　共同訴訟人の1人について手続の中断・中止の原因があるときは、全員について訴訟の進行が停止される（40Ⅲ）。

4　弁論の分離（152）〈予〉や一部判決（243Ⅱ）は、解釈上認められない。誤った一部判決をしたときは、共同訴訟人全員に対する判決とみなされ、判決の名宛人でない者も当該判決に対して控訴をすることができる〈同〉。

5　1人が上訴を提起した場合は、全員に対する関係で判決の確定が遮断し、全訴訟が移審して、共同訴訟人全員が上訴人の地位につく（最判昭58.4.1）〈同書〉。

　　これに対して、株主代表訴訟（会847）のような類似必要的共同訴訟では、共同訴訟人の一部の者のみが上訴したときは、自ら上訴しなかった共同訴訟人は上訴人にはならない（最大判平9.4.2、最判平12.7.7・百選96事件）。

　　必要的共同訴訟において判決が確定するのは、全員につき上訴期間が経過した時である〈同予〉。

▼　最判平22.3.16・平22重判5事件〈予〉

　　事案：　共同相続人であるＸが、Ｙ2が遺言書を偽造したものとして、民法891条5号所定の相続人欠格事由に該当する旨を主張して、Ｙ1、Ｙ2、Ｙ3を被告として遺言の無効確認及びＹ2が相続人の地位を有しないことの確認を求めた。

　　判旨：　「本件〔相続権不存在確認〕請求に係る訴えは、共同相続人全員が当事者として関与し、その間で合一にのみ確定することを要する固有必要的共同訴訟と解するのが相当である。……原告甲の被告乙及び丙に対する訴えが固有必要的共同訴訟であるにもかかわらず、甲の乙に対する請求を認容し、甲の丙に対する請求を棄却するという趣旨の判決がされた場合には、上訴審は、甲が上訴又は附帯上訴をしていないときであっても、

合一確定に必要な限度で、上記判決のうち丙に関する部分を、丙に不利益に変更することができると解するのが相当である。……そうすると、当裁判所は、原判決のうち上告人Ｙ２に関する部分のみならず、同Ｙ１に関する部分も破棄することができる」。

▼ 最決平23.2.17・平23重判4事件

決旨：「数人の提起する養子縁組無効の訴えは、いわゆる類似必要的共同訴訟と解すべきであるところ……、Ｘ２が本件上告を提起するとともに、本件上告受理の申立てをした時には、既に共同訴訟人であるＸ１が本件養子縁組無効の訴えにつき上告を提起し、上告受理の申立てをしていたことが明らかであるから、Ｘ２の本件上告は、二重上告であり、Ｘ２の本件上告受理の申立ては、二重上告受理の申立てであって、いずれも不適法である」。

6　原告適格を有する一部の者によって共有であることの確認を求める訴えを提起した場合でも、口頭弁論の終結前に他の原告適格者が共同訴訟人として参加すれば、訴えは適法となる。

第41条　（同時審判の申出がある共同訴訟）

Ⅰ　共同被告の一方に対する訴訟の目的である権利と共同被告の他方に対する訴訟の目的である権利とが法律上併存し得ない関係にある場合において、原告の申出があったときは、弁論及び裁判は、分離しないでしなければならない。

Ⅱ　前項の申出は、控訴審の口頭弁論の終結の時までにしなければならない。

Ⅲ　第1項の場合において、各共同被告に係る控訴事件が同一の控訴裁判所に各別に係属するときは、弁論及び裁判は、併合してしなければならない。

[趣旨] 原告の共同被告に対する請求が法律上併存しえない関係にある場合において、原告としてはいずれかの請求権が認められることを期待し、またその期待は、法律上保護すべきものと考えられる。そこで、本条は、従来の主観的予備的併合についての議論の対立を前提として、同時審判申出共同訴訟について規定した。

《注　釈》

一　同時審判申出共同訴訟

1　同時審判申出共同訴訟の意義

同時審判申出共同訴訟とは、弁論及び裁判の分離を禁止する同時審判の申出のある共同訴訟をいう。

2　同時審判申出共同訴訟の要件

(1)　共同訴訟人・相手方間の複数の請求が、実体法上両立しない関係にあること（Ⅰ）。複数被告に対する請求が「事実上」両立しえない場合には、適用されない。

ex. 工作物責任（民717）における占有者に対する損害賠償請求権と所有者に対する損害賠償請求権〈司〉

(2) 事実審の口頭弁論終結時までに、原告による同時審判の申立てがあること（Ⅱ）〈予〉

3 同時審判申出共同訴訟の手続

申出は、期日においてする場合を除き、書面でしなければならない（規19Ⅱ）。

4 同時審判申出共同訴訟の効果〈司H24〉

(1) 弁論と裁判の分離が禁じられる（Ⅰ）〈司〉。

→一方の被告に対する訴えを取り下げることはできる〈司〉

→通常共同訴訟としての性質は失わず、共同訴訟人独立の原則（39）が適用される〈司予〉 ⇒ p.68

(2) 控訴審での併合義務（Ⅲ）

第1審判決で勝敗が分かれ、各共同被告の控訴が、同一控訴裁判所において各別に係属するときは、弁論と裁判は併合して行わなければならない（Ⅲ）。原告は改めて同時審判の申出をする必要はない。

第1審で原告の同時審判の申出があるときでも、両方の請求が各別に控訴されると、控訴審において別個に係属することになるので、弁論を併合して同時審判を保障する必要がある。

これに対し、第1審で同時審判の申出がない場合には、控訴審での当然併合の義務はない。

5 同時審判申出共同訴訟と主観的予備的併合の関係〈予H30〉

(1) 旧法下における主観的予備的併合の適法性

主観的予備的併合とは、数人の又は数人に対する請求が論理的に両立しえない関係にある場合に、原告が、各請求に順位をつけて審判を申し立て、主位被告に対する請求が認容されることを予備的被告に対する請求の審判の解除条件とする形態の共同訴訟である。旧法下において、適法説と不適法説が対立していた。

・適法説

・不適法説：①予備的被告に対する審理がいつなされるかわからないうえ、主位被告に対する請求が認容されると予備的被告については既判力ある判断が得られないまま訴訟が終了し、予備的被告の応訴上の地位が不安定である。②共同訴訟人独立の原則が適用され、中断・中止事由や上訴の効果は共同訴訟人ごとに生じる結果、裁判の統一が保証されない。

・判例（最判昭43.3.8・百選A28事件）：不適法とする

▼ **最判昭43.3.8・百選A28事件**

事案：　原審は、予備的被告が応訴上著しく不安定・不利益な地位に置かれることになり、原告の保護に偏した併合形態であることを理由に、本併合形態を不適法として予備的被告に対する訴えを却下した。原告は上告し、この併合形態を禁止した規定はないし、予備的被告の行為によって原告はかかる併合形態をとらざるを得なくなったのであるから、この併合形態を認めても当事者間の公平を害することにはならないと主張した。しかし、最高裁は次のように述べて上告を棄却した。

判旨：　「訴えの主観的予備的併合は不適法であって許されないとする原審の判断は正当であり、原判決に所論の違法は存しない。所論は、独自の見解に基づき原判決を非難するに帰し、採用することができない」として主観的予備的併合を否定した。

(2)　同時審判申出共同訴訟の新設

　旧法下の議論を受け、予備的併合を明文で認める代わりに同時審判申出共同訴訟が認められた。両者は、共同被告に対する両立しない請求につき裁判所の判断が分かれて双方に敗訴する結果となるのを防止し、予備的被告の地位の不安定・不公平を回避し、控訴審での裁判の不統一を回避しようとする点で共通する。

(3)　現行法下での主観的予備的併合の適法性

　・不適法説：同時審判申出共同訴訟の立法の経緯及び同時審判申出共同訴訟が両負けを防ぐという目的をほぼ達成していることから、現行法下では主観的予備的併合は不適法であるとする

　・適法説：同時審判申出共同訴訟では被告を順位付けることはできない点、控訴審での統一的判断を1人の当事者の控訴によって可能とすることができるという点に、「事実上」両立しない請求についても原告主導で統一的審判が図れる点になお意義があるとする

二　主観的選択的併合

1　主観的選択的併合の意義

　共同訴訟人と相手方間の実体法上両立しうる請求につき、択一的にいずれかの請求の認容と他の請求の棄却を求める場合をいう。

2　主観的選択的併合の問題点

①　判決をされなくなる共同訴訟人の地位の不利益・不公平

②　上級審での判決の不統一

三　主観的追加的併合の意義

　訴訟の係属中に、第三者が自ら当事者として既存の当事者に対し、あるいは既

総則

存の当事者から第三者に対し、請求の併合審判を求める場合をいう。

1　第三者が自ら他人間に係属中の訴訟に参加する場合

2　既に訴訟当事者となっている原告又は被告が第三者を訴訟に引き込む場合

四　訴えの主観的追加的併合の諸場合

＜訴えの主観的追加的併合の諸場合＞

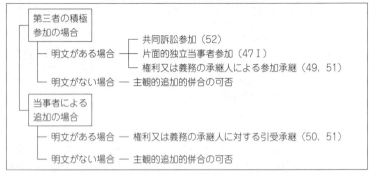

五　訴えの主観的追加的併合の可否・要件 司H20 司H30 司R4 予H26

1　明文で認められている場合（52、47、50）以外の訴えの主観的追加的併合の可否

▼　最判昭62.7.17・百選91事件

判旨：　主観的追加的併合について、「かかる併合を認める明文の規定がないのみでなくこれを認めた場合でも、新訴につき旧訴訟の訴訟状態を当然に利用することができるかどうかについては問題があり、必ずしも訴訟経済に適うものでもなく、かえって訴訟を複雑化させるという弊害も予想され、また、軽率な提起ないし濫訴が増えるおそれもあり、新訴の提起の時期いかんによっては訴訟の遅延を招きやすいこと」を理由として、これを否定した。

2　訴えの主観的追加的併合を否定した場合の処理

　この場合、別訴を提起して既に係属している訴訟と弁論を併合することにより、訴えの主観的追加的併合を肯定した場合と同様の目的を達成することができる。

　もっとも、弁論の併合は裁判所の訴訟指揮権に関わる裁量事項のため、必ず併合されるとは限らないこと、双方の請求が同一の裁判所に係属する必要があることといった問題点が指摘されている。

3　訴えの主観的追加的併合を肯定した場合の要件

(1)　請求の客観的併合要件及び一般の訴訟要件の具備を要する。

∵　請求の併合を伴う

(2)　当初からの訴えの主観的併合の場合よりも併合要件が加重され、権利義務の共通又は同一の事実上・法律上の原因に基づく場合でなければならない（38 前段）。

(3)　第三者が自ら控訴審で併合審理を求める訴えを提起する場合には、既存当事者の同意が必要

∵　既存当事者の審級の利益を保護すべき

■第4節　訴訟参加

《概　説》

一　訴訟参加の意義

訴訟参加とは、第三者が新たに当事者又はこれに準じる主体として訴訟行為を行うために、係属中の訴訟に加入する行為をいう（42〜53）。この第三者を参加人と呼ぶ。

二　訴訟参加の態様

1　当事者参加：独立当事者参加（47）、共同訴訟参加（52）

2　準当事者参加：補助参加（42〜46）、共同訴訟的補助参加

3　当事者の交替を目指す訴訟参加：任意的当事者変更、訴訟承継（49、50、51）

第42条　（補助参加）

訴訟の結果について利害関係を有する第三者は、当事者の一方を補助するため、その訴訟に参加することができる。

《注　釈》

一　補助参加

1　補助参加の意義

補助参加とは、他人間の訴訟の結果につき利害関係をもつ第三者が、当事者の一方を勝訴させることによって、間接的に自己の利益を守るためにその訴訟に参加する参加形態のことをいう。

<参加人の地位の独立性と従属性>

	独立性	従属性
参加人の地位	(1)　期日の呼出、訴訟書類の送達 (2)　被参加人のなしうる訴訟行為（45Ⅰ） (3)　参加申立ての取下げはいつでも可 (4)　訴訟費用の負担（66）	(1)　証人・鑑定人の資格あり (2)　参加人の死亡は中断事由にならない (3)　参加人の訴訟行為の制限（45Ⅰただし書、Ⅱ） (4)　訴訟を処分・変更する等の行為の禁止 (5)　被参加人の実体権の直接行使の可否

2　補助参加の要件（42）

(1)　他人間での訴訟の係属

(a)　他人間で現在訴訟が係属中であること、又は他人間で訴訟が係属していたこと

→判決を言い渡した後も上訴提起とともにする補助参加申出は可能（43Ⅱ）

→確定判決後でも、参加申立てとともに再審の訴えを提起することができる《同書》

(b)　他人間の訴訟であること

ア　自分が当事者である訴訟の相手方の側に参加することはできない。共同訴訟人の１人が、相手方当事者の側に補助参加できるかが問題となる。

▼　**最判昭 51.3.30・百選 A30 事件**《予》

判旨：　共同不法行為者乙丙に対する損害賠償請求訴訟の第１審で原告甲が乙に勝訴、丙に敗訴した場合、求償権確保のために、乙が甲側に補助参加して丙に対して控訴することを認めた（乙は自己の敗訴判決に対して控訴していない）。

イ　既に一方に補助参加している者が、その相手方の側に補助参加するには、通常、まず第１の補助参加を取り下げなければならない（通説）。

ウ　争点ごとの補助参加が可能かについては、否定説、肯定説が分かれる。

(2)　第三者（補助参加人）が訴訟の結果に利害関係を有すること（参加の利益）（42）《同H30 予H30》

(a)　「利害関係」の意義について

訴訟の結果につき参加人に独自の「法律上の利益」がある場合に限るとするのが通説である《論》。参加人に独自の「法律上の利益」があれば、独立当事者参加をすることができる者であっても、補助参加をすることができる《予》。

ア　被参加人の敗訴により参加人の法的地位が不利となる場合であればよい。感情的又は経済的不利益のような事実上の利害では足りない。

イ　第三者に判決効が及ぶ場合に限定されない。逆に、たとえ判決効が第三者に及ぶ場合でも、第三者に独自の法律上の利益が認められない場合は補助参加の利益は認められない（ex. 当事者のために目的物を所持する者（115Ⅰ④）、形成訴訟における一般第三者）。

▼ **最決平 13.1.30・百選〔第三版〕A40 事件**

決旨： 民訴法 42 条所定の参加が認められるのは、専ら訴訟の結果につき法律上の利害関係を有する場合に限られ、単に事実上の利害関係を有するにとどまる場合は補助参加は許されない。そして、法律上の利害関係を有する場合とは、当該訴訟の判決が参加人の私法上・公法上の法的地位又は法的利益に影響を及ぼすおそれがある場合をいうものと解される。

▼ **東京高決平 20.4.30・百選 97 事件**

事案： 訴外 A は、レンタカーを借りる際、Y 損保会社との間で、同社を保険者、訴外 P リースを保険契約者、A を被保険者とする「搭乗者傷害保険契約」（基本事件保険契約）を締結した。その後、A は訴外 B の運転する車に搭乗中事故で死亡した。A の相続人である X らは、Y 社に対して、基本事件保険契約に基づき保険金の支払を求めたところ、Y 社は保険金請求権の発生要件である「事故の偶然性」に欠けるとしてこれを争っている（第 1 訴訟）。

第 1 訴訟において、Y 社は A を被保険者とする交通傷害保険契約（本件保険契約）の保険者である Z 損保会社に訴訟告知をしたところ、X は Z 社の参加について異議を述べた（44 I）。本件保険契約でも「事故の偶然性」が保険金請求権の発生要件とされていることから、Z 社の参加の利益が争われた。

決旨： 補助参加の利益について「民事訴訟法 42 条の補助参加申出に対し補助参加が許されるのは、申出人が訴訟の結果につき法律上の利害関係を有する場合に限られ、法律上の利害関係を有する場合とは、当該訴訟の判決が参加申出人の私法上または公法上の法的地位又は法的利益に影響を及ぼすおそれがある場合を言うものと解される」とし、基本事件保険契約と本件保険契約は「同一被保険者につき死亡を原因とする保険金を給付する同種の保険契約関係というにすぎないものであり、相互に損害を填補し合う関係にある旨の主張立証はないから、何ら法的関係がない。……ただ、同一の争点に対する判断として、これが参考にされ、事実上影響することがあるというにすぎないのであり、このような影響を与える関係を法律上の利害関係ということはできない」とし、Z 社の補助参加の利益を認めなかった。

(b)　「訴訟の結果」の意義《共》

A　主文説（従来の通説）

本案判決で示される訴訟物たる権利・法律関係の存否についての判断に限られる。

∵　理由中の判断は当事者であっても拘束されない（114 I 参照）

B　理由中判断包含説（現在の多数説、東京高決平2.1.16等）
　　理由中の判断も含む。
　　∵　補助参加人はそもそも既判力に服する者ではないところ、補助参加人自身の法律上の地位が争われる場合に事実上不利な影響が生じるという点では、主文中の判断であろうと理由中の判断であろうと違いはない

▼　**東京高決平2.1.16**

決旨：　「訴訟の結果」とは、判決主文中の判断のみならず、主要な争点についての理由中の判断も含むとしたうえで、被参加人の敗訴が参加人の法的地位を不利に決定するおそれのある関係が存する場合にも「参加の利益」があるとした。

(c)　補助参加の利益が認められる具体例
　ア　被参加人が敗訴すれば、補助参加申出人が求償・損害賠償、その他一定の訴えを提起される関係にある場合。一般債権者は債権者代位権（民423）を行使できることから補助参加の利益がある⭐。
　　ex.1　債権者が保証人を訴えたときに主債務者が保証人側に補助参加する場合
　　ex.2　売買目的物について第三者が所有権を主張して追奪請求したときに、売主が買主の側に補助参加する場合
　　ex.3　共同不法行為者（民719）とされた者のうち一方が被害者側に補助参加する場合

▼　**最判昭51.3.30・百選A30事件**

事案：　交通事故に基づく損害賠償請求訴訟において共同被告とされた者（Y・Z）の一方（Z）が、他の共同被告（Y）の過失を認めさせるために、原告である被害者（X）側に参加することが認められるかが問題となった。

判旨：　「右の場合においては、XとYらの間の本件訴訟の結果いかんによって補助参加人ZのXに対する損害賠償責任に消長をきたすものではないが、本件訴訟においてYらのXに対する損害賠償責任が認められれば、ZはXに対しYらと各自損害を賠償すれば足りることとなり、みずから損害を賠償したときはYらに対し求償し得ることになるのであるから、Zは、本件訴訟において、Xの敗訴を防ぎ、YらのXに対する損害賠償責任が認められる結果を得ることに利益を有するということができ、そのために自己に対する第一審判決について控訴しないときは第1審において相手方であったXに補助参加することも許されると解するのが、相当である。」

イ　第1の訴訟が第2の訴訟の先決関係にある場合

ex.1　債権者が主債務者を訴えたときに保証人が主債務者側に補助参加する場合

ex.2　売買の買主が乙であるのか丙であるのか不明であるため、売主甲が乙に対して代金支払請求訴訟を提起したときに丙が甲の側に補助参加する場合

ウ　株主代表訴訟における会社による取締役側への訴訟参加

従来、株主代表訴訟において、会社が取締役側に補助参加できるのか議論があったが、判例（最決平13.1.30・百選〔第三版〕A40事件）はこれを肯定した。

なお、会社法は、補助参加の利益の有無を問題とすることなく、会社が取締役側に補助参加することを認めたものとされる（会849ⅠⅡ）。

二　共同訴訟的補助参加

1　共同訴訟的補助参加の意義

当事者適格を欠くが、補助参加の要件を充足し、さらに判決の効力が第三者（参加人）に及ぶ場合に、その第三者に通常の補助参加人よりも強固な訴訟上の地位・権限を与えるべく認められた参加形態である。民事訴訟法に規定はないが、判例（最判昭45.1.22）・学説はこれを認める。

→行訴法22条に基づいて共同訴訟参加に準じた参加をすることができる者が、これによらずに民訴法42条以下の補助参加を選択した場合、当該補助参加に共同訴訟的補助参加としての効力を認めるべきかが問題となった事案において、裁判例（仙台高判平25.1.24・平25重判4事件）は、共同訴訟的補助参加は立法の不備等を補うために解釈論として認められてきたものであるから、立法の不備等を解消するために共同訴訟参加に準じた参加制度が明文で定められた場合、これによらずにした補助参加に共同訴訟的補助参加としての効力を認めるべき理由は見出せない旨判示した

2　共同訴訟的補助参加人の地位

(1)　従属性

共同訴訟的補助参加人の本質は補助参加人であるから、従属性を完全には脱却できない。

(a)　自ら訴えの変更・取下げをすることはできない。

(b)　証人・鑑定人適格がある（→当事者尋問手続によることはできない）。

(c)　参加的効力を受ける。

(2)　独立性強化

共同訴訟的補助参加人には判決の効力が及ぶから、地位の独立性が図られなければならない。

(a)　被参加人と抵触する行為もできる（40Ⅰ類推）が、46条の制約なしに

参加的効力を生じる。

(b)　参加人の上訴期間は被参加人と独立に起算する（最決平28.2.26・百選A33②事件）〈予〉。

(c)　参加人に訴訟中断・中止事由（死亡など）が発生した場合については、争いがある。

ア　訴訟手続の停止を認める見解（通説）

イ　訴訟の進行に影響なしとする見解

ウ　参加人を除外した訴訟進行が参加人の利益を害する場合（40Ⅲ）には、訴訟手続を中止すべきとする見解

▼　**最判昭63.2.25・百選〔第三版〕A41事件**

判旨：　地方自治法242条の2第1項4号に基づく住民訴訟が係属している場合において、適法な監査請求手続を経た他の住民が、その固有の出訴期間内に補助参加の申出をしたときは、共同訴訟参加が可能であるところ補助参加の道を選択したというべく、右補助参加をいわゆる共同訴訟的補助参加と解し、民訴法62条（現40条）1項の類推適用など、共同訴訟参加したのと同様の効力を認めることは相当ではない。

第43条　（補助参加の申出）

Ⅰ　補助参加の申出は、参加の趣旨及び理由を明らかにして、補助参加により訴訟行為をすべき裁判所にしなければならない〈論〉。

Ⅱ　補助参加の申出は、補助参加人としてすることができる訴訟行為とともにすることができる〈予〉〈司H30〉。

《注　釈》

◆　**補助参加の手続（43〜45）**

参加申出は、その趣旨及び理由を示して、書面か口頭で行う（規1Ⅰ）〈予〉。なお、補助参加を許さない旨の決定が確定した場合には、同じ「理由」に基づく再度の補助参加の申出をしても認められない（最決昭58.6.25）〈予〉。

第44条　（補助参加についての異議等）

Ⅰ　当事者が補助参加について異議を述べたときは、裁判所は、補助参加の許否について、決定で、裁判をする。この場合においては、補助参加人は、参加の理由を疎明しなければならない〈予論〉。

Ⅱ　前項の異議は、当事者がこれを述べないで弁論をし、又は弁論準備手続において申述をした後は、述べることができない〈論〉。

Ⅲ　第1項の裁判に対しては、即時抗告をすることができる〈予論〉。

［趣旨］裁判資料の形成については、訴訟当事者に第1次的権限と責任が認められており、正当な利益をもたない第三者の干渉を排除する権能を認める必要がある。そこで、当事者が補助参加について異議を述べたときは、裁判所は、補助参加の許

否について決定で裁判をすべきことを規定した。

《注　釈》

◆　参加の許否

1(1)　当事者が異議を述べたときに限り（ⅠⅢ）、申出の許否につき裁判する〈同共予〉。

∵　当事者が異議を述べない場合にまで補助参加を排斥する理由はない

(2)　「異議」は、当事者に与えられた権能であるから、当事者はあらかじめ異議権を放棄することも認められる。そして、被参加人が訴訟告知（53Ⅰ）をしたときは、あらかじめ異議権を放棄したものと解することができ、被告知者の参加につき異議を述べることはできない〈予〉。

2　当事者が異議を述べずに弁論すれば異議権を失う（Ⅱ）。

3　当事者が異議を述べたときは、参加申出人はその理由たる事実を疎明し、決定で裁判がなされる（Ⅰ）。この許否いずれの決定についても即時抗告で争うことができる（Ⅲ）〈予〉。

もっとも、補助参加の許否の裁判は、純然たる訴訟事件についての裁判に当たるものではないから、即時抗告の相手方に対して即時抗告申立書の副本の送達をせず、反論の機会を与えることなくとも、憲法32条に違反するものではない（最決平23.9.30）〈予〉。

> **第45条　（補助参加人の訴訟行為）**
>
> Ⅰ　補助参加人は、訴訟について、攻撃又は防御の方法の提出、異議の申立て、上訴の提起、再審の訴えの提起その他一切の訴訟行為をすることができる〈同共書〉〈同H30〉。ただし、補助参加の時における訴訟の程度に従いすることができないものは、この限りでない〈同書〉。
>
> Ⅱ　補助参加人の訴訟行為は、被参加人の訴訟行為と抵触するときは、その効力を有しない〈書〉。
>
> Ⅲ　補助参加人は、補助参加について異議があった場合においても、補助参加を許さない裁判が確定するまでの間は、訴訟行為をすることができる〈共予書〉。
>
> Ⅳ　補助参加人の訴訟行為は、補助参加を許さない裁判が確定した場合においても、当事者が援用したときは、その効力を有する〈予〉。

[趣旨]補助参加人がその独自の利益を確保するために訴訟に参加する者であることに配慮して、原則として一切の訴訟行為ができることを認めながら、他面、補助参加人の地位の従属性から、補助参加人の訴訟行為に一定の制限を設け、補助参加人に対する異議が提出された場合の取扱いについて定めた。

《注　釈》

◆　補助参加人の地位

1　独立性

(1)　参加人には、被参加人とは別に期日の呼出や訴訟書類の送達がなされる。

(2) 参加人は、原則として、独自の判断で被参加人と同様に一切の訴訟行為を
なしうる（Ⅰ）。

　　ex. 攻撃防御方法の提出・異議申立て・上訴提起・再審の訴えの提起など

(3) 補助参加によって生じた訴訟費用は、被参加人とは別個に、相手方当事者
と参加人との間で負担する（66）。

(4) 参加人は、いつでも、参加の申立てを取り下げることができる。

　　争いがあるが、参加の申立ての取下げには被参加人・相手方の同意は不要
であると考えられている〈司〉。

2　従属性

(1) 補助参加人は、判決を受ける当事者ではなく第三者にとどまるから、証
人・鑑定人適格がある。

(2) 補助参加人に死亡・訴訟能力喪失などの中断事由が生じても、訴訟は中断
しない。

(3) 補助参加人は、原則として一切の訴訟行為をなし得るが（Ⅰ本文）、独立
の当事者ではないことから、訴訟行為について以下のような制限がある〈予〉。

　(a) 参加の時点での訴訟状態を基準として、被参加人がすでになし得なくな
った行為（Ⅰただし書）は、補助参加人もなし得ない。

　　　ex. 被参加人さえできなくなった時機に後れた攻撃防御方法の提出行
　　　　　為、自白の撤回〈予〉など

　(b) 補助参加人の上訴期間

　　　被参加人の上訴期間経過後も、補助参加人が上訴を提起することができ
るかどうかについて、判例（最判昭 37.1.19・百選 A33 ①事件）・通説は、
補助参加人の上訴期間は被参加人の上訴期間に限られるとしている〈共予〉。

　　　cf. 遺産分割審判において各相続人への審判の告知の日が異なる場合に
おける即時抗告期間について、相続人ごとに各自が審判の告知を受け
た日から進行する（最決平 15.11.13・百選 A34 事件）

▼　**最判昭 37.1.19・百選 A33 ①事件**

事案：　X は Y に対して認知の訴えを提起した。Z は Y の補助参加人である。
　　　　第一審での X 勝訴判決に対して、Z は、Y の控訴期間経過後に控訴状を
　　　　提出した。

判旨：　「補助参加の性質上、当該訴訟状態に照らし被参加人のなしえないよう
　　　　な行為はもはやできないのであるから、被参加人……のために定められ
　　　　た控訴申立期間内に限って控訴の申立をなしうる」。

　(c) 補助参加人の訴訟行為が被参加人の訴訟行為と矛盾・抵触するときは効
力を生じない（Ⅱ）。「抵触する」とは、両者の行為内容が積極的に矛盾す
ることをいう。

ex. 被参加人が自白しているときは、参加人が争っても否認の効力は生じない〈司共〉

(d) 訴訟を処分・変更する行為はなしえない（通説）。

ex. 訴え取下げ〈予〉、訴えの変更、反訴〈予〉など

(e) 被参加人に不利な訴訟行為は禁止される（通説）。

ex. 請求の放棄・認諾・和解〈予〉、上訴の取下げなど

この点に関連して問題になるのが、裁判上の自白の可否であるが、通説は、①自白は被参加人の敗訴に通ずる不利な行為であり、参加人が自白をすることは補助参加の趣旨に反すること、②仮に参加人による自白を認める反面、被参加人による撤回を自由に認めるとの解釈をとると、自白を信頼して証拠の保全等を疎かにした相手方の保護に欠けることを理由として、補助参加人は自白できないとする。

(4) 形成権の行使は当然にはできない（通説）。

(a) 被参加人が訴訟外ですでに私法上の形成権行使の意思表示をしている場合に、参加人がこれらの事実を主張又は抗弁として提出しうることに争いはない〈共〉。

(b) 問題は、参加人がこれらの形成権を直接訴訟上行使できるかである。通説は、形成権は私法上の権利主体たる被参加人のみが行使できるのであって、補助参加人は行使できないとする。

第46条　（補助参加人に対する裁判の効力）

補助参加に係る訴訟の裁判は、次に掲げる場合を除き、補助参加人に対してもその効力を有する。

① 前条第1項ただし書の規定により補助参加人が訴訟行為をすることができなかったとき〈同〉。

② 前条第2項の規定により補助参加人の訴訟行為が効力を有しなかったとき。

③ 被参加人が補助参加人の訴訟行為を妨げたとき〈書〉。

④ 被参加人が補助参加人のすることができない訴訟行為を故意又は過失によってしなかったとき。

《注　釈》

◆ 補助参加の効力

1 「効力」の性質

参加的効力説とは、被参加人敗訴の場合に、補助参加人が訴訟行為をすることができた限りでは敗訴の責任を補助参加人も分担すべきであることから、その敗訴判決で示された判断について、被参加人と補助参加人とを当事者とする後の訴訟では争えないとする特殊な効力であるとする（参加的効力説）〈判通〉。

総則

▼ **最判昭45.10.22・百選98事件 ⑦**

判旨： 「民訴法70条（現46条）の定める判決の補助参加人に対する効力 ……は、いわゆる既判力ではなく、それとは異なる特殊な効力、すなわち、判決の確定後補助参加人が被参加人に対してその判決が不当であると主張することを禁ずる効力であって、判決の主文に包含された訴訟物たる権利関係の存否についての判断だけではなく、その前提として判決理由中でなされた事実の認定や先決的権利関係の存否についての判断などにも及ぶものと解するのが相当である。」

▼ **最判平14.1.22・百選99事件**

判旨： （最判昭45.10.22・百選98事件を前提として）「この判決の理由中でされた事実の認定や先決的権利関係の存否についての判断とは、判決の主文を導き出すために必要な主要事実に係る認定及び法律判断などをいうものであって、これに当たらない事実又は論点について示された認定や法律判断を含むものではないと解される。」

2 「効力」（参加的効力）の範囲
 (1) 対象についての範囲（客観的範囲）《司H24 予H30》
   判決主文中の判断のみならず、判決理由中の事実の認定や先決的法律関係についての「判断」にも効力が及ぶ。もっとも、この「判断」とは、判決の主文を導き出すために必要な主要事実に係る認定及び法律判断などをいい、これに当たらない傍論には効力が生じない。
   ∵ 判決理由中の判断に拘束力を認めなければ実効性の薄い場合が多い
 (2) 主体についての範囲（主観的範囲）《司R5》
   参加的効力説（通説）によれば、判決の効力は、被参加人・参加人間にのみ及び、参加人・相手方間には及ばない。
3 参加的効力と既判力との差異

＜既判力と参加的効力の差異＞

	既判力	参加的効力
生じる場合	訴訟の勝敗と関わりなく生じる	被参加人敗訴の場合のみ生じる
主観的範囲	当事者間に生じる	参加人・被参加人間に生じる
客観的範囲	判決主文中の判断に生じる	判決主文のみならず、判決理由中の判断にも生じる
拘束力	例外なし	例外あり（46条各号参照）
裁判所による調査の開始	職権調査事項	抗弁事項

第４７条　（独立当事者参加）

Ⅰ　訴訟の結果によって権利が害されることを主張する第三者又は訴訟の目的の全部若しくは一部が自己の権利であることを主張する第三者は、その訴訟の当事者の双方又は一方を相手方として、当事者としてその訴訟に参加することができる〈司予〉。

Ⅱ　前項の規定による参加の申出は、書面でしなければならない。

Ⅲ　前項の書面は、当事者双方に送達しなければならない〈書〉。

Ⅳ　第40条第１項から第３項までの規定は第１項の訴訟の当事者及び同項の規定によりその訴訟に参加した者について、第43条の規定は同項の規定による参加の申出について準用する〈司予〉。

[趣旨] 3名以上の者が互いに対立抗争する紛争もすべて通常の二面訴訟で処理しなければならないとすると、審理の重複による当事者・裁判所の負担が増大する他、多数の関係人間の実体関係に適合した矛盾のない争訟処理が必ずしも期待できないことになる。そこで、本条は複数当事者がそれぞれ対立し当事者として関与する独立当事者参加について規定する。

《注　釈》

一　独立当事者参加（三面訴訟）の意義

独立当事者参加訴訟とは、第三者が独立の当事者として〈司〉、訴訟の原告及び被告の双方又は一方に対し、自分の請求を立てて訴えを提起し、原告の請求と同一の手続で、同時にかつ矛盾のない判決を求める訴訟形態をいう。

→独立当事者参加の申出は、参加人が参加を申し出た訴訟において裁判を受けるべき請求を提出しなければならず、単に当事者の一方の請求に対して訴え却下又は請求棄却の判決を求めるのみの参加の申出は許されない（最決平26.7.10・百選 A31 事件）〈予〉

なお、独立当事者訴訟をすることができる場合でも、これに代わる別訴を提起することが禁じられるわけではない〈司〉。

二　独立当事者参加の２類型と要件〈司〉

1　詐害防止参加（Ⅰ前段）

第三者が当事者間の訴訟の結果によって自己の権利が侵害される場合の当事者参加をいう。

「訴訟の結果によって権利が害されることを主張する第三者」の意義については争いがあるが、当該訴訟の判決が直接に効力を及ぼし、これに服さざるを得ない者に限定されないと一般に解されている。

∴　判決効（既判力）が第三者に拡張されることによって第三者の権利が害される場合には、当事者適格の有無に従って、共同訴訟的補助参加又は共同訴訟参加（52）が許される以上、詐害防止参加の要件である「権利が害されること」の内容は、これらとは異なるものと考えられる

そして、「訴訟の結果によって権利が害されること」とは、補助参加の場合と同じく、訴訟における訴訟物又はその前提となる法律上・事実上の争点が、第三者の法律上の地位について論理的前提となり、判決主文又は理由中の判断によって第三者の法律上の地位が影響を受けることを意味する。

総則

→ 「訴訟の結果によって権利が害されることを主張する第三者」とは、広く当該訴訟の結果により間接に自己の権利が侵害されるおそれのある者も含まれる

もっとも、このような不利益を受ける第三者が、補助参加にとどまらず独立当事者参加まで認められるためには、当事者間の訴訟追行に詐害意思が認められることが必要となる（詐害意思説、多数説）。

∵ 独立当事者参加が認められた場合、必要的共同訴訟に関する40条1項から3項までの規律が準用される（47Ⅳ）結果、既存当事者の訴訟追行の自由は参加人の牽制により強い制約を受けることになるが、これは当事者間の訴訟追行に詐害意思が認められることをもって正当化される

判例（最判昭42.2.23等）も、詐害意思説に近い立場に立っているものとされる。

2 権利主張参加（Ⅰ後段）〈司H23 予R3〉

第三者が当事者間の訴訟の目的の一部又は全部が自己の権利であると主張して参加する場合の当事者参加をいう。

(1) 本訴請求と参加人の請求が論理的に両立し得ない関係にある場合に、この参加が認められる。

ex. 他人間の所有権確認訴訟（あるいは給付訴訟）において、第三者が自己の所有権（あるいは給付請求権）を主張してその確認（あるいは自己への給付）を求める場合

(2) 不動産が二重譲渡された紛争類型

XとZがYから二重譲渡を受けたものの、まだいずれも仮登記、本登記を得ていない場合には、同じ不動産につき移転登記を求めるXY請求とZY請求は、請求の趣旨レベルでは論理的に両立しないとしてXY訴訟にZが権利主張参加をすることができるとするのが多数説である（近時は否定説も有力）。

一方が仮登記を得ている場合については、判例（最判平6.9.27・百選100事件）は、第1買主が所有権移転請求権保全の仮登記（不登105②）を経ている場合には、第2買主の所有権移転登記請求が認容されてその旨の登記がなされたとしても、第1買主は仮登記に基づく本登記請求（不登106）をする際に第2買主に承諾を請求することができる（不登109Ⅰ）ことから、両者の請求は論理的に両立する関係にあり、第1買主による権利主張参加を認める必要はないとした。

三　片面的独立当事者参加

1　片面的独立当事者参加とは、本訴当事者の一方のみを相手方とする独立当事者参加のことをいう。

2　片面的独立当事者参加の審理

必要的共同訴訟（40Ⅰないし同Ⅲ）の規定が準用される（47Ⅳ）。

∵　両当事者と参加人間の訴訟追行と裁判資料を統一する

四　独立当事者参加の手続

1　参加申出の方式

(1)　参加申出：参加の趣旨及び理由を示し（47Ⅳ、43Ⅰ）、書面でしなければならない（47Ⅱ）🔖

(2)　送達：参加申出の書面は当事者双方に送達しなければならない（47Ⅲ）

(3)　申出書提出の効果：参加人の請求により、時効の完成猶予の効力が生じる（147類推）

2　参加許否の審判

(1)　独立当事者参加の許否については、口頭弁論に基づいて審理し、判決で判断する。

∵　参加申出は訴え提起に相当する

(2)　不適法な場合、終局判決で参加申出を却下すべきであるが、主観的追加的併合又は別訴（弁論の併合も可能）として取り扱う余地はある《予》。

3　参加の時期📖

(1)　他人間に訴訟が係属中であることを要する。控訴審における参加も可能《書》。裁判例（知財高判平29.9.5・平29重判2事件）は、再審の訴えの提起と独立当事者参加の申出をともになすことで、参加を申し出た訴訟について潜在的な訴訟係属を認めることができるとする一方、再審の訴えを却下・棄却する決定等が確定した場合には、訴訟係属を欠くとして独立当事者参加の申出は不適法になるとした。

(2)　上告審での参加の可否

上告審は法律審であり、参加によって付加された請求の当否を審判することができない。そこで、独立当事者参加の参加時期について、上告審での参加が認められるかが問題となる。

▼　**最判昭44.7.15**

判旨　「当裁判所は、上告審であって、事実審ではないから、参加人の請求の当否について判断し、右係属中の事件と矛盾のない判決をすることはできない。されば上告審である当裁判所に対し同条による本件参加の申出をすることは許されないから、本件参加の申出は、不適法として却下を免れない」として、上告審での独立当事者参加を否定した。

五　三面訴訟の審判

1　手続構造

(1)　40条の準用（必要的共同訴訟）

三面訴訟の審判では、三当事者間で互いに対立し合う各当事者間の手続保障を確保しつつ、互いに対立する原告・参加人の各請求の実体法に適った矛盾なき紛争解決が実現されなければならない。そのために47条4項は、合一確定を定めた40条を準用する。

(2)　具体的効果

(a)　二当事者間でなされた、他の1人に不利な訴訟行為は効力を生じない（40Ⅰ）⟨予⟩。

被告が自白しても、参加人が争う限り、原告と被告との間においても自白の効力は生じない。また、参加人を除外して、原告と被告の間で請求の放棄・認諾をすることはできない（通説）。

(b)　二当事者間でなされた、不利でない訴訟行為は他の当事者についても効力を生じる（40Ⅱ）。

(c)　1人につき中断・中止の事由を生じると全員につき訴訟手続は停止する（40Ⅲ）⟨予書⟩。

(d)　本案の終局判決は、全請求について、実体法上矛盾のないものでなければならない。

→独立当事者参加訴訟においては、弁論の分離（152Ⅰ）や、一部のみを名宛人とする終局判決（一部判決）をすることは許されない（最判昭43.4.12）⟨予⟩。

(e)　独立当事者参加があった場合に、二当事者間のみでなされた訴訟上の和解（267）の効力については争いがある。下級審判例（東京高判平3.12.17等）は無効とする。しかし、和解の内容が他の当事者に不利益を与えなければ、有効であるとする見解も有力である。

▼　**仙台高判昭55.5.30・百選102事件**

事案：　XはY1及びY2との間に対して、本件土地の所有権者は自らであるとして、Y1及びY2の所有権移転登記の抹消を求める訴えを提起した。本件訴訟係属中、Zが、X・Y1・Y2のそれぞれに対して、本件土地がZの所有に属することの確認を求めて、独立当事者参加をしたが、Xらは、訴外Cらとともに、Xが本件土地の所有権者であることを内容とする訴訟上の和解を締結した。

判旨：　訴訟上の和解の効力について、独立当事者参加がなされた後は、「既存訴訟の二当事者間で訴訟の目的を処分する訴訟行為（請求の認諾、放棄もしくは訴訟上の和解）をしても、当事者参加人に対して効力を生じないものである」とし、その理由を、「三当事者間の紛争を矛盾なく解決すべき当事者参加訴訟の構造を無に帰せしめるからである」とした。

2　敗訴当事者の一部の者による上訴

　　敗訴者の一方だけが上訴することによって、全員の請求について判決の確定が遮断され（116Ⅱ）、全請求が上訴審に移審し（規174Ⅰ参照）、自ら上訴しない他方の敗訴者も上訴審の当事者となる（最判昭43.4.12、最判昭50.3.13）。

　　そこで、①自らは上訴を提起しなかった残りの敗訴者は上訴審においていかなる地位を占めるのか、②それとの関連で上訴審の審判の対象は何かが問題となる。

　　A　上訴人説（40Ⅰ準用説）

　　　　①上訴しなかった他方敗訴者を上訴人と解し、②上訴人だからこの者の有利に判決を変更できるとする。

　　B　被上訴人説（40Ⅱ準用説）

　　　　①上訴しなかった以上、その地位は被上訴人にとどまるが、②不服申立てがなかった部分についても、上訴審での合一確定の必要から、上訴審での審判対象となるとする。

3　被上訴人説における法律関係

　　たとえば、第1審においてXY間の訴訟にZが独立当事者参加し、かつ、XのYに対する請求が棄却され、ZがXYのいずれにも勝訴した場合において、Xのみが上訴し、その結果Xの請求が認容された場合を想定する。この場合、Zには権利がないとして、ZのYに対する請求についても当然に請求棄却に変更されそうであるが、Yは上訴していないことから、Yに有利な変更であるとして、利益変更禁止の原則（⇒ p.444）に抵触しないかが問題となる。

　　この点、三面訴訟の上訴においては合一確定の要請があることから、利益変更禁止の原則は働かないと解されており、上訴していないYにも有利に変更することが可能である。

▼　**最判昭48.7.20・百選101事件**

判旨：　独立当事者参加がなされて三面訴訟となった場合において、上訴しなかった一方の敗訴者の（附帯）上訴がなくとも、合一確定に必要な限度で、この者の敗訴部分をこの者に有利に変更し得る。

《その他》

　独立当事者参加の申出は、時機に後れた攻撃防御方法として却下されることはない。

∵　申出は、新たな請求の定立であって、攻撃防御方法ではない

総則

第48条 （訴訟脱退）

前条第1項の規定により自己の権利を主張するため訴訟に参加した者がある場合には、参加前の原告又は被告は、相手方の承諾を得て訴訟から脱退することができる〈司共予書〉。この場合において、判決は、脱退した当事者に対してもその効力を有する〈司〉。

[趣旨] 第三者の独立当事者参加（主として権利主張参加）によって、従来の原告・被告のいずれかが当事者として訴訟を追行する必要を感じなくなる場合がある。このような者を訴訟に関与させる必要はないことから、法は、相手方当事者の同意を得て、訴訟から脱退できることとし、併せて、脱退当事者に対しても判決の効力が及ぶことを規定した。

《注　釈》

◆　二当事者訴訟への還元

独立当事者参加訴訟は、次の事由により通常訴訟又は共同訴訟に還元される。

1　原告の訴えの取下げ又は却下

原告による訴えの取下げに参加人の同意は必要かについて、判例は、被告同様、参加人も本訴の維持について利益をもつことから、被告の同意のほかに参加人の同意も必要であるとする（261Ⅱ準用、最判昭60.3.15）〈予〉。

2　参加の申出の取下げ又は却下

(1) 原告・被告双方に対する参加の取下げ

　(a) 要件：原告・被告双方の同意が必要。

　(b) 効果：本訴が残る。

(2) 一方当事者に対する参加の取下げ

　(a) 要件：原告・被告双方の同意が必要（通説）。

　(b) 効果：本訴と一方当事者に対する参加人の訴訟が残り、共同訴訟形態となる。

3　原告又は被告の脱退（48）

(1) 脱退の意義

第三者の独立当事者参加を契機として、従来の原告・被告のいずれかが、相手方当事者の同意を得て、訴訟から脱退すること。

(2) 脱退の要件

脱退には、条文上「相手方の承諾」が必要とされている。

後述の条件付放棄認諾説を採ると、脱退者に対して訴訟係属があった場合と同様の効果が生じるので、相手方当事者の承諾は不要ではないかとも思える。しかし、一方当事者が脱退すると、残存当事者は脱退者から提出されたはずの主張・証拠を利用できなくなることから、相手方当事者の承諾を得るべきである。

脱退者にも既判力及び執行力が及び、参加人に不利益はないため、参加人の承諾は不要である（大判昭11.5.22）。

(3) 脱退の効力

訴訟脱退がなされた場合、いかなる「判決」の「効力」（後段）が生じるか、脱退の性質に関連して争いがあるが、通説は条件付放棄認諾説に立つ。すなわち、脱退を、自己の訴訟上の地位を参加人・相手方間の訴訟追行の結果に委ねることを条件として、参加人及び相手方と自分との間の請求について放棄又は認諾する性質をもつ行為であるとする。具体的には、脱退は、①参加人が勝訴すれば自分に対する請求を認諾し、②相手方が勝訴すれば自己の請求を放棄し（脱退者＝原告のとき）、又は、相手方の請求を認諾する（脱退者＝被告のとき）ことをあらかじめ陳述する行為である。

第49条　（権利承継人の訴訟参加の場合における時効の完成猶予等）〈書〉

Ⅰ　訴訟の係属中その訴訟の目的である権利の全部又は一部を譲り受けたことを主張する者が第47条第1項の規定により訴訟参加をしたときは、時効の完成猶予に関しては、当該訴訟の係属の初めに、裁判上の請求があったものとみなす。

Ⅱ　前項に規定する場合には、その参加は、訴訟の係属の初めに遡って法律上の期間の遵守の効力を生ずる。

第50条　（義務承継人の訴訟引受け）

Ⅰ　訴訟の係属中第三者がその訴訟の目的である義務の全部又は一部を承継したときは、裁判所は、当事者の申立てにより、決定で、その第三者に訴訟を引き受けさせることができる〈予〉。

Ⅱ　裁判所は、前項の決定をする場合には、当事者及び第三者を審尋しなければならない。

Ⅲ　第41条第1項及び第3項並びに前2条の規定は、第1項の規定により訴訟を引き受けさせる決定があった場合について準用する。

第51条　（義務承継人の訴訟参加及び権利承継人の訴訟引受け）

第47条から第49条までの規定は訴訟の係属中その訴訟の目的である義務の全部又は一部を承継したことを主張する第三者の訴訟参加について、前条の規定は訴訟の係属中第三者がその訴訟の目的である権利の全部又は一部を譲り受けた場合について準用する〈同予〉。

[趣旨]訴訟の係属中に当事者が死亡したり、また係争物を譲渡した場合、従来の当事者間で訴訟を続行しても紛争の解決は得られない。また、新たに紛争の主体となった者との間での別個の訴訟が必要とすると、従来の訴訟追行の結果が無視され、訴訟経済・当事者間の公平に反する。そこで、法は紛争の基礎をなす実体関係につき一方当事者と第三者に係争物の譲渡があった場合に、それによって新たな紛

争主体となった承継人が訴訟参加の申出をし（参加承継、49・51前段）、あるいは承継人に対して前主の相手方当事者から訴訟引受けの申立てをなすことによって（引受承継、50・51後段）、現時点での紛争主体たりうる承継人が、被承継人の下で形成された承継の時点における訴訟追行上の有利不利な地位を承継することを定めた。

《注　釈》

一　当事者の変更

同一訴訟手続内で、第三者が当事者として加入するとともに、従前の当事者の一方がいなくなる場合のことをいい、①任意的当事者変更と、②訴訟承継とがある。

二　任意的当事者変更

1　任意的当事者変更の意義

訴訟係属後に、原告が最初の被告以外の者に訴えを向けかえ、あるいは最初の原告以外の者が原告に代わって訴えを提起する場合のことをいう。

2　任意的当事者変更の趣旨

原告が被告とすべき適格者を誤って訴えた場合、本来なら、訴え却下となり、改めて訴えの提起を要するところであるが、それでは、当事者・裁判所のこれまでの訴訟行為が無駄になる。そこで、従来の訴訟を活かして、これを利用する実益を重視したものである。

3　任意的当事者変更の性質

任意的当事者変更については、明文で定められていない。そこで、その法的性質及び変更の要件・効果が問題となる。通説は、新訴の提起（訴えの主観的追加的併合）と、旧訴の取下げという2個の訴訟行為の複合と捉える。

4　任意的当事者変更の手続（通説を前提とする）

(1)　任意的当事者変更の要件

(a)　新訴について

①　訴え提起の要件を具備すること。

②　新訴の追加併合提起（訴えの主観的追加的併合・当事者参加等）の要件を充足すること。

(b)　旧訴について

訴えの取下げの要件（261）を具備すること。

(c)　任意的当事者変更は原則として、第1審の口頭弁論終結前であることが必要である。

∵　新当事者の手続保障（審級の利益保護）を図るため。もっとも、新当事者の手続保障を害さなければ、控訴審でも任意的当事者変更を行うことが可能である

(2)　任意的当事者変更の効果

(a)　原則として、訴訟手続上、新当事者は旧当事者の地位を承継しない。

(b) 例外として、新当事者の手続保障を害さない範囲で、旧訴の訴訟資料の流用が認められる。

∵　当事者間の公平、訴訟経済・手続安定の要請

ア　訴訟手続の流用

(i) 旧訴状の補正利用、旧訴の印紙の流用（旧訴と訴額が重複する限度）が可能（通説）。

(ii) 時効の完成猶予効・期間遵守については、旧訴提起を基準に判断される。

イ　訴訟資料（従来の弁論・証拠調べの結果）の流用が認められる場合

(i) 新当事者が（一括して又は個別的に）追認した場合

(ii) 新当事者が、相手方の援用に同意した場合

(iii) 旧当事者（又はその代理人）の訴訟追行が、新当事者のそれと実質的に同視できる場合（ex.旧被告と新被告とが本人とその法定代理人の関係にある場合等）

三　訴訟承継

1　総説

(1) 訴訟承継の意義

訴訟係属中に紛争の主体たる地位が当事者から第三者に移転したことに基づいて、新主体となった第三者が当事者となって、訴訟を続行する場合のことをいう。

(2) 訴訟承継の種類

(a) 当然承継：一定の事由があれば当然に訴訟承継が生じる場合

(b) 参加承継・引受承継：関係人の申立てがあってはじめて訴訟承継が生じる場合

(3) 訴訟承継の効果（訴訟状態帰属効又は訴訟状態承認義務）

(a) 承継人は当事者となり、有利不利を問わず、承継原因が生じた時点（参加した時点や引受決定がされた時点ではない）での訴訟状態をそのまま引き継ぐ。

(b) 具体的な効果

具体的には、以下のものを承継する。

① 訴え提起による時効の完成猶予・期間遵守の効果（49）

② 承継原因が生じる前に行われた弁論（自白の拘束力）・証拠調べ（裁判官の心証）・裁判（中間判決や訴訟指揮の裁判等）の効力

③ 時間の経過による攻撃防御方法の提出の制限（157）

④ 訴訟費用の負担

→包括承継である当然承継のみ引き継がれる（特定承継である参加承継・引受承継の場合には引き継がれない）

2　当然承継　⇒ p.179
3　参加承継・引受承継
(1)　訴訟承継主義
　　(a)　訴訟承継主義の意義
　　　　　訴訟承継主義とは、訴訟係属中に訴訟物たる権利関係をはじめ広く紛争
　　　　の基礎をなす実体関係につき一方当事者と第三者に特定承継があった場合
　　　　（係争物の譲渡があった場合）に、それにより新たな紛争主体となった承
　　　　継人が訴訟参加の申出をし（参加承継、49・51前段）、又は承継人に対し
　　　　て前主の相手方当事者から訴訟引受けの申立てをなすことによって（引受
　　　　承継、50・51後段）、現時点での紛争主体である承継人が、被承継人の承
　　　　継の時点での訴訟追行上の有利不利な地位を承継することをいう〈共〉。
　　　　　cf.　当事者恒定主義〈同〉
　　(b)　承継の種類
　　　ア　参加承継（49、51）
　　　　　参加承継とは、新たな紛争主体となった承継人が訴訟参加の申出をす
　　　　る場合のことをいう。
　　　イ　引受承継（50、51）
　　　　　引受承継とは、承継人に対して前主の相手方当事者から訴訟引受けの
　　　　申立てをなす場合のことをいう。
(2)　承継原因（係争物の特定承継）
　　(a)　係争物の「特定承継」
　　　　　紛争の基礎たる実体関係に特定承継があったことを要する。この特定承
　　　　継には、任意処分（譲渡など）による場合の他、法の規定（代位など）や
　　　　執行処分（執行売却・転付命令など）による場合も含まれる。また、以上
　　　　のような移転的承継のみならず、賃借権・抵当権等を設定する場合のよう
　　　　な設定的承継の場合も含まれる。
　　(b)　「係争物」の特定承継〈予〉
　　　　　「係争物」の意義については、訴訟物たる権利関係についての当事者適格
　　　　と解するか、それとも、紛争の主体たる地位と解するか、争いがある。
　　　　第三者に抵当権の設定登記をしたような場合には、「係争物」の承継とい
　　　　えるかが問題となる。
　　　A　当事者適格承継説（通説）
　　　　　訴訟物たる権利関係についての当事者適格が、当事者の生存中しかも
　　　　特定的に第三者に移転する場合が参加・引受承継であると考える。
　　　B　紛争主体地位承継（利益衡量）説
　　　　　紛争の主体たる地位の移転と捉える。そして承継人との紛争が、旧当
　　　　事者間の紛争から派生ないし発展したものと認められる関係にあり、従

前の訴訟状態の利用を認めることが訴訟経済、当事者間の公平に合致するときは、旧紛争の主体たる地位の承継があったものと考える。

▼　**最判昭41.3.22・百選104事件** 〈司予〉〈司R3〉

事案：　土地の賃貸借契約終了に基づく建物収去土地明渡請求訴訟の係属中に、被告から建物の一部を賃借して建物と敷地の占有を承継した第三者が、50条1項の義務承継人に当たるとして、引受承継が認められるかが問題となった。

判旨：　「土地賃借人が契約の終了に基づいて土地賃貸人に対して負担する地上建物の収去義務は、右建物から立ち退く義務を包含するものであり、当該建物収去義務の存否に関する紛争のうち建物からの退去にかかる部分は、第三者が土地賃借人から係争建物の一部及び建物敷地の占有を承継することによって、第三者の土地賃貸人に対する退去義務の存否に関する紛争という型態をとって、右両者間に移行し、第三者は当該紛争の主体たる地位を承継したものと解される」こと、「土地賃貸人が、第三者を相手どって新たに訴訟を提起する代わりに、土地賃借人との間の既存の訴訟を第三者に承継させて、従前の訴訟資料を利用し、争いの実効的な解決を計ろうとする要請」は正当なものであることを理由に、引受承継を肯定した。

(3)　参加承継・引受承継の手続

 ＜参加承継・引受承継の手続＞

	参加承継	引受承継
参加申出〈予〉	独立当事者参加（権利主張参加）の方式で申し立てる（49、47Ⅰ） →承継人は申出とともに相手方に対する請求を定立する必要がある	当事者の承継人に対する訴訟引受けの申立てに基づき裁判所が審尋し、引受決定がなされる（50ⅠⅡ）〈予〉（＊）
申出時期	事実審口頭弁論終結まで（大判昭13.12.26）	事実審口頭弁論終結まで（最判昭37.10.12）〈予書〉
異議申立て	前主やその相手方当事者が異議申立て可能	却下決定に対しては抗告が可能（328Ⅰ） 引受決定は中間的裁判であるから独立の不服申立ては許されない（大決昭16.4.15）〈書〉

	参加承継	引受承継
承継後の審理〈予H26〉	必要的共同訴訟に関する規定が準用される（49、51、47Ⅳ、40Ⅰ～Ⅲ） ex.　参加後の被承継人による自白は、承継人にとって不利な訴訟行為であるため、承継人を拘束しない（40Ⅰ）	同時審判申出共同訴訟に関する規定が準用される（50Ⅲ、41ⅠⅢ）〈予〉 ex.　引受後の被承継人による自白は、共同訴訟人独立の原則により、承継人を拘束しない（39）

*　なお、権利譲渡人（被承継人）からの引受申立てを否定した裁判例（東京高決昭54.9.28・百選 A36 事件）がある。

(4)　承継の効果〈同R3　予H26〉

　(a)　原則

　　　　新当事者は、前主の訴訟状態の地位（従前の弁論・証拠調べの結果や中間判決等）をそのまま引き継ぎ、有利不利を問わずそれに拘束される（訴訟状態帰属効又は訴訟状態承認義務）。　⇒ p.101 参照

　　　∵①　相手方の既得的地位の保護

　　　　②　承継人は被承継人のした処分の結果を承継すべき実体法上の地位にある以上、被承継人により形成された訴訟状態を承認することになってもやむを得ない

　　　　③　被承継人に対する主張立証の機会の付与と被承継人による当該機会の適切な利用をもって、承継人に対する手続保障が代替されている

　(b)　例外

　　　　承継人の固有の抗弁自体については、訴訟状態帰属効は認められない。

　　　　ex.　前主の訴訟追行の態様との関係で固有の抗弁が時機に後れたとしても却下されない

(5)　被承継人の脱退

　　　参加承継・引受承継があった場合、被承継人は、相手方の承諾を得て訴訟から脱退することができる。この場合、判決の効力は脱退した被承継人に対しても及ぶ（50Ⅲ・48）〈予〉。

(6)　訴訟承継人と口頭弁論終結後の承継人については争いがあるが、49条、50条の規定する訴訟承継人と115条の口頭弁論終結後の承継人とをパラレルに理解すべきとするのが通説である。

▼　**最大判昭 45.7.15・百選 A35 事件**

判旨：　有限会社社員が提起した会社解散の訴えや総会決議取消しの訴え・無効確認の訴えが係属中に右訴えを提起した社員が死亡した。この場合、死亡した社員の持分を相続した者が、右訴訟の原告たる地位を承継する。

▼ **東京高決昭 54.9.28・百選 A36 事件**

決旨：　訴訟の目的である権利義務を第三者に譲渡した場合、譲渡人の相手方当事者だけではなく、譲渡人による引受申立ても認められるかが争われた事案。これにつき裁判所は、譲受人は訴訟参加の申出をすることで既存の訴訟状態を承継することが可能であるから、譲渡人に訴訟引受の申立てをする義務が認められるとはいえない、などとして譲渡人の引受申立ての利益を否定した。

＜口頭弁論終結前の承継人と終結後の承継人との比較＞

	口頭弁論終結前の承継人	口頭弁論終結後の承継人
趣旨	紛争解決の実効性確保	
承継の態様	当然承継及び参加引受承継	一般承継及び特定承継
特定承継の場合の承継の対象	紛争の主体たる地位	当事者適格
第三者が固有の抗弁を有する場合に「承継人」に当たるか	「承継人」に当たる ∵　固有の抗弁につき承継後の訴訟において独自の訴訟追行ができる	「承継人」に当たる（形式説）（＊）
効果	承継人が前主の訴訟上の地位を引き継ぐ	既判力が及ぶ（115 I ③）

＊　判例（最判昭 48.6.21・百選 82 事件）は実質説を採り、「承継人」に当たらないとする〈下〉。

第５２条　（共同訴訟参加）

Ⅰ　訴訟の目的が当事者の一方及び第三者について合一にのみ確定すべき場合には、その第三者は、共同訴訟人としてその訴訟に参加することができる。

Ⅱ　第43条並びに第47条第2項及び第3項の規定は、前項の規定による参加の申出について準用する。

《注　釈》

◆　共同訴訟参加

1　共同訴訟参加の意義（必要的共同訴訟となる）

　　他人間の訴訟係属中、その訴訟の判決の効力を受け当事者適格を有する第三者が、別訴を提起しないで一方当事者の共同訴訟人として参加することをいう。

　　ex.　株主総会決議取消しの訴え（会831）に当事者適格があり判決効の及ぶ他の株主（会838）が共同訴訟人として参加する場合等

総則

2 共同訴訟参加の要件

(1) 「訴訟の目的が当事者の一方及び第三者について合一にのみ確定すべき場合」であること 同H23予R3
→第三者が①当該訴訟につき当事者適格を有し、かつ②自ら訴え又は訴えられなくても判決の効力を受ける場合である。なお、当事者適格を欠く場合には、補助参加をすることが考えられる

▼ **最判昭36.11.24・百選A32事件**

判旨: 取締役選任決議取消しの訴えにおいて、当該決議で選任された取締役は当該訴訟の当事者適格を有しないから会社の側に共同訴訟参加することはできないとした。

(2) 参加しうる時期:他人間に訴訟が係属中である場合に限られる。

(3) 参加の方式:補助参加（43）に準じる（52Ⅱ）。

3 共同訴訟参加の効果

(1) 類似必要的共同訴訟（40）となる。 ⇒ p.76

(2) 固有必要的共同訴訟で本来当事者となるべき者が脱落していた場合にも、共同訴訟参加をなしうる。
→当事者適格をめぐる瑕疵は治癒され、不適法却下を免れる

＜訴訟参加の類型＞

	当事者参加		準当事者参加	
	独立当事者参加	共同訴訟参加	補助参加	共同訴訟的補助参加
意義	第三者が原告・被告双方又は一方に対する請求を立て、係属中の訴訟と矛盾のない判決を求める場合（47）	第三者が、係属中の訴訟に、原告又は被告の共同訴訟人として加入し、その結果必要的共同訴訟となる場合（52）	第三者が、一方当事者を勝訴させるために係属中の訴訟に参加し、その当事者を補助して訴訟を追行する場合（42）	係属中の訴訟の判決効が及ぶ当事者適格を有しない第三者が補助参加する場合
参加の要件	① 係属中の訴訟の結果により参加人の権利が害される（47Ⅰ前段）② 係属中の訴訟の目的の全部又は一部が参加人の権利である（47Ⅰ後段）	原告・被告・参加人の間で紛争を合一的に解決する必要がある	参加人が訴訟の結果について法律上の利害関係を有する	① 第三者に判決の効力が及ぶ② 第三者が当事者適格を有しない
参加の許される時期	事実審係属中（判例）	上告審係属中でも可	判決確定後でも可	

	当事者参加		準当事者参加	
	独立当事者参加	共同訴訟参加	補助参加	共同訴訟的補助参加
参加人の訴訟上の地位	参加人は当事者として訴訟に関与	参加人は当事者（共同訴訟人）として訴訟に関与	参加人は当事者とはならず、被参加人に従属した地位に立つ(45)	参加人は当事者とはならないが、強度の独立性を有する
判断の効力	参加人は当事者であるから判決効が及ぶ		参加人には、参加的効力が及ぶ(46)	参加人には判決効とともに参加的効力が及ぶ

総則

📖 第53条 （訴訟告知）

Ⅰ　当事者は、訴訟の係属中、参加することができる第三者にその訴訟の告知をすることができる。

Ⅱ　訴訟告知を受けた者は、更に訴訟告知をすることができる。

Ⅲ　訴訟告知は、その理由及び訴訟の程度を記載した書面を裁判所に提出してしなければならない。

Ⅳ　訴訟告知を受けた者が参加しなかった場合においても、第46条の規定の適用については、参加することができた時に参加したものとみなす。

《注　釈》

一　訴訟告知の意義

訴訟告知とは、訴訟係属中、当事者が、当該訴訟に参加しうる第三者に対して、法定の方式により訴訟係属の事実を通知することをいう(53)。

二　訴訟告知の趣旨・目的

1　告知者保護の側面

被告知者の参加により告知者に有利な訴訟展開を期待できる点、また、被告知者が参加せずとも参加的効力を生じる点から、告知者の利益のための制度であることが強調される（通説）。

2　被告知者保護の側面

被告知者が訴訟に参加して自己の利益を守る機会を保障される点で、被告知者の手続保障のための制度でもある。

→債権者代位訴訟において、代位債権者が債務者に訴訟告知をしなかった場合、裁判所は訴えを却下すべき

∵①　債権者には訴訟告知が義務付けられている（民423の6）ため、訴訟告知が代位債権者の当事者適格の基礎となる

② 訴訟告知には、被代位権利の処分権（民423の5）を維持する債務
者への手続参加の機会の保障と、債務者への既判力拡張の正当化根拠
（115Ⅰ②）という重要な役割がある

3 公益的側面

一連の紛争につき、前訴後訴を通して関係者間の実体関係に即した統一的処
理の可能性を生じる点も訴訟告知制度の目的をなす。

三 訴訟告知の要件

1 訴訟係属中であること（Ⅰ）

控訴審〈書〉、上告審係属中でもなしうる。

2 告知をなしうる者（告知権者）による告知であること

告知権者：当該訴訟の当事者・補助参加人及びこれらの者から告知を受けた
第三者である（Ⅱ）

→被告知者も、参加をすることなしに、さらに告知できる（Ⅱ）〈予書〉

3 被告知者が、当該訴訟に参加できる第三者であること（Ⅰ）

一般には補助参加の利益（42）をもつ者を意味するが、独立当事者参加
（47）、共同訴訟参加のできる者（52）も含む〈予〉。

→被告知者は、自らが訴訟に参加することができる第三者に当たらないこと
を理由として、即時抗告をすることはできない〈予〉

四 訴訟告知の手続（Ⅲ）

告知の理由と訴訟の程度を記載した告知書を受訴裁判所に提出する（53Ⅲ）〈書〉。
「訴訟の程度」とは、訴訟の進行状況（訴訟手続がどの段階にあるか）のこと
をいい、どのような攻撃防御方法が提出されているかといった訴訟の内容までの
記載は要しない〈予〉。

五 訴訟告知の効果（Ⅳ）

1 被告知者の地位

告知を受けても参加するか否かは自由で、義務ではない〈予書〉。

2 時効の完成猶予及び更新

実体法上特別の規定（手86、小73）がある場合は時効の完成猶予及び更新
の効力が生じる。規定がない場合でも、訴訟告知に裁判上の催告としての時効
の完成猶予効（民150）が認められる（通説）。

3 参加的効力〈司H24〉 ⇒ p.92

(1) 被告知者が参加しなかった場合にも効力が及ぶのは、42条にいう「法律
上の利害関係」（⇒ p.84）を有する場合に限られる（最判平14.1.22・百選99
事件）。

この場合、被告知者は、告知に対応して遅滞なく参加できた時点に参加し
たのと同様の効果（46）を受ける（Ⅳ）〈書〉。すなわち、判決の理由中でな
された事実の認定や先決的権利関係の存否についての判断などのうち、判決

の主文を導き出すために必要な主要事実に係る認定及び法律判断につき参加的効力が生じる（⇒ p.92）。

▼　**最判平 14.1.22・百選 99 事件**

事案：　売主Xが、買主Aに対して代金支払請求の訴えを提起した。また、Xは、買主がYであるとされる場合に備えて、Yに訴訟告知したが、Yは補助参加しなかった。このような状況において、XのAに対する請求は、買主はYであるという理由で請求棄却となった。そこで、XがYに対して改めて代金支払請求の訴えを提起した。Yに参加的効力は及ぶか。

判旨：　「裁判が訴訟告知を受けたが参加しなかった者に対しても効力を有するのは、訴訟告知を受けた者が同法 64 条（現行法 42 条）にいう訴訟の結果につき法律上の利害関係を有する場合に限られるところ、ここにいう法律上の利害関係を有する場合とは、当該訴訟の判決が参加人の私法上又は公法上の法的地位又は法的利益に影響を及ぼすおそれがある場合をいう」。

「これを本件についてみるに、前訴……の結果によって、YのXに対する……支払義務の有無が決せられる関係にあるものではなく、前訴の判決はYの法的地位又は法的利益に影響を及ぼすものではないから、Yは、前訴の訴訟の結果につき法律上の利害関係を有していたとはいえない」ため参加的効力は生じない。

(2)　被告知者が告知者の相手方当事者に補助参加した場合にも、告知者との後訴で参加的効力は生じるか。

▼　**仙台高判昭 55.1.28**

事案：　甲は丙に訴訟告知したところ、丙は相手方である乙側に補助参加し、表見代理が認められて甲が敗訴した。そこで、後訴において甲と丙の間に参加的効力が生じるかが問題となった。

判旨：　訴訟告知の制度は、「告知者が被告知者に訴訟参加をする機会を与えることにより、被告知者との間に告知の効果（民事訴訟法 78 条（現 53 Ⅳ））を取得することを目的とする制度」であり、「したがって、同法 76（現 53）条にいう『参加をなしうる第三者』に該当する者であるか否かは、当該第三者の利益を基準として判定されるべきではなく、告知者の主観的利益を基準として判定されるべきである」として参加的効力を認め、肯定説に立った。

■第5節　代理人及び補佐人

《概　説》

一　訴訟代理人の意義

訴訟代理人とは、訴訟追行のための包括的代理権を有する任意代理人である。

二　訴訟代理人の種類

1　訴訟委任に基づく訴訟代理人

　　特定の事件の訴訟追行のために当事者から包括的な代理権を授与された任意代理人をいう。

2　法令上の訴訟代理人

　　法令が一定の地位につく者に訴訟代理権を認める旨を規定している場合にその地位に選任されることによって訴訟代理権も付与されたことになる者をいう。

　　ex.　支配人（商21、会11Ⅰ）、船舶管理人（商698Ⅰ）、船長（商708Ⅰ

第54条　（訴訟代理人の資格）

Ⅰ　法令により裁判上の行為をすることができる代理人のほか、弁護士でなければ訴訟代理人となることができない〈司予〉。ただし、簡易裁判所においては、その許可を得て、弁護士でない者を訴訟代理人とすることができる〈司予書〉。

Ⅱ　前項の許可は、いつでも取り消すことができる。

[趣旨] 弁護士による代理を原則とすることで、いわゆる三百代言などによって依頼者が被害を受けることを防止するとともに、当事者本人の訴訟活動の拡大・当事者権保障の対等な実質化を図った。

《注　釈》

◆　**弁護士代理の原則**〈司H22〉

1　訴訟委任に基づく訴訟代理人の資格

　　訴訟委任に基づく訴訟代理人は、原則として弁護士でなければならない（54Ⅰ本文）。ただし、簡易裁判所では、事件も一般に軽微であるので、弁護士でない者も訴訟代理人とすることができる（54Ⅰただし書）。

2　弁護士代理の原則に反する訴訟行為

(1)　弁護士資格のない者が訴訟代理人である場合、その者の訴訟追行は弁護士代理の原則に違反する違法なものであるから、裁判所は、その者の訴訟行為を排除しなければならず、相手方当事者も、その者の訴訟行為の排除を求めることができる。

(2)　弁護士資格のない訴訟代理人が既に行った訴訟行為の効力について、判例（最判昭43.6.21）は、当該訴訟行為は本人の追認がない限り、本人に対して効力が生じないとしている。

　　∵　弁護士資格を有する者に訴訟代理されるという本人の利益を考慮し、代理権がない代理人の訴訟行為（34）に準じる

　　→学説では、弁護士資格がないことを本人が知っていた場合において、本人による訴訟代理人の訴訟行為の無効主張を認めるのは不当であるとして、これを認めないとする見解も主張されている

▼ 仙台高判昭 59.1.20・百選 A5 事件

判旨： 実質上支配人に当たらない従業員を支配人として登記し、裁判上の行為をさせようとするのは、商法38（現21、会社法11条）が支配人に訴訟代理権を付与していることを奇貨として54条1項の禁止を潜脱する違法なものであり、無効となる。

▼ 最大判昭 38.10.30・百選 18 事件〈団〉

判旨： 弁護士法25条1号に違反して職務を行った「弁護士のした訴訟行為の効力については、同法又は訴訟法上直接の規定がないので、同条の立法目的に照して解釈により、これを決定しなければならない」。弁護士法25条は「弁護士の品位の保持と当事者の保護とを目的とするものである」から、「単にこれを懲戒の原因とするに止め、その訴訟行為の効力には何らの影響を及ぼさず、完全に有効なものとすることは、同条立法の目的の一である相手方たる一方の当事者の保護に欠く」。したがって、弁護士法25条「違反の訴訟行為については、相手方たる当事者は、これに異議を述べ、裁判所に対しその行為の排除を求めることができる」。

　しかし、相手方である当事者が弁護士法25条違反を知り又は知ることができたにもかかわらず、何ら異議を述べない場合には、「最早かかる当事者を保護する必要はなく、却って当該訴訟行為を無効とすることは訴訟手続の安定と訴訟経済を著しく害することになるのみならず」、他方当事者に不測の損害を被らせる結果となる。したがって、相手方である当事者が弁護士法25条違反を知り又は知ることができたにもかかわらず、「何ら異議を述べることなく訴訟手続を進行せしめ、第二審の口頭弁論を終結せしめたときは、当該訴訟行為は完全にその効力を生じ、弁護士法の禁止規定に違反することを理由として、その無効を主張することは許されない」。

＊ 判例（最決平29.10.5・百選 A7 事件）〈団〉は、上記大法廷判決の法理を前提に、「相手方である当事者は、裁判所に対し、同号に違反することを理由として、……訴訟行為を排除する旨の裁判を求める申立権を有する」とした上で、「弁護士法25条1号に違反することを理由として訴訟行為を排除する旨の決定に対しては、自らの訴訟代理人……の訴訟行為を排除するものとされた当事者は、民訴法25条5項の類推適用により、即時抗告をすることができる」が、「訴訟行為を排除するものとされた訴訟代理人……は、当事者を代理して訴訟行為をしているにすぎず、訴訟行為が排除されるか否かについて固有の利害関係を有するものではない」から、訴訟代理人は、「自らを抗告人とする即時抗告をすることはできない」とした。

▼　**最大判昭 42.9.27・百選 A6 事件**

　　判旨：　懲戒処分たる業務停止を受けた弁護士による訴訟行為であっても、そ
　　　　　　の処分が明らかにされていない事情の下では、当該訴訟行為は有効なも
　　　　　　のといえる。

🔖第55条　（訴訟代理権の範囲）〈予書〉

Ⅰ　訴訟代理人は、委任を受けた事件について、反訴、参加、強制執行、仮差押え及
　び仮処分に関する訴訟行為をし、かつ、弁済を受領することができる。

Ⅱ　訴訟代理人は、次に掲げる事項については、特別の委任を受けなければならない
　〈予〉。

　①　反訴の提起〈予〉

　②　訴えの取下げ、和解、請求の放棄若しくは認諾又は第48条（第50条第3項
　　　及び第51条において準用する場合を含む。）の規定による脱退〈同予書〉

　③　控訴、上告若しくは第318条第1項の申立て又はこれらの取下げ〈書〉

　④　第360条（第367条第2項及び第378条第2項において準用する場合を含
　　　む。）の規定による異議の取下げ又はその取下げについての同意

　⑤　代理人の選任

Ⅲ　訴訟代理権は、制限することができない。ただし、弁護士でない訴訟代理人につ
　いては、この限りでない。

Ⅳ　前3項の規定は、法令により裁判上の行為をすることができる代理人の権限を
　妨げない。

《注　釈》

一　訴訟委任

　　特定の事件につき訴訟上の代理権を授与する本人の行為を訴訟委任という。通
常は民法上の委任契約の締結（民643以下）とともに訴訟委任が行われるが、授
権行為自体はこれとは別個の訴訟行為である。よって、委任契約を締結するには
行為能力が必要であり、訴訟委任をなすには訴訟能力が必要である〈予〉。代理権の
存在は書面で証明する必要がある（規23）〈共予〉。なお、法定代理人も訴訟無能力
者に代わり自ら訴訟行為のできる場合は、訴訟委任をすることができる。訴訟委
任に基づく代理人は、特別の委任のない限り復代理人を選任することができない
（Ⅱ⑤）。

二　訴訟代理権の範囲

1　訴訟代理権の範囲の法定

　　　手続の円滑な進行を図る必要から、訴訟代理権の範囲は、包括的なものとし
　　て法定され、その制限は禁じられている（Ⅲ本文。例外として、Ⅲただし書）。
　　これに違反する制限は無効である。

2　代理権の範囲に含まれる事項

代理権の範囲は、特別授権事項を除けば、訴訟追行に必要な一切の訴訟行為のほか、攻撃防御に必要な限り実体法上の権利行使も認められる（Ⅰ）。

3　特別委任事項

(1)　重大な結果をもたらす事項については、その都度本人の意思を尊重しうるように、特別の授権を要することとされている（Ⅱ）。

(2)　上訴につき特別の授権を要する以上、訴訟代理権は審級ごとに別個に与えられるもの（審級代理）と解され、第1審のための代理権を与えられただけでは相手方の控訴・上告に応訴する権限はない。ただし、上級審の代理権があれば、附帯上訴をし、あるいはこれを受けることができる。

(3)　「和解」（55Ⅱ②）につき、代理人の和解権限が、訴訟物に関する権利関係に限定されるかが問題となる〈司H26〉。

判例は、訴訟代理人の和解の代理権は訴訟物の範囲に限定されないとの立場をとる（最判昭38.2.21・百選17事件）。しかし、訴訟手続を円滑に進める必要性がある一方で、本人の自己決定の利益をも保護する必要がある。そこで、代理権の範囲は訴訟物の範囲に限定されないが、一定の制約（その事項が互譲により当該事件を解決するために必要・有用であり、かつ、本人が当該事件の解決として予測可能なものに限る等）があるとする立場が有力である。

▼　**最判昭38.2.21・百選17事件**〈予〉

判旨：　貸金返還請求訴訟において、特別委任事項としての和解権限（55Ⅱ②）を付与された被告訴訟代理人は、訴訟物に関する互譲の方法として、被告所有の不動産に抵当権を設定する権限をも有する。

第56条　（個別代理）〈司共予書〉

Ⅰ　訴訟代理人が数人あるときは、各自当事者を代理する。
Ⅱ　当事者が前項の規定と異なる定めをしても、その効力を生じない。

《注　釈》

◆　個別代理の原則

当事者が数人の代理人に訴訟委任をすることがあるが、その場合にも各代理人はそれぞれ単独で当事者を代理して訴訟を追行する権限を有する（Ⅰ）。裁判所や相手方当事者は、複数の代理人の1人に対して訴訟行為をすればよい〈予〉。また、たとえ本人と複数の代理人間で共同代理人として訴訟追行すべき旨を定めても、内部関係はともかく、裁判所や相手方との関係では無効である（Ⅱ）。

第57条　（当事者による更正）

訴訟代理人の事実に関する陳述は、当事者が直ちに取り消し、又は更正したときは、その効力を生じない〈共予書〉。

［趣旨］訴訟代理人が選任されている場合であっても、具体的事実関係については本人の方が代理人より詳しいのが通常である。そこで、訴訟代理人の事実に関する陳述は、当事者が直ちに取り消し、又は更正したときは、その効力を生じないものとした。

第58条　（訴訟代理権の不消滅）

Ⅰ　訴訟代理権は、次に掲げる事由によっては、消滅しない〈共予書〉。

① 当事者の死亡〈書〉又は訴訟能力の喪失

② 当事者である法人の合併による消滅〈予〉

③ 当事者である受託者の信託に関する任務の終了

④ 法定代理人の死亡、訴訟能力の喪失又は代理権の消滅若しくは変更

Ⅱ　一定の資格を有する者で自己の名で他人のために訴訟の当事者となるものの訴訟代理人の代理権は、当事者の死亡その他の事由による資格の喪失によっては、消滅しない。

Ⅲ　前項の規定は、選定当事者が死亡その他の事由により資格を喪失した場合について準用する。

［趣旨］本条は、訴訟においては訴訟手続の迅速な進行を図る必要があること、委任事務の目的・範囲が明確であること、受任者が弁護士であり信頼できることから、訴訟委任においては、民法上の代理権消滅事由（民111、653）と等しい事由が生じても訴訟代理権は消滅しないものとした。

《注　釈》

◆　訴訟代理権の消滅

1　本人の死亡などによる代理権不消滅の特則

本人（当事者・法定代理人）の死亡、訴訟能力・法定代理権の喪失などがあっても手続を中断させる必要はない（124Ⅱ）。上訴の委任まで受けていれば、訴訟手続は上訴審判決の確定まで中断しないし、また上訴の委任がなければ当該審級の終局判決の送達まで手続が中断しないことになる。

2　訴訟代理権の消滅原因

(1)　訴訟代理権は、民法上の代理権消滅事由のうち代理人の死亡・後見開始の審判・破産手続開始の決定（民111Ⅰ②）、委任の終了（民111Ⅱ）、代理人の解任・辞任（民651）、本人の破産手続開始の決定（民653）などにより消滅する。

(2)　争いあるも、弁護士資格は訴訟代理人たる資格要件であると解されることから、訴訟代理人が弁護士資格を失った場合にも訴訟代理権は消滅する。

(3)　訴訟代理人が本人の「特別の委任」を受けて訴訟復代理人を選任した場合（55Ⅱ⑤）、その訴訟復代理人は「独立して当事者本人の訴訟代理人となるものであるから、選任後継続して本人のために適法に訴訟行為をなし得るも

のであって、訴訟代理人の死亡に因って当然にその代理資格を失なうものとは解されない」（最判昭 36.11.9）〈呂〉。

第59条　（法定代理の規定の準用）

　第 34 条第 1 項及び第 2 項並びに第 36 条第 1 項の規定は、訴訟代理について準用する〈共書〉。

[趣旨] 法定代理人と訴訟代理人には代理権行使の形式、代理権欠缺の効果、無権代理の場合の処置等について共通の面があるので、法定代理人の規定を準用した。

第60条　（補佐人）

Ⅰ　当事者又は訴訟代理人は、裁判所の許可を得て、補佐人とともに出頭することができる。
Ⅱ　前項の許可は、いつでも取り消すことができる。
Ⅲ　補佐人の陳述は、当事者又は訴訟代理人が直ちに取り消し、又は更正しないときは、当事者又は訴訟代理人が自らしたものとみなす。

[趣旨] 当事者又は訴訟代理人は、専門知識に精通していないことが少なくない。このような場合に訴訟の弁論について当事者又は訴訟代理人を援助させるため、補佐人について規定した。

《注　釈》

一　補佐人の意義

　補佐人とは、当事者・補助参加人又はこれらの訴訟代理人とともに期日に出頭し、これらの者の陳述を補助する者のことをいう。

二　補佐人の資格・地位

　1　補佐人の資格
　(1)　補佐人は、弁護士資格を要しないが、各審級ごとに裁判所の許可を要し、その許可はいつでも取り消される（Ⅱ）。
　(2)　補佐人は自らのために訴訟行為をする者ではないから、訴訟能力を要しない。ただし、補佐人が弁論能力を欠く場合には、裁判所は直ちに補佐人の発言を禁止することができる（155Ⅰ）。
　2　補佐人の地位
　(1)　補佐人は、単なる発言機関ではなく、自己の意思に基づいて当事者・代理人の期日における一切の陳述を代わってすることができることから、代理人の一種と解される（通説）。
　(2)　補佐人は期日における付添人としての地位しか認められず、当事者・代理人に代わって単独で期日に出頭して訴訟行為をすることができず、当事者・代理人はその陳述を直ちに取り消すことができる（更正権、Ⅲ）。この更正権は、訴訟代理人の場合と異なり、事実上の陳述だけに限定されない（57 参照）。

・第4章・【訴訟費用】

■第1節　訴訟費用の負担

第61条　（訴訟費用の負担の原則）〈書〉

　訴訟費用は、敗訴の当事者の負担とする。

第62条　（不必要な行為があった場合等の負担）〈択〉

　裁判所は、事情により、勝訴の当事者に、その権利の伸張若しくは防御に必要でない行為によって生じた訴訟費用又は行為の時における訴訟の程度において相手方の権利の伸張若しくは防御に必要であった行為によって生じた訴訟費用の全部又は一部を負担させることができる。

第63条　（訴訟を遅滞させた場合の負担）〈択〉

　当事者が適切な時期に攻撃若しくは防御の方法を提出しないことにより、又は期日若しくは期間の不遵守その他当事者の責めに帰すべき事由により訴訟を遅滞させたときは、裁判所は、その当事者に、その勝訴の場合においても、遅滞によって生じた訴訟費用の全部又は一部を負担させることができる。

第64条　（一部敗訴の場合の負担）

　一部敗訴の場合における各当事者の訴訟費用の負担は、裁判所が、その裁量で定める。ただし、事情により、当事者の一方に訴訟費用の全部を負担させることができる〈書〉。

第65条　（共同訴訟の場合の負担）

Ⅰ　共同訴訟人は、等しい割合で訴訟費用を負担する。ただし、裁判所は、事情により、共同訴訟人に連帯して訴訟費用を負担させ、又は他の方法により負担させることができる。

Ⅱ　裁判所は、前項の規定にかかわらず、権利の伸張又は防御に必要でない行為をした当事者に、その行為によって生じた訴訟費用を負担させることができる。

第66条　（補助参加の場合の負担）

　第61条から前条までの規定は、補助参加についての異議によって生じた訴訟費用の補助参加人とその異議を述べた当事者との間における負担の関係及び補助参加によって生じた訴訟費用の補助参加人と相手方との間における負担の関係について準用する。

《注　釈》

一　訴訟費用の意義

　訴訟費用とは、訴訟に関して生じた費用のうち、「民事訴訟費用等に関する法律」所定の範囲の費用をいい、裁判費用と当事者費用に分けることができる。

　　裁判費用とは、当事者が訴訟を追行するについて国庫に納入すべき費用の総称である。

　　ex.　訴状等に貼付する印紙代、証人等に支給する旅費・日当

　　当事者費用とは、当事者の訴訟追行により生じた費用のうち、国庫に納入するのではなく、国庫以外の者に直接支払うこととされる費用をいう。

　　ex.　訴訟書類の翻訳料・郵送費

　　→当事者が準備書面の直送をするために支出した郵便料金等の費用は、訴訟費用には含まれない（最決平 26.11.27・平 27 重判 3 事件）

二　訴訟費用の負担

　　原則として、訴訟費用は敗訴者が負担する（61）。

　　例外として、

　1　勝訴者も、例外的に訴訟費用を負担する場合がある（62、63）。

　2　ともに敗訴した共同訴訟人は、原則として頭割りで平等に負担する（65）。

第67条　（訴訟費用の負担の裁判）

Ⅰ　裁判所は、事件を完結する裁判において、職権で、その審級における訴訟費用の全部について、その負担の裁判をしなければならない〈同予書〉。ただし、事情により、事件の一部又は中間の争いに関する裁判において、その費用についての負担の裁判をすることができる。

Ⅱ　上級の裁判所が本案の裁判を変更する場合には、訴訟の総費用について、その負担の裁判をしなければならない。事件の差戻し又は移送を受けた裁判所がその事件を完結する裁判をする場合も、同様とする。

《注　釈》

◆　**訴訟費用の負担についての裁判**　⇒ p.66

　1　訴訟費用の負担の裁判は、原則としてその審級において事件の全部についての手続を終了させる裁判（事件を完結させる裁判）において総括してする（Ⅰ本文）。

　　　ただし、完結裁判を待つ必要のない場合には、一部判決や中間判決（事件の一部又は中間の争いに関する裁判）において、その費用についての負担の裁判をすることができる（ただし書）。

　2　判決中費用に関する裁判だけに対しては、独立して上訴することはできない（282、313）。

　　　∵　付随的な費用の裁判の審理のために、本案の審理をしなければならなくなるおそれがある

総則

▼ 最判昭48.10.11・百選〔第三版〕122事件

判旨：　弁護士費用は債務不履行による損害賠償に含まれるかについて、「民法419条によれば、金銭を目的とする債務の履行遅滞による損害賠償の額は、法律に別段の定めがある場合を除き、約定または法定の利率により、債権者はその損害を証明する必要はないとされているが、その反面として、たとえそれ以上の損害が生じたことを立証しても、その賠償を請求することはでき」ず、したがって「債権者は、金銭債務の不履行による損害賠償として、債務者に対し弁護士費用その他の取立費用を請求することはできない」と判示した。

第68条　（和解の場合の負担）〔予書〕

　当事者が裁判所において和解をした場合において、和解の費用又は訴訟費用の負担について特別の定めをしなかったときは、その費用は、各自が負担する。

《注　釈》

- 和解により訴訟が終了した場合には、訴訟費用は各自が負担するので、裁判を必要としない。
- 「各自が負担する」とは、当事者各自が、自己の支出した費用を負担し、相手方に対して償還請求等をなし得ないという意味であり、費用を半分ずつ平等に負担するという意味ではない〔予〕。

第69条　（法定代理人等の費用償還）

Ⅰ　法定代理人、訴訟代理人、裁判所書記官又は執行官が故意又は重大な過失によって無益な訴訟費用を生じさせたときは、受訴裁判所は、申立てにより又は職権で、これらの者に対し、その費用額の償還を命ずることができる。
Ⅱ　前項の規定は、法定代理人又は訴訟代理人として訴訟行為をした者が、その代理権又は訴訟行為をするのに必要な授権があることを証明することができず、かつ、追認を得ることができなかった場合において、その訴訟行為によって生じた訴訟費用について準用する。
Ⅲ　第1項（前項において準用する場合を含む。）の規定による決定に対しては、即時抗告をすることができる。

第70条　（無権代理人の費用負担）

　前条第2項に規定する場合において、裁判所が訴えを却下したときは、訴訟費用は、代理人として訴訟行為をした者の負担とする。

《注　釈》

- 代理人・書記官又は執行官が、故意又は重大な過失によって無益な費用を生じさせた場合は、負担者へ償還を命じられることがある（69Ⅰ）。

第71条 （訴訟費用額の確定手続）

Ⅰ　訴訟費用の負担の額は、その負担の裁判が執行力を生じた後に、申立てにより、第一審裁判所の裁判所書記官が定める〈回〉。

Ⅱ　前項の場合において、当事者双方が訴訟費用を負担するときは、最高裁判所規則で定める場合を除き、各当事者の負担すべき費用は、その対当額について相殺があったものとみなす。

Ⅲ　第1項の申立てに関する処分は、相当と認める方法で告知することによって、その効力を生ずる。

Ⅳ　前項の処分に対する異議の申立ては、その告知を受けた日から1週間の不変期間内にしなければならない。

Ⅴ　前項の異議の申立ては、執行停止の効力を有する。

Ⅵ　裁判所は、第1項の規定による額を定める処分に対する異議の申立てを理由があると認める場合において、訴訟費用の負担の額を定めるべきときは、自らその額を定めなければならない。

Ⅶ　第4項の異議の申立てについての決定に対しては、即時抗告をすることができる。

《注　釈》

▪ 訴訟費用の負担の裁判においては、費用の負担者及びその割合のみを定め、その額については、第1審裁判所の裁判所書記官が、その負担の裁判が執行力を生じた後に定める〈回〉。

第72条 （和解の場合の費用額の確定手続）

当事者が裁判所において和解をした場合において、和解の費用又は訴訟費用の負担を定め、その額を定めなかったときは、その額は、申立てにより、第一審裁判所（第275条の和解にあっては、和解が成立した裁判所）の裁判所書記官が定める。この場合においては、前条第2項から第7項までの規定を準用する。

第73条 （訴訟が裁判及び和解によらないで完結した場合等の取扱い）

Ⅰ　訴訟が裁判及び和解によらないで完結したときは、申立てにより、第一審裁判所は決定で訴訟費用の負担を命じ、その裁判所の裁判所書記官はその決定が執行力を生じた後にその負担の額を定めなければならない。補助参加の申出の取下げ又は補助参加についての異議の取下げがあった場合も、同様とする〈テ〉。

Ⅱ　第61条から第66条まで及び第71条第7項の規定は前項の申立てについての決定について、同条第2項及び第3項の規定は前項の申立てに関する裁判所書記官の処分について、同条第4項から第7項までの規定はその処分に対する異議の申立てについて準用する。

《注　釈》

▪ 訴えの取下げ等により、訴訟が判決によらずに終了した場合の費用の負担及び額の確定は、決定手続で行われる。

第74条　（費用額の確定処分の更正）

Ⅰ　第71条第1項、第72条又は前条第1項の規定による額を定める処分に計算違い、誤記その他これらに類する明白な誤りがあるときは、裁判所書記官は、申立てにより又は職権で、いつでもその処分を更正することができる。

Ⅱ　第71条第3項から第5項まで及び第7項の規定は、前項の規定による更正の処分及びこれに対する異議の申立てについて準用する。

Ⅲ　第1項に規定する額を定める処分に対し適法な異議の申立てがあったときは、前項の異議の申立ては、することができない。

■第2節　訴訟費用の担保

第75条　（担保提供命令）

Ⅰ　原告が日本国内に住所、事務所及び営業所を有しないときは、裁判所は、被告の申立てにより、決定で、訴訟費用の担保を立てるべきことを原告に命じなければならない。その担保に不足を生じたときも、同様とする。

Ⅱ　前項の規定は、金銭の支払の請求の一部について争いがない場合において、その額が担保として十分であるときは、適用しない。

Ⅲ　被告は、担保を立てるべき事由があることを知った後に本案について弁論をし、又は弁論準備手続において申述をしたときは、第1項の申立てをすることができない。

Ⅳ　第1項の申立てをした被告は、原告が担保を立てるまで応訴を拒むことができる。

Ⅴ　裁判所は、第1項の決定において、担保の額及び担保を立てるべき期間を定めなければならない。

Ⅵ　担保の額は、被告が全審級において支出すべき訴訟費用の総額を標準として定める。

Ⅶ　第1項の申立てについての決定に対しては、即時抗告をすることができる。

第76条　（担保提供の方法）

担保を立てるには、担保を立てるべきことを命じた裁判所の所在地を管轄する地方裁判所の管轄区域内の供託所に金銭又は裁判所が相当と認める有価証券（社債、株式等の振替に関する法律（平成13年法律第75号）第278条第1項に規定する振替債を含む。次条において同じ。）を供託する方法その他最高裁判所規則で定める方法によらなければならない。ただし、当事者が特別の契約をしたときは、その契約による。

第77条　（担保物に対する被告の権利）

被告は、訴訟費用に関し、前条の規定により供託した金銭又は有価証券について、他の債権者に先立ち弁済を受ける権利を有する。

第78条　（担保不提供の効果）

　原告が担保を立てるべき期間内にこれを立てないときは、裁判所は、口頭弁論を経ないで、判決で、訴えを却下することができる。ただし、判決前に担保を立てたときは、この限りでない。

第79条　（担保の取消し）

Ⅰ　担保を立てた者が担保の事由が消滅したことを証明したときは、裁判所は、申立てにより、担保の取消しの決定をしなければならない。

Ⅱ　担保を立てた者が担保の取消しについて担保権利者の同意を得たことを証明したときも、前項と同様とする。

Ⅲ　訴訟の完結後、裁判所が、担保を立てた者の申立てにより、担保権利者に対し、一定の期間内にその権利を行使すべき旨を催告し、担保権利者がその行使をしないときは、担保の取消しについて担保権利者の同意があったものとみなす。

Ⅳ　第1項及び第2項の規定による決定に対しては、即時抗告をすることができる。

第80条　（担保の変換）

　裁判所は、担保を立てた者の申立てにより、決定で、その担保の変換を命ずることができる。ただし、その担保を契約によって他の担保に変換することを妨げない。

第81条　（他の法令による担保への準用）

　第75条第4項、第5項及び第7項並びに第76条から前条までの規定は、他の法令により訴えの提起について立てるべき担保について準用する。

■第3節　訴訟上の救助

第82条　（救助の付与）

Ⅰ　訴訟の準備及び追行に必要な費用を支払う資力がない者又はその支払により生活に著しい支障を生ずる者に対しては、裁判所は、申立てにより、訴訟上の救助の決定をすることができる〈司予〉。ただし、勝訴の見込みがないとはいえないときに限る。

Ⅱ　訴訟上の救助の決定は、審級ごとにする。

第83条　（救助の効力等）

Ⅰ　訴訟上の救助の決定は、その定めるところに従い、訴訟及び強制執行について、次に掲げる効力を有する。

①　裁判費用並びに執行官の手数料及びその職務の執行に要する費用の支払の猶予

②　裁判所において付添いを命じた弁護士の報酬及び費用の支払の猶予

③　訴訟費用の担保の免除

Ⅱ　訴訟上の救助の決定は、これを受けた者のためにのみその効力を有する。

Ⅲ　裁判所は、訴訟の承継人に対し、決定で、猶予した費用の支払を命ずる。

第84条　（救助の決定の取消し）

　訴訟上の救助の決定を受けた者が第82条第1項本文に規定する要件を欠くことが
判明し、又はこれを欠くに至ったときは、訴訟記録の存する裁判所は、利害関係人の
申立てにより又は職権で、決定により、いつでも訴訟上の救助の決定を取り消し、猶
予した費用の支払を命ずることができる。

第85条　（猶予された費用等の取立方法）

　訴訟上の救助の決定を受けた者に支払を猶予した費用は、これを負担することとさ
れた相手方から直接に取り立てることができる。この場合において、弁護士又は執行
官は、報酬又は手数料及び費用について、訴訟上の救助の決定を受けた者に代わり、
第71条第1項、第72条又は第73条第1項の申立て及び強制執行をすることがで
きる。

第86条　（即時抗告）

　この節に規定する決定に対しては、即時抗告をすることができる。

・第5章・【訴訟手続】

■第1節　訴訟の審理等

《概　説》

一　口頭弁論の意義

　受訴裁判所の面前で当事者双方の関与の下に口頭で弁論及び証拠調べを行って
裁判資料を収集しそれに基づき裁判をする審理手続ないし審理方式をいう。

二　口頭弁論の種類

　1　必要的口頭弁論

　　裁判をするために必ず口頭弁論で審理しなければならず、そこに顕出された
主張や証拠のみが裁判の資料として取り上げられる場合をいう（87Ⅰ本文）。

　2　任意的口頭弁論

　　裁判所の裁量で開くことのできる口頭弁論をいい、決定で裁判すべき事件は
これによる（87Ⅰただし書）。決定で裁判される事項（管轄の指定（10）、除
斥や忌避の決定（25）等）は、簡易・迅速な処理を必要とするからである。

　　決定手続では、書面審理が原則となる。決定手続で口頭弁論が開かれない場
合は、書面審理の補充として、裁判所は裁量により当事者を審尋することができ
る（87Ⅱ）。審尋は、口頭弁論と異なり公開法廷で行われる必要はなく、ま
た当事者双方の対席も必要ではないので、一方のみを呼び出して陳述の機会を
与えることもできる。

三　必要的口頭弁論の原則

1　必要的口頭弁論の内容

①　口頭弁論を行わなければ判決をすることができない

②　口頭弁論で陳述され、そこに顕出されたものだけが、訴訟資料となる

口頭弁論に顕出されていない事実・証拠が訴訟資料とされた場合、原則として上告理由となる。

もっとも、弁論の機会を保障せずとも不当といえない場合、口頭弁論は必要とされない（87Ⅲ参照）。

総則

2　必要的口頭弁論（内容①）の例外

①　不適法な訴えで補正不可能な場合の却下判決（140、290、355Ⅰ）

②　上告棄却判決（319）

③　日本に住所等をもたない原告が訴訟費用の担保供与の決定を受けたのに担保を供しない場合の却下判決（78）

④　原告が必要な費用の予納を命じられたのに予納しない場合の却下決定（141）

⑤　判決の変更（256Ⅱ）

3　必要的口頭弁論（内容②）の例外　⇒p.285

四　口頭弁論の諸原則

1　公開主義

(1)　公開主義とは、訴訟の審理（弁論及び証拠調べ）及び判決の言渡しを一般に公開された法廷において行う原則をいう（憲82）。

∵　裁判の公正を担保し、国民の司法に対する信頼を確保する

(2)　非公開の場合

公開が公序良俗を害するおそれがあると裁判官の全員の一致で受訴裁判所が判断した場合には、その理由を言い渡して公開を停止しうる（憲82Ⅱ）。ただし、基本的人権に関する事件は公開を停止できない（憲82Ⅱただし書）。

判決の言渡しは、いかなる場合も公開しなければならない（裁判所70）。

(3)　公開主義違反の効果

上告によって常に取り消される（312Ⅱ⑤）。ただし、再審事由とはならない。

2　双方審尋主義

(1)　双方審尋主義とは、訴訟の審理において、当事者双方に、その主張を述べる機会を平等に与える建前をいう。

∵　裁判を受ける権利（憲32）の尊重

(2)　双方審尋主義の発現

①　訴訟手続の中断・中止の制度（124以下）

② 当事者が、適式な呼出しを受けても責めに帰することができない事由によって出頭できず、代理人も出頭させる機会を与えられないまま敗訴した場合には、上訴の追完（97）、又は代理権欠缺を理由とした上告（312 Ⅱ④）・再審（338 Ⅰ③）による救済がなされる。

3 口頭主義〈共〉

(1) 口頭主義とは、弁論及び証拠調べを口頭で行う原則をいう（87 Ⅰ、203）。

(2) 口頭主義の長所・短所

長所：直接主義と結合することで、当事者の陳述に基づいて裁判所が直接に事実を把握し、又はその事実について新鮮な心証を形成することができ、その結果として、弾力的かつ無駄のない審理が期待できる

短所：複雑な事実についての正確な陳述が困難であり、陳述の結果についての記憶を裁判所が正確に保存しにくい

(3) 書面主義による補完

① 審判の基礎ないし出発点となる重要な訴訟行為については、確実を期するため書面が要求される（134 Ⅰ、143 Ⅱ、145 Ⅲ、146 Ⅲ、261 Ⅲ、286、292 Ⅱ、314）

② 複雑な事実問題や法律構成が期日に口頭で陳述されると裁判官・相手方当事者にとって理解が困難なため審理を混乱させるので、準備書面を提出させる（161 Ⅰ、276 参照）

③ 口頭陳述の結果を保存するために、口頭弁論調書が作成され（160 Ⅰ）、これが判決の基礎とされる

④ 裁判の内容を明らかにし、上級審の審査を担保するために、判決書（253）や判決言渡調書（254）が作成される

＜口頭主義と書面主義＞

	意　義	長　所	短　所
口頭主義	・陳述されたものだけが判決の基礎となるとの原則	① 陳述から受ける印象が鮮明で事案の真相をつかみやすい ② 臨機応変の釈明に便利であり争点の発見・整理に適している ③ 公開主義・直接主義と結合しやすい	① 脱落が生じやすい ② 聴取した結果の記憶保存に難点
書面主義	・弁論及び証拠調べを書面で行う原則	① 陳述は確実になされる ② 保存・再確認ができて便利	① 書類が膨大となり手間がかかる ② 争点がぼけたり、間が抜けた審理になるおそれがある

4　直接主義

(1)　直接主義とは、当事者の弁論の聴取や証拠調べを、判決をする裁判官自身が行う原則をいう（249Ⅰ）。

(2)　直接主義の長所・短所

長所：口頭主義と結び付くことで、弁論の理解、争点の把握、事案の真相の捕捉に優れている

短所：時間・費用・労力が多大にかかり、訴訟経済の要請に反する

(3)　直接主義違反の効果

直接主義違反は、絶対的上告理由（312Ⅱ①）となり、再審事由（338Ⅰ①）にも当たる。

(4)　直接主義の後退

もっとも、裁判官が交代した場合に訴訟手続を初めからやり直すことは、訴訟経済に反する。そこで、民訴法は、弁論の更新（249Ⅱ、296Ⅱ）により直接主義の建前を維持することとしている。

なお、単独の裁判官が代わった場合、又は合議体の裁判官の過半数が代わった場合において、その前に尋問をした証人について、当事者が更に尋問の申出をしたときは、裁判所は、その尋問をしなければならない（再尋問、249Ⅲ）共予。

5　継続審理主義

1つの事件のために口頭弁論を集中的かつ継続的に行って、その事件の審理を終了させたうえで他の事件の審理にとりかかるとする審理方式をいう。

6　計画的進行主義（147の2）

五　弁論主義

1　弁論主義の意義

弁論主義とは、判決の基礎をなす事実の確定に必要な裁判資料（訴訟資料と証拠資料）の収集・提出（事実の主張と証拠の申出）を当事者の権能かつ責任とする原則をいう。

2　弁論主義の根拠

訴訟物たる権利・法律関係は、私的自治の原則に服し、当事者の自由な処分に委ねられるところ、その権利・法律関係に関する紛争の解決を目的とするのが民事訴訟である以上、弁論主義は、その権利・法律関係の有無を判断するための裁判資料の収集・提出についても私的自治の原則が適用されることを根拠とするものである（本質説）通。

3　弁論主義と処分権主義の関係

弁論主義と処分権主義は、ともに私的自治の原則を訴訟法において反映した原則であり、紛争の解決内容を当事者の自主的解決に近づけるために、その解決過程において当事者の意思を尊重する点で類似する。そして、両者は相手方

に攻撃防御目標を明示し、十分な審理を尽くさせる機会を与えるという類似した機能をもつ。

しかし、弁論主義は、請求の当否の判断に必要な事実と証拠の探索及び提出を誰の権能ないし責任とするのかという「事実」面の問題であるのに対し、処分権主義は、審判を求めるかどうか、また何について求めるかを当事者の意思に委ねるという「請求」面の問題である。この点で、両者は次元を異にする原則である。

4 弁論主義の機能

① 紛争内容（訴訟資料）の自主的形成機能
② 真実発見機能
③ 不意打ち防止・手続保障機能
④ 公正な裁判への信頼確保の機能

5 弁論主義の適用領域

(1) 民事訴訟一般

民事訴訟では、通常は当事者が任意に処分しうる私法上の権利・法律関係を対象としているため、裁判の基礎となる事実と証拠の収集・提出を当事者側の権能とする弁論主義が採られる。

また、訴訟要件の審理に当たっても、公益性の弱い訴訟要件（任意管轄、不起訴の合意など）や、弁論主義の適用される本案の審理と密接な関係を有する訴訟要件（訴えの利益や当事者適格など）の審理には弁論主義が適用される。

cf. 形式的形成訴訟である境界確定の訴えには、処分権主義・弁論主義・証明責任原則の適用はなく、不利益変更禁止（304）の適用もない〈司〉 ⇒ p.194

(2) 人事訴訟

人事訴訟では、身分関係を対象とし、当事者の任意の処分対象とするのは適さない部分があるため、裁判の基礎となる事実と証拠の収集・提出を裁判所の権能と責任とする職権探知主義が採られる（人訴20）。自白に関する民訴法の規定も適用されない（人訴19Ⅰ）。

ex.1 Xは、Yと婚姻関係にあるが、Yの不貞行為を原因として、離婚の訴え（民770）を提起した。Yが口頭弁論において、Xが主張した不貞行為の事実の存在を認めた場合でも、裁判所は、証拠調べの結果、不貞行為の事実の存在は認められないとの判断をすることができる〈司共〉

ex.2 親子関係不存在確認の訴えにおいて、被告が子の懐胎が可能である時期に両親が別居していたとの原告の主張を認める旨の陳述をしても、裁判上の自白は成立しない〈予〉

(3)　行政事件訴訟

　　行政事件訴訟では、民訴法の規定が準用され（行訴7）、原則として弁論
主義が採られる。ただし、行政作用の適法性の保障等の点から、職権証拠調
べを採用し（行訴24）、次に述べる弁論主義の第3原則を修正している。

六　弁論主義の内容

1　弁論主義の3つの原則

　　判決の基礎をなす事実の確定に必要な裁判資料の収集・提出を当事者の権能
かつ責任とする原則である弁論主義から、3つの原則（テーゼ）が派生する。

　　第1原則：裁判所は、当事者の主張しない事実を判決の基礎に採用してはな
　　　　　　　らない

　　第2原則：裁判所は、当事者に争いのない事実は、そのまま判決の基礎とし
　　　　　　　て採用しなければならない

　　第3原則：裁判所は、当事者間に争いのある事実を証拠によって認定する際
　　　　　　　には、当事者の申し出た証拠によらなければならない

2　弁論主義の第1原則〈司共予書〉

(1)　主張責任

　　弁論主義の第1原則を当事者の側からみた場合、それは主張責任という概
念となって現れる。主張責任とは、当事者が「事実」を主張しない場合にそ
の事実を要件とした自己に有利な法律効果の発生が認められない不利益をい
う。

(2)　主張共通の原則〈司H21 司H25〉

　　主張責任を負わない一方当事者がある事実を主張した場合、これについて
主張責任を負う他方当事者が主張・援用しなくても、裁判所はその事実を判
決の基礎とすることができる〈司予書〉。

　　∵　弁論主義は事実・証拠の収集・提出について裁判所側と当事者側の役
　　　　割分担を考慮したものであり、当事者のうちいずれが主張したのかとい
　　　　う関係まで考慮するものではない

　　なお、権利抗弁（⇒ p.267）は、必ず権利主体によって主張されなければ
ならないので、主張共通の原則が適用される場面を観念することができな
い。

▼　最判昭41.9.8〈予〉

判旨：　甲から乙に対する建物収去土地明渡請求訴訟において、甲は、乙の占
　　　　有は使用貸借によると主張したところ、甲の請求について、甲主張の使
　　　　用貸借を認定した以上、乙の援用がなくてもこれを斟酌すべきとした。

▼　最判平9.7.17・百選46事件

判旨：　原告Xが主張立証責任を負担する事実を、かえって被告Yが主張し、

これをＸが争ったところ、Ｘがこれを自己の利益に援用しなかったとしても、適切に釈明権を行使するなどした上でこの事実を斟酌し、Ｘの請求の一部を認容すべきであるかどうかについて審理判断すべきとした。

(3)　訴訟資料と証拠資料の峻別

　　主要事実は、当事者が口頭弁論において主張しなければ、訴訟資料として判決の基礎とすることができない。証人尋問等の証拠調べの中でたまたま主要事実が現れ、裁判所がこれにつき心証を得たとしても、それは証拠資料であって訴訟資料ではないので、それに基づいて裁判をすることはできない。このように、弁論主義の下では、訴訟資料と証拠資料とが峻別されなければならない〈書〉。

3　弁論主義の第2原則〈共〉

　　当事者間に争いのない事実（自白した事実又は自白したとみなされる事実）は、そのまま判決の基礎として採用しなければならず、その真否を確かめるために証拠調べをして自白に反する事実認定をしてはならない（自白の裁判所拘束力、179、159 I ）。

　　なお、裁判上の自白については、後に詳しく説明する。　　⇒ p.319

4　弁論主義の第3原則〈書〉

　　当事者間に争いのある係争事実は証拠調べをしてその存否を認定しなければならない。その際、証拠は原則として当事者が提出したものでなければならない（職権証拠調べの禁止）。ただ、どちらの当事者が提出した証拠かは問わない。

5　弁論主義が適用される事実〈司H21 予H28〉

(1)　弁論主義が適用される事実

(a)　弁論主義が適用される「事実」とは何か

　　弁論主義は、①権利の発生・変更・消滅という法律効果を判断するのに直接必要な事実たる主要事実に適用され〈予〉、②主要事実の存否を推認するのに役立つ事実たる間接事実や証拠の信用性に影響を与える事実たる補助事実には適用されないと解するのが通説である。

　　→なお、不意打ち防止の観点から、「重要な間接事実」についても弁論主義が適用されると解する有力説もあるが、①「重要な間接事実」に当たるかどうかについての判断は実際上困難であるとの批判や、②当事者が「重要な間接事実」について何も主張しないまま裁判所がこれを判決の基礎とした場合には、裁判所の釈明義務違反の問題として捉えれば足りるとの批判がなされている

▼　**最判昭 25.11.10**

事案：　ＸＹは亡Ａの子である。係争家屋につきＹ名義の登記があるが、Ｘは自己が新築したという原始取得を主張して移転登記を請求した。これに

対して、Ｙは、原始取得者はＡであり、その後ＡがＹに贈与したと主張
した。原審は、ＡＸＹで新築し３者が共有権を原始取得し、その後ＸＹ
が持分権をＡに贈与してＡの単独所有になったという、当事者の主張の
ない事実を認定した。

判旨：　所有権の来歴経過に関する事実は主要事実ではないとし、裁判所が証
拠により当事者の主張と異なる事実を認定することは妨げないと判示した。

総則

▼　最判昭 55.2.7・百選 42 事件

事案：　持分の移転登記請求事件において、Ｘは所有権はＡからＢ、そして相
続でＢからＸに移転したと主張した。これに対し、Ｙは、ＡからＣに移
転し、ＣからＹが相続したと主張した。原審は、ＡからＢへ、そして死
因贈与でＢからＣに移転し（これは当事者の主張がない事実である）、Ｃ
からＹが相続したと認定した。

判旨：　ＢからＣへの死因贈与は、Ｂの所有権取得を事後的に消滅させる事由
であるから、当事者の主張を要する主要事実であるとして、原審の弁論
主義違反を認定した。

＊　最判昭 55.2.7 によって、最判昭 25.11.10 は修正されたとみられている。

▼　最判昭 46.6.29・百選Ａ 13 事件

事案：　手形金請求事件の被告Ｙが、原因債権について弁済をしたとの抗弁を
提出した。原審は、Ｙからの弁済行為は確かにあったのであるが、それ
は別口債務への弁済であって本件債務への弁済ではないと認定し、この
抗弁を排斥した。Ｙは別口債務への弁済は当事者の主張していない事実
だとして上告した。

判旨：　主張者たるＹが不利益を受けたのは専らＹの主張にかかる抗弁事実
（原因債権についての弁済）の立証ができなかったためであって、別口債
務への弁済が認定されたことの直接的な結果ではないとして、理由付否
認の理由部分に当たる別口債務への弁済を主要事実ではないとした。

＜訴訟物・主要事実・間接事実の関係＞

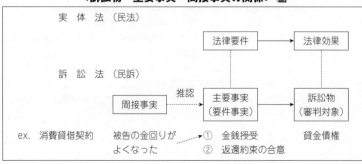

＜主要事実と間接事実の比較＞

		主要事実	間接事実
意　義		訴訟物たる権利関係の発生・変更・消滅を定める法規の構成要件に該当する事実（ex. 金銭消費貸借における、①金銭の交付・②返還約束という事実）	主要事実の存否を推認させる事実（ex. 被告が急に金回りがよくなったという事実）
弁論主義との関係	第1テーゼ	適用される∵　主要事実は訴訟の勝敗に直結する重要な事実であり、当事者の意思の尊重・不意打ち防止の観点から主張責任の対象とすべき	適用されない∵　間接事実は、主要事実を推認させるという意味で証拠と同様の機能を果たすところ、これについて主張責任の対象とすれば裁判官に不自然な判断を強いることになり、自由心証主義に反するおそれがある
	第2テーゼ	適用される∵　当事者の意思の尊重	適用されない∵　自由心証主義に反するおそれ（上記と同様の理由）
証明責任との関係		証明責任の対象となる	証明責任の対象とはならない∵　判決は、訴訟物たる権利の存否について判断を示すものであるところ、訴訟物たる権利に直結する主要事実の存否が確定できれば、裁判を行うことは可能である
判決書の記載		請求原因事実や抗弁事実などの主要事実は必ず判決書に記載することを要する（253Ⅰ②）	原則として判決書への記載は不要である
再審事由		判断の遺脱は再審事由となる（338Ⅰ⑨）	判断を遺脱しても必ずしも再審事由とはならない

(b)　一般条項・不特定概念の主要事実

　　「過失」等を推認させる具体的事実は主要事実ではないとして弁論主義を適用せず、裁判所の自由な認定に委ねると、当事者が全く予測しない事実から「過失」などが認定されるおそれがあり、当事者の手続保障、不意打ち防止を図った弁論主義の趣旨が没却される。そこで、スピード違反やわき見運転といった具体的事実にも弁論主義を適用すべきではないかが問題となる。実務は、主要事実適用説を前提として、一般条項に限って、その具体的内容が主要事実であり、一般条項自体は右具体的事実に対する法的評価であって主要事実ではないとする。

(2)　弁論主義が適用されるか否かが問題となる場合

(a)　代理権〈司H24 司H29〉

　　判例（最判昭 33.7.8・百選 43 事件）は、法律効果の帰属につき差異がないことを理由に、当事者間で契約を締結したという主張しかされていない場合に、一方の代理人と他方当事者との間で契約が成立したとの認定をしても弁論主義に反しないとする。

　　しかし、代理権の存在は、契約の効力が本人に帰属するための主要事実である。そうすると、判例は主要事実につき当事者からの主張を不要としたということとなり、弁論主義に反するとの批判が強い。

総則

▼　**最判昭 33.7.8・百選 43 事件**

事案：　原告Ｘの「Ｘと被告Ｙ間に契約が成立した」との主張に対し、原審裁判所は「Ｘ主張の日に、ＸとＹ代理人との間に契約が成立した」と認定した。これに対し、Ｙは、原審が当事者が主張しない代理人との間の契約の締結を認定したのは申し立てざる事項に基づいて判決をした違法に当たるとして上告した。

判旨：　「契約が当事者本人によってなされたか、代理人によってなされたかは、その法律効果に変わりはないのだから、原判決がＸとＹ代理人某との間に本件契約がなされた旨判示したからといって弁論主義に反するところはな」い。

(b)　事実の来歴・経過〈共〉〈予H28〉

　　学説は所有権の取得の経過は主要事実であるとして、弁論主義が適用されるべきであるとしてきた。判例（最判昭 41.4.12・百選Ａ 14 事件）も、所有権取得の来歴・経過、ことに移転原因事実はすべて主要事実であり、当事者の主張がない限り弁論主義違反となるとしている。

(c)　権利抗弁　⇒ p.267

　　留置権や同時履行の抗弁権などの権利抗弁の場合には、それらを基礎づける客観的事実だけではなく、権利を行使する旨の当事者の意思表示が要求される。したがって、裁判所は、その意思表示の事実が主張されない限りは、権利抗弁を判決の基礎とすることはできない。

(d)　職権による過失相殺の可否〈共 予 書〉

　　過失相殺は、債務者の主張がなくても、裁判所が職権ですることができるか。過失相殺についても、弁論主義の適用があるかが問題となる。

　　過失相殺は権利抗弁ではないので、当事者が過失相殺をする旨の主張をしていない場合でも、裁判所は過失相殺を行うことができるとするのが通説であるが、過失相殺のためには、債権者の過失（過失の内容をなす具体的事実）を当事者が主張することが必要であるとする。

▼　**最判昭43.12.24・百選A15事件**

判旨：　民法418条による過失相殺は、債務者の主張がなくても、裁判所が職
　　　　権ですることができるが、債権者に過失があった事実は、債務者におい
　　　　て立証責任を負う。そして、本件にあっては、債務者であるＸの債務不
　　　　履行に関し債権者であるＹに過失があった事実については、Ｘにおいて
　　　　なんらの立証をもしていないことは、本件記録に徴して明らかであるか
　　　　ら、原審が本件について民法418条を適用しなかったのは当然である、
　　　　と判断した。

(e)　信義則違反・権利濫用・公序良俗違反等

　　　これらの一般条項は、法理念がそのまま取り込まれた高度な規範的要件
　　事実であるため、弁論主義の適用が特に問題となるが、公益的色彩が極め
　　て強いため、私的自治の原則を根拠とする弁論主義は後退し、裁判所は当
　　事者の主張がなくてもそれを裁判の基礎とすることができる。

　　　判例（最判昭36.4.27・百選44事件）も、当事者が特に民法90条による
　　無効の主張をしていなくても、公序良俗違反に該当する事実を主張してい
　　れば、裁判所はその有効・無効の判断をなしうる旨判示している。

七　弁論主義の限界・不意打ちの有無による調整

1　主張事実と事実認定の細部の不一致〈司H29〉

　　裁判所は当事者の主張しない主要事実を判決の基礎として採用できないが、
　当事者の主張内容と判決内容との間に不一致があってもそれが当事者の意思に
　反せず、不意打ちにならなければ弁論主義違反とならず、判決は適法であると
　考えられる。

2　事実主張の解釈の程度

　　当事者の主張事実と裁判所の認定事実の不一致が前述の程度を超える場合に
　も、当事者の主張の解釈によって当事者の明示の主張と裁判所の認定事実が合
　致する限り、弁論主義違反とはならない。

▼　**最大判昭45.6.24**

判旨：　原告が連続した裏書の記載のある手形を所持し、その手形に基づき手
　　　　形金の請求をしている場合には、裏書の連続を主張しない場合であって
　　　　も、当然に手形法16条1項の適用の主張がある。

第87条　（口頭弁論の必要性）

Ⅰ　当事者は、訴訟について、裁判所において口頭弁論をしなければならない。ただし、
　決定で完結すべき事件については、裁判所が、口頭弁論をすべきか否かを定める〈司〉。

Ⅱ　前項ただし書の規定により口頭弁論をしない場合には、裁判所は、当事者を審尋
　することができる。

Ⅲ　前2項の規定は、特別の定めがある場合には、適用しない。

[趣旨]必要的口頭弁論の趣旨は、①判決の対象が権利という重要な事柄のため、当事者の手続保障の観点から慎重な審理が要請される、②口頭弁論による審理が真実発見に適している、③口頭弁論による審理が口頭主義、直接主義、公開主義、双方審尋主義等、各種の訴訟原則の実現に適している点にある。

総則

第87条の2　（映像と音声の送受信による通話の方法による口頭弁論等）

Ⅰ　裁判所は、相当と認めるときは、当事者の意見を聴いて、最高裁判所規則で定めるところにより、裁判所及び当事者双方が映像と音声の送受信により相手の状態を相互に認識しながら通話をすることができる方法によって、口頭弁論の期日における手続を行うことができる。

Ⅱ　裁判所は、相当と認めるときは、当事者の意見を聴いて、最高裁判所規則で定めるところにより、裁判所及び当事者双方が音声の送受信により同時に通話をすることができる方法によって、審尋の期日における手続を行うことができる。

Ⅲ　前2項の期日に出頭しないでその手続に関与した当事者は、その期日に出頭したものとみなす。

第88条　（受命裁判官による審尋）

裁判所は、審尋をする場合には、受命裁判官にこれを行わせることができる。

[趣旨]合議体による審理をより機動性に富んだものにするため、受命裁判官の権限を拡大させた。

第89条　（和解の試み等）

Ⅰ　裁判所は、訴訟がいかなる程度にあるかを問わず、和解を試み、又は受命裁判官若しくは受託裁判官に和解を試みさせることができる。

Ⅱ　裁判所は、相当と認めるときは、当事者の意見を聴いて、最高裁判所規則で定めるところにより、裁判所及び当事者双方が音声の送受信により同時に通話をすることができる方法によって、和解の期日における手続を行うことができる。

Ⅲ　前項の期日に出頭しないで同項の手続に関与した当事者は、その期日に出頭したものとみなす。

《注　釈》

▪ 裁判上の和解には、①訴訟係属後にされる訴訟上の和解と②訴え提起前の和解（275）の2種類がある。本条は前者について規定したものである。

▪ 和解勧試は、訴訟係属中であれば審理のどの段階でも可能であり、上告審でも可能である。

▪ 受命裁判官とは、合議体の行うべき職務のうち、法定の事項の処理について、その権限の行使を合議体から委任された合議体の構成員たる裁判官である。他方、受託裁判官とは、裁判所が他の裁判所に嘱託をした場合における受託裁判所の裁判官である。

第90条　（訴訟手続に関する異議権の喪失）

　当事者が訴訟手続に関する規定の違反を知り、又は知ることができた場合において、遅滞なく異議を述べないときは、これを述べる権利を失う〈回〉。ただし、放棄することができないものについては、この限りでない。

［趣旨］ 手続規定のうち、その目的が専ら当事者の保護・便宜にある任意規定の場合、それにより不利益を受ける当事者が、その違背を甘受するのであれば、当該違背行為を無効としない方が、訴訟手続の安定・訴訟経済に資する。そこで、本条は責問権の放棄及び喪失について規定した。

《注　釈》

一　責問権（異議権）

1　責問権とは、裁判所又は相手方当事者の訴訟行為に訴訟手続に関する規定の違反がある場合に異議を述べてその無効を主張しうる訴訟上の権能をいう。90条はその存在を前提とする規定である。

2　責問権の趣旨
　　訴訟の主体たる当事者に、裁判所の主宰する手続進行の合法性を監視し、手続上も自己の利益を擁護する権能を与えるために設けられたものである。

3　責問権の適用範囲
　　裁判所と相手方当事者の訴訟手続に関する規定違背について認められる。訴訟手続に関する規定とは、効力規定のうち、訴訟の審理に関する、裁判所や当事者の訴訟行為の方式・要件・時期など、形式面の事項に関する規定（いわゆる方式規定）をいう。
　　責問権は、訴訟追行の形式面について認められるものであり、訴訟行為の内容や訴訟上の主張の当否については認められない。したがって、管轄違いの抗弁、参加の申立てに対する異議権（44）などは、責問権ではない。また、自分の行為については責問権は認められない。たとえば、訴訟能力や代理権の欠缺による無効の主張は責問権の行使ではない。

二　責問権の放棄・喪失

1　責問権の放棄・喪失の意義
　　手続規定の中で、その目的が専ら当事者の保護・便宜にある場合、不利益を受ける当事者が、当該規定の違背を甘受するのであれば、その違背行為を無効にする必要はない。そこで、責問権の放棄を認めるとともに、当事者が、手続規定の違反を知り、又は知ることができる場合において、遅滞なく異議を述べないときは、当事者は責問権を喪失し、結果として訴訟行為の瑕疵が治癒されるとした（90）。

2　責問権の放棄・喪失の方法・時期
　　責問権の放棄は、明示的に行う場合は、当事者の裁判所に対する訴訟手続上

の意思表示によって行うが、当事者の訴訟行為によって黙示的に行うこともできると解されている〈**予**〉。

　また、責問権の放棄は、違法となる訴訟行為が行われた後に行われることを要し、あらかじめ責問権を放棄することはできないと解されている〈**予**〉。

　∵　事前の責問権の放棄を認めてしまうと、当事者が訴訟手続を任意に作り
　　出せることとなってしまい、任意訴訟の禁止の原則に反する

　責問権の喪失の時期について、90条は、「遅滞なく異議を述べないとき」と規定している。これは、異議を述べることのできる最初の機会に述べないとき、という意味と解されている。

　ex.　証人に宣誓させずに尋問に入った場合において、その場で直ちに異議
　　を述べなかったとき

3　責問権の放棄・喪失の対象となる瑕疵

　訴訟手続に関する規定のうち、任意的・私益的な規定（任意規定）の違背に限られる。公益に関する規定（強行規定）は、当事者の意思によって処分をすることはできないからである。

(1)　任意規定

　　専ら当事者の利益に関する規定の違反の場合、責問権の放棄・喪失による
　瑕疵の治癒を認める（本文）〈**同**〉。

　　ex.　訴えの提起・訴えの変更の方式の瑕疵（143、最判昭31.6.19）〈**予**〉、口
　　　頭弁論期日や証拠調べ期日の呼出しの違法（大判昭14.10.31）、訴訟の
　　　中断中になされた訴訟行為（大判昭14.9.14）、証人を宣誓させずにした
　　　尋問（最判昭29.2.11）〈**予**〉

▼　**最判昭50.1.17・百選A12事件**

　事案：　Xが交通事故の相手方であるYに対して損害賠償請求を求める訴えを
　　　提起した。控訴審において行われた証人尋問には民訴法195条各号該当
　　　事由が存在しない可能性があった。これに対して、Xは口頭弁論期日に
　　　おいて何ら異議を述べていなかったが、上記事故についての自らの過失
　　　が認定されると、195条各号所定の事由がないという違反については責
　　　問権を放棄できないので（民訴法90条ただし書）、違法な証拠調べによ
　　　り自らの過失が認定されたとし上告した。

　判旨：　Xの上告に対し、「民訴法279条各号〔現行民訴195条1号・2号〕
　　　該当の事由がなかったとしても、記録によれば、右証拠調については、
　　　当事者から異議が述べられた事跡がなく、責問権の放棄により治癒され
　　　たものと解すべきである」として上告を棄却した。

(2)　強行規定

　　裁判の公正・訴訟の迅速という公益上の要請に関する規定の違反の場合、

責問権の放棄・喪失による瑕疵の治癒は認められない（ただし書）。

ex. 裁判所の構成（裁判所18、同26等）、専属管轄（13）、裁判官の除斥（23）、公開主義（憲82）〈司予〉、二重起訴の禁止（142）〈予〉、直接主義（249Ⅰ）〈予〉、弁論の更新（249Ⅱ）、判決の言渡し（252）、判決の確定（116）、既判力の存在（114）

第91条 （訴訟記録の閲覧等）

Ⅰ 何人も、裁判所書記官に対し、訴訟記録の閲覧を請求することができる〈司予書〉。

Ⅱ 公開を禁止した口頭弁論に係る訴訟記録については、当事者及び利害関係を疎明した第三者に限り、前項の規定による請求をすることができる〈書〉。

Ⅲ 当事者及び利害関係を疎明した第三者は、裁判所書記官に対し、訴訟記録の謄写、その正本、謄本若しくは抄本の交付又は訴訟に関する事項の証明書の交付を請求することができる〈予書〉。

Ⅳ 前項の規定は、訴訟記録中の録音テープ又はビデオテープ（これらに準ずる方法により一定の事項を記録した物を含む。）に関しては、適用しない。この場合において、これらの物について当事者又は利害関係を疎明した第三者の請求があるときは、裁判所書記官は、その複製を許さなければならない。

Ⅴ 訴訟記録の閲覧、謄写及び複製の請求は、訴訟記録の保存又は裁判所の執務に支障があるときは、することができない〈予〉。

第92条 （秘密保護のための閲覧等の制限）

Ⅰ 次に掲げる事由につき疎明があった場合には、裁判所は、当該当事者の申立てにより、決定で、当該訴訟記録中当該秘密が記載され、又は記録された部分の閲覧若しくは謄写、その正本、謄本若しくは抄本の交付又はその複製（以下「秘密記載部分の閲覧等」という。）の請求をすることができる者を当事者に限ることができる〈予〉。

① 訴訟記録中に当事者の私生活についての重大な秘密が記載され、又は記録されており、かつ、第三者が秘密記載部分の閲覧等を行うことにより、その当事者が社会生活を営むのに著しい支障を生ずるおそれがあること〈書〉。

② 訴訟記録中に当事者が保有する営業秘密（不正競争防止法第2条第6項に規定する営業秘密をいう。第132条の2第1項第3号及び第2項において同じ。）が記載され、又は記録されていること。

Ⅱ 前項の申立てがあったときは、その申立てについての裁判が確定するまで、第三者は、秘密記載部分の閲覧等の請求をすることができない〈予〉。

Ⅲ 秘密記載部分の閲覧等の請求をしようとする第三者は、訴訟記録の存する裁判所に対し、第1項に規定する要件を欠くこと又はこれを欠くに至ったことを理由として、同項の決定の取消しの申立てをすることができる〈書〉。

Ⅳ 第1項の申立てを却下した裁判及び前項の申立てについての裁判に対しては、即時抗告をすることができる。

Ⅴ 第1項の決定を取り消す裁判は、確定しなければその効力を生じない。

Ⅵ　第1項の申立て（同項第1号に掲げる事由があることを理由とするものに限る。次項及び第8項において同じ。）があった場合において、当該申立て後に第三者がその訴訟への参加をしたときは、裁判所書記官は、当該申立てをした当事者に対し、その参加後直ちに、その参加があった旨を通知しなければならない。ただし、当該申立てを却下する裁判が確定したときは、この限りでない。

Ⅶ　前項本文の場合において、裁判所書記官は、同項の規定による通知があった日から2週間を経過する日までの間、その参加をした者に第1項の申立てに係る秘密記載部分の閲覧等をさせてはならない。ただし、第133条の2第2項の申立てがされたときは、この限りでない。

Ⅷ　前2項の規定は、第6項の参加をした者に第1項の申立てに係る秘密記載部分の閲覧等をさせることについて同項の申立てをした当事者の全ての同意があるときは、適用しない。

総則

[趣旨]訴訟記録の閲覧・謄写制度（91）は、裁判の公開（憲82）の趣旨を徹底させるものであるが、反面、プライバシー侵害を理由とする損害賠償請求訴訟といった秘密の保護を要する訴訟類型においては、その秘密が第三者の目に触れることで裁判による権利救済を躊躇あるいは断念することにもなり得るという弊害を伴う。そこで、要保護性のある秘密が第三者の目に触れることを回避し、秘密を保有する者の裁判による権利救済を保障するために、訴訟記録の閲覧や謄写等について制限する制度（92）を設けた。

《注　釈》

一　閲覧等の請求の要件・方式

「訴訟記録」（91）とは、一定の事件に関して裁判所が作成した書類及び当事者その他の関係人から提出された書類であり、裁判所と当事者の共通の資料として利用されるため受訴裁判所に保管される書面の総体をいう。

ex.　訴状、答弁書、準備書面、口頭弁論調書（160参照）、証拠申出書、証拠調べの調書、訴訟委任状、送達報告書、判決書その他の裁判書の原本又は正本

訴訟記録の閲覧は、何人も請求することができる（91Ⅰ）。他方、訴訟記録の謄写等は、当事者及び利害関係を疎明した第三者のみ請求することができる（91Ⅲ）。

訴訟記録の閲覧等の請求は、書面でしなければならない（規33の2Ⅰ）〈書〉。

二　閲覧等の許可

人事訴訟法35条1項は、人事訴訟の訴訟記録中事実の調査に係る部分についての91条1項、3項又は4項の規定による閲覧等の請求は、裁判所が許可したときに限り、することができると規定する〈予〉。

三　閲覧等の請求拒絶

閲覧等の請求を拒絶する裁判所書記官の処分に対して即時抗告を認める規定は存在しないが、異議の申立て（121Ⅰ）をすることはできる〈予書〉。

四　閲覧等の制限

▼ **大阪地決平 11.8.30・百選〔第三版〕A17 事件**

決旨：　わいせつ行為を受けたことを理由とする損害賠償請求訴訟の原告が、本訴事件について原告の住所氏名などの個人情報の閲覧制限を求めた事案。本決定は、「申立人……を特定するに足りる事項が閲覧等により明らかになれば、本訴訟記録中の申立人主張にかかわるわいせつ行為等の記載とあいまって、わいせつ被害を受けたという申立人にとって重大な秘密が明らかにされることになり、これが申立人が社会生活を送る上で重大な障害になることは容易に推認できる」として、原告の申立てを認めた。

■第2節　専門委員等

第1款　専門委員

第92条の2　（専門委員の関与）

Ⅰ　裁判所は、争点若しくは証拠の整理又は訴訟手続の進行に関し必要な事項の協議をするに当たり、訴訟関係を明瞭にし、又は訴訟手続の円滑な進行を図るため必要があると認めるときは、当事者の意見を聴いて、決定で、専門的な知見に基づく説明を聴くために専門委員を手続に関与させることができる【択予】。この場合において、専門委員の説明は、裁判長が書面により又は口頭弁論若しくは弁論準備手続の期日において口頭でさせなければならない【同】。

Ⅱ　裁判所は、証拠調べをするに当たり、訴訟関係又は証拠調べの結果の趣旨を明瞭にするため必要があると認めるときは、当事者の意見を聴いて、決定で、証拠調べの期日において専門的な知見に基づく説明を聴くために専門委員を手続に関与させることができる【予】。この場合において、証人若しくは当事者本人の尋問又は鑑定人質問の期日において専門委員に説明をさせるときは、裁判長は、当事者の同意を得て、訴訟関係又は証拠調べの結果の趣旨を明瞭にするために必要な事項について専門委員が証人、当事者本人又は鑑定人に対し直接に問いを発することを許すことができる【同予】。

Ⅲ　裁判所は、和解を試みるに当たり、必要があると認めるときは、当事者の同意を得て、決定で、当事者双方が立ち会うことができる和解を試みる期日において専門的な知見に基づく説明を聴くために専門委員を手続に関与させることができる【予】。

第92条の3　（音声の送受信による通話の方法による専門委員の関与）

裁判所は、前条各項の規定により専門委員を手続に関与させる場合において、専門委員が遠隔の地に居住しているときその他相当と認めるときは、当事者の意見を聴いて、同条各項の期日において、最高裁判所規則で定めるところにより、裁判所及び当事者双方が専門委員との間で音声の送受信により同時に通話をすることができる方法によって、専門委員に同条各項の説明又は発問をさせることができる。

第92条の4　（専門委員の関与の決定の取消し）

　裁判所は、相当と認めるときは、申立てにより又は職権で、専門委員を手続に関与させる決定を取り消すことができる。ただし、当事者双方の申立てがあるときは、これを取り消さなければならない〈同予〉。

第92条の5　（専門委員の指定及び任免等）

Ⅰ　専門委員の員数は、各事件について1人以上とする。

Ⅱ　第92条の2の規定により手続に関与させる専門委員は、当事者の意見を聴いて、裁判所が各事件について指定する。

Ⅲ　専門委員は、非常勤とし、その任免に関し必要な事項は、最高裁判所規則で定める。

Ⅳ　専門委員には、別に法律で定めるところにより手当を支給し、並びに最高裁判所規則で定める額の旅費、日当及び宿泊料を支給する。

第92条の6　（専門委員の除斥及び忌避）

Ⅰ　第23条から第25条まで（同条第2項を除く。）の規定は、専門委員について準用する。

Ⅱ　専門委員について除斥又は忌避の申立てがあったときは、その専門委員は、その申立てについての決定が確定するまでその申立てがあった事件の手続に関与することができない〈予〉。

第92条の7　（受命裁判官等の権限）

　受命裁判官又は受託裁判官が第92条の2各項の手続を行う場合には、同条から第92条の4まで及び第92条の5第2項の規定による裁判所及び裁判長の職務は、その裁判官が行う。ただし、第92条の2第2項の手続を行う場合には、専門委員を手続に関与させる決定、その決定の取消し及び専門委員の指定は、受訴裁判所がする〈予〉。

【規則】第34条の5　（当事者の意見陳述の機会の付与・法第92条の2）

　裁判所は、当事者に対し、専門委員がした説明について意見を述べる機会を与えなければならない。

【趣旨】専門的知見を必要とする医療関係訴訟、知的財産関係訴訟等の審判では、裁判所調査官の調査、鑑定人の鑑定等を予定しているが、これらの方法には限界がある。そこで、審理に必要な高度の専門的知見を裁判所に提供することを可能にするため、法は専門委員制度を設けた。

《概　説》

◆　専門委員制度

　1　専門委員は、争点及び証拠の整理、証拠調べに当たり、当事者の主張や証拠調べの結果の趣旨を明確にする等のために専門的知見に基づく説明をすること

や、和解の試みに当たり必要な説明をすることが認められる（92の2）。ただ
し、裁判所は、専門委員の説明を証拠資料として用いることはできない〈団〉。
なお、口頭弁論又は弁論準備手続の期日において、専門委員が、専門的知見に
基づく説明をする場合、宣誓は不要である〈団〉。また、裁判所は、専門委員が
した説明について、当事者に意見を述べる機会を与えなければならない（規
34の5）〈団〉。

2　争点整理や証拠調べにおいて、専門委員が関与するには、当事者の意見を聴
くことが必要であり（92の2Ⅰ前段）、証人尋問等において発問する場合や
和解の試みに関与する場合には、当事者の同意を得ることが必要である（92
の2Ⅱ後段、Ⅲ）。

3　専門委員の中立性、公平性を確保するために、除斥・忌避の制度（92の
6）、専門委員の指定に当たって当事者の意見を聴取すること（92の5Ⅱ）、
専門委員の説明に対して当事者に反論の機会を保障すること（92の2、規34
の5）などが規定されている。

第2款　知的財産に関する事件における裁判所調査官の事務等

第92条の8　（知的財産に関する事件における裁判所調査官の事務）

裁判所は、必要があると認めるときは、高等裁判所又は地方裁判所において知的財
産に関する事件の審理及び裁判に関して調査を行う裁判所調査官に、当該事件におい
て次に掲げる事務を行わせることができる。この場合において、当該裁判所調査官
は、裁判長の命を受けて、当該事務を行うものとする。

①　次に掲げる期日又は手続において、訴訟関係を明瞭にするため、事実上及び法
律上の事項に関し、当事者に対して問いを発し、又は立証を促すこと。
イ　口頭弁論又は審尋の期日
ロ　争点又は証拠の整理を行うための手続
ハ　文書の提出義務又は検証の目的の提示義務の有無を判断するための手続
ニ　争点又は証拠の整理に係る事項その他訴訟手続の進行に関し必要な事項につ
いての協議を行うための手続
②　証拠調べの期日において、証人、当事者本人又は鑑定人に対し直接に問いを発
すること。
③　和解を試みる期日において、専門的な知見に基づく説明をすること。
④　裁判官に対し、事件につき意見を述べること。

第92条の9　（知的財産に関する事件における裁判所調査官の除斥及び忌避）

Ⅰ　第23条から第25条までの規定は、前条の事務を行う裁判所調査官について準
用する。

Ⅱ　前条の事務を行う裁判所調査官について除斥又は忌避の申立てがあったときは、その裁判所調査官は、その申立てについての決定が確定するまでその申立てがあった事件に関与することができない。

《注　釈》

◆　知的財産関係訴訟での調査官制度の拡充

　　知的財産関係訴訟における裁判所調査官の手続上の地位を明らかにし、裁判所調査官が日常的な専門知識を提供するために規定された（92の8以下）。中立性担保のため、除斥・忌避の制度（92の9）が設けられている。

■第3節　期日及び期間

第93条　（期日の指定及び変更）

Ⅰ　期日は、申立てにより又は職権で、裁判長が指定する〔規〕。

Ⅱ　期日は、やむを得ない場合に限り、日曜日その他の一般の休日に指定することができる。

Ⅲ　口頭弁論及び弁論準備手続の期日の変更は、顕著な事由がある場合に限り許す。ただし、最初の期日の変更は、当事者の合意がある場合にも許す。

Ⅳ　前項の規定にかかわらず、弁論準備手続を経た口頭弁論の期日の変更は、やむを得ない事由がある場合でなければ、許すことができない〔規〕。

[趣旨]職権進行主義の原則の現れとして、裁判長による期日の指定及び期日の変更について規定した。

《注　釈》

◆　期日

　1　期日の意義

　　　期日とは、当事者その他の訴訟関係人が会合して訴訟に関する行為をするために定められる時間をいう。

　2　期日の指定（93）

　　(1)　期日指定の申立て又は職権によって、合議体の手続においては裁判長、その他の手続においてはこれを主宰する裁判官の命令の方式によってなされる。

　　(2)　期日は、あらかじめ場所、年月日及び開始時刻を明示して指定される。

　　(3)　当事者の期日指定の申立てを却下することは、手続の進行を拒否することを意味するから、裁判官の命令ではなく、裁判所の決定ですべきである。

　　(4)　場所、日時の明示を欠く指定は無効である。

　3　期日の実施：期日は指定の日時・場所で事件の呼上げによって開始し（規62）、その期日が目的とした口頭弁論手続や証拠調べ等が済めば終了する

　　　　期日の延期：その事項に入らずに他の期日を指定して終了すること

　　　　期日の続行：その期日で完了せず、次回を指定して終了すること

4　期日の変更

(1)　期日の変更とは、期日の開始前にその指定の裁判を取り消し、別の期日を指定する裁判をすることをいう。

(2)　期日の変更は、訴訟指揮の一環として職権でなしうる。ただ、裁判所の都合のみで変更すると当事者に不測の迷惑・損害を被らせるし、逆に当事者の都合で変更すると訴訟遅延の原因となる。そこで、法は以下のように場合を分けて要件を定めている。

　(a)　最初の期日は、顕著な事由がなくても当事者の合意で変更ができる（Ⅲただし書）。

　　∵　最初の期日は裁判所の一方的指定であって、当事者の準備の事情を考慮する必要がある

　(b)　続行期日は、顕著な事由がある場合に限り変更ができる（Ⅲ本文）。

　　ex.　訴訟代理人や本人の病気による出頭不能、主張や証拠提出の準備が間に合わないことにつき正当な事由がある場合など

　(c)　弁論準備手続を経た口頭弁論期日は、やむことを得ない事由がある場合に限り変更ができる（Ⅳ）〈論〉。

▼　**最判昭 57.9.7・百選〔第三版〕A15 事件**

判旨：　第4回口頭弁論期日の2日前に出された「本日当職が訴訟委任を受けたが、弁論ないし立証準備のため右期日を変更されたい」という申請書の提出があったのみでは、「顕著な事実」（93Ⅲ）があったということはできず、期日変更申請は認められない、とした。

第94条　（期日の呼出し）

Ⅰ　期日の呼出しは、呼出状の送達、当該事件について出頭した者に対する期日の告知その他相当と認める方法によってする〈論〉。

Ⅱ　呼出状の送達及び当該事件について出頭した者に対する期日の告知以外の方法による期日の呼出しをしたときは、期日に出頭しない当事者、証人又は鑑定人に対し、法律上の制裁その他期日の不遵守による不利益を帰することができない。ただし、これらの者が期日の呼出しを受けた旨を記載した書面を提出したときは、この限りでない。

《概　説》

◆　期日の呼出し

1　呼出しとは、指定した期日を、当事者その他の関係人に知らせて出頭を要求することをいう。

2　呼出しは、書記官が呼出状を作成し、これを送達してなすのが原則である。ただし、その事件の関係で出頭している者に対しては、期日を告知するだけで足りる〈譜〉。

3　呼出しが欠缺するとき、当該期日の実施自体が違法となるが、当事者の異議権放棄（90）により治癒される。期日の呼出しを受けないまま敗訴判決を受けた者は、期日において正当に代理されなかった者に準じて、上訴又は再審による救済を受けうると解される（312Ⅱ④、338Ⅰ③類推）。しかし、判例は、適法な呼出しを受けた当事者の一方（最判昭 23.5.18）又は双方（最判昭 56.3.20）が欠席した口頭弁論期日において弁論を終結し、裁判長が判決言渡期日を指定して法廷で期日を告知したときは、その告知は 122 条、251 条 2 項により欠席当事者に対しても効力を有するから、判決言渡期日の呼出状を送達することを要しないとしている〈共子〉。また、上記のような判決言渡期日における呼出しの欠缺は、判決の内容に影響があるわけではないから、上訴の理由とはならない。

第95条　（期間の計算）

Ⅰ　期間の計算については、民法の期間に関する規定に従う。

Ⅱ　期間を定める裁判において始期を定めなかったときは、期間は、その裁判が効力を生じた時から進行を始める。

Ⅲ　期間の末日が日曜日、土曜日、国民の祝日に関する法律（昭和 23 年法律第 178号）に規定する休日、1 月 2 日、1 月 3 日又は 12 月 29 日から 12 月 31 日までの日に当たるときは、期間は、その翌日に満了する。

《概　説》

一　期間の計算

期間の計算は民法に従う（95Ⅰ）。

二　期間の進行

裁定期間においては、期間を定めた裁判で始期を定めたときは、その始期の到来時から、定めなかったときは、その裁判が効力を生じた時から進行を始める（Ⅱ）。期間の進行は、訴訟手続の中断・中止の間は停止し、その解消とともに、改めて全期間が進行を始める（132Ⅱ）。

第96条　（期間の伸縮及び付加期間）

Ⅰ　裁判所は、法定の期間又はその定めた期間を伸長し、又は短縮することができる〈譜〉。ただし、不変期間については、この限りでない。

Ⅱ　不変期間については、裁判所は、遠隔の地に住所又は居所を有する者のために付加期間を定めることができる。

第97条　（訴訟行為の追完）

Ⅰ　当事者がその責めに帰することができない事由により不変期間を遵守することができなかった場合には、その事由が消滅した後1週間以内に限り、不変期間内にすべき訴訟行為の追完をすることができる〈予書〉。ただし、外国に在る当事者については、この期間は、2月とする。

Ⅱ　前項の期間については、前条第1項本文の規定は、適用しない。

［趣旨］迅速な訴訟の進行を図りつつ、当事者に十分な攻撃防御を尽くさせるという観点からは、画一的な法定期間はもとより、裁定期間が、具体的な事案における当事者の個別的な事情に照らして適切でない場合がある。そこで、これを調整して適切な長さにするために、96条は裁判所に期間を伸縮する権限を与えている。

また、不変期間の徒過によって当事者は、上訴ができなくなる等、重大な不利益を受けることがありうる。不変期間は訴訟の迅速の観点から比較的短く定められていることが多いが、当事者が不測の障害によって期間を遵守することができなかった場合に不変期間の徒過による不利益を負わせることは酷な場合がありうる。そこで、97条は一定の要件をみたす場合に訴訟行為の追完を認めた。

《注　釈》

一　期間

1　期間の意義

訴訟法上意味をもつ、一定の継続的な時間をいう。

訴訟行為に一定の時間的限界を設定して、手続保障を実現しつつ公平・迅速な訴訟の進行を図る。

2　固有期間の種類

裁判所の職務に関して定められた「職務期間」の規定は現行法上、訓示規定にすぎない（251Ⅰ）。これに対して、当事者の訴訟行為についての「固有期間」は違法の効果を伴う本来の期間であり、95条以下の期間の規定は固有期間のみに適用される。ただし、期間の計算に関する95条の規定は、職務期間にも適用される。

(1)　行為期間・猶予期間

(a)　行為期間

訴訟手続の迅速明確を期すため、一定の訴訟行為をその期間に限ってさせるための期間である（補正期間＝34、59、137、担保提供期間＝75、準備書面提出期間＝162、異議・上訴・再審申立期間＝393、357、285、332、342）。当事者がこの期間を徒過すると、その行為をすることができなくなる。

(b)　猶予期間（中間期間）

当事者その他の関係人の利益を保護するために、一定期間の猶予を設ける（112）。

(2)　法定期間・裁定期間

(a)　法定期間：期間の長さが法律で定められているもの（285等）

(b)　裁定期間：期間の長さを裁判所が場合に応じて裁判で決めるもの（34Ⅰ、75Ⅴ〈書〉、137Ⅰ、162）

(3)　通常期間・不変期間

(a)　通常期間：伸縮が可能な期間

(b)　不変期間：法律が条文で明示しており（285、313、342Ⅰ、393、357など、裁判に対する不服申立期間が多い）、裁判所は自由に伸縮できない（96Ⅰ）

二　期間の伸縮

不変期間を除き、法定期間・裁定期間は、これを定めた裁判機関が伸縮できるのが原則である（96Ⅰ）〈書〉。ただし、裁判所の裁量的訴訟指揮に親しまないものは別である（97、112Ⅲ）。不変期間については、裁判所は、遠隔の地に住所・居所をもつ者のために付加期間を定め得る。

三　期間の懈怠

当事者その他の関係人が、本来の行為期間中に定められた行為をしないことを、期間の懈怠という。期間の懈怠によって、その行為をなすことができなくなるのが通常である。

1　通常期間の場合

訴訟係属が存続しているから、当事者はその後の手続において何らかの救済を求める余地がある。

2　不変期間の場合〈書〉

不変期間の懈怠の場合、裁判の確定などの決定的な効果を生じる（285、313、332、342）うえに、他に救済の余地がない。そこで、当事者がその「責めに帰することのできない事由」によって不変期間を遵守し得なかった場合に限り、その事由が止んでから1週間以内に、懈怠した行為を行えば本来の期間中に行ったのと同一の効力を生じるとしている（97）。「責めに帰することのできない事由」とは、通常人の払うであろう注意をもってしては避けられないと認められる事由をいう。

▼　**最判昭55.10.28・百選〔第三版〕47事件**

判旨：　年末の郵便の混雑のため控訴状の書留速達による郵送が遅延した場合には、「責めに帰することができない事由」があるとした。

■第4節　送達

《概　説》

◆　送達

1　送達の意義

　　特定の名宛人に対し、訴訟上の書類の内容を知らせる機会を与えるための、法定の方式に従った通知行為をいう〔回〕。送達は、職権でなすのが原則である（98Ⅰ、職権送達主義）。

　　送達を要する理由は、訴訟上の期間を進行させるため（285、391）、訴訟上の通知の確実な伝達のため（47Ⅲ、261Ⅳ）、訴訟行為の効力を完成させるため（138、388Ⅰ）等、多様である。

2　送達機関

（1）送達担当機関

　　　送達は、裁判所書記官の専権事項（98Ⅱ、110、例外110Ⅱ）である。

（2）送達実施機関

　　　送達の実施は、郵便の業務に従事する者又は執行官によるのが原則である（99）。当該事件について出頭した者に対しては、書記官が行ってよい（100）。

3　送達用書類

　　原則として送達書類を受けるべき者へ書類を交付して行う（101）。送達すべき書類は、特別の定めがある場合を除き、当該書類の謄本又は副本とする（規40Ⅰ）。

4　送達の相手方

　　原則として送達書類の名宛人であるが、これが訴訟無能力者である場合は、法定代理人が送達を受ける（102Ⅰ）。当事者、法定代理人又は訴訟代理人は、送達を受ける場所を受訴裁判所に届け出なければならない（104）。訴訟代理人がいる場合、訴訟書類はその代理人に送達するのが通例であるが、この場合に当事者本人に対し送達がなされたとしても、送達の効力が妨げられることはない（最判昭25.6.23）〔予〕。

5　送達実施の方法

（1）交付送達

　　　送達すべき書類を送達を受けるべき者に交付するという方法による送達をいう（101）。送達の原則的方法である。これに派生する方法として、出会送達（105）、補充送達（106Ⅰ）、差置送達（106Ⅲ）がある。

（2）付郵便送達

　　　交付送達ができない場合に、書記官が書類を送達場所に宛てて、書留郵便等で発送すれば、その発送時に送達したことになる送達をいう（107）。

総則

(3) 公示送達

名宛人が出頭すれば送達すべき書類をいつでも交付する旨を、裁判所の掲示場に掲示することによって行う送達をいう（111）。裁判所書記官が当事者の申立てによって行う。この方法は、他の送達方法によることができない場合の最後の送達手段である（110 I）。

6　送達の瑕疵

(1) 名宛人や方法を誤った送達は無効であり、送達はなかったことになる。もっとも、相手方を誤った場合も、真の送達を受けるべき者が受領を追認すれば有効となる。また、方式違背も送達がそれを受ける者の利益を保護する趣旨のものである場合は、責問権の放棄・喪失（90）により瑕疵は治癒される（最判昭 28.12.24）。なお、判例（大決昭 8.7.4）は、不変期間の起算点になる送達についても、責問権の放棄・喪失の対象となるとしている。

(2) 公示送達の不知と追完

Ｘは被告Ｙの住所不明を理由に、公示送達を申し立て、その許可を得た。その結果、Ｙに対する書類の送達はすべて公示送達の方法によってなされ、Ｙ不出頭のままＸ勝訴の判決が言い渡された。数年後、Ｙは右判決の存在を知り、控訴を提起した。かかる控訴は認められるか。

控訴期間（285）が経過している以上、Ｙは控訴し得ないのが原則である。しかし、控訴期間は不変期間であり、「その責めに帰することのできない」場合には徒過しても追完が可能であることから（97）、Ｙは控訴の追完をなし得ないかが問題となるが、判例はこれを認めた。

▼ **最判昭 42.2.24・百選〔第 5 版〕A12 事件**

事案：　被告は法定代理人と共に訴え提起以前から住民登録をした場所に居住していたところ、原告はこのことを知りながら、右とは別の登記簿上の住所地を被告の住所地と称して所有権移転登記請求訴訟を起こした。訴状、判決等はすべて公示送達の方法により送達された。

判旨：　「このような場合、……責に帰することができない事由により不変期間を遵守することができなかった場合として本件控訴提起を適法と解すべきである。」

▼ **最判平 4.4.28・平 4 重判 1 事件**

判旨：　「1 審判決正本の送達に至るまでのすべての書類の送達が公示送達によって行われた場合において、被告が、控訴期間の経過後に控訴を申し立てるとともにその追完を主張したときは、控訴期間を遵守することができなかったことについて、民事訴訟法 97 条にいう『其ノ責ニ帰スヘカラサル事由』の存否を判断するに当たり、被告側の事情だけではなく、公示送達手続によらざるを得なかったことについての原告側の事情も総合的に考慮すべきであると解するのが相当である」とした。

総則

第98条　（職権送達の原則等）

Ⅰ　送達は、特別の定めがある場合を除き、職権でする〈書〉。

Ⅱ　送達に関する事務は、裁判所書記官が取り扱う。

第99条　（送達実施機関）

Ⅰ　送達は、特別の定めがある場合を除き、郵便又は執行官によってする。

Ⅱ　郵便による送達にあっては、郵便の業務に従事する者を送達をする者とする。

第100条　（裁判所書記官による送達）

裁判所書記官は、その所属する裁判所の事件について出頭した者に対しては、自ら送達をすることができる〈司予書〉。

第101条　（交付送達の原則）

送達は、特別の定めがある場合を除き、送達を受けるべき者に送達すべき書類を交付してする。

第102条　（訴訟無能力者等に対する送達）

Ⅰ　訴訟無能力者に対する送達は、その法定代理人にする〈書〉。

Ⅱ　数人が共同して代理権を行うべき場合には、送達は、その一人にすれば足りる〈司共書〉。

Ⅲ　刑事施設に収容されている者に対する送達は、刑事施設の長にする。

第103条　（送達場所）

Ⅰ　送達は、送達を受けるべき者の住所、居所、営業所又は事務所（以下この節において「住所等」という。）においてする。ただし、法定代理人に対する送達は、本人の営業所又は事務所においてもすることができる〈共〉。

Ⅱ　前項に定める場所が知れないとき、又はその場所において送達をするのに支障があるときは、送達は、送達を受けるべき者が雇用、委任その他の法律上の行為に基づき就業する他人の住所等（以下「就業場所」という。）においてすることができる。送達を受けるべき者（次条第1項に規定する者を除く。）が就業場所において送達を受ける旨の申述をしたときも、同様とする〈司〉。

〔趣旨〕送達を受ける者の便宜に考慮して、交付送達の場所として、名宛人の住所においてすることを原則とし、補充的な送達場所として、就業場所を規定した。

第104条　（送達場所等の届出）

Ⅰ　当事者、法定代理人又は訴訟代理人は、送達を受けるべき場所（日本国内に限る。）を受訴裁判所に届け出なければならない〈予〉。この場合においては、送達受取人をも届け出ることができる。

Ⅱ　前項前段の規定による届出があった場合には、送達は、前条の規定にかかわらず、その届出に係る場所においてする〈司〉。

Ⅲ　第1項前段の規定による届出をしない者で次の各号に掲げる送達を受けたもの に対するその後の送達は、前条の規定にかかわらず、それぞれ当該各号に定める場 所においてする。

① 前条の規定による送達　その送達をした場所

② 次条後段の規定による送達のうち郵便の業務に従事する者が日本郵便株式会社 の営業所（郵便の業務を行うものに限る。）においてするもの及び同項後段の規 定による送達　その送達において送達をすべき場所とされていた場所

③ 第107条第1項第1号の規定による送達　その送達においてあて先とした場 所

[趣旨] 送達事務の遂行を容易にするため、受訴裁判所の所在地に送達場所を有す るか否かにかかわりなく、原告については訴え提起と同時に、被告側については訴 状送達により訴訟法律関係が生じた時から、一般的に送達場所の届出義務を課し た。

《注　釈》

▪ 送達場所の届出の効力は、訴訟が終了するまで存続し、原審でなされた届出は、 上級審でも効力を有する〈書〉。

第105条　（出会送達）

前2条の規定にかかわらず、送達を受けるべき者で日本国内に住所等を有するこ とが明らかでないもの（前条第1項前段の規定による届出をした者を除く。）に対す る送達は、その者に出会った場所においてすることができる〈書〉。日本国内に住所等 を有することが明らかな者又は同項前段の規定による届出をした者が送達を受けるこ とを拒まないときも、同様とする〈書〉。

第106条　（補充送達及び差置送達）

Ⅰ　就業場所以外の送達をすべき場所において送達を受けるべき者に出会わないとき は、使用人その他の従業者又は同居者であって、書類の受領について相当のわきま えのあるものに書類を交付することができる〈書〉。郵便の業務に従事する者が日本 郵便株式会社の営業所において書類を交付すべきときも、同様とする〈回〉。

Ⅱ　就業場所（第104条第1項前段の規定による届出に係る場所が就業場所である 場合を含む。）において送達を受けるべき者に出会わない場合において、第103条 第2項の他人又はその法定代理人若しくは使用人その他の従業者であって、書類 の受領について相当のわきまえのあるものが書類の交付を受けることを拒まないと きは、これらの者に書類を交付することができる。

Ⅲ　送達を受けるべき者又は第1項前段の規定により書類の交付を受けるべき者が 正当な理由なくこれを受けることを拒んだときは、送達をすべき場所に書類を差し 置くことができる〈回〉。

[趣旨] 送達の円滑・迅速な実施を図るため、交付送達の派生的な方法を定めた。

《注　釈》

出会送達：受送達者と出会った場所で書類を交付する方法（105）

補充送達：送達をすべき場所で受送達者に出会わないときに「書類の受領について
　　　　　相当のわきまえのあるもの」に対して書類を交付する方法（106ⅠⅡ）

▼　**最決平19.3.20・百選38事件** 🈁

　　決旨：　書類の受領について「相当のわきまえのある」（106Ⅰ）同居者等が、
　　　　　受送達者宛ての訴訟関係書類の交付を受けた場合について、その同居者
　　　　　が「その訴訟において受送達者の相手方当事者又はこれと同視し得る者
　　　　　に当たる場合は別として（民法108条参照）、その訴訟に関して受送達
　　　　　者との間に事実上の利害関係の対立があるにすぎない場合には、当該同
　　　　　居者等に対して上記書類を交付することによって、受送達者に対する送
　　　　　達の効力が生ずる」。

差置送達：受送達者又は「相当のわきまえのあるもの」が正当な理由なく書類の受
　　　　　領を拒んだときに送達をすべき場所に書類を差し置く方法（106Ⅲ）

第107条　（書留郵便等に付する送達）

Ⅰ　前条の規定により送達をすることができない場合には、裁判所書記官は、次の各
　号に掲げる区分に応じ、それぞれ当該各号に定める場所にあてて、書類を書留郵便
　又は民間事業者による信書の送達に関する法律（平成14年法律第99号）第2条
　第6項に規定する一般信書便事業者若しくは同条第9項に規定する特定信書便事
　業者の提供する同条第2項に規定する信書便の役務のうち書留郵便に準ずるもの
　として最高裁判所規則で定めるもの（次項及び第3項において「書留郵便等」と
　いう。）に付して発送することができる 🈁。
　①　第103条の規定による送達をすべき場合　同条第1項に定める場所
　②　第104条第2項の規定による送達をすべき場合　同項の場所
　③　第104条第3項の規定による送達をすべき場合　同項の場所（その場所が就
　　業場所である場合にあっては、訴訟記録に表れたその者の住所等）
Ⅱ　前項第2号又は第3号の規定により書類を書留郵便等に付して発送した場合に
　は、その後に送達すべき書類は、同項第2号又は第3号に定める場所にあてて、
　書留郵便等に付して発送することができる。
Ⅲ　前2項の規定により書類を書留郵便等に付して発送した場合には、その発送の
　時に、送達があったものとみなす 🈁。

［趣旨］送達の方法として、付郵便送達を設け、書類の到達とはかかわりなく送達
の効力を生じさせることとして、送達の円滑かつ迅速な実施が図られている（Ⅲ）。

《注　釈》

◆　**書留郵便等に付する送達（付郵便送達、107）**

　　付郵便送達とは、住所等は知れているが、住所等において交付送達（補充送

達・差置送達も含む。106) ができない場合において、裁判所書記官が、住所等の本来の送達場所に宛てて書留郵便等によって送達書類を発送し、その発送時に送達の効力を生じさせる方法をいう。

付郵便送達は、発送時に送達の効力が生じる（107 Ⅲ参照）点に特徴があり、実際に受送達者が書類を受け取ったかどうかを問わないため、当事者など訴訟関係人に訴訟書類の内容を了知させ、又は了知させる機会を与えるという送達制度の趣旨に照らすと、あくまでも補充的な送達方法とされている。

総則

原告にとっては被告が書類を受け取ろうとしない場合であっても訴えの提起が可能となる一方、被告にとっては自己の関知しないところで訴訟手続が開始するという危険を負わされることになるため、付郵便送達の効力が発生するためには、その発送時に書類が実際に受送達者に到達する可能性がなければならない（大判昭 15.12.6 参照）⟨予⟩。

→発送時に既に受送達者が当該住所から転居していた場合、その発送時に書類が実際に受送達者に到達する可能性がなかった以上、107 条 3 項の前提要件を欠き、受送達者に対する送達の効力は生じない⟨予⟩

第108条　（外国における送達）

外国においてすべき送達は、裁判長がその国の管轄官庁又はその国に駐在する日本の大使、公使若しくは領事に嘱託してする⟨司⟩。

第109条　（送達報告書）

送達をした者は、書面を作成し、送達に関する事項を記載して、これを裁判所に提出しなければならない。

[趣旨] 送達は、特定の名宛人に対し、訴訟上の書類を確実に了知させることを目的とする要式的公証行為であるので、送達実施機関は送達報告書を作成し、裁判所に提出しなければならないとした。

《注　釈》

- 送達報告書は、単なる証明方法であるから、その作成を怠っても、送達の効力に影響はない。また、送達報告書は、送達が適式になされたかについての唯一の証明方法ではない（大判昭 8.6.16）⟨旧⟩。

第110条　（公示送達の要件）

Ⅰ　次に掲げる場合には、裁判所書記官は、申立てにより、公示送達をすることができる⟨司共予⟩。

① 当事者の住所、居所その他送達をすべき場所が知れない場合

② 第 107 条第 1 項の規定により送達をすることができない場合

③ 外国においてすべき送達について、第 108 条の規定によることができず、又はこれによっても送達をすることができないと認めるべき場合

　④　第108条の規定により外国の管轄官庁に嘱託を発した後6月を経過してもその送達を証する書面の送付がない場合〈同〉

Ⅱ　前項の場合において、裁判所は、訴訟の遅滞を避けるため必要があると認めるときは、申立てがないときであっても、裁判所書記官に公示送達をすべきことを命ずることができる。

Ⅲ　同一の当事者に対する2回目以降の公示送達は、職権でする。ただし、第1項第4号に掲げる場合は、この限りでない。

第111条　（公示送達の方法）

　公示送達は、裁判所書記官が送達すべき書類を保管し、いつでも送達を受けるべき者に交付すべき旨を裁判所の掲示場に掲示してする〈同書〉。

第112条　（公示送達の効力発生の時期）

Ⅰ　公示送達は、前条の規定による掲示を始めた日から2週間を経過することによって、その効力を生ずる〈同書〉。ただし、第110条第3項の公示送達は、掲示を始めた日の翌日にその効力を生ずる〈予〉。

Ⅱ　外国においてすべき送達についてした公示送達にあっては、前項の期間は、6週間とする。

Ⅲ　前2項の期間は、短縮することができない。

第113条　（公示送達による意思表示の到達）

　訴訟の当事者が相手方の所在を知ることができない場合において、相手方に対する公示送達がされた書類に、その相手方に対しその訴訟の目的である請求又は防御の方法に関する意思表示をする旨の記載があるときは、その意思表示は、第111条の規定による掲示を始めた日から2週間を経過した時に、相手方に到達したものとみなす。この場合においては、民法第98条第3項ただし書の規定を準用する〈共〉。

［趣旨］交付送達や付郵便送達・裁判所書記官送達・出会送達ができない場合であっても、送達がなされない限り訴訟手続を進めることができないとすると、当事者の裁判を受ける権利を害することになる。そこで法は、掲示場への掲示によって名宛人が送達書類を了知する機会を与えられたものとし、送達の効力を発生させることとした。

■第5節　裁判
《概　説》
一　既判力の意義

　既判力とは、確定判決の判断内容に与えられる後訴での通用性ないし拘束力のことをいう。

二　既判力の必要性と根拠

　①紛争の終局的解決という民事訴訟の目的を達成するために、裁判所の判断内

容に終局性を付与することが訴訟制度として要求される。また、②自己責任の観点から、訴訟の当事者に訴訟追行の機会が保障されていたことを当事者を拘束する効力の根拠とする（手続保障説）。

三　既判力の作用・性格

1　既判力の作用〈同H21 司H27 予R 4〉
(1)　既判力の作用場面
　　実質（実体）的確定力としての既判力は、前訴の確定判決で判断された権利・法律関係が後訴で再び問題になったときに、当事者及び裁判所に対してはじめて作用する。
(2)　前訴の既判力が後訴に及ぶ場合〈予〉
　(a)　後訴の訴訟物が前訴の訴訟物と同一である場合〈同予〉
　　　ex.　前訴の100万円の支払請求で敗訴した原告が再び同一請求を掲げて訴えを提起した場合
　(b)　後訴の訴訟物が前訴の訴訟物と矛盾対立関係にある場合〈同〉
　　　ex.　100万円の支払請求で敗訴した被告が同一債務の不存在確認の訴えを提起する場合（この場合を後訴の訴訟物が前訴の訴訟物と同一である場合とする見解もある）や同一金額の不当利得返還請求を提起する場合
　(c)　後訴の訴訟物が前訴の訴訟物を先決関係として定まる場合
　　　ex.　XのYに対する所有権確認の訴えで勝訴したXがYに対して後訴で移転登記手続請求をする場合
(3)　既判力の消極的・積極的作用
　　消極的作用：前訴判決の判断と矛盾する権利関係を基礎付けるための主張立証が当事者に許されず、後訴裁判所はこれを争う当事者の申立てや主張・抗弁を排斥しなければならないということ
　　積極的作用：裁判所は既判力で確定された判断に拘束され、これを前提として後訴の審判をしなければならないということ
2　既判力の性格（既判力の双面性）
　既判力は既判力の及ぶ当事者相互間で一方の有利にも不利にも働く。
　　ex.　家屋の所有権確認請求訴訟で勝訴した原告が、被告から建物収去土地明渡請求訴訟を提起された場合、その家屋は自分のものではないと主張することは許されない

四　既判力の調査

1　既判力の存否は職権調査事項である〈予書〉。
2　前訴判決の既判力に抵触する後訴判決も無効ではないが違法な判決であって、上訴又は再審によって取り消されうる（312Ⅲ、318Ⅰ、338Ⅰ⑩）。もっとも、判決確定後は再審によって取り消されない限り、新しい基準時における権

利・法律関係の判断として既判力を生じる。

3　資料収集の面も職権探知であり、しかも裁判所に顕著な事実（179）である。⇒ p.318

五　既判力を有する裁判等

1　確定終局判決

(1)　確定した終局判決はすべてにつき既判力を生ずる。中間判決には後訴裁判所を拘束する既判力は生じない。外国裁判所の確定判決もわが国で効力を認められる場合（118）には既判力を生じる。

(2)　訴訟判決の既判力の有無については争いがあるが、裁判例は紛争処理の安定性の要請、及び訴訟審理の審理について手続保障が与えられていることを根拠として、訴え却下の理由とされた訴訟要件についての判断にのみ、既判力が生じるとする（当事者適格について東京地判昭 30.11.30 参照）。

2　決定・命令

訴訟指揮をめぐる決定・命令をはじめ、決定・命令には通常既判力は生じない。もっとも、決定で終結する事件で実体関係につき終局的判断をする場合には既判力が生じる。

ex.　訴訟費用に関する決定（69）、支払督促に対する異議却下決定（394）等

3　確定判決と同一の効力を認められる裁判や調書

確定した仮執行宣言付支払督促（396）、確定破産債権についての債権表の記載（破124Ⅲ）、調停に代わる裁判（民調17、家事287）には既判力が認められる。

和解・請求の放棄・認諾の調書、訴訟上の和解調書（267）については争いがある。　⇒ p.420、422

4　仲裁判断

取消事由のない仲裁判断についても既判力が生じる（仲裁44、45）。

第114条　（既判力の範囲）

Ⅰ　確定判決は、主文に包含するものに限り、既判力を有する〈同予〉。

Ⅱ　相殺のために主張した請求の成立又は不成立の判断は、相殺をもって対抗した額について既判力を有する〈同〉。

《注　釈》

一　総説

前訴判決でなされたどの部分につき既判力を生じるかについての問題が、既判力の客観的範囲の問題である。明文上、既判力は「主文に包含するものに限り」生じる（Ⅰ）とされている。「主文に包含するもの」とは、原則として、①既判力の基準時における権利・法律関係についての判断に限られ、②訴訟物たる権利・法律関係についての判断に限られる。

二　基準時における権利関係の判断（既判力の時的限界）〈司H21 司H28〉

1　既判力の基準時と時的限界〈司書〉

　当事者は事実審の口頭弁論終結時まで事実に関する資料を提出することができ、裁判所は、この時点までに提出された資料を基礎として終局判決をする。そこで既判力は、この「事実審の最終口頭弁論終結時」における権利関係の存否につき生じ（民執35Ⅱ参照）、この時点を既判力の基準時という。

2　遮断効（失権効）〈司〉

(1)　既判力の消極的作用のことをいう。基準時前にすでに存在していた事由については当事者は後訴でこの事由を提出して争うことは許されず、その主張や抗弁は排斥される。前訴においてその事由を提出しなかったことについて当事者に過失があったか否かは問わない。

(2)　基準時後に成立した事由は、遮断効を生じず、後訴で争いうる（民執35Ⅱ〈予〉）。

▼　最判平9.3.14・百選A24事件〈予〉

判旨：「所有権確認請求訴訟において請求棄却の判決が確定したときは、原告が同訴訟の事実審口頭弁論終結の時点において目的物の所有権を有していない旨の判断につき既判力が生じるから、原告が右時点以前に生じた所有権の一部たる共有持分の取得原因事実を後の訴訟において主張することは、右確定判決の既判力に抵触するものと解される」。

▼　最判昭32.6.7・百選76事件〈司〉

判旨：　前訴で損害45万円について分割債務であると主張して勝訴した原告が、後訴で連帯債務であると主張することが許されるかについて、裁判所は、前訴は請求の「全部として訴求したものであることが」明らかであるから、「今さら右請求が訴訟物の一部にすぎなかった旨を主張することは、到底許されない」と判断した。

3　形成権の基準時後の行使と遮断効

　前訴の基準時前に成立していた取消権・解除権・相殺権・建物買取請求権などの形成権を、基準時後にはじめて行使して、後訴で前訴確定判決の内容を争いうるか。

(1)　取消権の行使と遮断効〈司〉

　通説は、既判力によって遮断されるとする。その理由は、①基準時後の行使が遮断されないとするとより重大な瑕疵である無効の主張が遮断されることと均衡を失する、②取消原因は請求権それ自体に付着した瑕疵であり、当事者はそれを前訴で主張し得たし、主張を強制しても酷ではない、ということにある。

判例も、詐欺による取消権について遮断されるとしている（最判昭55.10.23・百選72事件）。

▼ **最判昭 55.10.23・百選 72 事件** 〈司共予書〉

判旨： 「当事者が右売買契約の詐欺による取消権を行使することができたのにこれを行使しないで事実審の口頭弁論が終結され、……判決が確定したときは、もはやその後の訴訟において右取消権を行使して……争うことは許されなくなる」として遮断効肯定説に立つ。

(2) 解除権の行使と遮断効 〈司H18 司H21〉

基準時後の解除権の行使と既判力による遮断の有無が直接に問題となった最高裁判例はないとされる。この点、既判力による遮断の有無について直接判断したものではないが、判例（最判昭54.4.17、最判昭59.1.19）〈予〉は、基準時後の解除権行使の効果の主張を容認したものとみられており、いずれも基準時後に履行の催告をして解除権を行使した事例である。

学説上では、解除権は取消権と異なり、訴訟物たる請求権の発生原因に内在する瑕疵に基づく権利ではないものの、前訴において勝訴した当事者の地位を無に帰する点では同じであるので、前訴の基準時前に既に発生していた解除権を後訴において行使した場合には、既判力により遮断されると解する見解が通説とされている。

一方、前訴の基準時後に解除原因である債務不履行が発生した場合において、これを理由に後訴において解除権を行使したときは、前訴の基準時後の事由を主張するものにほかならないから、既判力により遮断されないと解されている〈予〉。

(3) 手形の白地補充権の行使と遮断効

基準時後の手形の白地補充権行使については、前訴の訴訟物も白地補充を前提とした手形であって、白地補充後の訴訟物と同一であり、前訴で白地を補充することは容易になし得たはずであるとして、遮断効を肯定するのが通説である。

判例も遮断効を肯定している（最判昭57.3.30・百選A23事件）。

▼ **最判昭 57.3.30・百選 A23 事件** 〈司共〉

判旨： 「手形の所持人において、前訴の事実審の最終口頭弁論以前既に白地補充権を有しており、これを行使したうえ手形金の請求をすることができたにもかかわらず右期日までにこれを行使しなかった場合には、右期日ののちに該手形の白地部分を補充しこれに基づき後訴を提起して手形上の権利の存在を主張することは、特段の事情の存在が認められない限り前訴判決の既判力によって遮断され、許されない」として、遮断効を肯定した。

(4) 相殺権の行使と遮断効 〈予H24〉

　　通説は、次の理由により、相殺権の行使は既判力により遮断されないと解している。

　　① 相殺権は訴訟物たる請求権の発生原因に内在する瑕疵に基づく権利ではない

　　② 相殺権の行使及びその時期は相殺権者の自由意思に委ねられている

　　③ たとえ相殺権の行使を遮断しても、自働債権を別訴で訴求することが許される以上、遮断する意義に乏しい

　　④ 相殺は自己の反対債権を犠牲にする弁済の一種であり、相殺権者にとって実質的な敗訴を前提とするから、相殺権者にその主張を強いるのは酷である

　　判例も遮断効を否定している（最判昭 40.4.2）。

▼ **最判昭 40.4.2** 〈司共予〉

　判旨： 相殺は、相殺の意思表示をすることで効力を生じるから、当該債務名義たる判決の口頭弁論終結前に相殺適状にあるにすぎない場合、口頭弁論の終結後に至ってはじめて相殺による債務消滅を原因として異議を主張することは許される。

(5) 建物買取請求権の行使と遮断効

　　通説は、①建物買取請求権は訴訟物たる建物収去土地明渡請求権に付着した瑕疵ではなく別個独立の権利であること、②建物の社会的効用の維持という建物買取請求権の趣旨を考慮する必要があること、③土地の占有についての実質的敗訴を前提とするため被告に主張を強いるのは酷であることなどの理由から、遮断効を否定する。

　　判例も遮断効を否定している（最判平 7.12.15・百選 73 事件）。

　　なお、後訴は強制執行に対する請求異議訴訟（民執 35）となる。

▼ **最判平 7.12.15・百選 73 事件** 〈司共予〉

　判旨： 建物収去土地明渡請求認容判決が確定した後に、賃借人が建物買取請求権を行使し、その効果を請求異議事由として請求異議の訴えを提起した事案において、「建物買取請求権は前訴確定判決によって確定された賃貸人の建物収去土地明渡請求権の発生原因に内在する瑕疵に基づく権利とは異なり、これとは別個の制度目的及び原因に基づいて発生する権利」であるとして遮断効を否定した。

＜基準時後の形成権行使に関する結論の整理＞

	取消権	解除権	白地補充権	相殺権	建物買取請求権
行使可能か	×	△（＊）	×	○	○

＊　行使が可能な場合と不可能な場合がある。

4　その他の権利の遮断

(1)　時効援用権〈共〉

判例（大判昭14.3.29）は、時効援用権についても遮断効を肯定する〈司〉〈予〉。

(2)　基準時後の事情変更

前訴の後に公租公課や土地価格の増大により前訴認容額が不相当となった場合にも、新訴提起により差額損害金の支払を求めることが許される（最判昭61.7.17・百選78事件）〈司〉。なお、訴え却下判決が確定した後、事実関係が変動し、これを受けて最高裁判所による判例変更が行われた場合、従来の判例を変更する判決の言渡しは、当該訴え却下判決との関係では、口頭弁論終結後に生じた事由に当たる（東京地判平23.10.28・平24重判4事件）。そのため、判例変更後に提起した再訴は、確定した訴え却下判決の既判力に抵触しない。

(3)　限定承認

限定承認の抗弁は、敗訴を覚悟してから出すものであり、前訴での提出を強制することは酷であること等を理由として、限定承認の抗弁は遮断されないとする見解もあるが、相殺のように別個の債権を主張するのとは異なり、前訴において相続に密接に関連する限定承認を持ち出すことは十分期待しうることから、遮断されると解してよい。

なお、判例は相続財産の限度で支払えと限定した給付判決が出された場合において、あくまで訴訟物は給付請求権の存在であるものの、判決主文に限定付きの判断がなされる点を重視して、「既判力に準ずる効力」が生じるものとしている。その結果として、判決基準時前に存在した民法921条の限定承認無効事由は遮断されると考えている（最判昭49.4.26・百選80事件）。

(4)　期限未到来による請求棄却

期限未到来を理由に請求を棄却された原告は、期限到来後に再訴することができる。

三　訴訟物たる権利関係の判断（既判力の物的限界）

1　主文中の訴訟物についての判断〈司〉〈共〉

(1)　主文中の訴訟物についての判断の原則（Ⅰ）

主文で表示された訴訟物の存否についての判断にのみ生じ、判決理由中の判断には生じない。

ex.　XがYに対して所有権に基づき不動産の明渡しを求める訴え（前訴）を提起し、Xの不動産の所有権の取得が認められないとして請求を棄却する判決が確定した後、XがYに対して当該不動産について同一の取得原因を主張して所有権の確認を求める訴え（後訴）を提起した場合、前訴の確定判決の既判力は後訴には及ばない〈予〉

∵　前訴の訴訟物はXのYに対する不動産明渡請求権であり、前訴の

確定判決の既判力は、その請求権の存否について生じるのみであり、Xの不動産の所有権の取得が認められないとの理由中の判断には生じない

→所有権に基づく妨害排除請求権としての登記抹消登記手続請求訴訟（前訴）における請求認容判決の既判力は、被告による所有権確認訴訟（後訴）に及ばない（最判昭30.12.1 参照）〈司予書〉

(2) 判決主文の判断に既判力の範囲が限定される根拠

(a) 処分権主義

当面の紛争解決のためには、現に当事者が判決による解決を求めた訴訟物たる権利・法律関係についての判断である主文中の記載に既判力を認めれば足りる。

(b) 訴訟運営上の機能

前提問題に既判力が生じないとすれば、当事者はこれをその訴訟限りのものとして自由に処分できることになるし、裁判所も実体法の論理的順序、当事者の順序の指定にかかわらず、容易なものから審理して結論に達すれば結審しうるから、審理の簡易化・弾力化に役立つ。

(c) 当事者の手続保障

前提問題は、当事者が審判の手段として主張したものにすぎないから、この点の判断に既判力を認めれば、当事者の意図を超え不意打ちの結果を招くことになる。

2　主文中の非訴訟物についての判断〈司H21 司H22 司H29〉

引換給付判決や留保付判決（⇒ p.377）のように、判決主文には、訴訟物たる権利・法律関係の存否のみならず、引換給付文言や責任限定文言、条件の表示といった執行機関に伝達すべき事項が掲げられる場合がある。かかる非訴訟物についての判断に既判力が生じるかが問題となる。

この点、引換給付文言等に係る判決主文は、訴訟物たる権利・法律関係の存否そのものではなく、強制執行の条件の表示にすぎないため（民執31 参照）、既判力は訴訟物の存否についての判断にのみ生ずるという建前からすれば、これらの部分に既判力は生じないはずである。もっとも、これらの部分についても、限定承認の留保付判決の既判力に関する下記判例の考え方を及ぼし、既判力に準ずる効力等の拘束力を認めるべきとする見解もある。

▼　最判昭 49.4.26・百選 80 事件〈司予〉

事案：　相続財産の限度で支払を命じた、限定承認による責任限定の留保付判決（前訴）が確定した後において、債権者が前訴の口頭弁論終結時以前に存在した限定承認と相容れない事実（民法 921 条の法定単純承認の事実等）を主張して無留保の判決を求める訴えが提起された。

判旨： 前訴の訴訟物は給付請求権すなわち債権（相続債務）の存在及びその範囲であるが、限定承認の存在及び効力も、これに準ずるものとして審理判断されるのみならず、限定承認が認められたときは主文においてそのことが明示されるのであるから、限定承認の存在及び効力についての前訴の判断に関しては、既判力に準ずる効力があるとして、無留保の判決を求めて訴えを提起することは許されないとした。

3 訴訟判決の場合

訴訟判決の既判力は前訴で攻撃防御の対象とされ判断された個々の訴訟要件についてのみ生じる《書》。

→訴状を却下する判決が確定した場合に、原告はその不備を補正した上で、再度訴えを提起することは妨げられない《同書》

▼ **最判平 10.9.10・百選 37 ②事件**

判旨： 前訴判決と実質的に矛盾する損害賠償の可否及び、Yの回答によって訴訟手続に関与する機会を奪われたXの精神的苦痛に対する慰謝料請求の可否が問題となった事案。判例は、既判力ある判断と実質的に矛盾する損害賠償請求は当事者の一方の行為が著しく正義に反し、既判力による法的安定の要請を考慮してもなお容認しえないような特別の事情がある場合に限って許されるのであって、本件では「Yに重大な過失があるにとどまり、それがXの権利を害する意図の下にされたものとは認められない」ので、損害賠償請求は認められないが、訴訟手続に関与する機会を奪われた精神的苦痛に対する損害賠償請求は前訴判決と実質的に矛盾するものとはいえないので許されるとした。

▼ **最判平 22.7.16・平 22 重判 4 事件**

事案： 適法な住民監査請求を前置しておらず不適法であるとして訴え却下判決がなされた訴訟と当事者、請求の趣旨及び原因を同一にする共同訴訟参加の申出の適否が争われた。

判旨： 「本件申出に係る当事者、請求の趣旨及び原因は……、別件訴訟と同一であるところ、別件訴訟において適法な住民監査請求を前置していないことを理由に訴えを却下する判決が確定しているから、本件申出はその既判力により不適法な申出として却下されるべきものである」。

四 理由中の判断の拘束力

1 相殺の抗弁についての判断

(1) 114条2項の趣旨

原則として、理由中の判断には既判力は生じない（Ⅰ）。しかし、相殺の抗弁は、訴訟物とは別個の自働債権（反対債権）を主張するものであり、これに既判力を認めなければ、被告が自働債権を訴訟物とする別訴を提起して

訴求債権に関する紛争を蒸し返すことを防止することができず、判決による解決の実効性が失われてしまう。

そこで、相殺の抗弁については、理由中の判断であるにもかかわらず、例外的に既判力が生じるものとされている（Ⅱ）。

(2) 既判力発生の条件

114条2項の特別の既判力が生じるのは、原告からの訴訟上の請求の当否を判断するために反対債権の存否を実質的に判断する必要があった場合に限られる。

相殺の抗弁が時機に後れた攻撃防御方法として却下された場合（157）等、相殺の抗弁が弁論で主張されても実質的に審理されていない場合、既判力は生じない。

(3) 審理の順序

(a) 訴求債権との関係

原告の訴求債権の存在を認める前に、相殺の抗弁を認めて直ちに請求棄却することはできない。

∵ 訴求債権が不存在であった場合、被告は既判力により一方的に反対債権を失うおそれがある

(b) 他の攻撃防御方法との関係

複数の攻撃防御方法が主張されている場合、仮に当事者がその主張に順位を付したとしても、裁判所はその実体法上の論理的な順序にとらわれず、審理しやすく判決に至りやすいものから取り上げて判決をすることができるのが原則である。なぜなら、既判力は理由中の判断には生じないため、どの主張を取り上げたかにより判決の結論に差異はなく、後訴で当事者を拘束することもないからである。

これに対し、相殺の抗弁は、認められれば別個独立の反対債権を失い、例外的に既判力も生じるため、他の攻撃防御方法の審理を経た後に審理判断すべきとされている。

(4) 既判力の生じる範囲

既判力が生じる反対債権の不存在の額は、「相殺をもって対抗した額」（Ⅱ）に限られる。

また、114条2項は「請求の成立又は不成立」と規定しているが、この文言にかかわらず、相殺の抗弁の既判力は基準時における反対債権の不存在についてのみ生じる。

∵ 相殺の抗弁が主張された場合における裁判所の判断としては、反対債権の不存在を理由とする相殺の抗弁の排斥か、相殺の抗弁が認められて反対債権が消滅するかのいずれかであるところ、そのいずれであっても基準時における反対債権は存在しない以上、「請求の成立」（反対債権の

総則

存在）に該当する判断は考えられない

なお、「訴求債権と反対債権がともに存在し、それが相殺によって消滅した」との判断に既判力が生じると解する有力説もある。

→この説は、原告が後訴において反対債権は当初より不存在であったと主張して、被告は訴求債権の支払を理由なく免れているとして訴求債権額の不当利得返還請求をし、あるいは、被告が後訴において訴求債権は別の理由で不存在であったと主張して、原告は反対債権の支払を理由なく免れているとして反対債権額の不当利得返還請求をするのを、既判力により遮断することができるとする

しかし、有力説に対しては、①上記の後訴における原告・被告の主張は、いずれも前訴の既判力（基準時における自らの債権の不存在）と矛盾・抵触するものであるから、あえて有力説のように既判力の対象を拡張する必要はないとの批判や、②基準時よりも前の時点における権利関係を既判力によって確定することは正当ではないとの批判がなされている。

(a) 反対債権の不存在を理由として相殺の抗弁が排斥された場合

この場合、反対債権の不存在という理由中の判断に既判力が生じる。ただし、その範囲は「相殺をもって対抗した額」（Ⅱ）に限られる。

ex. 訴求債権が100万円、反対債権が130万円であり、審理の結果、反対債権の不存在を理由として相殺の抗弁が排斥された場合、相殺をもって対抗した100万円の限度でその不存在の判断に既判力が生じる（30万円の部分に既判力は生じない）

したがって、後に被告が反対債権の全額について別訴で訴求した場合、既判力により妨げられるのはあくまでも「100万円」の部分に限られ、残りの「30万円」の存在を主張することが既判力により妨げられることはない。

→原告が30万円の部分について既判力を生じさせたい場合には、債務不存在確認の訴えの追加的変更（143Ⅰ）をすればよいと解されている

(b) 相殺の抗弁が認められて反対債権が消滅する場合

まず、反対債権の額が訴求債権の額よりも大きい場合、これを超過する部分について既判力は生じない。

ex. 訴求債権が100万円、反対債権が130万円であり、審理の結果、反対債権の全額が認められた場合、相殺をもって対抗した100万円の限度でその不存在の判断に既判力が生じる（30万円の部分に既判力は生じない）

→被告が30万円の部分について既判力を生じさせたい場合には、反訴（146）をすればよいと解されている

　また、上記の場合において、裁判所が反対債権のうち訴求債権に満たない一部の額しか認めなかったとき、訴求債権を超過する部分について既判力は生じないが、「対抗した額」の部分については、相殺が認められた結果として不存在となった部分と、反対債権の主張が認められずに不存在となった部分について既判力が生じる〈補〉。

ex.　訴求債権が100万円、反対債権が130万円であり、審理の結果、反対債権のうち60万円の存在が認められた場合、相殺をもって対抗した100万円の限度でその不存在の判断に既判力が生じ（その内訳は、相殺が認められた60万円の不存在と、被告の主張が認められなかった40万円の不存在）、訴求債権の超過部分である30万円の部分について既判力は生じない

<既判力の生じる範囲についての具体的検討>

訴求債権	100万円（＊）		
反対債権の主張	60万円	130万円	
判決	40万円認容（反対債権60万円あり）	請求棄却（反対債権130万円あり）	40万円認容（反対債権130万円のうち60万円のみ存在が認められる）
既判力　（訴求債権について）主文中の判断	40万円の存在 60万円の不存在	100万円の不存在	40万円の存在 60万円の不存在
既判力　（反対債権について）理由中の判断	60万円の不存在 	130万円のうち100万円の不存在 →残り30万円に既判力なし 	130万円のうち100万円の不存在（当初より不存在の40万円＋相殺によって消滅した60万円） →残り30万円に既判力なし

＊　仮に、訴求債権100万円のうち、裁判所が30万円しか存在しないと認定した場合、反対債権について生じる既判力は「30万円の不存在」である（反対債権の主張・判断

がいずれのものであっても異ならない）。すなわち、「原告の請求について裁判所が認定した金額」について「相殺をもって対抗した金額」を考えることになる。これは、訴求債権のうち裁判所が認定しなかった部分については、そもそも相殺の抗弁を考える必要がないからである。

▼　最判平 10.4.30・百選 41 事件〈司予〉〈司R5〉

判旨：　「被告による訴訟上の相殺の抗弁に対し原告が訴訟上の相殺を再抗弁として主張することは、不適法として許されない」。なぜなら、①「訴訟外において相殺の意思表示がされた場合には、相殺の要件を満たしている限り、これにより確定的に相殺の効果が発生するから、これを再抗弁として主張することは妨げないが、訴訟上の相殺の意思表示は、相殺の意思表示がされたことにより確定的にその効果を生ずるものではなく、当該訴訟において裁判所により相殺の判断がされることを条件として実体法上の相殺の効果が生ずるものであるから、相殺の抗弁に対して更に相殺の再抗弁を主張することが許されるものとすると、仮定の上に仮定が積み重ねられて当事者間の法律関係を不安定にし、いたずらに審理の錯雑を招くことになって相当でなく」、②「原告が訴訟物である債権以外の債権を被告に対して有するのであれば、訴えの追加的変更により右債権を当該訴訟において請求するか、又は別訴を提起することにより右債権を行使することが可能であり、……右債権による訴訟上の相殺の再抗弁を許さないこととしても格別不都合はなく」、③「民訴法 114 条 2 項……の規定は判決の理由中の判断に既判力を生じさせる唯一の例外を定めたものであることにかんがみると、同条項の適用範囲を無制限に拡大することは相当でないと解されるからである」。

評釈：　本判決は、相殺の抗弁に対するいわゆる再相殺について、訴訟上の相殺の再抗弁は不適法であるが、訴訟外の相殺の意思表示の主張は適法であると判示している。そして、訴訟外の相殺の主張の判断については、114 条 2 項が適用ないし類推適用されると解するのが通説とされている。

2　争点効と信義則（2）による拘束力〈司H29 司R5 予H24〉

既判力は、訴訟物たる権利・法律関係の存否の判断について生じ、理由中の判断については生じないのが原則である（⇒ p.158）。もっとも、前訴で敗訴した当事者による紛争の蒸し返しを防ぐため、例外的に、理由中の判断に拘束力を認めるべきではないかが問題となる。

(1)　争点効

争点効とは、前訴で当事者が主要な争点として争い、かつ、裁判所がこれを審理して下した争点についての理由中の判断に生じる通用力で、同一の争点を主要な先決問題とした別異の後訴請求の審理において、その判断に反する主張立証を許さず、これと矛盾する判断を禁止する効力をいう。争点効を肯定する学説によれば、争点効の根拠は信義則や当事者間の公平に求めら

れ、既判力と異なり、争点効は当事者の援用によるとされる。

　もっとも、争点効は実定法上の根拠を欠いており、判例（最判昭44.6.24・百選79事件）は、明示的に争点効を否定している。

▼ 最判昭44.6.24・百選79事件

判旨：　別訴で売買契約を理由とする買主の家屋明渡請求を認容する判決が確定しており、その理由中で詐欺による取消しの抗弁を排除して契約は有効であると確認していても、その部分には既判力及びこれに類似する効力（いわゆる争点効）は生じないから、本訴で詐欺による取消しを理由とする移転登記抹消請求を認容しても、既判力は別訴判決と抵触しないとして、争点効を否定した。

(2)　信義則（2）による拘束力

　判例（最判昭51.9.30・百選74事件、最判平10.6.12・百選75事件）は、前訴と訴訟物を異にして前訴判決の既判力が作用しない後訴においても、個別の事案に応じ、実質的に前訴の蒸し返しであって信義則に反する場合には、後訴を排斥している。

▼ 最判昭51.9.30・百選74事件

判旨：　自作農創設特別措置法による土地買収売渡処分がなされた後の買戻しを理由とする移転登記請求が棄却された後に、買収売渡処分の無効等を理由とする登記請求等の後訴がなされた場合において、「実質的には、前訴のむし返しというべきものであり、前訴において本訴の請求をすることに支障はなかった」こと、また「本訴提起時にすでに右買収処分後約20年も経過しており」買主の地位を不安定にすることを考慮し、信義則違反として訴えを却下した。

▼ 最判平10.6.12・百選75事件 同共予書

判旨：　数量的一部請求を全部又は一部棄却する旨の判決は、債権の全部について行われた審理の結果に基づいて、当該債権が全く現存しないか又は一部として請求された額に満たない額しか現存しないとの判断を示すものであって、後に残部として請求し得る部分が存在しないとの判断を示すものにほかならない。したがって、右判決が確定した後に原告が残部請求の訴えを提起することは、実質的には前訴で認められなかった請求及び主張を蒸し返すものであり、前訴の確定判決によって当該債権の全部について紛争が解決されたとの被告の合理的期待に反し、被告に二重の応訴の負担を強いるものというべきであるから、金銭債権の数量的一部請求訴訟で敗訴した原告が残部請求の訴えを提起することは、特段の事情のない限り、信義則に反して許されない。

第115条　（確定判決等の効力が及ぶ者の範囲）

Ⅰ　確定判決は、次に掲げる者に対してその効力を有する。

① 当事者〈司〉

② 当事者が他人のために原告又は被告となった場合のその他人〈予書〉

③ 前2号に掲げる者の口頭弁論終結後の承継人〈司予書〉

④ 前3号に掲げる者のために請求の目的物を所持する者〈予書〉

Ⅱ　前項の規定は、仮執行の宣言について準用する。

《注　釈》

一　相対性（相対効）の原則と第三者への拡張

1　既判力の相対効の原則〈司予〉

(1)　既判力の相対効の原則の内容

確定判決に与えられる拘束力たる既判力は、当事者間にのみ生じるのが原則である（Ⅰ①）。

(2)　既判力の相対効の原則の趣旨

(a)　判決は当事者間の紛争を解決するためのものであるので、当事者間にのみ判決効を及ぼして紛争を解決すれば十分である。

(b)　主張・立証の機会を与えられていない第三者にも判決効が及ぶとしたのでは、手続保障の適正を害し、第三者の裁判を受ける権利を侵害することになる。

2　例外（既判力の第三者への拡張）

例外として、①当事者間での紛争解決の実効性を確保するため、及び②法律関係の合一確定を図るため、当事者以外の第三者に既判力を及ぼす諸規定がある。

ex.　人事訴訟の確定判決（人訴24Ⅰ）

二　形式的当事者と同視すべき者（実質的当事者）

1　実体法上の地位との関係で第三者に独自の手続保障を要しない場合

(1)　請求の目的物の所持者（Ⅰ④）

当事者のため請求の目的物を所持する者とは、家族（実務は所持機関とみる）・管理人・受寄者〈司予〉等その物の所持に固有の利益を有しない者を意味する。

∵①　既判力を及ぼさないと紛争解決の実効性が確保できない

②　実体法上固有の利益を有しない以上、既判力を及ぼしてもその者の手続保障を害するおそれはない

目的物の占有開始時期は問わないため、口頭弁論終結前から目的物を所持している者も、既判力の拡張の対象となる〈予〉。

(2)　係属中の仮装譲渡〈予〉

名義上の所有者であっても、引渡請求の執行を免れる目的で債務者から仮

装に譲り受けた者は、債務者のためにのみ物を所持しているので、請求の目的物を所持する者に含まれる。

▼ **大阪高判昭46.4.8・百選A26事件**〈予 予R元〉

判旨： Ｘの A 会社に対する所有権移転登記手続請求訴訟の係属中に、通謀虚偽表示により A から Y に移転登記がなされた。この場合に、原告 Ｘ の登記名義人 Y に対する移転登記請求の後訴では、Y は Ｘ に対し A と別個に権利主張をなし得る地位になく、その地位は完全に A に依存するから、後訴の実質上の当事者は A だとして Y を所持者に準じるものとみて前訴判決の既判力を及ぼした。

(3) 法人格否認の場合の背後者

▼ **最判昭53.9.14・百選83事件**〈同予〉

事案： A 会社が Ｘ に対して負担する債務を事実上免れる目的で、A 会社の代表取締役が Y 会社を設立して Y 会社が A 会社の資産を譲り受けて事業を継続したところ、A 会社に対する請求認容判決を得た Ｘ が Y を相手として執行文付与の訴え（民執33）を提起した。

判旨： 「(事業が実体法上法人格否認の法理の適用がある場合であることを認めた上で)この場合においても、権利関係の公権的な確定及びその迅速確実な実現を図るために手続の明確、安定を重んずる訴訟手続ないし強制執行手続においては、その手続の性格上訴外 A 会社に対する判決の既判力及び執行力の範囲を Y 会社にまで拡張することは許されないものというべきである」とした。

2 代替的手続保障がある場合
(1) 訴訟担当の場合の利益帰属主体（Ⅰ②）〈予〉
   (a) 他人の権利関係について当事者として訴訟を追行する資格をもつ者が受けた判決は、訴訟物たる利益の帰属主体に対しても既判力が及ぶ（法定訴訟担当、任意的訴訟担当を問わない）。
   →この利益帰属主体は、訴訟担当者が訴訟追行権を欠くことを主張する以外に、固有の防御方法を主張し得ない
   (b) 115条1項2号の趣旨
   ア 紛争解決の実効性確保のためには、利益帰属主体にも判決効を及ぼす必要がある。
   イ 訴訟担当者の訴訟追行により、代替的に攻撃防御上の地位が保障されているといえる。
   (c) 対抗型訴訟担当〈予H25 予R3〉
   法定訴訟担当のうち、債権者代位訴訟（民423）や取立訴訟（民執157）などいわゆる対抗型訴訟担当では、上記(b)イの趣旨が妥当しないため、利

益帰属主体の手続保障の必要性との関係で問題がある。

しかし、判例・通説によれば、当該訴訟担当者が受けた判決の効力は、勝訴・敗訴を問わず、利益帰属主体に対しても及ぶ。

cf. 民法423の6（被代位権利の行使に係る訴えを提起した場合の訴訟告知）の規定により、訴訟告知を欠く債権者代位訴訟は訴え却下とすべきであるという立場（⇒ p.107）からは、訴訟告知を欠く場合、既判力の拡張は認められない

▼ 大阪地判昭45.5.28・百選〔第4版〕88事件

判旨： 債権者代位訴訟の場合に、当該債権者が得た判決の効力は代位債務者に当然及ぶか否かについて、当該訴訟の訴訟担当的性格や代位債務者にも訴訟参加の機会が十分にあることなどを理由として、代位訴訟の判決が当然債務者に及ぶことを認めた。

(2) 訴訟脱退者（48）

独立当事者参加（47）や参加訴訟（49）・引受訴訟（50）によって第三者が訴訟に参加してきた場合、当事者の一方は訴訟から脱退し得るが、その場合、判決の効力は脱退者にも及ぶ。

∵ 紛争解決の実効性確保のため、訴訟脱退者にも既判力を及ぼす必要があるうえ、訴訟脱退者は、請求をめぐる当事者としての訴訟上の地位を処分して新たに当事者となった者と相手方に自己の立場を一任し、自らの意思で手続保障を放棄し、残存当事者による代替的な手続保障があったといえる

三 口頭弁論終結後の承継人（Ⅰ③）予H28

1 口頭弁論終結後の承継人の意義

判決の基準時後に訴訟物たる権利関係をめぐる実体法上の地位（当事者適格）を前主から承継した者をいう。

→訴訟係属の知・不知や前訴での前主の訴訟追行の態様（自白の有無など）を問わず、また通常は勝訴・敗訴を問わず前主と相手方当事者間の確定判決の既判力が拡張される

2 115条1項3号の趣旨

(1) 敗訴当事者が、訴訟物をめぐる地位の処分（係争物の譲渡など）によって既判力の拘束を免れることができるとするならば、当事者間での訴訟の結果は無意味となり、訴訟による紛争解決は実効性を欠くことになる（必要性）。

(2) 敗訴当事者は手続権の保障を与えられたうえで判決を受けたのであり、承継人はかかる利益を承継したといえ、前主により手続保障が代替されている（許容性）。

3　承継人の範囲

(1)　特定承継

→移転的承継、設定的承継、法律行為による任意処分、国の強制処分のいずれでもよい

(2)　判決の基準時（事実審の口頭弁論終結の時点）後の承継人に限られる〈予〉。

(3)　承継の対象

① 訴訟物たる権利（所有権や債権）又は義務（債務）自体を承継した者

② 訴訟物自体ではなく訴訟物たる権利関係をめぐる法的地位を承継した者

　　ex.　所有権に基づく家屋収去土地明渡判決や移転登記を求める判決（訴訟物は明渡請求や登記請求）の基準時後に、家屋を譲り受けあるいは賃借したとして土地を占有し、又は登記名義人となった者〈司予〉

(4)　承継人の範囲決定基準

A　適格承継説（従来の通説）

訴訟物につき当事者適格を当事者から伝来的に取得した者を承継人と解する。

B　紛争の主体たる地位説（最判昭41.3.22・百選104事件）〈予〉

第三者と相手方当事者との紛争の対象たる権利義務関係が、前訴の訴訟物たる権利義務関係から口頭弁論終結後に発展ないし派生したとみられる場合を承継人と解する。

C　依存関係説

訴訟物及びこれに関連する実体法上の権利関係そのものが移転した場合を承継人と解する。

(5)　承継人の固有の抗弁と承継人の範囲

(a)　判例（最判昭48.6.21・百選82事件）〈司〉

通謀虚偽表示によるA名義の登記の無効につき土地所有者Yは善意の競落人であるXに対抗できないからXは所有権を取得するものであるところ、このことは、YとAとの間の前訴の確定判決の存在によっても左右されない。

(b)　学説

上記判例を受けて、有力説は下記のように実質説・形式説という概念を提唱したうえ、判例の立場を実質説として位置付けた。なお、このような概念を持ち出すこと自体に疑問を示す学説も有力である。

A　実質説（最判昭48.6.21・百選82事件）

当該承継人に、固有の抗弁まで含めてその実体法上の地位を実質的に審査し、第三者に固有の抗弁がある場合には、口頭弁論終結後の第三者

には該当しないとする。

　　B　形式説（多数説）

　　　　口頭弁論終結後の承継人に当たることのみをもって形式的にかかる承
　　　継人には既判力が及ぶが、当該承継人はこれとは別個に後訴において固
　　　有の抗弁を提出できるとし、2段階に分けてこの問題を処理する。

四　一般の第三者への拡張

　1　一定範囲の利害関係人への拡張

　　ex.1　破産債権確定訴訟の判決の既判力

　　　　　→破産債権者全員に及ぶ（破131Ⅰ）

　　ex.2　更生債権や更生担保権確定訴訟の判決

　　　　　→更生債権者・更生担保権者及び株主全員に拡張される（会更161）

　2　一般第三者への拡張（いわゆる対世効）

　(1)　人事訴訟の諸場合（婚姻の無効・取消しや離婚・離縁事件）

　　　　→広く一般第三者に及ぶ（請求認容・棄却を問わない）🈡

　(2)　会社関係訴訟　→請求認容判決に限り対世効が認められる（会838）🈠

　(3)　行政処分取消判決　→対世効（行訴32Ⅰ）

＜第三者への判決効の拡張＞

効力の及ぶ範囲	拡張の必要性	手続保障の方法（正当性）
当事者（115Ⅰ①）	紛争の相対的解決	当事者権の保障
口頭弁論終結後の承継人（115Ⅰ③）	基準時後の利害関係者が、紛争解決の結果を自由に争えるとすれば、敗訴当事者は訴訟物たる権利関係を第三者に処分することにより、訴訟の結果を無駄にし、解決の実効性が失われる	訴訟の時における利害関係人に手続保障を与える（承継人の範囲に争いあり）
請求の目的物の所持者（115Ⅰ④）	専ら、当事者のために占有する者であるから、当事者と同視し、これに既判力を及ぼす必要がある	手続保障をする独自の利益なし
訴訟担当の利益帰属主体（115Ⅰ②）	・担当者の利益のための訴訟担当 　→担当者の利益保護 ・被担当者の利益のための訴訟担当 　→被担当者との間の紛争を解決する必要	法律又は授権により訴訟追行を委ねられた訴訟担当者への手続保障
訴訟脱退者（48）	三面訴訟による紛争の一挙解決の貫徹	（脱退を当事者権の放棄とみる立場もある）

効力の及ぶ範囲	拡張の必要性	手続保障の方法（正当性）
一般第三者への拡張	・身分関係 →あらゆる社会生活関係の基礎であるから、一般第三者との関係でも解決済みとする必要がある ・会社関係 →関係者が多数であるため、当事者間だけの相対的解決では混乱を生じ、収拾がつかなくなる（画一的確定の要請）	・充実した訴訟追行を期待できる利害関係人を正当な当事者とする（民744、人訴12など） ・参加の機会保障（42、47、52、会849Ⅳ、人訴28） ・詐害判決を理由とする再審の訴え（会853） ・職権探知主義の採用等（人訴20、19、行訴24）

五　反射効

1　反射効とは、当事者間に確定判決の既判力の拘束が働く場合、その当事者と実体法上特殊な関係（依存関係）にある第三者に、反射的に利益又は不利益な影響を及ぼす効力をいう。

　ex.1　主債務者と債権者との間の訴訟で主債務者が勝訴した場合、その判決が保証人のために及ぶこと（民448Ⅰ参照）

　　　→反射効は、実体法上、保証債務が主債務に対して付従性（民448Ⅰ）を有することから、主債務が消滅した場合には、保証債務も消滅するという関係が存在することに鑑み、主債務を不存在とする判決が確定した場合には、保証人も同判決の効果を援用して保証債務の消滅を主張することができるという意味で保証人に有利なものとされる（主債務者が敗訴した場合においては、このような反射効が保証人により援用される余地はない）

　ex.2　合名会社とこの会社の債権者との間の訴訟で会社債務の不存在を確定する判決はこの合名会社の無限責任社員に有利に働き、また会社債務の存在を確定する判決は不利に働くこと（会580、581）。

2　反射効と既判力の異同（反射効肯定説より）

　(1)　共通点

　　後訴当事者が前訴判決の内容に抵触する権利関係の存在を主張することができなくなる。

　(2)　相違点

　　反射効はあくまで実体法上の効果にすぎないことから、

　　①　既判力は判決主文中の判断について生じるが、反射効は判決主文中の判断のみならず判決理由中の判断にも生じる。

　　②　将来既判力を受ける者は共同訴訟的補助参加ができるが、将来反射効を受ける者は通常の補助参加ができるにとどまる。

③　既判力は職権調査事項であるが、反射効は当事者の援用をまって顧慮すれば足りる。

④　前訴が馴れ合い訴訟であった場合、既判力を受ける者はこれを理由として判決の無効を主張することはできないが、反射効を受ける者はこれを主張・立証してその効力が及ぶのを免れることができる。

＜既判力と反射効の異同＞

	客観的範囲	効力を拡張される者の参加の態様	調査の開始	前訴がなれ合い訴訟の場合の無効主張の可否
既判力	主文	共同訴訟的補助参加	職権調査事項	不可
反射効	主文及び理由中の判断	補助参加	当事者の主張をまって顧慮	可

3　反射効の肯否《司H18》

既判力は、115条1項各号に規定された者以外には及ばないのが原則である。

しかし、この原則を貫徹すると、実体法上関連性の強い紛争間で判断が異なってしまい、訴訟の循環（債権者が主債務者に対しては何らかの抗弁により敗訴したが、後に保証人に対して保証債務の履行を請求し、そこでは上記の抗弁に関する裁判所の判断が異なったために勝訴し、その結果、保証債務を履行した保証人が主債務者に対して求償請求を行うといった事態）が生じてしまう。

そこで、反射効を肯定する見解が主張されているが、その根拠については、主に次の2つの見解に分かれる。

A　実体的依存関係説

反射効は実体法上の依存関係に基づく効力であり、既判力とは異なる実体法的な効力であるとする。

←この見解に対しては、実体法上の依存関係があるからといって、既判力の及ばない第三者との関係で判決の拘束力を認めることは根拠がないとの批判がなされている

B　既判力説

反射効は既判力そのものであり、実体法上の依存関係の結果として、115条1項2号ないし4号の既判力拡張根拠があると認められる場合に、既判力それ自体が拡張されるとする。

←この見解に対しては、①手続保障は訴訟物ごとに与えられるのが大原則であるとの批判や、②民訴法上、密接な関係を理由として既判力の拡張が認められるのは「口頭弁論終結後の承継人」（115Ⅰ③）に限

られており、承継がない場合にまで明文の規定なく既判力を拡張する
のは相当でないとの批判がなされている

　判例（最判昭51.10.21・百選85事件等）は、一貫して反射効を否定してい
る。また、反射効を認めるいずれの見解にも問題があること、訴訟の循環は判
決の相対効の原則（115Ⅰ①）の帰結でありやむを得ないこと、原告が最初か
ら全員を通常共同訴訟で訴えることにより訴訟の循環の防止が可能であること
（ただし、こうした通常共同訴訟で訴訟手続の中断・中止といった理由により
弁論を分離して判決をすると、訴訟の循環が生じうる）から、実務上も反射効
は否定的に捉えられている。

▼ 最判昭51.10.21・百選85事件

事案：　債権者Yが連帯保証人Xに勝訴して確定した。その後、別訴として、
　　　　Yは主債務者Aに敗訴し確定した。その後、YはXに対して強制執行を
　　　　開始したが、Xは前記主債務者の勝訴判決を援用して請求異議の訴え
　　　　（民執35）を提起した。

判旨：　「保証人がすでに保証人敗訴の確定判決を受けているときは、保証人敗
　　　　訴の判決確定後に主債務者勝訴の判決が確定しても、同判決が保証人敗
　　　　訴の確定判決の基礎となった事実審口頭弁論終結の時までに生じた事実
　　　　を理由としてされている以上、保証人は右主債務者勝訴の確定判決を保
　　　　証人敗訴の確定判決に対する請求異議の事由にする余地はないものと解
　　　　すべきである」として反射効を否定した。

▼ 最判昭48.6.21・百選82事件〔旧〕

事案：　Yの所有に属していたにもかかわらず、Yと訴外Aとの通謀虚偽表示
　　　　により、Aの所有名義として登記されていた本件土地につき、Yの破産
　　　　管財人はAに対し通謀虚偽表示による無効を理由として真正な名義回復
　　　　のため本件土地所有権移転登記手続請求訴訟を提起した。この訴訟につ
　　　　き、口頭弁論終結のうえ請求認容の判決がなされ、同判決は確定した。X
　　　　は、これらの事情を知らずに善意で、Aに対する不動産強制競売事件に
　　　　おいて、前記訴訟の口頭弁論終結後に、本件土地を競落し、その旨の所
　　　　有権取得登記を経由した。

判旨：　以上の事実関係のもとにおいては、Yは、本件土地につきA名義でな
　　　　された前記所有権取得登記が、通謀虚偽表示によるもので無効であるこ
　　　　とを、善意の第三者であるXに対抗することはできないものであるから、
　　　　Xは本件土地の所有権を取得するに至ったものであるというべきである。
　　　　このことはYとAとの間の前記確定判決の存在によって左右されない。

▼ **最判昭53.3.23・百選84事件**

事案： Aの運転する貨物自動車と、B社が運行に供し、Cが運転する貨物自動車が、国道上で衝突しAが死亡した。その後、Aの妻であるXは、B社及びY（国）に対して損害賠償請求を求める訴えを提起した。Yに対する請求についてXは、国道についての管理の瑕疵が事故の原因であるとしている。

B社とYはXに対して連帯債務を負う関係にあるところ、B社が主張した相殺の抗弁を容れてなされた確定判決の効力が、Yについても当然に及ぶかが争われた。

判旨： 連帯債務を負う関係にある債務者のうち、一人の債務者について、「相殺の効力を肯定した確定判決が存在する場合であっても、この判決は他の債務者との間の訴訟に及ぶものではないと解すべきである」として、他の債務者への判決効の拡張を認めなかった。

第116条 （判決の確定時期）

Ⅰ 判決は、控訴若しくは上告（第327条第1項（第380条第2項において準用する場合を含む。）の上告を除く。）の提起、第318条第1項の申立て又は第357条（第367条第2項において準用する場合を含む。）若しくは第378条第1項の規定による異議の申立てについて定めた期間の満了前には、確定しないものとする。

Ⅱ 判決の確定は、前項の期間内にした控訴の提起、同項の上告の提起又は同項の申立てにより、遮断される。

[趣旨] 判決は言渡しによって成立するが（250）、本条はその効力の確定時期について定めた。

《注 釈》

一 判決の確定の意義

判決の確定とは、判決がその訴訟内では取り消される可能性がなくなった状態になることをいう。この取消不可能な状態を、判決の効力とみて、形式的確定力ともいう。

二 判決の確定時期

1 上訴が認められない判決

上告審判決は、判決言渡しと同時に確定する。

2 当事者に合意がある場合

(1) 不上訴の合意があるときは、判決言渡し時に確定する。

(2) 飛越上告の合意（281Ⅰただし書）があるときは、上告期間を徒過した時に確定する。

(3) 不上訴の合意が判決言渡し後になされたときは、判決は合意のあった時に

確定する。

3　上訴が許される判決

(1)　上訴権の放棄

上訴期間経過前に、上訴権を有する当事者が上訴権を放棄した場合（284、313、358）には、放棄の時に確定する。

(2)　上訴期間の徒過

当事者が上訴期間（285、313）、手形訴訟や少額訴訟の終局判決につき異議申立期間（357）を徒過したときは、その期間満了の時に確定する（116Ⅰ）〈同〉。

(3)　上訴棄却判決

当事者が上訴期間内に適法な上訴を提起すると、判決の確定は遮断され（116Ⅱ）、上訴棄却判決の確定した時に、原判決も確定する〈同〉。

(4)　上訴却下判決

上訴が不適法として却下され、判決が確定すると、原判決は上訴期間満了時に遡って確定する。

(5)　上訴の取下げ

(a)　上訴期間経過前に上訴が取り下げられた場合、再び上訴が可能であるから、上訴期間を経過した時にはじめて確定する。

(b)　上訴期間経過後に上訴が取り下げられた場合、①上訴期間経過時に遡って確定するという説（多数説）と、②上訴の取下げの時に確定するという説とが対立している。

三　例外

上訴期間を経過しても、①それが当事者の責めに帰することができない事由に基づくものであって、その事由の止んだ後1週間以内に上訴の追完をした場合（97）、②再審の訴えを提起した場合（338以下）には、判決は確定しなかったことになる。すなわち、いったん発生した形式的確定力が排除される。

第117条　（定期金による賠償を命じた確定判決の変更を求める訴え）

Ⅰ　口頭弁論終結前に生じた損害につき定期金による賠償を命じた確定判決について、口頭弁論終結後に、後遺障害の程度、賃金水準その他の損害額の算定の基礎となった事情に著しい変更が生じた場合には、その判決の変更を求める訴えを提起することができる〈書〉。ただし、その訴えの提起の日以後に支払期限が到来する定期金に係る部分に限る。

Ⅱ　前項の訴えは、第一審裁判所の管轄に専属する。

[趣旨]口頭弁論終結前に生じているがその具体化が将来の時間的経過に依存している関係にあるような性質の損害については、実態に即した賠償を実現するために定期金による賠償が認められる場合があることを前提として、そのような賠償を命

じた確定判決の基礎となった事情について、口頭弁論終結後に著しい変更が生じた場合には、事後的に上記かい離を是正し、現実化した損害の額に対応した損害賠償額とすることが公平に適うということにある（最判令2.7.9・百選A25事件）。そこで、本条は特に定期金による賠償を命じた確定判決に限って変更の訴えを認めている。

《注　釈》

- 損害賠償請求権者が訴訟上一時金による賠償の支払を求める旨の申立をしている場合に、定期金による支払を命ずる判決をすることはできない（最判昭62.2.6・百選A22事件）。

第118条　（外国裁判所の確定判決の効力）

外国裁判所の確定判決は、次に掲げる要件のすべてを具備する場合に限り、その効力を有する。

① 法令又は条約により外国裁判所の裁判権が認められること。
② 敗訴の被告が訴訟の開始に必要な呼出し若しくは命令の送達（公示送達その他これに類する送達を除く。）を受けたこと又はこれを受けなかったが応訴したこと。
③ 判決の内容及び訴訟手続が日本における公の秩序又は善良の風俗に反しないこと。
④ 相互の保証があること。

[趣旨] 外国裁判所の判決は、当然にはわが国において効力を有しないのが原則であるが、外国判決の効力を認めることが司法資源の節減をもたらす可能性もあることから、一定の場合に外国裁判所の確定判決の効力を認めた。

▼ **最判平10.4.28・百選〔第三版〕124事件**

判旨：　民訴法118条1号所定の「法令又は条約により外国裁判所の裁判権が認められること」とは、我が国の国際民訴法の原則から見て、当該外国裁判所の属する国がその事件につき国際裁判管轄を有すると積極的に認められることをいうものと解される。

▼ **最判平9.7.11・百選〔第三版〕A54事件**

判旨：　外国裁判所の判決が我が国の法秩序の基本原則ないし基本理念と相容れないものと認められる場合には、その外国判決は200条（現118条）3号にいう公の秩序に反する。

第119条　（決定及び命令の告知）

決定及び命令は、相当と認める方法で告知することによって、その効力を生ずる。

[趣旨] 判決は言渡しによって効力を生じる（250）のと異なり、手続の迅速性が要求される決定・命令については、相当と認められる方法で告知することによって効力を生じることを定めた。

第120条　（訴訟指揮に関する裁判の取消し）

訴訟の指揮に関する決定及び命令は、いつでも取り消すことができる。

[趣旨]訴訟指揮に関する決定・命令は、その訴訟の進行段階に応じて適切になされるべきであるから、いったんした決定・命令であってもそれに拘束されることなく、いつでも任意に取り消すことができることとして、柔軟かつ迅速な訴訟手続の進行を図った。

第121条　（裁判所書記官の処分に対する異議）

裁判所書記官の処分に対する異議の申立てについては、その裁判所書記官の所属する裁判所が、決定で、裁判をする〈司〉。

[趣旨]訴訟手続においては、裁判所書記官もまた当事者に対して種々の処分を行う（71Ⅰ、72、73、91、規則48等）ので、裁判所書記官の処分に対する異議の申立てについては、裁判所書記官の所属する裁判所が、決定で裁判をする旨を定めた。

第122条　（判決に関する規定の準用）〈書〉

決定及び命令には、その性質に反しない限り、判決に関する規定を準用する。

[趣旨]決定、命令もまた、裁判所あるいは裁判官のなす裁判という点で判決と共通するから、決定及び命令にはその性質に反しない限り判決に関する規定を準用する旨を定めた。

第123条　（判事補の権限）

判決以外の裁判は、判事補が単独ですることができる。

■第6節　訴訟手続の中断及び中止

《概　説》

◆　訴訟手続の停止の意義

訴訟手続の停止：訴訟係属中に、その訴訟手続が法律上進行しない状態になること

① 当事者が交替すべき事情が生じた場合の中断（124）

② 裁判所・当事者に障害がある場合等の中止（130、131）

第124条　（訴訟手続の中断及び受継）

Ⅰ　次の各号に掲げる事由があるときは、訴訟手続は、中断する。この場合においては、それぞれ当該各号に定める者は、訴訟手続を受け継がなければならない。

① 当事者の死亡　相続人、相続財産の管理人、相続財産の清算人その他法令により訴訟を続行すべき者〈司共予〉

② 当事者である法人の合併による消滅　合併によって設立された法人又は合併後存続する法人〈同〉

③ 当事者の訴訟能力の喪失又は法定代理人の死亡若しくは代理権の消滅　法定代理人又は訴訟能力を有するに至った当事者〈同書〉

④ 次のイからハまでに掲げる者の信託に関する任務の終了　当該イからハまでに定める者

　イ　当事者である受託者　新たな受託者又は信託財産管理者若しくは信託財産法人管理人

　ロ　当事者である信託財産管理者又は信託財産法人管理人　新たな受託者又は新たな信託財産管理者若しくは新たな信託財産法人管理人

　ハ　当事者である信託管理人　受益者又は新たな信託管理人

⑤ 一定の資格を有する者で自己の名で他人のために訴訟の当事者となるものの死亡その他の事由による資格の喪失　同一の資格を有する者〈共〉

⑥ 選定当事者の全員の死亡その他の事由による資格の喪失　選定者の全員又は新たな選定当事者〈同共予〉

Ⅱ　前項の規定は、訴訟代理人がある間は、適用しない〈同共予書〉。

Ⅲ　第1項第1号に掲げる事由がある場合においても、相続人は、相続の放棄をすることができる間は、訴訟手続を受け継ぐことができない〈同書〉。

Ⅳ　第1項第2号の規定は、合併をもって相手方に対抗することができない場合には、適用しない。

Ⅴ　第1項第3号の法定代理人が保佐人又は補助人である場合にあっては、同号の規定は、次に掲げるときには、適用しない。

① 被保佐人又は被補助人が訴訟行為をすることについて保佐人又は補助人の同意を得ることを要しないとき。

② 被保佐人又は被補助人が前号に規定する同意を得ることを要する場合において、その同意を得ているとき。

[趣旨] 訴訟当事者又は法定代理人について、訴訟行為をなす資格・能力を喪失させる事由が発生した場合、当事者が手続に関与する機会を保障し、訴訟要件の欠缺により訴え却下となってしまう訴訟不経済を回避するため、その者又はその者に代わる者が訴訟行為をなし得る状態になるまで訴訟手続を一時停止することとして、中断・受継の規定を置いた。

《注　釈》

一　訴訟手続の中断

1　訴訟手続の中断とは、訴訟係属中に、一方の当事者側の訴訟追行者に交替すべき事由が発生した場合に、その当事者の手続関与の機会を実際に保障するために、新追行者が訴訟に関与できるようになるまで手続の進行を停止することをいう。

2　中断事由：中断は法定事由があれば当然に発生する〈趣〉。これらの事由は限

定列挙である《予》（→訴訟代理人の死亡は、訴訟手続の中断事由ではないため、訴訟手続は中断しない《予》）。

(1) 当事者の消滅（自然人の死亡124I①《司共》、法人の合併による消滅124I②）

cf. 「当事者」とは厳密な意味の当事者を意味し、訴訟担当の場合の実質的利益帰属主体は含まれない（→債権者代位訴訟における債務者は「当事者」に当たらない《予》）。

総則

(2) 当事者の訴訟能力の喪失、法定代理人の死亡、法定代理権の消滅（124I③）《共》、法人の代表者等の辞任《共》（37、124I③）

cf. 保佐開始の審判又は補助開始の審判がなされても、「当事者の訴訟能力の喪失」には当たらない《共》。

∵ 保佐人はその訴訟能力が全面的に制約されているわけではなく（32I）、補助人も同意権を付する審判がない限り単独で有効に訴訟行為をなし得る地位にある（32Iかっこ書）

(3) 当事者が当事者適格を喪失した結果、訴訟から当然に脱退する場合（受託者等の任務終了＝124I④、当事者の資格の喪失＝124I⑤、選定当事者全員の資格喪失＝124I⑥《共》、破産手続の開始＝破44I、破産手続の終了＝破44IV）

cf.1 支配人（商21I、会11I）の辞任は、中断事由に当たらない《共》。
∵ 法令上の訴訟代理人である支配人は、任意代理人であり、法定代理人ではない

cf.2 債権者代位訴訟における代位債権者は、自己の固有の権利・利益の実現を目的として訴訟を追行する者であるから、「一定の資格を有する者で自己の名で他人のために訴訟の当事者となるもの」（124I⑤）には当たらない。

二　当然承継

1 当然承継とは、実体法上の承継原因の発生により、法律上当然に当事者の交替が生じる場合のことをいう。

2 承継原因

当事者の死亡（124I①）、法人その他の団体の合併による消滅（124I②）、信託財産に関する訴訟における当事者たる受託者等の任務終了（124I④）、一定の資格者の資格喪失（124I⑤）、選定当事者全員の死亡又は資格喪失（124I⑥）

3 一身専属権と訴訟承継

訴訟物たる権利が一身専属的なものである場合（ex.生活保護受給権、労働契約上の権利を有する地位の確認）、当該権利は相続の対象となり得ないので、当然承継やそれに基づく訴訟手続の中断は生じず、訴訟手続は終了する（朝日訴訟判決・最大判昭42.5.24・憲法百選131事件）《司予書》。

判例にも夫婦の一方が他方を相手方とした婚姻無効確認請求訴訟は、原告の死亡により終了するとしているものがある（最判平元.10.13）。

また、有限会社解散・社員総会決議取消請求訴訟中に原告が死亡した事例において、解散請求権や決議取消請求権（会831）などの共益権も社員の利益のための権利で相続されることを根拠に当然承継を認めているものもある（最大判昭45.7.15・百選A35事件）。

4　当然承継の効果

124条1項1号は新当事者が旧当事者の訴訟上の地位を引き継ぐことを前提とする。訴訟手続の中断は、新当事者に訴訟追行の現実的機会を与えるためのものであるから、当事者が交替しても現実の訴訟追行者が交替しない場合（訴訟代理人がいる場合、124Ⅱ）には中断しない。

口頭弁論終結後に中断したときは、もはや当事者の関与を要しないし、早く裁判した方がよいから、判決を言い渡すことができる（132Ⅰ）。中断は、当事者の受継申立て（126）又は裁判所の続行命令（129）により解消し、訴訟手続の進行が再開される。

5　続行手続

(1)　手続が中断する場合

承継人か相手方当事者の受継申立てに基づき裁判所が職権で承継人の適格を調査し、決定で許否の裁判をする（128）。

(2)　手続が中断しない場合（訴訟代理人がいる場合、124Ⅱ）

手続進行には影響がない。訴訟代理人は旧当事者の名で訴訟を続行してよい。

ただし、判決前に承継が裁判所に明らかとなれば、判決には承継人を当事者と表示する。他方、判決が旧当事者についてなされて確定しても、それは形式上のことで、実質は承継人に対する判決である。

第125条

Ⅰ　所有者不明土地管理命令（民法第264条の2第1項に規定する所有者不明土地管理命令をいう。以下この項及び次項において同じ。）が発せられたときは、当該所有者不明土地管理命令の対象とされた土地又は共有持分及び当該所有者不明土地管理命令の効力が及ぶ動産並びにその管理、処分その他の事由により所有者不明土地管理人（同条第4項に規定する所有者不明土地管理人をいう。以下この項及び次項において同じ。）が得た財産（以下この項及び次項において「所有者不明土地等」という。）に関する訴訟手続で当該所有者不明土地等の所有者（その共有持分を有する者を含む。同項において同じ。）を当事者とするものは、中断する。この場合においては、所有者不明土地管理人は、訴訟手続を受け継ぐことができる。

Ⅱ　所有者不明土地管理命令が取り消されたときは、所有者不明土地管理人を当事者とする所有者不明土地等に関する訴訟手続は、中断する。この場合においては、所有者不明土地等の所有者は、訴訟手続を受け継がなければならない。

Ⅲ　第1項の規定は所有者不明建物管理命令（民法第264条の8第1項に規定する所有者不明建物管理命令をいう。以下この項において同じ。）が発せられた場合について、前項の規定は所有者不明建物管理命令が取り消された場合について準用する。

【令3改正】令和3年民法改正により、所有者不明土地・建物に係る管理命令の制度（民264の2以下）が導入された。これにより、所有者不明土地・建物に関する財産との関係で訴訟手続の中断・受継に一定の影響が及ぶことになる。そこで、新たに本条が創設され、所有者不明土地・建物管理命令が発令された場合における訴訟の中断・受継についての規律が新設された。

第126条　（相手方による受継の申立て）

訴訟手続の受継の申立ては、相手方もすることができる。

【趣旨】本条は、既に係属している訴訟を続行させることにつき相手方当事者も手続上の利益をもつことから、新たに訴訟追行をなすべき者のほか、相手方当事者にも受継の申立権を認めた規定である。

第127条　（受継の通知）

訴訟手続の受継の申立てがあった場合には、裁判所は、相手方に通知しなければならない。

【趣旨】受継申立ての相手方において、受継申立てに対する異議を述べる機会を確保するため、受継の申立てがあった場合には、裁判所はその旨を相手方に通知するものとした。

なお、必要的共同訴訟の場合、中断事由が生じた当該共同訴訟人だけでなく、他の共同訴訟人との関係でも訴訟手続が中断するから（40Ⅲ）、裁判所は相手方だけでなく他の共同訴訟人に対しても通知が必要となる。

第128条　（受継についての裁判）

Ⅰ　訴訟手続の受継の申立てがあった場合には、裁判所は、職権で調査し、理由がないと認めるときは、決定で、その申立てを却下しなければならない。

Ⅱ　判決書又は第254条第2項（第374条第2項において準用する場合を含む。）の調書の送達後に中断した訴訟手続の受継の申立てがあった場合には、その判決をした裁判所は、その申立てについて裁判をしなければならない。

《注　釈》

◆　受継申立て

訴訟追行者が手続の続行申立て（受継申立て）をすることにより審理は再開される（124Ⅰ、126、破44ⅡⅤ）。受継申立ては書面で、中断当時に訴訟が係属し

ていた裁判所に対して行う。裁判所は受継申立てについて職権で事実の存否を審
理し、理由のない場合は決定で却下する（128 I）。

第129条　（職権による続行命令）

　当事者が訴訟手続の受継の申立てをしない場合においても、裁判所は、職権で、訴
訟手続の続行を命ずることができる〈司予〉。

[趣旨] 訴訟の進行については職権進行主義が採られている。中断した訴訟手続に
ついて、当事者双方から受継申立てがなされていない場合においても、職権で訴訟
手続の続行を命じ、中断状態を解消する方途を設けた。

第130条　（裁判所の職務執行不能による中止）

　天災その他の事由によって裁判所が職務を行うことができないときは、訴訟手続
は、その事由が消滅するまで中止する。

第131条　（当事者の故障による中止）

Ⅰ　当事者が不定期間の故障により訴訟手続を続行することができないときは、裁判
所は、決定で、その中止を命ずることができる。
Ⅱ　裁判所は、前項の決定を取り消すことができる。

《注　釈》

◆　**訴訟手続の中止の発生・解消**

1　訴訟手続の中止とは、裁判所又は当事者に障害がある等の事由から、訴訟を
進行することができないか又はそれが不適当な場合に、法律上当然に（130）
又は裁判所の訴訟指揮上の処分によって（131 I）認められる停止をいう。そ
の状態が終了すれば中止は解消する（130）。

2　中止原因
(1)　裁判所の職務執行不能（130）
(2)　当事者の故障（131 I）
(3)　その他の法令により裁判所が中止できる場合（民調20の3 I、家事275
I等）

第132条　（中断及び中止の効果）

Ⅰ　判決の言渡しは、訴訟手続の中断中であっても、することができる〈共予書〉。
Ⅱ　訴訟手続の中断又は中止があったときは、期間は、進行を停止する〈共〉。この場
合においては、訴訟手続の受継の通知又はその続行の時から、新たに全期間の進行
を始める〈司書〉。

[趣旨] 判決を言い渡す場合、当事者が特に行うべき行為はない以上、上訴の機会の
保障が別途考慮される限り、判決を言い渡しても当事者の権利を侵害しない。そこ
で本条1項は、判決の言渡しは、訴訟手続の中断中であっても行いうるものとした

(なお、本条1項は、訴訟手続が中断していることを前提とするものであるため、判決の言渡し前に当事者が死亡した場合において、訴訟手続を中断せずに判決を言い渡すことができる旨を規定したものではない〈予〉)。また、中断・中止により訴訟手続が停止した場合、訴訟手続を行うこともできなくなる以上、期間を進行させることは当事者の手続保障を害し相当でない。そこで、訴訟手続が中断又は中止したときは、期間は受継の通知又は手続の続行の時まで進行を停止するものとした。

なお、中断中になされた訴訟行為は無効だが、両当事者が責問権（90）を放棄あるいは喪失すれば有効となる。

・第6章・【訴えの提起前における証拠収集の処分等】

第132条の2 （訴えの提起前における照会）

Ⅰ　訴えを提起しようとする者が訴えの被告となるべき者に対し訴えの提起を予告する通知を書面でした場合（以下この章において当該通知を「予告通知」という。）には、その予告通知をした者（以下この章において「予告通知者」という。）は、その予告通知を受けた者に対し、その予告通知をした日から4月以内に限り、訴えの提起前に、訴えを提起した場合の主張又は立証を準備するために必要であることが明らかな事項について、相当の期間を定めて、書面で回答するよう、書面で照会をすることができる〈予〉。ただし、その照会が次の各号のいずれかに該当するときは、この限りでない。

①　第163条各号のいずれかに該当する照会

②　相手方又は第三者の私生活についての秘密に関する事項についての照会であって、これに回答することにより、その相手方又は第三者が社会生活を営むのに支障を生ずるおそれがあるもの

③　相手方又は第三者の営業秘密に関する事項についての照会

Ⅱ　前項第2号に規定する第三者の私生活についての秘密又は同項第3号に規定する第三者の営業秘密に関する事項についての照会については、相手方がこれに回答することをその第三者が承諾した場合には、これらの規定は、適用しない〈司〉。

Ⅲ　予告通知の書面には、提起しようとする訴えに係る請求の要旨及び紛争の要点を記載しなければならない。

Ⅳ　第1項の照会は、既にした予告通知と重複する予告通知に基づいては、することができない。

第132条の3

Ⅰ　予告通知を受けた者（以下この章において「被予告通知者」という。）は、予告通知者に対し、その予告通知の書面に記載された前条第3項の請求の要旨及び紛争の要点に対する答弁の要旨を記載した書面でその予告通知に対する返答をしたときは、予告通知者に対し、その予告通知がされた日から4月以内に限り、訴えの提起前に、訴えを提起された場合の主張又は立証を準備するために必要であること

が明らかな事項について、相当の期間を定めて、書面で回答するよう、書面で照会
をすることができる。この場合においては、同条第1項ただし書及び同条第2項
の規定を準用する。

Ⅱ　前項の照会は、既にされた予告通知と重複する予告通知に対する返答に基づいて
は、することができない。

[趣旨] 訴訟手続の充実・迅速化のためには、当事者が、訴え提起前において必要な
情報の収集を適切に行えるようにし、訴訟の早い段階から、後の審理の見通しを立
てられるようにすることが重要である。そこで、訴えの提起前における照会（132の
2、132の3）及び訴えの提起前の証拠収集の処分（132の4）の制度が設けられた。

《概　説》
◆　訴えの提起前における照会

1　訴えを提起しようとする者が、被告となるべき者に対して訴えの提起を予告
する通知を書面でした場合、予告通知者は、被通知者に対して、通知から4か
月以内に限り、主張立証に必要であることが明らかな事項について、照会する
ことができる（132の2Ⅰ本文）。また、被通知者も、通知者に対して、同様
の照会をすることができる（132の3）。

2　訴えの提起前における照会は、当事者照会（163）と同様の照会をすること
ができるという制度である。もっとも、訴えの提起前であることに照らし、そ
の濫用のおそれ等を考慮して、照会できる事項が準備のために必要であること
が「明らかな」（132の2Ⅰ）事項に限られており、また、除外事由も拡張さ
れている（132Ⅰただし書②③）。

3　照会に対して正当な理由なく拒絶しても、当事者照会同様、特段の制裁は予
定されていない。

第132条の4　（訴えの提起前における証拠収集の処分）

Ⅰ　裁判所は、予告通知者又は前条第1項の返答をした被予告通知者の申立てによ
り、当該予告通知に係る訴えが提起された場合の立証に必要であることが明らかな
証拠となるべきものについて、申立人がこれを自ら収集することが困難であると認
められるときは、その予告通知又は返答の相手方（以下この章において単に「相手
方」という。）の意見を聴いて、訴えの提起前に、その収集に係る次に掲げる処分
をすることができる〈回〉。ただし、その収集に要すべき時間又は嘱託を受けるべき
者の負担が不相当なものとなることその他の事情により、相当でないと認めるとき
は、この限りでない。

①　文書（第231条に規定する物件を含む。以下この章において同じ。）の所持者
にその文書の送付を嘱託すること〈回〉。

②　必要な調査を官庁若しくは公署、外国の官庁若しくは公署又は学校、商工会議
所、取引所その他の団体（次条第1項第2号において「官公署等」という。）に
嘱託すること〈予〉。

③　専門的な知識経験を有する者にその専門的な知識経験に基づく意見の陳述を嘱託すること〈圖〉。

④　執行官に対し、物の形状、占有関係その他の現況について調査を命ずること。

II　前項の処分の申立ては、予告通知がされた日から4月の不変期間内にしなければならない。ただし、その期間の経過後にその申立てをすることについて相手方の同意があるときは、この限りでない。

III　第1項の処分の申立ては、既にした予告通知と重複する予告通知又はこれに対する返答に基づいては、することができない。

IV　裁判所は、第1項の処分をした後において、同項ただし書に規定する事情により相当でないと認められるに至ったときは、その処分を取り消すことができる。

[趣旨]わが国の民訴法においては、訴え提起前の事実や証拠の収集は、原則として当事者の自主的努力に委ねられ、裁判所の関与は予定されていなかった。しかし、訴え提起前に裁判所の関与の下、当事者が事実や証拠を収集することは、訴訟物や請求原因を適切に構成し、あるいは審理の基礎となる事実資料を充実させ、また当事者の自主的な争点整理を進めることによって迅速な審理を実現するためにも有益である。そこで、訴え提起前における証拠収集の処分等についての規定が置かれた。

《注　釈》

◆　**訴えの提起前における証拠収集の処分**

1　訴えの提起前における証拠収集の処分

裁判所の処分を通じて必要な証拠を収集できるようにする制度である。裁判所は、予告通知者又は被通知者の申立により、訴えが提起された場合の立証に必要であることが明らかな証拠について、申立人が自ら収集することが困難な場合に、証拠収集の処分をすることができる（I本文）。

この手続は、証拠調べそのものではないので、将来訴えを提起した後に、改めて収集した証拠について書証の申出をするなどの手続をとる必要がある。

2　具体的な処分の内容（I各号）

①　文書の所持者にその文書の送付を嘱託すること

②　必要な調査を官庁若しくは公署、外国の官庁若しくは公署又は学校、商工会議所、取引所その他の団体に嘱託すること

③　専門的な知識経験を有する者にその専門的な知識経験に基づく意見の陳述を嘱託すること

④　執行官に対し、物の形状、占有関係その他の現況について調査を命ずること

3　①ないし④の嘱託を受けた者は、これに応じる義務はあるが、仮に違反しても、制裁規定は存在しない。また、④の現況調査が命じられた場合や特定の物についての③の意見陳述が嘱託された場合、対象物の権利者は、受忍義務を負

わないので、権利者の協力を得て調査をすることになる。

　4　原告となろうとする者が、被告となるべき者が所持する文書について、訴え提起前の証拠収集の処分として文書提出命令の申立てをすることは、現行法上予定されていない〈囚〉。

第132条の5　（証拠収集の処分の管轄裁判所等）

Ⅰ　次の各号に掲げる処分の申立ては、それぞれ当該各号に定める地を管轄する地方裁判所にしなければならない。

①　前条第1項第1号の処分の申立て　申立人若しくは相手方の普通裁判籍の所在地又は文書を所持する者の居所

②　前条第1項第2号の処分の申立て　申立人若しくは相手方の普通裁判籍の所在地又は調査の嘱託を受けるべき官公署等の所在地

③　前条第1項第3号の処分の申立て　申立人若しくは相手方の普通裁判籍の所在地又は特定の物につき意見の陳述の嘱託がされるべき場合における当該特定の物の所在地

④　前条第1項第4号の処分の申立て　調査に係る物の所在地

Ⅱ　第16条第1項、第21条及び第22条の規定は、前条第1項の処分の申立てに係る事件について準用する。

第132条の6　（証拠収集の処分の手続等）

Ⅰ　裁判所は、第132条の4第1項第1号から第3号までの処分をする場合には、嘱託を受けた者が文書の送付、調査結果の報告又は意見の陳述をすべき期間を定めなければならない。

Ⅱ　第132条の4第1項第2号の嘱託若しくは同項第4号の命令に係る調査結果の報告又は同項第3号の嘱託に係る意見の陳述は、書面でしなければならない。

Ⅲ　裁判所は、第132条の4第1項の処分に基づいて文書の送付、調査結果の報告又は意見の陳述がされたときは、申立人及び相手方にその旨を通知しなければならない〈問〉。

Ⅳ　裁判所は、次条の定める手続による申立人及び相手方の利用に供するため、前項に規定する通知を発した日から1月間、送付に係る文書又は調査結果の報告若しくは意見の陳述に係る書面を保管しなければならない。

Ⅴ　第180条第1項の規定は第132条の4第1項の処分について、第184条第1項の規定は第132条の4第1項第1号から第3号までの処分について、第213条の規定は同号の処分について準用する。

第132条の7　（事件の記録の閲覧等）

Ⅰ　申立人及び相手方は、裁判所書記官に対し、第132条の4第1項の処分の申立てに係る事件の記録の閲覧若しくは謄写、その正本、謄本若しくは抄本の交付又は当該事件に関する事項の証明書の交付を請求することができる。

Ⅱ　第91条第4項及び第5項の規定は、前項の記録について準用する。この場合において、同条第4項中「前項」とあるのは「第132条の7第1項」と、「当事者又は利害関係を疎明した第三者」とあるのは「申立人又は相手方」と読み替えるものとする。

第132条の8　（不服申立ての不許）

　第132条の4第1項の処分の申立てについての裁判に対しては、不服を申し立てることができない。

第132条の9　（証拠収集の処分に係る裁判に関する費用の負担）

　第132条の4第1項の処分の申立てについての裁判に関する費用は、申立人の負担とする。

・第7章・【電子情報処理組織による申立て等】

第132条の10

Ⅰ　民事訴訟に関する手続における申立てその他の申述（以下「申立て等」という。）のうち、当該申立て等に関するこの法律その他の法令の規定により書面等（書面、書類、文書、謄本、抄本、正本、副本、複本その他文字、図形等人の知覚によって認識することができる情報が記載された紙その他の有体物をいう。以下同じ。）をもってするものとされているものであって、最高裁判所の定める裁判所に対してするもの（当該裁判所の裁判長、受命裁判官、受託裁判官又は裁判所書記官に対してするものを含む。）については、当該法令の規定にかかわらず、最高裁判所規則で定めるところにより、電子情報処理組織（裁判所の使用に係る電子計算機（入出力装置を含む。以下同じ。）と申立て等をする者又は第399条第1項の規定による処分の告知を受ける者の使用に係る電子計算機とを電気通信回線で接続した電子情報処理組織をいう。第397条から第401条までにおいて同じ。）を用いてすることができる。ただし、督促手続に関する申立て等であって、支払督促の申立てが書面をもってされたものについては、この限りでない。

Ⅱ　前項本文の規定によりされた申立て等については、当該申立て等を書面等をもってするものとして規定した申立て等に関する法令の規定に規定する書面等をもってされたものとみなして、当該申立て等に関する法令の規定を適用する。

Ⅲ　第1項本文の規定によりされた申立て等は、同項の裁判所の使用に係る電子計算機に備えられたファイルへの記録がされた時に、当該裁判所に到達したものとみなす。

Ⅳ　第1項本文の場合において、当該申立て等に関する他の法令の規定により署名等（署名、記名、押印その他氏名又は名称を書面等に記載することをいう。以下この項において同じ。）をすることとされているものについては、当該申立て等をする者は、当該法令の規定にかかわらず、当該署名等に代えて、最高裁判所規則で定

めるところにより、氏名又は名称を明らかにする措置を講じなければならない。

V　第1項本文の規定によりされた申立て等（督促手続における申立て等を除く。次項において同じ。）が第3項に規定するファイルに記録されたときは、第1項の裁判所は、当該ファイルに記録された情報の内容を書面に出力しなければならない。

VI　第1項本文の規定によりされた申立て等に係る第91条第1項又は第3項の規定による訴訟記録の閲覧若しくは謄写又はその正本、謄本若しくは抄本の交付（第401条において「訴訟記録の閲覧等」という。）は、前項の書面をもってするものとする。当該申立て等に係る書類の送達又は送付も、同様とする。

[趣旨] 本条は、民事訴訟等に関する手続における申立て等をインターネットを利用して行うことができるようにするオンライン化のための通則的規定である。社会のIT化に対応して、民事訴訟等の手続を国民により利用しやすくすることが目的である。

《注　釈》

一　オンライン化の対象

本条が定めるオンライン化の対象は、本条1項に定められているように、法令の定めによって書面等ですべきものとされている申立てその他の申述であって、最高裁判所の定める裁判所に対してするものである。

ex.　訴えの提起、答弁書・準備書面の提出、証拠の申出、控訴の提起

二　オンラインによる申立て等の効果

本条2項は、本条1項本文の規定によってオンラインでされた申立て等について、法令上書面をもってすることが要求されている申立て等について、書面をもってされたものとみなすこととしている。そして、本条3項は、オンラインでされた申立て等が、裁判所の使用する電子計算機に備えられたファイルに記録されたときに、裁判所に到達したものとみなすこととしている。

・第8章・【当事者に対する住所、氏名等の秘匿】

第133条　（申立人の住所、氏名等の秘匿）

I　申立て等をする者又はその法定代理人の住所、居所その他その通常所在する場所（以下この項及び次項において「住所等」という。）の全部又は一部が当事者に知られることによって当該申立て等をする者又は当該法定代理人が社会生活を営むのに著しい支障を生ずるおそれがあることにつき疎明があった場合には、裁判所は、申立てにより、決定で、住所等の全部又は一部を秘匿する旨の裁判をすることができる。申立て等をする者又はその法定代理人の氏名その他当該者を特定するに足りる事項（次項において「氏名等」という。）についても、同様とする。

Ⅱ　前項の申立てをするときは、同項の申立て等をする者又はその法定代理人（以下この章において「秘匿対象者」という。）の住所等又は氏名等（次条第2項において「秘匿事項」という。）その他最高裁判所規則で定める事項を書面により届け出なければならない。

Ⅲ　第1項の申立てがあったときは、その申立てについての裁判が確定するまで、当該申立てに係る秘匿対象者以外の者は、前項の規定による届出に係る書面（次条において「秘匿事項届出書面」という。）の閲覧若しくは謄写又はその謄本若しくは抄本の交付の請求をすることができない。

Ⅳ　第1項の申立てを却下した裁判に対しては、即時抗告をすることができる。

Ⅴ　裁判所は、秘匿対象者の住所又は氏名について第1項の決定（以下この章において「秘匿決定」という。）をする場合には、当該秘匿決定において、当該秘匿対象者の住所又は氏名に代わる事項を定めなければならない。この場合において、その事項を当該事件並びにその事件についての反訴、参加、強制執行、仮差押え及び仮処分に関する手続において記載したときは、この法律その他の法令の規定の適用については、当該秘匿対象者の住所又は氏名を記載したものとみなす。

第133条の2　（秘匿決定があった場合における閲覧等の制限の特則）

Ⅰ　秘匿決定があった場合には、秘匿事項届出書面の閲覧若しくは謄写又はその謄本若しくは抄本の交付の請求をすることができる者を当該秘匿決定に係る秘匿対象者に限る。

Ⅱ　前項の場合において、裁判所は、申立てにより、決定で、訴訟記録等（訴訟記録又は第132条の4第1項の処分の申立てに係る事件の記録をいう。第133条の4第1項及び第2項において同じ。）中秘匿事項届出書面以外のものであって秘匿事項又は秘匿事項を推知することができる事項が記載され、又は記録された部分（次項において「秘匿事項記載部分」という。）の閲覧若しくは謄写、その正本、謄本若しくは抄本の交付又はその複製の請求をすることができる者を当該秘匿決定に係る秘匿対象者に限ることができる。

Ⅲ　前項の申立てがあったときは、その申立てについての裁判が確定するまで、当該秘匿決定に係る秘匿対象者以外の者は、当該秘匿事項記載部分の閲覧若しくは謄写、その正本、謄本若しくは抄本の交付又はその複製の請求をすることができない。

Ⅳ　第2項の申立てを却下した裁判に対しては、即時抗告をすることができる。

第133条の3　（送達をすべき場所等の調査嘱託があった場合における閲覧等の制限の特則）

　裁判所は、当事者又はその法定代理人に対して送達をするため、その者の住所、居所その他の送達をすべき場所についての調査を嘱託した場合において、当該嘱託に係る調査結果の報告が記載された書面が閲覧されることにより、当事者又はその法定代理人が社会生活を営むのに著しい支障を生ずるおそれがあることが明らかであると認めるときは、決定で、当該書面及びこれに基づいてされた送達に関する第109条の書

面その他これに類する書面の閲覧若しくは謄写又はその謄本若しくは抄本の交付の請
求をすることができる者を当該当事者又は当該法定代理人に限ることができる。当事
者又はその法定代理人を特定するため、その者の氏名その他当事者を特定するに足り
る事項についての調査を嘱託した場合についても、同様とする。

第133条の4　（秘匿決定の取消し等）

Ⅰ　秘匿決定、第133条の2第2項の決定又は前条の決定（次項及び第7項におい
て「秘匿決定等」という。）に係る者以外の者は、訴訟記録等の存する裁判所に対
し、その要件を欠くこと又はこれを欠くに至ったことを理由として、その決定の取
消しの申立てをすることができる。

Ⅱ　秘匿決定等に係る者以外の当事者は、秘匿決定等がある場合であっても、自己の
攻撃又は防御に実質的な不利益を生ずるおそれがあるときは、訴訟記録等の存する
裁判所の許可を得て、第133条の2第1項若しくは第2項又は前条の規定により
閲覧若しくは謄写、その正本、謄本若しくは抄本の交付又はその複製の請求が制限
される部分につきその請求をすることができる。

Ⅲ　裁判所は、前項の規定による許可の申立てがあった場合において、その原因とな
る事実につき疎明があったときは、これを許可しなければならない。

Ⅳ　裁判所は、第1項の取消し又は第2項の許可の裁判をするときは、次の各号に掲
げる区分に従い、それぞれ当該各号に定める者の意見を聴かなければならない。

①　秘匿決定又は第133条の2第2項の決定に係る裁判をするとき　当該決定に
係る秘匿対象者

②　前条の決定に係る裁判をするとき　当該決定に係る当事者又は法定代理人

Ⅴ　第1項の取消しの申立てについての裁判及び第2項の許可の申立てについての裁
判に対しては、即時抗告をすることができる。

Ⅵ　第1項の取消し及び第2項の許可の裁判は、確定しなければその効力を生じな
い。

Ⅶ　第2項の許可の裁判があったときは、その許可の申立てに係る当事者又はその法
定代理人、訴訟代理人若しくは補佐人は、正当な理由なく、その許可により得られ
た情報を、当該手続の追行の目的以外の目的のために利用し、又は秘匿決定等に係
る者以外の者に開示してはならない。

【令4改正】犯罪被害者等の権利利益の一層の保護を図るため、民事関係手続にお
いて犯罪被害者等の氏名等の情報を秘匿する制度を創設された。

第2編　第一審の手続

・第1章・【訴え】

《概　説》

一　訴え総説

　　訴えとは、原告が裁判所に対して、被告との関係で権利主張を示して、その当否につき審理・判決を要求する要式の申立てをいう。

二　訴えの種類

　1　給付の訴え

　　(1)　給付の訴えの意義

　　　　給付の訴えとは、原告が被告に対する特定の給付請求権の存在を主張し、裁判所に対して、被告に対する給付判決を求める訴えをいう。

　　　　現在給付の訴えが通常であるが、将来給付の訴えもあらかじめ給付判決を得ておく必要があれば許される（135）。

　　(2)　給付の訴えの具体例

　　　　→金銭の支払、物の引渡・明渡、登記申請等の意思表示〈団〉やその他作為・不作為を求める訴え

　　　　＊　差止請求訴訟は、不作為請求権を主張してなされる給付の訴えの一種である。

　　(3)　給付の訴えに対する判決の効力

　　　(a)　請求認容判決

　　　　　被告に原告への給付を命じる（給付判決）。

　　　　　→原告は、これを債務名義として強制執行を求めることができる（執行力）（民執22①②）

　　　　　→紛争の蒸し返し防止の見地から、給付請求権が存在するという判断につき既判力（114）が生じる

　　　(b)　請求棄却判決

　　　　　給付請求権の不存在を確認する（確認判決）〈共〉。

　　　　　→給付請求権が存在しないという判断について既判力が生じる

　2　確認の訴え

　　(1)　確認の訴えの意義

　　　　確認の訴えとは、原告が被告に対する権利又は法律関係の存在あるいは不

存在を主張し、被告に対してそれを確認する判決を裁判所に対して求める訴えをいう。①その存在を主張する場合を積極的確認の訴えといい（ex. 所有権確認の訴え）、②その不存在を主張する場合を消極的確認の訴えという（ex. 債務不存在確認の訴え）。

(2)　確認の訴えの機能

当事者間の現在の紛争を解決し、同時に以後の権利侵害の発生・続発を予防する機能

(3)　確認の訴えの対象

(a)　原則

現に争われている現在の権利又は法律関係の存否を対象とする。

(b)　例外

ア　過去の権利又は法律関係

多様な現在の権利関係の基礎となる基本的な法律関係を確認することによって、それから派生する現在の紛争の抜本的な解決に適切な場合は、確認の訴えの対象となる。

現在の権利・法律関係の前提となる過去の法律行為（遺言、団体の決議、遺産の範囲等）の効力の確認も、現在の権利関係の個別的な確定よりも現在の紛争処理にとって適切である場合は確認の対象となる。

イ　事実

法律関係を証する書面（契約書、遺言書等）が、作成名義人の意思に基づいて作成されたものであるかどうかについては、例外として確認の訴えが認められる（134の2）。　⇒p.211

(4)　確認の訴えに対する判決の効力 〈司予〉

原告主張の権利・法律関係の存否を確認する確認判決で、その存否の判断につき既判力が生じる。

＜給付の訴えと確認の訴えの比較＞

	給付の訴え	確認の訴え
意義	原告が被告に対する特定の給付請求権（被告の給付義務）の存在を主張し、裁判所に対して、被告に対する給付判決を求める訴え	原告が被告に対する権利又は法律関係の存在あるいは不存在を主張し、被告に対してそれを確認する判決を裁判所に対して求める訴え
目的	現状の変更が目的	現状の維持が目的
判決の効力	・請求認容判決 　→給付判決（既判力・執行力） ・請求棄却判決 　→確認判決（既判力のみ）	請求認容・請求棄却ともに、確認判決 →既判力のみ

	給付の訴え	確認の訴え
訴えの利益	現在給付の訴えでは原則として肯定 将来給付の訴えでは、「あらかじめその請求をする必要」（135）がなければならない	確認の訴えの利益（①方法選択の適否、②対象選択の適否、③即時確定の利益）が必要

3　形成の訴え

(1)　形成の訴えの意義

　　形成の訴えとは、原告が被告に対する特定の法律関係の変動のための要件の存在を主張して、裁判所に対しその変動を宣言する判決を求める訴えをいう。

(2)　形成の訴えの趣旨

　　法律関係の変動が多数の者に影響する領域（ex.身分、社団関係）では、その変動を明確・画一的にすると同時に、変動を生じさせうる者や期間を制限して法律関係の安定を図る必要がある。そこで、裁判所の言い渡した形成判決の確定によってはじめて法律関係の変動を生じさせることとした。

(3)　形成の訴えに対する判決の効力

　(a)　請求認容判決

　　判決の内容通りに法律関係を変動させる効力（形成力）が生じる。当該法律関係の安定の要請と変動の効果を徹底させる必要性とをどのように調和させるかという実体法的な政策的決定に基づいて、形成訴訟の請求を認容する判決には、遡及して形成の効果を生ずるものと、将来に向かってのみ形成の効果を生ずるものとがある。また、形成権（形成要件）の存在を既判力で確定しておく必要があるので、形成判決にも既判力を認めるのが通説である。

　(b)　請求棄却判決

　　確認判決として、確定すれば形成権ないし形成要件の不存在の判断について既判力が生じる。

(4)　形成の訴えの具体例

　(a)　実体法上の形成の訴え

　　ア　人事訴訟

　　　婚姻の取消し（民743、人訴2①）、離婚（民770、人訴2①）、離縁（民814、人訴2③）、離婚・離縁の取消し（民764・803、人訴2①③）、子の認知（民787、人訴2②）の訴え等

　　イ　社団関係訴訟

　　　会社の合併無効（会828Ⅰ⑦⑧）、設立無効（会828Ⅰ①）、株主総会決議取消しの訴え（会831）、取締役解任（会854Ⅰ）の訴え等

(b) 訴訟法上の形成の訴え

再審の訴え（338）、仲裁判断取消しの訴え（仲裁44）等

＜各種の訴えにおける認容判決と棄却判決＞

		給付の訴え	確認の訴え	形成の訴え
認容判決	判決形式	給付判決＝被告の給付義務の存在	確認判決＝法律関係の存否	形成判決＝法律関係の変動する要件の存在
	判決の効力	既判力＋執行力	既判力	既判力＋形成力
棄却判決	判決形式	確認判決		
	判決の効力	既判力		

4 三類型に属さない特殊の訴え（形式的形成訴訟）

(1) 総説

(a) 形式的形成訴訟の意義

判決の確定によりはじめて権利関係の変動が生じるが、形成の基準となる実体法規が定められていない場合をいう。

ex. 共有物分割の訴え（民258）、父を定める訴え（民773、人訴2②・43）、境界確定の訴え（通説）等

(b) 形式的形成訴訟の特徴

形式的形成訴訟の本質は非訟事件であり、処分権主義・弁論主義・証明責任原則の適用はない 同共予書。裁判所は請求を棄却することは許されず、合目的的な判決をなす義務を負い 同予、上訴審において、不利益変更禁止（304）は適用されない 同。

(2) 境界確定の訴え

(a) 境界確定の訴えとは、隣接地相互の境界が争われる場合に判決による境界線の確定を求める訴えをいう。

(b) 境界確定の訴えの法的性格

土地境界確定訴訟については、その法的性格につき形式的形成訴訟と捉えるか、所有権確認訴訟と捉えるか争いがあるが、判例（最判昭43.2.22・百選33事件）は形式的形成訴訟とする。

土地境界確定訴訟の法的性格を形式的形成訴訟とすると、裁判所は当事者の申立事項に拘束されず、裁量で合目的的に公法上の境界を定めることができる（最判昭31.12.28）予。したがって、請求の趣旨としては、「隣接する両土地の境界の確定を求める。」などと記載すれば足り、原告の主張する境界（筆界）を特定する必要はないと解されている予。

(c) 境界確定訴訟と取得時効

境界確定訴訟の法的性格の捉え方と関連して、取得時効の抗弁が本案の抗弁となりうるかが問題となるが、判例（最判昭43.2.22・百選33事件）は否定説に立った。

(d) 境界確定訴訟の当事者適格

判例・通説は境界確定訴訟の法的性格につき形式的形成訴訟説の立場に立ちつつ、当事者適格については、相隣接する土地の各所有者に認められると解している〈予〉。

∵ 相隣接する土地の所有者が固定資産税等、土地の境界線に最も密接な利害関係をもつ

また、公簿上特定の地番により表示される甲乙両地が相隣接する場合に、乙地の所有者Yが甲地（境界線に接続する土地）の全部又は一部を時効取得した場合、時効取得された当事者Xの所有権は具体的には地番の境界まで及んでいないことになるため、甲乙両地の各所有者は、境界確定の訴えの当事者適格を失うことになるのではないかが問題となる。

ア 境界線に接続する土地の一部を時効取得した場合

▼ **最判昭 58.10.18・百選〔第三版〕42 事件**

判旨： 時効取得された土地は「依然Xが所有者と公示されている土地の一部である。そして、右取得時効の成立する部分が、いかなる範囲でいずれの土地に属するかは、両土地の境界がどこにあるかが明確にされることにより定まる関係にあ」る。Yが取得時効により所有権を取得したことがXとの間で明らかにされても、「右土地部分を更に第三者に譲渡する場合には該土地部分を甲番地の土地から分筆してYに所有名義を変更した上、その所有権移転登記手続をする義務があり、右手続のためにも両土地の境界が明確にされていることが必要とされるのである。そうすると、……X及びYは、本件境界確定の訴えにつき当事者としての資格があるものというべきである」。

イ 境界線に接続する土地の全部を時効取得した場合

▼ **最判平 7.3.7**〈予・書〉

判旨： 「甲地のうち境界の全部に接続する部分を乙地の所有者が時効取得した場合においても、甲乙両地の各所有者は、境界に争いがある隣接土地の所有者同士という関係にあることに変わりはなく、境界確定の訴えの当事者適格を失わない」。

ウ 隣接地の全部を一方当事者が時効取得した場合

判例（最判平7.7.18）は、X、Yの当事者適格を否定する〈同〉。

三　訴訟物理論

1　旧訴訟物理論と新訴訟物理論〈司H29〉

　　給付訴訟・形成訴訟における訴訟物（狭義の訴訟上の請求）をどのように理解するかについて、旧訴訟物理論と新訴訟物理論との間で争いがある。

　　A　旧訴訟物理論（実体法説）（判例・実務）〈司〉

　　　　実体法上の請求権を識別基準とし、1個の実体法上の請求権ごとに1個の訴訟物を認める説をいう。

　　　　→訴訟物とは、実体法上の権利・法律関係をいう

　　B　新訴訟物理論（訴訟法説）

　　　　①給付訴訟では、個々の実体法上の請求権を包括した上位概念としての一定の給付を求めうる地位（受給権）があるとの権利主張を訴訟物とし、②形成訴訟では形成判決を求めうる法的地位があるとの権利主張を訴訟物であるとする説をいう。

2　新旧訴訟物理論の接近

　　訴訟物の特定基準の争いは、結局、紛争の一回的解決の要求と、審判対象についての当事者の手続保障ないし裁判所の審理の充実の要求の均衡に配慮しつつ決せられなければならない問題であるといえる。そこで、現在では旧訴訟物理論、新訴訟物理論は相互に接近している。

　　例えば、判例（最判昭48.4.5・百選69事件）も同一事故により生じた同一の身体傷害を理由とする財産的損害と精神的損害は、原因事実及び被侵害利益が同一であることから、その賠償の請求権は1個であり、両者の賠償をあわせて請求する場合の訴訟物も1個であると解している〈司〉。

　　既判力についても、判例（最判昭49.4.26・百選80事件）は信義則（2）によって調整を図っており、訴訟物論争だけでは結論が出せない場合がある。

　　以上のことからすれば、訴訟物は1つの基準ではあるものの絶対的な基準ではなく、訴えの変更・二重起訴・既判力等、それぞれの問題ごとにそれぞれの制度趣旨を考えて訴訟物からの帰結を再調整する必要があるといえる。

3　訴訟物の特定及び個数に関する具体例

(1)　所有権に基づく物権的請求

　(a)　物権的請求権については、伝統的な3類型により、返還請求権（占有による侵害の場合）、妨害排除請求権（占有以外による侵害の場合）、妨害予防請求権（侵害のおそれがある場合）を認めるのが通説である。

　　　なお、物権的登記請求権の場合、登記の存在は、占有以外の態様による妨害となるので、妨害排除請求権になる。

　(b)　訴訟物の個数は侵害されている所有権の個数と所有権侵害の個数による。

　(c)　同一の物についての、単独所有に基づく請求と、共有持分権に基づく請求は、前者が後者を包含する関係にあり、同一の訴訟物である（最判平

9.7.17・百選 46 事件)。

(2) 所有権に基づく建物収去土地明渡請求

訴訟物について、①所有権に基づく返還請求権としての土地明渡請求権 1 個とする見解（旧 1 個説、通説）、②土地所有権に基づく妨害排除請求権としての建物収去請求権と、土地所有権に基づく返還請求権としての土地明渡請求権 2 個とする見解（2 個説）、③建物収去土地明渡請求権という物権的請求権を新たに認める見解（新 1 個説）などがある。

(3) 債務不履行に基づく損害賠償請求（民 415）

民法 416 条 1 項に基づく請求と、同条 2 項に基づく請求は、同一訴訟物である。

(4) 債権者代位訴訟（民 423）における訴訟物は、債務者の第三債務者に対する権利である〈司〉。

(5) 消費貸借契約に基づく貸金返還請求権と、利息契約に基づく利息請求権と、元本の履行遅滞に基づく損害賠償請求権とは、各々別個の訴訟物である〈司予〉。

(6) 賃貸借契約終了に基づく目的物返還請求

(a) 賃貸借契約自体の効果として発生する目的物返還義務に基づくものであり、終了原因ごとに訴訟物は異ならない（一元説）〈司〉。

(b) 賃貸借契約終了に基づく建物収去土地明渡請求の訴訟物について、契約終了により土地を原状に回復した上で引き渡すという 1 個の義務として目的物返還義務を負い、建物収去義務も土地明渡義務もこれに包含されるとする見解（1 個説）が通説である。

(7) 不法行為に基づく損害賠償請求

(a) 各条文（民 709、714、715、717、718、719）に基づく請求は各々別個の訴訟物である。

(b) 被侵害権利ごとに訴訟物は異なるとするのが、判例・通説である。

ex. 1 個の行為によって著作財産権と著作者人格権が侵害された場合、各慰謝料請求権は別個の訴訟物である（最判昭 61.5.30）

(c) 損害の種別（財産上の損害、精神上の損害）によって、訴訟物は異ならない。したがって、同一事故により生じた同一の身体傷害（人的損害）を理由とする財産上の損害と精神上の損害は、同一訴訟物である（最判昭 48.4.5・百選 69 事件）〈司予〉。両者は、一個の不法行為に基づく同一利益の侵害による損害を填補するためのものである点で同じだからである。

このように解することで、裁判所の裁量的側面が強い慰謝料額を他の費目に流用することで、妥当な賠償額を定めることができるという利点がある〈予 H27〉。

(d) 不法占拠のような継続的不法行為の場合、全体として 1 個の加害行為に

基づく1個の請求権であり、損害が日々発生するだけ（個別進行説）と解されている。

四　訴訟要件

1　意義

裁判所が原告の請求内容をなす法律関係の存否（本案）について審理判断をするには、訴えが手続法上の要件を備えた適法なものでなければならない。この要件を訴訟要件という。すなわち、訴訟要件とは、本案の審理を続行して本案判決をするための要件である。

2　訴訟要件の存在理由

多数の訴えを能率的・集団的に処理しなければならないという民事訴訟の制度的要請から、民事訴訟制度によって解決するに適し、しかもこれを利用するに足りる利益を備えた訴えに限り、当該制度を利用させるためである。

3　種類

(1) 積極的要件と消極的要件

　(a) 積極的要件

　　ある事項の存在が訴えの適法要件をなす場合。

　(b) 消極的要件

　　その不存在が訴えの適法要件をなす場合で、訴訟障害ともいう。

(2) 職権調査事項と抗弁事項

　(a) 職権調査事項

　　訴訟要件の存否につき当事者が主張しなくとも裁判所が職権で調査すべき事項をいう。

　(b) 抗弁事項

　　当事者（被告）の申立てをまって顧慮すべき事項をいう。

(3) 各個の訴訟要件

＜訴訟要件に関する整理＞

裁判所に関するもの	・請求と当事者が日本の裁判権に服すること ・裁判所が当該事件につき管轄権を有すること
当事者に関するもの	・原告・被告両当事者の実在 ・当事者能力があること ・当事者適格があること ・訴え提起、訴状送達が有効なこと ・原告が訴訟費用の担保を提供する必要がないか、又はその担保を提供したこと（75）

訴訟物に関するもの	・二重起訴の禁止（142）に触れないこと ・再訴の禁止（262Ⅱ）や別訴の禁止（人訴25）に触れないこと ・訴えの利益があること ・請求の併合や訴訟中の新訴提起の場合にはその要件を具備すること（38、47、136、143、145、146など） ・仲裁合意・不起訴の合意がないこと〈予〉

4 訴訟要件の調査

(1) 調査の開始と判断資料の収集方法

(a) 調査の開始

ア 原則（職権調査事項）

訴訟要件の多くは公益的要求に基づくものであるから、裁判所は当事者の主張がなくとも職権で訴訟要件の存否を確かめなければならない（職権調査）〈書〉。

イ 例外（抗弁事項）

訴訟要件の中には被告からの申立て（抗弁）をまって、はじめてその存在の調査が開始されるものもある。これらは、判決の正当性確保あるいは訴訟機能維持といった公共的役割とは関係の少ない私的な利益に関する訴訟要件であるため、職権で調査を開始する必要がない。これを抗弁事項という。

　ex. 仲裁合意、不起訴の合意、原告の訴訟費用の担保の提供（75）

(b) 判断資料の収集方法

(a)で示したようにして訴訟要件の調査は開始されるが、調査のための資料の収集までが職権でなされるとは限らない。

ア 職権探知主義

公益性の特に強いものは、その審理が弁論主義の採られる本案の審理と密接な関係にないことからも、当事者の提出した資料以外に裁判所が職権で資料を収集できる。これを職権探知主義という。

　ex. 当事者の実在、裁判権の存在、専属管轄、当事者能力、訴訟能力〈書〉、代理権、二重起訴の禁止（142）に触れないこと〈予〉

イ 弁論主義型の職権調査事項

抗弁事項はもとより、訴えの利益や当事者適格は、職権調査事項ではあるが、性質上本案の審理と密接に関連するので弁論主義が適用され、その判断資料の収集の責任は当事者にある。

　ex. 抗弁事項、任意管轄、訴えの利益、当事者適格

＜訴訟要件の調査の開始と資料の収集＞共

調査の開始 ＼ 資料の収集	職権探知主義	弁論主義
職権調査事項	裁判権 専属管轄 当事者の実在 当事者能力 訴訟能力 代理権	任意管轄 訴えの利益 当事者適格
抗弁事項	訴訟費用の担保の提供	仲裁合意 不起訴の合意

(2) 訴訟要件の調査と本案判決との関係

(a) 審理の順序

現行法は、訴訟要件の存否を確定したうえで本案の審理を開始するという明確な段階的手続構造を採らないため、訴訟要件の審理と本案の審理とは並行して行われる予。

(b) 判断の順序

ア 請求認容判決と訴訟要件の調査との関係

裁判所が原告の請求を認容するためには、訴訟要件を具備した請求であることが必要であるから、訴訟要件の判断が本案判決（請求認容判決）に先行しなければならないことについて争いはない。

イ 請求棄却判決と訴訟要件の調査との関係

訴訟要件の存否が不明な段階で、請求棄却の結論に達した場合にも訴訟要件の充足の有無についての結論を先に出してからでなければ請求棄却の本案判決をできないかについては、仮に訴訟要件が備わっていたと判断されたとしても所詮は請求棄却判決であるので、争いがある。

判例（大判昭 10.12.17）は、「本案の理由なきことが先づ判明したる以上……権利保護の必要の有無如何に関せず原告敗訴の本案判決をなすべき」としている。

(3) 訴訟要件の調査の順序

この点について、明文の規定はないが、抽象的一般的な要件から本案とも関連する具体的な要件の順に調査すべきとするのが、通説である。

∵ 結論の出やすいものを先に調査し、欠缺があればそれ以上の調査を打ち切って訴えを却下するのが訴訟経済の観点から合理的である

<本案の審判と訴訟要件の審判の比較>

	本案の審判	訴訟要件の審判
審判の対象	原告が訴えによって主張した法律関係（訴訟物）の存否	本案の審理を続行して本案判決をするための要件の存否
審理の開始	処分権主義	職権調査事項 抗弁事項
訴訟資料の収集方法	弁論主義	職権探知主義 弁論主義
事実認定の証明方法	厳格な証明	自由な証明
審理の順序	同時並行で行われる	
判決	本案判決（請求認容判決・請求棄却判決）	訴訟判決
上訴審の審判対象	直接的には原判決の当否 間接的には本案の当否	訴訟要件のみならず、上訴要件の存否

5 存否の判定時期

(1) 原則

事実審の口頭弁論終結時までに、訴訟要件は具備されればよい。

∵ 民事訴訟では、事実審の口頭弁論終結時点を基準時として、変動する権利・法律関係をその時点において捉えて、それについて判決をするが、訴訟要件は本案判決の要件であるから、訴訟要件の判断の基準時も、この判決の基準時と同じに解される

(2) 例外

管轄権の存否は起訴の時を基準に判断される（15）。 ∵手続の安定確保

(3) 判決の基準時後の訴訟要件の具備・欠缺と上告審の措置

訴訟要件の欠缺を看過して本案判決がなされたが、基準時後に訴訟要件を具備した場合、上告審はこれを顧慮して原判決を維持するべきであると解される（大判昭16.5.3は、代理権欠缺を看過した原案の本案判決を、それ以後の追認を顧慮して維持している）。

訴訟要件の欠缺を理由に訴えを却下され、基準時後に要件を具備した場合については、当事者能力の欠缺による訴え却下判決後にこれを具備したことを理由とする弁論の再開申立てを却下した控訴審の取扱いを肯定し、かつ、上告審としてもこれにつき審理判断する必要はないとした判例がある（最判昭42.6.30）。

6 調査の結果

(1) 訴訟要件の具備が肯認できた場合

(a) そのまま本案につき審理を続けて本案判決をする。

(b) 当事者間に訴訟要件につき争いがあれば、中間判決（245）又は終局判決の理由中で、その訴訟要件を具備している旨判示する。

(2) 訴訟要件の欠缺が判明した場合

(a) 原則

補正が可能であれば補正を命じ、補正がなければそれ以上本案の審理をすべきではなく、訴え却下の終局判決をする。

(b) 例外

ア 管轄違いの場合には移送する（16）。

イ 併合された訴えや訴訟中の訴え提起の場合、たとえその要件を欠いていても訴えを却下しないで、それぞれ独立の訴えとして扱う。

ウ 当初から明らかに補正の見込みがないときは、口頭弁論を経ずに訴え却下の判決をすることができる（140）。

→「裁判制度の趣旨からして、もはやそのような訴えの許されないことが明らかであって、当事者のその後の訴訟活動によって訴えを適法とすることが全く期待できない場合には、被告に訴状の送達をするまでもなく口頭弁論を経ずに訴え却下の判決をし」、判決正本を原告にのみ送達すれば足りる（最判平8.5.28）

(3) 訴訟要件の欠缺にもかかわらず本案判決がなされた場合

(a) 本案判決は違法であるから、請求棄却の場合は原告が、認容の場合は被告が上訴して争える。ただし、任意管轄違いは上訴審では主張できない（299）。

(b) 判決が確定すると、再審事由（338Ⅰ）に該当する場合以外は争えない。

五 訴えの利益

訴えの利益とは、審判対象である特定の請求が本案判決による紛争の解決に適するかどうかの基準である。

1 一般的要件

(1) 法律上の争訟性

原告の請求は、法律を適用して判断すべき、具体的な権利・法律関係の存否の主張でなければならない。これは、裁判所法3条1項の「法律上の争訟」であることの民事訴訟上の発現である。

(a) 単なる事実の存否をめぐる争いは、証書真否確認の訴え（134の2）を除き許されない。

(b) 具体的事件と関係なく抽象的に法令の解釈を求める訴えも対象にならない。

ex. 警察予備隊違憲訴訟（最大判昭27.10.8）

(c) 極めて政治性の高い国家統治の基本に関する行為（いわゆる統治行為）は、三権分立の建前から、たとえ法律上の争訟を構成する場合であっても、司法審査の対象から除外される。

　ex. 苫米地事件（最大判昭 35.6.8）

(d) 宗教上の地位の確認を求める訴えや宗教上の教義についての判断を不可欠の前提とする訴えも、実質的に法規の適用によって解決することができないから、法律上の争訟性を欠くとされる（最判平 14.2.22・百選〔第三版〕2 事件）。

▼ 最判昭 55.1.11・百選 2 事件

判旨：　「ひっきょう、単に宗教上の地位についてその存否の確認を求めるにすぎないものであって、具体的な権利又は法律関係の存否について確認を求めるものとはいえないから、かかる訴は確認の訴えの対象となるべき適格を欠くものに対する訴として不適法であるというべきである」。

「他に具体的な権利又は法律関係をめぐる紛争があり、その当否を判定する前提問題として特定人につき住職たる地位の存否を判断する必要がある場合には、その判断の内容が宗教上の教義の解釈にわたるものであるような場合は格別、そうでない限り、その地位の存否、すなわち選任ないし罷免の適否について、裁判所が裁判権を有する」。

▼ 最判昭 56.4.7

判旨：　訴訟自体は具体的な権利義務ないし法律関係に関する紛争の形式をとっており、その結果信仰の対象の価値又は宗教上の教義に関する判断は請求の当否を決するについての前提問題であるにとどまるとしても、それが訴訟の帰すうを左右する必要不可欠な紛争の核心である場合には、法令の適用による終局的な解決の不可能なものであり、法律上の争訟に当たらない。

(e) 一般市民社会の中にあってこれとは別個に自律的な法規範を有する特殊な部分社会における法律上の係争については、それが一般市民法秩序と直接の関係を有しない内部的な問題にとどまる限り、その自主的、自律的な解決に委ねるのを適当とし、裁判所の司法審査の対象にはならない（部分社会の法理、最大判昭 35.10.19・憲法百選 181 事件、最判昭 52.3.15・憲法百選 182 事件）。

▼ 東京高判平 28.12.26・平 30 重判 1 事件

事案：　日本舞踊の最大流派であるＡ流の専門部名取として活動していたＸは、同流派団体Ｙ１の当時家元Ｙ２より、名取から除名する旨の処分（以下、「本件除名処分」という。）を受けたため、本件除名処分の無効を主張し、Ｙ２に対し名取の地位確認請求を、Ｙ１に対し同会の会員の地位確認請

求を行った。

　　　　本件では、上記両請求が法律上の争訟と認められるか、認められると
　　　して、本件除名処分の適否が問題となった。

判旨：　Ａ流の名取がその地位に基づき享受する権利利益は「単なる事実上の
　　　利益にとどまらず、法的利益として評価されるべきもの」であって、本
　　　件名取の地位確認請求は「一般市民法秩序と直接の関係を有しない内部
　　　的な問題にとどまるものとはいえ、一般市民法秩序と直接の関係を有
　　　する」。また、本件除名処分の効力の有無は「懲戒処分の効力の判断に
　　　おいて一般的に採られている判断枠組みに基づき、処分権者であるＹ２に
　　　よる裁量権の範囲の逸脱又はその濫用があったか否かという観点から」
　　　判断することができるため、同請求は「法令の適用により終局的に解決
　　　することのできるものに当たる」。したがって、両請求は法律上の争訟に
　　　当たり、司法審査の対象となる。

　　　　そして、「実際にＸから弁明を聴取することなく行われた本件除名処分
　　　の手続は、結果としてＸ側の事情の十分な把握と考慮を経ないで行われ
　　　た」と認められるから、本件除名処分は裁量権を逸脱又は濫用してなさ
　　　れたものであり無効である。

＊　上告審（最決平 29.5.9）で上告棄却された。

(2)　法律上起訴が禁止されていないこと

　(a)　二重起訴の禁止（142）に触れないこと

　(b)　再訴の禁止（262Ⅱ）に触れないこと

(3)　訴訟による解決を抑制すべき事由がないこと

　(a)　当事者間に訴訟を利用しない旨の特約がないこと

▼　**最判昭 57.2.23・百選〔第三版〕38 事件**

　判旨：　建物更生共済約款の条項に基づいて仲裁契約が当事者間に成立したこ
　　　とを認めて訴えの利益を否定した原審について、正当な判断であると是
　　　認した。

　(b)　通常の訴え以外の簡便な、また目的に適った特別の救済手段が認められ
　　　ている場合には、その方法によるのが合目的的であると認められる限り、
　　　訴えの利益は否定される。
　　　　ex.　訴訟費用額確定手続（71〜73）、破産債権行使の手続（破 100、124
　　　　　〜126）

　(c)　同一請求につき勝訴の確定判決を得た者が、重ねて訴えを提起する利益
　　　はない。ただし、時効の完成を猶予する必要がある場合等、再度訴えを提
　　　起する必要がある場合には例外的に訴えを提起する利益が認められる。

　(d)　訴権の濫用と評価される場合も訴えの利益を欠く。

▼ **最判平 8.6.24・百選〔第三版〕A8 ②事件**

> 判旨： 宗教法人である Y の後継者として前住職の五男が代表役員に任命された ことに対して、前住職の長男 X が、Y を相手に A の代表役員としての 地位の不存在確認訴訟を提起した事案において、X に代表役員などの地 位について何らかの法律上の利害関係を有する地位にあるとは認められ ないとして、訴えを却下した。

▼ **最判平 14.7.9・百選〔第三版〕A1 事件**

> 判旨： 条例に基づく建設中止命令に従わない Y に対して、X 市が工事続行禁 止を求める訴えを提起したところ、かかる訴えが「法律上の争訟」に当 たるかが問題とされた。この点、裁判所は「専ら行政権の主体として国 民に対して行政上の義務の履行を求める訴訟は、法規の適用ないし一般 公益の保護を目的とするものであって、自己の権利利益の保護救済を目 的とするもの」ではないから、「法律上の争訟」に当たらないとした。

▼ **東京高判平 4.7.29・百選〔第三版〕A13 事件**

> 判旨： 債務不存在確認訴訟においては、権利者と主張する被告の側が自らの 権利を基礎付ける事実について主張する責任を負うが、権利者の準備が 整っていない時期に義務者が訴えを主張した場合、被告が応訴に困難を 感じるときがあるため、訴えの利益を認めることができるかが問題とな る。これにつき、控訴審は、加害者の過払いの危険を回避するため債務 不存在確認訴訟を提起したときに確認の訴えの利益を否定することは困 難であり、また、加害者の側から債務不存在確認の訴えを提起するのに は何らかの理由があるのが普通であるから、先制攻撃的な濫訴として確 認の利益を否定すべきものかどうか直ちには決し得ない、として確認の 利益を否定した原判決を取り消して差し戻した。

2 給付の訴えの利益

(1) 現在の給付の訴え〈司H21〉

(a) 判決の基準時である事実審の口頭弁論終結時までに履行期が到来し現実 化した、訴求可能な給付請求権を主張する訴えをいう。請求権が履行期に ある以上、当然に紛争解決の必要性と実効性があるといえるので、訴えの 利益が認められるのが原則である。

→原告が訴え提起前に被告に対して履行の催告をしたかどうか、被告が 請求権の存在を争っているかどうか、被告に任意履行の意思があるか どうかといった点にかかわらず、訴えの利益は認められる〈書〉

確定給付判決がある場合には、原則として訴えの利益は認められない。 しかし、判決原本の滅失や時効の完成猶予のために訴えを提起する必要が ある場合には、例外的に訴えの利益が認められる（大判昭 6.11.24）〈司予書〉。

また、原告が執行証書（民執22⑤）といった既判力のない債務名義を有している場合にも、訴えの利益が認められる《論》。

∵ 請求権の存在を既判力によって確定する利益がある

(b) 給付判決を得ても強制執行が不可能である場合にも、訴えの利益が認められるかについては争いがあるが、判例・通説は強制執行が可能かどうかという問題は、強制執行に当たって強制執行機関に委ねられるのが原則であり、裁判機関としては執行の可能性について慎重な調査をする必要はないとして肯定説に立つ。

→給付に係る請求権について強制執行をしない旨の合意（不執行の合意）がある場合であっても、判例（最判平5.11.11・百選〔第三版〕A30事件）は、その請求を認容した上で、強制執行をすることができないことを判決主文において明らかにするのが相当であるとして、その給付の訴えの利益を認める《予》 ⇒ p.375

▼ **最判昭41.3.18・百選19事件《論》**

判旨： 抹消登記の実行が不可能である場合における不動産の抹消登記手続を求める訴えについて「抹消登記の実行をもって、右判決の執行と考える必要はないから、右抹消登記の実現が可能であるかどうかによって、右抹消登記手続きを求める請求についての訴えの利益の有無が左右されるものではない。」とした。

(2) 将来の給付の訴え《司H22 司R2 予H29》

(a) はじめに

判決の基準時である事実審の口頭弁論終結時までに履行すべき状態にない請求権を主張する訴えをいう。かかる訴えについては、①将来給付を求める基礎となる資格（請求適格）ある請求権を主張する訴えであって、かつ、②「あらかじめその請求をする必要」（135）がある場合に限って訴えの利益が認められる（最大判昭56.12.16・百選20事件）。

(b) 将来給付を求める請求適格ある請求権

ア 期限未到来や停止条件未成就の請求権

たとえば、争いのある残債務の弁済を条件とする抵当権設定登記抹消登記請求権や、農地の買主の売主に対する知事の許可を条件とする所有権移転登記請求権などがこれに当たる。

▼ **最判昭57.9.28・百選〔第三版〕29事件**

判旨： 自動車保険の被保険者の保険金請求権は、加害者と被害者との間の損害賠償額が判決等により確定したことを停止条件として、保険事故発生と同時に発生すると解すべきであるから、被害者が同一訴訟手続で加害

者に対する損害賠償請求と保険会社に対する保険金請求とを合わせて請求し併合審判される場合には、裁判所は、右保険金請求を、将来給付の訴えとして認容することができる。

　イ　継続的不法行為に基づく将来の損害賠償請求権

　　　継続的不法行為に基づく将来の損害賠償請求権については、その内容、額等につき将来の事情の変動により変化することが考えられ、請求適格ある請求権といえるかが問題となる。

　　ex.1　不法占拠者に対する土地の明渡訴訟において、明渡完了までの損害金請求の訴え〈予〉

　　ex.2　空港の騒音が原告らの居住地域で 65 ホン以下になるまでの将来の損害賠償請求の訴え

▼　**大阪国際空港事件（最大判昭 56.12.16・百選 20 事件）** 〈予H29〉

　事案：　航空機騒音の場合の継続的不法行為に基づく将来の損害賠償請求をあらかじめ請求できるかが争われた事案。

　判旨：　①請求権の基礎となるべき事実関係及び法律関係が既に存在し、その継続が予測されるとともに、②請求権の成否及びその内容につき債務者に有利な影響を生ずるような将来における事情の変動としては、あらかじめ明確に予測しうる事由に限られ、③請求異議の訴えにより②の事由の発生を証明してのみ執行を阻止しうるという負担を債務者に課しても格別不当とはいえない場合には、「将来の給付の訴えにおける請求権としての適格」を有する。

　　　　　「しかし、たとえ同一態様の行為が将来も継続されることが予測される場合であつても、それが現在と同様に不法行為を構成するか否か及び賠償すべき損害の範囲いかん等が流動性をもつ今後の複雑な事実関係の展開とそれらに対する法的評価に左右されるなど、損害賠償請求権の成否及びその額をあらかじめ一義的に明確に認定することができず、具体的に請求権が成立したとされる時点においてはじめてこれを認定することができるとともに、その場合における権利の成立要件の具備については当然に債権者においてこれを立証すべく、事情の変動を専ら債務者の立証すべき新たな権利成立阻却事由の発生としてとらえてその負担を債務者に課するのは不当であると考えられるようなものについては……**本来例外的にのみ認められる将来の給付の訴えにおける請求権としての適格を有するものということはできない。**」

▼　**最判平 19.5.29・平 19 重判 3 事件**

　事案：　航空機騒音の場合の継続的不法行為について、その終期を定めた将来の損害賠償請求をあらかじめ請求できるかが争われた事案。

判旨：　最大判昭56.12.16・百選20事件を踏まえた上で、「航空機の発する騒音等により精神的又は身体的被害等を被っていることを理由とする……損害賠償請求権のうち事実審の口頭弁論終結の日の翌日以降の分については、その性質上、将来の給付の訴えを提起することのできる請求権としての適格を有しない」として、当該将来請求部分にかかる訴えを不適法とした。

第一審の手続

▼　最判昭63.3.31

事案：　土地の共有者であるXは、他の共有者であるYに対し、Yが土地を訴外Aに駐車場として賃貸して得た収益がYの持分を超えているとして、その超過した不当利得部分の返還を求める訴えを提起した。本件では、事実審の口頭弁論終結日の翌日以降の請求部分について、請求適格があるかどうかが問題となった。

判旨：　最大判昭56.12.16・百選20事件を引用した上で、「継続的法律関係たる賃貸借契約の性質からいって、……基礎となるべき事実上及び法律上の関係が既に存在し、その継続が予測されるものと一応いうことができる」が、「賃料の支払は賃借人の都合に左右される面が強く、必ずしも約定どおりに支払われるとは限ら」ないといった事情等を考慮すると、「請求権の発生・消滅及びその内容につき債務者に有利な将来における事情の変動が予め明確に予測し得る事由に限られる」とはいえず、「将来賃料収入が得られなかった場合にその都度請求異議の訴えによって強制執行を阻止しなければならないという負担を債務者に課すことは、いささか債務者に酷」であるとして、事実審の口頭弁論終結日の翌日以降の分は、請求適格を有しない旨判示した。

▼　最判平24.12.21・平25重判2事件

判旨：　最判昭63.3.31とほぼ同様の事案において、「共有者の一人が共有物を第三者に賃貸して得る収益につき、その持分割合を超える部分の不当利得返還を求める他の共有者の請求のうち、事実審の口頭弁論終結の日の翌日以降の分は、その性質上、将来給付の訴えを提起することのできる請求としての適格を有しない」とした。

＊　補足意見は、「居住用家屋の賃料や建物の敷地の地代などで、将来にわたり発生する蓋然性が高いものについては将来の給付請求を認めるべきであるし、他方、本件における駐車場の賃料については、……将来においても駐車場収入が現状のまま継続するという蓋然性は低いと思われ、その点で将来の給付請求を認める適格があるとはいえない。いずれにしろ、将来の給付請求を認める適格の有無は、このようにその基礎となる債権の内容・性質等の具体的事情を踏まえた判断を行うべき」であるとしている。

(c) 「あらかじめその請求をする必要」 ⇒ p.233

ア　はじめに

　　義務者の態度や、当該給付義務の目的・性質等につき、履行期到来で直ちに執行できる債権者の利益と、判決の基準時後の給付義務の消滅等を請求異議の訴えで争わねばならなくなる債務者の不利益を考慮して個別具体的に判断する。

イ　具体例

① 義務者が、履行すべき状態にない時点ですでに義務の存在や履行期・履行の条件などを争う態度を示している場合

ex. 継続的又は反復的給付義務については、すでに履行期の到来した部分につき不履行がある場合には、将来の部分の履行も期待できないから、現在の部分に併せてあらかじめ請求できる（最判平3.9.13）

② 定期に履行されないと債務の本旨にかなった給付にならない定期行為（民542Ⅰ④）の場合や、扶養料請求のように履行遅滞による損害が極めて重大な結果をもたらす場合

③ 特定物の引渡を求める本来の請求（現在の給付の訴え）と、将来それが履行不能又は執行不能となる場合に備えて金○○円を支払えとの代償請求をする場合（両請求は単純併合の関係）【判】【司予】

　　→代償請求部分は本来の請求が履行不能又は執行不能となった場合に発生する条件付きの請求権を主張するものであるから、将来の給付の訴えになるが、本来の給付を争っているため、その代償の任意の履行が期待できないという不利益がある

3　確認の訴えの利益（確認の利益）

(1) はじめに

　　確認の訴えは、給付の訴えや形成の訴えと異なり、確認という行為の性質上、その対象は無限に拡大しうるところから、その限界付けが特に問題となる。また、給付判決と異なり、確認判決は、判決内容の強制執行による強制的実現を伴わず、既判力による紛争解決が実際的な機能を果たしうる場合は限定されてくる。したがって確認の訴えにおいては、その限界付けが必要となる。

(2) 確認の利益を判断するための視点

　　確認の利益は、原告の権利又は法律的地位に危険又は不安が現存し、これを除去する方法として原告被告間でその訴訟物たる権利又は法律関係の存否の判決をすることが有効・適切である場合に認められる（最判昭30.12.26）。そして、確認の利益が認められるか否かは、①方法選択の適否、②対象選択の適否、③即時確定の利益の3つの観点から、判断される。

(a) 方法選択の適否

　　他の訴訟類型ないしその他の手段による方が適切である場合には、確認訴訟は許されない。

　ア　給付訴訟ができる場合には、通常は給付請求権自体の確認訴訟は適切でない。

　　　∵　確認判決は執行力がなく、給付訴訟を提起した方が紛争解決にとって有効・適切である

　イ　執行力は有するが、それでは解決されない紛争があるときは確認の利益を認める。

　　　ex.　給付判決を有する者（債務名義）が、時効の完成猶予の効果を得るために訴える場合

　ウ　所有権に基づく明渡請求等ができる場合にも、その基礎となる所有権の確認をする利益がある。

▼　**最判昭 29.12.16**〈判〉

判旨：　所有権に基づき給付の訴えをなすことができる場合においても、その基本たる権利関係につき即時確定の利益があると認められる限り、所有権存在確認の訴えを提起することは不適法でないとした。

(b) 対象選択の適否（適格性）

　　確認対象として選んだ訴訟物が当該紛争解決にとって有効・適切かという観点である。一般には「現に争われている自己の現在の権利・法律関係の積極的確認請求」を対象とする。

　　cf.　単なる事実の確認の訴えは、確認の対象としての適格性を欠き、原則として確認の訴えの利益が認められないから、一定額の金銭を交付した事実や弁済した事実自体の存否の確認の訴えは、不適法となる〈書〉

▼　**最判平 30.12.21・百選 27 事件**

判旨：　「弁護士法 23 条の 2 第 2 項に基づく照会（以下「23 条照会」という。）の制度は、弁護士の職務の公共性に鑑み、公務所のみならず広く公私の団体に対して広範な事項の報告を求めることができるものとして設けられたことなどからすれば、弁護士会に 23 条照会の相手方に対して報告を求める私法上の権利を付与したものとはいえず、23 条照会に対する報告を拒絶する行為は、23 条照会をした弁護士会の法律上保護される利益を侵害するものとして当該弁護士会に対する不法行為を構成することはない……。これに加え、23 条照会に対する報告の拒絶について制裁の定めがないこと等にも照らすと、23 条照会の相手方に報告義務があることを確認する判決が確定しても、弁護士会は、専ら当該相手方による任意の履行を期待するほかはないといえる。そして、確認の利益は、確認判決

を求める法律上の利益であるところ、上記に照らせば、23条照会の相手方に報告義務があることを確認する判決の効力は、上記報告義務に関する法律上の紛争の解決に資するものとはいえないから、**23条照会をした弁護士会に、上記判決を求める法律上の利益はないというべきである。本件確認請求を認容する判決がされればY〔注：相手方〕が報告義務を任意に履行することが期待できることなどの原審の指摘する事情は、いずれも判決の効力と異なる事実上の影響にすぎず、上記の判断を左右するものではない**」。

したがって、「23条照会をした弁護士会が、その相手方に対し、当該照会に対する報告をする義務があることの確認を求める訴えは、確認の利益を欠くものとして不適法である」。

例外として以下のようなものがある。

ア　証書（書面）の真否確認の訴え（134の2）

法律関係を証する証書、たとえば契約書や遺言状のように、その書面の内容によって直接に係争権利・法律関係の存否が証明できるもの（処分証書）については、証書が作成者と主張される者の意思に基づいて作成されたか（証書の真否）という事実の確認訴訟が認められる。

イ　基本的な過去の法律関係

過去の法律関係の確認は、通常現在の紛争解決に役立たず、訴えの利益はない。たとえば、売買契約の無効確認を求める訴えは、過去の法律関係の確認であり、売買契約の無効を前提とした現在の権利又は法律関係の確認を直接求めれば足りることから、その確認の利益は否定される。判例（最判昭41.4.12）も、「売買契約の無効確認は過去の法律関係の確認であるから即時確定の利益があるとはいえ」ないとしている。

もっとも、多様な現在の法律関係を生み出す基礎となる基本的な法律関係は、それを確定することによって、それから派生する現在の紛争の抜本的解決に資するため、確認の利益が認められる。

具体例としては、次のものが挙げられる。

① 国籍を有していたという過去の事実の確認も、確認判決による国籍承認、ことに戸籍の訂正（戸籍26）ができるから確認の利益があるとする（最大判昭32.7.20）。

② 戸籍上の母でない実母が、恩給法による遺族年金受領資格を明らかにするため、子の死亡後検察官を相手方として提起した親子関係確認の訴えには確認の利益がある。

判旨： 子の死亡後の親子関係確認の訴えの確認の利益について、「親子関係は、父母の両者または子のいずれか一方が死亡したときでも、生存する一方にとって、身分関係の基本となる法律関係であり……戸籍の記載が真実と異なる場合には戸籍法116条により確定判決に基づき右記載を訂正して真実の身分関係を明らかにする利益が認められる」とした。

ウ　過去の法律行為

現在の多様な権利関係の個別的確定よりもその基礎をなす過去の法律行為の確認が、現在の紛争処理にとって抜本的であり適切である場合には、過去の法律関係であっても例外的に確認の利益が認められる。

具体例としては、次のものが挙げられる。

①　株主総会決議不存在確認の訴え（最判昭38.8.8）

②　学校法人の理事会・評議会の決議無効確認の訴え（最判昭47.11.9・百選A9事件）

事案： Xらは、学校法人Y大学の理事である。Xらは、Y理事会の決議が無効であることの確認を求め訴えを提起した。

判旨： 「ある基本的な法律関係から生じた法律効果につき現在法律上の紛争が存在し、……これらの権利または法律関係の基本となる法律関係を確定することが、紛争の直接かつ抜本的な解決のため最も適切かつ必要と認められる場合においては、右の基本的な法律関係の存否の確認を求める訴も、それが現在の法律関係であるか過去のそれであるかを問わず、確認の利益がある」とした。

③　遺産確認の訴え

遺産帰属性の問題は、(i)過去の法律関係又は事実関係について確認を請求するものであるため、確認対象が適切ではないのではないか、(ii)特定の財産の遺産帰属性が争われるときには、共同相続人が当該財産上の自己の共有持分の確認を求めて訴えを提起できるので、方法選択が適切ではないのではないか、の2点が問題となる。

(i)の点について、判例は、遺産確認の訴えの対象は、当該財産が現に共同相続人による遺産分割前の共有関係にあること、という現在の法律関係を対象とするものであると解する。(ii)の点について、共有持分確認の訴えでは、取得原因が相続であることについて既判力が生じない（114参照）ため、紛争の抜本的解決とならない一方、遺産確認の訴えでは、当該財産が遺産分割の対象である財産であること（遺産帰属性）について既判力が生じるため、遺産中の自

己の相続分を主張したいという原告の意思に適った紛争解決を図ることができることから、方法選択として適切であるといえる。

▼ **最判昭61.3.13・百選22事件** 司予書

判旨： 遺産確認の訴えの適法性について、遺産確認の訴えは、当該財産が現に共同相続人による遺産分割前の共有関係にあることの確認を求める訴えであって、その原告勝訴の確定判決は、当該財産が遺産分割の財産の対象たる財産であることを既判力をもって確定し、したがって、これに続く遺産分割審判の手続において及びその審判の確定後に当該財産の遺産帰属性を争うことを許さず、もって、原告の意思によりかなった紛争の解決を図ることができるところであるから、かかる訴えは適法というべきであるとして、これを肯定した。

▼ **最判平22.10.8** 書

事案： Xら及びYらは、定額郵便貯金の名義人亡Aの子であるが、Yらは、本件債権がAの遺産であることについて争っている。そこでXらは、本件債権がAの遺産に属することの確認を求め訴えを提起した。

判旨： 「郵便貯金法は、……同債権の分割を許容するものではなく、同債権は、その預金者が死亡したからといって、相続開始と同時に当然に相続分に応じて分割されることはない」。「そうであれば、同債権の最終的な帰属は、遺産分割の手続において決せられるべきことになるのであるから、遺産分割の前提問題として、民事訴訟の手続において、同債権が遺産に属するか否かを決する必要性も認められる」。

「そうすると、共同相続人間において、定額郵便貯金債権が現に被相続人の遺産に属することの確認を求める訴えについては、その帰属に争いがある限り、確認の利益がある」とした。

④ 遺言者死亡後の遺言無効確認の訴え

遺言自体は過去の法律行為であり、過去の法律関係を確認する場合にも確認の利益が認められるかが問題となる。

▼ **最判平47.2.15・百選21事件** 予 司H25

事案： 被相続人Aは、多数の不動産等を含む全財産を一人の相続人にのみ遺贈する旨の遺言を残して死亡したが、誰に遺贈するかは明記されていなかった。遺産分割審判の継続中、この遺言の有効性が争点となり、相続人Xらは、他の相続人Yらを相手方として、遺言無効確認の訴えを提起した。

判旨： 「いわゆる遺言無効確認の訴は、遺言が無効であることを確認するとの請求の趣旨のもとに提起されるから、形式上過去の法律行為の確認を求めることとなるが、請求の趣旨がかかる形式をとっていても、遺言が有

効であるとすれば、それから生ずべき現在の特定の法律関係が存在しないことの確認を求めるものと解される場合で、原告がかかる確認を求めるにつき法律上の利益を有するときは、適法として許容されうるものと解するのが相当である。けだし、右の如き場合には、請求の趣旨を、あえて遺言から生ずべき現在の個別的法律関係に還元して表現するまでもなく、いかなる権利関係につき審理判断するかについて明確さを欠くことはなく、また、判決において、端的に、当事者の紛争の直接的な対象である基本的法律行為たる遺言の無効の当否を判示することによって、確認訴訟のもつ紛争解決機能が果たされることが明らかだからである」。

* 本判例は、遺言が複数の財産を対象としているため、個々の財産の共有持分権に引き直してその確認を求めると特定の財産を漏らしたりする危険がある一方、対象財産全てに共通する遺言という基本的法律行為の無効を既判力により確定すれば、直接的かつ抜本的な紛争解決につながるという事案であった。そうすると、問題とされている遺言の対象財産が1つの土地だけであるような場合は、現在の法律関係である土地所有権確認の訴えを提起すれば紛争の解決として十分といえるから、本判例の射程は及ばないとの立論も可能である。

第一審の手続

▼ 東京地判平 19.3.26・百選 A10 事件

事案： Yは損害保険業を目的とする株式会社であり、Xらはいずれも、Yにおける損害保険の募集業務等に従事する外勤の正規業務員である契約係社員（Y社内ではこれを「RA」と称している）である。Yは、経営上の理由により、RA制度を廃止すること決定したところ、Xらは、XらとYとの間の労働契約はRAとしての業務に限定された契約であり、YがRA制度を廃止するとされている平成19年7月以降も、RAの地位にあることの確認を求めて提訴した。

判旨： 確認対象の選択の適否について「確認の訴えにおける確認対象は、原則として、現在の権利又は法律関係であるのが通常である。しかし、将来の法律関係であっても、発生することが確実視できるような場合まで、確認の訴えを否定するのは相当ではない。すなわち、権利又は法律的地位の侵害が発生する前であっても、侵害の発生する危険が確実視できる程度に現実化しており、かつ、侵害の具体的発生を待っていたのでは回復困難な不利益をもたらすような場合には、将来の権利又は法律関係も、現在の権利又は法律関係の延長線上にあるということができ、かつ、当該権利又は法律的地位の確認を求めることが、原告の権利又は法律的地位に対する現実の不安・危険を除去し、現に存ずる紛争を直接かつ抜本的に解決するために必要かつ最も適切であると考えることができる。」と判示した。

また、即時確定の利益の有無については、「現時点における被告の言動や態度から、原告らの権利者としての地位に対する危険が現実化するこ

とが確実であると認められる場合には、当該権利又は法律関係の存否に
つき判決により早急に確認する必要があり、即時確定の利益を肯定する
のが相当である。」とした。

エ　条件付法律関係の確認〈同R2〉

賃借人の敷金返還請求権は、実体法上、「賃貸借が終了し、かつ、賃
貸物の返還を受けたとき。」（民 622 の 2 Ⅰ①）に発生する。そのため、
明渡し前の時点では、未だ賃借人の敷金返還請求権は発生しておらず、
敷金返還請求権の確認は、将来の法律関係の確認として確認対象が適切
ではないのではないかが問題となる。

▼　**最判平 11.1.21・百選 25 事件**〈同書〉

判旨：　「建物賃貸借における敷金返還請求権は、賃貸借終了後、建物明渡しが
された時において、それまでに生じた敷金の被担保債権一切を控除しな
お残額があることを条件として、その残額につき発生するものであって、
賃貸借契約終了前においても、このような条件付きの権利として存在す
るものということができるところ、本件の確認の対象は、このような条
件付きの権利であると解されるから、現在の権利又は法律関係であると
いうことができ、確認の対象としての適格に欠けるところはないという
べきである。」

評釈：　本判決は、即時確定の利益の観点からも確認の利益を肯定している。
すなわち、「本件では、上告人は、被上告人の主張する敷金交付の事実を
争って、敷金の返還義務を負わないと主張しているのであるから、被上
告人・上告人間で右のような条件付きの権利の存否を確定すれば、被上
告人の法律上の地位に現に生じている不安ないし危険は除去されるとい
えるのであって、本件訴えには即時確定の利益があるということができ
る」と判示している。本件では、賃貸人が交代したことにより、敷金の
交付の有無が紛争として顕在化したという事情があったため、こうした
場合には、賃借人の権利に対する危険が生じているということができ、
即時確定の利益は肯定される。

オ　債務不存在確認の訴え

原告が保護を求める法律上の地位が、特定の債務を負っていないこと
そのものであるときは、そもそも積極的確認を観念できない。また、消
極的確認の訴えでもより直截的に紛争を解決できるのであれば、対象選
択の適法性を認めてもよい。そのため、消極的確認の訴えではあるが、
債務不存在確認の訴えも対象選択の適法性が認められ、確認の訴えの利
益が認められる。

もっとも、債務不存在確認の訴え（本訴）が係属中に当該債務の履行

を求める反訴（146）が被告から提起された場合には、本訴の確認の利益は消滅する（最判平 16.3.25・百選 26 事件）〈予書〉〈予R2〉。

(c)　即時確定の利益

ア　原告の権利ないし法的地位につき危険ないし不安が現存しており、その除去のため確認判決によって即時に権利ないし法的地位を確定する必要がある場合でなければならない。

イ　具体例

①　遺言者の生存中に受贈者に対して提起する遺言無効確認の訴え

遺言者の生存中に推定相続人が提起する遺言無効確認の訴えは、即時確定の利益を有しない（最判平 11.6.11・百選 24 事件）。

また、生存中の遺言者本人が提起する遺言無効確認の訴えについても、本人は現に遺贈に基づく義務を負担しているわけではなく、いつでも自ら行った遺言を撤回できる地位にあることから、確認の利益は認められない（最判昭 31.10.4）〈書〉。

▼ 最判平 11.6.11・百選 24 事件〈司予書〉

判旨：　遺言は遺言者の死亡により初めてその効力を生ずるものであり、遺言者はいつでも既にした遺言を取り消すことができ、遺言者の死亡以前に受遺者が死亡したときには遺贈の効力は生じないのであるから、遺言者の生存中は遺贈を定めた遺言によって何らの法律関係も発生しないのであって、受遺者とされた者は、何らかの権利を取得するものではなく、単に将来遺言が効力を生じたときは遺贈の目的物である権利を取得することができる事実上の期待を有する地位にあるにすぎない。したがって、このような受遺者とされる者の地位は、確認の訴えの対象となる権利又は法律関係には該当しないというべきである。遺言者が心神喪失の常況にあって、回復する見込みがなく、遺言者による当該遺言の取消し又は変更の可能性が事実上ない状態にあるとしても、受遺者とされた者の地位の右のような性質が変わるものではない。

評釈：　本判決は、被相続人が生存中は、相続人の法的地位に対する現実の危険や不安が生じないとの考慮から、即時確定の利益を否定したものといえる。なお、このような訴えは、確認対象として適切かという観点からも問題となる。受遺者が遺言者の死亡により遺贈を受けることとなる地位という現在の地位を対象とするものであるが、かかる地位は権利又は法律関係ではなく事実上の期待にすぎないから、確認対象としても不適切である。

②　推定相続人は、被相続人の生前のその個々の財産につき権利を有するものではなく、被相続人・第三者間の売買無効確認を求めるにつき、即時確定の利益はない（最判昭 30.12.26）。

③　具体的相続分は、それ自体を実体法上の権利関係であるということはできず、また、遺産分割審判事件における遺産の分割等に関する訴訟事件を離れて、具体的相続分のみを別個独立に判決によって確認することが紛争の直接かつ抜本的解決のため適切かつ必要であるということはできないから、具体的相続分についてその価額又は割合の確認を求める訴えは、確認の利益を欠く（最判平12.2.24・百選23事件）〈司予書〉。特別受益の確認の訴えも同様に不適法である（最判平7.3.7）〈司予書〉。

④　自分の戸籍に日本国籍の離脱及び回復に関する記載のある者が、出生による日本国籍を現に引き続き有する旨の確認を求める訴えは、確認の利益がある（最大判昭32.7.20）〈司〉。

▼　**最判昭62.7.17・百選〔第三版〕A12事件**〈司〉

判旨：　真実と異なる離縁の記載のされている養子縁組の当事者は、離縁無効を確認する確定判決を得て戸籍法116条により右戸籍の記載を訂正する利益がある。また、相手方当事者から縁組無効の主張がされても、訴えの利益が失われるものではない。

4　形成の訴えの利益
(1)　形成の利益の法定
　給付訴訟や確認訴訟と異なり、形成訴訟は法律で規定されている場合に限り認められる。
(2)　形成の利益の消滅
　(a)　はじめに
　　法が形成の利益を定めている場合でも、訴訟係属前又は係属中における事情の変化によって、形成の利益が消滅する場合がでてくる。
　(b)　具体例
　ア　形成判決に遡及効が認められず、将来に向かってのみ形成の効果を生じる場合
　①　重婚を理由とする後婚の取消訴訟の係属中に協議離婚が成立した場合（最判昭57.9.28）〈予〉、又は夫婦の一方の死亡の場合、訴えの利益は消滅する〈司〉。
　②　会社設立無効や取消しの効果は遡及しない（会839）から、設立無効ないし取消しの訴えの利益は会社の解散によって失われる。
　イ　形成判決に遡及効が認められる場合
　①　形成の利益が認められる場合
　　免職処分取消訴訟提起後の辞職等の場合も、それまでの給料請求等に必要だとして訴えの利益を認める（最大判昭40.4.28）。

　　自動車運転免許取消処分の取消訴訟中に免許証の有効期間が経過した場合にも、取消判決の取得により免許更新が可能となるから訴えの利益は失われない（最判昭40.8.2）。

②　形成の利益が消滅する場合

▼　**最大判昭28.12.23・百選〔第三版〕37事件**

　　判旨：　行政事件における訴えの利益について、5月1日の皇居外苑使用不許可処分取消の訴えは、同日の経過により法律上の利益を失うとした。

▼　**最判昭37.1.19** 〈37〉

　　判旨：　会社の設立後における株式の発行に関する株主総会特別決議の取消しの訴えの係属中に、当該決議に基づき株式の発行が行われた場合、訴えの利益が失われるとした。

▼　**最判昭45.4.2・百選28事件**

　　判旨：　形成の訴は、法律の規定する要件を充たすかぎり、訴の利益の存するのが通常であるけれども、その後の事情の変化により、その利益を欠くに至る場合がある。しかして、株主総会決議取消の訴は形成の訴であるが、役員選任の株主総会決議取消の訴が係属中、その決議に基づいて選任された取締役ら役員がすべて任期満了により退任し、その後の株主総会決議によって取締役ら役員が新たに選任され、その結果、取消を求める選任決議に基づく取締役ら役員がもはや現存しなくなったときは、右の場合に該当するものとして、特別の事情のないかぎり、決議取消の訴は実益なきに帰し、訴の利益を欠くに至る。

六　当事者適格

1　意義

　　当事者適格とは、特定の訴訟物について、当事者として訴訟を追行し、本案判決を求めうる資格をいう。当事者適格があることを「訴訟追行権」があるともいう。

　　→当事者適格又は訴訟追行権を有する当事者のことを「正当な当事者」という

　　当事者適格は、当事者能力や訴訟能力のように、特定の訴訟物と関係なく、専ら当事者の人的属性に着目して判断されるのと異なり、当事者と訴訟物との関係に着目して、裁判所が本案判決をすべきかどうかを判断するものとされる。

　　なお、当事者適格の有無は、当事者ごとに各々判断されるのが原則であるが、固有必要的共同訴訟においては、共同訴訟人たるべき者全員が当事者となってはじめて当事者適格が認められる。　⇒p.70参照

2 当事者適格欠缺の看過

(1) 当事者適格は訴訟要件の1つであり、これを欠く場合には訴えは却下される。当事者適格の欠缺を看過して本案判決をしてしまった場合には、上訴して取消しを求めうるが、再審事由（338）には該当しない。

(2) 第三者の訴訟担当の場合

(a) 本人：実質的利益主体は、担当者の当事者適格の欠缺を主張して、自己に判決効が及ぶことを否定しうる。

∵ 担当者が真に当事者適格を有していた場合にのみ本人に効力が及ぶ（115 I②）

(b) 敗訴した相手方が訴訟担当者の当事者適格の欠缺を主張して判決の効力を遡って争うことについては、学説上争いがある。

相手方には訴訟追行の十分な機会があり、当事者適格の欠缺を主張するのは公平でないから、これを許さない見解もあるが、判決効が対世的に拡張するものとして反対する見解もある。

七 当事者適格の判断基準

1 はじめに

訴えの提起は、訴訟物たる権利・法律関係を実体法上処分するのと類似の効果をもつ。したがって、当事者適格は、一般的には、訴訟物たる権利・法律関係の主体であると自ら主張し、又は原告から主張された者に認められる。

判例（最判平 6.5.31・百選10事件、最判平 26.2.27・百選9事件）は、「当事者適格は、特定の訴訟物について、誰が当事者として訴訟を追行し、また、誰に対して本案判決をするのが紛争の解決のために必要で有意義であるかという観点から決せられるべき事柄である」としている。

2 給付の訴え

自己の給付請求権を主張する者が原告適格を有し、原告によってその義務者とされる者が被告適格を有する〈予書〉。

▼ 最判平 23.2.15・平23重判2事件

事案： 権利能力なき社団であるマンションの管理組合（X）が、Yら（Y1〜Y3）に対し、規約で定められた原状回復義務に基づく工作物の撤去、規約所定の違約金の支払またはこれと同額の不法行為に基づく損害賠償を求めるとともに、看板等の設置に係る共用部分の使用料相当損害金の支払等を求めた。

判旨： 「給付の訴えにおいては、自らがその給付を請求する権利を有すると主張する者に原告適格があるというべきである。本件各請求は、Xが、Yらに対し、X自らが本件各請求に係る工作物の撤去又は金員の支払を求める権利を有すると主張して、その給付を求めるものであり、Xが、本件各請求に係る訴えについて、原告適格を有することはあきらかである。」

3　確認の訴え

(1)　原則

　　確認の訴えでは、その訴訟物について当該当事者間で確認することが紛争の解決に有効かつ適切といえるかが問題となるところ、これは確認の利益の問題でもあるので、一般的に、確認の利益が認められれば当事者適格も認められるものと考えられている（当事者適格の問題は確認の利益の問題に吸収される）。

(2)　例外

　　もっとも、訴訟物たる権利・法律関係について、特別に第三者に管理権が認められ、それに基づいて当事者適格が与えられる場合がある。それが、後述する第三者の訴訟担当である。　⇒下記「八　第三者の訴訟担当」参照

　　また、訴訟物たる権利・法律関係の主体ではない第三者が、その他人間の権利・法律関係を確認することについて独自の法律上の利益をもつ場合にも、例外的に当事者適格が認められるとされるが、次の判例は、当事者適格を否定している。

▼ **最判平 7.2.21・百選〔第5版〕14 事件**

事案：　宗教法人Y神社につき、Zが宮司に任命されたことによって、当然にY神社の代表役員に就任したとして、その旨の登記がなされた。そこで、Yの氏子であるXらが、Yを相手方として、ZがY神社の代表役員でないことの確認及び抹消登記手続等を求めて訴えを提起した。

判旨：　**本件訴えは、氏子であるXらが、自らの地位ないし権利関係についての確認等を請求するものではなく、ZがYの代表役員の地位にないことの確認及びこれを前提に前記登記の抹消をそれぞれ請求するものである。したがって、その訴えの利益、また、したがって原告適格を肯定するには、組織上、XらがYの代表役員の任免に関与するなど代表役員の地位に影響を及ぼすべき立場にあるか、又は自らが代表役員によって任免される立場にあるなど代表役員の地位について法律上の利害関係を有していることを要する。**

　　宗教法人法及び本件神社規則によれば、①Yの責任役員は代表役員の任免に直接関与する立場にあり、また、②氏子総代も、総代会の構成員として責任役員を選考し、ひいては代表役員の地位に影響を及ぼすべき立場にあるということができるから、Yの責任役員及び氏子総代は、いずれもYの代表役員の地位の存否の確認等を求める訴えの原告適格を有するというべきである。しかしながら、③氏子は、Yの機関ではなく、代表役員の任免に関与する立場にないのみならず、自らが代表役員によって任免される立場にもないなど代表役員の地位について法律上の利害関係を有しているとはいえないから、**右確認等を求める訴えの原告適格を有しない。**

(3) 判決に対世効（115条1項各号に規定された者とは別に、第三者一般に既判力が及ぶ場合）が認められる場合には、判決効の拡張を受ける第三者との関係で、誰が当事者適格を有するかが問題となる。以下のとおり、通常は法が明文で定めている。

→会社法838条（「会社の組織に関する訴えに係る請求を認容する確定判決は、第三者に対してもその効力を有する」）は対世効を定めているところ、明文で被告適格を規定している（会社834各号参照）

もっとも、法定されていない場合には、第三者の手続保障の観点を踏まえつつ、特定の訴訟物との関係で、誰が当事者として訴訟を追行するのが紛争の解決のために必要で有意義であるかという観点から決せられる。

(a) 法人の内部紛争に関わる訴訟における当事者適格

法人の内部紛争に起因して、代表者の選任決議の効力が争われることがある。この場合の原告適格は、決議の効力について法律上の利害関係を有している者に認められる（最判平7.2.21・百選〔第5版〕14事件参照）一方、被告適格については争いがあり、①法人のみ、②当該決議により選任された者、③その双方、といった見解が対立していた。

判例（最判昭36.11.24・百選A32事件、最判昭44.7.10・百選14事件）は、①説（被告適格は法人のみに認められるとする見解）に立つ。

∵① 決議は法人の意思決定であり、意思決定の主体が法人である以上、決議の効力を争う訴訟については、法人自身に被告適格が認められる

② 上記②説に立つと、その訴訟の判決効が法人に及ばず、代表者の地位をめぐる関係当事者間の紛争を根本的に解決する手段として有効・適切な方法とは認められない

▼ 最判昭 44.7.10・百選 14 事件 [予]

判旨： 法人の代表役員・責任役員の地位確認を求める訴えでは、「法人を当事者とすることなく、当該法人の理事者たる地位の確認を求める訴を提起することは、たとえ請求を認容する判決が得られても、その効力が当該法人に及ばず、同法人との間では何人も右判決に反する法律関係を主張することを妨げられないから、右理事者の地位をめぐる関係当事者間の紛争を根本的に解決する手段として有効適切な方法とは認められず、したがって、このような訴は、即時確定の利益を欠き、不適法な訴として却下を免れない」。「法人の理事者が、当該法人を相手方として、理事者たる地位の確認を訴求する場合にあっては、その請求を認容する確定判決により、その者が当該法人との間においてその執行機関としての組織法上の地位にあることが確定されるのであるから、事柄の性質上、何人も右権利関係の存在を認めるべきものであり、したがって、右判決は、

> 対世的効力を有するものといわなければならない。それ故に、法人の理事者がこの種の訴を提起する場合には、当該法人を相手方とすることにより、はじめて右理事者の地位をめぐる関係当事者間の紛争を根本的に解決することができることとなる。」

　他方、紛争の実質を重視し、決議の効力について最も強い利害関係を有する者は当該決議により選任された者であるとして、この者に被告適格を認めるのが上記②説・③説である。

　しかし、当事者適格は訴訟物たる権利・法律関係の主体に認められるのが原則である（⇒「1　はじめに」参照）以上、②説は採り得ない。また、③説に対しても、当該決議により選任された者の手続保障は共同訴訟的補助参加（⇒ p.87）によって図ることができるので、あえてこの者に当事者適格を認める必要はないと一般に解されている。

(b)　他人間の身分関係の存否確認の訴えにおける当事者適格

　人事訴訟法 24 条 1 項は、「人事訴訟の確定判決は、民事訴訟法第 115 条第 1 項の規定にかかわらず、第三者に対してもその効力を有する」として対世効を定めているところ、人事訴訟たる身分関係の存否確認の訴えについては、原告適格に関する明文の規定がない。そのため、当該身分関係の主体以外の第三者にどの範囲で原告適格を認めるべきかが問題となる。

　判例（最判昭 63.3.1、最判平 31.3.5・令元重判 2 事件参照）は、他人間の身分関係の存否確認の訴えの原告適格者は、自己の身分関係に関する地位に直接影響を受ける者でなければならず、単に自己の財産上の権利義務に影響を受けるにすぎない者は、当該身分関係の存否を確認する法律上の利益を有しない（原告適格を有しない）旨判示している。

　→一方、判例（最判令 4.6.24・令 4 重判 3 事件）は、他人間の親子関係不存在確認の訴えについて、その親子関係の存否により自己の法定相続分に差異が生ずる者は、自己の身分関係に関する地位に直接影響を受ける者といえるので、上記訴えにつき法律上の利益を有する（原告適格を有する）としている

4　形成の訴え

　通常、原告適格・被告適格は明文によって個別に規定されているので、それらの者が正当な当事者である。

ex.1　離婚訴訟における原告：「夫婦の一方」（民 770 I 柱書）

ex.2　認知の訴えにおける被告：「父又は母を被告とし、その者が死亡した後は、検察官」（人訴 42 I）

八　第三者の訴訟担当

1　総説

(1)　第三者の訴訟担当の意義

　　訴訟物の内容をなす権利・法律関係の存否につき自ら法的利益を有する通常の適格者（実質的利益帰属主体）に代わり第三者に当事者適格が認められ、正当な当事者とされる場合がある。このような場合を、第三者の訴訟担当という。

<第三者の訴訟担当>

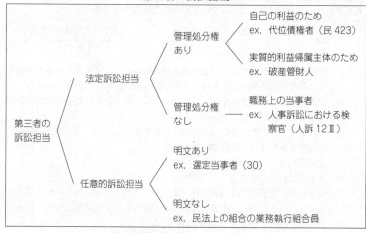

<訴訟担当と訴訟上の代理人>

	第三者の訴訟担当	訴訟上の代理人
意義	訴訟の内容をなす権利・法律関係の存否につき自ら法的利益を有する通常の適格者（実質的利益帰属主体）に代わり第三者に当事者適格が認められ、正当な当事者とされる場合	当事者の名において、代理人たることを示して、当事者に代わり自己の意思に基づいて、訴訟行為を行い、又は受ける者
種類	法定訴訟担当 任意的訴訟担当	法定代理人 任意代理人（訴訟代理人）

	第三者の訴訟担当	訴訟上の代理人
趣旨	権利義務の帰属主体でなくても、当該権利義務関係について管理処分権を有していれば、その者に対して判決を下すことによって紛争解決を図れる（法定訴訟担当）。また、たとえば、当事者が多数となる場合には、その中の1人を訴訟担当者として訴訟を追行させることは、被担当者及び相手方当事者にとっても便宜である（任意的訴訟担当）	訴訟無能力者の訴訟能力を補充し、当事者を保護する（法定代理人）。また、訴訟能力者であっても、専門家である弁護士に訴訟を任せて、積極的に訴訟における自己の活動を拡大する（訴訟代理人）
共通点	他人の権利関係について例外的に訴訟ができる場合がある点	
相違点	訴訟における当事者である	当事者の代理人にすぎない

(2) 第三者の訴訟担当の種類

　　法律の規定に基づく場合を法定訴訟担当といい、本来の権利帰属主体の授権により当事者適格が認められる場合を任意的訴訟担当という。

(3) 訴訟担当した第三者が受けた判決の効力は、実体法上の利益の帰属主体にも及ぶ（115 I ②）〈予〉。

　　→当事者適格のない者によって得られた判決の既判力は実体法上の利益の帰属主体には及ばない〈司〉

2　法定訴訟担当

(1) 法定訴訟担当の意義

　　第三者が、実質的利益帰属主体（本人）の権利・法律関係を内容とする訴訟物につき、法律上、訴訟追行権を付与される場合を法定訴訟担当という。

(2) 管理処分権の付与に基づく法定訴訟担当

　(a) 主として担当者のための法定訴訟担当

　　ア　第三者の権利の実現のために、訴訟物の内容をなす利益帰属主体（本人）の権利・法律関係につき当該第三者に管理処分権が与えられ、それに基づき当該第三者に対し法律上、訴訟追行権が認められる場合をいう。

　　イ　管理処分権を生じさせる事実が存在しないことが明らかになった場合、当事者適格が欠けるから、裁判所は訴えを却下する〈司予〉〈予H25〉。

　　　　ex.　債権者による代位訴訟（民423）、株主代表訴訟（会847以下）、債権取立命令を得た執行債権者（民執155、157）、質入債権について訴訟をする債権質権者（民366）

　(b) 専ら実質的利益帰属主体（本人）のための法定訴訟担当

　　権利・義務の帰属主体のために財産の管理処分を担当する第三者（財産管理人）に訴訟追行権が認められる。

ex. 破産財団に関する訴訟についての破産管財人（破80）、不在者の財産管理人（民25以下）

ア　遺言執行者（民1012）〈司〉〈司H25〉

判例（最判昭51.7.19・百選11事件）は、遺言執行者は相続財産の管理その他遺言の執行に必要な一切の行為をする権利義務を有する（民1012Ⅰ）こと、及び遺言執行者があるときには相続人は管理処分権を制限される（民1013Ⅰ）ことから、法定訴訟担当であるとしている。

では、いかなる場合にも遺言執行者が訴訟担当者となるか。判例は、遺言執行者の職務の範囲内であるかどうかという観点から、遺言執行者の当事者適格の有無を判断している。

(ⅰ)　遺言執行者Aは、特定遺贈がされた場合において、受遺者B以外の相続人Cや第三者Dに所有権移転登記がされたときには、その登記の抹消登記手続を求める訴えの原告適格を有する（大判昭15.12.20、最判昭51.7.19・百選11事件参照）。

∵　遺言執行者は、遺言の執行に必要な一切の行為をする権利義務を有する（民1012Ⅰ）

この場合において、特定遺贈の受遺者Bがその遺言の執行として（遺贈を原因とする）目的不動産の所有権移転登記を求める訴えを提起する場合、その被告適格を有する者は、相続人Cではなく、遺言執行者Aに限られる（最判昭43.5.31）〈司〉。

∵①　遺言執行者がいる場合、相続人は相続財産についての処分権を失い、その処分権は遺言執行者に帰属する（民1013Ⅰ）ので、相続人の法定訴訟担当者たる遺言執行者を被告とすべきである

②　登記の移転という遺言の執行がまだ終了していない以上、抹消登記手続を求めるのも遺言執行者の職務権限に属する

→上記最判昭43.5.31の趣旨を明文化したものが民法1012条2項（「遺言執行者がある場合には、遺贈の履行は、遺言執行者のみが行うことができる。」）であるとされる

これに対し、特定遺贈の目的不動産につき遺言の執行としてすでに受遺者Bに遺贈による所有権移転登記がされており、相続人Cが遺言の無効を主張してその所有権移転登記の抹消登記手続を求める訴えを提起する場合、その被告適格を有する者は、遺言執行者Aではなく、受遺者Bに限られる（最判昭51.7.19・百選11事件）〈司予〉。

∵　登記の保持は遺言執行者の職務権限に属するものではないし、すでに受遺者に登記が経由された後は、その登記についての権利義務は受遺者に帰属し、遺言執行者はその登記について

の権利義務を有しない

　なお、相続人Ｃが遺言の無効を主張して相続財産について自己が持分権を有することの確認を求める訴えを提起する場合、その被告適格を有する者は、遺言執行者Ａである（最判昭31.9.18）〈司書〉。

∴　遺言執行者は、受遺者を被担当者とする法定訴訟担当者としても被告適格を有する

(ii)　遺言執行者Ａは、包括遺贈がされた場合において、包括受遺者Ｂ以外の相続人Ｃや第三者Ｄに対する所有権移転登記がされたときには、包括受遺者Ｂが受けるべき持分に関する部分の抹消登記手続を求める訴えの原告適格を有する（最判令5.5.19・令５重判２事件）。

∴　遺言執行者は、遺言の執行に必要な一切の行為をする権利義務を有する（民1012Ⅰ）

→ただし、包括受遺者Ｂが遺贈の放棄をした場合、その包括遺贈について遺言執行の余地はない以上、遺言執行者Ａは、上記訴えの原告適格を有しない（最判令5.5.19・令５重判２事件）

(iii)　特定の不動産を特定の相続人に「相続させる」旨の遺言（特定財産承継遺言、民1014Ⅱ参照）がされた場合において、第三者Ｄがその不動産について賃借権があると主張して賃借権確認の訴えを提起するとき、その被告適格を有する者は、遺言書に当該不動産の管理及び相続人への引渡しを遺言執行者の職務とする旨の記載があるなどの特段の事情のない限り、遺言執行者Ａではなく、受益相続人Ｂである（最判平10.2.27）〈司〉。

∴　特定の不動産を特定の相続人に「相続させる」旨の遺言は、遺産分割方法の指定であり、原則として何らの行為を要せずして、直ちに当該不動産が受益相続人に相続により承継される（最判平3.4.19・民法百選Ⅲ87事件）ため、遺言執行者を介在することなく遺言の内容が実現しており、当該不動産に関する管理等は遺言執行者の職務権限に属するものではない

　これに対し、同じく特定の不動産を特定の相続人に「相続させる」旨の遺言がされた場合において、受益相続人Ｂ以外の相続人Ｃに所有権移転登記がされているとき、遺言執行者Ａは、その登記の抹消登記手続を求めるとともに、受益相続人Ｂへの真正な登記名義の回復を原因とする所有権移転登記手続を求める訴えの原告適格を有する（最判平11.12.16）。

∴　特定の不動産を特定の相続人に「相続させる」旨の遺言がされた場合でも、受益相続人の登記の処理という遺言執行者の職務が生じている

→上記最判平 11.12.16 の趣旨を明文化したものが民法 1014 条 2
項（「遺産の分割の方法の指定として遺産に属する特定の財産
を共同相続人の 1 人又は数人に承継させる旨の遺言（以下「特
定財産承継遺言」という。）があったときは、遺言執行者は、
当該共同相続人が第 899 条の 2 第 1 項に規定する対抗要件を備
えるために必要な行為をすることができる。」）であるとされる

(iv) なお、特定遺贈の受遺者Bは、遺言執行者Aがいる場合であって
も、遺贈を原因とする目的不動産の所有権移転登記ではなく、所有
権に基づく妨害排除請求権の行使として抹消登記手続を請求する場
合には、その訴えの原告適格を有する（最判昭 62.4.23）。

∵① 特定遺贈は、遺言の効力発生（民 985 Ⅰ参照）と同時に、
受遺者に所有権が移転する（大判大 5.11.8）

② 遺言執行者は受遺者を被担当者とする法定訴訟担当者でも
あるが、受遺者については民法 1013 条 1 項のような規定は
ないので、受遺者も自らの権利を行使することができる（最
判昭 30.5.10 参照）

→特定遺贈の受遺者Bがその目的不動産について、受遺者B以外
の相続人Cや第三者D名義の所有権移転登記を抹消した上で、
遺贈を原因とする所有権移転登記を得ようとする場合、①登記
名義人であるCやDを被告とする抹消登記手続請求（最判昭
62.4.23 参照）と、②遺言執行者Aを被告とする遺贈を原因とす
る所有権移転登記手続請求（最判昭 43.5.31 参照）とを併合し
て訴えを提起する方法が採りうるとされる

イ 相続財産の清算人（民 936）

相続財産の清算人が全相続人の法定代理人であるのか、自己の名で当
事者となる第三者の（法定）訴訟担当であるのかについて、判例は法定
代理人であるとする。

▼ **最判昭 47.11.9・百選〔第 5 版〕A 5 事件**

事案： Xが相続財産管理人に選任され、Xが自己の名で貸金返還請求訴訟を
提起した（Xは自分は第三者の訴訟担当と考えた）。原審が職権で当事者
適格を問題にし、相続財産管理人は一種の法定代理人にすぎないとして、
本件訴えは当事者適格を欠くとしたため、Xが上告した。

評釈： 「相続人は相続財産管理人が選任されても当事者適格を有し、相続財産
管理人はその相続人全員の法定代理人として訴訟に関与する」と判示し、
上告を棄却した。

(3) 職務上の当事者

  (a) 職務上の当事者の意義

    訴訟物の内容をなす権利・法律関係の帰属主体本人の訴訟追行が不可能ないし困難な場合に、これらの者（本人）の利益を保護すべき立場にある者（第三者）が、法律上当事者として訴訟を担当する場合である。

  (b) 職務上の当事者の具体例

    人事訴訟の検察官（人訴12Ⅲ、26Ⅱ、42ⅠⅡ、43ⅡⅢ）、成年後見人・成年後見監督人（人訴14）

3 任意的訴訟担当

(1) 任意的訴訟担当の意義

  訴訟物との関係で法的利益をもつ本来の当事者適格者が、その意思で、本来は法的利益をもたない第三者に訴訟追行権を授与して、当事者として訴訟を追行させることをいう。

(2) 選定当事者（30）⇒p.50

(3) 明文なき（狭義の）任意的訴訟担当

  明文なき任意的訴訟担当は認められるか。これを認めることは弁護士代理の原則（54）や訴訟信託の禁止（信託10）の潜脱につながるため問題となる。

▼ **最大判昭45.11.11・百選12事件**

判旨： 民法上の組合において、組合規約に基づき業務執行組合員に組合財産に関する訴訟を自己の名で追行する権限が授与されている場合について、任意的訴訟信託は、民訴法が訴訟代理人を原則として弁護士に限り、また、信託法11条（現10条）が訴訟行為を為さしめることを主たる目的とする信託を禁止している趣旨に照らし、一般に無制限にこれを許容することはできないが、当該訴訟信託がこのような制限を回避、潜脱するおそれがなく、かつ、これを認める合理的必要がある場合には許容するに妨げないとして、訴訟担当を認めた。

＊ 判例（最判平28.6.2・百選13事件）は、「任意的訴訟担当については、本来の権利主体からの訴訟追行権の授与があることを前提として、弁護士代理の原則（民訴法54条1項本文）を回避し、又は訴訟信託の禁止（信託法10条）を潜脱するおそれがなく、かつ、これを認める合理的必要性がある場合には許容することができる」と判示し、上記大法廷判決の法理を整理している。

第134条 （訴え提起の方式）

Ⅰ 訴えの提起は、訴状を裁判所に提出してしなければならない。

Ⅱ 訴状には、次に掲げる事項を記載しなければならない。

① 当事者及び法定代理人

　②　請求の趣旨及び原因

【規則】第53条　（訴状の記載事項・法第134条）⚬

Ⅰ　訴状には、請求の趣旨及び請求の原因（請求を特定するのに必要な事実をいう。）を記載するほか、請求を理由づける事実を具体的に記載し、かつ、立証を要する事由ごとに、当該事実に関連する事実で重要なもの及び証拠を記載しなければならない。

Ⅱ　訴状に事実についての主張を記載するには、できる限り、請求を理由づける事実についての主張と当該事実に関連する事実についての主張とを区別して記載しなければならない。

Ⅲ　攻撃又は防御の方法を記載した訴状は、準備書面を兼ねるものとする。

Ⅳ　訴状には、第1項に規定する事項のほか、原告又はその代理人の郵便番号及び電話番号（ファクシミリの番号を含む。）を記載しなければならない。

【規則】第54条　（訴えの提起前に証拠保全が行われた場合の訴状の記載事項）

　訴えの提起前に証拠保全のための証拠調べが行われたときは、訴状には、前条（訴状の記載事項）第1項及び第4項に規定する事項のほか、その証拠調べを行った裁判所及び証拠保全事件の表示を記載しなければならない。

【規則】第55条　（訴状の添付書類）

Ⅰ　次の各号に掲げる事件の訴状には、それぞれ当該各号に定める書類を添付しなければならない。

①　不動産に関する事件　登記事項証明書

②　手形又は小切手に関する事件　手形又は小切手の写し

Ⅱ　前項に規定するほか、訴状には、立証を要する事由につき、証拠となるべき文書の写し（以下の「書証の写し」という。）で重要なものを添付しなければならない。

《注　釈》

一　訴状の提出

　訴えの提起は、一定の事項を記載した訴状を裁判所に提出してするのが原則である（134Ⅰ）。訴状には、後述の必要的記載事項を記載し（134Ⅱ）、訴額に応じて所定額の印紙を貼り、被告に送達するために被告の数だけ副本を添え（規58Ⅰ）、送達費用を予納しなければならない（民訴費11～13）。

二　訴状の記載事項

1　必要的記載事項

(1)　当事者の表示

　　誰が原告、被告であるかを特定できる程度の表示を要する。

(a)　自然人については氏名と住所を記載する。

ア　特定しうるのであれば、氏名の代わりに通称名を用いることができる（規2Ⅰ①「名称」）⚬。

イ　当事者が訴訟無能力者（31）である場合、法定代理人の表示を要する（134Ⅱ①）。

(b)　法人などの団体については名称（商号等）と所在地を記載する。

法人などの団体の場合、代表者の表示を要する。

(2)　請求の趣旨

請求の趣旨とは、訴えによって求める判決内容の結論的・確定的な表示をいい、通常、請求容認判決の主文に対応する。金銭の支払請求の場合には、一定金額の明示が必要である。

① 給付の訴え：「被告は原告に対し金100万円を支払えとの判決を求める」

② 確認の訴え：「別紙物件目録記載の土地は原告の所有に属することを確認するとの判決を求める」

③ 形成の訴え：「原告と被告とを離婚するとの判決を求める」

(3)　請求の原因

(a)　請求の原因（狭義）とは、請求を特定するために必要とされる権利の発生原因事実をいう〈予〉。

(b)　記載の必要性・範囲

ア　請求の原因の記載の必要性・範囲は、訴訟物理論によって異なる。
⇒ p.196

イ　事実の記載の程度は他との混同が生じうるかということにより相対的に定まる。

ex.1　貸金返還請求訴訟では、弁済期や弁済期の到来の事実の記載がなくても、契約当事者その他の事実の記載によって請求が特定されれば、補正を命じた上での訴状却下をすることはできない〈同〉

ex.2　確認の訴えにおいては、請求の趣旨のみで請求（訴訟物）を特定することが可能であるから、請求の原因の記載は特段求められない〈予〉

(4)　請求の特定〈予〉

民事訴訟は、特定した訴訟物たる権利義務を審判対象とする。したがって、原告は、訴えを提起するに当たって、請求の趣旨および原因によって請求を特定することが求められる。これは、裁判所との関係では審判対象を明らかにし、被告との関係では防御の対象を明らかにするという意味を有する。

(a) 抽象的不作為請求訴訟

▼ 名古屋高判昭 60.4.12・百選 30 事件

判旨: 新幹線沿線の居住者により提起された騒音及び振動の差止めを求める訴えにつき、訴訟物が特定されているかについて、「実体法上は、一般に債権契約に基づいて、(手段結果を問わず)結果の実現のみを目的とする請求権を発生せしめ、これを訴求し得ることは疑いないところであるから、被告のいうようにある結果の達成を目的とする請求が常にその手段たる具体的な作為・不作為によって特定されなければならないものではない」とした。

また、給付の内容が強制執行をなし得ないものであることについては、「代替執行が可能であるように請求を構成しなければ訴訟上の請求として特定しないというべき根拠はない」と判示し、抽象的不作為請求を認めた。

▼ 最判平 5.2.25・百選〔第三版〕39 事件

判旨: 「Yは、Xらのためにアメリカ合衆国軍隊をして、毎日午後9時から翌日午前7時までの間、本件飛行場を一切の航空機の離着陸に使用させてはならず、かつ、Xらの居住地において55ホン以上の騒音となるエンジンテスト音、航空機誘導音等を発する行為をさせてはならない。」とする請求の趣旨は、Yに対して給付を求めるものであることが明らかであり、また、このような抽象的不作為命令を求める訴えも、請求の特定に欠けるものということはできない。

(b) 債務不存在確認〈予R2〉

係争部分の上限が申立ての中で表示されていない場合(たとえば、単に30万円を超える債務の不存在確認を求める場合)、金銭債権(債務)の金額が申立ての中に全く表示されていない場合は金額の明示がなく請求の特定が認められないのではないかが問題となるが、判例(最判昭40.9.17・百選71事件)・通説はかかる場合にも「請求の原因」まで斟酌することで、審判対象・防御対象は明らかになるとして請求の特定を肯定する。

(c) 不法行為に基づく損害賠償請求と請求の特定

通常、訴訟物が金銭債権の場合、請求の特定のために金額の明示まで要求されている。しかし、不法行為に基づく損害賠償請求においては、損害額の算定が著しく困難、過失相殺の有無・程度に関する見通しが困難という特殊性がある。そこで、不法行為に基づく損害賠償請求においては、金額の明示がなくとも請求の特定を肯定しえないかが問題となる。これにつき通説は、金額の明示は被告の防御方法・程度を決するのに重要であり、審理途中で請求の拡張をすることもできる以上、原告にとって特に不都合はない等として、請求の特定には具体的な金額の明示が必要であるとする〈団〉。

2　任意的記載事項

　当事者の主張及びそれに基づく争点の整理という観点から、訴状に請求を理由付ける事実（主要事実）を具体的に記載し、かつ、立証を要する事実ごとに、当該事実に関連する事項（間接事実）で重要なもの及び証拠を記載しなければならない（規53Ⅰ）。これらの事項は、その記載を欠いても訴状としての効力に影響がないことから、任意的記載事項といわれる。

第134条の2　（証書真否確認の訴え）〈共予書〉

　確認の訴えは、法律関係を証する書面の成立の真否を確定するためにも提起することができる。

[趣旨] 確認の訴えの対象は、原則として権利・法律関係に限られるが、特定の事実関係が複数の権利関係の前提となっており、個別の権利関係について確認するよりも、当該事実関係を確認する方が紛争の抜本的解決に資する場合、事実関係であっても確認の対象として認められることがありうる。法はそのような場合の1つとして、本条により証書真否確認の訴えを認めている。

《注　釈》

◆　判例

1　「法律関係を証する書面」（134の2）とは、「その書面自体の内容から直接に一定の現在の法律関係の成立存否が証明され得る書面」を指す（最判昭28.10.15）。

　対象文書が「法律関係を証する書面」に該当しない場合、当該確認の訴えは不適法であるので、たとえ相手方が請求を認諾しても、その訴訟上の効果は生じない（前掲最判昭28.10.15）〈子〉。

2　134条の2にいう「真否」とは、証書の記載内容が真実か否かではなく、作成名義人の意思に基づいて作成されたか否かを意味するものである（最判昭27.11.20）〈子〉。

3　訴訟代理権の有無は、それが問題となる当該訴訟においてこれを審判すべきであり、別訴を提起して訴訟代理権の存否確認を求めることは、確認の利益を欠く（最判昭28.12.24）〈司H28〉。

4　訴訟代理権を証すべき書面の真否確認を求める訴訟も、確認の利益を欠く（最判昭30.5.20・百選〔第三版〕35事件）。

　　∵　訴訟代理権の存否確認を求める別訴が確認の利益を欠く以上、その存否確定に資する訴訟代理権を証すべき書面の真否確認を求める別訴も当然確認の利益を欠く

第135条 （将来の給付の訴え）

　将来の給付を求める訴えは、あらかじめその請求をする必要がある場合に限り、提起することができる〈論〉。

《注　釈》

◆　将来給付の訴え　⇒ p.206

1　将来の給付の訴え：判決の基準時たる事実審の口頭弁論終結時までに履行期が到来しない請求権を主張する訴え。

2　将来の給付の訴えは、履行期が到来しても相手方の任意の履行が合理的に期待できない場合や、給付の性質上履行期の到来時において即時の給付がなされないと債務の本旨に反する場合等、あらかじめ請求をする必要がある場合に限り許されるものとした。

第136条 （請求の併合）〈図〉

　数個の請求は、同種の訴訟手続による場合に限り、一の訴えですることができる。

[趣旨] 訴訟手続には、民事訴訟手続、人事訴訟手続等、様々な手続があり、それぞれ手続の基本原則が異なる。これらを1つの訴えによって行うと、いずれの基本原則に従うべきかについて問題が生じるため、本条は同種の手続による場合に限り、1つの訴えですることができると規定された。

《注　釈》

一　固有の訴えの客観的併合の意義

　固有の訴えの客観的併合とは、原告が当初から複数の請求を併合して訴えを提起する場合をいう。

二　固有の訴えの客観的併合の要件

1　数個の請求が同種の手続によって審判されるものであること（136）
　ただし、法律が認める場合は異種手続の請求でも併合することができる（人訴17、32、行訴16）。
　→離婚の請求と、その離婚請求の原因である事実によって生じた損害の賠償請求とは、家庭裁判所に対する1つの訴えですることができる（人訴17Ⅰ）〈司共〉

2　請求の併合が禁止されていないこと（行訴16Ⅰ等）

3　各請求について受訴裁判所に管轄権があること
　受訴裁判所は、複数の請求のうち1個の請求につき管轄権を有するときは他の請求についても管轄権を有することになる（7）。ただし、他の裁判所が専属管轄権をもつ請求については、請求の併合は認められない（13）。

（第一審の手続）

三 固有の訴えの客観的併合の態様

1 単純併合（並列的併合）

(1) 単純併合とは、相互に両立しうる複数の請求を並列的に併合し、そのすべてにつき判決を求める場合をいう。

(2) 単純併合の種類

(a) 請求相互間に関連性のない場合

ex. 売掛代金請求と貸金返還請求、土地明渡請求と貸金返還請求等

(b) 請求相互間に一定の関連性のある場合

ex. 賃貸借契約終了による家屋明渡請求と明渡までの延滞賃料の支払請求等〈共〉

(c) 代償請求とは、物の引渡請求とその履行不能・執行不能を条件とする価額相当額の金銭の支払を求める請求の併合である。通説はその性格を単純併合と解する〈共子〉。

→代償請求に法律上の根拠がないと判断したときは、裁判所は、代償請求を棄却する判決をする必要がある〈司〉

2 選択的併合

(1) 選択的併合とは、数個の請求につき、1つの請求の認容を解除条件として複数の請求を併合する場合をいう〈司〉。

ex. 所有権に基づく引渡請求と占有権あるいは債権的請求権に基づく引渡請求

(2) 選択的併合と訴訟物理論との関係

選択的併合は、旧訴訟物理論の立場から、請求権競合・形成権競合を処理するために考えられた訴訟形態である。新訴訟物理論の立場からは、各競合する請求権・形成権は、攻撃防御方法（請求を理由あらしめる法的観点）の1つにすぎないことになり、この形態は不要となる。

3 予備的併合

(1) 予備的併合とは、実体法上両立しない関係にある数個の請求について、一方について無条件に審判を求め、他方について、前者の認容を解除条件として審判を申し立てる場合を指す。前者を主位的請求といい、後者を予備的請求という。

→債権者代位権に基づく当該動産の引渡しを求める訴えと、詐害行為取消権に基づく当該動産の引渡しを求める訴えは、併合して提起することが可能である〈司〉

(2) 予備的併合の趣旨

密接に関連する両請求を同一手続内で審理する方が訴訟経済にも資するし、両立しえない請求に対する判決の相互矛盾を防止することができる。

<単純併合・選択的併合・予備的併合の異同>

	審判	弁論の分離・一部判決	その他の問題点
単純併合	全請求の審判を行う	可	請求相互間の関連性が高い場合の弁論の分離・一部判決の可否
選択的併合	原告を敗訴させる場合には、全請求を審理しなければならない（最判昭58.4.14）	不可	原告勝訴判決に対し控訴があった場合の、審級の利益
予備的併合	原告を敗訴させる場合には、全請求を審理しなければならない	不可	① 予備的請求認容判決に対する被告のみの上訴 ② 主位的請求認容判決に対し控訴された場合、控訴審は主位的請求を棄却し、予備的請求を認容できるか

四 併合訴訟の審理と判決

1 併合要件の調査

(1) 裁判所は職権でその具備の有無を調査しなければならない（職権調査事項）。

(2) 併合要件を欠くときは、各請求自体が訴訟要件を欠くわけではないため、各請求ごとに別個の訴え提起があったものとして扱えば足りる。

→裁判所が職権で弁論を分離し、専属管轄の定めがある場合には移送する（16）

2 本案の審理・判決

審理（本案の弁論・証拠調べ等）は、全請求につき共通に行われるから、ある請求についてなした事実の陳述も他の請求についての訴訟資料となる。

(1) 単純併合

(a) 全請求につき審判を要する。

一部の請求につき判決を脱漏した場合には、追加判決を要する（258 I）。

(b) 弁論の分離・一部判決は許される。

ただし、関連性の高度な先決関係にある請求が併合されている場合（ex.所有権確認請求と所有権に基づく引渡請求）や、基本的法律関係を共通にする請求が併合されている場合（ex.所有権に基づく引渡請求と移転登記請求や所有権侵害に基づく賠償請求）には、弁論の分離や一部判決をするのは、裁判の矛盾防止のため、通常は適切な処置とはいえない。

(2) 選択的併合

(a) 1つの請求を認容するならば他の請求について審理判断する必要はな

い。ただし、原告を敗訴させるには併合された全請求について審理して棄却又は却下しなければならない。

(b) 弁論の制限は可能だが、弁論の分離・一部判決は許されない《共》。

∵ 弁論の分離・一部判決（一部判決に対して独立に控訴ができる）により、手続が分離されると、訴訟追行上の不便や判断の不統一を招く

(c) 選択的併合と上訴の関係

勝訴判決に対し控訴されると、原審で判断されなかった請求を含む全請求が控訴審に移審する。この点、原審で審理されなかった請求を認容して控訴を棄却することは、審級の利益を害さないかが問題となるも、以下の理由で認められている。

∵① 選択的併合では実質的には第1審での攻撃防御と審理が保障されている

② 控訴審での訴え変更による同様の請求の追加が可能である（297・143）こととの関係でも、原審で審理されなかった請求を認容して控訴を棄却しても、違法とはいえない

また、A請求とB請求が選択的併合として申し立てられており、第一審がA請求の一部を認容し、その余の請求を棄却したのに対して、被告のみが控訴し、原告が控訴・附帯控訴のいずれもしなかった場合でも、控訴審が第一審判決のA請求の認容部分を取り消すべきとの判断をするときには、B請求についても審理判断しなければならない（最判昭58.4.14参照）《予》。

(3) 予備的併合

(a) 裁判所は、原告の指定した順位に従い判断しなければならない。

→順位を無視した判決は、処分権主義（246参照）違反となる

主位的請求が認容されると、それ自体全部判決となり予備的請求につき裁判をする必要はなくなる《同共》。他方、予備的請求認容の場合には主位的請求棄却の裁判が主文で示されなければならない。

(b) 弁論の制限は可能だが、弁論の分離・一部判決は許されない《共》。

∵ 手続が分離されると、訴訟追行上の不便や判断の不統一を招く

(c) 予備的併合と上訴の関係

ア 予備的請求認容の判決に対して被告のみが上訴した場合の審判の範囲

(ⅰ) 予備的併合の場合、原審の主位的請求を棄却し、予備的請求を認容した判決は、全部判決であるから、被告のみの控訴であっても、予備的請求だけでなく主位的請求も控訴審に移審する《同》。

(ⅱ) 控訴裁判所が主位的請求に理由があるとの心証を得た場合、予備的請求を棄却し主位的請求を認容する判決を言い渡すことができるか。

→判例・多数説は、原告の控訴又は附帯控訴がない以上、不利益変更禁止の原則（304）により控訴人に不利益に原判決を変更でき

ず、その結果、原判決中、予備的請求の部分のみを破棄し、予備
的請求棄却判決をなしうるにとどまるとして否定説に立つ

▼ **最判昭 58.3.22・百選 106 事件**〈同予書〉

判旨： 主位的請求を棄却し予備的請求を認容した第1審判決に対し、第1審
の被告のみが控訴し、第1審原告が控訴も附帯控訴もしない場合には、
主位的請求に対する第1審の判断の当否は控訴審の審判の対象となるも
のではないと解するのが相当である。

　イ 原審が主位的請求を認容した後に、控訴審は主位的請求を棄却し、予
備的請求を認容することができるか。
　（i）予備的併合訴訟において、裁判所が主位的請求を認容する判決は1
個の全部判決である。
　　　→この判決に対して被告のみが控訴する場合、主位的請求のほか、
予備的請求も移審する
　（ii）控訴裁判所は、審理の結果主位的請求に理由がないと判断するとき
は、さらに予備的請求について判断しなければならない（自判するか
差戻す）。
　（iii）この場合、控訴審ではじめて予備的請求について判断することが当
事者の審級の利益を害しないかが問題となるが、判例・多数説は、裁
判所が控訴審で直ちに予備的請求について判断しても審級の利益は害
されないとする。ただし、第1審からの審理が再度必要と認められる
場合には差戻し（308 I）をすべきである。
　　　∵ 請求間には密接な関係があり、実質的には予備的請求について
も審理済みである

▼ **最判昭 33.10.14**〈同予〉

判旨： 「請求の予備的併合の場合、第1審裁判所が主たる請求を認容したのみで
予備的請求に対する判断をしなかったときであっても、第2審裁判所にお
いて主たる請求を排斥した上で予備的請求について判断をすることができ
る」と判示した。

第137条 （裁判長の訴状審査権）

I 訴状が第134条第2項の規定に違反する場合には、裁判長は、相当の期間を定
め、その期間内に不備を補正すべきことを命じなければならない〈共予書〉。民事訴訟
費用等に関する法律（昭和46年法律第40号）の規定に従い訴えの提起の手数料
を納付しない場合も、同様とする〈同予〉。
II 前項の場合において、原告が不備を補正しないときは、裁判長は、命令で、訴状
を却下しなければならない〈同共予〉。

Ⅲ　前項の命令に対しては、即時抗告をすることができる〈同共予〉。

《注　釈》
一　訴状の審査の具体的な流れ

1　①提出された訴状は事務分配の定めに従って特定の裁判所に配分される、②配分された裁判所の裁判官（合議制の場合は裁判長）は、訴状の必要的記載事項の具備、所定の印紙の貼付の有無を審査する〈共〉、③これらに不備があれば、相当の期間を定めて補正を命じる（Ⅰ、規56〈共〉）、④期間内に補正されないと命令で訴状を却下する（訴状却下命令、Ⅱ）、⑤この訴状却下命令に対して原告は即時抗告で争うことができる（Ⅲ）〈同共予〉。

2　上記④について、期間内に不備が補正されない場合は命令で訴状が却下されるが、訴え提起の手数料の納付を命ずる裁判長の補正命令を受けた者が、当該命令において定められた期間内にこれを納付しなかった場合においても、その不納付を理由とする訴状却下命令が確定する前にこれを納付すれば、その不納付の瑕疵は補正され、訴状は当初に遡って有効となる（最決平27.12.17・平28重判2事件参照）〈予〉。

二　裁判長の審査権限

裁判長の訴状審査権限は訴状の形式的な事項に限られ、訴状自体から訴訟要件（当事者能力等）の欠缺や請求に理由のないことが明らかな場合でも、訴状が形式的に適法であれば訴状却下命令はできず、判決手続の中で、裁判所が不適法却下又は請求棄却判決を行う（大決昭7.9.10、通説）。

また、訴状の不備が看過され、訴状が被告に送達されれば、訴訟係属の効果が発生し、当事者双方が対立的に関与する手続が開始することから、命令による訴状却下はなし得ず、終局判決をもって訴えを却下すべきであると解されている〈共予〉。

第138条　（訴状の送達）

Ⅰ　訴状は、被告に送達しなければならない。
Ⅱ　前条の規定は、訴状の送達をすることができない場合（訴状の送達に必要な費用を予納しない場合を含む）について準用する〈共予〉。

《注　釈》
一　訴訟係属

1　訴訟係属の意義

訴訟係属とは、訴えの提起によって、原告・被告間の特定の事件が、特定の裁判所で審判されている状態が生じることをいう。

2　訴訟係属の時期

明文規定はないが、民事訴訟が二当事者対立構造を採っていることから、原

告・被告の双方が訴訟に関与することになる、被告に訴状が送達された時
（138 I）に生ずる。
3　訴訟係属に伴う訴訟法上の効果
⑴　訴訟参加、訴訟告知（42、47、52、53）が可能となり、関連した請求の裁
　判籍が生じる（7）。
⑵　二重起訴禁止の効果が生じる。　⇒ p.241
4　訴え提起に伴う実体法上の効果
⑴　訴えを提起した時に発生するもの
　　時効の完成猶予（147、民147 I ①）、出訴期間など除斥期間の遵守の効力
　（民201等）
⑵　被告への訴状の送達時に発生するもの
　　善意占有者の悪意擬制（民189 II）、手形償還請求権について消滅時効の
　進行（手70 III）

＜訴え提起の効果＞

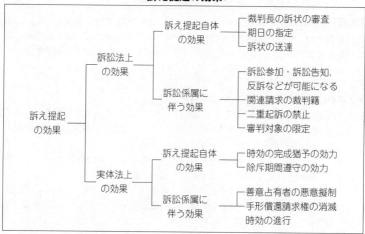

二　訴状送達の具体的な流れ

　①訴状の副本を被告に送達する、②送達不能事由がある場合（ex.送達費用の
未納、被告の住所表示の不正確）、補正を命じる、③補正がされない場合には訴
状を却下する（138 II、137）、④被告の住所・居所が不明な場合は、送達は公示
送達の方法（110）による。

第139条 （口頭弁論期日の指定）

　訴えの提起があったときは、裁判長は、口頭弁論の期日を指定し、当事者を呼び出さなければならない。

【規則】第60条 （最初の口頭弁論期日の指定・法第139条）

Ⅰ　訴えが提起されたときは、裁判長は、速やかに、口頭弁論の期日を指定しなければならない。ただし、事件を弁論準備手続に付する場合（付することについて当事者に異議がないときに限る。）又は書面による準備手続に付する場合は、この限りでない。

Ⅱ　前項の期日は、特別の事由がある場合を除き、訴えが提起された日から30日以内の日に指定しなければならない〈同〉。

第140条 （口頭弁論を経ない訴えの却下）

　訴えが不適法でその不備を補正することができないときは、裁判所は、口頭弁論を経ないで、判決で、訴えを却下することができる〈同予〉。

［趣旨］判決は口頭弁論に基づいてするという原則（87Ⅰ本文）の例外として、不適法な訴えで、その不備が補正できないものについては、新たに口頭弁論を開くことは無意味であるから、140条は、口頭弁論を経ないで、判決により訴えを却下できることを規定した。 ⇒p.123

《注 釈》

◆　本条により訴えを却下しうる場合

　必要的口頭弁論の原則（87Ⅰ本文）によれば、訴えを却下する場合であっても、訴訟要件の不備及びその補正の可否について当事者に意見陳述と証拠提出の機会を保障するため、口頭弁論を開くことが要求される。

　そこで、本条により口頭弁論を経ずに訴えを却下することが許されるのは、訴訟要件の不備を補正できないことが明白な場合に限られる。

　→裁判制度の趣旨から訴えを許さないことが明らかであって、当事者のその後の訴訟活動によって訴えを適法とすることが全く期待できない場合（最判平8.5.28）

　　ex.　出訴期間の徒過、当事者能力の欠缺

第141条 （呼出費用の予納がない場合の訴えの却下）

Ⅰ　裁判所は、民事訴訟費用等に関する法律の規定に従い当事者に対する期日の呼出しに必要な費用の予納を相当の期間を定めて原告に命じた場合において、その予納がないときは、被告に異議がない場合に限り、決定で、訴えを却下することができる。

Ⅱ　前項の決定に対しては、即時抗告をすることができる。

《注　釈》
- 相手方の呼出しは訴訟の進行に不可欠のものであり、これを怠る場合には相手方被告の地位を不安定にし、原告の訴訟引き伸ばしを可能にすることになる。そこで原告が訴えを提起したにもかかわらず、期日の呼出しに必要な費用を予納しない場合には、決定で訴えを却下することができる。

第142条　（重複する訴えの提起の禁止）

　裁判所に係属する事件については、当事者は、更に訴えを提起することができない。

[趣旨] 既に裁判所に係属している事件について、新たに訴え提起をすることを許すと、裁判所の限られた人的、物的資源を浪費して訴訟経済に反するし、被告にとっても応訴を強いられ過大な負担を課すことになる。また、2つの事件において矛盾した内容の判決がなされるおそれもあり、そのような場合、紛争の実効的解決が図れない。そこで、裁判所に既に係属するのと同一の事件については、同じ当事者の間においては更に訴え提起することができないものとされた。

《注　釈》

一　二重起訴の禁止の趣旨 〈司H30 予R4〉
　1　裁判所の二重審理による訴訟不経済の防止（訴訟経済の要請によるもの）
　2　裁判の矛盾・抵触の防止（私法秩序の維持・訴訟手続安定の要請によるもの）
　3　被告の応訴の煩の回避（被告の権利保護の要請によるもの）

二　二重起訴の禁止の要件 〈司H30 予R4〉
　1　既に訴訟係属していること（「係属する事件」）
　2　事件が同一であること
　　(1)　当事者の同一性 〈予〉
　　　　当事者が同一であれば、たとえ2つの訴訟で原告・被告の地位が逆になっても、当事者の同一性の要件に該当し二重起訴の禁止が適用される。また、形式的には当事者が異なっていても、前後いずれかの訴えの当事者が他の訴えの判決の効力を受ける者であれば（ex.115条1項2号に定める訴訟担当者と担当される利益帰属主体、115条1項4号に定める当事者等のために請求の目的物を所持する者）、当事者の同一性の要件に該当すると考えてよい 〈司〉。
　　(2)　審判対象の同一性
　　　　同一の訴訟物を別訴において提起した場合、別訴が同一事件として二重起訴の禁止に触れる。
　　　　訴訟物自体は同一でなくとも、訴訟物たる権利関係の同一性（狭義の請求の原因の同一性）が認められれば、二重起訴の禁止に当たるとするのが一般である。

→ XのYに対する貸金債務不存在確認訴訟が係属しているときに、Yが Xに対して当該貸金の返還請求の別訴を提起することは、142条に反し できない〈同〉

▼ **大阪高判昭62.7.16・百選〔第5版〕37事件**〈予〉

判旨：　「手形金債務不存在確認訴訟において手形金支払請求の反訴を提起する には、手形訴訟によることは許されず、通常訴訟の方式によらざるを得 ない」。そうすると、手形債権者が、手形訴訟を提起することができなく なり、手形訴訟制度を設けた趣旨を損なうおそれがある。このような事 態を避け、手形債権者の利益を保護するためにも、「手形金債務不存在確 認請求訴訟の係属中に手形訴訟を提起することは、民訴法231条（現 142条）の重複起訴の禁止に抵触しないと解するのが相当である。」

三　二重起訴の禁止に関する具体的問題

1　債務不存在確認の訴えとそれに対する反訴

債務不存在確認の訴えが提起された後、それに対する反訴が提起されても、 当該反訴は142条に反しない。

　∵①　債務不存在確認の訴え（本訴）が係属中に当該債務の履行を求める反 訴が提起されたときには、本訴の確認の利益は消滅する（最判平 16.3.25・百選26事件参照）。したがって、本訴については訴え却下判決 がなされるので、両請求について「互いに矛盾した既判力ある判断」が 出現する余地がなくなり、反訴を142条によって却下する必要はない

　　②　反訴であれば、本訴と併合審理されるので、既判力の矛盾・抵触のお それは小さいし、審理の重複による訴訟不経済も生じない

2　同一の物についての確認請求と給付請求〈予〉

判例（大判昭7.9.22）は、同一の物についての確認請求と給付請求は同一の 事件には当たらないとした。

　ex.　原告の被告に対する土地所有権に基づく所有権移転登記手続請求訴訟の 係属中に、被告が原告を相手方として、同一の土地について自己の所有権 確認を求める訴えを提起しても、142条には反しない（最判昭49.2.8）〈予〉

　　∵　双方の訴訟の訴訟物はともに異なることに加え、仮に所有権移転 登記手続を求める訴訟においてこれを認容する判決が確定しても、 原告の所有権に係る部分は理由中の判断にすぎず、既判力は生じな い以上、既判力の矛盾・抵触のおそれはない

3　二重起訴の禁止と相殺の抗弁〈回〉

(1)　相殺の抗弁先行型

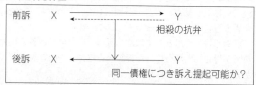

前訴　　X　←-------------------→　Y
　　　　　　　　　　　　相殺の抗弁

後訴　　X　←-------------------→　Y
　　　　　　　　　同一債権につき訴え提起可能か？

　　相殺の抗弁は「係属する事件」(142) には当たらない。しかし、判決理由中の判断であっても、既判力を生じる (114Ⅱ) ため、判決の矛盾・抵触の防止を趣旨とした二重起訴の禁止 (142) の類推適用を受けないかが問題となる。

　　学説は、類推適用を肯定するものと否定するものに分かれている。最高裁判例はまだなく、裁判例にも別訴提起を不適法とするもの（大阪地判平8.1.26、東京高判平8.4.8）と適法とするもの（東京地判昭32.7.25）がある。

(2)　請求先行型

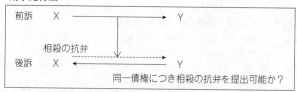

前訴　　X　-------------------→　Y

　　相殺の抗弁
後訴　　X　←-------------------→　Y
　　　　　　　　　同一債権につき相殺の抗弁を提出可能か？

　　相殺の抗弁を提出することは「訴えを提起」することには当たらない。一方で、相殺の抗弁は判決理由中の判断であっても既判力が生じる (114Ⅱ)。そのため、判決の矛盾・抵触の防止を趣旨とした二重起訴の禁止 (142) の類推適用を受けないかが問題となる。

　　学説は、こちらについても類推適用を肯定するものと否定するものに分かれている。

　　判例は、相殺の抗弁は既判力 (114Ⅱ) を生ずるから、審理の重複による無駄及び複数の判決による既判力の抵触を防止するという重複起訴禁止の趣旨が妥当するとして、142条の類推適用により相殺の抗弁の主張を認めないとした（最判平3.12.17・百選35①事件）。

　　もっとも、別の判例（最判平18.4.14・百選〔第5版〕A11事件）は、本訴及び反訴が係属中に、反訴請求債権を自働債権とし、本訴請求債権を受働債権として相殺の抗弁を主張することは142条に反せず許されるとしている。

　　∵①　反訴請求債権につき本訴において相殺の自働債権として既判力ある

判断が示された場合には、その部分については反訴請求としない趣旨
の予備的反訴に変更され、本訴における自働債権についての判断が先
決関係に立つ結果、弁論の分離（152 Ⅰ）が禁じられることとなり、
矛盾する判断がなされるおそれがなくなる

② 反訴原告の意思としては、本訴請求において相殺の抗弁についての
判断が得られた場合には反訴請求を維持しない意思が明らかといえる
ため、処分権主義には反しない

③ 予備的反訴の場合、本訴における自働債権の判断が反訴の解除条件
となるため、相殺の担保的機能という利益と反対債権について債務名
義を取得するという利益を二重に享受することは許されないとする前
掲判例（最判平 3.12.17・百選 35 ①事件）の趣旨にも抵触しない

▼ 最判昭 63.3.15

判旨：　請求先行型の事案において、類推適用肯定説に立った。
→自働債権と受働債権とが牽連性をもつ特殊な事案なので、一般化でき
るかは疑問

▼ 最判平 3.12.17・百選 35 ①事件 〈判〉〈司H27〉

事案：　本訴被告が別訴で代金請求訴訟を提起した後、本訴で右代金債権をも
って相殺を主張することが争われた。

判旨：　「係属中の別訴において訴訟物となっている債権を自働債権として他の
訴訟において相殺の抗弁を主張することは許されない」。すなわち、142
条が二重起訴を禁止する理由は、「審理の重複による無駄を避けるためと
複数の判決において互いに矛盾した既判力ある判断がされるのを防止す
るためであるが、相殺の抗弁が提出された自働債権の存在又は不存在の
判断が相殺をもって対抗した額について既判力を有するとされているこ
と……、相殺の抗弁の場合にも自働債権の存否について矛盾する判決が
生じ法的安定性を害しないようにする必要があるけれども理論上も実際
上もこれを防止することが困難であること、等の点を考えると」、142条
の趣旨は、「同一債権について重複して訴えが係属した場合のみならず、
既に係属中の別訴において訴訟物となっている債権を他の訴訟において
自働債権として相殺の抗弁を提出する場合にも同様に妥当するものであ
り、このことは右抗弁が控訴審の段階で初めて主張され、両事件が併合
審理された場合についても同様である」。

▼ 最判令 2.9.11・百選 35 ②事件

事案：　XがYに対して請負代金の支払を求める本訴を提起し、YがXに対して
瑕疵修補に代わる損害賠償金を求める反訴を提起した。Xは、反訴にお
いて、本訴請求にかかる債権を自働債権とし、反訴請求にかかる債権を受
働債権とする相殺の抗弁を主張した。

判旨： 「請負契約における注文者の請負代金支払義務と請負人の目的物引渡義務とは対価的牽連関係に立つものであ」り、瑕疵修補に代わる損害賠償債権は「実質的、経済的には、請負代金を減額し、請負契約の当事者が相互に負う義務につきその間に等価関係をもたらす機能を有するものである」上、「同一の原因関係に基づく金銭債権である。このような関係に着目すると、上記両債権は、同時履行の関係にあるとはいえ、相互に現実の履行をさせなければならない特別の利益があるものとはいえず、両債権の間で相殺を認めても、相手方に不利益を与えることはなく、むしろ、相殺による清算的調整を図ることが当事者双方の便宜と公平にかない、法律関係を簡明にするものであるといえる。」

上記のような関係に鑑みると、「本訴原告から、反訴において、上記本訴請求債権を自働債権とし、上記反訴請求債権を受働債権とする相殺の抗弁が主張されたときは、上記相殺による清算的調整を図るべき要請が強いものといえる。それにもかかわらず、これらの本訴と反訴の弁論を分離すると、上記本訴請求債権の存否等に係る判断に矛盾抵触が生ずるおそれがあり、また、審理の重複によって訴訟上の不経済が生ずるため、このようなときには、両者の弁論を分離することは許されないというべきである。そして、本訴及び反訴が併合して審理判断される限り、上記相殺の抗弁について判断をしても、上記のおそれ等はないのであるから、上記相殺の抗弁を主張することは、重複起訴を禁じた民訴法142条の趣旨に反するものとはいえない。したがって、請負契約に基づく請負代金債権と同契約の目的物の瑕疵修補に代わる損害賠償債権の一方を本訴請求債権とし、他方を反訴請求債権とする本訴及び反訴が係属中に、本訴原告が、反訴において、上記本訴請求債権を自働債権とし、上記反訴請求債権を受働債権とする相殺の抗弁を主張することは許される」。

▼ 最判平 18.4.14・百選〔第5版〕A11事件 予 司H27

判旨： 本訴及び反訴が係属中に、反訴請求債権を自働債権とし、本訴請求債権を受働債権として相殺の抗弁を主張することは禁じられないと解するのが相当である。この場合においては、反訴原告において異なる意思表示をしない限り、反訴は、反訴請求債権につき本訴において相殺の自働債権として既判力ある判断が示された場合にはその部分については反訴請求としない趣旨の予備的反訴に変更されることになるものと解するのが相当であって、このように解すれば、二重起訴の問題は生じないことになるからである。そして、上記の訴えの変更は、本訴、反訴を通じた審判の対象に変更を生ずるものではなく、反訴被告の利益を損なうものでもないから、書面によることを要せず、反訴被告の同意も要しないというべきである。

▼　**最判平 27.12.14・平 28 重判 3 事件**〈⦿〉

事案：　Ｘは、貸金業者Ｙとの間で、平成 8 年から平成 21 年までの間、継続的な金銭消費貸借取引をした。Ｘは、平成 8 年から平成 12 年までの取引（本件取引①）と、平成 14 年から平成 21 年までの取引（本件取引②）を一連のものとみて、これらを併せて利息の引き直し計算を行った場合には過払金が発生するとして、Ｙに対し、不当利得返還請求訴訟（本訴）を提起した。これに対し、Ｙは、本件取引②に基づく貸金の返還を求めて反訴を提起するとともに、本訴において、本件取引は一連のものではなく、本件取引①に基づくＸの過払金返還請求権は時効により消滅したと主張した。

　　　Ｘは、本訴において過払金返還請求権が時効により消滅したと判断される場合には、反訴において、予備的に同請求権を自働債権とし、本件取引②に基づくＹの貸金返還請求権を受働債権として相殺すると主張した。

判旨：　「本訴において訴訟物となっている債権の全部又は一部が時効により消滅したと判断されることを条件として、反訴において、当該債権のうち時効により消滅した部分を自働債権として相殺の抗弁を主張することは許されると解するのが相当である。」

　　　「時効により消滅し、履行の請求ができなくなった債権であっても、その消滅以前に相殺に適するようになっていた場合には、これを自働債権として相殺をすることができるところ、本訴において訴訟物となっている債権の全部又は一部が時効により消滅したと判断される場合には、その判断を前提に、同時に審判される反訴において、当該債権のうち時効により消滅した部分を自働債権とする相殺の抗弁につき判断をしても、当該債権の存否に係る本訴における判断と矛盾抵触することはなく、審理が重複することもない。したがって、反訴において上記相殺の抗弁を主張することは、重複起訴を禁じた民訴法 142 条の趣旨に反するものとはいえない。このように解することは、民法 508 条が、時効により消滅した債権であっても、一定の場合にはこれを自働債権として相殺をすることができるとして、公平の見地から当事者の相殺に対する期待を保護することとした趣旨にもかなうものである。」

<二重起訴の禁止と相殺の抗弁に関する学説の整理>

	抗弁先行型	請求先行型
類推適用否定説 （従来の通説）	いずれも適法である ∵① 相殺の抗弁は、訴訟「係属」を生じさせず、また、「訴え」にも当たらない ② 相殺の抗弁は必ず審理されるとは限らない	
類推適用肯定説	いずれも不適法である ∵ 審理が重複し、判決が矛盾抵触するおそれがある	
A説	適法である ∵① 債務名義を取得して強制執行を可能にする必要がある ② 本訴での相殺の抗弁についての審理は不確実である	不適法である ∵ 前訴の訴求債権が訴訟物として必ず審理判断されるため、審理重複・矛盾判決のおそれという二重起訴禁止の趣旨が妥当する
B説	不適法である ∵① 前訴被告が早く債務名義を得たければ相殺の抗弁を撤回して後訴で訴求すればよい ② 相殺の抗弁による担保的機能は、反訴の提起を認めればみたされ、別訴を提起する必要はない	適法である ∵ 類推適用を肯定するならば前訴原告は訴えを取り下げる必要があるが、反訴が提起できたにもかかわらず別訴をあえて提起するような被告が訴えの取下げに同意することは期待できず、前訴原告の相殺の担保的機能への期待は実現されなくなる

(3) 一部請求と相殺

　1個の債権の一部についてのみ判決を求める旨を明示して訴えが提起された場合において、当該債権の残部を自働債権として他の訴訟において相殺の抗弁を主張することが、二重起訴の禁止に抵触しないかが問題となる。

▼ **最判平 10.6.30・百選 36 事件**

判旨：　一個の債権の一部であっても、そのことを明示して訴えが提起された場合には、訴訟物となるのは右債権のうち当該一部のみに限られ、その確定判決の既判力も右一部のみについて生じ、残部の債権に及ばない。一個の債権が訴訟上分割して行使された場合には、事実上の判断の抵触が生ずる可能性もないではないが、相殺の抗弁に関しては、訴えの提起と異なり、相手方の提訴を契機として防御の手段として提出されるものであり、相手方の訴求する債権と簡易迅速かつ確実な決済を図るという機能を有するものであるから、一個の債権の残部をもって他の債権との相殺を主張することは、債権の分割行使による相殺の主張が訴訟上の権利の濫用に当たるなど特段の事情の存する場合を除いて、正当な防御権として許容されるものと解すべきである。

4　債権者代位訴訟と債務者の参加 予 予H25 予R3

(1) 代位債権者Aと第三債務者Cとの間の債権者代位訴訟が係属している場合において、債務者Bが自らの権利に基づき、Cに対して別訴を提起することはできるか。

→不適法（通説）

∵　判決矛盾の危険が生じるため（115Ⅰ②）、二重起訴の禁止（142）に当たる

cf.　従来の「債権者代位権訴訟の提起により債務者が当事者適格を失うため不適法となる」という理由は、民法423の5の規定により妥当しなくなった

(2) では、BがAC間の訴訟に参加することはできるか。

(a) BがAの被保全債権の存在を争わず、Aの請求とは別にCに対して自己への給付を求める場合

この場合、Bは共同訴訟参加（52）をすることができる。この点、債権者であるAの請求の趣旨が「Bへの給付」を求めるものである場合には、特に問題はない。

これに対し、Aの請求の趣旨が「自己（A）への給付」を求めるものである場合（民423の3前段参照）、Bも「自己（B）への給付」を求めているため、裁判所が認容しようとするとき、どのような判決をすべきかが問題となる。

この点、双方の請求を認容すべきであるとする見解が多いとされる。

∵　Aが先に受領すれば民法423条の3後段により被代位権利（債務者の第三債務者に対する権利＝訴訟物）が消滅する一方、Bが先に受領すれば民法473条により訴訟物が消滅する。このように、実体法的には、AとBは早い者勝ちとなる制度である以上、双方の請求を認容せざるを得ない

一方、裁判例（大阪地判令5.1.19）は、Aの債権者代位訴訟を却下し、Bの請求のみ認容する立場に立っている。

→本判決は、「債権者代位権は債務者が自らその権利を行使している場合には行使できない」（最判昭28.12.14）から、Bの請求を認容する場合には、もはやAの請求は「債権者代位の要件を欠く不適法な訴え」として却下を免れないと判示している

(b) BがAの被保全債権の不存在を主張しつつ、Cに対して自己への給付を求める場合

この場合について、平成29年民法改正前における判例（最判昭48.4.24・百選103事件）は、次のとおり判示していた。

▼　**最判昭48.4.24・百選103事件** 🈡

判旨：　「債権者が適法に代位権行使に着手した場合において、債務者に対しその事実を通知するかまたは債務者がこれを了知したときは、債務者は代位の目的となった権利につき債権者の代位権行使を妨げるような処分をする権能を失い、したがって、右処分行為と目される訴えを提起することができなくなる」。「この理は、債務者の訴提起が前記参加による場合であっても異なるものではない」。

　　　　　したがって、「審理の結果債権者の代位権行使が適法であること、すなわち、債権者が代位の目的となった権利につき訴訟追行権を有していることが判明したときは、債務者は右権利につき訴訟追行権を有せず、当事者適格を欠くものとして、その訴は不適法といわざるをえない反面、債権者が右訴訟追行権を有しないことが判明したときは、債務者はその訴訟追行権を失っていないものとして、その訴は適法ということができる」。

評釈：　本判決は、債務者による独立当事者参加（権利主張参加、47 I 後段）が可能であることを前提としているものと評されている。

　　上記判決は、債権者が適法に代位権を行使すれば、債務者は被代位権利の処分権限を失う（当事者適格を欠く）旨述べているが、平成29年改正民法の下では、債務者は被代位権利の処分権限を有する（民423の5参照）ので、債務者には常に当事者適格が認められることになる。

　　したがって、改正民法下では、債権者代位訴訟の当事者適格は代位債権者と債務者のいずれにしか認められないという非両立の関係がもはや存在しない以上、Bは権利主張参加をすることができず、これに代えて共同訴訟参加が認められると解する見解が有力に主張されている。

　　しかし、この見解に対しては、権利主張参加を認めないとすると、そもそもBはAに対する被保全債権の不存在確認という請求を定立できないのではないかとの疑問が呈されている。

　　そこで、平成29年民法改正後においても、代位債権者・債務者間の利害対立を踏まえて、Bは独立当事者参加（権利主張参加、47 I 後段）をすることができると解する見解が多いとされる。

　　→この見解によると、債権者には被保全債権がないという債務者の主張を前提とする限り、債権者の請求は認容され得ない関係にあるため、権利主張参加の要件を満たすといった説明がなされている

5　手形訴訟と通常訴訟

　　手形金債務不存在確認訴訟が提起された後に手形訴訟を提起する場合についても、二重起訴の禁止（142）が適用されるかが問題となる。この点、手形訴訟（350以下）は、反訴が許されず（351）、証拠調べは原則として書証に限る

（352Ⅰ）などの独自性を有するので、手形訴訟は二重起訴の禁止の適用領域外であるとするのが通説である〈回〉。

四　二重起訴に該当する場合の処理
1　裁判所の処理〈回〉
　(1)　不適法却下すべきとする説
　　∵　「訴えを提起することはできない」とする142条の文言を重視する
　(2)　不適法却下すべきでなく、当事者の訴え変更（143）や反訴（146）を受けて、あるいは、弁論の併合（152Ⅰ）をすべきとする説
　　∵　同一手続で審理される限り、二重起訴の禁止の趣旨には反しないし、後訴を提起した者の利益（執行力の取得など）に合致する
2　二重起訴を看過した判決の効果
　二重起訴を看過して前訴と後訴について判決がなされ、後訴の判決が確定していないときは、後訴の判決は違法であり上訴で取り消しうる。また、取り消されないで後訴の判決が先に確定した場合、その訴訟物につきすでに既判力のある判決が存在することになり、それに反する判決はできなくなる。さらに、前訴と後訴の判決が確定し、その内容が矛盾するときは、後になされた確定判決は先になされた確定判決の既判力に抵触するものとして再審の訴えにより取り消されうる（338Ⅰ⑩）〈同予〉。

> **第143条　（訴えの変更）**
> Ⅰ　原告は、請求の基礎に変更がない限り、口頭弁論の終結に至るまで、**請求又は請求の原因を変更することができる**。ただし、これにより著しく訴訟手続を遅滞させることとなるときは、この限りでない〈同予〉。
> Ⅱ　請求の変更は、書面でしなければならない〈予〉。
> Ⅲ　前項の書面は、相手方に送達しなければならない〈予〉。
> Ⅳ　裁判所は、請求又は請求の原因の変更を不当であると認めるときは、申立てにより又は職権で、その変更を許さない旨の決定をしなければならない〈予〉。

[趣旨] 原告がある請求につき訴え提起したが、これに対する審理が進行するなかで、当初の請求が誤っていることがわかったり、当初の請求では十分な満足が得られないことが判明することがある。このような場合、原告は従来の手続を利用する方が便宜かつ経済的であるが、全く無関係の請求について従来の手続の利用を認めれば安易な訴訟を助長し、訴訟の進行を遅延させる他、被告の防御に支障を来す。このような考慮から、本条は、一定の要件を満たす場合に限り訴えの変更を認めることとした。

《注　釈》
一　訴えの変更の意義
　訴えの変更とは、訴訟係属後に、原告が、当初からの手続を維持しつつ、当初

の審判対象（請求の趣旨又は狭義の請求原因）を変更することをいう。請求を理由付ける攻撃防御方法（広義の請求原因事実等）の変更を含まない。

→所有権確認訴訟における所有権取得原因事実は請求原因ではないため、承継取得の主張を原始取得の主張に改めても、それは攻撃防御方法の変更にとどまり、訴えの変更には当たらない（最判昭29.7.27）〈共

→詐害行為取消訴訟における訴訟物である詐害行為取消権は、取消債権者が有する個々の被保全債権に対応して複数発生するものではないため、被保全債権に係る主張が交換的に変更されたとしても、それは攻撃防御方法が変更されたにすぎず、訴えの交換的変更には当たらない（最判平22.10.19）〈予

二　訴えの変更と訴訟物理論との関係

旧訴訟物理論によれば訴えの変更（請求原因の変更）となる場合も、新訴訟物理論（ないし新実体法説）によれば、攻撃防御方法の変更にすぎない場合が多い。

ex.　売買契約の解除を主張して代金の返還を求めて訴えを提起した後、売買代金名義で金銭を不法に騙取されたとし損害賠償請求に変更する場合

三　訴えの変更の態様

1　追加的変更と交換的変更

(1)　訴えの追加的変更とは、当初の請求を維持しつつ新請求についても審判を求めることをいう。判例（最判昭32.2.28・百選31事件）によれば、訴えの変更は、「旧訴の係属中原告が新たな権利関係を訴訟物とする新訴を追加的に併合提起することを指称する」旨判示しており、訴えの変更の原則的な態様は、訴えの追加的変更となる。

(2)　訴えの交換的変更〈予R5

(a)　訴えの交換的変更の意義

従来の請求にかえて新請求につき審判を求める場合をいう。

ex.　特定物引渡請求にかえて、目的物滅失による損害賠償を請求する場合〈予

(b)　訴えの交換的変更の法的性質

訴えの交換的変更を自由に認めると、原告にとっては従来の審理状態を維持しつつ訴訟を維持することができるため、便宜的かつ経済的である。一方、被告にとっては、訴訟遅延や防御対象の変更を迫られるという不利益を強いられるおそれがある。

そこで、判例（最判昭32.2.28・百選31事件）は、訴えの交換的変更は訴えの追加的変更（新訴の提起）と旧訴の取下げ・請求の放棄の複合行為であると構成し、訴えの取下げについて被告の同意（261Ⅱ）を必要とした。このような構成により、被告の保護を図ることが可能となる。

第
一
審
の
手
続

▼ **最判昭 32.2.28・百選 31 事件** 〈共〈予R5

判旨： 控訴審において原告が訴えの交換的変更をした事案で、「もし原告が
その一方的意思に基づいて旧訴の訴訟繫属を……消滅せしめんとするには、
相手方の訴訟上受くべき利益も尊重されるべきであり、原告の意思のみ
に放任さるべきではない。……されば、原告が訴提起の当初から併合され
ていた請求の一につき既になしたる弁論の結果これを維持し得ないこと
を自認しこれを撤回せんとするならば、その請求を抛棄するか、または
相手方の同意を得て訴の取下をしなければならない。このことは原告が
訴の変更をなし、一旦旧訴と新訴につき併存的にその審判を求めた後、
旧訴の……訴訟繫属を終了せしめんと欲する場合において……も、その
趣を異にするものではない。……とすれば原告が交替的に訴の変更をな
し、旧訴に替え新訴の審理を求めんとする場合においてもその理を一に
する」とした。

2 請求の範囲を拡張・減縮する場合

請求の拡張が、訴えの変更に当たることについては争いがない。請求の減縮
については、一部請求の可否との関係で見解の対立がある。

(1) 一部請求肯定説（多数説、最判昭 27.12.25）によれば訴えの一部取下げと
して扱われ、相手方の同意が必要となる（261Ⅱ本文）。また、書面は必要で
なく、口頭でも可能である（261Ⅲ）。

(2) 一部請求否定説によれば訴えの取下げとして扱われず、被告の同意は不要
となる。ただ、訴えの変更に準じ、書面でなし、かつ、これを相手方に送達
すべきであるとされる。

📖 **四 訴えの変更の要件**

1 「請求の基礎」の同一性（Ⅰ本文）

(1) 「請求の基礎」の意義

①両請求の主要な争点が共通であって、旧請求についての訴訟資料や証拠
資料を新請求の審理に利用することが期待できる関係にあり、かつ、②各請
求の利益主張が社会生活上同一又は一連の紛争に関するものとみられる場合
をいうと解されている。

(2) 「請求の基礎」の同一性が要求されない例外的場合

(a) 被告の保護が不要な場合

請求の基礎の同一性は、被告の保護を目的とする要件であるため、被告
の保護が不要となる場合には、「請求の基礎」の同一性は要求されないと
解されている。具体的には、①被告の同意がある場合、②訴えの変更に対
して被告が異議なく応訴した場合（最判昭 29.6.8）〈共、③被告の陳述した
事実に立脚して訴えの変更をする場合（最判昭 39.7.10）〈共予等である。

(b)　人事訴訟

人事訴訟では、請求の基礎に変更がある場合であっても、請求を変更することができる（人訴18）。

ex.　離婚訴訟における婚姻の取消請求の追加〈共〉

2　著しく訴訟手続を遅滞させないこと（Ⅰただし書）

請求の基礎の同一性があり、又は被告の同意がある場合でも、手続を著しく遅延することとなる場合には、別訴提起による解決が適当であるから、この要件を欠く場合の訴えの変更は許されない〈予〉。また、判例（最判昭42.10.12）は、相手方の陳述した事実に基づいて訴えを変更する場合でも、著しく訴訟手続を遅滞させる場合には、訴えの変更は許されない旨判示している〈共〉。

3　事実審の口頭弁論終結前であること（Ⅰ本文）

(1)　追加的変更の場合には第1審はもとより控訴審でも弁論終結まで訴えの変更は許される（相手方の同意は不要）〈予書〉。

∵　請求の基礎が同一である限り新請求の事実関係についても第1審の審理を経ているといえるから相手方の審級の利益は害されない

(2)　上告審は法律審であって、もはや事実主張は許されず訴えの変更はできないのが原則である。

(3)　第1審において不適法却下判決がなされ、これに対し控訴された場合この控訴審での訴えの変更は、本案の第1審での審理を欠き、原則として許されない。

ただし、第1審で本案の審理がなされ、又は相手方が異議を述べないなど審級の利益を害さず、訴訟を遅延させない場合は、許される（最判平5.12.2・平5重判2事件）。

4　訴えの併合の一般的要件をみたすこと

ex.　同種の訴訟手続であること（136）、各請求について受訴裁判所に管轄権があること

5　交換的変更と相手方の同意

交換的変更の場合には、相手方が本案につき準備書面を提出し、弁論準備手続で申述し又は口頭弁論をしている場合には、その同意を要する〈共〉。

∵　旧請求の係属を消滅させる点で、訴えの取下げ（261Ⅱ）を含む

もっとも、相手方の同意は、黙示でもよいとされている。判例は、訴えの交換的変更による新請求に対し、被告が異議なく応訴したときは、被告は旧請求に係る訴えの取下げについて黙示の同意をしたものと解するとしている（最判昭41.1.21）。

五　訴えの変更の手続

1　書面・送達の必要性

訴えの変更は、書面でしなければならない（Ⅱ）。

cf. 請求の原因のみを変更する場合、書面ですることを要しない（最判昭35.5.24）**予**。

訴えの変更の書面は新請求につき訴状に相当し、被告に送達しなければならない（143Ⅲ）。

書面の提出と送達の瑕疵は、責問権の放棄・喪失により治癒されうる（90）**同**。⇒p.134

2　職権調査と裁判所の措置

訴えの変更の有無・適否は職権でも調査する。

(1)　当事者の主張する「訴えの変更」が訴えの変更に当たらない場合

　(a)　そのまま旧請求につき審理を続行する。

　(b)　当事者が争った場合、中間判決（245）又は終局判決の理由中で判断を示す。

(2)　当事者の主張する「訴えの変更」が訴えの変更に当たるが、これが許されない場合

　(a)　申立て又は職権で訴えの変更を許さない旨決定し（Ⅳ）、旧請求につき審判する。

　(b)　この決定は、新請求につき審判しないとの中間的裁判であり（通説・最判昭43.10.15）、弁論の制限に類した一種の訴訟指揮的性質を有する。

　　→これについての不服は、終局判決に対する上訴によるべきで抗告は許されない（283）

(3)　当事者の主張する訴えの変更が適法と認められる場合

　(a)　新請求につき審判する。

　(b)　被告が争えば決定で処理しうる（143Ⅳ類推）。

　　ただし、新請求につき本案判決がなされればもはや争えない。

3　新請求についての審判

(1)　訴訟資料の流用

　(a)　旧請求につき収集された資料は、変更後の新請求をめぐる審理の資料となる。

　(b)　請求の変更の前になされた裁判上の自白

　　→旧請求の審理においてなされた自白も効力を維持する。ただし、訴えの変更の結果、係争利益の価値が著しく異なってくる場合は、自白を撤回する自由を当事者に認める（通説）

(2)　審判対象

　(a)　追加的変更の場合：旧請求と併合して新請求についても審判する。

　(b)　交換的変更の場合：新請求についてのみ審判する。

六　訴えの変更を許さない旨の決定

訴えの変更を許さない旨の決定（143Ⅳ）に対しては、独立して不服を申し立

てることができない（大決昭 8.6.30）〈予〉。

第144条 （選定者に係る請求の追加）

Ⅰ 第30条第3項の規定による原告となるべき者の選定があった場合には、その者は、口頭弁論の終結に至るまで、その選定者のために請求の追加をすることができる〈予〉。

Ⅱ 第30条第3項の規定による被告となるべき者の選定があった場合には、原告は、口頭弁論の終結に至るまで、その選定者に係る請求の追加をすることができる〈予〉。

Ⅲ 前条第1項ただし書及び第2項から第4項までの規定は、前2項の請求の追加について準用する。

[趣旨] 選定行為は、被選定者に対して訴訟追行を授権する行為にすぎず、裁判所に訴訟上の請求を提示してその審理裁判を求める行為ではない。そこで、新たに選定者のための請求、あるいは選定者にかかる請求を追加する必要があるが、本条はそのための手続を規定したものである。

第145条 （中間確認の訴え）

Ⅰ 裁判が訴訟の進行中に争いとなっている法律関係の成立又は不成立に係るときは、当事者は、請求を拡張して、その法律関係の確認の判決を求めることができる。ただし、その確認の請求が他の裁判所の専属管轄（当事者が第11条の規定により合意で定めたものを除く。）に属するときは、この限りでない。

Ⅱ 前項の訴訟が係属する裁判所が第6条第1項各号に定める裁判所である場合において、前項の確認の請求が同条第1項の規定により他の裁判所の専属管轄に属するときは、前項ただし書の規定は、適用しない。

Ⅲ 日本の裁判所が管轄権の専属に関する規定により第1項の確認の請求について管轄権を有しないときは、当事者は、同項の確認の判決を求めることができない。

Ⅳ 第143条第2項及び第3項の規定は、第1項の規定による請求の拡張について準用する〈共〉。

[趣旨] 通常の訴えの場合、訴訟物の前提となった権利法律関係については既判力が生じない。これでは、前提となる権利法律関係をめぐる訴えの提起を許し、前訴の紛争が蒸し返され訴訟経済に反するし、両者の判決が実質的に矛盾抵触するおそれもある。そこで、本条は中間確認の訴えを規定した。

《注 釈》

一 中間確認の訴えの意義

中間確認の訴えとは、訴訟係属中、当該請求の当否の判断の先決関係たる権利・法律関係の存否につき〈共予〉、原告又は被告が追加的に提起する確認訴訟をいう。

→建物収去土地明渡請求訴訟の係属中、原告が土地所有権についての中間確認

の訴えを提起し、原告の請求をいずれも認容する判決がなされた場合、被告は控訴して、この判決のうちの建物収去土地明渡請求についての部分のみならず、所有権確認請求についての部分に対しても不服を申し立てることができる《同》

二 中間確認の訴えの要件

1 本来の請求が事実審に係属し、口頭弁論終結前であること《同》
   →控訴審においても提起できる（相手方の同意は不要《通》）《共》

2 先決関係に立つ事項につき、当事者間に争いがあること
   →境界の確定は、所有権に基づく土地明渡請求訴訟の先決関係にないから、境界確定の訴えを中間確認の訴えとして提起することはできない（最判昭57.12.2）《同予》

3 請求の併合の一般的要件を具備すること
   ① 同種の手続で審判される請求であること（136）
   ② 他の裁判所の専属管轄に属しないこと。ただし、専属的合意管轄（11）を除く（145Ⅰただし書）《共》

三 中間確認の訴えの手続

1 方式
   書面を裁判所に提出 →相手方に送達（145Ⅲ）→送達によって訴訟係属が生じる

2 審判
   本来の請求との（単純）併合として審判する《共》。
   (1) 弁論の分離・一部判決は許されない。 ∵ 裁判の矛盾回避
   (2) 本来の請求との関係
     (a) 本来の請求が取り下げられ又は却下された場合、中間確認の訴えは却下すべきことになる。
        ∵ もはや先決関係につき判断する必要がなくなる
        ただし、先決関係につき争いが存し確認の利益がある場合には、独立の訴えと解し、従前の資料をその審判に利用して裁判できる（通説）。
     (b) 控訴審において中間確認の訴えが提起された後、控訴の却下・控訴の取下げがあった場合は、中間確認の訴えは当然に終了する。
        ∵ 先決関係について審級の利益を害する

第146条（反訴）

Ⅰ 被告は、本訴の目的である請求又は防御の方法と関連する請求を目的とする場合に限り、口頭弁論の終結に至るまで、本訴の係属する裁判所に反訴を提起することができる《予》。ただし、次に掲げる場合は、この限りでない。
① 反訴の目的である請求が他の裁判所の専属管轄（当事者が第11条の規定により合意で定めたものを除く。）に属するとき《予》。

② 反訴の提起により著しく訴訟手続を遅滞させることとなるとき。

Ⅱ 本訴の係属する裁判所が第6条第1項各号に定める裁判所である場合において、反訴の目的である請求が同項の規定により他の裁判所の専属管轄に属するときは、前項第1号の規定は、適用しない。

Ⅲ 日本の裁判所が反訴の目的である請求について管轄権を有しない場合には、被告は、本訴の目的である請求又は防御の方法と密接に関連する請求を目的とする場合に限り、第1項の規定による反訴を提起することができる。ただし、日本の裁判所が管轄権の専属に関する規定により反訴の目的である請求について管轄権を有しないときは、この限りでない。

Ⅳ 反訴については、訴えに関する規定による〈☞〉。

【規則】第59条（反訴・法第146条）

反訴については、訴えに関する規定を適用する〈☞〉。

【趣旨】原告に訴えの変更が認められていることに対応して、被告にも係属している訴訟手続を利用して訴えを提起し、本訴請求との併合審理をすることを認めることが当事者の公平に資し、関連した請求を同一手続で審判することによって、審理の重複や判断の不統一を回避しうる。このような観点から、本条は反訴について規定した。

《注　釈》

一　反訴の意義

　　反訴とは、係属中の本訴の手続内で、関連する請求につき被告（反訴原告）が原告（反訴被告）に対して提起する訴えをいう。

二　反訴の態様

1　単純反訴と予備的反訴

　⑴　予備的反訴：本訴の却下又は棄却を解除条件として反訴請求について審判を申し立てるもの

　⑵　単純反訴：⑴のような予備的な関係にない反訴

2　反訴選択の自由

　　反訴によるか別訴を提起するかは原則として自由である（通説）。しかし、反訴を提起するほかなく別訴は許されないという意味で反訴強制となる場合がある。

　　　ex.　別訴禁止のある場合（人訴25）、二重起訴の禁止（142）により、反訴によるほかない場合（既に提起された債務不存在確認の訴えと同一の債権について、被告が給付の訴えを提起する場合など。なお、債務不存在確認の本訴が係属中に当該債務の履行を求める反訴が提起されたときには、本訴の確認の利益は消滅する（最判平16.3.25・百選26事件）⇒p.215）

第一審の手続

三　反訴の要件〈司 H28〉

1　本訴請求又は本訴請求の防御方法と関連するものであること（Ⅰ本文）

　　この要件は、原告側の訴えの変更につき請求の基礎の同一性（143 Ⅰ）と同様、相手方（ここでは原告）の保護を目的とする。したがって、相手方（原告）の同意や応訴があれば、この関連性はなくともよい。

　　なお、反訴では、反訴請求と本訴請求の関連性のある場合（請求の基礎の同一性に相当）に加え、防御方法との関連性のある場合にも反訴を許し、要件が緩和されている。ただし、反訴が認められるには、本訴の請求棄却以上の積極的な主張が反訴に含まれている必要があり、単に本訴の請求棄却又は訴えの却下を目的とする反訴には、訴えの利益が認められない〈予〉。

　　→所有権に基づく動産引渡訴訟において、被告が留置権の抗弁を主張した場合でも、その被担保債権にかかる債務の弁済を求める反訴を提起することは認められる〈司〉

　　→占有の訴えに関する訴えに対して、本権を理由とする反訴を提起することは、民法202条2項によっても禁じられない〈司〉

▼　最判昭40.3.4・百選32事件〈司〉

判旨：　民法202条2項は、占有の訴えにおいて本権に関する理由に基づいて裁判することを禁ずるものであり、従って、占有の訴えに対し防禦方法として本権の主張をすることは許されないけれども、これに対し本権に基づく反訴を提起することは、右法条の禁ずるところではない。そして、本件反訴請求を本訴たる占有の訴えにおける請求と対比すれば、牽連性がないとはいえない。

2　本訴が事実審に係属し口頭弁論終結前であること（Ⅰ本文）〈司〉

　　上告審は、事実審ではなく法律審であるので、上告審において反訴を提起することはできない（最判昭43.11.1参照）〈予〉。

　(1)　本訴との関係

　　　反訴提起後に本訴が却下され又は取下げられても、反訴は影響を受けない〈司〉。

　(2)　控訴審における反訴

　　　控訴審での反訴提起については、原告（反訴被告）の同意又は応訴を要する（300 Ⅰ Ⅱ）。では、控訴審での反訴には、常に原告（反訴被告）の同意が必要か。

▼ **最判昭 38.2.21** 〈判〉

判旨: 土地明渡請求訴訟の1審で被告の賃借権に基づく占有権原の抗弁が認められ、控訴審で賃借権確認の反訴を提起した場合につき、「本件における反訴提起については X をして1審を失う不利益を与えるとは解されず、従って、右反訴提起については同人の同意を要しないものと解するのが相当である」と判示した。

3　反訴の提起によって手続を著しく遅滞させないこと（Ⅰただし書②）
4　訴えの併合の一般的要件をみたすこと
⑴　反訴請求が本訴請求と同種の訴訟手続により審判されるものであること（136）。
⑵　反訴請求が他の裁判所の専属管轄に属しないこと。ただし、専属的合意管轄（11）を除く（146Ⅰただし書①）。

四　反訴提起と審判

1　手続
⑴　方式
　反訴提起の方式は、本訴に準じ、反訴状を裁判所に提出してなす（146Ⅳ）。訴状の必要的記載事項（134Ⅱ）のほか、どの本訴に対する反訴なのか明確にしてなさなければならない。
⑵　反訴の要件を欠く反訴提起の扱いについて、判例（最判昭 41.11.10）は不適法却下すべきとの立場に立つ。
2　審判
⑴　本訴と併合してなされる。このため、弁論及び証拠調べは、本訴及び反訴の両請求のためのものとして行われる結果、後に本訴が取り下げられた場合であっても、本訴の訴訟資料を反訴の判決の基礎とすることはできる〈共〉。
⑵　弁論の分離・一部判決の可否
　別訴が禁じられる場合（人訴 25 等）や予備的反訴の場合には、弁論の分離・一部判決が許されない。

第一審の手続

＜後発的複数請求の比較＞

	訴えの変更	反訴	中間確認の訴え
意義	訴訟係属後に、原告が、当初からの手続を維持しつつ、当初の審判対象を変更すること	係属中の本訴の手続内で、関連する請求につき被告（反訴原告）が原告（反訴被告）に対して提起する訴え	訴訟係属中に、当該請求の当否の判断の先決関係たる権利・法律関係の存否につき、原告又は被告が追加的に提起する確認訴訟
趣旨	原告の権利保護	原告に訴えの変更が認められたこととの均衡	先決的法律関係の既判力による確定
要件	請求の基礎の同一性	本訴請求又はこれに対する防御方法との関連性	先決関係に立つ事項につき、当事者間に争いがある
	著しく訴訟手続を遅滞させない		
	事実審の口頭弁論終結前		
	＊	控訴審においては相手方の同意が必要	
	訴えの併合の一般的要件を具備		
法的性質	訴えの交換的変更は、追加的変更と訴えの取下げとの組み合わせとなる（判例）		原告が提起する場合は、訴えの追加的変更となる。被告が提起する場合は反訴となる

＊　訴えの交換的変更をする場合は、旧請求の消滅を目的とする点で、訴えの取下げと同様に被告の利益が関わることから、すでに被告が本案について準備書面を提出し、あるいは弁論をした後にあっては、相手方の同意が必要となる（261Ⅱ本文）。⇒p.253

第147条　（裁判上の請求による時効の完成猶予等）

　訴えが提起されたとき、又は第143条第2項（第144条第3項及び第145条第4項において準用する場合を含む。）の書面が裁判所に提出されたときは、その時に時効の完成猶予又は法律上の期間の遵守のために必要な裁判上の請求があったものとする。

《注　釈》

一　時効の完成猶予の効果が生じる権利の範囲

　1　訴訟物として主張された権利関係
　　訴訟物として主張された権利関係について時効の完成猶予の効力が生じる。

2　攻撃防御方法としての権利主張と時効の完成猶予

　　攻撃防御方法としての権利主張によって、時効の完成猶予の効果は認められる
　かについて、判例・多数説は攻撃防御方法としての権利主張に時効の完成猶予の
　効果を認める。

▼　**最判昭43.11.13・百選〔第三版〕44 ①事件**

　　判旨：　所有権に基づく移転登記抹消請求訴訟で被告が所有権を主張して争っ
　　　　　た場合、相手方の所有権の取得時効を中断［注：完成猶予］するとした。

　　cf.　債務不存在確認請求訴訟の場合、債務不存在確認請求を債権者が争った
　　　　時点で、甲債権の時効の完成猶予の効力が生じる〈司〉

3　一部請求と時効の完成猶予の範囲

　　一部請求訴訟において時効の完成猶予の効果はいかなる範囲に及ぶか、判例
　は、一部であることの明示があるか否かにより時効中断［注：完成猶予］の範
　囲を分けて考えるとする。

▼　**最判昭45.7.24・百選〔第三版〕44 ②事件**〈司〉

　　判旨：　一個の債権の一部についてのみ判決を求める趣旨を明らかにして訴え
　　　　　を提起した場合、訴え提起による消滅時効中断［注：完成猶予］の効力
　　　　　は、その一部についてのみ生じ、残部には及ばないが、右趣旨が明示さ
　　　　　れていないときは、請求額を訴訟物たる債権の全部として訴求したもの
　　　　　として、訴えにより右債権の同一債権の範囲内において、その全部につ
　　　　　き時効中断［注：完成猶予］の効力を生ずるものと解するのが相当であ
　　　　　る。

　　また、判例は、明示的一部請求の訴えにおいて、たとえ債権の総額が認定さ
　れたとしても、当該認定は判決理由中の判断にすぎないから、残部について、
　裁判上の請求に準ずるものとして消滅時効の中断［注：完成猶予］の効力は生
　じないとしている（最判平25.6.6・平25重判1事件）。　　⇒p.384

二　時効の完成猶予の効果の消滅

1　訴え提起後判決が確定するまでの間は、時効の完成猶予の効果は持続し、裁
　判確定時から新たにその進行を開始するが（時効の更新、民147Ⅱ）、訴えが
　却下され、又は取り下げられたときは、その時から6か月の期間が経過するま
　では時効の完成が猶予される（民147Ⅰ柱書かっこ書）。

　　→金銭の支払請求訴訟が二重に係属し、別個に審理されていた場合、その
　　　後、その口頭弁論が併合され、前訴を維持する必要がなくなったとして前
　　　訴を取り下げ、後訴を追行するときは、前訴の提起によって生じた甲債権
　　　の消滅時効の完成猶予の効果は消滅しない（最判昭50.11.28）〈司〉

第
一
審
の
手
続

2　訴状が却下されたときは（137Ⅱ、138Ⅱ）、請求の特定等に不備があり、被告に訴状送達もされないため、時効の完成猶予の効力は生じない。

3　動産の引渡請求訴訟において留置権（民295）の抗弁を主張した場合、留置権の抗弁には訴えの提起に準ずる時効中断［注：完成猶予］の効力はないが、催告としての時効中断［注：完成猶予］の効力が訴訟中存続する（いわゆる裁判上の催告、最大判昭38.10.30）〈旧〉。

・第2章・【計画審理】

《概　説》

◆　計画審理

1　計画審理

(1)　計画審理を定める義務

　審理すべき事項が多数又は錯そうしている、事件が複雑である等、その他の事情によりその適正かつ迅速な審理を行うため必要があると認められる場合（147の3Ⅰ）には、裁判所は当事者と協議をし、審理計画として、147条の3第2項各号の事項を定めなければならない。

(2)　審理計画の効力

　当事者が期間の経過後に提出した攻撃防御方法については、これにより審理の計画に従った訴訟手続の進行に著しい支障を生じるおそれがある場合は、当事者が提出できなかったことについて相当の理由があることを疎明しない限り、却下することができる（157の2）。

2　裁判長は、計画に従って手続を進行するために、特定の攻撃防御方法の提出時期を定めることもできる（156の2）。この提出期間を守らなかった場合も、157条の2によって却下されうる。

3　裁判所は、審理の現状その他の事情を考慮し、当事者双方と協議して、審議の計画を変更することができる（147の3Ⅳ）。

第147条の2　（訴訟手続の計画的進行）

　裁判所及び当事者は、適正かつ迅速な審理の実現のため、訴訟手続の計画的な進行を図らなければならない。

[趣旨] 審理を適正かつ迅速に行うためには、訴訟手続の計画的な進行が必要となる。そこで、本条は適正かつ迅速な審理の実現のため、裁判所及び当事者に訴訟手続の計画的な進行を図るべき一般的な義務があることを規定した（計画的進行主義、147の2）。

第１４７条の３　（審理の計画）

Ⅰ　裁判所は、審理すべき事項が多数であり又は錯そうしているなど事件が複雑であることその他の事情によりその適正かつ迅速な審理を行うため必要があると認められるときは、当事者双方と協議をし、その結果を踏まえて審理の計画を定めなければならない。

Ⅱ　前項の審理の計画においては、次に掲げる事項を定めなければならない。
　① 争点及び証拠の整理を行う期間
　② 証人及び当事者本人の尋問を行う期間
　③ 口頭弁論の終結及び判決の言渡しの予定時期

Ⅲ　第１項の審理の計画においては、前項各号に掲げる事項のほか、特定の事項についての攻撃又は防御の方法を提出すべき期間その他の訴訟手続の計画的な進行上必要な事項を定めることができる。

Ⅳ　裁判所は、審理の現状及び当事者の訴訟追行の状況その他の事情を考慮して必要があると認めるときは、当事者双方と協議をし、その結果を踏まえて第１項の審理の計画を変更することができる。

［趣旨］147条の２による訴訟手続の計画的進行に関する一般的な義務の定めを受けて、裁判所及び当事者の具体的な義務を定めた。

・第３章・【口頭弁論及びその準備】

■第１節　口頭弁論

《概　説》

一　訴訟行為の意義

1　裁判所の訴訟行為と当事者の訴訟行為

　訴訟行為とは、訴訟手続の開始・進行及び終了に向けての裁判所及び当事者の行為をいう。

　裁判所の訴訟行為には、裁判・期日の指定・呼出し・送達・当事者の提出した裁判資料の受領・証拠調べなどがあるが、これらは裁判所の職務行為としてそれぞれ独自の規制に服する。

2　私法行為と当事者の訴訟行為

　訴訟行為については、原則として、詐欺・強迫・錯誤などの意思表示の瑕疵に基づく取消しに関する民法の規定は適用されない。

　また、原則として、期限・条件を附すことは許されない〈司〉。

二　訴訟行為の種類

1　訴訟行為の性質・機能による分類

(1)　訴訟行為の性質による分類

　(a)　意思の通知：各種の申立て

ex.　裁判所に本案判決を求める訴え提起

(b)　観念の通知：事実に関する知識の報告たる事実上の主張と法的効果についての当事者の認識の報告たる法律上の主張

(c)　意思表示（訴訟法律行為）：当事者の意欲する内容通りに法的効果が認められる。

(2)　訴訟行為の機能による分類

(a)　取効的訴訟行為

裁判所に対し、特定の裁判その他の行為をなすことを求める行為（申立て）、及びそれを基礎付けるために資料を提供する行為（主張と挙証）。

裁判又は求められた裁判所の訴訟行為がなされることによって、はじめてその目的を達する。裁判所はそれが適法かどうかを判断し、適法ならば理由の有無の判断をして応答しなければならない（不適法なら却下）。

(b)　与効的訴訟行為

裁判を介してではなく、その行為により直接訴訟法上の効果を生じる行為。

ex.　訴えの取下げ、上訴権の放棄

2　内容・目的による分類（申立て・主張・訴訟法律行為）

(1)　申立て：裁判所に対して、種々の裁判や証拠調べなどを求める当事者の訴訟行為の総称

ex.　原告の請求の当否につき判決を求める本案の申立て、除斥等の申立て等の訴訟上の申立て

(2)　主張（陳述）：申立てを基礎付ける判断資料の提出行為。事実に関する知識の報告たる事実上の主張と、法的効果についての当事者の認識の報告である法律上の主張とがある。

(3)　訴訟法律行為：訴訟法上の効果の発生を目的とする意思表示である。

(a)　単独行為

ex.　訴えの取下げやそれに対する同意、上訴権の放棄、異議権の放棄

(b)　訴訟上の合意

ex.　管轄の合意、不控訴の合意

(c)　合同行為

ex.　訴訟上の和解、選定当事者の選定

＜訴訟行為の分類と撤回の可否＞

			原則	例外
当事者の訴訟行為	取効的訴訟行為	申立て	自由に撤回しうるのが原則	相手方当事者が訴訟上有利な地位を得た場合には、相手方の同意がなければ撤回は許されない（261Ⅱ）
		主張	自由に撤回しうるのが原則	裁判上の自白が成立した場合には、自白の撤回は原則として許されない
		立証	証拠調べ前であれば自由に撤回しうる	証拠調べ開始後は、相手方の同意が必要 ∵　証拠共通の原則 証拠調べ手続終了後は、撤回不可 ∵　裁判官が心証を形成している
	与効的訴訟行為	訴えの取下げ	原則として撤回は許されない	意思表示に瑕疵ある場合
		請求の放棄・承諾訴訟上の和解	原則として撤回は許されない	意思表示に瑕疵ある場合
		訴訟契約	一方当事者のみによる撤回は問題とならない	意思表示に瑕疵ある場合
裁判所の訴訟行為	訴訟指揮に関する行為 ex.釈明権の行使		自由に撤回できる	×
	裁判	判決	原則として撤回は許されない ∵　法的安定性	判決の変更・更正（256・257）
		決定・命令	自由に取り消しうる	×

3　本案の申立てと攻撃防御方法

　　訴訟行為は、口頭弁論における当事者双方の訴訟行為の対応関係の観点からも分類される。

(1)　本案の申立て

　　　原告の請求についての裁判の申立てと、被告の訴え却下又は請求棄却の申

立てをいう。
(2) 攻撃防御方法

本案の申立を基礎付けるために提出される判断材料をいう。

原告が自分の本案の申立て（攻撃）を基礎付けるために提出する一切の裁判資料（法律上・事実上の主張、相手方の主張に対する認否、証拠の申出など）を攻撃方法といい、被告がその反対申立て（防御）を基礎付けるために提出する一切の裁判資料を防御方法という。

(a) 法律上の主張とその認否

申立てや請求を基礎付けるために若しくは排斥するために具体的な権利関係の存否に関する自己の認識・判断の報告として陳述することを、法律上の主張あるいは法律上の陳述という。これに対して、相手方は、認めるか争うかの対応をする。

(b) 事実上の主張とその認否

ア 事実上の主張：具体的な事実の存否についての自分の認識判断を報告する陳述

イ 事実上の主張に対する相手方の態度

(i)「自白」（相手方の主張事実を争わない旨の陳述）
→その事実を前提として裁判が行われる

(ii)「否認」（相手方の主張事実を否定する陳述）
→証拠調べが必要となる

(iii)「不知」（相手方の主張事実を知らない旨の陳述）
→否認と推定する（159Ⅱ）

(iv)「沈黙」（相手方の主張事実を明らかには争わない）
→弁論の全趣旨からみて争っているものと認められない限り、自白したものとみなされる（159Ⅰ）

(c) 否認と抗弁

ア 否認：相手方が主張する事実と両立せず、相手方が証明責任を負う事実を否定する主張
→否認には、単に相手方の主張を否定する陳述である単純否認と、相手方の主張する事実と両立しない事実を積極的に述べて相手方の主張を否定する陳述である理由付否認（⇒ p.321）がある。否認する場合には、争点を明確にするため、理由付否認をすることが求められている（規79Ⅲ）

イ 抗弁：相手方が主張する事実と両立し、かつ、その主張事実が存在することによる権利・法律効果の発生を障害・消滅・阻止する法律要件に該当する事実の主張

＜否認と抗弁＞共予

		否認	抗弁
意義		相手方が主張する事実と両立せず、相手方が証明責任を負う事実を否定する主張	相手方が主張する事実と両立し、かつ、その主張事実が存在することによる権利・法律効果の発生を障害・消滅・阻止する法律要件に該当する事実の主張
共通点		相手方の主張を排斥するための事実上の主張	
相違点	事実の両立・非両立	相手方の主張する事実と両立しない事実の主張（理由付否認の場合）	相手方の主張する事実と両立する事実の主張
	証明責任の所在	相手方が証明責任を負う	自己が証明責任を負う

　(d)　事実抗弁と権利抗弁
　　ア　事実抗弁：弁済など、その事実を主張するだけで、原告の権利を否定するに足りる場合
　　イ　権利抗弁：取消権・解除権・建物買取請求権などの形成権や、留置権・同時履行の抗弁権など、法律効果発生の障害・消滅・阻止をもたらすための基礎となる事実の主張だけでなく、当該権利を行使する旨の意思表示の主張も要求される抗弁（最判昭27.11.27・百選47事件）予書 司H21 司H29

　4　申立ての方式
　　特別の定めのある場合を除き、口頭又は書面による（規1Ⅱ）。なお、最高裁判所の定める裁判所に対してするものについては、最高裁判所規則で定めるところにより、電子情報処理組織を用いてすることができる（申立て等のオンライン化、132の10）。

三　訴訟行為の評価と瑕疵ある訴訟行為

　1　訴訟行為の評価
　　(1)　成立・不成立：訴訟行為の成立要件を具備しないと、不成立になる
　　(2)　有効・無効：訴訟行為として成立していても、意思能力、訴訟能力、代理権を欠く場合、あるいは訴訟行為が訴訟手続に関する効力規定に違反した場合、その効力が否定され無効になる
　　(3)　適法・不適法：取効的訴訟行為について、訴え提起が有効であるとしても、不適法な訴訟行為は却下される。また、申立てが適法であるとしても、理由の有無を審査して、認容又は棄却の判断がなされる

2　瑕疵ある訴訟行為の取扱い

　手続法の効力規定に違反する無効・不適法、理由のない訴訟行為を瑕疵ある訴訟行為という。

(1)　瑕疵ある訴訟行為の補正・排斥

　　裁判所は、成立した当事者の訴訟行為に瑕疵がある場合、その補正を求めて救済を図らねばならないが（34Ⅰ等）、補正に応じないときは瑕疵ある訴訟行為を排斥する責任がある。

　　当事者も、利益保護のため、手続規定違反につき異議を述べその無効を主張する権限が与えられる。　⇒ p.134

(2)　瑕疵ある訴訟行為の救済

　　当事者の訴訟行為は、その目的を達することができるように配慮すべきなので、瑕疵ある場合に直ちに排斥すべきではない。また、訴訟行為は互いに関連しあって手続の一環をなすので、手続安定の要求から一定の場合には、瑕疵の治癒（広義）を認めて救済が図られる。

(a)　追認（34ⅡⅢ等）：当事者の無効な訴訟行為を遡って有効なものにする一方的な意思表示

(b)　補正（34ⅠⅢ、137等）：事後的に、当事者が補充又は訂正する行為

(c)　瑕疵の治癒（狭義）：判決が確定すると、訴訟行為の瑕疵はそれが再審事由（338Ⅰ）に該当しない限り治癒される
また、責問権の放棄・喪失により、公益規定でない規定違背の瑕疵は治癒される（90）

(d)　無効な訴訟行為の転換：一定の訴訟行為としては瑕疵があるが、意思解釈の問題として、有効・無効な他の行為として活用すること（ex. 二重起訴の禁止規定に該当するが、反訴提起としては有効である場合）

(e)　訴訟行為の追完：訴訟行為の不変期間の徒過による重大な結果から当事者を救済するため、責に帰すべからざる事由による期間の徒過の場合には、障害事由がなくなった後、1週間の追完を認める（97）

四　私法行為と訴訟行為をめぐる諸問題

1　訴訟行為と私法規定の類推適用

　私法上の法律行為を規制する表見法理、条件・期限、意思表示の瑕疵の規定（私法規定）が訴訟行為にも類推適用されるかについて、通説は訴訟行為の性質により類推適用の是非を判断する。この立場によると、訴訟手続の安定を尊重し裁判所に対する公的な陳述として明確性を期するために原則として類推適用は否定される。ただし、例外として次のケースには類推適用が肯定される。

① 訴訟開始前や訴訟外での訴訟行為

ex. 代理権授与、管轄の合意、証拠契約

② 判決によらずに訴訟を終了させる訴訟行為

ex. 訴えの取下げ、請求の放棄・認諾・和解

2 訴訟契約（訴訟上の合意）

(1) 訴訟契約の意義：当事者あるいは当事者となるべき者がする、特定の訴訟につき影響を及ぼす一定の効果の発生を目的とする合意

(2) 明文規定を欠く訴訟契約

(a) 明文規定を欠く訴訟契約の適法性及び要件

明文規定を欠く訴訟契約であっても、それが①訴訟手続の安定・強行法規性及び訴訟手続の明確的画一的処理の要請に反せず、②処分権主義・弁論主義の範囲内であり、かつ③契約当事者にとって不利益が明確に予測可能である場合は認められる（判例・通説）予。

(b) 明文規定を欠く訴訟契約の効果

明文規定を欠く訴訟契約の効果については、私法契約説と訴訟契約説がある。私法契約説は、訴訟契約は私法上の作為・不作為義務ないし請求権の発生を目的とする私法上の契約であるとする見解であり、一方当事者が契約に違反した場合、他方当事者に抗弁権及び損害賠償請求権が発生するというものである。訴訟契約説は、訴訟契約が訴訟上の事項を内容としている場合には、直接に訴訟法上の効果の発生を目的とする契約であるとする見解である。判例・多数説は、私法契約説に立つとされている同。

(c) 具体的な訴訟契約の検討

ア 不起訴の合意

訴えを起こさない旨の合意をいう。このような合意のうち、特定の紛争を想定しないで一切起訴しないという合意は、裁判所の審判権をすべて排除する点で裁判を受ける権利（憲32）の否定をもたらすことになるため、公序良俗（民90）に反し無効とされる同。

イ 訴え取下げの合意

訴訟係属中に原告が訴え取下げをなすべきことを約する当事者間の合意をいう。判例（最判昭44.10.17・百選87事件）は、訴え取下げの合意の成立が主張立証された場合、原告は権利保護の利益を喪失したものとみることができるから、訴え却下判決をすべきである旨判示している司共予。

ウ 自白契約同予

口頭弁論において特定の事実を争わない旨の合意をいう。

契約対象となっている事実が主要事実の場合、自白契約は認められる。契約の対象となっている事実が間接事実・補助事実である場合、当

該事実は証拠と同様の機能を有する点で自由心証主義（247）が妥当し、弁論主義の適用はないから、自白契約は認められない。

エ　証拠制限契約

証拠方法を書証等、一定のものに限定する契約をいう。

特定の証拠の提出を制限する証拠制限契約は認められ、裁判所は当該証拠方法を証拠能力なきものとして証拠調べをせず却下する（東京地判昭42.3.28参照）予。

もっとも、当該証拠方法の証拠調べ後にその合意の存在が裁判所に判明した場合は、すでに形成された心証を覆すことができない予。

＜当事者の一方が証拠制限契約に違反して証拠を提出した場合の効果＞

証拠の申出があるにすぎない段階	原則：却下できる 合意の存在を抗弁として主張し、その存在が判明した時点で裁判所は当該証拠方法を証拠能力なきものとして取調べをせず却下する
証拠調べが開始された段階	原則：却下できない 例外：相手方の同意がある場合は、却下できる。 相手方が同意しない場合は、証拠制限契約に違反した当事者に対して損害賠償請求ができるにすぎない
証拠調べが終了した段階	当事者間で、損害賠償請求が可能になるにすぎない ∵　裁判所がすでに心証を形成してしまっている

オ　不控訴の合意

両当事者につき上訴権全体を発生させない旨の終局判決前の両当事者の合意をいう。

飛越上告の合意を定めた281条1項ただし書との関係が問題となるが、同条は事実認定に争いのないことを確定させたうえで飛越上告を認める趣旨にすぎず、それ以外の不控訴の合意を否定するものではないので、当事者双方の不控訴の合意は認められる。合意に反し、一方当事者が控訴した場合、他方当事者は合意の存在を抗弁として主張し、その存在が判明した時点で、裁判所は控訴を不適法として却下する。

＜私法契約説と訴訟契約説の相違＞

	私法契約説	訴訟契約説	両者の相違
不起訴の合意	訴えを提起しない私法上の義務を負う	訴えを提起する権限が消滅する	合意に反して提起された訴えは、私法契約説では訴えの利益を欠き却下されるが、訴訟契約説では合意の直接の効果として却下される
訴え取下げの合意	訴えを取下げる私法上の義務を負う	訴訟係属が遡及的に消滅する	合意に反して取り下げられない訴えは、私法契約説では訴えの利益を欠き却下されるが、訴訟契約説では訴訟終了宣言がなされる
自白契約	当該主要事実については争わない私法上の義務を負う	当該主要事実が判決の基礎となる	合意に反して事実を争った場合、合意の存在を主張立証すれば、裁判所は当該事実を判決の基礎とする点で両説に相違はない
証拠制限契約	当該証拠方法を提出しない私法上の義務を負う	当該証拠方法が排斥される	合意に反して証拠方法を提出した場合、合意の存在を主張立証すれば、裁判所は当該証拠方法を排斥する点で両説に相違はない
不控訴の合意	控訴をしない私法上の義務を負う	控訴権が消滅する	合意に反してなされた控訴は、私法契約説では控訴の利益を欠き却下されるが、訴訟契約説では合意の直接の効果として控訴が却下される

第一審の手続

3 訴訟における形成権の行使

　　実体法上の形成権の行使が、訴訟において主張された場合どのように扱われるか、訴訟における形成権の行使の法的性質について以下の見解の対立がある。

A　併存説：形成権の行使という私法行為と、その行為の私法上の効果を裁判所に陳述するという訴訟行為と2つの行為が併存したものと考える

B　訴訟行為説：訴訟における形成権行使を、私法行為を含まない純然たる訴訟行為とみる

C　新併存説：形成権行使者の意思を合理的に解釈し、訴訟行為としての陳述が攻撃防御としての意味を失った場合には、これにより生じた私法上の効果を後に残さない意思か否かを判断し、仮にそのような意思ならばその意思通りの効力を認めようとする

　　　　　すなわち、その場合の形成権行使は解除条件付きの意思表示とみる

▼　**東京地判昭45.10.31・百選〔第5版〕43事件**

事案：　借地借家法13条の建物買取請求権が訴訟上行使された後に訴訟上の和
　　　　解（267）がなされ、訴訟が終了した場合における私法上の効果が問題
　　　　となった。

判旨：　形成権の行使は訴訟法の攻撃防御方法として主張され相手方に到達し
　　　　たことを条件として実体法的効果を生じるが、訴訟が和解等により裁判
　　　　所の判断を受けることなく終了した場合には実体法的効果は初めに遡っ
　　　　て消滅する。また、形成権の行使の意思表示が訴訟上陳述された場合に
　　　　は撤回できないのが原則であるが、相手方の同意があるときには撤回も
　　　　なし得る、とした。

第148条　（裁判長の訴訟指揮権）

Ⅰ　口頭弁論は、裁判長が指揮する。

Ⅱ　裁判長は、発言を許し、又はその命令に従わない者の発言を禁ずることができる。

《注　釈》

一　総説

　訴訟手続の進行・審理の整理は原則として、裁判所が主宰する（職権進行主義）。職権進行主義は、現行法上、裁判所に訴訟指揮権を付与することによって具体化されている。これにより、訴訟の審理が迅速、公平かつ充実したものとなる。

　しかし、当事者も訴訟の主体として、裁判所の主宰する手続進行の合法性を監視し手続上も自分の利益を擁護する権能が与えられなければならない。そこで、職権進行主義を補うものとして、当事者の申立権と異議権とが認められている。

二　裁判所の訴訟運営

1　職権進行主義

（1）意義

　　審理の進行及び整理が裁判所の主導の下で行われる原則をいう。

（2）訴訟指揮についての統制

　　職権進行主義は、裁判所の恣意的運用を許容する趣旨ではなく、自由裁量を意味するものでもない。その裁量権は、事案の性質、当事者の状況、手続の進行状況、争点の内容、証拠との関連性、審理の便宜など、当該事件の状況に最も適した合理的・合目的的手続を選択するように行使されなければならない（手続裁量論）。当該措置が裁量の限界を超えれば違法の評価を受ける。このような規律は、職権進行主義が妥当する裁判所の各行為（弁論の分離・併合など）に妥当する。

2　裁判所の訴訟指揮権

(1)　訴訟指揮権の主体

　　主体は原則として裁判所である（151以下）。ただし、合議体の審理の場合は、主として裁判長が弁論や証拠調べにおける指揮を行う（148）。

(2)　訴訟指揮権の行使の態様

　　訴訟指揮権の行使は、事実行為として行われる場合（弁論や証拠調べ中の指揮等）と、裁判の形式で行われる場合（出頭・提出の命令、弁論の制限・分離・併合等）がある。

(3)　訴訟指揮権の内容

(a)　訴訟の進行に関するもの

　　期日の指定・変更（93Ⅰ）、期間の裁定・伸縮（96）、訴訟手続の中止（131）、中断した手続の続行（129）等

(b)　審理の整理に関するもの

　　遅滞又は損害を避けるための移送（17）、弁論の制限・分離・併合（152）、弁論の再開（153）

(c)　期日における訴訟行為の整理

　　当事者や代理人の発言を許可し、命じ、又は禁止する等、口頭弁論の指揮を行う（148）。

(d)　事案の解明のための措置

　　証明責任の分配に応じて両当事者にそれぞれ本証・反証を尽くさせ、弁論内容を解明するための釈明権の行使（149）や釈明処分（151）

(e)　当事者の怠慢による訴訟遅滞防止措置

　　時機に後れた攻撃防御方法の却下（157）等

三　当事者の申立権及び責問権

　手続の進行に関する職権主義を補うものとして、当事者の申立権と異議権の一種たる責問権とが認められている。

1　申立権：手続の進行を主宰する裁判所を促して訴訟指揮上の処置を要求する権利

(1)　申立権の効果

　　裁判所はその申立て通りの決定・命令を下す必要はないが、裁判所には応答義務が生じるので、必ずその許否を明示しなければならない。

(2)　申立権の具体例

　　移送申立て（17）、求問権（149Ⅲ）、相手方当事者の時機に後れた攻撃防御方法の却下申立て（157）、中断中の手続の受継申立て（126）

2　責問権　⇒p.134

第149条　（釈明権等）

Ⅰ　裁判長は、口頭弁論の期日又は期日外において、訴訟関係を明瞭にするため、事実上及び法律上の事項に関し、当事者に対して問いを発し、又は立証を促すことができる〈手〉。

Ⅱ　陪席裁判官は、裁判長に告げて、前項に規定する処置をすることができる〈手〉。

Ⅲ　当事者は、口頭弁論の期日又は期日外において、裁判長に対して必要な発問を求めることができる〈手〉。

Ⅳ　裁判長又は陪席裁判官が、口頭弁論の期日外において、攻撃又は防御の方法に重要な変更を生じ得る事項について第1項又は第2項の規定による処置をしたときは、その内容を相手方に通知しなければならない〈手〉。

［趣旨］弁論主義、処分権主義により、いかなる請求を定立するか、いかなる事実、証拠を提出するかは当事者の責任と権能に委ねられている。しかし、当事者は法律知識の不足から事案に適合した請求を立て、事実・証拠を提出することができない場合が多い。そこで、このような場合に、裁判所が後見的な役割を果たすため、本条は裁判長の釈明権等について規定した。

《注　釈》

一　釈明権の意義

釈明権とは、事件の内容をなす事実関係や法律関係を明らかにするために、当事者に対して事実上や法律上の事項について質問を発し、又は立証を促す裁判所の権能をいう。

二　釈明権の種類

1　消極的釈明：当事者が必要な申立てや主張をしているものの、それらに不明瞭・矛盾がみられるときにこれを問いただす釈明をいう

2　積極的釈明：当事者が必要な申立て・主張をしていない場合、これを示唆・指摘する釈明をいう。もっとも、積極的釈明が行き過ぎると当事者間の公平を欠く危険があるので慎重に行うべきである

三　釈明権の範囲

1　釈明権の範囲

(1)　消極的釈明：全面的に許される

∵　消極的釈明は、当事者の陳述が曖昧不明瞭であったり、不完全、矛盾や誤りがある場合の釈明であるから、過度の行使は問題とならない

(2)　積極的釈明：弁論主義の修正・補完という役割を全うするために必要な限りで原則として許容される

しかし、積極的釈明が弁論主義の有する紛争内容の自主的形成機能や公平な裁判に対する信頼確保機能を阻害することは否定できないので、①訴訟経過や裁判資料から別個の構成に

よる請求を立てることができることが明らかであって、②その請求を立てないことが、原告の誤解・不注意である場合にのみ許される

▼　**最判昭45.6.11・百選48事件**⟨判⟩

　　判旨：　裁判所が訴えの変更を示唆する積極的釈明を行使した事案において、「訴訟の経過やすでに明らかになった訴訟資料、証拠資料からみて、別個の法律構成に基づく事実関係が主張されるならば、原告の請求を認容することができ、当事者間の紛争の根本的な解決が期待できるにもかかわらず、原告においてそのような主張をせず、かつ、そのような主張をしないことが明らかに原告の誤解または不注意と認められるようなときは、その釈明の内容が別個の請求原因にわたる結果となる場合でも」、積極的釈明が許されるとする。

2　釈明権の濫用

　　裁判所が、釈明権行使の合理的範囲を超えて、一方当事者に対してのみ過度に釈明権を行使した場合、これによる判決は違法として取り消されるべきであろうか。

　　肯定説：消極的釈明は全面的に許されるので、その濫用は観念できない。一方、積極的釈明が過度になされた場合には、かかる釈明権行使は違法（弁論主義違反）と評価される。しかし、当事者の信頼保護の観点から、すでになされた釈明に基づく当事者の訴訟行為は無効となし得ないので、いったんなされた以上、その判決は取り消されることはない

　　否定説：当事者は釈明に応じないことができるから、およそ釈明権の行使には行き過ぎ・濫用という問題は生ぜず、たとえこれにより一方に利益を与えることになっても、必要ならば相手方に攻撃防御の機会を与えればよいのであって、このことは裁判機関の中立性、公正性を損なうものではない

四　釈明権の行使と当事者の対応（149）

　　釈明権は、口頭弁論やその準備のための手続において、当事者又はその代理人に対する発問又は立証を促す形によってなされる（Ⅰ）。合議体では、裁判長がこれを行使するが（Ⅰ）、陪席裁判官も裁判長に告げたうえでこれを行使することができる（Ⅱ）。これらの処置に対して当事者が異議を述べたときには裁判所は決定でその異議について裁判する（150）。当事者には、釈明に応じなければならないという義務はないが、釈明に応じない場合不利益を受けるおそれがある。

第一審の手続

五　釈明義務〔予H28〕

　釈明権の行使は、その名の通り裁判所の「権能」であるが、その適切な行使によって弁論主義の形式的な適用による不合理を修正して、適正かつ公平な裁判を実現することは、裁判所のなすべき責務でもある。

　したがって、裁判所が釈明権を行使すべきであったにもかかわらずこれを行使しなかった場合には釈明義務違反となり、その結果、当事者の十分な弁論の機会が確保されなかった場合には、上告理由（312Ⅲ）又は上告受理申立理由（318Ⅰ）となる〔予〕。

▼ 最判昭39.6.26・百選49事件

判旨：　ある地域全域の所有を前提として、そこに生立する立木の不法伐採を理由に損害賠償請求がなされた場合において、裁判所が当該地域の一部のみが請求者の所有に属するとの心証を得た以上、全く証拠方法のないことが明らかであるときを除き、その一部の地域上の立木の伐採数量等について立証を促すべきであって、損害額について漫然と証拠がないとして請求を排斥したのは違法である。

▼ 最判平8.2.22・百選〔第三版〕61事件

判旨：　控訴裁判所が重要な書証の成立について第1審の判断を覆す場合には、その署名部分の筆跡鑑定の申出をするかどうかについて釈明権を行使すべきである。

▼ 最判平22.10.14・平22重判2事件

事案：　定年規程により定年（65歳）により職を解く旨の辞令を受けたXが、学校法人Yとの間で定年を80歳とする旨の合意があったと主張して、Yに対し、雇用契約上の地位を有することの確認と、未払賃金及び将来の賃金等の支払を求めた。

判旨：　「Yには、教育職員の定年を満65歳として、職員は定年に達した日の属する学年末に退職する旨を定めた定年規程があったが、現実には70歳を超えて勤務する教育職員も相当数存在していた。このような実態を踏まえ、Yの理事の1人は、……Xに対し、……80歳くらいまで勤務することは可能であるとの趣旨の話をした。そのため、Xは80歳くらいまで本件大学に勤務することが可能であると認識していた。Xは前記……の事実を、本件合意の存在を推認させる間接事実としては主張していたが、当事者双方とも、Yが定年規程による定年退職の効果を主張することが信義則に反するか否かという点については主張していない。……信義則違反の点についての判断をするのであれば、原審としては、適切に釈明権を行使して、Xに信義則違反の点について主張するか否かを明らかにするよう促すとともに、Yに十分な反論および反証の機会を与えた上で判断をすべきものである。」

▼ **最判昭27.11.27・百選47事件**

判旨：　権利抗弁について、裁判所は、たとえ抗弁権存在の事実関係が訴訟上主張されたとしても権利者が権利行使をする意思を表示しない限りこれを斟酌できず、さらに裁判所が権利行使をしていない当事者に対してその権利行使の意思を確かめたり、権利行使を促したりすべき責務、すなわち釈明義務を負うことはないとした。

六　法的観点指摘義務〈予H28〉

1　法的観点指摘義務の意義

　法的観点指摘義務とは、裁判所が当事者が前提とする法的観点と別の法律構成で法的判断をしようとする場合に、その法律構成ないし法的観点を示す義務をいう。

2　法的観点指摘義務の存否

　当事者の手続保障の実現のためには、裁判所が判断の前提とする法的観点は、当事者の攻撃防御の対象として示されなければならない。

3　法的観点指摘義務の具体例

　具体的には、当事者主張事実から当事者主張の代物弁済ではなく譲渡担保を認める場合の釈明や、保証債務に基づく給付を請負契約に基づくものに変更することを示唆する積極的釈明などがこれに当たる。

▼ **名古屋高判昭52.3.28**

判旨：　権利濫用の事実はその基礎となる客観的主観的な事実関係が口頭弁論にあらわれていることで足り、あえて抗弁として被告が明確に主張することは要しないが、権利者にとって不当な不意打ちとなるから、裁判所が原告の請求を権利濫用に当たると認めた場合には被告をして右の事実を抗弁として主張するか否かを釈明し、被告が右の主張をした場合には、原告に対しても右の点についての防御方法を講じさせるなどの処置を経て判決しなければならない。

第150条　（訴訟指揮等に対する異議）

　当事者が、口頭弁論の指揮に関する裁判長の命令又は前条第1項若しくは第2項の規定による裁判長若しくは陪席裁判官の処置に対し、異議を述べたときは、裁判所は、決定で、その異議について裁判をする〈同予〉。

[趣旨] 弁論の指揮（148）や釈明のための措置（149）のような裁判長等の権限行使について、当事者が異議を述べたときは、受訴裁判所たる合議体に監督させるため、受訴裁判所たる合議体がその異議について裁判をすることを定めた。

第151条　（釈明処分）

Ⅰ　裁判所は、訴訟関係を明瞭にするため、次に掲げる処分をすることができる。

① 当事者本人又はその法定代理人に対し、口頭弁論の期日に出頭することを命ずること〈司予書〉。

② 口頭弁論の期日において、当事者のため事務を処理し、又は補助する者で裁判所が相当と認めるものに陳述をさせること〈書〉。

③ 訴訟書類又は訴訟において引用した文書その他の物件で当事者の所持するものを提出させること。

④ 当事者又は第三者の提出した文書その他の物件を裁判所に留め置くこと。

⑤ 検証をし、又は鑑定を命ずること〈書〉。

⑥ 調査を嘱託すること〈共予〉。

Ⅱ　前項に規定する検証、鑑定及び調査の嘱託については、証拠調べに関する規定を準用する。

[趣旨] 当事者の主張や資料の提出が不十分で訴訟関係が不明瞭である場合、釈明を求める処分が行われる（149）が、これを補充するため、裁判所が一定の釈明処分をすることができることを定めた。

第152条　（口頭弁論の併合等）

Ⅰ　裁判所は、口頭弁論の制限、分離若しくは併合を命じ、又はその命令を取り消すことができる〈司共予書〉。

Ⅱ　裁判所は、当事者を異にする事件について口頭弁論の併合を命じた場合において、その前に尋問をした証人について、尋問の機会がなかった当事者が尋問の申出をしたときは、その尋問をしなければならない〈予書〉。

[趣旨] 主観的・客観的に1個の請求であっても争点が多数になる場合、迅速な訴訟の進行のため、具体的な事案に応じて、裁判所が、訴訟指揮権（148）に基づき、裁量で、口頭弁論の制限、分離・併合を命じ、又はそれを取消すことができる旨を定めた。

《注　釈》

一　弁論の併合

1　弁論の併合の意義

担当裁判官や合議体は異なっていても、同一の官署としての裁判所に別々に係属している複数の訴訟を1つにまとめて1個の裁判所による同一の口頭弁論で審理・判決するという裁判所の決定をいう。

2　弁論の併合をなしうる場合・要件

弁論の併合を命じるか否かは原則として裁判所の裁量に委ねられるが、類似必要的共同訴訟の場合を中心として法律上併合が要求される場合がある（ex. 会828Ⅰ①〈司〉、837、人訴8Ⅱ〈書〉）。裁判所に裁量が認められる場合であって

も、請求相互の関連性や審理の状況等を総合的に考慮して、併合等が違法とされることがある（手続裁量論　⇒p.272）。

また、弁論の併合は請求の併合の一般的要件（136、38）をみたさなければならない。

弁論の制限・分離・併合は訴訟手続の進行面に関わることであるから、いずれも裁判所の職権により行われ、当事者の申立ては認められていないが、当事者が裁判所の職権発動を促すこと自体は可能である。

3　弁論併合後の手続
⑴　弁論併合後は、併合された各弁論は、同一手続により審理・判断される。
⑵　弁論併合前の証拠資料の利用〈司H18〉

弁論併合前の証拠調べの結果は、同一の性質のまま併合後も訴訟資料となる（最判昭41.4.12参照）。もっとも、当事者を異にする事件で弁論が併合された場合に、併合前に尋問された証人について、尋問の機会がなかった当事者が尋問の申出をしたときは、改めて尋問をしなければならない（152Ⅱ）。
→152条2項の趣旨は、審理の重複を避けつつ、併合前の尋問に立ち会う機会のなかった当事者の防御の機会を保障することにある

第一審の手続

二　弁論の併合の決定と上訴
1　裁判所が口頭弁論の併合・制限等の決定をした場合、その決定に不服がある場合でも、当事者は即時抗告をすることができない〈司書〉。
2　甲建物及び乙建物の明渡しを求める訴訟で、先に裁判をするのに熟した甲建物の明渡請求について弁論を分離してされた請求棄却判決に対しては、独立して上訴することができる〈司〉。

▼　**最判昭41.4.12**〈司〉

判旨：「数個の事件の弁論が併合されて、同一訴訟手続内で審理されるべき場合には、併合前にそれぞれの事件においてなされた証拠調の結果は、併合された事件の関係のすべてについて、当初の証拠調と同一の性質のまま、証拠資料となると解するのが相当である。けだし、弁論の併合により、弁論の併合前にされた各訴訟の証拠資料を共通の判断資料として利用するのが相当だからである」とした。

三　弁論の分離〈予H30〉
1　弁論の分離の意義

複数の請求が併合審理されている訴訟の係属中に、それらを分けて、以後は別々の訴訟手続をもって審理・判決するという裁判所の決定をいう。
2　弁論の分離ができない場合

裁判所は、弁論や証拠調べを複数の請求につき同時に行うことの便宜や、裁判の矛盾抵触の回避といった利点と、分離せず併合審判を続けることによる手

続の複雑化・訴訟の遅延といった欠点を比較考慮し、弁論の分離をするか否か
を判断する（手続裁量論　⇒ p.272）。また、一度併合した弁論を改めて分離す
ることも可能である。

　もっとも、請求相互の関係から、同一の手続で審理・判断することが不可欠
な場合には、弁論の分離は許されず、一部判決（243Ⅱ）をすることも許され
ない。

　ex.1　予備的併合・選択的併合・予備的反訴
　　　∵　請求相互間における当事者の期待を尊重するため
　ex.2　必要的共同訴訟（40）、同時審判申出共同訴訟（41）、独立当事者参加
　　　　訴訟（47）
　　　∵　合一確定の要請が働くため
　　　→主債務者と連帯保証人を共同被告とする訴えは必要的共同訴訟には
　　　　当たらないため、弁論の分離は許される〈予〉

弁論の分離が許されないにもかかわらず、弁論の分離をした場合には、訴訟
手続の違法をもたらし、当該訴訟手続における判決は、控訴審における取消事
由（305）や上告審における破棄事由（325ⅠⅡ）となり得る。

　なお、たとえ攻撃防御方法が複数ある場合であっても、請求として1個であ
れば、攻撃防御方法についてのみ分離することは許されない〈予〉。

第153条　（口頭弁論の再開）
裁判所は、終結した口頭弁論の再開を命ずることができる〈共書〉。

[趣旨] 裁判所は、訴訟が判決をするのに熟したと判断すれば、口頭弁論を終結し、
終局判決をする（243、244）。しかし、いったん弁論を終結した後に、当事者がさ
らに主張・立証をすることを求める場合や、裁判所が当事者の主張・立証が不十分
であることについて気付く場合もありうる。そこで、本条は、裁判所が終結した口
頭弁論の再開を命じることができることを規定した。

《注　釈》
▼　**最判昭56.9.24・百選39事件**
判旨：　裁判所の弁論再開の裁量も絶対無制限のものではなく、弁論を再開し
て当事者にさらに攻撃防御方法を提出する機会を与えることが明らかに
民事訴訟における手続的正義の要求するところであると認められる特段
の事由があれば、裁判所は弁論を再開すべきである。

第154条　（通訳人の立会い等）
Ⅰ　口頭弁論に関与する者が日本語に通じないとき、又は耳が聞こえない者若しくは
口がきけない者であるときは、通訳人を立ち会わせる。ただし、耳が聞こえない者
又は口がきけない者には、文字で問い、又は陳述をさせることができる。

Ⅱ　鑑定人に関する規定は、通訳人について準用する。

[趣旨] 裁判所法74条は、裁判所の用語は日本語と定める。そこで、口頭弁論に関与する者に日本語が通じないときは、通訳人を立ち合わせて、その陳述や供述を日本語に翻訳させることとした。また、耳が聞こえない者や口がきけない者は、裁判所や関係者の発言を十分に理解しえず、自分の意思を十分に表明できないおそれもあるため、通訳人を立ち合わせてその陳述や供述を翻訳させることとした。

第155条　（弁論能力を欠く者に対する措置）
Ⅰ　裁判所は、訴訟関係を明瞭にするために必要な陳述をすることができない当事者、代理人又は補佐人の陳述を禁じ、口頭弁論の続行のため新たな期日を定めることができる。
Ⅱ　前項の規定により陳述を禁じた場合において、必要があると認めるときは、裁判所は、弁護士の付添いを命ずることができる。

[趣旨] 本条は、弁論能力を有しない者の法廷での陳述を制限できることを規定したものである。弁論能力とは、口頭弁論期日や弁論準備期日などにおいて主張又は陳述をするのに必要な能力をいい、訴訟手続の円滑・迅速という公益上の要請から必要とされるものである。現行法は、弁護士強制主義を採用しておらず、本人訴訟を認めているから、訴訟能力があれば原則的に弁論能力を有することになるが、本条は、個別的に弁論能力を有しない者について陳述を制限することができる旨を定めた。

《注　釈》
一　弁論能力に関する手続
　口頭弁論に関与する当事者・代理人・補佐人が事実解明のために必要な弁論ができず、この者を関与させていても手続の適切・円滑な進行が期待できない場合に、裁判所はその者の陳述を禁止する裁判（決定）をすることができる（Ⅰ、規65）。この裁判を受けた者は当該審級に関して弁論能力を失うことになる。

二　弁論能力欠缺の効果
　1　欠缺の効果
　　弁論能力の有無は職権で調査し、これを欠くときはその訴訟行為は無効である。
　2　裁判所の対応
　　裁判所は、弁論無能力者の弁論を禁じて弁論能力ある者に訴訟を追行させるべく、弁論を続行するために新期日を定める（Ⅰ）。また必要があれば、裁判所は弁護士の付添いを命じる（Ⅱ）。たとえ指定された新期日に弁論無能力者が出席して弁論しても欠席と扱う（159Ⅲを適用）。

三 弁論能力の欠缺を看過した判決の効力

裁判所が弁論無能力とした者の訴訟関与を排斥しないで訴訟追行を黙認し判決をしてしまった場合は、訴訟手続の円滑・迅速を図るという本制度の趣旨から、瑕疵の治癒を認め、判決を無効とせず、したがって、上訴・再審は認めないと解するのが妥当である。

∵ これを無効とすると、かえって、訴訟経済に反するし、弁論能力が当事者の利益保護の制度でないことに反する

第156条 （攻撃防御方法の提出時期）

攻撃又は防御の方法は、訴訟の進行状況に応じ適切な時期に提出しなければならない。

[趣旨] 口頭弁論の一体性を根拠として、旧法下では随時提出主義が採られ、当事者は口頭弁論の終結に至るまで随時に攻撃防御方法を提出することができるものとされていた。しかし、随時提出主義の下ではいたずらに訴訟の進行が遅延するという弊害が生じた。そこでかかる弊害に対処するため、現行法では、本条で攻撃防御方法は訴訟の進行状況に応じて適切な時期に提出しなければならないと規定し、適時提出主義を採用した。

《注 釈》

一 口頭弁論の一体性

1 口頭弁論の一体性の意義

口頭弁論期日が数回にわたる場合でも、口頭弁論終結に至るすべての口頭弁論は全体を一体として捉えて、等しく判決の基礎とされることをいう。弁論・証拠調べはいずれの段階でなされたかを問わず、判決の資料として同一の効果を有する（口頭弁論の同価値性）。

2 口頭弁論の一体性の現れ

(1) 擬制自白の阻止（159）：擬制自白の成否が最終口頭弁論終結時の状態で判断される

(2) 自由心証主義（247）：証拠調べの結果以外の口頭弁論に現れたすべての訴訟資料である「口頭弁論の全趣旨」が自由心証の基礎となる

(3) 前回までの口頭弁論の結果の報告は必要ないこと（249Ⅱ参照）。

二 適時提出主義

攻撃防御方法の提出は、訴訟の進行状況に応じて適時に行わなければならないという原則をいう。

→当事者は、審理の進行程度に応じて、弁論の焦点を集中し、これに合わせて適時に訴訟資料を提出する義務を負う

▼ **最判昭51.12.24・百選〔第三版〕A14事件**

　判旨：　株主総会決議取消しの訴えを提起した後、旧商法248条1項（現会社法831条1項）所定の期間経過後の新たな取消事由を追加主張することは許されない。新たな取消事由の追加主張を時機に遅れない限り無制限に許すとすれば、会社は当該決議が取り消されるのか否かについて予測を立てることが困難となり、決議の執行が不安定になるといわざるを得ないのであって、そのため、瑕疵のある決議の効力を早期に明確にさせるという右規定の趣旨は没却されてしまう。

第156条の2　（審理の計画が定められている場合の攻撃防御方法の提出期間）

　第147条の3第1項の審理の計画に従った訴訟手続の進行上必要があると認めるときは、裁判長は、当事者の意見を聴いて、特定の事項についての攻撃又は防御の方法を提出すべき期間を定めることができる。

［趣旨］ 計画審理制度（147の3）においては、必要的計画事項が規定されているが（同Ⅱ）、任意的計画事項として、特定の事項についての攻撃防御方法の提出期間その他の訴訟手続の計画的な進行上必要な事項を定めることができる（147の3Ⅲ）。訴訟指揮権を有する裁判長は、実際の訴訟手続の進行に即した提出期間を定めうる地位にあるといえる。そこで本条は、任意的計画事項のうち、特定の攻撃防御方法の提出期間については、審理計画に従った訴訟手続の進行上必要があると認めるときは、裁判長も、当事者の意見を聴いて定めうるとした。

第157条　（時機に後れた攻撃防御方法の却下等）

　Ⅰ　当事者が故意又は重大な過失により時機に後れて提出した攻撃又は防御の方法については、これにより訴訟の完結を遅延させることとなると認めたときは、裁判所は、申立てにより又は職権で、却下の決定をすることができる〔同共〕。

　Ⅱ　攻撃又は防御の方法でその趣旨が明瞭でないものについて当事者が必要な釈明をせず、又は釈明をすべき期日に出頭しないときも、前項と同様とする〔同予〕。

［趣旨］ 本条は、適時提出主義（156）の実効性を確保するために、時機に後れた攻撃防御方法について、一定の要件をみたす場合に、裁判所は決定で特定の攻撃防御方法を却下しうる旨を規定したものである。

《注　釈》

一　適時提出主義と時機に後れた攻撃防御方法の却下の関係

　適時提出主義の規定は、当事者に理想的な攻撃防御方法の提出を訓示的に義務付けたにとどまる。よって、「適切な時期」経過後に提出された攻撃防御方法がすべて157条1項の適用を受けるものではなく、「適切な時期」から相当程度後れて提出した攻撃防御方法が「時機に後れて提出された攻撃防御方法」に当たると考えられる。

二　時機に後れた攻撃防御方法の却下の要件 〈司H19 司R3〉

1　時機に後れて提出したものであること

　「時機に後れて提出した」とは、口頭弁論の経過との関係で、当該攻撃防御方法が提出された時点より以前に口頭弁論に提出すべき機会があったことをいう。控訴審においては、第1審以来の手続の経過を通じて判断すべきである（大判昭 8.2.7）〈司共予〉。

2　当事者の故意又は重大な過失によるものであること

　なお、準備的口頭弁論終了後・弁論準備手続終結後に攻撃防御方法を提出した当事者は、相手方の求めがあるときは、相手方に対し、これらの手続が終わる前に攻撃防御方法を提出できなかった理由についての説明義務を負う（167、174）ところ、当事者がこの説明義務に違反した場合、その事実は当事者の故意又は重大な過失の認定資料となる。

3　審理すると訴訟の完結が遅延する場合であること

　時機に後れて提出された攻撃防御方法の審理がなければ直ちに弁論を終結しうるのに、さらに期日を開かなければならない場合がこれに当たる（最判昭30.4.5 参照）〈司〉。

三　時機に後れた攻撃防御方法の却下の手続

　相手方の申立て又は職権により決定で却下する（Ⅰ）〈共〉。

四　時機に後れた攻撃防御方法の却下の効果

　157条は公益を実現するための規定であるため、要件を具備した場合、時機に後れた攻撃防御方法は必ず却下しなければならない。

五　相殺の抗弁

　相殺の抗弁は、反対債権の消滅という不利益を伴うので、提出者は最終的防御方法として提出するのが通常であり、当初からその提出を期待するのは困難である。よって、「故意又は重大な過失」を認定しにくい。

六　建物買取請求権の行使

　原告が土地賃貸借契約の終了を理由として土地明渡請求訴訟を提起し、第1審は勝訴したが、被告が控訴し、その控訴審の最終口頭弁論期日に被告が建物買取請求権（借地借家13）を行使した場合に、この防御方法が時機に後れた攻撃防御方法として却下される（Ⅰ）のではないかが問題となる。

　建物買取請求権は、実質被告敗訴を前提として行使されるものであり、一般的にいえば「故意又は重過失」は認めにくい。ただし、具体的事情により「故意又は重過失」が認められる場合には、建物の時価を認定するためにさらに期日を開かねばならないことから、「訴訟の完結を遅延させる」といえるので、時機に後れた攻撃防御方法として却下されることもある（最判昭46.4.23・百選〔第5版〕45事件）。

第一審の手続

第157条の2　（審理の計画が定められている場合の攻撃防御方法の却下）

第147条の3第3項又は第156条の2（第170条第5項において準用する場合を含む。）の規定により特定の事項についての攻撃又は防御の方法を提出すべき期間が定められている場合において、当事者がその期間の経過後に提出した攻撃又は防御の方法については、これにより審理の計画に従った訴訟手続の進行に著しい支障を生ずるおそれがあると認めたときは、裁判所は、申立てにより又は職権で、却下の決定をすることができる。ただし、その当事者がその期間内に当該攻撃又は防御の方法を提出できなかったことについて相当の理由があることを疎明したときは、この限りではない。

[趣旨] 特定の事項についての攻撃防御方法の提出時期を定めるに当たって147条の3第3項が当事者双方との協議を必要としていること、156条の2が当事者の意見を聴取すべきことを定めていることから、提出期間経過後に新たな攻撃防御方法を提出し、計画審理の進行に支障を与えることは、それ自体が信義則違反といえる。そこで本条は、このような場合、訴訟の完結を遅延させるか否かを問うことなく、失権的制裁を課すこととしたものである。

第158条　（訴状等の陳述の擬制）

原告又は被告が〈司共〉最初にすべき口頭弁論の期日に出頭せず、又は出頭したが本案の弁論をしないときは、裁判所は、その者が提出した訴状又は答弁書その他の準備書面に記載した事項を陳述したものとみなし、出頭した相手方に弁論をさせることができる〈司予書〉。

[趣旨] 必要的口頭弁論の原則（87Ⅰ本文）からすれば、判決をなすには原則として口頭弁論を経なければならず、かつ、そこに現れた訴訟資料のみを判決の基礎にしなければならない。しかし、この原則を貫くと、最初にすべき口頭弁論の期日に出頭せず、又は出頭したが本案の弁論をしない場合、冒頭陳述として審判の主題について口頭の陳述がないため訴訟を進めることができなくなる。そこで、かかる事態に対処するために、本条は、欠席者がそれまでに提出した書面に記載した事項を陳述したものとみなし、出頭した相手方に弁論をさせることができるものとした。

《注　釈》

一　当事者の一方の欠席の場合の陳述擬制

1　最初の期日における一方当事者の欠席

 (1)　欠席当事者

  欠席者（原告又は被告）は、自らが提出していた訴状、答弁書、その他の準備書面の記載事項につき自ら陳述したものと擬制される（陳述擬制）。控訴審の最初の口頭弁論期日においても陳述擬制がなされる（297）。

 (2)　出席当事者

  出席者は、自らが提出しておいた準備書面に記載した事項のみ当該期日に

主張できる（161Ⅲ）。

　また、出席者は、欠席者の提出した準備書面に陳述擬制が認められているので、この擬制された欠席者の陳述に対する認否及び自分の証拠の申出をすることができる。

(3)　裁判所の処理

　最初の口頭弁論に一方当事者が欠席した場合、裁判所は、欠席者がそれまでに提出していた訴状・答弁書その他の準備書面に記載した事項を欠席当事者が期日に陳述したものとみなして出席当事者に弁論させ（158）、出席当事者の準備書面とつき合わせて審理を進める。

(4)　相手方の準備書面に記載されている事項について、欠席者が自らの準備書面で争っていない場合、欠席者はその事実を自白したものとみなされる（擬制自白、159Ⅰ）。擬制自白が成立すると、裁判所は裁判上の自白と同様、自白に拘束される。しかし、当事者は、控訴審の口頭弁論終結時まで、いつでも相手方の主張事実を争うことができ、擬制自白に当事者に対する拘束力はない。

　また、欠席者の準備書面に相手方の主張事実を認めるとの記載がある場合には、その陳述が擬制（158）される結果、擬制自白ではなく裁判上の自白が成立する。この場合、裁判所に対してのみならず、当事者に対しても自白の拘束力を生じ、当事者は、原則として自白が生じた事実について撤回することができない。

　なお、被告が答弁書その他の準備書面を提出せず、口頭弁論期日に出頭しない場合には、上記のとおり擬制自白（159Ⅲ、同Ⅰ）が認められ、原告の訴状に記載された事実から訴訟物の内容となる権利が発生することが認められれば、裁判所としてはこれで裁判をするのに熟した（243Ⅰ参照）ものとし、直ちに原告の請求を認容する判決をすることができる（欠席判決）〈予〉。

　　→ただし、原告の訴状に請求を理由付ける事実の記載がなければ、請求を理由付ける事実に係る被告の自白もないことになるので、裁判をするのに熟したとはいえず、裁判所は、原告の請求を認容する判決をすることはできない〈予〉

2　続行期日における一方当事者の欠席

(1)　原則：158条の適用はなく、陳述擬制は認められない

　　∵　請求の趣旨の陳述さえあれば弁論を開始できるし、続行期日にまで陳述擬制を認めると口頭主義は骨抜きとなってしまう

　　例外：①　簡易裁判所における続行手続の場合（277）には、訴額が少額であり出頭のための労力等のバランスを考えて、例外的に陳述擬制が認められる

　　　　②　請求の放棄、認諾の場合（266Ⅱ）

(2) 出席者は準備書面に記載していない事実を主張、証拠申出できない（161 Ⅲ）。

3 審理の現状に基づく判決

裁判所は、当事者の一方又は双方が口頭弁論期日に欠席した場合において、「審理の現状及び当事者の訴訟追行の状況を考慮して相当と認めるとき」には、終局判決をすることができる（244 本文）。ただし、当事者一方の欠席の場合では、出頭した相手方の申出があるときに限る（244 ただし書）。

二 当事者双方の欠席の場合の陳述擬制

1 期日に当事者双方が欠席し、又は弁論しないで退廷した場合、158 条は「原告又は被告」としていることから同条の適用はないので、陳述擬制をして審理を進める余地がない。

したがって、当該期日は終了する（ただし、証拠調べ・判決の言渡しは可能、183、251Ⅱ）。

2 不熱心な訴訟追行を排除するため、当事者双方が、口頭弁論若しくは弁論準備手続の期日に出頭せず、又は弁論若しくは弁論準備手続における申述をしないで退廷若しくは退席をした場合において、1か月以内に期日の指定の申立てをしないときは、訴えの取下げを擬制し、訴訟係属は消滅する（263 前段）。さらに、1か月以内に期日指定申立てをした場合でも、連続して2回その期日に欠席し、又は出席しても申述しないで退廷若しくは退席した場合にも訴えの取下げの擬制が認められる（263 後段、292Ⅱ、313）。

3 ある程度弁論が進んだ段階での期日における当事者の欠席に対しては、審理の現状及び当事者の訴訟追行の状況を考慮して相当と認めるときは、裁判所は終局判決をすることができる（244 本文）。

三 特別な期日における欠席の場合の取扱い

1 証拠調べ期日

証拠調べ期日に当事者が欠席しても、証拠調べは可能である（183）。

2 判決の言渡し期日

判決の言渡しは当事者が在廷しない場合でも行うことができる（251Ⅱ）。

＜当事者の欠席等に関係する制度の整理＞

	要件	内容
陳述擬制 (158) (＊)	当事者の一方が最初にすべき口頭弁論の期日に出頭せず、又は出頭したが本案の弁論をしないとき（158）	その者が提出した訴状又は答弁書その他の準備書面に記載した事項を陳述したものとみなし、出頭した相手方に弁論をさせることができる

	要件	内容
擬制自白 **(159 I III)** **(＊)**	当事者が口頭弁論の期日に出頭しない場合 →当事者が公示送達による呼出しを受けたものであるときを除く（159 III ただし書）[予]	口頭弁論において相手方の主張した事実を自白したものとみなす →弁論の全趣旨により、その事実を争ったものと認めるべきときを除く（159 I ただし書）
証拠調べ **(183)**	当事者が期日に出頭しない場合	証拠調べをすることができる
裁判所の裁量による終局判決 **(244 本文)**	当事者の双方又は一方が口頭弁論の期日に出頭せず、又は弁論をしないで退廷をした場合において、審理の現状及び当事者の訴訟追行の状況を考慮して相当と認めるとき	終局判決をすることができる →当事者の一方が口頭弁論の期日に出頭せず、又は弁論をしないで退廷をした場合には、出頭した相手方の申出があるときに限る（244 ただし書）
判決の言渡し **(251 II)**	当事者が在廷しない場合	判決の言渡しをすることができる
訴えの取下げの擬制 **(263)**	① 当事者双方が、口頭弁論・弁論準備手続の期日に出頭せず、又は弁論・申述をしないで退廷・退席をした場合において、1か月以内に期日指定の申立てをしないとき ② 当事者双方が、連続して2回、口頭弁論・弁論準備手続の期日に出頭せず、又は弁論・申述をしないで退廷・退席をしたとき（263 後段）	訴えの取下げがあったものとみなす →控訴審においては、控訴の取下げがあったものとみなす（292 II）[予]
請求の放棄又は認諾の擬制 **(266 II)**	請求の放棄又は認諾をする旨の書面を提出した当事者が口頭弁論等の期日に出頭しないとき	請求の放棄又は認諾をしたものとみなすことができる

＊ 弁論準備手続にも準用されている（170 V）。
※ 控訴審の訴訟手続においても、特別の定めがある場合を除き、第一審の訴訟手続に関する規定が準用される（297）。

第159条 （自白の擬制）

I 当事者が口頭弁論において相手方の主張した事実を争うことを明らかにしない場合には、その事実を自白したものとみなす。ただし、弁論の全趣旨により、その事実を争ったものと認めるべきときは、この限りでない[同共]。
II 相手方の主張した事実を知らない旨の陳述をした者は、その事実を争ったものと推定する。

Ⅲ　第1項の規定は、当事者が口頭弁論の期日に出頭しない場合について準用する〈予〉。ただし、その当事者が公示送達による呼出しを受けたものであるときは、この限りでない〈同共予〉。

[趣旨] 欠席者は出席者の主張した事実を自白したものとして扱い、また相手方の主張した事実についての沈黙も自白したものとして扱うことは、当事者間の公平に適うとともに、信義則にも合致する。このような考え方に基づき、本条は、当事者が相手方の主張した事実を積極的に争わない限り自白とみなして裁判官の認定を不要としつつ、当事者に相手方の主張事実につき答弁すべき責任を負わせた。

《注　釈》

一　擬制自白の意義〈同H21〉

擬制自白とは、当事者が、口頭弁論期日又は弁論準備期日において、相手方が主張する事実について、明らかに争わず、又は弁論の全趣旨によりその事実を争ったものと認められないときは、その事実を自白したものとみなすことをいう（159Ⅰ、170Ⅴ）。これにより、当事者間の公平を図ることができ、また信義則にも合致する。

擬制自白の規定は、当事者が口頭弁論期日又は弁論準備期日に不出頭の場合にも、準用される（159Ⅲ、170Ⅴ）。ただし、不出頭者が公示送達による呼出しを受けているときは、争う機会が現実にあったとはいえないから、手続保障を重視する見地より、自白は成立しない（159Ⅲただし書）〈予〉。

当事者が弁論の全趣旨によりその事実を争ったものと認められるときは、擬制自白は成立しない（159Ⅰただし書）。「弁論の全趣旨」とは、口頭弁論に現れた一切の資料のうち、証拠資料以外のものをいう。

二　「争った」の判断基準時

事実審の口頭弁論終結時に一体としての口頭弁論を振り返り、当事者の陳述その他の態度を考察して、争ったか否かを判断する。したがって、被告は、第一審において請求原因事実を争わなくても、控訴審においてその請求原因事実を争うことにより、擬制自白の成立を妨げることができる（大判昭6.11.4参照）〈予〉。

→ただし、時機に後れた攻撃防御方法（157Ⅰ）として却下されることはあり得る

また、控訴審において争う場合であっても、証明責任の転換が生じたりはしない（大判昭6.9.14参照）〈予〉。

三　擬制自白の効力

擬制自白が成立すると、その事実の証明は不要となる。裁判所は裁判上の自白と同様、これに拘束される。これに対し、当事者は157条1項に該当する場合を除き、控訴審の口頭弁論終結時まで、いつでも相手方主張事実を争えるのであるから、当事者に対する拘束力は問題にならない。

第一審の手続

▼　**最判昭 43.3.28・百選 A16 事件**

判旨：　控訴審において一方当事者が終始口頭弁論期日に出頭せず、答弁書その他準備書面も提出しなかった場合において、相手方のなした新たな主張について擬制自白を認めることができるかにつき、X が本訴を提起維持している等弁論の全趣旨に徴すれば、Y の原審における右の新たな主張を X において争っているものと認められるとして、擬制自白の成立を否定した。

第160条　（口頭弁論調書）

Ⅰ　裁判所書記官は、口頭弁論について、期日ごとに調書を作成しなければならない。

Ⅱ　調書の記載について当事者その他の関係人が異議を述べたときは、調書にその旨を記載しなければならない。

Ⅲ　口頭弁論の方式に関する規定の遵守は、調書によってのみ証明することができる。ただし、調書が滅失したときは、この限りでない〈書〉。

[趣旨] 口頭弁論期日における訴訟手続の経過や内容を明らかにするとともに、これについての証明を容易にするため、裁判所書記官は、口頭弁論について期日ごとに調書を作成すべきことを規定した。

《注　釈》

一　口頭弁論調書の意義

口頭弁論の経過を明らかにするために裁判所書記官によって作成される文書。

二　記載の内容と形式

記載内容は法定され、口頭弁論の方式に関する形式的記載事項（規66Ⅰ）と、内容に関する実質的記載事項（規67Ⅰ）とからなる。

また、調書の作成者たる裁判所書記官の記名・押印と記載内容を認証する裁判長の認印（規66Ⅱ）は、調書の有効要件であり、これを欠く調書は無効である（大判昭 6.5.28、最判昭 55.9.11、通説）。調書の記載に代わる録音テープへの記録も、裁判長の許可があれば許されるし、口頭弁論における陳述の録音もできる（規 68、76）。

三　調書の証拠力

調書の存在する限り、口頭弁論の方式に関する形式的記載事項は、調書によってのみ証明しうる（160Ⅲ）。すなわち、形式的記載事項（弁論の公開、当事者の出頭・不出頭等）については、調書にその事実の記載があれば、その事実はあったと認められ、記載がなければその事実はなかったものと認められる。

このように、調書のみに証拠能力・証拠力を限定しているのは、手続をめぐって紛争が派生し、本来の審理を遅滞紛糾させないようにするためである。

しかし、上述のように調書が有効要件を欠いて無効なときは、このような証拠力もない。

▼　**大阪地判平 2.3.22・百選〔第三版〕A16 事件**

事案：　当事者でない者が当事者と称して期日に出頭し訴訟上の和解を成立さ
せた。かかる和解に基づく強制執行に対する請求異議の訴え（民執35）
において、「本人が出頭した」旨の調書の記載の証明力が争われた。

判旨：　160条は、口頭弁論の方式に関する規定の遵守については、調書に法
定証拠力を認めている。しかし、当事者と称して実際に出頭した者が当
事者本人であるかどうかという同一性は、事柄の性質上、直接かつ確実
に認識しうる外形的事項ということができないから、右口頭弁論の方式
に当たらず法定証拠能力が認められないので、反対の証明が許される、
とした。

▼　**最判昭 33.11.4・百選〔第三版〕50 事件**

判旨：　裁判所を構成する裁判官の変動があった場合に弁論の更新がなされた
かが争われた事案で、裁判所は、弁論の更新がなされたか否かは、民訴
160条3項のいわゆる口頭弁論の方式に関するものとして調書によって
のみ証することをうるものと解すべきである。

■第2節　準備書面等

第161条　（準備書面）

Ⅰ　口頭弁論は、書面で準備しなければならない。

Ⅱ　準備書面には、次に掲げる事項を記載する。

①　攻撃又は防御の方法

②　相手方の請求及び攻撃又は防御の方法に対する陳述

Ⅲ　相手方が在廷していない口頭弁論においては、準備書面（相手方に送達されたもの又は相手方からその準備書面を受領した旨を記載した書面が提出されたものに限る。）に記載した事実でなければ、主張することができない 予書 。

[趣旨] 口頭弁論期日における迅速かつ充実した手続の進行のためには準備書面による事前の準備が不可欠である。そこで本条は、口頭弁論は書面で準備すべきことを規定し、準備書面の記載事項について規定している。また、相手方が在廷していない口頭弁論においては、準備書面に記載した事実でなければ、主張できないものとして、当事者間の公平を図っている。

《注　釈》

一　準備書面の意義

準備書面とは、口頭弁論や弁論準備手続などの期日における当事者の陳述の内容を記載して相手方に予告する書面をいう。その本来の機能は、当事者が次回期日に陳述する内容を事前に予告しておくことにより、相手方は、それに対する認

否や反論の準備が可能となり、裁判所も、事前に内容を理解して必要に応じて釈明を求めるなどの準備が可能となるなど、迅速かつ充実した手続の進行に資するところにある。

→準備書面はあくまでも期日における陳述を準備するためのものであるので、当事者が準備書面に記載した事項は、単に裁判所に提出しただけでは訴訟資料とはならず、口頭弁論において陳述することによって初めて訴訟資料となる《予》

準備書面には、①攻撃防御方法（161Ⅱ①）、②相手方の請求及び攻撃防御方法に対する陳述（161Ⅱ②）を記載するところ、相手方の主張する事実を否認する場合には、その理由を記載しなければならない（民訴規79Ⅲ）《予》。

二　準備書面の交換

当事者は、前もって相手方が対応するのに十分な時間的余裕をもって準備書面を裁判所に提出し（規79Ⅰ）、並行して、相手方当事者に直送しなければならない（規83）《共予》。裁判長は準備書面提出の期間を定めることができる（162）。当事者が自己の所持する文書を準備書面において引用した場合には、裁判所又は相手方当事者の求めがあれば、その写しを提出しなければならない（規82）《予》。提出及び直送は、ファクシミリを用いてすることができる（規3、47）。

三　準備書面の提出・不提出の効果

1　準備書面の提出の効果

(1)　最初の期日に欠席した場合又は出頭しても本案の弁論をしない場合に、準備書面記載内容どおりの陳述がなされたものとみなされる（陳述擬制、158）。

弁論準備手続においても、裁判所は当事者に準備書面を提出させることができるが（170Ⅰ）、原告又は被告が最初の期日に欠席あるいは弁論をしない場合に陳述擬制がなされる（170Ⅴ）。

(2)　準備書面を提出しておけば、相手方欠席の場合にもその記載事実を主張できる（161Ⅲ参照）。その結果、相手方の擬制自白が成立する可能性がある（159Ⅲ）。

(3)　被告が本案に関する準備書面を提出した後は被告の同意なしに原告は訴えの取下げができなくなる（261Ⅱ本文）。

＜準備書面を提出した場合の影響＞

	原告に対する影響	被告に対する影響
原告が提出	① 最初の期日における陳述擬制（158、170Ⅴ） ② 相手方が在廷しなくとも、準備書面記載事実を口頭弁論で主張できる（161Ⅲ）	——
被告が提出	訴えの取下げに被告の同意が必要（261Ⅱ本文）	① 最初の期日における陳述擬制（158、170Ⅴ） ② 相手方が在廷しなくとも、準備書面記載事実を口頭弁論で主張できる（161Ⅲ）

2　不提出の効果

(1)　準備書面に記載されていない事実については、相手方が在廷しないときは、口頭弁論で主張することはできない（161Ⅲ）。陳述を許すと、予告を与えられていない事項について、欠席当事者は、反論の機会をもつことなく自白が擬制されることになり（159Ⅲ）、不公平だからである。

(2)　相手方が在廷する場合には、準備書面に記載のない事項でも主張できるが、予告がなかったため、相手方が即答できず、その結果続行期日が必要となった場合には、当事者は勝訴してもこれに要した訴訟費用の負担を命じられることがある（63）。

第162条　（準備書面等の提出期間）

　裁判長は、答弁書若しくは特定の事項に関する主張を記載した準備書面の提出又は特定の事項に関する証拠の申出をすべき期間を定めることができる。

［趣旨］裁判長には訴訟指揮権がある（148）ため、口頭弁論の期日又は期日外において釈明すべき旨を促すこと（149）等、必要な処分をすることができる。その権限行使の一態様として、訴訟の円滑な進行を図るため、一定の期間内に一定の訴訟行為をするよう促すことができるのは当然である。しかし、準備書面の提出、特定の事項に関する証拠の申出については訴訟の進行において特に重要な意義を有することから、特に明文で裁判長がこれらの提出期間を定めることができる旨を規定したものである。もっとも、この提出期間は裁定期間であり（96Ⅰ本文、規38）、裁判長が定めた期間内に提出されなかった準備書面も当然に不適法となるものではなく、当事者がこれを陳述することも可能であり、期間経過後に証拠の申出をすることも禁止されない。ただし、提出期間経過後に準備書面を提出したり、あるいは証拠の申出をした場合、時機に後れた攻撃防御方法（157Ⅰ）として却下されることがある。

第163条　（当事者照会）

　当事者は、訴訟の係属中、相手方に対し、主張又は立証を準備するために必要な事項について、相当の期間を定めて、書面で回答するよう、書面で照会をすることができる〈同予〉。ただし、その照会が次の各号のいずれかに該当するときは、この限りでない。
　①　具体的又は個別的でない照会
　②　相手方を侮辱し、又は困惑させる照会
　③　既にした照会と重複する照会
　④　意見を求める照会〈書〉
　⑤　相手方が回答するために不相当な費用又は時間を要する照会
　⑥　第196条又は第197条の規定により証言を拒絶することができる事項と同様の事項についての照会〈同〉

第一審の手続

［趣旨］迅速かつ充実した審理のためには、早期に適確な争点整理を行うことが必要となる。争点整理についての裁判所の負担を軽減するため、本条は、訴訟の係属中、裁判所の権能の発動を介在させることなく、当事者同士で主張又は立証の準備に必要な事項について書面で照会することができることを規定した。

《注　釈》

一　当事者照会制度の意義
　当事者が訴訟の係属中、相手方に対し、相当の期間を定めて、主張又は立証の準備に必要な事項について、書面で回答するよう、書面で照会する制度をいう（柱書本文）〈同〉。

二　当事者照会制度の要件
　1　訴訟の係属中、事実審の口頭弁論終結に至るまでに行うこと。
　2　「主張又は立証を準備するために必要な事項」について行うこと（照会事項と事件との関連性）。
　　　ex.　交通事故による損害賠償請求訴訟において、交通事故と原告が主張する症状との因果関係が争点となった場合の、原告の既往症と診療を受けた病院名及びその所在地・被告が行った手術の過誤の存否が争点となる医療過誤訴訟における、手術に関与した看護師の氏名及び住所
　3　書面で行うこと。
　4　回答のために相当の期間を定めること。

三　回答しない場合の制裁
　照会を求められた相手方がこれに応じない場合、民訴法上の特別な制裁は定められていない〈供〉。ただし、回答のないことが弁論の全趣旨（247）として考慮されることに争いはない。

四　弁護士会照会制度（弁護士法 23 の 2）

　弁護士会照会は、訴訟代理人である弁護士が、所属弁護士会を介して、公務所又は公私の団体から必要な事項の報告を求めることのできる制度である（弁護士法 23 の 2）。弁護士会から照会を受けた相手方は自己の判断で報告をするか否かを決定すべきだとされている。

▼ **最判昭 56.4.14・百選〔第 5 版〕73 事件**

　判旨：　前科等は、人の名誉、信用に直接かかわる事項であって、前科等のある者もこれをみだりに公開されないという法律上の保護に値する利益を有しているから、市区町村長が弁護士法 23 条の 2 に基づく照会に漫然と応じ、前科等のすべてを報告することは、公権力の違法な行使に当たる。

■第 3 節　争点及び証拠の整理手続

《概　説》

　公正かつ迅速な裁判を実現するためには、審理の充実及び審理の促進を図ることが要請される。そのためには、証拠調べの対象となる事実を確定する争点整理を行うことが必要である。

　民事訴訟法は、次の 3 つを争点整理手続として用意している。

①　準備的口頭弁論（164 以下）
②　弁論準備手続（168 以下）
③　書面による準備手続（175 以下）

　また、前に説明した準備書面（161）や当事者照会（163）は、口頭弁論や争点整理手続の準備のための手段として設けられている。

　なお、争点整理手続と密接に関連するが、これと区別されるものとして、次の 2 つの制度が用意されている。これらは、訴訟の進行計画の立案・修正のための制度とされる。

①　最初の口頭弁論期日前における参考事項の聴取（規 61）
②　進行協議期日（規 95 以下）
　　→口頭弁論の審理を充実させるため、口頭弁論の期日外において、裁判所及び当事者双方が訴訟の進行に関し必要な事項についての協議を行う、民事訴訟規則上の特別の期日をいう（規 95 Ⅰ）

第 1 款　準備的口頭弁論

一　準備的口頭弁論の意義

　争点及び証拠の整理を口頭弁論期日において行う手続をいう。

二　準備的口頭弁論の手続の内容

1　準備的口頭弁論の実施

　準備的口頭弁論は裁判所の決定により開始される。その際、当事者の意見を聴く必要はない〈司〉。

　実施の手法は、口頭弁論にほかならないから、口頭弁論に関する規定が適用され、公開主義や直接主義等の諸原則に従って行われる。したがって、準備的口頭弁論の期日を傍聴するためには、裁判所の許可は不要である〈同書〉。また、準備的口頭弁論は、弁論準備手続や書面による準備手続と異なり、受命裁判官に命じて行わせることができず〈司〉、いわゆる電話会議システムの方法を利用することもできない〈司〉。

　裁判所は、各当事者の主張をつき合わせ、証拠を整理し、後の集中証拠調べ(182)のための実質的審理を行う。よって、準備的口頭弁論の期日は当事者の一方だけを呼び出して行うことはできない〈司〉。また、準備的口頭弁論は証拠調べの手続ではないが、争点及び証拠の整理のために必要性がある限度で、各種の証拠調べをすることができる〈同予書〉。

2　準備的口頭弁論の終了

(1)　要証事実の確認、要約書面

　争点と証拠の整理ができ、継続審理の準備が整った場合には、この手続を決定で終了する。準備的口頭弁論を終了するに当たっては、裁判所は、準備的口頭弁論で整理され以後の口頭弁論で審理の対象となる争点や証拠につき当事者との間で「確認」する(165Ⅰ)。また裁判長は、裁量で相当と認めるときには、争点と証拠の整理の結果の要約書面を提出させることができる(165Ⅱ)。当事者が、準備的口頭弁論終了後の最初の口頭弁論期日において、準備的口頭弁論の結果を陳述する必要はない（弁論準備手続とは異なる、173)〈同予〉。

(2)　説明要求権、説明義務

　準備的口頭弁論の終了後に攻撃防御方法を提出する当事者は、相手方の求めがあるときは、相手方に対して、終了前にこれを提出できなかった理由を説明する義務を負う(167)。

第164条　（準備的口頭弁論の開始）

　裁判所は、争点及び証拠の整理を行うため必要があると認めるときは、この款に定めるところにより、準備的口頭弁論を行うことができる〈予〉。

[趣旨] 適正かつ迅速な審理のためには争点及び証拠の整理が必要となる。多種多様な民事事件の中には、社会の注目を集める事件や、当事者や関係人が多数いる事件など、公開の法廷で弁論という形で争点及び証拠の整理をすることが不適切な場合がある。そこで、口頭弁論を利用して争点及び証拠の整理を行うために、本条は

準備的口頭弁論を行うことができる旨を規定した。

第165条　（証明すべき事実の確認等）

Ⅰ　裁判所は、準備的口頭弁論を終了するに当たり、その後の証拠調べにより証明すべき事実を当事者との間で確認するものとする〈同〉。

Ⅱ　裁判長は、相当と認めるときは、準備的口頭弁論を終了するに当たり、当事者に準備的口頭弁論における争点及び証拠の整理の結果を要約した書面を提出させることができる〈予〉。

[趣旨]本条は、準備的口頭弁論の成果を明確にするため、その後の証拠調べにより証明すべき事実を当事者との間で確認するものとし、相当と認める場合には、争点及び証拠の整理の結果を要約した書面を提出させることができることを規定した。

第166条　（当事者の不出頭等による終了）

当事者が期日に出頭せず、又は第162条の規定により定められた期間内に準備書面の提出若しくは証拠の申出をしないときは、裁判所は、準備的口頭弁論を終了することができる〈予〉。

[趣旨]当事者が期日に出頭せず、162条により定められた期間内に準備書面を提出若しくは証拠の提出をしないときは、不熱心な訴訟追行としてこれに対する対処が必要となる。そこで、本条はかかる場合、裁判所は準備的口頭弁論を終了することができる旨を規定した。

第167条　（準備的口頭弁論終了後の攻撃防御方法の提出）

準備的口頭弁論の終了後に攻撃又は防御の方法を提出した当事者は、相手方の求めがあるときは、相手方に対し、準備的口頭弁論の終了前にこれを提出することができなかった理由を説明しなければならない〈同予書〉。

[趣旨]準備的口頭弁論において争点及び証拠の整理を行ったにもかかわらず、その終了後に新たな攻撃防御方法を提出することは、相手方との関係で信義則に反するし、適正かつ迅速な審理を実現するという争点整理の趣旨に反する。そこで、準備的口頭弁論終結後に提出された攻撃防御方法に対する制裁が必要となる。しかし、旧法下の準備手続における失権効（旧255）のような強力な制裁を加えることは適当ではないため、当該攻撃防御方法を提出した当事者に対し説明義務を課すこととした〈予〉。

第一審の手続

第2款　弁論準備手続

《概　説》

一　弁論準備手続の意義

口頭弁論期日外の期日において、法廷外の裁判官室・準備室・和解室等で、受訴裁判所又は受命裁判官が主宰し、当事者双方が立ち会って行われる争点整理手続をいう（168、169Ⅰ）。

二　弁論準備手続の内容

1　手続主宰者

事件について詳しく知る受訴裁判所（168）、又は受命裁判官（171Ⅰ）が主宰する。

2　関係者公開（169Ⅱ）

弁論準備手続は、原則として非公開であり、裁判所が「相当と認める者」に限って傍聴を許すことができる（169Ⅱ本文）〈予書〉。ただし、当事者が申し出た者については、手続を行うのに支障を生ずるおそれがあると認める場合を除き、その傍聴を許さなければならない（169Ⅱただし書）。

3　手続の実施

弁論準備手続で行いうるのは、基本的には争点及び証拠の整理である。

裁判所が、争点及び証拠の整理手続として弁論準備手続を選択する場合は、準備的口頭弁論の場合と異なり、事前に当事者の意見を聴かなければならない（168）。

弁論準備手続において、裁判所は、証拠の申出に関する裁判（証拠調べの決定・文書提出命令等）、その他口頭弁論期日外においてすることができる裁判（訴訟引受の決定・補助参加や訴え変更の不許の決定等）、文書等の証拠調べをすることができ（170Ⅱ）、審理の規律につき口頭弁論の諸規定が準用される（170Ⅴ）。当事者は、準備書面の提出（170Ⅰ）、訴えの取下げ（261）、請求の放棄・認諾（266Ⅰ）等の訴訟行為を行うことができる。

→証人尋問の申出に対する採否の決定をすることはできるが、証拠調べについては文書等の証拠調べに限定されており、証人尋問をすることはできない〈予書〉

4　手続の終了

(1)　要約書面・要証事実の確認

手続の終結に際し、裁判所は「その後の証拠調べにより、証明すべき事実を当事者との間で確認」しなければならない。また、裁判長は相当と認めるときは、当事者に弁論準備手続における「争点及び証拠の整理の結果を要約した書面を提出させることができる」（170Ⅴ、165Ⅱ）。

(2)　口頭弁論での結果の陳述

当事者は、口頭弁論において、その後の証拠調べで証明すべき事実を明ら

かにして、弁論準備手続の結果を陳述しなければならない（173）。

(3)　説明要求権・説明義務

弁論準備手続の終了は、旧法の準備手続の活用を妨げてきたとされるような失権効（旧255Ⅰ）はない。その代わりに、手続終了後の攻撃防御方法の提出に対しては、相手方は準備的口頭弁論の終結までに提出できなかった理由の説明を要求することができ、これに対する説明義務を負わせている（174、167）〈同〉。

第168条　（弁論準備手続の開始）

裁判所は、争点及び証拠の整理を行うため必要があると認めるときは、当事者の意見を聴いて、事件を弁論準備手続に付することができる〈司共予書〉。

[趣旨] 充実した争点整理のためには、公開を要しない期日において、当事者及び裁判所が事実及び証拠について緊密に意見を交換しながら争点整理を進めることが望ましい。このような観点から、法は争点整理の手続として、準備的口頭弁論のほか、争点整理手続について規定し、本条以下でその具体的手続について規定している。また、本条で当事者の意見の聴取を裁判所に義務付けている理由は、本手続で当事者ができる行為が限定されているため、当事者の手続選択への関与を認める必要性が大きい点にある。

第169条　（弁論準備手続の期日）

Ⅰ　弁論準備手続は、当事者双方が立ち会うことができる期日において行う〈司共〉。

Ⅱ　裁判所は、相当と認める者の傍聴を許すことができる。ただし、当事者が申し出た者については、手続を行うのに支障を生ずるおそれがあると認める場合を除き、その傍聴を許さなければならない〈予書〉。

第170条　（弁論準備手続における訴訟行為等）

Ⅰ　裁判所は、当事者に準備書面を提出させることができる。

Ⅱ　裁判所は、弁論準備手続の期日において、証拠の申出に関する裁判その他の口頭弁論の期日外においてすることができる裁判及び文書（第231条に規定する物件を含む。）の証拠調べをすることができる〈司共予書〉。

Ⅲ　裁判所は、相当と認めるときは、当事者の意見を聴いて、最高裁判所規則で定めるところにより、裁判所及び当事者双方が音声の送受信により同時に通話をすることができる方法によって、弁論準備手続の期日における手続を行うことができる〈書〉。

Ⅳ　前項の期日に出頭しないで同項の手続に関与した当事者は、その期日に出頭したものとみなす。

Ⅴ　第148条から第151条まで、第152条第1項、第153条から第159条まで、第162条、第165条及び第166条の規定は、弁論準備手続について準用する〈司共予書〉。

[趣旨]本条では、弁論準備手続において可能な訴訟行為等の行為を規定する。1項、2項において準備書面の提出、口頭弁論の期日外においてすることができる裁判、文書の証拠調べが挙げられ、5項で口頭弁論・準備的口頭弁論の規定を準用して、その他の行為について規定する。本条3項は、いわゆるウェブ会議又は電話会議を利用した弁論準備手続期日の追行を認めたものである。これらの方法による弁論準備手続期日においても、訴えの取下げ、和解、請求の放棄・認諾をすることができる〈司予〉。5項は、口頭弁論に関する規定を準用するほか、準備的口頭弁論の終結に関する規定、当事者の出頭懈怠に関する規定を準用している。もっとも、5項は、161条を準用しておらず、当事者は、相手方が欠席していたとしても準備書面に記載のない主張をすることができると解されている（161Ⅲ参照）〈司〉。

第171条　（受命裁判官による弁論準備手続）

Ⅰ　裁判所は、受命裁判官に弁論準備手続を行わせることができる〈司予審〉。

Ⅱ　弁論準備手続を受命裁判官が行う場合には、前2条の規定による裁判所及び裁判長の職務（前条第2項に規定する裁判を除く。）は、その裁判官が行う〈司〉。ただし、同条第5項において準用する第150条の規定による異議についての裁判及び同項において準用する第157条の2の規定による却下についての裁判は、受訴裁判所がする。

Ⅲ　弁論準備手続を行う受命裁判官は、第186条の規定による調査の嘱託、鑑定の嘱託、文書（第231条に規定する物件を含む。）を提出してする書証の申出及び文書（第229条第2項及び第231条に規定する物件を含む。）の送付の嘱託についての裁判をすることができる〈予〉。

[趣旨]本条は、合議体の場合には全裁判官が弁論準備手続に関与するのは実際上困難な場合が多いことから、合議体の構成員たる受命裁判官に対して弁論準備手続を行わせることができる旨を規定した。

第172条　（弁論準備手続に付する裁判の取消し）

裁判所は、相当と認めるときは、申立てにより又は職権で、弁論準備手続に付する裁判を取り消すことができる。ただし、当事者双方の申立てがあるときは、これを取り消さなければならない〈予〉。

[趣旨]弁論準備手続を開始したものの、手続を開始してみると実際には弁論準備手続によることが適切な事件ではないことが判明する場合や、後の事情の変化により弁論準備手続を継続することが適切ではない場合がありうる。そこで本条は、裁判所が相当と認めたときは職権で弁論準備手続に付する裁判を取り消すことができることを規定した。また、弁論準備手続が行われている間は口頭弁論が開かれず、弁論準備手続で行われる行為についても一定の制限が加えられているし（170参照）、弁論準備手続は非公開で進められる手続でもある。そこで、弁論準備手続の

選択について、当事者に一定の関与権を認める必要があることから、当事者に弁論準備手続に付する裁判の取消しの申立権を認め、さらに、当事者双方の申立てがあるときは、これを取り消さなければならないものとした。

第173条　（弁論準備手続の結果の陳述）

当事者は、口頭弁論において、弁論準備手続の結果を陳述しなければならない《同予》。

[趣旨] 直接主義（249 I）・公開主義（憲82）の要請から、弁論準備手続でなされた主張及び証拠を訴訟資料とするためには、口頭弁論において弁論準備手続の結果を陳述しなければならないことを規定した《講》。

第174条　（弁論準備手続終結後の攻撃防御方法の提出）

第167条の規定は、弁論準備手続の終結後に攻撃又は防御の方法を提出した当事者について準用する《同予書》。

[趣旨] 本条は、弁論準備手続の終結後に攻撃又は防御の方法を提出した場合の制裁について、167条の規定を準用した。

第3款　書面による準備手続

《注　釈》

一　書面による準備手続

当事者の出頭なしに、準備書面の提出等により争点及び証拠の整理をする手続をいう。

二　書面による準備手続の趣旨

当事者が遠隔地に居住しているような場合には、裁判所に出頭するのに時間と費用がかかり、期日の調整が困難で、そのために審理の遅延を招きやすい。そこで、かかる不都合を回避するため法は、準備書面の交換や電話会議システムの利用により、当事者の負担を軽減し、当事者双方の出頭なしの争点整理を可能とする準備書面による準備手続を規定した。この書面の交換にはファックス等の利用も含まれ、電話会議システムでは、両当事者とも裁判所に不在のままでなされる。

三　書面による準備手続の内容

1　手続の主宰者

　裁判長が主宰する。高等裁判所においては受命裁判官にこれを行わせることができる（176 I）。

2　手続の実施

　裁判所は、当事者の遠隔地居住その他相当と認める場合には、当事者の意見を聴いて、事件を書面による準備手続に付することができる（175）。必ず準備

書面等の提出期間（176Ⅱ、162）を定めなければならず、また、釈明権を行使し、必要があれば、電話会議の方法を用いて、争点及び証拠の整理に関する事項その他口頭弁論の準備のため必要な事項について、当事者双方と協議をすることができる（176ⅢⅣ）。準備的口頭弁論や弁論準備手続とは異なり、書面による準備手続の段階では攻撃防御方法は未だ提出されず、その事前の整理にとどまるので、当事者がこの手続終結後の口頭弁論期日に至って、主張等を行ってはじめて整理が完成し、証拠調べの段階に入ることになる〈予〉。

3　書面による準備手続の終了

(1)　証明すべき事実の確認

裁判長は相当と認める場合、「争点及び証拠の整理の結果」の要約書面を提出させることができ（176Ⅳ、165Ⅱ）、この記載事項は口頭弁論期日に陳述される（178）。口頭弁論期日において「その後の証拠調べによって証明すべき事実」（要約書面の記載事項）を当事者との間で確認しなければならない（177）。

(2)　(1)の手続後の証拠提出について説明要求権・説明義務（178）が生じる。

第175条　（書面による準備手続の開始）

裁判所は、当事者が遠隔の地に居住しているときその他相当と認めるときは、当事者の意見を聴いて、事件を書面による準備手続（当事者の出頭なしに準備書面の提出等により争点及び証拠の整理をする手続をいう。以下同じ。）に付することができる〈予〉。

第176条　（書面による準備手続の方法等）

Ⅰ　書面による準備手続は、裁判長が行う。ただし、高等裁判所においては、受命裁判官にこれを行わせることができる〈予〉。

Ⅱ　裁判長又は高等裁判所における受命裁判官（次項において「裁判長等」という。）は、第162条に規定する期間を定めなければならない〈予〉。

Ⅲ　裁判長等は、必要があると認めるときは、最高裁判所規則で定めるところにより、裁判所及び当事者双方が音声の送受信により同時に通話をすることができる方法によって、争点及び証拠の整理に関する事項その他口頭弁論の準備のため必要な事項について、当事者双方と協議をすることができる。この場合においては、協議の結果を裁判所書記官に記録させることができる〈司予書〉。

Ⅳ　第149条（第2項を除く。）、第150条及び第165条第2項の規定は、書面による準備手続について準用する〈予〉。

[趣旨] 1項で手続の主催者が裁判長等とされている理由は、本手続が当事者が裁判所に出頭しないで争点整理をするものであることに鑑み、その手続遂行を経験豊かな裁判官が担当するのが適切であると考えられるからである。

第177条 （証明すべき事実の確認）

　裁判所は、書面による準備手続の終結後の口頭弁論の期日において、その後の証拠調べによって証明すべき事実を当事者との間で確認するものとする〈回〉。

［趣旨］書面による準備手続は、口頭弁論期日外の手続であるため、争点整理の結果はそのまま直ちに訴訟資料になるものではなく、直接主義の要請からは、書面による準備手続の結果を口頭弁論において一括して陳述する必要がある。そこで本条は、書面による準備手続の終結後の口頭弁論期日において、その後の証拠調べによって証明すべき事実を当事者との間で確認するものとした。

第178条 （書面による準備手続終結後の攻撃防御方法の提出）

　書面による準備手続を終結した事件について、口頭弁論の期日において、第176条第4項において準用する第165条第2項の書面に記載した事項の陳述がされ、又は前条の規定による確認がされた後に攻撃又は防御の方法を提出した当事者は、相手方の求めがあるときは、相手方に対し、その陳述又は確認前にこれを提出することができなかった理由を説明しなければならない。

［趣旨］本条は、弁論準備手続、準備的口頭弁論における説明義務と同様、書面による準備手続の実効性を確保するため、書面による準備手続終結後に攻撃防御方法を提出した当事者に対する制裁として説明義務を課した。

第一審の手続

<争点及び証拠の整理のための各手続の比較>

	準備的口頭弁論 （164〜167）	弁論準備手続 （168〜174）	書面による準備手続 （175〜178）
対象とする事件	社会の注目を集める事件等、公開の法廷によった方が円滑に争点整理ができる事件	通常の事件	当事者や代理人が受訴裁判所から遠隔の地に居住している事件
当事者の出頭	両当事者が出頭	ウェブ会議・電話会議を利用する場合、当事者の出頭は不要（170Ⅲ）＊	両当事者とも出頭しない
手続の主宰者	受訴裁判所 （164）〈予〉	受訴裁判所又は受命裁判官 （168、171Ⅰ）〈予〉	裁判長又は受命裁判官 （176Ⅰ）
手続の開始決定	裁判所が判断する （164）〈予〉	当事者の意見を聴いて裁判所が判断 （168）〈予〉	当事者の意見を聴いて裁判所が判断（175）準備書面提出期間を定める（176Ⅱ）
手続を行う場所	法廷	法廷以外の準備室等でも可	裁判官室
手続の公開	公開される	関係者公開（169）	非公開 （ただし177）
手続においてすることができる行為	争点・証拠の整理に必要なあらゆる行為〈予〉	限定あり （170ⅠⅣ、171ⅡⅢ） たとえば証人尋問は不可〈予〉	裁判所と当事者の協議
ウェブ会議・電話会議	不可〈予〉	可 （170Ⅲ）	可（176）
証明すべき事実の確認	行う（165、170Ⅴ、176Ⅳ、177）		
手続終了後の攻撃防御方法の提出	説明要求権と説明義務あり（167、174、178）		

＊　ウェブ会議又は電話会議を利用して手続に参加した当事者は、弁論準備手続期日に出頭していなくても、同期日に出頭したものとみなされる（170Ⅳ）。

・第4章・【証拠】

■第1節　総則

《概　説》

一　証拠と証明

　　主要事実、間接事実を立証するためには証明が必要である〈圓〉。

1　証拠の意義

　　事実認定の客観性・合理性を確保するため事実認定の資料として証拠が必要とされる。

　　証拠は、一般的に、裁判官が判決の基礎を確定するための手がかりをいうが、実際には種々の意味で用いられている。

(1) 証拠方法：裁判官がその五官で取り調べうる有形物をいい、証拠調べの対象

(2) 証拠資料：証拠方法を取り調べた結果得られた、証言、鑑定意見、当事者の供述、文書等の内容、検証結果等

(3) 証拠原因：事実の存否につき裁判官に確信を生じさせる原因となる、証拠資料及び弁論の全趣旨（247）

<権利が確定される過程>

<事実認定のルート>

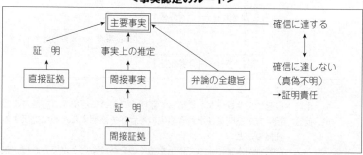

＜証拠の意義＞

	証人尋問	当事者尋問	鑑 定	書 証	検 証
証拠方法	証人	当事者本人	鑑定人	文書	検証物
証拠資料	証言	当事者の供述	鑑定意見	文書の内容	検証結果
証拠原因	証拠調べの結果	証拠調べの結果	証拠調べの結果	証拠調べの結果	証拠調べの結果
	弁論の全趣旨				

2　証拠能力と証拠力（証拠価値）

(1)　証拠能力：ある有形物が証拠方法として取調べの対象とされうる資格

　　　　　　　民事訴訟では原則、証拠能力に制限はない。伝聞証拠も許容される◙（例外：当事者本人や法定代理人の証人能力（207 I等）、忌避された鑑定人の鑑定人能力（214 I）、手形・小切手訴訟における人証（352））。

(2)　証拠力：証拠資料が証明の対象とされた事実の認定に役立つ程度

3　証拠の種類

(1)　直接証拠と間接証拠

　(a)　直接証拠：争われている主要事実の存否を直接証明するための証拠

　(b)　間接証拠：主要事実の存否を推認せしめる間接事実及び補助事実を証明するための証拠

＜直接証拠と間接証拠＞

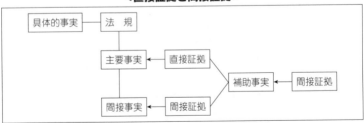

(2)　本証と反証

　(a)　本証：自己に証明責任がある事実を証明するために提出する証拠のこと

　(b)　反証：相手方が証明責任を負う事実の不存在を証明するために提出する証拠のこと

　　　　　裁判官が本証によって確信を抱くのを妨げることができれば、裁判官が確信を抱いていない以上、証明責任の効果により事実の不

　　　　　　　存在が確定する

4　証明の意義

（1）証明と疎明

　（a）証明

　　　　裁判の基礎として明らかにすべき事項について裁判官が確信を得た状態、又はこの状態に達するように証拠を提出する当事者の努力をいう。

　　　　請求の当否を理由付ける事実の認定には、この証明が要求される。

　　　　その証明度としては、要証事実の存在についての高度の蓋然性が必要であり、通常人が疑いを差し挟まない程度に真実性の確信をもちうるものであることを要する。

　（b）疎明

　　　　裁判官が当該事項の存在につき一応確からしいとの認識をもった状態、又はそのような状態に達するように証拠を提出する当事者の努力をいう。

　　　　手続上の派生的な事項につき迅速な処理を要する場合には、明文で定めた場合に限り、疎明で裁判をなしうる（ex. 35 I、91 II、規 10 III）。

　　　　→仲裁契約の立証は、明文がないから疎明では足りない〈司〉

　　　　疎明の証拠方法は、即時に取り調べることのできるものでなければならない（188）。持参文書のような物証のほか、在廷証人のような人証であっても許される〈司〉。

　　　　→疎明も、民訴法の定める証拠調べの手続に従わなければならない〈司〉

（2）厳格な証明と自由な証明

　（a）厳格な証明

　　　　180条以下の証拠方法や証拠調べ手続の規定に従った証明のことをいう。

　　　　請求の当否を基礎付ける事実の認定には、公正な事実認定及び裁判に対する国民の信頼確保のために、厳格な証明が必要である。

　（b）自由な証明

　　　　180条以下の証拠方法や証拠調べ手続の規定に従わない証明のことをいう。

　　　　一般的には、職権調査事項、特に訴訟要件の判断のための前提事実、経験則、あるいは決定手続によって判断すべき事項は、自由な証明で足りるとされている。

　　　　∵　手続の円滑な進行

　　　　→自由な証明も疎明ではないので、心証の程度は厳格な証明と異ならない〈司〉

5　証拠調べとしての審尋

　　決定事件では、当事者双方の立ち会える審尋期日に当事者が申し出た参考人や当事者の審尋をすることができる（187）。

二 証明責任

1 客観的証明責任

(1) 客観的証明責任の意義

　　ある事実（主要事実）の存否が真偽不明の場合に、判決において、その事実を要件とする自己に有利な法律効果の発生又は不発生が認められないことになる一方当事者の不利益をいう。

(2) 客観的証明責任の趣旨

　　主要事実が存否不明の場合に、裁判所が判決をしないとすると紛争が解決しないことになり、訴訟制度の目的を実現できないため、この事実を要件とする法律効果の発生を認めないこととした。

(3) 証明責任は、特定の主要事実ごとに当事者の一方にあらかじめ抽象的・客観的に割り当てられており、訴訟の展開・経過によって影響されない。

(4) 証明責任は、当該事実の存否につき裁判所が自由心証によっては確信を抱きえない（真偽不明）ときにはじめて機能する。

(5) 証明責任は主要事実についてのみ当事者の一方に分配される。

　　ex. 離婚の訴え（民770）における離婚原因たる不貞行為の事実については、裁判所は、職権で証拠を収集してその有無を認定すべきであるが、当該事実が真偽不明であるという状況は生じうるので、証明責任が働く〈同〉

<主張責任と証明責任>

	主張責任	証明責任
意　義	当事者が事実を主張しない場合にその事実を要件とした自己に有利な法律効果の発生が認められない不利益	ある事実が真偽不明の場合に、判決において、その事実を要件とする自己に有利な法律効果の発生又は不発生が認められないことになる一方当事者の不利益
趣　旨	当事者意思の尊重（弁論主義の第1テーゼを当事者の側からみた概念）	裁判拒否の防止
相違点	① 主張責任は職権探知主義の下では認められない概念であるが、証明責任は職権探知主義の下でも事実の存否不明の場合に必要となる ② 弁論主義の下では、事実の主張がない限り証明の対象とならない点で、主張責任の問題は証明責任に先行する ③ ②より、主張責任の問題は生じるが、証明責任の問題は生じない場合がある（ex. 公知の事実）	
両者の関係	① 敗訴の不利益を免れるためにその主張・立証を要する ② 主要事実がその対象となる ③ 主張責任の分配も証明責任の分配原則による	

２　客観的証明責任の審理過程での機能

(1)　当事者の訴訟追行の指標としての機能

　　弁論主義の下では、主要事実について客観的証明責任を配分される当事者は、勝訴しようとすれば、その主要事実を主張・証明しなければならない。このように、客観的証明責任は、当事者の訴訟追行の指標となる。この、勝訴するためには証明責任を負う主要事実を証明しなければならないという一方当事者の行為責任を主観的証明責任という。

(2)　裁判所の訴訟運営の指標としての機能

　　各当事者に客観的証明責任が配分されているのに対応して、裁判所は、各当事者が証明責任を負っている事実につき本証を出し、相手方が反証を挙げうるように訴訟を運営し、必要があれば釈明権（149Ⅰ）を行使しなければならない。

三　証明責任の配分

１　証明責任の配分原理

　　法律要件分類説（規範説、判例・通説）は、一定の法律効果を主張する者は、その効果の発生を基礎付ける適用法条の要件事実につき証明責任を負うとする。

(1)　一定の法律効果を主張する当事者は、その法律効果の発生を規定する「権利根拠規定」の要件事実につき証明責任を負う。

(2)　権利根拠規定による法律効果の発生につき障害事由を規定する「権利障害規定」の要件事実は、法律効果の発生を争う者が証明責任を負う。

(3)　法律効果の消滅を主張する者は、消滅を規定する「権利消滅規定」の要件事実につき証明責任を負う。

２　証明責任の配分に関する具体的検討

(1)　民法94条2項「善意の第三者」の主張立証責任と攻撃防御上の位置付け

　　設例：原告Xは、甲土地を占有している被告Yに対し、甲土地所有権に基づく返還請求権として甲土地の明渡しを求める訴えを提起した。

　　　　　Yは「XはAに甲土地を売った。」（所有権喪失の抗弁）と主張した。

　　　　　Xは、当該売買契約は通謀虚偽表示により無効と反論した。

　　　　　これに対し、Yは、民法94条2項の主張をした。

　　＊　善意の第三者の主張立証責任は、民法94条2項の効果を主張するものが負う（第三者について最判昭42.6.9、「善意」について最判昭35.2.2・百選〔第5版〕63事件）。

　　この主張を予備的抗弁と再々抗弁のいずれに位置付けるべきかについて、①予備的抗弁説（民法94条2項の法的効果について法定の承継取得としてXからYへ直接所有権が移転すると捉え、民法94条2項の主張は新たな所有権喪失原因として予備的抗弁となるとする見解）と、②再々抗弁説（民法94条2項によりXA間の譲渡が復活しX→A→Yと所有権が順次移転す

るとし、抗弁の効果を復活させるものとして再々抗弁とする見解）がある。

(2) 取消しと第三者→解除と第三者の攻撃防御上の位置付けと同様（⇒ p.312）

(3) 表見代理における「代理権の不存在」の主張立証責任の分配

　　有権代理、表見代理、追認は、代理の効果の発生に関してはいずれも等価値であり、代理権の不存在は表見代理の実体要件ではないとする見解によると、表見代理の効果を主張するものは、代理権の不存在を主張立証する必要はない。

(4) 民法112条1項本文の攻撃防御上の位置付け

　　①民法112条1項本文は、表見代理の規定であり、有権代理の主位的請求原因、代理権消滅の抗弁を前提とする予備的請求原因に位置付ける見解（予備的請求原因説）と、②民法112条1項本文は、表見代理を定めたものではなく、善意の第三者に対し、代理権の消滅を対抗することができないことを定めたものであるとして、有権代理の請求原因、代理権消滅の抗弁に対する再抗弁に位置付けられるとする見解（再抗弁説）がある。

(5) 物権的請求権における「対抗要件具備」の要件事実と主張立証責任

　　請求原因説、抗弁説（事実抗弁説、権利抗弁説）、再抗弁説（第三者抗弁説）等の見解がある。そのうち、権利抗弁説は、民法177条が対抗要件であり（請求原因説に対する批判）、一般に消極的事実の主張立証を要求すべきではなく（事実抗弁説に対する批判）、当事者が対抗要件の具備を争うか否かの意思を明確にさせるため（第三者抗弁説に対する批判）、被告は①第三者であることを基礎付ける事実の主張立証のみならず②対抗要件の抗弁を行使する旨の権利主張を必要とすると説く見解である。

(6) 物権的請求における被告の占有の時的要素

　　物権的請求権の発生要件として、①現在すなわち口頭弁論終結時における占有を主張立証しなければならないとする見解（現占有説）と、②占有開始時又はそれ以降のある特定の時点の占有を主張立証すれば足り、占有の喪失が抗弁となるとする見解（もと占有説）があり、現占有説が通説である。

(7) 物権的請求権の被告の「占有権原（登記保持権原）」の主張立証責任【司】

　　判例・通説は、原告は被告に占有権原（登記保持権原）がないことを主張立証する必要はなく、被告が占有権原（登記保持権原）の存在を主張立証しなければならないとし、これらを、占有正権原の抗弁、登記保持権原の抗弁と位置付ける（民法188条との関係について最判昭35.3.1）。なお、登記の推定力は事実上のものであるから（最判昭34.1.8、最判昭38.10.15等）、要件事実の整理に影響を与えない【司】。

(8) 履行遅滞における「履行したこと」の主張立証責任

　　判例・通説は、債権者が「履行しないこと」を主張立証する（債権者説）のではなく、債務者が「履行したこと」について主張立証責任を負う（債務

者説）と解している⟨同⟩。

　なお、履行不能に基づく損害賠償・解除の場合、債権者が「履行不能」を主張立証する。また、履行の請求に対し、履行不能の抗弁を債務者が主張する場合には、債務者が「履行不能」を主張立証する。

(9)　債務不履行に基づく損害賠償請求における「帰責事由」の主張立証責任

　判例は、債権者ではなく、債務者が「帰責事由の不存在」の主張立証責任を負うとするので、「帰責事由の不存在」は抗弁に位置付けられる（履行遅滞につき大判大 10.5.27、履行不能につき最判昭 52.3.31）。

(10)　過失相殺について　⇒ p.131

(11)　催告の抗弁（民 452）についての主張立証責任

　民法 452 条は、主たる債務者への催告を抗弁として定めていることから、保証債務の履行請求において、主たる債務者に催告をしたことを請求原因として主張立証する必要はない⟨同⟩。

(12)　債権譲渡の債務者対抗要件についての要件事実と主張立証責任

　物権変動における対抗要件に関する主張立証責任の問題と同様に解することができる。

(13)　契約に基づく履行請求についての要件事実と主張立証責任

(a)　権利の発生根拠について、①法律であるとする見解（法規説）と、②当事者の合意であるとする見解（合意説）がある。

(b)　典型契約の冒頭にある規定は、各典型契約の成立要件を規定するものであるので、この要件に該当する事実が当該典型契約に基づく請求権を発生させるとする見解（いわゆる冒頭規定説）が通説である。

(c)　「条件・期限（附款）」の主張立証責任の分配

　条件・期限は、冒頭規定に定めがなく、実体法が規定する契約の成立要件ではないので、対象となった法律行為とは可分であり、当該法律行為の成立を主張立証する場合、条件・期限の不存在を主張立証する必要はない。

　なお、貸借型（消費貸借、使用貸借、賃貸借）契約については、返還時期の合意は冒頭規定には定められていないが、契約に不可欠な要素であると考え、契約の成立を主張するものが主張立証責任を負うとする見解がある（いわゆる貸借型理論）。

(14)　相殺の抗弁における弁済の提供についての主張立証責任

　貸金返還請求に対して相殺の主張をする場合、自働債権に同時履行の抗弁権が付着していると、抗弁権の存在効果として相殺が許されないことになるから（大判昭 13.3.1）、自働債権の発生原因事実の主張自体からその債権に抗弁権が付着していることが明らかになる場合は、同時履行の抗弁権の消滅原因たる弁済の提供（民 492）の事実も併せて主張しなければならない⟨同⟩。

⑮　解除と第三者の攻撃防御上の位置付け

　　設例：原告 X は、甲土地を占有している被告 Y に対し、甲土地所有権に基づく返還請求権として甲土地の明渡しを求める訴えを提起した。

　　　　　Y は「X は A に甲土地を売った。」（所有権喪失の抗弁）と主張した。

　　　　　X は、当該売買契約は解除（再抗弁）したと反論した。

　　　　　これに対し、Y は、A は Y に甲土地を売ったと反論した。

　　この主張の攻撃防御上の位置付けについて、解除前の第三者との関係では民法 545 条 1 項ただし書により解除の効果が認められないとする（権利保護要件として対抗要件の具備を要件とする権利保護要件説、対抗要件の具備を不要とする第三者優位説）見解によると、再々抗弁に位置付けられる。これに対し、解除と第三者との関係について対抗関係に立つとする（解除後の第三者について対抗関係に立つとする見解、解除の前後を問わず対抗関係に立つとする見解もある）見解によると、A → X、A → Y と二重譲渡された場合と同様に考えることができる。対抗要件に関する主張立証責任について権利抗弁説に立つと、予備的抗弁に位置付けられる。

⑯　売買代金請求における目的物の引渡しについての主張立証責任

　　売買契約は諾成契約であり、目的物の引渡しは、契約の成立要件ではないため、債権者が請求原因においてこの点を主張立証する必要はなく、債務者から同時履行の抗弁が主張された場合にこれに対する再抗弁として主張すれば足りる回。

⑰　準消費貸借契約に基づく貸金返還請求における「旧債務の存在」の主張立証責任

　　判例（最判昭 43.2.16・百選 60 事件）は、旧債務の不存在を抗弁事実とし、被告（債務者）が、主張立証責任を負うとする。判例の結論を基礎付ける理由として、①原告（債権者）は旧債務の立証が困難であるので公平の見地から主張立証責任を転換させるとする見解、②準消費貸借契約を締結する以上、旧債務が存在するのが原則であるとする見解がある。

⑱　無断転貸（民 612 Ⅱ）を背信行為と認めるに足りないとする特段の事情の主張立証責任

　　無断転貸を背信行為と認めるに足りないとする特段の事情がある場合には、賃貸人は賃貸借契約を解除することができず（最判昭 28.9.25）、特段の事情の存在については、賃借人が主張立証責任を負う（最判昭 41.1.27・百選 A18 事件）団。

　　判例は、無断転貸を背信行為と認めるに足りる特段の事情を解除権発生の要件とするが、消極的要件（背信行為と認めるに足りない特段の事情は、解除権の発生を妨害する事実であり、かかる事実が主張立証された場合には、解除権は発生しないということを意味する）であって、無断転貸を背信行為

と認めるに足りない特段の事情が主張立証された場合、解除権は発生しないと解するものと考えられる。

⑲　責任能力（民712）の主張立証責任

民法712条は免責のための要件という定め方をしていることから、原告が立証すべき要件ではなく、被告が不法行為責任を免れるために立証責任を負う抗弁事由である〈司〉。

⑳　仕事の目的物の引渡し（民633）についての主張立証責任

民法633条本文によると、仕事の目的物の引渡しを必要とする場合には、目的物の引渡しと報酬の支払は同時履行の関係に立つが、元金のみの支払を求める場合は、被告が抗弁で同時履行の抗弁権を行使したときに再抗弁として仕事の目的物の引渡しを主張すれば足りる〈司〉。

㉑　相続について

民法896条本文の効果を主張する者は、主張者が相続人であることに関し、他に相続人がいないことまで主張立証する必要はなく、相続人であることを主張立証すれば足り、他の相続人の存在は抗弁に位置付けられるとする見解（非のみ説）が通説である。

3　証明責任の負担の軽減・立証困難緩和の法技術

（1）　証明責任の転換

通常の証明責任の配分とは別に、明文で相手方当事者に反対事実についての証明責任を負担させることを、証明責任の転換という。

ex.　自動車損害賠償保障法3条ただし書、民法715条1項ただし書等

（2）　法律上の推定

通常、推定は裁判官の自由心証主義の一作用として経験則を適用して行われる（事実上の推定）。しかし、この場合の経験則があらかじめ法規（推定規定）になっており、その規定の適用として推定が行われる場合がある（法律上の推定）。

（a）　法律上の事実推定

ある実体規定でＡという法律効果の要件事実とされている乙事実につき、他の法規で「甲事実（前提事実）あるときは乙事実（推定事実）あるものと推定する」と定める場合をいう。

ex.　民法186条2項〈基〉、619条1項、629条1項、772条、手形法20条2項、破産法15条2項

（b）　法律上の権利推定

権利Ａの発生原因事実である乙事実とは異なる甲事実につき、「甲事実あるときは権利Ａあるものと推定する」と定める場合をいう。

ex.　民法188条、229条、250条、762条2項等

(3) 暫定真実

法律上の推定と異なり、前提事実の証明さえ要求しないで、無条件に一定の事実を推定することによってある規定の要件事実の証明責任を相手方に転換する法技術をいう。

ex. 民法186条1項の占有者の所有意思・善意・平穏・公然の無条件の推定等司

(4) 間接反証

(a) 間接反証の意義

間接反証とは、ある主要事実について証明責任を負う者がこれを推認させるに十分な間接事実を一応証明した場合に、相手方が右の間接事実とは別個のしかもこれと両立しうる間接事実を本証の程度に立証することによって主要事実の推認を妨げる立証活動をいう。

(b) 間接反証の機能

間接反証理論は、法律要件分類説を前提としながら、証明困難な主要事実をめぐる間接事実についての証明の負担を両当事者のいずれかに分配して、証明困難な主要事実についての証明責任の公平な運用を図る機能を営む（その際、主要事実の証明責任は変動しない）。

裁判例にも、公害訴訟において事実上の推定の理論を採用し、間接反証の可能性を指摘したものがある（新潟水俣病判決（新潟地判昭46.9.29））。

(5) 表見証明（一応の推定）

表見証明とは、証拠や間接事実による主要事実についての心証形成に当たって、経験則上高度の蓋然性をもって主要事実の存在を示しているといえるような場合には、特段の事情なき限り、主要事実につき一気に概括的に心証に達したものとみることができるとする理論をいう。

判例にも、医師の注射行為について過失の表見証明を認めたとされるものがある（最判昭32.5.10・百選〔第三版〕68事件）。

▼ **最判昭39.7.28・百選56事件**

事案: X女は、Y経営の産婦人科医院に入院し、無痛分娩の方法として腰部に脊髄硬膜外麻酔注射を受けた。その後、Xは脊髄硬膜外膿症に罹患し、相当の後遺症が残ったとして、Yに対して損害賠償請求をした。

判旨: 原審が、Yの過失について、注射の際に注射器具、施術者の手指あるいは患者の注射部位の消毒が不完全であり、このような不完全な状態で麻酔注射したことにあると認定し、いずれについての消毒が不完全であったかを明示していないことについて、「これらの消毒の不完全は、いずれも、治療行為であり、かつ、医師の診療行為としての特殊性にかんがみれば、具体的にそのいずれの消毒が不完全であったかを確定しなくても、過失の認定事実として不完全とはいえない」とした。

▼　**最判昭43.12.24・百選57事件**

事案：　不動産売買等を目的とするＸ社の代表取締役Ａらは、訴外Ｂに本件係争土地の工事を請け負わせた。ところが隣地所有者Ｙとの間で本件係争土地の帰属をめぐって紛争が生じたため、Ｙが本件仮処分申請を行った。本件申請に際し、Ｙは工事施行者がＸ又はＡらのいずれであるかを確定させていなかったのに、ＡからＸ取締役社長名義の名刺を受け取っていたこと等から、相手方をＸとしていた。

　　　　　しかし、その後仮処分事件の異議手続で、工事施工者がＸであるとの疎明がないとして本件仮処分命令が取り消され、その本案訴訟でもＹが敗訴した。そこで、Ｘは、本件仮処分執行により受けた損害の賠償を求めて、Ｙを被告とする訴えを提起し、原審は、Ｙの過失が推定されるとして請求を認容した。Ｙが上告。

判旨：　Ｙの過失の有無について、「一般に、仮処分命令が異議もしくは上訴手続において取り消され、あるいは本案訴訟において原告敗訴の判決が言い渡され、その判決が確定した場合には、他に特段の事情のないかぎり」、仮処分の申請人に過失があったものと推認するのが相当であるとした上で、仮処分の申請人が「その挙に出ることについて相当な事由があった場合には、右取消の一事によって同人に当然過失があったということはできず、ことに、仮処分の相手方とすべき者が、会社であるかその代表者個人であるかが、相手側の事情その他諸般の事情により、極めてまぎらわしいため、申請人においてその一方を被申請人として仮処分の申請をし、これが認容されかつその執行がされた後になって、他方が本来は相手とされるべきであったことが判明したような場合には、右にいう相当な事由があったものというべく、仮処分命令の取消の一事によって、直ちに申請人に過失があるものと断ずることはできない」とした。

四　証拠の偏在と実質的平等

　　法律要件分類説を前提として、証拠の偏在における実質的平等を達成するため、以下のような多様な努力がなされている。

1　間接反証　　⇒ p.314

2　疫学的証明

　　公害訴訟などで問題となる集団的疾病については、ある集団に対してある発病因子が作用しうる条件がみたされ、その因子による発病が通常人が納得しうる程度に合理的に説明しうるものであれば、その因子が疾病の発生源であるとする疫学的証明が、個々の被害の発生と発生源との因果関係の証明に利用されている。すなわち、疫学的証明がなされた場合に、当該集団に含まれ同じ因子を有する個々の被害者について因果関係の証明がなされたものとするのである。

第一審の手続

3 証明妨害

　現在では、相手方当事者の証拠の使用を困難にした場合であればあらゆる証拠方法につき、証明妨害の法理によって自由心証主義の制限を拡大しうるとされている。

　多数説は当事者間の信義則を根拠として故意・過失を要件に224条1項等を類推適用して、妨害の態様・程度、有責性などを考慮して自由裁量により相手方の主張を真実と認めうるかを決すべきであるとする。

4 表見証明（一応の推定）

　不法行為訴訟における過失や因果関係の立証の困難に鑑み、事案からみて過失や因果関係を推認させる高度の蓋然性ある経験則が働く場合（これを「定型的事象経過」という）、細かい認定を飛び越して、いきなりある事実が認定されてよいことを表見証明（一応の推定）という。

　　ex. 注射部位が化膿し、全治後も運動障害が残った場合、その原因が注射液の不良か注射器の消毒不完全かを特定できなくても、注射部位が後に化膿したということは、十中八九注射をした医師が当然なすべき注意を怠ったことが原因であるから、医師の診療行為に過失があったと一応推定される

5 確率的心証による認定

　裁判例は、再発症が交通事故によるのか体質によるのかの認定が困難な事例において、交通事故と再発症との相当因果関係の存在にかかる心証の割合が70パーセントであったとして、相当因果関係の存在を70パーセントの割合で肯定し、再発以後の損害額に70パーセントを乗じて事故と相当因果関係ある損害の認容額とした（東京地判昭45.6.29）。このような裁判官の心証割合に基づく因果関係の認定を、確率的心証による認定という。

6 証拠開示的処理の導入

　「文書提出命令」（220）や「証拠保全制度」（234）を活用し、医療事故の原因を知りえない被害者がカルテ等につき証拠保全手続を利用して事実や証拠を探知したうえで訴えを提起する途を開くなど、証拠やさらに事実の開示機能を営ませる。

7 模索的証明

　証拠の偏在等の理由で、証拠申出時点では立証事項を特定できない場合に、新たな情報や証拠を得ることを目的として、証明主題を明確に特定することなく、一般的又は抽象的な主張にとどめたままで、広く探りを入れるために網をかける形で行われる立証活動をいう。

8 事案解明義務

　証明責任を負わない当事者に事案の解明義務を課すことをいう。事案解明義務が認められるか否か、認められるとしてもその要件・効果につき争いがある。

　判例（最判平4.10.29・百選59事件）は、証拠が行政庁側に偏在する行政訴

訟において、被告行政庁の側が、被告行政庁の判断に不合理な点のないことを相当の根拠、資料に基づき主張、立証する必要があり、被告行政庁が右主張、立証を尽くさない場合には、被告行政庁がした右判断に不合理な点があることが事実上推認されるとしている。

＜証拠の偏在と法律要件分類説の修正＞

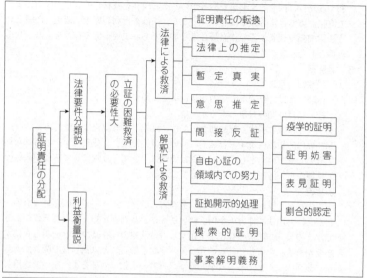

第179条 （証明することを要しない事実）

裁判所において当事者が自白した事実及び顕著な事実は、証明することを要しない《同》。

[趣旨] 民訴法の下では、裁判の基礎となるべき事実は原則として証拠により認定されなければならない。本条は、この原則に対する例外として、裁判上の自白が成立する場合、及び顕著な事実は証拠による認定を経ることなく裁判の基礎とすることができることを定める。事実の証拠による認定が不要となるのは、①裁判上の自白が成立する場合については弁論主義の帰結であり、②顕著な事実の場合は当該事実の存在が客観的に明白であることに基づく。

《注　釈》

一　証明の対象

　1　総説

　　裁判は、経験則を用いて事実を認定し、これに法規を解釈適用することによ

って現在の権利関係を判断している。そこで、裁判をするために必要な事項は、①事実、②経験則、③法規であり、かかる事項は裁判の公正とこれに対する国民の信頼を確保するために証拠による証明の必要性が問題となる。

2 事実

判決をするに当たっては訴訟物たる権利・義務の存否の判断を要するが、権利や義務は、観念的な形象であるから、その現存を裁判官の五官の作用によって直接認識できるものではない。そこで、法は、権利の発生・変更・消滅という法律関係を判断するのに直接必要な事実である主要事実の存否を立証させるものとした。

3 経験則

(1) 経験則の意義

経験則とは、経験から帰納された事物に関する知識や法則をいう。

(2) 経験則は証明の対象となるか

(a) 一般常識に属する経験則ついては、証拠による認定は不要である。

(b) 専門的知識に属する経験則については、たまたま裁判官がその特殊な知識をもっていたとしても、それは偶然にすぎず、裁判に対する信頼確保の見地から、証拠による認定が必要である。

4 法規等

法規の存在及び解釈を知ることは裁判官の職責であり、証明の必要はない。

しかし、外国法、地方の条例、慣習法等は、裁判官が知らないおそれがあるので、このような法規の存在を主張する者は法規の存在及び内容を明らかにする必要がある。ただし、法規の存在及び解釈を知ることは裁判官の職責であるから、裁判所はたまたまこれを知れば当事者の主張・立証をまたないで適用しうるし、通常は鑑定によるがそれに限らず自由な証明でもよい〈司書〉。

二 不要証事実

1 総説

事実は原則として証明の対象となるが、弁論主義が適用される事実については、当事者の主張がなければ判決の基礎にできず、証明の対象とならない。

2 顕著な事実

顕著な事実は、①公知の事実と②職務上顕著な事実に分類される。これらは、証明を経ないで判決の基礎としても裁判所の判断の公正さ・中立性が疑われないことから、証明が不要とされる。

(1) 公知の事実

一般の人々に知れわたっている事実(歴史的大事件、大災害等)をいう。

(2) 職務上顕著な事実

裁判官がその職務を行うことにより知った事実をいう。

職務上とは、裁判官としての職務を行ううえで知り得たことをいい、具体

例として、他の事件につき自らした裁判、裁判官の職務上注意すべき公告に記載された破産手続開始決定等がある《同》。

職務上顕著な事実に裁判官の私知は含まれない。

∵　判断の客観性が確保できない

3　裁判上の自白

(1)　裁判上の自白の意義

裁判上の自白とは、口頭弁論期日又は弁論準備手続期日における相手方の主張と一致する自己に不利益な事実の陳述をいう《予》。

(2)　裁判上の自白の要件《同H19 司H21 司R元 司R4》

(a)　口頭弁論又は弁論準備手続における弁論としての陳述であること

当事者尋問における陳述は、弁論ではないから、裁判上の自白にならない《同予》。裁判外でなされた自白は間接事実として自由心証の対象とされるにとどまり、相手方が援用しても自白の拘束力は生じない。

→同一訴訟手続内で数個の請求が審理される場合、共通の争点となる同一の事実の主張が一方の請求との関係では有利に、他方の請求との関係では不利に働くことがあり得る。このような場合、有利に働く一方の事実についてのみその事実を主張し、不利に働く他方の請求についてはその事実を主張しないという自由はないため、当該事実を当事者の一方が主張し、他方当事者がこれを認める旨の陳述をした場合には、不利に働く他方の請求について自白が成立する（最判昭41.9.8参照）

ex.　XがYに対して所有権に基づく甲土地の明渡請求をし、YがXに対して甲土地の時効取得を理由とする所有権確認の反訴を提起している場合において、XがYに土地を賃貸したという事実を主張し、Yがこの事実を認める旨の陳述をしたとき、Xが主張した事実は、本訴においてはXに不利に働く事実（占有権原の抗弁）である一方、反訴においてはYに不利に働く事実（他主占有権原の抗弁）であるため、本訴についてはXの自白が成立し、反訴についてはYの自白が成立する《予》

(b)　相手方の主張と一致していること

陳述の先後は問わない。相手方の主張がないのに先に陳述する場合を先行自白といい、相手方の援用により自白としての効力を生じる。相手方が援用する前に撤回すると自白とはならない《同共予》。ただし、相手方の主張の当否の判断に当たり撤回という行為自体は弁論の全趣旨（247）として考慮される。また、相手方の援用のないときは自白は成立しないが《予》、その主張はあるのだから、裁判所はその事実を斟酌しなければならない。

(c) 自己に不利益な事実についての陳述であること《予》

　　「自己に不利益な事実」の意義については争いがあるが、①証明責任説は、相手方が証明責任を負う事実を自白者が認めた場合をいうとする。これに対して、②敗訴可能性説は、相手方の主張事実が判決の基礎として採用されれば自白者が全部又は一部敗訴する可能性のある場合をいうとする。

(d) 「事実」の陳述であること　⇒下記「(6)　裁判上の自白の対象」(p.314)参照

　　なお、「事実」ではなく「権利・法律関係」についての自白は、権利自白（⇒ p.323）の問題となる。

(3) 裁判上の自白の効力

(a) 自白された事実は立証が不要となる（証明不要効、179）。

(b) 自白の裁判所拘束力《司共》

　　裁判所は、たとえ証拠調べ及び弁論の全趣旨から自白事実に反する心証を得ても、自白事実を裁判の基礎として採用しなければならない（審判排除効、弁論主義の第2原則）。

(c) 自白の当事者拘束力

　　当事者は、原則として自白を撤回することができなくなる（撤回制限効）。一般的な訴訟行為は原則として自由に撤回することができるが、同じく訴訟行為である自白が原則として撤回を禁止されるのは、自白には証明不要効・審判排除効という特別な効力があり、これによる相手方の信頼や争点整理という公益を保護する必要があるからである。

(4) 裁判上の自白の撤回《司H19 司R4》

　　上記(c)のとおり、当事者は自白を撤回できないのが原則である（撤回制限効）。もっとも、次の場合には、例外的に自白を撤回することができる。

①　刑事上罰すべき他人の行為により自白がなされた場合《共予》

∵　この場合は再審事由（338 Ⅰ⑤参照。詐欺など）に該当するものとされており、適正手続の観点からも自白の撤回を許容すべきである

→なお、本来の再審と異なり、確定判決の既判力を覆すものではないため、有罪判決の確定等（338 Ⅱ）までは要求されない（最判昭36.10.5）

②　相手方の同意がある場合《司書》

∵　撤回制限効の主たる目的は、証明不要効により生じる相手方の信頼を保護する点にあるため、相手方が同意すれば自白の撤回を認めてよい

→相手方の同意は明示・黙示を問わないため、相手方が自白の撤回に異議を述べることなく撤回後の主張に応答すれば、同意があったものとして扱われる（最判昭34.9.17）

③　自白した事実が真実に反し、かつ、自白が錯誤に基づくことが証明された場合

∵①　自白も当事者の意思に基づく訴訟行為である以上、錯誤による自白の撤回を許さないのは不合理である

②　錯誤の内容は、自白した事実が真実に反するにもかかわらず、これを真実と誤信して自白したことである

判例（大判大4.9.29・百選53事件、最判昭25.7.11）は、反真実と錯誤の双方を要件としつつ、反真実の証明があれば錯誤が推定されるとする。ただし、反真実の証明がある場合であっても、錯誤を否定すべき特段の事情（反真実であることを知りながらあえて自白した場合など）があるときは、自白の撤回は許されない。

なお、反真実かつ錯誤の要件を満たす場合であっても、①錯誤が重過失（民95Ⅲ）に基づくとき、②撤回自体が時機に後れているとき（157）には、自白の撤回は許されない。

(5)　裁判上の自白の態様

(a)　理由付否認（間接否認）

相手方主張事実の一部を認めるがこれと反する事実を主張して否定する場合をいう。認めた一部につき自白が成立し、不一致部分については相手方に証明責任が残る。

ex.　貸金返還請求訴訟で、金は受け取ったが贈与だったと主張する場合、金銭の授受について自白が成立する

(b)　制限付自白

相手方主張事実を認めるがそれにつけ加えて法的効果を否定する事実を主張する場合をいう。一致した部分について自白が成立し、付加事実については自白者に証明責任がある。

ex.　金は借りたが弁済したと主張する場合、金銭消費貸借の成立の部分について自白が成立する

(6)　裁判上の自白の対象

自白の対象は原則として事実であり、法規、経験則、法規の解釈等は自白の対象にはならない。

(a)　主要事実について自白が成立することは、問題なく認められる（∵弁論主義）。

(b)　間接事実につき自白が成立するかについては争いがあるが、判例は、間接事実につき自白は成立しないとする。

∵　間接事実は証拠と同様の機能を有するものであり、この事実を基礎に主要事実を推認しなければならないとすることは、不自然な事実認定を裁判官に強いることとなり、自由心証主義（247）に反するおそ

れがある

▼ **最判昭 41.9.22・百選 51 事件**〈同書〉

判旨：　貸金債権を相続により取得したとする原告に対し、右債権は被相続人
が買い受けた建物の代金決済のため被相続人が第三者に譲渡したとの抗
弁が提出された場合に、抗弁における主要事実は「債権の譲渡」であり、
「建物の売買」は債権譲渡認定のための間接事実にすぎないとし、「かか
る間接事実についての自白は、裁判所を拘束しないのはもちろん、自白
した当事者を拘束するものでもないと解するのが相当である」とした。

(c)　補助事実についての自白の成立の可否

ア　補助事実は、証拠の信用性に関する事実（文書の成立の真正など）で
あり、間接事実と同様に、補助事実に自白は成立しない（最判昭 52.4.15）
〈予〉。

∴　補助事実は証拠と同様の機能を有するものであり、この事実を基
礎に主要事実を推認しなければならないとすることは、不自然な事
実認定を裁判官に強いることとなり、自由心証主義（247）に反す
るおそれがある

cf.　なお、補助事実について当事者間に争いがない場合、証明不要効
が認められることにつき異論はない。たとえば、私文書の成立につ
いて当事者間に争いがない場合、裁判所は、証拠に基づかなくて
も、当該私文書が真正に成立したものと認めることができる〈予〉

イ　補助事実に自白が成立しないとしても、文書の成立の真否について
は、独立に証書真否確認の訴え（134 の 2）の対象となることなどか
ら、例外的にその自白の成立を認めるべきかが問題となる〈同H19〉。この
点、判例（最判昭 52.4.15）は、文書の成立の真正についても自白は成立
しないとしている〈同共予書〉。

これに対し、学説は、処分証書（⇒ p.342）が主要事実の直接証拠で
ある場合には、その処分証書の成立の真正についての自白は実質的に主
要事実の自白に匹敵することを理由に、自白の成立を肯定する見解が有
力である。

→この見解も、報告文書（⇒ p.342）の成立の真正についての自白は
否定する

(d)　公知の事実に反する自白が認められるか

公知の事実に反して裁判をすると、裁判の公正を害するので、公知の事
実に反する自白に拘束力は認められない（多数説）。

(e)　一般条項の自白は認められるか

一般条項、たとえば民法 709 条の過失の有無の判断は、注意義務違反の

存否をめぐる法的評価に他ならないので、裁判所は一般条項につき自白がなされたとしても弁論に現れた具体的事実を評価して否定することができる。もっとも、弁論の状況から当該陳述が法的評価の前提となる具体的事実（これが主要事実となる）を考慮してなされているものといえる場合にはその事実について自白したものとみなされる余地がある。

　裁判例においても、被告が自己の過失を自認したことについて、事実の自白としての拘束力を認めたものがある（東京地判昭49.3.1・百選〔第5版〕A18事件）。

4　権利自白《司予》

(1)　権利自白とは、請求の当否の判断の前提をなす先決的な権利あるいは法律関係についての自白のことをいう。なお、自白の対象となる権利関係が訴訟物そのものをなす場合は請求の放棄・認諾（267）であり、その調書への記載により訴訟は終了する（ex.所有権確認請求での所有権は訴訟物たる権利関係であり、この点に関して自白する場合には、請求の放棄・認諾となる）。

(2)　権利自白に自白の拘束力が認められるかについては争いがある《司H23》。

　A　否定説（通説）

　　権利自白に自白の拘束力は認められないが、権利自白がなされると相手方は一応その権利主張を根拠付ける必要はなくなる。もっとも、裁判所のこれに反する法律判断を妨げず、当事者はいつでも撤回することができる。ただし、権利自白であっても、売買や賃貸借のような日常的な法律概念を用いている場合には具体的な事実の陳述と解して自白の成立を認める。

　B　肯定説

　　権利自白にも自白の拘束力が認められ、裁判所と当事者を拘束する。ただし、自白の拘束力が認められるのは、当事者が法律関係の内容を十分に理解して自白した場合に限られる（法律概念の内容を十分に理解していたといえるか否かは、①弁護士訴訟か本人訴訟か、②日常的法律概念であるか否かといった要素を検討する）。

▼　**最判昭30.7.5・百選52事件**

判旨：　自白の成立について、消費貸借につき借主が貸主主張の金額についての消費貸借の成立を認めていても、他方で天引きの主張をしているときは金額については「法律上の意見」を述べているに止まるのであって、自白は成立しないと判断した。

5　擬制自白　⇒ p.289

<不要証事実の位置付け>

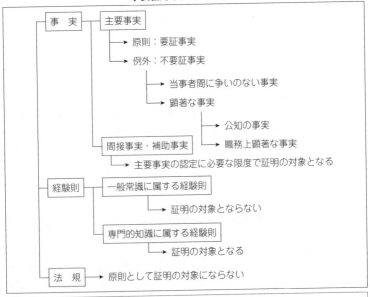

第一審の手続

第180条　（証拠の申出）

Ⅰ　証拠の申出は、証明すべき事実を特定してしなければならない〈書〉。

Ⅱ　証拠の申出は、期日前においてもすることができる〈同旨〉。

[趣旨] 本条1項は、証拠の申出は、証明すべき事実を特定してなすべきことを規定する。2項は、証拠の申出は、期日前においてもすることができることを定める。形式的に口頭弁論主義を貫いて、証拠の申出を口頭弁論期日においてしなければならないとすると、証拠調べの準備たる証拠の申出のために期日を1回無駄にすることになり、訴訟を遅延させる。そこで本条は、期日外での証拠の申出を認めた。

《注　釈》

一　証拠申出の意義

1　原則：証拠調べは、当事者の申立てに基づき、当事者の申し出た証拠方法についてのみなされる（弁論主義の第3原則）。⇒ p.127、128

2　例外：職権証拠調べが認められる場合がある。訴訟要件のうち職権探知事項

となるもの（186、228Ⅲ、207Ⅰ、233、237等）、また、職権探知主義の採られる手続（人訴20、非訟11等）及び行政事件訴訟では、職権証拠調べが可能（行訴24）である。

二　証拠申出の方式・時期

当事者は、証明すべき特定の事実（180）と特定の証拠方法（規106、150等）及びこの両者の関係を具体的に（規99Ⅰ）表示して、書面又は口頭で（規1）、証拠の申出をしなければならない。

ex.　証人尋問の申出は、証人を指定し、かつ、尋問に要する見込みの時間を明らかにしてしなければならない（規106）

証拠申出は攻撃防御方法の一種であるから、口頭弁論終結時まで適時提出しうる（156）。

三　申出の撤回

1　証拠申出をしても、裁判所が証拠調べに着手するまでは、申立人は証拠申出を撤回することができる。

2　証拠調べが開始されると、証拠共通の原則から、相手方に有利な証拠資料が現れる可能性があるから、相手方の同意がなければ、申出の撤回は認められない。 ⇒ p.390

3　証拠調べ終了後は、裁判官がすでに心証を得ており、撤回することはできない（最判昭32.6.25・百選A19事件）。

第181条　（証拠調べを要しない場合）

Ⅰ　裁判所は、当事者が申し出た証拠で必要でないと認めるものは、取り調べることを要しない。

Ⅱ　証拠調べについて不定期間の障害があるときは、裁判所は、証拠調べをしないことができる。

[趣旨] 本条は、裁判所が当事者による証拠の申出につきその取調べの必要性を判断し、裁量的にその採否を決定することができることを規定した。また、取り調べられるべき証拠であっても、取調べに不定期間の障害があるときは、裁判所はこれを取り調べないで審理を進めることができる旨を規定した。

《注　釈》

一　裁判所の裁量

裁判所は、当事者が申し出た証拠を常に取り調べる必要はなく、裁量に任される（Ⅰ）。これは、証拠の評価が裁判官の自由心証に委ねられている（247）ことに対応している。裁判所は、当事者の弁論権や証拠申立権の保障と訴訟経済や証人の負担等を衡量して採否を決定する。ただし、当事者の証拠申立権との関係で、適法な証拠申出を採用しない場合には合理的な理由が要る。

二　唯一の証拠方法

1　唯一の証拠方法の意義

ある要証事実においてなされた証拠の申出（180）がその申出当事者にとって唯一の証拠方法である場合は、特段の事情がない限り裁判所は必ずこれを取り調べるべきであり（181参照）、これを排斥してその申出当事者の主張事実について証拠なしとして不利益な認定をするのは違法と解される（最判昭53.3.23）。

2　唯一の証拠方法の趣旨

裁判所自ら立証の道を途絶しておいて、立証のないことを責めることになると、公平を欠き、双方審尋主義の建前にも反する。

3　例外の場合

唯一の証拠であっても、①争点の判断に不必要な証拠の申出、②費用の予納なき場合、③申出が（方式不備、時機に後れた等）不適法な場合、④証拠調べにつき不定期間の障害（証人の行方不明等）あるとき、⑤証明すべき事実が重要でなく、あるいは、証明を要しない場合、等は、上記のような不当性がないので、これを排斥してもよいと解される。

第182条　（集中証拠調べ）同共

証人及び当事者本人の尋問は、できる限り、争点及び証拠の整理が終了した後に集中して行わなければならない。

［趣旨］いわゆる五月雨審理によると、非能率的で円滑かつ迅速な訴訟進行を図ることができないため、証人及び当事者本人の尋問は、争点及び証拠の整理が終了した後に集中して行うべきこととした。

《注　釈》

◆　集中証拠調べ

1　当事者の立会権

当事者の立ち会いの機会を保障するため、裁判所は証拠調べ期日及び場所を当事者に告知し、当事者を呼び出す（94、240、規104）。ただし、通常、証拠調べの主体は裁判所であり、適式の呼出しを受けた当事者が欠席しても、可能な範囲で証拠調べをしなければならない（183）。

2　証拠調べと直接主義

（1）証拠調べは、受訴裁判所が法廷において行うのが原則である。

（2）例外として、①受命裁判官・受託裁判官による証拠調べ（185）や、②外国での証拠調べ（184Ⅰ）、③受命裁判官が法廷外でする証拠調べ（185Ⅰ）が許される。もっとも、これらについては、直接主義の要請（249Ⅰ）から、証拠調べの結果を口頭弁論に顕出しなければ証拠資料とすることはできない。④弁論準備手続の結果は口頭弁論で陳述しなければならない（173）。

⇒ p.395

3　証拠調調書

証拠調べの経過と結果の要領は調書に記載されなければならない（160Ⅰ、規67Ⅰ②③・Ⅱ）。

第183条　（当事者の不出頭の場合の取扱い）〈司共予書

証拠調べは、当事者が期日に出頭しない場合においても、することができる。

[趣旨]双方審尋主義の下においては、当事者双方が口頭弁論期日に出頭しないときには、裁判所は、原則として訴訟行為をすることができない。しかし、証人の出頭にもかかわらず当事者が出頭しないため証拠調べができないものとすると、その後再び証人を呼び出さなければならないし、当事者の欠席により訴訟を遅延させることになる。そこで本条は、双方審尋主義の例外として、証拠調べは、当事者が期日に出頭しない場合でもすることができるものと規定した。

第184条　（外国における証拠調べ）

Ⅰ　外国においてすべき証拠調べは、その国の管轄官庁又はその国に駐在する日本の大使、公使若しくは領事に嘱託してしなければならない。

Ⅱ　外国においてした証拠調べは、その国の法律に違反する場合であっても、この法律に違反しないときは、その効力を有する。

[趣旨]証人等の証拠方法が外国にある場合に、直接主義を形式的に貫いて日本の裁判所が自ら外国で証拠調べをしたり、外国にいる証人等を日本の裁判所に呼び出したりすると、当該国家の主権を害する可能性が高い。そこで本条は、外国における取調べを実施するには、外国管轄裁判所等の管轄官庁、又は外国に駐在する日本の大使等に証拠調べを嘱託して実施することとした。

第185条　（裁判所外における証拠調べ）

Ⅰ　裁判所は、相当と認めるときは、裁判所外において証拠調べをすることができる。この場合においては、合議体の構成員に命じ、又は地方裁判所若しくは簡易裁判所に嘱託して証拠調べをさせることができる〈司予

Ⅱ　前項に規定する嘱託により職務を行う受託裁判官は、他の地方裁判所又は簡易裁判所において証拠調べをすることを相当と認めるときは、更に証拠調べの嘱託をすることができる。

[趣旨]公開主義（憲82）、直接主義（249Ⅰ）の要請からすれば、証拠調べは、受訴裁判所が公開の法廷において自ら行わなければならない。しかし、証人が入院中である場合や証人が遠隔地にいる場合等、受訴裁判所による公開の法廷での証拠調べが困難な場合もある。そこでそのような場合に対処するため、本条は相当と認めるときに裁判所外における証拠調べを認め、その場合には受命裁判官、受託裁判官に証拠調べを嘱託することができるものとした。

第186条　（調査の嘱託）

　裁判所は、必要な調査を官庁若しくは公署、外国の官庁若しくは公署又は学校、商工会議所、取引所その他の団体に嘱託することができる〈同共予書〉。

[趣旨] 本条は、証拠調べの公正を確保するための規制に服させる必要が高くない、公正さに疑問を抱かせないような客観的事項（一定の地域における特定の日時の天候等〈予〉）について、特定の団体に調査を委託し、その調査報告を証拠資料とする簡易・迅速な証拠調べを認めるものとした。

《注　釈》

- 本条に基づく調査の嘱託によって得られた結果を証拠とするには、裁判所がそれを口頭弁論で提示して当事者に意見陳述の機会を与えれば足り、当事者の援用を要しない（最判昭45.3.26）〈共予書〉。
- 調査の嘱託は、会社など私的団体に対してもすることができる（大判昭15.4.24）〈予〉。
- 内国の官庁・その他の団体は、裁判所に対して嘱託に応ずる公法上の義務を負う（大阪高判平19.1.30）。もっとも、違反に対する制裁は法定されていない〈共書〉。

第187条　（参考人等の審尋）

Ⅰ　裁判所は、決定で完結すべき事件について、参考人又は当事者本人を審尋することができる。ただし、参考人については、当事者が申し出た者に限る。
Ⅱ　前項の規定による審尋は、相手方がある事件については、当事者双方が立ち会うことができる審尋の期日においてしなければならない。

[趣旨] 決定で完結すべき事件は、迅速な処理が要請される軽微な事件であることが多い。そこで、そのような事件については口頭弁論を開いて証人尋問を実施するまでもなく、簡易な証拠調べとして参考人や当事者の審尋をすることができるものとした。　⇒p.307

第188条　（疎明）

　疎明は、即時に取り調べることができる証拠によってしなければならない〈同〉。

[趣旨] 迅速な処理が要請される手続においては、事実認定のために裁判所に要請される心証の程度として疎明で足りるとされることがある。本条は、疎明で足りるとされる場合の証拠調べにおいては、迅速な処理の必要から、即時に取り調べることができる証拠によるものと規定した。　⇒p.307

第189条　（過料の裁判の執行）

Ⅰ　この章の規定による過料の裁判は、検察官の命令で執行する。この命令は、執行力のある債務名義と同一の効力を有する。

Ⅱ　過料の裁判の執行は、民事執行法（昭和54年法律第4号）その他強制執行の手続に関する法令の規定に従ってする。ただし、執行をする前に裁判の送達をすることを要しない。

Ⅲ　刑事訴訟法（昭和23年法律第131号）第7編第2章（第511条及び第513条第6項から第8項までを除く。）の規定は、過料の裁判の執行について準用する。この場合において、同条第1項中「者若しくは裁判の執行の対象となるもの」とあるのは「者」と、「裁判の執行の対象となるもの若しくは裁判」とあるのは「裁判」と読み替えるものとする。

Ⅳ　過料の裁判の執行があった後に当該裁判（以下この項において「原裁判」という。）に対して即時抗告があった場合において、抗告裁判所が当該即時抗告を理由があると認めて原裁判を取り消して更に過料の裁判をしたときは、その金額の限度において当該過料の裁判の執行があったものとみなす。この場合において、原裁判の執行によって得た金額が当該過料の金額を超えるときは、その超過額は、これを還付しなければならない。

■第2節　証人尋問

《概　説》

一　証人尋問

証明の対象たる事実につき証人が経験した事実を供述させる方法で行われる証拠調べをいう。

二　証人

1　証人とは、過去に知った事実を法廷で報告することを命じられた第三者をいう。

2　わが国の裁判権に服する者はすべて出頭義務、宣誓義務、供述義務を負い、これらを総称して証人義務という（190）。証人能力（証人になり得る資格）には原則として制限はなく、当事者及び法定代理人以外のすべての第三者（ex. 補助参加人）に証人能力が認められる〈司予書〉。

3　証言拒絶権

証人は、訴訟制度維持のために不可欠な国民の義務として、原則として供述義務を負う。

例外として、一定の事項については証言を拒否できる（196、197）。新聞記者の取材源の秘密は保護に値するとされている（最決平 18.10.3・百選64事件）。

三　証人尋問手続

1　法廷における証人尋問

(1)　証人尋問の申出を採用した裁判所は、期日を定めて証人に呼出状を送達して証人を呼び出し、人違いでないことを確認し、原則として事前に宣誓させ（201Ⅰ、規112）、尋問に入る。

(2)　同一の期日中に尋問すべき証人が複数存在する場合、ある証人の証言中は、裁判長が他の証人を退廷させるなどの措置をとり、証人相互を隔離するのが原則である（隔離尋問の原則）。

　　　∵　先の証言が後の証言に影響を及ぼすことを防止するため

　　　もっとも、先行する証人の証言が記憶喚起に役立つような例外的な場合には、後に尋問を受ける証人であっても、裁判長の許可により、先行する他の証人の尋問中に在廷することができる（規120）　<u>司</u>

(3)　尋問は、裁判長の指揮の下、まず証人を申し出た当事者が（主尋問）、次に他の当事者が（反対尋問）、そして裁判長が順に行う（補充尋問）。これを交互尋問という（202Ⅰ）。

　　　裁判長は適当と認めるときは、当事者の意見を聴いて、この順序を変更しうる（202Ⅱ）。

2　付添い、遮へい措置、テレビ会議システムによる尋問

(1)　証人が著しく不安又は緊張を覚えるおそれがあると認められる場合、裁判所は、その不安・緊張の緩和に適当な者を、尋問の間証人に付き添わせることができる（203の2Ⅰ）。

(2)　証人が当事者本人又はその法定代理人の面前では圧迫を受け精神の平穏を著しく害されるおそれがあると認められる場合で、裁判所が相当と認めるときは、当事者本人又はその法定代理人と証人との間で、一方から又は相互に相手の状態を認識することができなくなるための遮へい措置を採ることができる（203の3Ⅰ）。また、傍聴人と証人との間の遮へい措置も可能である（同Ⅱ）。

(3)　証人が遠隔の地に居住するとき、あるいは証人が当事者本人又はその法定代理人の面前では圧迫を受け精神の平穏を著しく害されるおそれがあると認められる場合で、裁判所が相当と認めるときは、テレビ会議システム（音声映像送受信）による尋問が可能である（204）。

3　人証の取調べにおいて、主尋問、反対尋問、再主尋問の順序により尋問が行われた場合、当事者がさらに尋問をするには、裁判長の許可が必要である（規113Ⅰ①ないし③、Ⅱ）　<u>司</u>

　　人証の取調べにおいて、当事者は、正当な理由がある場合は、誘導質問や争点に関係のない質問をすることができる（規115Ⅱ②ないし⑥、柱書）　<u>司</u>

4　尋問に代わる書面の提出（書面尋問）

　裁判所は、相当と認める場合において、当事者に異議がないときは、証人の尋問に代え、書面の提出をさせることができるとしている（205）。

第190条　（証人義務）

　裁判所は、特別の定めがある場合を除き、何人でも証人として尋問することができる〈同予〉。

第191条　（公務員の尋問）

Ⅰ　公務員又は公務員であった者を証人として職務上の秘密について尋問する場合には、裁判所は、当該監督官庁（衆議院若しくは参議院の議員又はその職にあった者についてはその院、内閣総理大臣その他の国務大臣又はその職にあった者については内閣）の承認を得なければならない。

Ⅱ　前項の承認は、公共の利益を害し、又は公務の遂行に著しい支障を生ずるおそれがある場合を除き、拒むことができない。

[趣旨] 公務員又は公務員の職にあった者は、法律上守秘義務を課されている（国公100Ⅰ、地公34Ⅰ）。かかる守秘義務と証言義務との調整のため、これらの者を証人として職務上の秘密について尋問する場合には、監督官庁の承認を得るべきこと（Ⅰ）、及び監督官庁が承認をするに際しての要件について規定した（Ⅱ）。

第192条　（不出頭に対する過料等）

Ⅰ　証人が正当な理由なく出頭しないときは、裁判所は、決定で、これによって生じた訴訟費用の負担を命じ、かつ、10万円以下の過料に処する〈書〉。

Ⅱ　前項の決定に対しては、即時抗告をすることができる。

[趣旨] 証人として呼出しを受けた者は裁判所への出頭義務を負う。本条は、証人の出頭を確保するため、出頭義務に違反した者に対して秩序罰としての過料、訴訟費用の負担を規定したものである。

第193条　（不出頭に対する罰金等）

Ⅰ　証人が正当な理由なく出頭しないときは、10万円以下の罰金又は拘留に処する。

Ⅱ　前項の罪を犯した者には、情状により、罰金及び拘留を併科することができる。

[趣旨] 本人の出頭を確保するため、本条は、出頭義務を果たさない者に対しての刑事罰を規定した。

第194条　（勾引）

Ⅰ　裁判所は、正当な理由なく出頭しない証人の勾引を命ずることができる〈書〉。

Ⅱ　刑事訴訟法中勾引に関する規定は、前項の勾引について準用する。

第一審の手続

［趣旨］本条は、証人は鑑定人等とは異なり代替性がないところ、証人の出頭を確保するため、正当な理由なく出頭しない証人に対する勾引を命じることができるものとした。

第195条　（受命裁判官等による証人尋問）

　裁判所は、次に掲げる場合に限り、受命裁判官又は受託裁判官に裁判所外で証人の尋問をさせることができる〈同〉。

① 証人が受訴裁判所に出頭する義務がないとき、又は正当な理由により出頭することができないとき〈同予〉。

② 証人が受訴裁判所に出頭するについて不相当な費用又は時間を要するとき。

③ 現場において証人を尋問することが事実を発見するために必要であるとき。

④ 当事者に異議がないとき〈供〉。

［趣旨］直接主義（249Ⅰ）、公開主義（憲82）の原則からすれば、証拠調べは受訴裁判所が公開の法廷で行うべきものであるが、例外として、裁判所外での証拠調べが認められている（185）。

　本条は、証人尋問については、その他の証拠調べ一般よりもさらに直接主義、公開主義の要請が強いため、より厳格な要件をみたした場合についてのみ、裁判所外での受命裁判官又は受託裁判官による証人尋問を認めたものである。

《その他》

　正当な理由がない不出頭の場合にはすることができない（193Ⅰと比較）〈供〉。

第196条　（証言拒絶権）

　証言が証人又は証人と次に掲げる関係を有する者が刑事訴追を受け、又は有罪判決を受けるおそれがある事項に関するときは、証人は、証言を拒むことができる。証言がこれらの者の名誉を害すべき事項に関するときも、同様とする〈同〉。

① 配偶者、4親等内の血族若しくは3親等内の姻族の関係にあり、又はあったこと。

② 後見人と被後見人の関係にあること〈予〉。

［趣旨］本条は、証人が証言することによって、証人自身あるいは証人と一定の関係にある者が刑事訴追又は有罪判決を受けるおそれのある場合、これらの者の名誉を害する場合には、当該事項について証言を強いることは酷であり、証人に対して真実の証言を期待しがたいことから、これらの場合について証言拒絶権を規定したものである。

《その他》

　「後見人と被後見人の関係にあること」（196②）とは、現に証人と後見人・被後見人の関係にあることをいい、過去にそうした関係にあったことを含まない〈予〉。

第197条

I　次に掲げる場合には、証人は、証言を拒むことができる。
　①　第191条第1項の場合
　②　医師、歯科医師、薬剤師、医薬品販売業者、助産師、弁護士（外国法事務弁護士を含む。）、弁理士、弁護人、公証人、宗教、祈祷若しくは祭祀の職にある者又はこれらの職にあった者が職務上知り得た事実で黙秘すべきものについて尋問を受ける場合
　③　技術又は職業の秘密に関する事項について尋問を受ける場合
II　前項の規定は、証人が黙秘の義務を免除された場合には、適用しない。

[趣旨]本条は、公務員の職務上の秘密、一定の職業にある者が職務上知り得た秘密、技術又は職業に関する秘密について証言を強制することは妥当でないことから、これらの事項について証言拒絶権を規定したものである。

《注　釈》

一　197条1項2号

　1　法的性質

　　　197条1項2号は、守秘義務を負う専門職従事者を信頼し、秘密を開示した者の利益を保護するための規定である。そのため、同号は証言を拒絶しうる職業を限定列挙したものと解されている。

　　　→個別法令により個人の秘密を保護する趣旨で法令上の守秘義務を課されている者（電気通信事業従事者など）には、同号が類推適用される（最決令3.3.18・令3重判4事件）

　2　「黙秘すべきもの」の意義

　　　判例（最決令3.3.18・令3重判4事件）は、「黙秘すべきもの」について、「一般に知られていない事実のうち、法定専門職従事者等に職務の遂行を依頼した者が、これを秘匿することについて、単に主観的利益だけではなく、客観的にみて保護に値するような利益を有するものをいう」とした。

二　「職業の秘密」（197 I ③）に関する判例

▼　最決平18.10.3・百選64事件

　決旨：　「『職業の秘密』とは、その事項が公開されると、当該職業に深刻な影響を与え以後その遂行が困難になるものをいう」。

　　　　　「もっとも、ある秘密が上記の意味での職業の秘密に当たる場合においても、そのことから直ちに証言拒絶が認められるものではなく、そのうち保護に値する秘密についてのみ証言拒絶が認められると解すべきである。そして、保護に値する秘密であるかどうかは、秘密の公表によって生ずる不利益と証言の拒絶によって犠牲になる真実発見及び裁判の公正との比較衡量により決せられる」。

第一審の手続

　　　　「報道機関の取材源は、一般に、それがみだりに開示されると、報道関
　　　係者と取材源となる者との間の信頼関係が損なわれ、将来にわたる自由で
　　　円滑な取材活動が妨げられることとなり、報道機関の業務に深刻な影響
　　　を与え以後その遂行が困難になると解されるので、取材源の秘密は職業
　　　の秘密に当たるというべきである。そして、当該取材源の秘密が保護に
　　　値する秘密であるかどうかは、当該報道の内容、性質、その持つ社会的
　　　な意義・価値・当該取材の態様、将来における同種の取材活動が妨げら
　　　れることによって生ずる不利益の内容、程度等と、当該民事事件の内容、
　　　性質、その持つ社会的な意義・価値、当該民事訴訟事件において当該証
　　　言を必要とする程度、代替証拠の有無等の諸般の事情を比較衡量して決
　　　すべきことになる」とした。
　　　　そして、上記比較衡量をするにあたっては、取材源の秘密は憲法21
　　　条の保障の下にある、取材の自由を確保するために必要なものとして重
　　　要な社会的価値を有することに考慮する必要があるとし、「当該証言を得
　　　ることが必要不可欠であるといった事情が認められない場合には、当該
　　　取材源の秘密は保護に値すると解すべきであり、証人は、原則として、
　　　当該取材源に係る証言を拒絶することができると解するのが相当である」
　　　とした。

第198条　（証言拒絶の理由の疎明）

　証言拒絶の理由は、疎明しなければならない。

[趣旨] 本条は、証言拒絶権の濫用を防止するため、証人が証言を拒絶しようとす
るときは、その理由を疎明しなければならないことを規定した。

第199条　（証言拒絶についての裁判）

　Ⅰ　第197条第1項第1号の場合を除き、証言拒絶の当否については、受訴裁判所
　　が、当事者を審尋して、決定で、裁判をする。
　Ⅱ　前項の裁判に対しては、当事者及び証人は、即時抗告をすることができる〈手〉。

[趣旨] 本条は、証人が証言を拒絶した場合には、受訴裁判所がその当否について
裁判することについて定めた。

第200条　（証言拒絶に対する制裁）

　第192条及び第193条の規定は、証言拒絶を理由がないとする裁判が確定した後
に証人が正当な理由なく証言を拒む場合について準用する〈手〉。

[趣旨] 証言拒絶を理由がないとする裁判が確定した場合、証言を拒むことは司法
権の適正な行使を阻害する。そこで、このような場合に制裁を課して不当な証言拒
絶を防止しようとした。

第201条 （宣誓）

Ⅰ 証人には、特別の定めがある場合を除き、宣誓をさせなければならない〈同予書〉。

Ⅱ 16歳未満の者又は宣誓の趣旨を理解することができない者を証人として尋問する場合には、宣誓をさせることができない〈同予書〉。

Ⅲ 第196条の規定に該当する証人で証言拒絶の権利を行使しないものを尋問する場合には、宣誓をさせないことができる。

Ⅳ 証人は、自己又は自己と第196条各号に掲げる関係を有する者に著しい利害関係のある事項について尋問を受けるときは、宣誓を拒むことができる〈同予〉。

Ⅴ 第198条及び第199条の規定は証人が宣誓を拒む場合について、第192条及び第193条の規定は宣誓拒絶を理由がないとする裁判が確定した後に証人が正当な理由なく宣誓を拒む場合について準用する。

[趣旨] 証言の真実性を担保し、裁判の公正を確保するため、証人に対して宣誓義務を課した。

第202条 （尋問の順序）

Ⅰ 証人の尋問は、その尋問の申出をした当事者、他の当事者、裁判長の順序である。

Ⅱ 裁判長は、適当と認めるときは、当事者の意見を聴いて、前項の順序を変更することができる〈同予〉。

Ⅲ 当事者が前項の規定による変更について異議を述べたときは、裁判所は、決定で、その異議について裁判をする。

第203条 （書類に基づく陳述の禁止）

証人は、書類に基づいて陳述することができない。ただし、裁判長の許可を受けたときは、この限りでない〈同予書〉。

[趣旨] 書類に基づいて陳述することを許すと、証人の記憶に忠実な陳述が阻害されるおそれがある。そこで、証人は原則として書類に基づいて陳述することができないものと規定した。

第203条の2 （付添い）

Ⅰ 裁判長は、証人の年齢又は心身の状態その他の事情を考慮し、証人が尋問を受ける場合に著しく不安又は緊張を覚えるおそれがあると認めるときは、その不安又は緊張を緩和するのに適当であり、かつ、裁判長若しくは当事者の尋問若しくは証人の陳述を妨げ、又はその陳述の内容に不当な影響を与えるおそれがないと認める者を、その証人の陳述中、証人に付き添わせることができる。

Ⅱ 前項の規定により証人に付き添うこととされた者は、その証人の陳述中、裁判長若しくは当事者の尋問若しくは証人の陳述を妨げ、又はその陳述の内容に不当な影響を与えるような言動をしてはならない。

Ⅲ　当事者が、第1項の規定による裁判長の処置に対し、異議を述べたときは、裁判所は、決定で、その異議について裁判をする。

第203条の3　（遮へいの措置）

Ⅰ　裁判長は、事案の性質、証人の年齢又は心身の状態、証人と当事者本人又はその法定代理人との関係（証人がこれらの者が行った犯罪により害を被った者であることを含む。次条第2号において同じ。）その他の事情により、証人が当事者本人又はその法定代理人の面前（同条に規定する方法による場合を含む。）において陳述するときは圧迫を受け精神の平穏を著しく害されるおそれがあると認める場合であって、相当と認めるときは、その当事者本人又は法定代理人とその証人との間で、一方から又は相互に相手の状態を認識することができないようにするための措置をとることができる。

Ⅱ　裁判長は、事案の性質、証人が犯罪により害を被った者であること、証人の年齢、心身の状態又は名誉に対する影響その他の事情を考慮し、相当と認めるときは、傍聴人とその証人との間で、相互に相手の状態を認識することができないようにするための措置をとることができる。

Ⅲ　前条第3項の規定は、前2項の規定による裁判長の処置について準用する。

［趣旨］証人が法廷で証言を行う場合、精神的な緊張や不安を覚えることが多い。そこで証人の精神状態に対する配慮から、証人への付添い、傍聴人・当事者等と証人の間の遮へい措置について規定した。

第204条　（映像等の送受信による通話の方法による尋問）〈予〉

裁判所は、次に掲げる場合には、最高裁判所規則で定めるところにより、映像と音声の送受信により相手の状態を相互に認識しながら通話をすることができる方法によって、証人の尋問をすることができる。

①　証人が遠隔の地に居住するとき〈司予〉。

②　事案の性質、証人の年齢又は心身の状態、証人と当事者本人又はその法定代理人との関係その他の事情により、証人が裁判長及び当事者が証人を尋問するために在席する場所において陳述するときは圧迫を受け精神の平穏を著しく害されるおそれがあると認める場合であって、相当と認めるとき。

［趣旨］証人が遠隔の地に居住するため裁判所への出頭が困難であるとき、証人が法廷において証言すると精神的な負担が大きい場合には、公判廷での証言を強制することは妥当でないので、これらの場合にはいわゆるテレビ会議システムによる証人尋問を認めた。

第205条　（尋問に代わる書面の提出）〈司予書〉

裁判所は、相当と認める場合において、当事者に異議がないときは、証人の尋問に代え、書面の提出をさせることができる。

［趣旨］証人が遠隔の地に居住し、病気である等の理由により出頭が困難である場合がありうる。このような場合、陳述すべき事項について記載した書面の提出について当事者に異議がないのであれば、当該陳述に高度の信用性が認められる等の相当と認める事情がある限り、これを証拠として排除する必要はない。そこで、このような場合には証人の尋問に代えて書面を提出させ、当該書面を証拠とすることができるものと規定した。

第206条　（受命裁判官等の権限）〈同〉

　受命裁判官又は受託裁判官が証人尋問をする場合には、裁判所及び裁判長の職務は、その裁判官が行う。ただし、第202条第3項の規定による異議についての裁判は、受訴裁判所がする。

■第3節　当事者尋問

《概　説》

一　当事者尋問の意義

　当事者尋問とは、当事者本人を証拠方法とし、その経験した事実につき尋問し、当事者の供述から証拠資料を収集する証拠調べをいう。

　当事者尋問における供述は、証拠資料にすぎないから、訴訟能力は不要である〈共〉。

二　当事者尋問手続

　申立て又は職権による（207）。当事者は、自己の当事者尋問を申し立てることができ、相手方の当事者尋問を申し立てることもできる〈同〉。

　当事者尋問を命じられた当事者は、出頭、宣誓及び供述の義務を負う。これらの義務に違反すると、尋問事項に関する相手方の陳述が真実と認められる（208）。尋問手続は証人尋問手続に準じる。（210）。ただし、当事者本人を尋問する場合において、その当事者本人が正当な理由なく出頭しないときでも、勾引することはできない（210条は194条を準用していない）〈同〉。

第207条　（当事者本人の尋問）

Ⅰ　裁判所は、申立てにより又は職権で、当事者本人を尋問することができる〈共予書〉。この場合においては、その当事者に宣誓をさせることができる〈同予書〉。

Ⅱ　証人及び当事者本人の尋問を行うときは、まず証人の尋問をする。ただし、適当と認めるときは、当事者の意見を聴いて、まず当事者本人の尋問をすることができる〈同予〉。

［趣旨］本条は、当事者の申立て又は職権により当事者尋問をすることができる旨規定する（Ⅰ）。旧民訴法においては、裁判所は、証拠調べによって心証を得ることができないときに当事者尋問を行うことができると規定され、当事者尋問の補充性が定められていた。しかし、事案の解明や真の争点の把握のためには早期に当事者尋問を行う必要もある。そこで2項は、証人尋問の先行を原則としつつも、裁判

所が当事者の意見を聴いて当事者尋問を先行させることを認めるという限度で、補充性の原則を廃止した。

第208条　（不出頭等の効果）

　当事者本人を尋問する場合において、その当事者が、正当な理由なく、出頭せず、又は宣誓若しくは陳述を拒んだときは、裁判所は、尋問事項に関する相手方の主張を真実と認めることができる〈同書〉。

[趣旨]本条は、当事者本人の証拠調べの態度に問題がある場合における訴訟上の制裁規定である。すなわち、当事者本人にとって最も効果的な制裁は、自己の利益に関わる訴訟の敗訴判決と考えられることから、証人とは異なった種類の制裁が課せられている。

《注　釈》

◆　正当な理由

　一般的に、証言拒絶事由がある場合には正当性が認められると考えられている。他方、証言拒絶事由に該当しないような場合、たとえば、その陳述によって自分が敗訴するおそれがあるというような場合には、正当な理由があるとはいえない〈肝〉。

第209条　（虚偽の陳述に対する過料）

Ⅰ　宣誓した当事者が虚偽の陳述をしたときは、裁判所は、決定で、10万円以下の過料に処する。

Ⅱ　前項の決定に対しては、即時抗告をすることができる。

Ⅲ　第1項の場合において、虚偽の陳述をした当事者が訴訟の係属中その陳述が虚偽であることを認めたときは、裁判所は、事情により、同項の決定を取り消すことができる。

[趣旨]本条は、宣誓した当事者が虚偽の陳述をしたときは、証人の場合のように偽証罪を科さず、過料の制裁にとどめるものとした。当事者本人は自らの利害にかかわる事項について証言するものであり、自らに有利な虚偽の陳述をすることも無理からぬ場合もありうる。そこで、当事者本人による虚偽の陳述に対する制裁は、過料にとどめるものとしたものである。

第210条　（証人尋問の規定の準用）〈同予書〉

　第195条、第201条第2項、第202条から第204条まで及び第206条の規定は、当事者本人の尋問について準用する。

[趣旨]当事者尋問は、自らの記憶に基づいてした陳述の内容を証拠資料とする点で、証人尋問と共通する。そこで、本条は、証人尋問の規定を当事者尋問に準用するものとした。

第211条　（法定代理人の尋問）

　この法律中当事者本人の尋問に関する規定は、訴訟において当事者を代表する法定代理人について準用する〈共〉。ただし、当事者本人を尋問することを妨げない〈同書〉。

〔趣旨〕法定代理人は、当事者本人の身代わり的立場にあるため、法定代理人に対する尋問は、証人尋問とは区別して本人尋問に準じて扱うのが妥当である。そこで本条は、法定代理人に対する尋問については、当事者尋問の規定を準用するものと定めた〈共〉。

■第4節　鑑定

《概　説》

一　鑑定

　裁判官の判断能力を補充するために、学識経験のある第三者にその専門的知識や意見を報告させる証拠調べをいう。

二　鑑定人

　鑑定人にも、証人と同様、公法上の出頭義務、宣誓義務〈回〉、鑑定意見報告義務が認められるが、代替性があるところから、勾引までは認められない（216）〈予〉。鑑定人の資格は自然人に限られる〈予〉。

三　鑑定手続

　鑑定も証拠の申出の一種であるため、当事者は、鑑定を求める事項を明らかにして鑑定の申出を行う必要がある（180Ⅰ）。

　　→鑑定をより実効的かつ質の高いものとするためには、鑑定人が、鑑定事項の内容について、当該事件との関係を踏まえて十分に理解することが要請されるため、裁判所は、口頭弁論若しくは弁論準備手続の期日又は進行協議期日（民訴規95参照）において、鑑定事項の内容、鑑定に必要な資料その他鑑定のために必要な事項について、当事者及び鑑定人と協議をすることができる（民訴規129の2前段）〈予〉

　そして、鑑定を求める事項としては、①裁判官の専門外である法規又は経験則と、②経験則を適用して得られた事実判断があるところ、②事実判断の具体例としては、土地の相当賃料額の算定などが挙げられる〈予〉。

　裁判長は、鑑定人に、書面又は口頭で、意見を述べさせることができる（215Ⅰ）。そして、裁判長は、複数の鑑定人に、同一の鑑定事項について、共同鑑定又は各別の鑑定を命ずることができる（民訴規132Ⅰ）〈予〉。

　鑑定人質問においては、まず、鑑定人が意見を述べ、その後に、裁判長、鑑定の申出をした当事者、他の当事者の順に質問することを原則とした（215の2）。

　また、鑑定人が、法廷に出頭することが困難である場合に備えて、遠隔地に居住しているとき以外でも相当と認めるときは、テレビ会議システムの利用を認めた（215の3）。

第一審の手続

四　私鑑定

　当事者が学識経験ある第三者を任意に選択し、専門家としての判断を依頼してその報告書を裁判所に提出することは、一般に私鑑定と呼ばれており、実務上広く行われている。私鑑定は、正規の証拠調べとしての鑑定とは異なるものの、①民事訴訟において書証の対象となる文書の性質に制限はないこと、②必要があればその専門家に対する証人尋問によってその適格性や判断の内容について確認することができることなどを理由に、私鑑定報告書も書証として取り扱うことができると解されている〈予〉。

第212条　（鑑定義務）〈同予〉

　Ⅰ　鑑定に必要な学識経験を有する者は、鑑定をする義務を負う。
　Ⅱ　第196条又は第201条第4項の規定により証言又は宣誓を拒むことができる者と同一の地位にある者及び同条第2項に規定する者は、鑑定人となることができない。

[趣旨]本条は、鑑定に必要な学識経験を有する者の鑑定義務について規定するとともに、鑑定が誠実公正を疑わせるおそれがある一定の場合に、鑑定欠格者として鑑定人となることができないものと定めた。

第213条　（鑑定人の指定）

　鑑定人は、受訴裁判所、受命裁判官又は受託裁判官が指定する〈予〉。

[趣旨]本条は、証人尋問の場合と異なり、鑑定人の指定は受訴裁判所、受命裁判官又は受託裁判官が指定するものと定めた。これは、鑑定の目的が、裁判官が心証を形成するに当たっての経験則を証明するための資料を提供するものであるという点に基づく。

第214条　（忌避）

　Ⅰ　鑑定人について誠実に鑑定をすることを妨げるべき事情があるときは、当事者は、その鑑定人が鑑定事項について陳述をする前に、これを忌避することができる〈予〉。鑑定人が陳述をした場合であっても、その後に、忌避の原因が生じ、又は当事者がその原因があることを知ったときは、同様とする。
　Ⅱ　忌避の申立ては、受訴裁判所、受命裁判官又は受託裁判官にしなければならない。
　Ⅲ　忌避を理由があるとする決定に対しては、不服を申し立てることができない。
　Ⅳ　忌避を理由がないとする決定に対しては、即時抗告をすることができる。

[趣旨]鑑定は、裁判官の心証形成を補助するものであるから、中立性が要求される一方、鑑定人自ら見聞した事実を陳述するものではないため代替性がある。そこで、本条は、鑑定人について誠実に鑑定することを妨げるべき事情があるときは、これを忌避することができるものとし、その手続について定めた。

第215条　（鑑定人の陳述の方式等）

Ⅰ　裁判長は、鑑定人に、書面又は口頭で、意見を述べさせることができる〈刑〉。

Ⅱ　裁判所は、鑑定人に意見を述べさせた場合において、当該意見の内容を明瞭にし、又はその根拠を確認するため必要があると認めるときは、申立てにより又は職権で、鑑定人に更に意見を述べさせることができる〈刑〉。

第215条の2　（鑑定人質問）

Ⅰ　裁判所は、鑑定人に口頭で意見を述べさせる場合には、鑑定人が意見の陳述をした後に、鑑定人に対し質問をすることができる。

Ⅱ　前項の質問は、裁判長、その鑑定の申出をした当事者、他の当事者の順序でする〈同予〉。

Ⅲ　裁判長は、適当と認めるときは、当事者の意見を聴いて、前項の順序を変更することができる。

Ⅳ　当事者が前項の規定による変更について異議を述べたときは、裁判所は、決定で、その異議について裁判をする。

第215条の3　（映像等の送受信による通話の方法による陳述）〈刑〉

裁判所は、鑑定人に口頭で意見を述べさせる場合において、鑑定人が遠隔の地に居住しているときその他相当と認めるときは、最高裁判所規則で定めるところにより、隔地者が映像と音声の送受信により相手の状態を相互に認識しながら通話をすることができる方法によって、意見を述べさせることができる。

第215条の4　（受命裁判官等の権限）

受命裁判官又は受託裁判官が鑑定人に意見を述べさせる場合には、裁判所及び裁判長の職務は、その裁判官が行う。ただし、第215条の2第4項の規定による異議についての裁判は、受訴裁判所がする。

第216条　（証人尋問の規定の準用）〈刑〉

第191条の規定は公務員又は公務員であった者に鑑定人として職務上の秘密について意見を述べさせる場合について、第197条から第199条までの規定は鑑定人が鑑定を拒む場合について、第201条第1項の規定は鑑定人に宣誓をさせる場合について、第192条及び第193条の規定は鑑定人が正当な理由なく出頭しない場合、鑑定人が宣誓を拒む場合及び鑑定拒絶を理由がないとする裁判が確定した後に鑑定人が正当な理由なく鑑定を拒む場合について準用する。

第217条　（鑑定証人）

特別の学識経験により知り得た事実に関する尋問については、証人尋問に関する規定による。

［趣旨］本条は、過去に経験した事実に関する尋問は、特別の学識経験によって認識しえたものであっても、証人尋問として行うことを定める〈刑〉。

第218条　（鑑定の嘱託）

Ⅰ　裁判所は、必要があると認めるときは、官庁若しくは公署、外国の官庁若しくは公署又は相当の設備を有する法人に鑑定を嘱託することができる〈㋙〉。この場合においては、宣誓に関する規定を除き、この節の規定を準用する。

Ⅱ　前項の場合において、裁判所は、必要があると認めるときは、官庁、公署又は法人の指定した者に鑑定書の説明をさせることができる。

[趣旨] 事実の認定に必要な学識経験が個人では保有困難な場合や、鑑定のために組織・設備を必要とする場合がありうる。そこで、本条は、必要があるときは、官庁、公署又は法人に鑑定を嘱託できるものとした。

■第5節　書証

《概　説》

一　書証の意義〈司R4〉

1　書証とは、文書に記載された特定人の意思や認識などの意味内容を証拠資料とする証拠調べをいい、その文書が証拠方法となる。

2　文書とは、「文字その他の記号を使用して人間の思想、判断、認識、感情等の思想的意味を可視的状態に表示した有形物」（大阪高決昭53.3.6）をいう。

これに対し、地図、写真、境界標等は、文字その他の記号を用いて作成者の思想が表現されたものではない点で文書には当たらないが、図面、写真、録音テープ、ビデオテープ、その他の情報を表すために作成された物件（準文書）は、文書に準じて書証の手続で取り調べる（231、規147）。

3　当該訴訟における証拠調べの結果を記載した文書（当該訴訟の証人尋問調書、鑑定書等）は書証の対象とならない。他方、他の訴訟における訴訟記録内の文書（他の訴訟において行われた証人尋問調書等）は書証の対象となる〈㋙〉。

二　文書の種類

1　公文書・私文書

公文書とは、公務員がその権限に基づき職務上作成した文書をいい、それ以外を私文書という。

2　処分証書・報告文書

処分証書とは、法律行為がその書面によってなされている文書をいう（手形や遺言書、契約書等）。それ以外の、作成者の見解や意見等を述べた文書を報告文書という（日記、診断書、帳簿等）。

3　原本・正本・謄本・抄本

①原本とは、作成者が作った元の文書をいい、②正本とは、原本と同一効力をもたせるため公証権限を有する公務員が作成した写しのことをいう。③謄本とは、原本の内容をそのまま写したものをいい、④抄本とは、原本のうち関係部分のみの写しのことをいう。

三　文書の証拠力

1　形式的証拠力

(1)　形式的証拠力とは、当該文書が、挙証者の主張する特定人の思想表明として作成されたと認められることをいう。

cf.1　偽造文書は、偽造者たる作成者の意思・認識を表明する文書であるから、当該文書の作成者は偽造者であると主張する場合には、形式的証拠力が認められることとなる〈司〉

cf.2　物理的に一通の書面でも、債務者とその連帯保証人の署名がある借用証書のように、異なる作成者による作成部分が混在している場合には、作成者は複数となり得る〈司〉

(2)　二段の推定〈司共予〉〈司H19 司H24〉

公文書には推定規定があるので（228 II）、争う相手方が証拠を提出し、真正の推定を覆さなければならない。これに対し、私文書の真正が争われるとき、挙証者はその成立の真正を証明しなければならない（228 I）。ただし、私文書に本人・代理人の署名又は押印があるときは、その文書の成立の真正（文書が作成名義人の意思に基づいて作成されたこと）が推定される（228 IV）〈共書〉。

→ここにいう「推定」（後述する第2段の推定）の意義について、通説はいわゆる法定証拠法則（証拠に関する経験則を法律が条文で定めたもの）と解しており、相手方がその推定を覆すために行う証明としては反証で足りるとする（一方、法律上の推定と解する見解によれば、証明責任が転換されていることから、相手方がその推定を覆すために行う証明としては反証では足りず、本証（反対事実の証明）まで必要となる）〈司H19〉

判例（最判昭 39.5.12・百選 68 事件）は、文書中の印影が本人・代理人の印章によるものであれば、他人の手による押印であることの反証なき限り、その印影は本人・代理人の意思に基づき真正に成立したものとの事実上の推定が働くとする〈司予〉。すなわち、①私文書に押された印章の印影が、作成名義人の印章と一致する場合には、反証のない限り、作成名義人の意思に基づき押印されたことが事実上推定される（第1段の推定、判例）。次に、②名義人の意思に基づき押印されているときは、文書全体が作成名義人の意思に基づき真正に成立したことが推定される（第2段の推定、228 IV、法定証拠法則）〈共〉。以上、①、②をあわせて、二段の推定という。

なお、作成名義人とは、当該文書に現れた意思や認識の主体を意味し、必ずしも物理的に文字等を記入した者に限られない（ex. 依頼を受けて使者が文書を作成した場合、作成名義人は依頼した者である〈司〉）。

また、二段の推定が働かない文書（ex. 作成者をAとして提出されたが、

Aの署名も押印もない文書）の成立の真正について、判例（最判昭27.10.21）は、裁判所において弁論の全趣旨及び証拠調べの結果を斟酌し、自由な心証によって判断することができるとしている〈共予〉。なお、本人名義の署名がある場合、その署名があることのみをもって当該署名が本人の意思に基づいてされたものと事実上推定されることはなく、筆跡を対照すること（229 I）等によりそれを証明できた場合に、文書全体の真正が推定される（228 IV）〈予〉。

　そして、文書の成立の真正が証明された場合、相手方が文書の成立を否認するには、理由を明らかにしなければならない（規145）。その際、相手方が理由を明示しない成立の認否や単なる不知の否認しかしないときは、特段の立証をまたずに文書の成立の真正が認定される〈司〉。

2　実質的証拠力〈共〉〈司H24〉

　実質的証拠力とは、特定人の意思や認識などの意味内容を表現する真正の文書の記載内容が心証形成の資料となって要証事実を証明するのに役立つ程度をいう。

　処分証書は、作成者がその文書によって法律行為をしたものであるから、実質的証拠力が高い。そのため、処分証書の成立の真正が認められるときは、文書に記載されたとおりの法律行為がなされたと認めることができる〈司〉。

＜書証提出の流れ＞

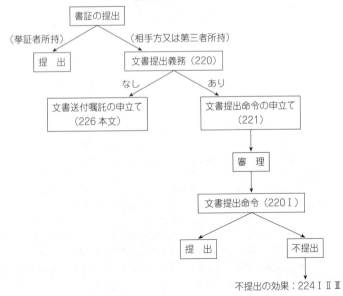

第219条　（書証の申出）

書証の申出は、文書を提出し、又は文書の所持者にその提出を命ずることを申し立ててしなければならない。

[趣旨] 書証の申出は、当事者の申出によることを原則とする。その方法について、本条は、挙証者自ら文書を提出する方法、相手方又は第三者が文書を所持する場合には文書提出命令の申立てによる方法を規定している。

《注　釈》

◆　書証手続

1　書証は、その申出によって開始する。書証の申出は、

① 挙証者が文書を所持する場合はこれを提出してする（219）。

② 相手方当事者又は第三者の所持する文書は、それらの者が提出義務を負う場合には、それらの者に対する「文書提出命令」を申し立てることによって行う（219、規140）。

③ 文書の所持者に提出義務がなくても、所持者の協力を得る見込みがあれば、裁判所に対して、所持者に対する文書送付嘱託をすることを求める申立てによってもなされる（226本文）。

2　提出された文書の証拠調べは、裁判所が、その文書を閲読することによって行われ、かつ完了する。書証の申出をした者が当該文書を朗読し、又はその要旨を告げることまでは必要ない<判>。

第220条　（文書提出義務）

次に掲げる場合には、文書の所持者は、その提出を拒むことができない<判>。

① 当事者が訴訟において引用した文書を自ら所持するとき<判>。

② 挙証者が文書の所持者に対しその引渡し又は閲覧を求めることができるとき。

③ 文書が挙証者の利益のために作成され、又は挙証者と文書の所持者との間の法律関係について作成されたとき。

④ 前3号に掲げる場合のほか、文書が次に掲げるもののいずれにも該当しないとき。

　　イ　文書の所持者又は文書の所持者と第196条各号に掲げる関係を有する者についての同条に規定する事項が記載されている文書

　　ロ　公務員の職務上の秘密に関する文書でその提出により公共の利益を害し、又は公務の遂行に著しい支障を生ずるおそれがあるもの<供>

　　ハ　第197条第1項第2号に規定する事実又は同項第3号に規定する事項で、黙秘の義務が免除されていないものが記載されている文書

　　ニ　専ら文書の所持者の利用に供するための文書（国又は地方公共団体が所持する文書にあっては、公務員が組織的に用いるものを除く。）<判>

　　ホ　刑事事件に係る訴訟に関する書類若しくは少年の保護事件の記録又はこれらの事件において押収されている文書

[趣旨]現代社会において、文書の証拠としての価値・必要性は他の証拠方法と比べて高い。そこで、本条以下において文書提出命令の制度を設け、本条は文書提出義務の原因について規定した。その際、1号から3号までにおいて個別の文書提出義務を定め、それに加えて4号で文書の一般的提出義務を規定する一方、文書の所持者あるいは文書の記載内容に一定の関係を有する者の利益に配慮して、一定の文書を提出義務の対象から除外した。

《注　釈》

◆　文書提出義務

　以下の場合、文書の所持者は、文書の提出を拒むことができない。文書提出義務は、提出書類の範囲が限られた制限的な義務ではなく、証人義務と同様に一般的義務である。

1　当事者が訴訟において引用した文書を自ら所持するとき（引用文書）

2　挙証者が文書の所持者に対しその引渡し又は閲覧を求めることができるとき（引渡・閲覧請求権ある文書）

　挙証者が私法上の引渡・閲覧請求権を有する場合がこれに当たるが、法令上のもの（民646Ⅰ、会442Ⅲ等）でも、契約上のものでもよい。

3　文書が挙証者の利益のために作成され（利益文書）、又は挙証者と文書の所持者との間の法律関係について作成されたとき（法律関係文書）

（1）利益文書：挙証者の権利・法的地位を基礎付けるために作成された文書

　挙証者を代理人とする委任状、領収書、挙証者を遺言者とする遺言書、医師の作成する診療録（東京高決昭59.9.17）等がこれに当たる。

（2）法律関係文書：挙証者と文書の所持者との間の法律関係について作成された文書

　ここにいう法律関係は、当事者間のものではなく、当事者の一方と所持者との間のものであることが特徴である。

　法律関係文書に該当するか否かは、当該文書の記載内容やその作成の経緯及び目的等を斟酌して判断すべきである（最決令2.3.24・令2重判3①事件）。なお、法律関係文書に該当するとしても、刑訴法47条本文の「訴訟に関する書類」に基づいて提出が拒否されることがある。

　また、判例（最決平11.11.12・百選66事件）は、問題となっている文書が「専ら文書の所持者の利用に供するための文書」（220④ニ、自己利用文書）に当たる場合には、当該文書が法律関係文書に該当しないことはいうまでもないとしている（予）。

▼　**東京地決昭47.3.18**

決旨：　診療録は、患者にとって医師の診療行為の適否を判断するための資料たるべき事項が、法律の要請により記載されている文書であるから、医療過誤訴訟の場合、診療契約という法律関係につき作成された文書に当たるとして、文書提出命令の要件を満たしていることを認めた。

▼　**最決平12.3.10・百選〔第三版〕78事件**

決旨：　教科書検定をめぐる訴訟で、教科書検定調査審議会の作成文書が法律関係文書に該当するかが争われた事案において、民訴法220条3号後段の文書には、文書の内部者が専ら自己使用のために作成した内部文書は含まれないと解するのが相当であるとした上で、教科書検定審議会は、同作成文書に関して、文書提出義務を負わないとした。

4　前3号に掲げる場合のほか、文書が次に掲げるもののいずれにも該当しないとき（220④、一般義務文書）

(1)　文書の所持者又は文書の所持者と第196条各号に掲げる関係を有する者についての同条に規定する事項が記載されている文書（220④イ）

　　220条4号イは、196条柱書の趣旨（⇒ p.332）を書証においても実現するため、文書の所持者又は文書の所持者と196条各号に掲げる関係を有する者の文書提出義務を否定するものである。

(2)　公務員の職務の秘密に関する文書でその提出により公共の利益を害し、又は公務の遂行に著しい支障を生ずるおそれがあるもの（220④ロ、公務秘密文書）

▼　**最決平17.10.14・百選A21事件**

事案：　労働基準監督署長が保管する労災事故に関する災害調査復命書が、公務秘密文書（220④ロ）に該当するかが争われた。

決旨：　「公務員の職務上の秘密」とは、「公務員が職務上知り得た非公知の事項であって、実質的にもそれを秘密として保護するに値すると認められるもの」をいい、「公務員の所掌事務に属する秘密だけでなく、公務員が職務を遂行する上で知ることができた私人の秘密であって、それが本案事件において公にされることにより、私人との信頼関係が損なわれ、公務の公正かつ円滑な運営に支障を来すこととなるものも含まれる」（公務秘密性）。次に、「その提出により公共の利益を害し、又は公務の遂行に著しい支障を生ずるおそれがある」とは、「単に文書の性格から公共の利益を害し、又は公務の遂行に著しい支障を生ずる抽象的なおそれがあることが認められるだけでは足りず、その文書の記載内容からみてそのおそれの存在することが具体的に認められることが必要である」（公務遂行阻害性）。災害調査復命書は、公務秘密性について肯定されたが、公務遂

行阻害性については更に審理を尽くさせる必要があるとして、原審に差し戻した。

▼ 最決平25.4.19・平25重判3事件

事案： 国が所持する全国消費実態調査の調査票情報を記録した準文書（電磁的媒体に記録される形式で保管されているもの）が公務秘密文書に該当するか、特に私的情報に関する公務遂行阻害性の有無が争われた。

決旨： 仮に本件準文書が本案訴訟において提出された場合、「調査情報に含まれる個人の情報が保護されることを前提として任意に調査に協力した被調査者の信頼を著しく損ない、ひいては、被調査者の任意の協力を通じて統計の真実性及び正確性を担保することが著しく困難となることは避け難いものというべきであって、これにより、基幹統計調査としての全国消費実態調査に係る統計業務の遂行に著しい支障をもたらす具体的なおそれがある」。したがって、本件準文書は、「その提出により……公務の遂行に著しい支障を生ずるおそれがあるもの」（231、220④ロ）に当たる。

(3) 197条1項2号に規定する事実又は同項3号に規定する事項で、黙秘の義務が免除されていないものが記載されている文書（220④ハ、証言拒絶事由該当文書）〈司H30〉

(a) 趣旨

220条4号ハは、197条1項2号・3号が証言拒絶権を認めて保護している秘密について、書証提出の場面でもその秘密を保護する趣旨の規定であり、保護の対象もこれに対応して、①197条1項2号にかかる専門職の職務上の秘密（220④ハ前段）と、②同3号にかかる技術又は職務上の秘密（220④ハ後段）に分けられている。

なお、①の類型の対象となる職業は、原則として限定列挙であるが、197条同様、法令により守秘義務が課されている職業等への類推適用が認められるものと解されている。

(b) 専門職の職務上の秘密（220④ハ前段）に関する判例

「黙秘すべきもの」（220④ハ前段・197Ⅰ②）の意義について、以下の判例がある。

▼ 最決平16.11.26・平16重判3事件

決旨： 保険管理人が、経営破綻の原因等を明らかにするため弁護士及び公認会計士を委員とする調査委員会に作成させた調査報告書が、民訴法220条4号ハ所定の文書に該当するか問題になった事案において、民訴法197条1項2号所定の「黙秘すべきもの」とは、一般に知られていない事実のうち、弁護士等に事務を依頼した本人が、これを秘匿することに

ついて、単に主観的利益だけではなく、客観的にみて保護に値するような利益を有するものをいうとした上で、本件文書に記載されている事実は、同号所定の「黙秘すべきもの」に当たらないとした。

(c) 技術又は職務上の秘密（220 ④ハ後段）に関する判例

▼ **最決平 12.3.10・百選 A20 事件**〖刑〗

決旨： 民訴法 197 条 1 項 3 号所定の「技術又は職業の秘密」とは、その事項が公開されると、当該技術の有する社会的価値が下落しこれによる活動が困難になるもの又は当該職業に深刻な影響を与え以後その遂行が困難になるものをいうとした上で、文書提出命令の申立てがなされた機器の回路図及び信号図に機器メーカーの技術上の情報が記載されていることから直ちに「技術又は職業の秘密」を記載した文書に当たるということはできないとした。

▼ **最決平 19.12.11・百選〔第4版〕A23 事件**〖刑〗

事案： Aの相続人であるXらは、共同相続人であるBに対して、Aの遺産に属する不動産の共有持分権確認等を求める訴えを提訴した。本件訴訟において、Xらは、Y信用金庫に対して、BとYとの間の取引履歴が掲載された取引明細表の文書提出命令を申し立てた。この申立てにおいて、本件明細表の記載内容が「職業の秘密」に該当するかが争われた（民訴法 220 条 4 号ハ・197 条 1 項 3 号）。

決旨： 「金融機関は、顧客との取引内容に関する情報や顧客との取引に関して得た顧客の信用にかかわる情報などの顧客情報につき、商慣習上又は契約上、当該顧客との関係において守秘義務を負い、その顧客情報をみだりに外部に漏らすことは許されない。しかしながら、金融機関が有する上記守秘義務は、上記の根拠に基づき個々の顧客との関係において認められるにすぎないものであるから、金融機関が民事訴訟において訴訟外の第三者として開示を求められた顧客情報について、当該顧客自身が当該民事訴訟の当事者として開示義務を負う場合には、当該顧客は上記顧客情報につき金融機関の守秘義務により保護されるべき正当な利益を有さず」、訴訟手続において上記顧客情報を開示しても守秘義務には違反しない。

　　　BとYとの間の取引履歴が掲載された本件取引明細表は「金融機関がこれにつき職業の秘密として保護に値する独自の利益を有する場合は別として、民訴法 197 条 1 項 3 号にいう職業の秘密として保護されない」。

▼ **最決平 20.11.25・百選 65 事件**

事案： 経営破たんした企業AのメインバンクであるYに対し、Xらが、YはAの経営状態について正確な情報をXらに提供すべき注意義務を怠った

として、損害賠償請求を提起した。ＸＹ間の訴訟において、ＸらがＹに対し、Ｙが保有するＡに関する文書の提出を求めた。

決旨：　　上記最決平19.12.11・百選〔第4版〕A23事件及び最決平12.3.10・百選A20事件の判旨を引用した上で、顧客が開示義務を負う顧客情報については、金融機関は、訴訟手続上、顧客に対し守秘義務を負うことを理由としてその開示を拒絶することはできず、同情報は、金融機関がこれにつき職業の秘密として保護に値する独自の利益を有する場合は別として、職業の秘密として保護されるものではないと判示し、Ｙは、文書の提出を拒絶することはできないとした。

＊　最決平19.12.11・百選〔第4版〕A23事件は、「金融機関が民事訴訟において訴訟外の第三者として開示を求められた顧客情報について」と判示していたため、本判例の事案のように、金融機関が訴訟当事者となり、訴外第三者である顧客に関する文書の提出を求められた場合にも、その射程が及ぶかが問題となっていたが、本判例により、本判例のような場合にも射程が及ぶことが明らかになった。

(4)　専ら文書の所持者の利用に供するための文書（国又は地方公共団体が所持する文書にあっては、公務員が組織的に用いるものを除く）（220④ニ、自己利用文書）　同R元

　　判例上、①外部非開示性と②開示による重大な不利益が認められる場合には、③特段の事情がない限り、自己利用文書に当たると判断されている（最決平11.11.12・百選66事件）。

▼　最決平11.11.12・百選66事件　択

決旨：　　ある文書が、その作成目的、記載内容、これを現在の所持者が所持するに至るまでの経緯、その他の事情から判断して、専ら内部の者の利用に供する目的で作成され、外部の者に開示することが予定されていない文書であって、開示されると個人のプライバシーが侵害されたり個人ないし団体の自由な意思形成が阻害されたりするなど、開示によって所持者の側に看過し難い不利益が生ずるおそれがあると認められる場合には、特段の事情がない限り、当該文書は民訴法220条4号ハ（現ニ）所定の「専ら文書の所持者の利用に供するための文書」に当たると解するのが相当である。

▼　最決平23.10.11・平23重判3事件

事案：　　Ｙ弁護士会から戒告の懲戒処分を受けた弁護士Ｘが、Ｙの綱紀委員会における議論の経過を立証するために必要であるとして、Ｙの所持する(1)平成21年5月15日に開催されたＹの綱紀委員会の議事録のうち本年懲戒処分の議事に関する部分、(2)上記(1)の議事に関して委員に配布された議案書の各文書について、文書提出命令の申立てをした。

第一審の手続

決旨： 弁護士会の綱紀委員会の議事録等のうち審議の内容である「重要な発言の要旨」に当たる部分は、弁護士会の綱紀委員会内部における意思形成過程に関する情報が記載されているものであり、その記載内容に照らして、これが開示されると、綱紀委員会における自由な意見の表明に支障を来し、その自由な意思形成が阻害されるおそれがあるから、220条4項ニ所定のいわゆる自己利用文書に該当する。

▼ 最決平 25.12.19・平 26 重判 3 事件

事案： 国立大学法人が、「国又は地方公共団体」（220④ニ括弧書）に該当するかが争われた。

決旨： 国立大学法人は、法律上、業務運営等に国の一定の関与があり、その役員及び職員は罰則の適用につき公務に従事する職員とみなされ、その保有する情報について国の行政機関の場合とほぼ同様に開示すべきものとされている。「これらを考慮すれば、国立大学法人は、民訴法220条4号ニの『国又は地方公共団体』に準ずるものと解される。」「そうすると、国立大学法人が所持し、その役員又は職員が組織的に用いる文書についての文書提出命令の申立てには、民訴法220条4号ニ括弧書部分が類推適用されると解するのが相当である」。

▼ 最決平 26.10.29・平 26 重判 4 事件

事案： 岡山県議員の所持する、政務調査費のうち1万円以下の支出に係る領収書その他の証拠書類等及び会計帳簿（以下「本件各文書」という。）について、文書提出命令の申立てがされた。

決旨： 最決平 11.11.12・百選 66 事件の判断枠組みを引用した上で、本件条例の委任に基づく規程により保存等を義務付けられた本件各文書は、議長において本件条例に基づく調査を行う際に必要に応じて直接確認することが予定されている旨判示し、「本件各文書は、外部の者に開示することが予定されていない文書であるとは認められない」として、本件各文書は「専ら文書の所持者の利用に供するための文書」（220④ニ）に当たらないとした。

* 類似の事件として、議員が議会の議長に提出した政務活動費の支出に係る領収書等について、議長又は議会のいずれが「文書の所持者」（220柱書本文）に該当するのかが争われた事件につき、判例（最決平 29.10.4・平 29 重判 4 事件）は、「地方公共団体の機関が文書を保管する場合において、当該地方公共団体は、当該機関の活動に係る権利及び義務の主体であるから、……当該文書を裁判所に提出すべき義務」を負うとし、「地方公共団体は、その機関が保管する文書について、文書提出命令の名宛人となる文書の所持者に当たる」とした。

<自己利用文書に関する判例の整理>

	文書の種類・自己利用文書該当性（結論）	外部非開示性	重大な不利益	特段の事情
最決平11.11.12・百選66事件	銀行の貸出稟議書 →肯定	肯定	銀行内部における自由な意見の表明に支障を来し、銀行の自由な意思形成が阻害される →肯定	否定
最決平12.3.10・百選A20事件	機器の回路図及び信号の流れ図 →差戻審	肯定	原決定は内部性から直ちに自己利用文書に当たると判断しており、具体的内容に照らし、具体的な判断をしていない →差戻し	
最決平12.12.14・平12重判4事件	信用金庫の貸出稟議書 →肯定	肯定	肯定	特段の事情とは、文書提出命令の申立人がその対象である信用金庫と同一視できる場合をいうとし、会員代表訴訟を提起することができるとしても、信用金庫と同一視することはできない →否定
最決平13.12.7・平13重判1事件	整理回収機構が所持する貸出稟議書 →否定	肯定	肯定	・文書作成者は破綻しており将来において貸出業務を自ら行うことはない ・所持者は法律の規定に基づいて債権回収に当たっており、意思形成阻害のおそれはない →肯定

	文書の種類・自己利用文書該当性（結論）	外部非開示性	重大な不利益	特段の事情
最決平16.11.26・平16重判3事件	保険業法に基づき作成された調査報告書 →否定	法令上の根拠を有する命令に基づく調査の結果を記載した文書 →否定		
最決平17.11.10・平17重判4事件	政務調査費の交付を受けた会派が所持する調査研究報告書 →肯定	肯定	肯定	否定
最決平18.2.17・平18重判3事件	銀行の社内通達文書 →否定	肯定	・業務執行に関する意思決定の内容等を周知伝達するためのものであり、内部意思が形成される過程で作成されるものではない ・プライバシーに関する情報や営業秘密に関する事項が記載されているものではない →否定	
最決平19.8.23・平19重判4事件	介護サービスリスト →否定	介護給付費等の請求のために審査支払期間に伝達した情報の請求者側の控えというべき性質のもので、第三者への開示が予定されている文書 →否定		
最決平19.11.30・平19重判5事件	銀行の自己査定文書 →否定	資産査定の検査において資産査定の正確性を裏付ける資料として必要とされる文書 →否定		

	文書の種類・自己利用文書該当性（結論）	外部非開示性	重大な不利益	特段の事情
最決平23.10.11・平23重判3事件	弁護士会綱紀委員会議事録→肯定	肯定	開示されると、綱紀委員会における自由な意見の表明に支障を来し、その自由な意思形成が阻害されるおそれがある→肯定	否定
最決平25.12.19・平26重判3事件	国立大学のハラスメント調査委員会の調査報告書、調査対象者のヒアリング記録及び調査委員会・対策委員会の議事録→否定（＊）			
最決平26.10.29・平26重判4事件	政務調査費の1万円以下の支出に係る領収書その他の証拠書類等及び会計帳簿→否定	条例の趣旨に鑑みて必要に応じ議長への提出が予定されている文書→否定		

＊　220条4号ニかっこ書部分を類推適用して、自己利用文書該当性を否定している。

(5)　刑事事件に係る訴訟に関する書類若しくは少年の保護事件の記録又はこれらの事件において押収されている文書（220④ホ、刑事事件関係文書）

220条4号ホは、刑事事件関係書類を開示すべきか否かを刑事手続上の開示制度に係る規律に委ねる趣旨で、刑事事件関係書類を提出が義務付けられる文書から一律に除外したものである。

→刑事事件関係書類に該当するか否かを判断するに当たっては、当該文書が民事訴訟に提出された場合の弊害の有無や程度を個別に検討すべきではなく、被告事件若しくは被疑事件に関して作成され又はこれらの事件において押収されている文書等であれば当然に刑事事件関係書類に該当する（最決令2.3.24・令2重判3②事件）

もっとも、刑事事件関係文書であっても、引用文書（220①）又は法律関係文書（同③後段）に該当する場合であり、かつ、民事訴訟において当該文書を取り調べる必要性と、当該文書が開示されることによる関係者や刑事手続等に生じる弊害などを総合考慮して、文書の保管者が提出を拒否したこと

第一審の手続

が、その裁量権の範囲を逸脱・濫用したと認められるときは、裁判所は、当該文書の提出を命ずることができる。

→イン・カメラ手続の対象外である（223 VI前段）〈予書〉

▼ 最決平 16.5.25・百選 67 事件

決旨：　「民事訴訟の当事者が、民訴法 220 条 3 号後段の規定に基づき、刑訴法 47 条所定の『訴訟に関する書類』に該当する文書の提出を求める場合においても、……当該文書が法律関係文書に該当する場合であって、かつ、その保管者が提出を拒否したことが、民事訴訟における当該文書を取り調べる必要性の有無、程度」、当該文書が開示されることによる被告人、被疑者及び関係者の名誉、プライバシーが侵害されたり、公序良俗が害されることになったり、又は捜査、刑事裁判が不当な影響を受けたりするなどの「弊害発生のおそれの有無等の諸般の事情に照らし、その裁量権の範囲を逸脱し、又は濫用するものであると認められるときは、裁判所は、当該文書の提出を命ずることができる」。

▼ 最決平 17.7.22・平 17 重判 1 事件〈供〉

決旨：　警察官の捜索・差押えが違法であるとして提起された国家賠償請求訴訟において、被告東京都が所持している捜索差押令状請求書・同許可状について、文書提出命令を申し立てた事案について、裁判所は、捜索差押令状請求書等が法律関係文書に該当するとした。その上で、前掲最決平 16.5.25・百選 67 事件の枠組みに従い、①捜索差押許可状については提出義務を認めたが、②捜索差押令状請求書については提出義務がないとした。

▼ 最決平 19.12.12・平 20 重判 5 事件

決旨：　勾留請求の資料として検察官が裁判官に提供した供述調書等は、刑訴規則 148 条 1 項 3 号所定の資料として 220 条 3 号後段の法律関係文書に該当する。

　　　　もっとも、当該文書は公判に提出されていなかったため、前掲最決平 16.5.25・百選 67 事件の枠組みに従い「訴訟に関する書類」（刑訴法 47 但書）の文書提出義務の当否を判断すべきとした。その上で、①本件の勾留決定は準抗告により取り消されており勾留要件をみたしていなかった可能性があるから本件文書を取調べる必要があり、②本件勾留の基礎となった強姦被疑事件については既に被害者が被告人に対し損害賠償請求訴訟を提起しているので被害者の名誉・プライバシー侵害のおそれもなく、③本件文書の開示により本件被疑事件及び同種の事件の捜査・公判への不当な影響が生じるおそれもない、と判示して文書提出義務を認めた。

▼ **最決平31.1.22・令元重判4事件**

決旨： 民事訴訟の当事者が、民訴法220条1号の規定（引用文書）に基づき刑事事件関係文書（220④ホ）の提出を求める場合においても、引用されたことにより当該文書自体が公開されないことによって保護される利益の全てが当然に放棄されたものとはいえないから、法律関係文書（220③後段）の場合（前掲最決平16.5.25・百選67事件）と同様に解すべきである。

「刑事事件の捜査に関して作成された書類の写しで、それ自体もその原本も公判に提出されなかったものを、その捜査を担当した都道府県警察を置く都道府県が所持し、当該写しについて引用文書又は法律関係文書に該当するとして文書提出命令の申立てがされた場合においては、当該原本を検察官が保管しているときであっても、当該写しが引用文書又は法律関係文書に該当し、かつ、当該都道府県が当該写しの提出を拒否したことが」、民事訴訟における当該文書を取り調べる必要性の有無、程度、当該文書が開示されることによる被告人、被疑者及び関係者の名誉、プライバシーの侵害、捜査や公判に及ぼす不当な影響等の弊害発生のおそれの有無等「の諸般の事情に照らし、その裁量権の範囲を逸脱し、又はこれを濫用するものであると認められるときは、裁判所は、当該写しの提出を命ずることができる」。

第221条 （文書提出命令の申立て）

Ⅰ　文書提出命令の申立ては、次に掲げる事項を明らかにしてしなければならない。

① 文書の表示

② 文書の趣旨

③ 文書の所持者

④ 証明すべき事実

⑤ 文書の提出義務の原因

Ⅱ　前条第4号に掲げる場合であることを文書の提出義務の原因とする文書提出命令の申立ては、書証の申出を文書提出命令の申立てによってする必要がある場合でなければ、することができない〈予〉。

[趣旨] 文書提出命令の申立ては、相手方の所持する文書の提出を強制する点で、相手方に不利益を強いるものである以上、自らの努力によっては文書を提出できない場合に限って文書提出命令を認めるべきとの考慮により、文書提出命令の申立ての必要的記載事項を規定した。

第222条　（文書の特定のための手続）〈囲〉

Ⅰ　文書提出命令の申立てをする場合において、前条第1項第1号又は第2号に掲げる事項を明らかにすることが著しく困難であるときは、その申立ての時においては、これらの事項に代えて、文書の所持者がその申立てに係る文書を識別することができる事項を明らかにすれば足りる〈図〉。この場合においては、裁判所に対し、文書の所持者に当該文書についての同項第1号又は第2号に掲げる事項を明らかにすることを求めるよう申し出なければならない。

Ⅱ　前項の規定による申出があったときは、裁判所は、文書提出命令の申立てに理由がないことが明らかな場合を除き、文書の所持者に対し、同項後段の事項を明らかにすることを求めることができる。

[趣旨] 文書提出命令の申立てを行うに当たって、挙証者は文書の表示、趣旨を明らかにしなければならないのが原則である（221Ⅰ①、②）。しかし、文書提出命令の申立ての対象となる文書は通常、相手方当事者又は第三者の下にあるため、挙証者にとって文書の表示、趣旨を明らかにすることが困難な場合がありうる。そこで、そのような場合に挙証者の困難を回避するため、申立てのときにおいては、文書の表示、趣旨に代えて、文書の所持者が申立てに係る文書を識別することができる事項を明らかにすれば足りるものとした。

《注　釈》

▼　**東京高決昭47.5.22・百選〔第三版〕81事件**

決旨：　原子炉の撤去を求める妨害予防請求訴訟において、安全性に関する資料たる「臨海実験装置設置許可申請書」の提出を申し立てる場合、221条4号の証拠をもって「証明すべき事実」とは、原子炉の構造・運転・安全装置等に関する具体的事実をいう。

▼　**最決平13.2.22・百選〔第三版〕A27事件**

決旨：　文書提出命令申立てに当たり対象文書をどの程度特定すべきかについて、包括的な文書の表示であっても、所持者自身の知識や情報を加味することにより対象文書の特定が可能となる場合には個々の文書の表示及び趣旨が明示されていないとしても、文書提出命令の申立ての対象文書の特定として不足するところはないとした。

第２２３条　（文書提出命令等）

Ⅰ　裁判所は、文書提出命令の申立てを理由があると認めるときは、決定で、文書の所持者に対し、その提出を命ずる。この場合において、文書に取り調べる必要がないと認める部分又は提出の義務があると認めることができない部分があるときは、その部分を除いて、提出を命ずることができる〈同共書〉。

Ⅱ　裁判所は、第三者に対して文書の提出を命じようとする場合には、その第三者を審尋しなければならない〈予書〉。

Ⅲ　裁判所は、公務員の職務上の秘密に関する文書について第220条第４号に掲げる場合であることを文書の提出義務の原因とする文書提出命令の申立てがあった場合には、その申立てに理由がないことが明らかなときを除き、当該文書が同号ロに掲げる文書に該当するかどうかについて、当該監督官庁（衆議院又は参議院の議員の職務上の秘密に関する文書についてはその院、内閣総理大臣その他の国務大臣の職務上の秘密に関する文書については内閣。以下この条において同じ。）の意見を聴かなければならない。この場合において、当該監督官庁は、当該文書が同号ロに掲げる文書に該当する旨の意見を述べるときは、その理由を示さなければならない〈予〉。

Ⅳ　前項の場合において、当該監督官庁が当該文書の提出により次に掲げるおそれがあることを理由として当該文書が第220条第４号ロに掲げる文書に該当する旨の意見を述べたときは、裁判所は、その意見について相当の理由があると認めるに足りない場合に限り、文書の所持者に対し、その提出を命ずることができる〈予書〉。

①　国の安全が害されるおそれ、他国若しくは国際機関との信頼関係が損なわれるおそれ又は他国若しくは国際機関との交渉上不利益を被るおそれ

②　犯罪の予防、鎮圧又は捜査、公訴の維持、刑の執行その他の公共の安全と秩序の維持に支障を及ぼすおそれ

Ⅴ　第３項前段の場合において、当該監督官庁は、当該文書の所持者以外の第三者の技術又は職業の秘密に関する事項に係る記載がされている文書について意見を述べようとするときは、第220条第４号ロに掲げる文書に該当する旨の意見を述べようとするときを除き、あらかじめ、当該第三者の意見を聴くものとする。

Ⅵ　裁判所は、文書提出命令の申立てに係る文書が第220条第４号イからニまでに掲げる文書のいずれかに該当するかどうかの判断をするため必要があると認めるときは、文書の所持者にその提示をさせることができる。この場合においては、何人も、その提示された文書の開示を求めることができない〈同予〉。

Ⅶ　文書提出命令の申立てについての決定に対しては、即時抗告をすることができる〈予〉。

《注　釈》

◆　文書提出命令

1　裁判所は、当事者からの申立てに対して、理由の有無を決定手続によって審理して文書の提出を命ずることができる（Ⅰ）〈共〉。

第
一
審
の
手
続

2　提出を申し立てられた文書が220条4号の一般義務に該当する場合は、裁判所は、当該文書が例外事由（220④イ・ロ・ハ・ニ）に当たらないかを判断するために、文書所持者に当該文書を提示させることができる（イン・カメラ手続、223Ⅵ）〈同予書〉。提示された文書は裁判官のみに開示され、他の人は開示請求をすることはできない。裁判所がイン・カメラ手続により、当該文書を提出義務がないと判断して証拠として採用しなかった場合、提示文書の閲読の結果を証拠資料とすることはできないことから、裁判所は当該文書を閲読しなかったものとして本案についての心証を形成しなければならない。

3　即時抗告の理由は、文書提出義務の存否に関するものに限られる〈予〉。

　証拠調べの必要性を欠くことを理由とする文書提出命令の申立てを却下する決定に対しては、その必要性があることを理由に独立の不服申立てをすることはできない（最決平12.3.10・百選A20事件）〈予書〉。

▼　**最決平12.12.14・百選〔第三版〕A28事件**〈同予書〉

　　決旨：　文書提出命令の申立てについての決定に対して抗告の利益を有する者は誰かについて、「文書の提出を命じられた所持者及び申立てを却下された申立人以外の者は、抗告の利益を有せず、本案事件の当事者であっても、即時抗告をすることができない」とした。

▼　**最決平23.4.13・百選〔第5版〕A40事件**　⇒p.461

第224条　（当事者が文書提出命令に従わない場合等の効果）〈同H20〉

Ⅰ　当事者が文書提出命令に従わないときは、裁判所は、当該文書の記載に関する相手方の主張を真実と認めることができる〈共予書〉。

Ⅱ　当事者が相手方の使用を妨げる目的で提出の義務がある文書を滅失させ、その他これを使用することができないようにしたときも、前項と同様とする〈同予〉。

Ⅲ　前2項に規定する場合において、相手方が、当該文書の記載に関して具体的な主張をすること及び当該文書により証明すべき事実を他の証拠により証明することが著しく困難であるときは、裁判所は、その事実に関する相手方の主張を真実と認めることができる〈書〉。

[趣旨] 本条は、文書提出命令の実効性を確保するため、当事者が文書提出命令に従わない場合の当事者に対する制裁として、文書の記載に関する相手方の主張を真実と認めることができる他、一定の場合には文書により証明すべき事実に関する相手方の主張を真実と認めることができる旨を規定した。

第一審の手続

《注　釈》

▼　東京高判平3.1.30・百選58事件

事案：　Xは、Y保険会社との間で自家用自動車総合保険契約を締結していたが、Xからその自動車を借りたAが交通事故を起こした。そこで、XはY社に対して保険金の支払請求訴訟を提起した。保険者が被保険者の証明を妨害をした場合の効力について争点となった。

判旨：　証明妨害の効力について「証明妨害があった場合、裁判所は、要証事実の内容、妨害された証拠や内容や形態、他の証拠の確保の難易性、当該事案における妨害された証拠の重要性、経験則などを考慮して、事案に応じて、①挙証者の主張事実を事実上推定するか、②証明妨害の程度等に応じ裁量的に挙証者の主張事実を真実として擬制するか、③挙証者の主張事実について証明度の減軽を認めるか、④立証負担を軽減し、挙証者の主張事実を相手方に負わせるかを決すべきである」とした。

第225条　（第三者が文書提出命令に従わない場合の過料）

Ⅰ　第三者が文書提出命令に従わないときは、裁判所は、決定で、20万円以下の過料に処する〈同共予書〉。

Ⅱ　前項の決定に対しては、即時抗告をすることができる。

[趣旨] 本条は、文書提出命令の実効性を確保するため、当事者以外の第三者が文書提出命令に従わない場合の第三者に対する制裁として、過料に処することができる旨を規定した。

第226条　（文書送付の嘱託）

書証の申出は、第219条の規定にかかわらず、文書の所持者にその文書の送付を嘱託することを申し立ててすることができる〈予書〉。ただし、当事者が法令により文書の正本又は謄本の交付を求めることができる場合は、この限りでない〈同予書〉。

《注　釈》

- 文書送付嘱託（226本文）は、具体的には、当事者が裁判所に申立てを行い、裁判所が、文書の所持者に文書の送付を嘱託するという方法で行われる〈予〉。もっとも、当事者が法令により文書の正本又は謄本の交付を求めることができる場合には、あえて文書送付嘱託の手続による必要がないので、文書送付嘱託の申立ては認められない（226ただし書）。

　　ex.　不動産の登記事項証明書は、当事者がその交付を請求することができる（不登119Ⅰ）ので、当事者は、不動産の登記事項証明書の送付を嘱託することを申し立てることはできない（226ただし書）〈予〉

第227条 （文書の留置）

裁判所は、必要があると認めるときは、提出又は送付に係る文書を留め置くことができる〈予〉。

［趣旨］書証として提出された文書の原本は、証拠調べが終了した場合、所持者に返還されるのが原則である。しかし、帳簿などの書類については、内容の記載のみならず、原本の記載や体裁及び原本の態様を再度確認しなければならない場合も生じうる。そこで、本条は、必要と認めるときは、当事者から提出された文書を留置することができるものとした。

第228条 （文書の成立）

Ⅰ 文書は、その成立が真正であることを証明しなければならない〈団〉。

Ⅱ 文書は、その方式及び趣旨により公務員が職務上作成したものと認めるべきときは、真正に成立した公文書と推定する〈共〉。

Ⅲ 公文書の成立の真否について疑いがあるときは、裁判所は、職権で、当該官庁又は公署に照会をすることができる〈共書〉。

Ⅳ 私文書は、本人又はその代理人の署名又は押印があるときは、真正に成立したものと推定する〈同共予書〉。

Ⅴ 第2項及び第3項の規定は、外国の官庁又は公署の作成に係るものと認めるべき文書について準用する。

第229条 （筆跡等の対照による証明）

Ⅰ 文書の成立の真否は、筆跡又は印影の対照によっても、証明することができる。

Ⅱ 第219条、第223条、第224条第1項及び第2項、第226条並びに第227条の規定は、対照の用に供すべき筆跡又は印影を備える文書その他の物件の提出又は送付について準用する。

Ⅲ 対照をするのに適当な相手方の筆跡がないときは、裁判所は、対照の用に供すべき文字の筆記を相手方に命ずることができる〈共〉。

Ⅳ 相手方が正当な理由なく前項の規定による決定に従わないときは、裁判所は、文書の成立の真否に関する挙証者の主張を真実と認めることができる。書体を変えて筆記したときも、同様とする〈予〉。

Ⅴ 第三者が正当な理由なく第2項において準用する第223条第1項の規定による提出の命令に従わないときは、裁判所は、決定で、10万円以下の過料に処する。

Ⅵ 前項の決定に対しては、即時抗告をすることができる。

［趣旨］228条は、文書が証拠として認められる場合には、文書の成立が真正であること、すなわちその文書が作成者の意思に基づいて成立したものでなければならないものとする。そのうえで、2項以下で、文書の成立の真正についての証拠法則を規定する。 ⇒p.343、391

第230条　（文書の成立の真正を争った者に対する過料）

Ⅰ　当事者又はその代理人が故意又は重大な過失により真実に反して文書の成立の真正を争ったときは、裁判所は、決定で、10万円以下の過料に処する〈司予〉。

Ⅱ　前項の決定に対しては、即時抗告をすることができる。

Ⅲ　第1項の場合において、文書の成立の真正を争った当事者又は代理人が訴訟の係属中その文書の成立が真正であることを認めたときは、裁判所は、事情により、同項の決定を取り消すことができる。

［趣旨］書証は民事訴訟において重要な証拠方法の1つであり、いたずらに文書の成立の真正を争うことがあれば、訴訟が遅延することになる。そこで、当事者が故意又は重大な過失によって真実に反して文書の成立の真正を争った場合には、制裁として10万円以下の過料に処するものとした。

第231条　（文書に準ずる物件への準用）〈書〉〈司R4〉

この節の規定は、図面、写真、録音テープ、ビデオテープその他の情報を表すために作成された物件で文書でないものについて準用する。

［趣旨］写真や図面は、文字その他の記号を使用しない点で文書には当たらないが、情報を表すために作成されたものである以上、文書と同様の扱いをするものと規定した。

■第6節　検証

《概　説》

◆　検証

1　検証とは、裁判官がその五官の作用によって証拠方法である検証物の性状を検査して証拠資料を取得する証拠調べをいう。

2　検証手続

検証手続は書証に準じる（232）。正当な事由なく検証を拒むと、当事者は、事実認定上の不利益を受け（232Ⅰ、224）、第三者は過料の制裁を受ける（232Ⅱ）。

第232条　（検証の目的の提示等）

Ⅰ　第219条、第223条、第224条、第226条及び第227条の規定は、検証の目的の提示又は送付について準用する〈司予〉。

Ⅱ　第三者が正当な理由なく前項において準用する第223条第1項の規定による提示の命令に従わないときは、裁判所は、決定で、20万円以下の過料に処する〈司予〉。

Ⅲ　前項の決定に対しては、即時抗告をすることができる。

［趣旨］本条は、検証物の提示と送付について、文書の提出と送付に関する書証の規定を準用している。

第233条　（検証の際の鑑定）

　裁判所又は受命裁判官若しくは受託裁判官は、検証をするに当たり、必要があると認めるときは、鑑定を命ずることができる〈共書〉。

■第7節　証拠保全

第234条　（証拠保全）

　裁判所は、あらかじめ証拠調べをしておかなければその証拠を使用することが困難となる事情があると認めるときは、申立てにより、この章の規定に従い、証拠調べをすることができる〈同共書〉。

[趣旨] 将来訴えを提起する、あるいは、現在訴訟係属中であるが、証拠調べが行われるのは将来のことである場合に、将来行われるべき証拠調べのときまでまっていたのでは証拠調べが不可能あるいは困難となるおそれのあるときに、あらかじめ証拠調べをしておき、将来その結果を利用する必要がある。そこで、本条以下において、証拠保全手続が規定されている。

《注　釈》

一　証拠保全の対象となる証拠方法

　証拠保全は、あらゆる種類の証拠方法について行うことができる〈予書〉。

二　証拠保全の行使の時期

　証拠保全は将来の証拠調べが不能あるいは困難となる事情があるときに認められる。したがって、訴え提起前に限らず、訴え提起後証拠調べ期日前であっても認められる〈同予〉。235条1項、237条はこれを前提とした規定である。

▼　**広島地決昭61.11.21・百選〔第5版〕72事件**

　　決旨：　カルテを証拠保全するにつき、「証拠を使用することが困難となる事情」（234）があると認められるには、改竄のおそれを具体的に主張・疎明しなければならないとし、本件では疎明があるとして証拠保全を認めた。

第235条　（管轄裁判所等）

Ⅰ　訴えの提起後における証拠保全の申立ては、その証拠を使用すべき審級の裁判所にしなければならない。ただし、最初の口頭弁論の期日が指定され、又は事件が弁論準備手続若しくは書面による準備手続に付された後口頭弁論の終結に至るまでの間は、受訴裁判所にしなければならない〈予〉。

Ⅱ　訴えの提起前における証拠保全の申立ては、尋問を受けるべき者若しくは文書を所持する者の居所又は検証物の所在地を管轄する地方裁判所又は簡易裁判所にしなければならない〈予書〉。

Ⅲ　急迫の事情がある場合には、訴えの提起後であっても、前項の地方裁判所又は簡易裁判所に証拠保全の申立てをすることができる〈予書〉。

第236条　（相手方の指定ができない場合の取扱い）

証拠保全の申立ては、相手方を指定することができない場合においても、することができる〈予〉。この場合においては、裁判所は、相手方となるべき者のために特別代理人を選任することができる。

第237条　（職権による証拠保全）

裁判所は、必要があると認めるときは、訴訟の係属中、職権で、証拠保全の決定をすることができる〈共予書〉。

第238条　（不服申立ての不許）

証拠保全の決定に対しては、不服を申し立てることができない〈同予書〉。

[趣旨] 238条が証拠保全の決定に不服申立てを禁じたのは、不服申立てを認めて、さらに審理を重ねることは、緊急に証拠を保全するという証拠保全の趣旨と相容れないためである。したがって、証拠保全の申立てを却下する決定に対しては、不服を申し立てることができる（抗告することができる。328Ⅰ）〈予〉。

第239条　（受命裁判官による証拠調べ）

第235条第1項ただし書の場合には、裁判所は、受命裁判官に証拠調べをさせることができる。

第240条　（期日の呼出し）

証拠調べの期日には、申立人及び相手方を呼び出さなければならない。ただし、急速を要する場合は、この限りでない〈書〉。

第241条　（証拠保全の費用）

証拠保全に関する費用は、訴訟費用の一部とする。

第242条　（口頭弁論における再尋問）

証拠保全の手続において尋問をした証人について、当事者が口頭弁論における尋問の申出をしたときは、裁判所は、その尋問をしなければならない〈同予書〉。

[趣旨] 242条は、証拠保全手続としての証拠調べは、必ずしも受訴裁判所が行うとは限らず、相手方の立会いがない、又は、尋問の十分な準備ができなかった場合もありうるところ、直接主義（249Ⅰ）の要請が特に強い証人尋問については、当事者からの申出があった場合には、裁判所はその尋問をしなければならないと規定した。

→証拠保全の決定それ自体を行うに当たっては、口頭弁論や相手方が立ち会うこ

とができる審尋の期日を経る必要はない〈予〉

∵　証拠保全の緊急性・密行性

・第5章・【判決】

《概　説》

一　訴訟の終了

1　総説

訴訟の終了の形式としては、大きく①当事者の意思による訴訟の終了と②裁判による訴訟の終了に分けることができる。

2　当事者の意思による終了の場合

当事者は、処分権主義の一内容として、自らの意思で、終局判決によらず訴訟手続を終了せしめる権能を有する。具体的には、①訴えの取下げ（261）、②請求の放棄・認諾（266、267）、③訴訟上の和解（267）、をなすことによって訴訟を終了することができる。

3　裁判によって終了する場合

裁判によって終了する場合には、終局判決がなされる。①判決の判断内容が請求の当否に関する「本案判決」と、②訴訟要件欠缺を理由として本案判決をしないで訴えを却下する「訴訟判決」に分類される。

二　裁判の意義と種類

1　裁判の意義

(1)　裁判とは、裁判機関がその判断又は意思を法定の形式に従って表示する訴訟行為をいう。

(2)　裁判機関の訴訟行為とは裁判所又は裁判官の行為であるから、裁判機関でない裁判所書記官や執行官の判断行為は裁判ではない。これらの行為は処分と呼ばれる。

また裁判は、観念的な判断又は意思の表示であるので、裁判官の事実行為（弁論の聴取、証拠の取調べなど）は裁判ではない。

2　裁判の種類

(1)　判決・決定・命令〈予〉

裁判は、それを行う主体、対象事項、成立及び不服申立ての手続等の違いにより、判決・決定・命令の3種類に分類できる。判決も、決定も、ともに裁判所がする裁判である。命令とは、裁判官が裁判長、受命裁判官、受託裁判官としてする裁判である。

＜判決・決定・命令の異同＞

	判決	決定	命令
機関	裁判所		裁判官
裁判事項	重要事項 特に訴訟についての終局的又は中間的判断を示すのに用いる	判決事項以外の ① 訴訟指揮の処置→120条にも注意 ② 付随事項 ③ 強制執行に関する事項	
成立過程	① 慎重な手続 ② 必要的口頭弁論（87Ⅰ本文） ③ 判決書・言渡しが必要（250、252） ④ 判事補は単独ではできない	① 簡易迅速な手続 ② 口頭弁論は必要ではない（87Ⅰただし書） ③ 言渡しは必要ではなく、告知で足りる（119） ④ 判事補も単独でできる（123）	
不服申立て	控訴、上告	独立の上訴が可能なときは抗告	

第一審の手続

(2) 訴訟費用の裁判

(a) 訴訟費用の意義 ⇒ p.116

(b) 負担者・負担割合確定の裁判

ア 負担者・負担割合確定の裁判は、申立て又は職権により、判決主文において、訴えの適否や請求の当否の判断とともにされる（67）。訴えの取下げ、請求の放棄・認諾といった判決によらない訴訟終了では、負担者・負担割合も含めて訴訟費用額確定手続による（73）。和解の場合は、定めがないときは各自負担とし、費用負担のみを定め額につき合意がないときは裁判所書記官の処分による（68、72）。

イ 終局判決中の訴訟費用の裁判に対する不服はその本案の裁判とともにでなければ上訴できない（282、313、331）。

この点に関して、訴訟費用の裁判に対する不服が許されるのは、本案の裁判に対する上訴に理由のある場合に限るかについて争いがある。判例（大判昭15.6.28）は、費用の裁判に対する不服申立てのためだけに本案を争うことを避けるため、本案の裁判に対する上訴が理由のある場合に限るとする。

(c) 訴訟費用額確定手続

判決主文では負担者や負担割合しか定めない。そこで、第1審裁判所の裁判所書記官が、その負担の裁判が執行力を生じた後に、その額を定める（71）。

三　判決の成立

1　判決内容の確定

(1)　判決内容を確定する裁判官

(a)　判決の内容は、判決の基本となる口頭弁論に関与した裁判官で構成される裁判所によって確定されなければならない（直接主義・249Ⅰ）。

→弁論終結前に裁判官の更迭があったときは、弁論を更新しなければならないし（249Ⅱ）、弁論終結後判決内容を確定する前に更迭したときは、弁論を再開したうえ（153）、弁論を更新して判決する

(b)　裁判官が代わった場合に従前の口頭弁論の結果が陳述されなかったとき、その違法は当事者の責問権の喪失によって治癒されない圖。　⇒p.135

⇒p.135

(2)　判決内容を確定する手続

単独制の場合は、1人の裁判官がそれを決めればよいが、合議制の場合には、合議体を構成する定足数の裁判官の評議採決（原則として過半数）によらなければならない（裁判所75〜78）。

2　判決書（判決原本）の作成

(1)　判決書の概念・意義

(a)　判決書とは、判決内容が確定した場合に判決言渡し前に作成される書面をいう（252）。

(b)　判決書に基づき、①敗訴当事者はどのような点について上訴して争うかを判断し、②上訴審は原審の判決書に基づいて口頭弁論を続行する形で原審の判断の当否を審判する（続審制）。

判決の効力（既判力や執行力など）、主観的範囲、客観的範囲については判決書の記載が基準となる。

(2)　判決書の記載事項（253Ⅰ）

判決書が上記の機能を果たすために、次の事項が判決書の必要的記載事項となる。

(a)　主文（253Ⅰ①）

(b)　事実（253Ⅰ②）

当事者間で争いのない事実（不要証事実）及び当事者間で存否につき争いのある事実たる争点（要証事実）の記載を要する（両者を併せて事実という）。

(c)　理由（253Ⅰ③）

事実欄に記載された裁判資料を素材として主文に示された結論に至る判断過程をいう。

(d)　口頭弁論の終結の日（253Ⅰ④）

∵　判決が確定すると既判力の基準時となる

(e)　当事者及び法定代理人（253Ⅰ⑤）

　　　∴　訴訟追行主体と判決効の及ぶ主体を明確にする

　(f)　裁判所（253Ⅰ⑥）・裁判官の署名・押印（規157）

3　判決の言渡し（効力発生時期）

(1)　判決の言渡しの意義

　　判決の言渡しとは、確定された裁判内容を、作成された判決書原本に基づき宣言する事実行為をいう（252）。言渡しによって判決はその効力を生じる（250）。

(2)　判決の言渡しの手続

　　判決言渡期日は、原則として口頭弁論終結の日から2か月以内（251Ⅰ）であり、言渡期日は、裁判長が指定し（93Ⅰ）、双方当事者を呼び出す（94）。判決の言渡しは、口頭弁論期日に、公開の法廷で（裁判所70）、裁判長が判決書の原本に基づいて（252）、主文を朗読して行う（規155Ⅰ）。

　　判決の言渡しは当事者が在廷しなくても行うことができる（251Ⅱ）。また、訴訟手続の中断中でもすることができる（132Ⅰ）。

4　判決の送達

　　判決言渡し後、裁判長は判決原本を裁判所書記官に交付し（規158）、書記官はその正本を作成して、2週間以内に当事者に送達しなければならない（規159Ⅰ）。判決内容を告知して不服申立ての機会を保障するためである。上訴期間は当事者が判決正本の送達を受けた時から進行し、期間を徒過すると判決は確定する（285、313）。

第243条　（終局判決）

Ⅰ　裁判所は、訴訟が裁判をするのに熟したときは、終局判決をする〈趣〉。

Ⅱ　裁判所は、訴訟の一部が裁判をするのに熟したときは、その一部について終局判決をすることができる。

Ⅲ　前項の規定は、口頭弁論の併合を命じた数個の訴訟中その一が裁判をするのに熟した場合及び本訴又は反訴が裁判をするのに熟した場合について準用する。

《注　釈》

一　終局判決の意義

　　終局判決とは、係属中の事件の全部又は一部につき、当該審級の審理を完結させる裁判をいう。

　　終局判決に対しては独立に上訴することができる（281Ⅰ、311Ⅰ）。

二　全部判決・一部判決・追加判決の意義

1　全部判決とは、同一訴訟手続で審理されている事件の全部を同時に完結させる終局判決をいう。

　　裁判所が、事件の全部が裁判をするのに熟したと認めるときは、全部判決をする（243Ⅰ）。

　2　一部判決とは、同一訴訟手続で審理している事件の一部を、他の部分と切り
　離してまず完結する終局判決をいう。
　　　裁判所は、事件の一部が判決をするのに熟したときには一部判決をすること
　ができる（243ⅡⅢ）。
　3　追加判決とは、裁判所が全部判決をしたつもりで請求の一部につき裁判をや
　り残してしまった場合（裁判の脱漏）に、未だ裁判所に係属している脱漏部分
　についてなされる終局判決をいう。
　　　一部を脱漏した判決と追加判決は別個の判決であって、上訴期間は別個に進
　行する。

三　一部判決の限界

　　一部判決も終局判決であり上訴の対象となることから、一部判決をした後これ
に対する上訴があると、同一事件が異なる審級に係属し、一部判決の上訴審判決
と残部判決との間に判断の矛盾・抵触が生じるおそれがある。さらに訴訟手続が
不安定になったり、訴訟経済に反するおそれがある。そこで、どのような場合に
一部判決が許されるのかが問題となる。
　1　同一請求の一部の場合
　　A　一部判決肯定説（通説）：1個の請求が可分であれば一部判決を言い渡す
　　　　　　　　　　　　　　　　ことができる
　　B　一部判決制限説：1個の請求が可分で、その部分について法律上何らかの
　　　　　　　　　　　　識別・特定の基準のある場合でなければ一部判決は許さ
　　　　　　　　　　　　れず、単に数量的一部について一部判決をすることはで
　　　　　　　　　　　　きない
　2　単純併合の場合
　　A　肯定説（通説）：単純併合の場合一部判決は許される
　　B　限定説：主要な争点が共通の場合には許されない（所有権確認請求と所有
　　　　　　　　権に基づく引渡請求など）
　3　選択的併合・予備的併合の場合
　　　認容判決の場合は全部判決となる。また、予備的併合の場合に主位的請求を
　棄却する一部判決、選択的併合の場合にある請求のみを棄却する一部判決は許
　されないとするのが通説である。
　4　多数当事者訴訟の場合
　　(1)　通常共同訴訟の場合、一部判決は許される。
　　(2)　必要的共同訴訟、独立当事者参加の場合、一部判決は許されない。
　　(3)　同時審判の申出のある共同訴訟の場合、一部判決は許されない（41Ⅰ）。

四　訴訟判決と本案判決

　1　訴訟判決・本案判決の意義
　　(1)　訴訟判決とは、訴訟要件又は上訴の要件の欠缺を理由として訴え又は上訴

を不適法として却下する終局判決である。

　　　ex.　訴え却下判決、控訴却下判決

　(2)　本案判決とは、訴えによる請求の理由又は上訴による不服申立ての理由が
あるか否かを裁判する終局判決である。

2　訴訟判決と本案判決の根本的差異

　　訴訟判決が実体的な紛争解決の基準を何ら示すことなく審理を打ち切るもの
であるのに対し、本案判決は訴訟物たる権利主張の当否を判断して実体的な紛
争解決基準を示すものであるという点に根本的な差異がある。

3　訴訟判決と本案判決の手続面の差異

　(1)　訴訟判決の手続

　　　裁判所は、訴訟要件の欠缺が明らかになれば、直ちに訴訟判決をなしう
る。ただし、その欠缺が補正可能な場合は、判決前に期間を定めて補正を命
じなければならない（34Ⅰ、59）。また、当初から補正の見込みがない場合
には、口頭弁論開始前でも訴訟判決ができる（140、78、317）。

　(2)　本案判決の手続

　　　本案判決においては必要的口頭弁論の原則（87Ⅰ本文）が貫かれ、口頭弁
論開始前の本案判決は許されない。ただし、法律審である上告審では、例外
的に口頭弁論を経ない上告棄却判決が認められることがある（319）。

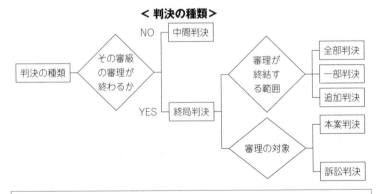

< 判決の種類 >

第244条

　裁判所は、当事者の双方又は一方が口頭弁論の期日に出頭せず、又は弁論をしない
で退廷をした場合において、審理の現状及び当事者の訴訟追行の状況を考慮して相当
と認めるときは、終局判決をすることができる〈共予〉。ただし、当事者の一方が口頭
弁論の期日に出頭せず、又は弁論をしないで退廷をした場合には、出頭した相手方の
申出があるときに限る〈司予〉。

[趣旨]本条は、当事者の双方又は一方が口頭弁論の期日に出頭しない場合等において
は、審理の現状及び当事者の訴訟追行の状況を考慮して相当と認めるときは、
裁判所が終局判決をすることができる旨を規定する。客観的にみれば主張立証の可
能性が考えられるような事案であっても、双方が期日に欠席するという事実からす
れば、新たな主張立証の可能性はないといえる。そこで、このような場合には、裁
判所は終局判決をすることができるものと規定した。もっとも、一方当事者の欠席
の場合には、出席当事者の主張立証の可能性に配慮する必要があるため、出頭した
相手方の申出があるときに限り、終局判決をすることができるものとした。
⇒ p.287

> **第245条　（中間判決）**
>
> 　裁判所は、独立した攻撃又は防御の方法その他中間の争いについて、裁判をするの
> に熟したときは、中間判決をすることができる。請求の原因及び数額について争いが
> ある場合におけるその原因についても、同様とする。

[趣旨]訴訟の係属中、独立した攻撃防御の方法その他中間の争いについて、裁判
をするのに熟した場合には、その部分についてのみ判決を出すことで訴訟の審理を
整理し、訴訟の迅速化を図ることができる。そこで、本条は、独立した攻撃又は防
御の方法その他中間の争いについて、裁判をするのに熟したときは、中間判決をす
ることができるものと規定した。

《注　釈》
一　中間判決の意義
　中間判決とは、訴訟の進行過程において、当事者間で争点となった訴訟法上・
実体法上の事項につき、審理の途中で判断を示して終局判決を容易にし準備する
ための判決をいう。

　中間判決事項について中間判決をするか、終局判決の理由中で示すかは裁判所
の裁量に任される。

二　中間判決事項
1　独立した攻撃又は防御の方法

　　独立した攻撃防御方法とは、他の攻撃防御方法とは分離・独立して権利・法
律関係の存否の判断ができるような攻撃防御方法のことをいう。
　　ex.　所有権侵害を理由とする損害賠償請求について、原告が所有権取得原
　　　　因として売買契約による取得と時効取得とを主張しているときの各主張
2　中間の争い
　(1)　中間の争いとは、訴訟手続に関する当事者間の争いのうち、必要的口頭弁
　　　論によって判断すべきものをいう予。
　　　　ex.　各種訴訟要件の存否、訴え取下げの効力、訴訟上の和解の適否、訴
　　　　　　訟行為の追完の有無

(2) 訴訟要件の欠缺や訴え取下げの有効性が認められる場合には判決に熟しているので、中間判決ではなく、終局判決で判断を示さなくてはならない。

3　請求の原因

請求の原因とは、請求の原因と数額の両方が争われている場合における、数額以外の権利関係の存否に関する事項をいう。

ex.　損害賠償請求で、損害額以外の違法性・過失・損害・因果関係等の全体が請求の原因となる原因判決を認める趣旨は、複雑な損害額の認定に時間と費用をかけた後になって請求の原因がないことが判明して裁判所や相手方当事者に無駄な費用や労力を消費させることになることを防止する点にある

三　中間判決の効力

1　中間判決をすると、その審級の裁判所は中間判決の主文で示した判断に拘束され、その判断を前提として終局判決をしなければならない（自己拘束力）。

上告審が終局判決を破棄差戻ししても、中間判決の効力は失われず、差戻しを受けた裁判所は中間判決に拘束される（大判大 2.3.26）。

2　そこで、当事者も、その判断を争うために中間判決の直前の口頭弁論期日終結時（中間判決の基準時）までに提出できた攻撃防御方法はその後の口頭弁論で提出できなくなる〈回〉。

3　中間判決には、既判力も執行力も生じない。

中間判決に対しては独立の上訴は認められず（281）、終局判決をまって、終局判決に対する上訴によって上級審の判断を受ける（283）。

第246条　（判決事項）〈書〉

裁判所は、当事者が申し立てていない事項について、判決をすることができない。

[趣旨] 私的自治の原則に由来する処分権主義を判決の面から規定したものが本条であり、その趣旨は、当事者の申立てに裁判所が拘束されることを明らかにする点にある。また、本条により当事者双方にとって不利益の最大限が画される結果、訴訟に伴うコストを踏まえた上で訴訟に臨むことが可能となることも本条の趣旨の1つとされる〈司R3〉。

《注　釈》

一　処分権主義〈司H29〉

1　処分権主義の意義

民事訴訟による紛争処理を求めるか、どの範囲で紛争処理を求めるか、また訴え提起後もそのまま訴訟を維持して終局判決による争訟処理を求めるかどうかについて、当事者に自己決定権を認める原則を処分権主義という。

2　処分権主義の根拠

訴訟物たる権利・法律関係は、私的自治の原則に服し、当事者の自由な処分に委ねられるところ、その権利・法律関係に関する紛争の解決を目的とするの

が民事訴訟である以上、処分権主義は、その権利・法律関係を対象とする審判の形式・範囲及び処分についても私的自治の原則が適用されることを根拠とするものである。

3 処分権主義の機能
　① 紛争処理方式の選択の自由
　② 争訟の対象の自主的形成
　③ 手続保障（不意打ち防止）機能

4 処分権主義の内容
　⑴ 不告不理の原則
　　(a) 民事訴訟では、審理は当事者の申立てによってのみ開始される（『申立てなければ裁判なし』）。上訴や再審も同様に当事者の申立てによってのみ開始される（281Ⅰただし書、284、313参照）。また、民事訴訟による紛争処理を求めるか否かの判断を当事者に任せた以上、不起訴の合意や不上訴の合意も有効である（281Ⅰただし書、284参照）。
　　(b) 裁判は当事者の申立事項の範囲でのみ行われ、申し立てていない事項、また、申立事項を超えた事項について裁判することは許されない（246）。上訴・再審も同様に、当事者によって申し立てられた不服の限度内でしか、審理・判決することはできない（296Ⅰ、304、313、320、348Ⅰ）。
　⑵ 訴訟上の地位の処分の自由
　　訴え提起後も、当事者は訴えの取下げ（261）、訴訟上の和解（267）や請求の認諾・放棄（266、267）等で判決によらずに自らの意思で訴訟を終了させることができる。

5 処分権主義の限界
　⑴ 権利関係の公共性
　　権利・法律関係の公共的色彩が強度なため、当事者の私的自治に一任して自由な処分を認めることのできない領域では、それをめぐる紛争処理について国ないし公共は積極的な関心をもつから、この場合には処分権主義に限界がある。
　　ex. 民法731条以下の婚姻取消事由がある場合（民744）、訴訟上の和解、請求の放棄・認諾が認められない（人訴19Ⅱ、37）
　　cf. 処分権主義が制限される人事訴訟においても、訴えの取下げは許される〈同〉
　⑵ 訴訟費用の裁判等
　　訴訟費用の裁判（67ⅠⅡ、258Ⅱ）や仮執行の裁判（259、ただし294・323の限定はある）では処分権主義は妥当せず、これらの裁判は当事者の申立てに拘束されない。
　　これらは当事者が民事訴訟手続による紛争処理を選んだ結果なされた裁判

に付随して、裁判制度維持の公共目的との関係でなされる裁判であるからである。

(3) 形式的形成訴訟

形式的形成訴訟（境界確定の訴え等）では、①訴えの提起をまってはじめて審理が開始される限度では処分権主義が妥当するが、②審判の範囲・限度については処分権主義が排除される。　⇒ p.194

6　訴訟物の特定の必要性

(1) 裁判所は当事者の申し立てた事項についてのみ審判できるので（246）、訴訟物が特定されなければ裁判所は審理を開始することができない。

(2) 訴訟物は、①土地・事物管轄（4）、②印紙額の決定、③訴えの客観的併合（136）、④二重起訴禁止（142）、⑤訴えの変更（143）、⑥既判力の客観的範囲（114）、⑦再訴の禁止（262Ⅱ）などの各場面において決定的又は重要な基準として機能する。

二　申立事項と判決事項

1　246条違反の効果

(1) 裁判所は当事者が申し立てた事項（申立事項）につき判決しなければならず、当事者の申し立てていない事項につき判決することは許されない。また当事者の申し立てた事項の範囲を超えて判決することは許されない。

(2) 本条に違反した判決は、当然に無効となるのではなく、控訴・上告によって取り消されうるにとどまる。なお控訴審において、第1審で申し立てられていないのに判決された事項が新たに申し立てられると、本条違反の瑕疵は治癒する（ただし、その場合は訴え変更の要件を具備していなければならない）。

2　申立事項の特定基準

原告は、訴え提起において、①いかなる訴訟物につき、②いかなる種類の権利救済を、③いかなる範囲ないし限度で求めるかを訴状における請求の趣旨及び原因の記載によって明らかにしなければならず、申立事項はそれによって特定される。

3　申立事項の特定事例

(1) 訴訟物

裁判は、原告が訴状によって申し立てた訴訟物に対してなされなければならず、それと異なる訴訟物に対して判決することは246条違反となる。

▼　**最判昭 36.3.24**

判旨：　賃借権に基づく妨害排除請求に対して、当該賃借人の主張していない占有権を理由として請求を認容することは処分権主義に反する。

▼ **最判平 5.11.11・百選〔第三版〕A30 事件**〈予〉

判旨：　給付訴訟において不執行の合意があって強制執行することができない
ものであることが主張された場合には、この点も訴訟物に準ずるものと
して審判対象となり、裁判所がこれを認めて強制執行できないと判断し
たときは執行段階における当事者間の紛争を未然に防止するため、強制
執行をすることができないことを判決主文において明らかにするのが相
当であるとした。

(2)　権利救済の種類と順序

(a)　種類

確認・給付・形成のうちどの判決を求めるかは、原告が請求の趣旨の記
載で明らかにする必要があり、裁判所はその指定に拘束される〈共予書〉。

→原告が給付判決を求めているにもかかわらず、裁判所が期限未到来を
理由として訴訟物たる請求権について確認判決をなすことは許されな
い（大判大 8.2.6）〈予書〉

(b)　順序

審判順位ないし併合形態（単純併合・選択的併合・予備的併合）につい
ても、原告の指定に拘束される〈予〉。

(3)　救済を求める範囲

(a)　原告は、救済を求める範囲の上限を明示して訴えを提起しなければなら
ず、裁判所はそれに拘束され、その範囲を超えて判決することはできない。

ex.　原告が 100 万円の売掛代金の支払を請求しているのに、200 万円の
支払を命じる判決をすることは 246 条違反である

(b)　金額を明示しない金銭の支払請求の適否

不法行為による損害賠償請求訴訟などの場合、損害額の算定が困難であ
ることが多く、原告は一定金額を明示しなくてよいし、仮に明示しても裁
判所はこれに拘束されないとする見解がある。

しかし、原告の要求額の最大限が不明なままでは被告は防御の方法・程
度を決定できず、手続保障上の問題が生じる。また、訴額が決定できなけ
れば印紙額も決定できず、事物管轄の判断もなしえない。そこで、原告は
要求額の最大限を明示しなければならないと解するのが通説・判例（最判
昭 27.12.25）である〈同〉。

(c)　抽象的不作為請求訴訟の適法性　⇒ p.231

騒音公害を受けている者が原告として被告に対して「騒音を 60 ホン以
上到達させてはならない」という形で差止請求訴訟を提起できるか（抽象
的不作為請求訴訟の適法性）。

この点、正確な科学知識・情報をもたない原告には具体的な作為・不作

為の手段を特定することを要求できず、またどのような手段で求められた結果を達成するかは債務者の自由に委ねられるべきであるといえる。したがって、抽象的不作為請求であっても申立事項は特定されているといえる。また、抽象的差止判決は強制執行になじむかという点に関しては抽象的差止判決を債務名義として間接強制による執行が可能である。

よって、抽象的不作為請求訴訟は適法であるといえる（名古屋高判昭60.4.12・百選30事件、最判平5.2.25・百選〔第三版〕39事件）。

(d) 土地賃借権の確認請求訴訟と地代額

土地賃借権を有すると主張する者は、土地所有者に対し、地代額の確認を求めずに、土地賃借権そのものを有することの確認のみを求めることができるところ、土地賃借人が土地賃借権そのものを有することの確認のみを求め、地代額の確認までは求めていなかったにもかかわらず、地代額をも確認した判決は、申立てを超えた判決を下したものとして、処分権主義に反する（最判平24.1.31・平24重判2事件）。

三 申立事項の意思解釈による拡大と限界

1 総説

246条は、裁判所が原告の選択した訴訟物、権利救済の種類、権利救済の範囲に即して裁判をすることを要求しているが、これを厳格に貫きすぎると当事者の意思に合致しないのみならず、裁判の一回的解決要求にも反しかえって不合理な結果を招来せしめる。そこで、原告の意思を現実的ないし合理的に解釈し、原告が満足するであろうと予測される範囲内で、しかも被告にとっても不意打ちとならない場合には、裁判所は原告の直接の明示の文言にこだわらず、一部認容判決をすることも認められる。

2 一部認容判決 司H29 司R3

一部認容判決とは、請求の一部を認容する場合、すなわち判決が量的あるいは質的に申立事項を超えない場合をいう。しかし、一部認容の場合でも、原告の意思に合致し、また当事者ごとに被告に対して不意打ちにならないか、が個別的に検討されなければならない。

(1) 量的一部認容

この場合は、比較的問題が少なくおおむね246条違反とはならない。

ex.1 1,000万円の支払請求に対して400万円の支払を命じる判決をする場合

ex.2 原告が500万円の支払と引換えに土地の所有権移転登記手続を求める訴訟において、裁判所が、被告に対し、原告から700万円の支払を受けるのと引換えに、原告への所有権移転登記手続を命ずる判決をする場合（最判昭46.11.25・百選70事件参照）予

(2) 質的一部認容 〈司H22〉

この場合には原告の意思や両当事者の不意打ち防止との関係で注意を要すべき場合が多い。

(a) 現在の給付の訴えに対して将来給付の判決をすることができるかについて、通説は、一部認容として将来給付の判決をなしうるとする。

(b) 将来の給付の訴えに対して、現在給付判決をすることができるか。

原告の訴えが口頭弁論終結後に当たる将来給付の判決を申し立てている場合に、裁判所が、当事者の主張・立証に基づいて、期限が既に到来しているなどと認定し、現在の給付判決をすることは、246条に違反し、許されない。ただし、原告の主張から現在給付判決を求める趣旨が明らかである場合には、被告に不意打ちとはならず、現在給付判決をなしうる。

(c) 被告の抗弁と引換給付判決、留保付判決

ア 原告の無条件の給付請求に対して、被告が留置権の抗弁（民295）・同時履行の抗弁（民533）を提出し、これが認められる場合、裁判所は、全部棄却判決ではなく引換給付判決をなすべきである（最判昭47.11.16、大判明44.12.11）〈共〉。

イ 相続債権者の相続人に対する相続債権に係る給付訴訟において、相続人が限定承認の抗弁を提出し、これが認められる場合、裁判所は、「相続財産の限度で支払え」という留保付判決をすべきである（大判昭7.6.2）〈予〉。

cf. なお、学説上は、抵当権設定登記抹消登記手続請求において、原告である債務者に残債務があるときは、裁判所は、全部棄却判決ではなく、残債務の支払を条件とする給付判決をすべきとする見解が有力である

(d) 建物収去請求と退去の判決

原告が建物収去土地明渡請求の訴えをなしたのに対し、被告から建物買取請求がなされた場合、裁判所は、原告が建物代金で支払うのと引換えに建物退去土地明渡を命ずることが許されるかについて、判例はこれを認めた（最判昭33.6.6）〈予書〉。

(3) 立退料増額の可否

原告が申し立てた立退料を増額して明渡しを命ずる判決をすることは246条に反しないかについて、判例は、賃貸人の申出額と格段の相違がない範囲内であれば246条に反しないとした（最判昭46.11.25・百選70事件）〈書〉。

(4) 不動産の所有権に基づく所有権移転登記の全部抹消手続を求める訴えについて、裁判所は、その不動産が原告及び被告の共有関係にあると認めたときは、原告の共有持分に応じた更正登記手続を命じる判決をすることができる（最判昭38.2.22）〈司〉。

3　債務不存在確認請求と一部認容

(1)　債務不存在確認と請求の特定

　　債務不存在確認訴訟において、実務上、申立て（請求の趣旨）の文言として諸々の態様がある。

(a)　債務の全部について不存在の確認を求める場合

　　ex.　100万円の債務が存在しないことの確認を求める訴え

　　　　→訴訟物は特定されている

(b)　債務の上限を明示して、その一部につき不存在の確認を求める場合

　　ex.　100万円の債務のうち、30万円を超える部分については存在しないことの確認を求める訴え

　　　　→審判対象として、100万円の債務のうち30万円を超える部分であることが明示されているため、特定されている（明示的一部請求として、訴訟物はこの部分に限定される　⇒ p.379）

(c)　債務の上限を明示せず、その一部につき不存在の確認を求める場合

　　ex.　30万円を超えては債務は存在しないことの確認を求める訴え

　　　　→判例（最判昭40.9.17・百選71事件）・通説は、上限の明示がなくとも、請求の趣旨・原因、一件記録を斟酌することによって審判範囲を特定できれば足りるとする

(2)　一部認容判決の可否 〈司共予〉

　　債務不存在確認請求に対する一部認容判決は、量的に申立事項を超えないかが問題となる。

(a)　100万円の債務が存在しないことの確認を求める訴えにおいて、裁判所が60万円の債務が存在するとの心証を形成した場合

　　裁判所は、「債務が60万円を超えては存在しない」旨の一部認容判決をすることができる。この場合、60万円の債務の存在と40万円の債務の不存在について既判力が生じる〈書〉。

　　∵　原告が不存在の確認を求めた100万円の債務のうち、40万円について不存在であることを認めるもので、申立事項の範囲内の判断である

(b)　100万円の債務のうち、30万円を超える部分については存在しないことの確認を求める訴えにおいて、裁判所が60万円の債務が存在するとの心証を形成した場合

　　裁判所は、「債務が60万円を超えては存在しない」旨の一部認容判決をすることができる〈書〉。

　　∵　原告が不存在の確認を求めた70万円の部分のうち、40万円について不存在であることを認めるもので、申立事項の範囲内の判断である

　　　　→上限を明示せずに、30万円を超えては債務が存在しないことの確認

を求める訴えが提起された場合も、請求の趣旨・原因、一件記録等から債務の総額が100万円と認定されれば、上記と同様の処理がされることとなる

→債務の上限を明示しない一部不存在確認の訴えにおいて、原告の自認部分以上の債務が存在すると判明した場合に、それをもって直ちに請求棄却判決をしてよいかという点について、前掲判例（最判昭40.9.17・百選71事件）は、請求の趣旨等から債務の総額を特定し、一部認容判決をすることができるかについて審理しなければ、審理不尽となる旨判示している

(c)　(b)の訴えにおいて、裁判所が20万円の債務が存在するとの心証を形成した場合

裁判所は、「債務が80万円を超えては存在しない」旨の判決をすることはできず、「債務が70万円を超えては存在しない」旨の判決をしなければならない【予】。

∵　80万円の不存在の判断は、原告が審理を申し立てた70万円の部分を超えるため、246条に違反する

＜債務不存在の確認の訴えと判決の態様＞

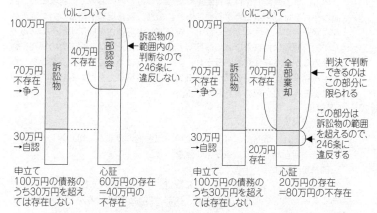

(3)　債務不存在確認と既判力　［司H22］

原告が100万円のうち30万円を超えては存在しないことの確認を求める訴えを提起し、全部認容判決を受けた後、残り30万円についても不存在確認を求めた場合、後訴は前訴の既判力によって遮断されるか、既判力は「主文に包含するもの」、すなわち訴訟物について及ぶので、前訴の訴訟物の範囲が問題となる。

＜債務不存在確認訴訟と既判力＞

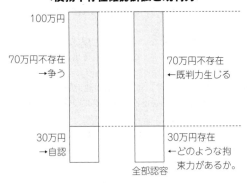

100万円

70万円不存在
→争う

70万円不存在
←既判力生じる

30万円
→自認

30万円存在
←どのような拘
束力があるか。

全部認容

　この点、判例（最判昭40.9.17・百選71事件）〔チ〕は、債務総額から自認額を控除した額（債務残額）の存否ないしその限度が訴訟物であるとしており、この理解によると、自認額に既判力は生じないことになる。上述の例では、自認額の30万円には既判力は生じないことになる。

　他方、債務残額の存否を判断するためには、審理において債務総額と自認額の存否を確認することが必要であり、結局、債務総額全体について審理され攻撃防御が尽くされている以上、紛争解決の実効性を確保すべきであるとして、自認額に拘束力を認める見解もある。この見解は、拘束力の根拠に何を求めるかでさらに見解が分かれ、①自認部分について請求の放棄があったとする見解、②自認部分について既判力による拘束力を認める見解、③信義則による拘束力を認める見解がある。

四　一部請求

1　一部請求の意義

　一部請求とは、数量的に可分な債権の一部を他の残部から切り離し、その一部を独立の訴訟物として主張することをいう。

2　一部請求の可否

　一部請求の可否とは、請求を一部に限定した最初の訴えが246条により適法であることは当然の前提とした上で、残部の再訴が許されるかという問題である。

　判例は、明示的一部請求肯定説を採り、一部請求であることが明示されていれば、訴訟物はその一部に限定され残部請求が可能であるとする。実質的にみても、請求額に比例して定まる訴訟費用の節約、試験訴訟の必要性、損害賠償請求訴訟では一部の損害費目のみを請求して迅速な救済を得る必要があることなどから、一部請求を認めるべきである〔チ・H27〕。

▼ **最判昭 37.8.10・百選〔第4版〕81 ①事件**〈司共書〉

判旨： 一個の債権の数量的な一部についてのみ判決を求める旨を明示して訴えが提起された場合、訴訟物となるのは右債権の一部の存否のみであるから、右一部の請求についての確定判決の既判力は残部の請求には及ばないと解するのが相当である、とした。

▼ **最判平 20.7.10・平 20 重判 7 事件**

判旨： 前事件反訴の訴訟物と、本件訴訟の訴訟物が、いずれも同一原因を理由とする不法行為に基づく損害賠償請求権という一個の債権の一部を構成すると解される場合において、前事件反訴において、弁護士費用として損害費目を特定し、他に損害が発生していることをも主張していたものということができ、他の損害の賠償を併せて請求することは期待しがたく、相手方が他の損害の発生及び拡大の可能性を認識していた場合には、（訴状への記載といった文字通りの明示がなくとも、）前事件反訴において、一個の債権の一部である弁護士費用損害についてのみ判決を求める旨が明示されていたものと解すべきである。

3 一部請求に関連する問題
（1） 一部請求論争の具体的処理

▼ **最判平 10.6.12・百選 75 事件**〈司共予書〉

判旨： 数量的一部請求を全部又は一部棄却する旨の判決は、債権の全部について行われた審理の結果に基づいて、当該債権が全く現存しないか又は一部として請求された額に満たない額しか現存しないとの判断を示すものであって、後に残部として請求し得る部分が存在しないとの判断を示すものにほかならない。したがって、右判決が確定した後に原告が残部請求の訴えを提起することは、実質的には前訴で認められなかった請求及び主張を蒸し返すものであり、前訴の確定判決によって当該債権の全部について紛争が解決されたとの被告の合理的期待に反し、被告に二重の応訴の負担を強いるものというべきであるから、金銭債権の数量的一部請求訴訟で敗訴した原告が残部請求の訴えを提起することは、特段の事情のない限り、信義則に反して許されない。

▼ **最判平 10.6.30・百選 36 事件**〈司書〉

判旨： 相殺の抗弁は、訴えの提起と異なり、相手方の提訴を契機として防御の手段として提出されるものであり、相手方の訴求する債権と簡易迅速かつ確実な決済を図るという機能を有するものであるから、一個の債権の一部についてのみ判決を求める旨を明示して訴えが提起された場合において、当該債権の残部を自働債権として他の訴訟において相殺の抗弁

を主張することは、債権の分割行使をすることが訴訟上の権利の濫用に
当たるなど特段の事情の存しない限り、許される。

(2)　一部請求と残部請求の可否

　(a)　一部請求の訴訟係属中

　　　訴訟物をいかに考えるか、二重起訴禁止規定（142）との関係、残部の
　　請求方法に相違が生じる。

＜一部請求の訴訟係属中に残部請求をした場合＞

	一部請求の訴訟係属中に残部請求をした場合	
学説	一部請求肯定説	一部請求否定説
前訴の訴訟物	請求された一部	債権全体
二重起訴の禁止（142）との関係	抵触なし	抵触あり
残部の請求方法	別訴の提起又は一部請求の拡張（訴えの変更）	一部請求の拡張（訴えの変更）

　(b)　一部請求の判決確定後

　　　前訴の判決内容に応じて、既判力が及ぶ範囲、残部請求の可否について相
　　違が生じる。

＜一部請求の判決確定後に残部請求をした場合＞

	一部請求の判決確定後に残部請求をした場合	
事案	100万円の債権について60万円の一部請求をし、60万円全部が認容された場合	100万円の債権について60万円の一部請求をし、50万円の一部認容判決がされた場合
前訴の既判力が及ぶ範囲	60万円の存在	50万円の存在、10万円の不存在
残部の請求の可否	可能∵ 残部については前訴で審理がなされていない	不可∵ 債権全体について前訴で審理が尽くされているはず　相手方の信頼保護・重複審理の防止

＜一部請求と判決の態様＞

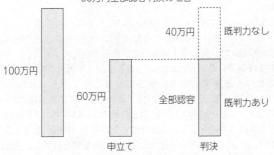

60万円全部認容判決の場合

100万円

60万円

40万円　既判力なし

全部認容　既判力あり

申立て　判決

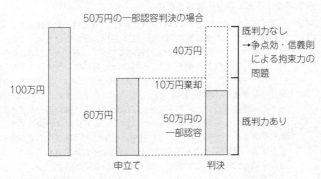

50万円の一部認容判決の場合

100万円

60万円

40万円　既判力なし
→争点効・信義則
による拘束力の
問題

10万円棄却

50万円の
一部認容　既判力あり

申立て　判決

(3) 請求金額の減縮

　　請求の趣旨に掲げられた請求金額を減縮する場合、それは、訴えの変更
(143) か、訴えの一部取下げ (261) か。

　　→請求金額の減縮を訴えの一部取下げとした場合、取り下げた部分につい
　　　ては原則として再訴が可能となるから (262 I)、結果的に訴訟物が分断
　　　されることになる。したがって、請求金額を減縮することの法的性質は
　　　一部請求の可否と対応することとなる

(a) 一部請求肯定説　→請求金額の減縮は訴えの一部取下げであり、相手方
　　　　　　　　　　　の同意を要する

(b) 一部請求否定説　→請求金額の減縮は訴えの取下げではなく、相手方の
　　　　　　　　　　　同意は不要（ただ、訴えの変更に準じ、書面で行
　　　　　　　　　　　い、かつ相手方に送達すべきである）

（4）　一部請求と時効の完成猶予の範囲　⇒p.261

　　一部請求がなされた場合には時効はいかなる範囲で完成が猶予されることとなるのか。

　　→一部請求の可否について明示的一部請求肯定説（最判昭37.8.10・百選〔第4版〕81①事件、通説）によれば、①一部であることを明示して請求した場合には、訴訟物となるのはこの請求された一部だけであり、時効の完成猶予はその一部についてのみ生じ（最判昭34.2.20）　、②明示のない一部請求の場合は全部に及ぶことと考えられる（最判昭45.7.24・百選〔第三版〕44②事件）。しかし、一部請求訴訟においては、一部であることが明示されていると否とにかかわらず、請求権自体の存否が攻撃防御の対象とされ、理由中でその存否の判断がなされることを理由に、常に債権全額に時効の完成猶予の効果が及ぶとする説もある

▼　最判平25.6.6・平25重判1事件

判旨：　明示的一部請求の訴えが提起された場合、「当該訴えの提起による裁判上の請求としての消滅時効の中断［注：完成猶予］の効力は、その一部についてのみ生ずる」のであり、「残部について、裁判上の請求に準ずるものとして消滅時効の中断［注：完成猶予］の効力を生ずるものではない」。そして、この理は、明示的一部請求の訴えにおいて、「弁済、相殺等により債権の一部が消滅している旨の抗弁が提出され、これに理由があると判断されたため、判決において上記債権の総額の認定がされたとしても、異なるものではない」。なぜなら、「当該認定は判決理由中の判断にすぎない」からである。もっとも、明示的一部請求の訴えが提起された場合、「残部につき権利行使の意思が継続的に表示されているとはいえない特段の事情のない限り、当該訴えの提起は、残部について、裁判上の催告として消滅時効の中断［注：完成猶予］の効力を生」じさせ、債権者は「当該訴えに係る訴訟の終了後6箇月以内に民法153条［注：150条］所定の措置を講ずることにより、残部について消滅時効を確定的に中断［注：完成猶予］することができる」。

（5）　控訴の利益　⇒p.433

　　たとえば、債務不履行に基づく100万円の損害賠償を請求し、全部認容判決を得た原告が、全額は150万円であると主張して、控訴を提起しうるか。

　　控訴の利益に関して形式的不服説を前提に、一部請求肯定説の立場からは、前訴で一部請求である旨を明示していれば、その一部だけが訴訟物になり、後訴が許されるため、控訴の利益が認められない。

　　これに対して、形式的不服説を前提に一部請求否定説の立場からは、全部に既判力が生じることから後訴は許されないため、控訴の利益が認められる。

　なお、原審で請求を拡張しなかったことにつき過失がある場合でも、控訴の利益を認めてよいかも問題になるが、下記の裁判例はこれを肯定している。

▼　**名古屋高金沢支判平元.1.30・百選 A37 事件**〈〓〉

判旨：　（被告の法定相続分に応じた貸金返還請求訴訟の第1審係属中に他の相続人が相続放棄をした事案において、）全部勝訴の判決を受けた当事者は、訴えの変更又は反訴をするためであっても、原則として控訴の利益がないが、民執34条2項等のように特別の政策的理由から別訴が禁止されている場合には、同一訴訟手続内で主張しておかないと訴訟上主張する機会を奪われてしまい、またかかる不利益は全部勝訴の第1審判決後は控訴によって判決の確定を妨げることでしか排除し得ないので、例外として控訴の利益を認めるべきである。この理によれば、黙示の一部請求につき全部勝訴の判決を受けた原告についても、例外として請求拡張のための控訴の利益が認められる。

第一審の手続

4　一部請求に絡む問題
(1)　後発損害の賠償請求〈予R2〉

　たとえば、交通事故による損害賠償請求の前訴で勝訴したが、判決の基準時（事実審の口頭弁論終結時）以降に同一事故の後遺症による後発損害が発生じたとする。被害者救済の見地から、前訴の原告は、前訴の既判力にかかわらず後遺症による損害賠償請求の後訴を提起しうるとすべきである。そこで、その法律構成が問題となる。

　A　時的限界説

　　前訴当時予見しえなかった後遺症による損害は、基準時後の新たな事由に該当する。

　B　一部請求の問題とする説（判例、通説）

▼　**最判昭 42.7.18・百選 77 事件**〈予〉

事案：　Xは、Yが所持保管していたかめに突き当たり、かめから流出した硫酸を浴びて足部等に火傷を負った。Xは、当該火傷の後遺症として右足関節部に硬直を生じ、快方に向かわなかった。

　　そこで、XはYに対し治療費20万円、慰謝料30万円、逸失利益50万円の損害賠償請求の前訴を提起したところ、慰謝料30万円のみを認容する判決が確定した。しかし、上記Xの後遺症は徐々に悪化し、前訴口頭弁論終結後に再手術を受けた。そのため、XはYに対して再手術費用32万円の損害賠償請求を求める本件訴訟を提起した。

判旨：　「前訴におけるXの請求は、X主張の本件不法行為により惹起された損害のうち、右前訴の最終口頭弁論期日たる同35年5月25日までに支出

された治療費を損害として主張しその賠償を求めるものであるところ、本件訴訟におけるXの請求は、前記の口頭弁論後にその主張のような経緯で再手術を受けることを余儀なくされるにいたったと主張し、右治療に要した費用を損害としてその賠償を請求するものであることは明らかである」として、前訴と本件訴訟の訴訟物は異なり、前訴確定判決の既判力は本件訴訟に及ばないとした。

(2) 一部請求と過失相殺〈予H27〉

たとえば、甲が乙に「乙の不法行為により被った全損害額2,000万円のうち、1,000万円の賠償を求める」旨の訴えを提起し、裁判所は甲の主張通り全損害額が2,000万円であることを認定したが、甲にも過失があったので、乙の主張通り、3割の過失割合で過失相殺すべきであると考えたとする。

この場合、裁判所はいかなる判決を出すべきか。考え方としては、外側説（訴求債権の総額を確定し、その額から過失相殺による減額をしたうえで、残存額が請求額以上である場合には請求を全部認容し、残存額が請求額を下回る場合には残存額の限度で請求を一部認容すべきであるとする見解）、内側説（減額部分を訴求されている一部から控除するものとする見解）、按分説（訴求されている一部と残部とで按分して控除するものとする見解）とがあり得る〈予〉。判例は、外側説を採用している。

▼ **最判昭48.4.5・百選69事件**〈回〉

判旨： 1個の損害賠償請求権のうちの一部が訴訟上請求されている場合に、過失相殺をするにあたっては、損害の全額から過失割合による減額をし、その残額が請求額を超えないときは右残額を認容し、残額が請求額を超えるときは請求の全額を認容することができるものと解すべきである。このように解することが一部請求をする当事者の通常の意思にそうものというべきである。

<外側説と按分説>

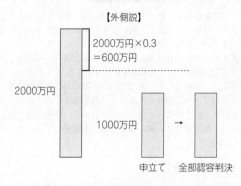

【外側説】

2000万円×0.3
=600万円

2000万円

1000万円 →

申立て　全部認容判決

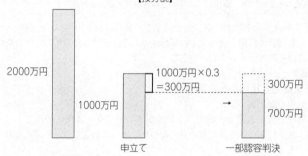

【按分説】

2000万円

1000万円

1000万円×0.3
=300万円

300万円

→

700万円

申立て　一部認容判決

第一審の手続

(3) 一部請求と相殺

　一部請求に対して、被告が原告に対して有する債権で相殺する旨の抗弁を提出した場合にも、一部請求と過失相殺と同様の問題が生じ、判例は外側説を採る。

▼　**最判平6.11.22・百選108事件**〈司共予書〉

判旨：　一部請求の事件において、被告から相殺の抗弁が提出されてそれが理由がある場合には、まず、当該債権の総額を確定し、その額から自働債権の額を控除した残存額を算定した上、原告の請求に係る一部請求の額が残存額の範囲内であるときはそのまま認容し、残存額を超えるときはその残存額の限度でこれを認容すべきである。

　　　　明示的一部請求における確定判決の既判力は残部の存否には及ばないのが判例であり、相殺の抗弁により自働債権の存否について既判力が生ずるのは、請求の範囲に対して「相殺をもって対抗した額」に限られるから、一部請求の額を超える範囲の自働債権の存否については既判力を生じない。

第247条　（自由心証主義）

　裁判所は、判決をするに当たり、口頭弁論の全趣旨及び証拠調べの結果をしん酌して、自由な心証により、事実についての主張を真実と認めるべきか否かを判断する〈司〉。

[趣旨] 本条は、裁判における事実の認定を、審理に現れたすべての資料・状況に基づいて裁判官の自由な判断によって形成される心証に委ねるものとする自由心証主義の採用を明らかにしたものである。

《注　釈》

一　事実認定と自由心証主義

1　自由心証主義の意義

　自由心証主義とは、裁判における事実の認定を、審理に現れたすべての資料・状況に基づいて裁判官の自由な判断によって形成される心証に委ねる建前のことをいう（247）。

　自由心証主義は、訴訟において裁判官が事実を認定する際に働く原則であり、その適用は弁論主義が妥当する訴訟（通常訴訟など）か、職権探知主義が妥当する訴訟（人事訴訟など）かを問わない〈予〉。

2　自由心証主義と法定証拠主義

　心証形成の方法には、①これに用いることができる資料と経験則を法律で限定して裁判官を拘束する法定証拠主義と、②裁判官の自由な選択に委ねる自由心証主義とがある。

<自由心証主義と法定証拠主義>

	自由心証主義	法定証拠主義
内　容	証拠方法を制限せず、証拠力の判定を裁判官の自由な判断に委ねる	証拠方法を制限し、証拠力を法定する
長　所	社会の複雑化に対して、自由に対応しうる	どんな裁判官でも同条件の下では同一の心証形成が可能であり、裁判官の独断を排斥しうる
短　所	個々の裁判官によって判断がまちまちになるおそれがある	社会の複雑化に伴い、形式的な証拠法則で事実認定をすることは不可能である

3　自由心証主義の内容

(1)　証拠方法の無制限と弁論の全趣旨の斟酌

(a)　裁判官は事実認定を行うために、原則として、制限なくあらゆる証拠方法を取り調べ、心証形成の資料とすることができる。

(b)　裁判官は、弁論の全趣旨（247）、すなわち証拠資料以外の口頭弁論に現れた一切の資料や状況を心証形成の資料とすることができる。

→当事者が裁判所に文書を提出して証拠申出をしたが不適法として却下された場合、当該文書の記載内容は、弁論の全趣旨としても判決の基礎とすることはできない🔟

→「弁論の全趣旨」は「証拠調べの結果」を補充するものとして事実認定の資料とされるのが普通であるが、弁論の全趣旨だけで事実認定をすることもできる（最判昭27.10.21）予

→和解手続における当事者の発言は、「口頭弁論の全趣旨及び証拠調べの結果」に当たらないから、心証形成の資料とすることはできない同R2

▼　最判昭36.4.7・百選〔第三版〕A24事件

判旨：　裁判所が弁論の全趣旨を事実認定の資料とした場合、その弁論の全趣旨が何を指すかを判決理由中において具体的に摘示すべきかが問題となった事案において、原審が、各証拠調の結果並びに弁論の全趣旨を総合して原判示事実を認定しているので右弁論の全趣旨が何を指すかはおのずから明らかであると判断して、消極的見解に立った。

(2)　証拠力の自由な評価

(a)　論理法則と経験則による自由な証拠評価（事実上の推定）

証拠の証拠力の評価は裁判官の自由な判断に任される。裁判官はその判断を論理法則及び経験則に従ってなさなければならないものの、適用すべき

経験則や論理法則を自由な判断で選び、用いることができるとされている。

▼ 最判昭 32.2.8・百選 62 事件 同予

判旨： 伝聞証拠について、当該事実を争おうとする相手方当事者がそれを直接見聞した第三者に対する反対尋問を行うことができないという点で手続保障上の問題が生じ、証拠能力が認められないのではないかが問題となったが、証拠力の評価が裁判官の自由心証に委ねられていることを理由に証拠能力を認めた。

▼ 新潟地判昭 46.9.29

判旨： ①被害疾患の特性とその原因（病因）物質、②原因物質が被害者に到達する経路（汚染経路）、③加害企業における原因物質の排出（生成・排出に至るまでのメカニズム）のうち、①、②の立証がなされて、汚染源の追及がいわば企業の門前にまで到達した場合、③については、むしろ企業側において、自己の工場が汚染源になり得ない所以を証明しない限り、その存在を事実上推認され、その結果すべての法的因果関係が立証されたものと解すべきであるとして、事実上の推定の理論を採用し、間接反証の可能性を指摘した。

(b) 証拠共通の原則 同予

証拠共通の原則とは、当事者の一方が提出した証拠は、相手方が援用しなくとも当然に相手方にとって有利な事実の認定に用いてもよいとする原則のことをいう。

自由心証主義によれば、いかなる証拠をどのように評価して要証事実を認定するかは、裁判官の自由に任されることの帰結である。

4 自由心証主義の制限

(1) 証拠方法の制限

(a) 手続の明確画一・迅速処理の要請による制限

ア 代理権や訴訟行為をなすに要する特別の証明は、証拠方法が書面に制限される（規15、23）。

イ 口頭弁論の方式に関する規定の遵守は、調書によってのみ証明することができる（160Ⅲ）。

ウ 疎明事項では、即時に取り調べうる証拠に証拠方法が制限される（188）。

エ 手形小切手訴訟では、書証に証拠方法が制限される（352、367Ⅱ）。

これらの場合は、その他の証拠方法には証拠能力が認められない。

(b) 違法収集証拠 同R5

違法収集証拠とは、盗取した日記や盗聴録音テープなど違法に収集された証拠方法のことをいう。違法収集証拠が証拠能力を有するかについて、

裁判例（東京高判昭52.7.15・百選〔第三版〕71事件）は、違法収集証拠であっても原則として証拠能力は肯定されるが、著しく反社会的な手段を用いて人格権の侵害を伴う方法によって収集された証拠の証拠能力は、例外的に否定されるとしている。

そして、次の裁判例（東京高判平28.5.19・百選63事件）は、一般的な違法収集証拠排除の基準を示した高裁判決であり、事案に即した総合考慮を志向するものとして、実務上相応の影響があるものとされている。

▼　**東京高判平28.5.19・百選63事件**

事案：　Xは、Y大学の事務職員として勤務していたところ、上司からハラスメントを受けたとして、その旨をY大学のハラスメント防止委員会に申し立てた。Xは、同委員会の審議において委員から侮辱・名誉毀損発言により人格権を侵害されたなどと主張して、慰謝料等の損害賠償請求訴訟を提起した。その審理において、Xから上記委員の発言が録音されているCD-ROM（「本件録音体」）等が証拠として提出されたが、本件録音体は無断で録音されたものであり、その証拠価値も乏しいものであった。

判旨：　「民事訴訟法は、自由心証主義を採用し（247条）、一般的に証拠能力を制限する規定を設けていないことからすれば、違法収集証拠であっても、それだけで直ちに証拠能力が否定されることはないというべきである。しかしながら、いかなる違法収集証拠もその証拠能力を否定されることはないとすると、私人による違法行為を助長し、法秩序の維持を目的とする裁判制度の趣旨に悖る結果ともなりかねないのであり、民事訴訟における公正性の要請、当事者の信義誠実義務に照らすと、当該証拠の収集の方法及び態様、違法な証拠収集によって侵害される権利利益の要保護性、当該証拠の訴訟における証拠としての重要性等の諸般の事情を総合考慮し、当該証拠を採用することが訴訟上の信義則（民事訴訟法2条）に反するといえる場合には、例外として、当該違法収集証拠の証拠能力が否定されると解するのが相当である」。

「委員会の審議内容の秘密は、委員会制度の根幹に関わるものであって、特に保護の必要性の高いものであり、委員会の審議を無断録音することの違法性の程度は極めて高いものといえること、本件事案においては、本件録音体の証拠価値は乏しいものといえることに鑑みると、本件録音体の取得自体にXが関与している場合は言うまでもなく、また、関与していない場合であっても、Xが本件録音体を証拠として提出することは、訴訟法上の信義則に反し許されないというべきであり、証拠から排除するのが相当である」。

(2)　証拠力の自由な評価の制限

(a)　文書の形式的証拠力についての推定

文書の方式及び趣旨により公務員が職務上作成したものと認められる場

合、及び本人又はその代理人の署名又は押印がある私文書は、真正に成立したものと推定される（228ⅡⅣ）。

これは、証拠力の評価についての法定証拠法則の規定であって、その限りで自由心証主義は制限される。しかし、証拠により右推定を覆しうる点では、自由心証主義を完全に排除するものではない。

(b) 証明妨害

証明責任を負わない当事者が、文書提出命令に従わない場合や相手方の文書使用を妨害する場合など、訴訟上の義務に違背して故意に相手方の立証を妨げた場合、その者の不利に事実を認定することができる（224ⅠⅡ、229ⅡⅣ、232Ⅰ、208など）。

これらの規定は、自由心証主義を制限したものであるが、証明妨害行為があれば常に真実であると認めなければならないとしているわけではないので、自由心証主義を全く排除して特定の経験則を適用すべきことを規定している法定証拠法則の規定ではない。

(3) 証拠契約（当事者の合意による制限）

証拠方法を一定のものに制限するという証拠制限契約がなされると合意により当事者の証拠提出の自由が制限される結果、当該事実につき、自由心証の対象たる証拠が全部又は一部なくなる。裁判所は、制限された証拠方法の範囲内で自由心証に基づき事実を認定する。

5 自由心証主義と事実認定に対する不服

(1) 自由心証主義と事実認定の違法

自由心証主義は事実認定に関し裁判所の恣意を許すものではなく一定の内在的制約が存在し、これを逸脱するときは違法の問題も生じうる。

(a) 控訴審は事実審であって改めて事実認定をやり直すことができるから、事実認定の違法はあまり問題とならない。

(b) 上告審は法律審であり事実審の認定に拘束され事実認定をやり直すことはできないのであるから、原審の事実認定が不当であるということだけでは上告理由とならない。もっとも、上告審を拘束するのは、原判決において「適法に確定した事実」に限られる。そのため、①違法な弁論や証拠調べの結果を用いた事実認定や、適法な弁論や証拠調べの結果を無視した事実認定は違法であって、上告理由（312Ⅲ、318）になる。また、②自由心証主義といえども論理法則及び経験則に従ったものでなければならないので、これに反する事実認定は違法となり、上告理由になる。

(2) 証拠説明の欠缺と違法

事実認定の適法性を確保し、裁判に対する国民の信頼を確保するため、裁判所は、事実認定の資料とその資料に基づく推論の過程を判決理由中の判断で明らかにしなければならない（253Ⅰ③）。この証拠説明を欠くことは、上

告理由となる（312Ⅱ⑥）。

(3) 経験則違反と上告理由

　　当事者は事実認定をする際の経験則違反を理由として上告審に訴えること
ができるか。経験則の違反は247条に反するので、「法令の違反」として最
高裁への上告理由となるとともに（312Ⅲ）、それが「法令の解釈に関する重
要な事項」に当たれば、最高裁の上告受理申立ての理由となる（318Ⅰ）。経
験則違反の上告可能性を一般的に肯定すると、事実認定についての不服がす
べて上告理由となってしまうので、事実審と法律審の区別が没却される。高
度の蓋然性をもつ一定の事実を推認させる経験則の無視・誤用の場合のみ上
告理由となる（最判昭36.8.8・百選109事件）。

二　事実認定における心証形成の程度と態様

1　心証形成の程度

　　民事訴訟での事実認定に必要な心証の程度は、一点の疑いも許されない自然
科学的証明とは異なり、経験則に照らして通常人が日常生活において疑いを抱
かない程度の証明、いわゆる「高度の蓋然性」の証明で足りるのが原則である
（歴史的証明という）。

▼ **最判昭50.10.24・百選54事件**〈団〉

　判旨：　「訴訟上の因果関係の立証は、一点の疑義も許されない自然科学的証明
　　　　ではなく、経験則に照らして全証拠を総合検討し、特定の事実が特定の
　　　　結果発生を招来した関係を是認しうる高度の蓋然性を証明することであ
　　　　り、その判定は、通常人が疑を差し挟まない程度に真実性の確信を持ち
　　　　うるものであることを必要とし、かつ、それで足りるものである」。

2　心証形成の態様

　　通常の民事訴訟において心証の形成は、論理法則や経験則に従って、証拠や
間接事実による主要事実の事実上の推定という作業によってなされる。

　　ただ、公害訴訟・医療過誤訴訟・製造物責任訴訟など、構造的に企業や医師
の側に証拠が偏在する場合は、経験則を活用しあるいは個別の証明が困難な複
数の原因を一括して損害との間の因果関係を認めるなど、心証形成の態様に工
夫を加えて、証明責任の負担の軽減を図る工夫がなされている。　⇒p.315

　　ex. 疫学的証明、表見証明、確率的心証による認定

第248条　（損害額の認定）〈予審〉

　損害が生じたことが認められる場合において、損害の性質上その額を立証すること
が極めて困難であるときは、裁判所は、口頭弁論の全趣旨及び証拠調べの結果に基づ
き、相当な損害額を認定することができる。

[趣旨] 損害賠償請求訴訟においては、損害の発生の事実が立証されたとしても、個別具体的な損害額が立証されなければ、請求を認容できないのが原則である。しかし、損害の性質上その額を立証することが極めて困難であるときに、その損害の額を全く認めないというのは、当事者間の衡平の観点から相当でないため、このような場合には、裁判所は、口頭弁論の全趣旨及び証拠調べの結果に基づき、相当な損害額を認定することができるとした（最判平30.10.11・百選55事件）。

> →上記判例は、本条の趣旨について、損害賠償請求訴訟において損害額の立証責任を負う権利者を救済するという趣旨にとどまらず、「当事者間の衡平」まで含む旨判示しており、損害額の立証責任と対称関係にある損害額の減免の立証責任をも軽減するものと評されている（上記判例は、「民訴法248条の類推適用により、……賠償の責めに任じない損害の額として相当な額を認定することができる」としている）

《注 釈》

一 「できる」の解釈

248条は「できる」と規定しているが、判例は、同条の要件を満たす場合には、裁判所は相当な損害額を認定しなければならないとしている。

> →不法行為に基づく損害賠償請求訴訟において、損害が発生したことを前提としながら、民訴法248条の適用を考慮することなく、損害の額を算定することができないとして請求を棄却した原審の判断は違法である（最判平20.6.10・平20重判6事件）〈囲〉

二 裁判例

▼ **東京地判平11.8.31・百選〔第三版〕69事件**

判旨： 家電が原因で発生した住宅火災の損害賠償の額、特に動産の滅失による損害額については、動産の滅失という損害は認められるが、損害の性質上、その額の立証が極めて困難な場合（248）に当たるとして、損害保険における査定基準である標準的評価上の家財道具の価額に依拠して損害を算定するのが基本と判断した。

▼ **東京高判平21.5.28・百選〔第5版〕58事件**

> 事案: A市の住民Xらは、B公社が発注した下水道工事について、Yらが談合して不当に高い価格でこれを落札した結果、A市に損害を与えたと主張して、不法行為に基づく損害賠償を代位請求する住民訴訟を提起した。
>
> 判旨: 「本件下水道工事についての談合によってA市に損害が生じたことは明らかである。その損害の額は、抽象的には、『談合されていなければ形成されていたであろう落札価格に基づく契約金額』と『現に締結された請負契約に係る契約金額』との差額であるということができる。しかし、この損害の額をXらが具体的に立証することは、その損害の性質上極めて困難であるから、民事訴訟法248条により、口頭弁論の全趣旨及び証拠調べの結果に基づいて当裁判所が相当な損害額を認定すべきこととなる。」

第249条 （直接主義）

Ⅰ 判決は、その基本となる口頭弁論に関与した裁判官がする。

Ⅱ 裁判官が代わった場合には、当事者は、従前の口頭弁論の結果を陳述しなければならない〈同共〉。

Ⅲ 単独の裁判官が代わった場合又は合議体の裁判官の過半数が代わった場合において、その前に尋問をした証人について、当事者が更に尋問の申出をしたときは、裁判所は、その尋問をしなければならない〈共予〉。

[趣旨] 本条は、直接主義の原則を明らかにしたものである。

《注 釈》

一 直接主義

1 原則

直接主義とは、弁論の聴取や証拠調べを、判決をする裁判官自身が行うという原則をいう（Ⅰ）。その趣旨は、裁判官自身の五官の作用に基づき事実認定を行うことで適正な判決を可能にすることにある。

→基本となる口頭弁論に関与した裁判官が判決の内容を決定することを要求しているにすぎないため、口頭弁論に関与しない裁判官が判決の言渡しのみに関与しても違法ではない（大判昭8.2.3、最判昭26.6.29）〈共書〉

2 例外

(1) 弁論の更新

(a) 直接主義を形式的に貫いて、裁判官が交代した場合に審理を初めからやり直すことは訴訟経済の観点から妥当ではないことから、裁判官が交代した場合には従前の口頭弁論の結果を陳述し直すこととした（Ⅱ）。

→弁論の更新手続をしないまま交代後の裁判官が判決をすれば、口頭弁論に関与しない裁判官の判決となり、本条1項違反として、絶対的上

　　　　告理由（312Ⅱ①）となる（最判昭33.11.4・百選〔第三版〕50事件）
　　（b）　判例
　　　　ア　合議体の審理から単独体の審理へと移行した場合でも、同一の裁判官
　　　　　が関与すれば弁論の更新は不要である（最判昭26.3.29）が、単独体の審
　　　　　理から合議体の審理へと移行した場合には、弁論の更新が必要である
　　　　　⟨予⟩。
　　　　イ　当事者の一方が欠席した場合であっても、裁判長は、出頭したもう一
　　　　　方の当事者に当事者双方にかかる従前の口頭弁論の結果を陳述させるこ
　　　　　とにより、弁論の更新をすることができる（最判昭31.4.13）⟨予⟩。
　　(2)　受命裁判官・受託裁判官による証拠調べ
　　　　裁判所は受命・受託裁判官に証拠調べをさせ、その結果を判決の資料にす
　　　ることができる（185）。また、大規模訴訟における受命裁判官による尋問も
　　　許容されている（268）。機動的な証拠調べを可能にする趣旨である。もっと
　　　も、直接主義の要請を尊重するため、要件を限定している（195）。
　二　再尋問の申出
　　　　証人尋問では、証人の供述の状況、態度等を勘案して供述の信用性を判断する
　　　必要があり、直接主義が特に強く要請される。そのため、単独体の裁判官又は合
　　　議体の裁判官の過半数の交代の場合には、当事者は再度証人尋問を求めることを
　　　規定した（Ⅲ）。
　　　→判例は、当事者尋問への3項の準用を否定する（最判昭42.3.31）⟨予⟩。また、
　　　　第1審裁判所が証人尋問を行った証人につき、控訴審において再尋問の申出
　　　　があった場合には適用されない（最判昭27.12.25）⟨予⟩

第250条　（判決の発効） ⟨予⟩

判決は、言渡しによってその効力を生ずる。

[趣旨] 本条は、判決事項の重要性に鑑みて、判決が言渡しという特別の告知方法
によってはじめて成立し、かつ、それによってのみ効力が発生することを規定し
た。

《注　釈》
一　成立した判決の効力（自己拘束力・自縛力）
　1　判決の自己拘束力（自縛力）とその緩和
　　(1)　判決の自己拘束力の意義・趣旨
　　　　判決の自己拘束力とは、言渡しによって判決が成立すると、その判決をし
　　　た裁判所はもはや判決の撤回や変更をすることができなくなることをいう。
　　　法的安定性の実現を趣旨とする。
　　(2)　判決の自己拘束力の緩和
　　　　適正手続の要請から、判決内容に誤りがある場合は判決内容の適正回復措

置が不可欠である。しかし、判決内容の適正回復の措置として常に上訴を要求するのでは、当事者や上級審の負担を不必要に増大させることになる。そこで法は、判決の更正・変更の手続により、一定限度の判決の修正を認め、法的安定性を害しない範囲で自己拘束力を緩和している。

2　判決の更正・変更
　⑴　判決の更正（257）⇒ p.406
　⑵　判決の変更（256）⇒ p.404
3　決定・命令の自己拘束力（自縛力）
　　決定・命令は判決に比べて重要でない事項について用いられている。そこで、抗告があった場合、原裁判所は自ら再考して、抗告を理由ありと認めれば原裁判を取消し、変更することができるとされ（333、抗告に基づく再度の考案）、決定・命令の自己拘束力は弱い。
　　また、訴訟指揮に関する決定・命令は裁判所はいつでも取消し・変更できる（120、152Ⅰなど）から、自己拘束力は否定されている。

＜判決と決定・命令の自己拘束力の比較＞

	判決	決定・命令
自己拘束力	判決の変更（256）、判決の更正（257）以外は判決の取消し・変更はできない	抗告があれば再度の考案による更正可（333）訴訟指揮に関しては取消自由（120）
上訴	・控訴　自判が原則 ・上告　差戻が原則 ・特別上告	・抗告 ・再抗告 ・特別抗告
判決確定後	再審	―

二　確定判決の効力
1　形式的確定力
　　判決の確定により当事者が上訴によって争うことができなくなると、判決は当該手続の中では取り消される可能性がなくなる。この状態を確定判決の当事者に対する効力と捉えて、確定判決の形式的確定力という。
2　内容的効力
　　判決が確定して形式的確定力を生じると、確定判決の判断内容の当該判決手続外での通用力が認められる。ただし、判決確定前に例外的に内容上の効力（執行力）を生じさせる制度として、仮執行宣言（259）がある。
　⑴　判決の事実的効力
　　　判決の存在が果たす事実的機能であり、前訴判決の判断内容の一種の通用力ではあるが、後訴で法律上当然に妥当する効力ではない。事実的効力には

証明効と波及効がある。

(a) 証明効

先行訴訟における判決が後行訴訟に及ぼす事実的影響、特に前訴判決の理由中の判断が後訴の判断に対して有する事実上の証明効果をいう。

(b) 波及効

住民訴訟や消費者訴訟、公害訴訟、薬害訴訟において、原告勝訴の判決が、事実上同様の被害を受ける多数の者の救済に働き、行政や立法にまで波及するという事実上の効果をいう。

(2) 判決の法的効力

(a) 本来的効力

確認請求、給付請求、形成請求を認容する確認判決、給付判決、形成判決には、本来予定された判決の内容的効力として、既判力、執行力、形成力が生じる。各請求を棄却する判決には既判力が認められる。また、訴え却下判決についても既判力が認められる。

これらの判決効は制度的効力であって、再審によって取り消されたりあるいは判決の無効の評価を受けたりしない限り、当該事項について真実に合致しなくてもその判決内容は後訴において通用力を有する。

＜判決の既判力・執行力・形成力＞

		既判力	執行力	形成力
意義		前訴確定判決における訴訟物についての判断が、後訴請求につき、後訴の裁判所及び当事者を内容的に拘束する効力	給付義務を強制執行手続で実現できる効力（狭義） 強制執行手続以外の方法で判決内容に適した状態を実現できる効力（広義）	確定した形成判決が、法律関係を変動させる効力
効力が生じる判決の種類		確定した終局判決 本案判決・訴訟判決を問わない	確定した給付判決（狭義の執行力） 確定した給付判決・確認判決・形成判決（広義の執行力）	確定した形成判決
限界（範囲）	時間的範囲	事実審の口頭弁論終結時	既判力に準ずる	形成力は判決確定時に生ずるが、遡及効の有無は場合により異なる

		既判力	執行力	形成力
限界（範囲）	客観的範囲	原則：判決主文（114Ⅰ） 例外：判決理由中の判断 相殺の抗弁（114Ⅱ） 争点効につき争いあり	既判力に準ずる	判決主文
	主観的範囲	原則：当事者（115Ⅰ①） 例外：115Ⅰ②③④ 反射効につき争いあり	既判力に準ずる ただし、固有の抗弁を有する口頭弁論終結後の承継人（民執23Ⅰ③）につき争いあり	対世効を認める規定あり（本来的か例外的かは争いあり）

(b) 付随的効力

　　確定判決の効力には、本来的効力のほかに、一定の場合に限って法律上又は解釈上認められる内容上の効力（付随的効力）がある。これらには参加的効力（46、53）、訴権喪失効（人訴25）、法律要件的効力、争点効、反射効などがある。

＜確定判決の効力＞

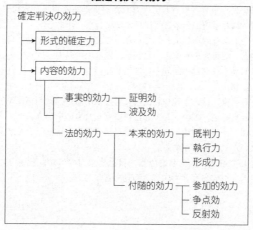

三　裁判の覊束力

　　裁判の覊束力とは、判決に限らず裁判一般における判断内容が、種々の手続的要請から、当該手続内において、他の裁判所を拘束する効力のことをいう。

　　ex.1　事実審の事実認定の上告審（法律審）に対する拘束力（321 I）

　　ex.2　原裁判所の裁判の取消し又は破棄の事由となった上訴審の判断の、差戻しや移送を受けた下級審に対する当該事件限りでの差戻判決の拘束力（325 III、裁判所4）

　　ex.3　移送決定の受移送裁判所に対する拘束力（22）

四　判決の不存在・無効判決・瑕疵ある判決・確定判決の騙取

　1　判決の不存在（非判決）

　　判決の不存在（非判決ともいう）とは、判決として成立するための基本的要件に欠け、法律上判決としての存在意義の認められないものをいう。

　　たとえば、裁判所が作成したが、未だ言い渡されていない判決（大判明37.6.6）や裁判機関たる裁判所によってなされていないものがある。

　　判決の不存在は判決としての効力を全く有さず、訴訟上の効力（自己拘束力、形式的確定力、内容的効力）も審級終了効も生じない。

　2　無効判決

　　無効判決とは、手続上は有効に存在している裁判であっても、既判力・執行力・形成力などの内容上の効力を認めることのできないものをいう。

　　たとえば、実在しない当事者に対してなされた判決（大判昭16.3.15）や、当事者適格を欠く当事者に対してなされた対世効ある判決（大判昭14.8.10）、判決で宣言された事項が公序良俗に反する場合などがある。

　　訴訟手続上は有効な判決として存在しており、審級終了効、自己拘束力、形式的確定力、覊束力を有する。しかし、内容上の効力（既判力・執行力・形成力の本来的効力及び付随的効力）は生じない。

　3　瑕疵ある判決

　　瑕疵ある判決とは、手続や判決内に瑕疵があるが、裁判官によって作成され言い渡された結果、判決として適法に成立したものをいう。

　　たとえば、法定代理権・訴訟代理権又は代理人が訴訟行為をするのに必要な授権を欠いた場合などがある。

　　判決として適法に成立した以上、自己拘束力のほか、確定した場合は既判力・執行力・形成力などの内容上の効力も生じる。

＜判決の不存在・無効判決・瑕疵ある判決の異同＞

	判決の不存在	無効判決	瑕疵ある判決
意義	判決として成立するための基本的要件に欠け、法律上判決としての存在意義の認められないもの	手続上は有効に存在している裁判であっても、既判力・執行力・形成力などの内容上の効力を認めることのできないもの	手続や判決内容に瑕疵があるが、裁判官によって作成され言い渡された結果、判決として適法に成立したもの
判決の成立	審級終了効なし	審級終了効あり	審級終了効あり
	自己拘束力なし	自己拘束力あり	自己拘束力あり
判決の効力	形式的確定力なし	形式的確定力あり	形式的確定力あり
	確定判決の内容的効力（既判力・執行力・形成力など）なし	確定判決の内容的効力（既判力・執行力・形成力など）なし　新訴の提起可	確定判決の内容的効力（既判力・執行力・形成力など）新訴の提起不可
是正方法	裁判所は原則通り判決できる　上訴等を認めるまでもない	裁判所は判決の更正・変更による　当事者は、上訴又は新訴の提起が可能	裁判所は判決の更正・変更による　当事者は上訴のみ可能

第一審の手続

4　確定判決の騙取

(1)　確定判決の騙取の意義

　確定判決の騙取とは、故意に相手方当事者や裁判所を欺罔して確定判決を取得することをいう。

(2)　確定判決の騙取の具体例

(a)　被告の居所不明と偽って訴状等の公示送達を申し立て、被告の手続関与の機会を奪って勝訴判決を取得した場合

(b)　裁判外の和解成立の合意とともに訴え取下げ合意をしながら、訴えを取り下げずに被告の出頭の機会を奪った状態で勝訴判決を得た場合

(c)　刑事上罰すべき他人の行為による自白等や、証拠の偽造・変造によって勝訴判決を取得した場合

(3)　確定判決の騙取の効力

　確定判決が騙取された場合、再審を経ることなく判決の無効の一場合として後訴での無効主張が許されるか、すなわち、騙取された判決による強制執行等によって損害を生じた場合に直ちに不法行為に基づく損害賠償請求ないし不当利得返還請求が許されるか否かが問題となる。

A　確定判決の騙取についても内容的効力を認め、再審の訴えによってまず

確定判決を取り消さなければ、後訴での無効主張等を認めないとする説
（多数説）

B　確定判決の騙取について判決の当然無効を主張しうるとする説

▼　**最判昭 44.7.8・百選 81 事件**

判旨：　裁判外の和解成立の合意とともに訴え取下げ合意をしながら、訴えを
取り下げずに被告の出頭の機会を奪った状態で勝訴判決を得たという事
案において、判決が確定した場合には、その既判力によって右判決の対
象となった請求権の存在することが確定し、その内容に従った執行力の
生ずることはいうをまたないが、これによって損害を被った相手方は、
かりにそれが右確定判決に対する再審事由を構成し、別に再審の訴えを
提起しうる場合であっても、なお独立の訴えによって、右不法行為によ
る損害の賠償を請求することを妨げられないとした。

(4)　確定判決の騙取の是正手段

(a)　確定判決の騙取についても内容的効力を認める説の場合

ア　再審事由に当たる場合には再審の訴えによる。

イ　上訴の追完（97）

当事者がその責めに帰することができない事由により、不変期間を遵
守することができなかった場合、その事由が消滅した後、1週間（外国
にある当事者については2か月）以内に限り、不変期間内にすべき訴訟
行為の追完をすることができる。

「責めに帰することができない事由」とは、通常人の払うであろう注
意をもってしては避けられないと認められる事由をいう。たとえば、年
末の郵便の混雑のため控訴状の書留速達による郵送が遅延した場合（最
判昭 55.10.28・百選〔第三版〕47 事件）には、「責めに帰することがで
きない事由」があるとされる。

(b)　確定判決の騙取について判決の当然無効を主張しうるとする説の場合

再審の訴え・上訴の追完のほか、判決の当然無効を前提として、それに
よって被った損害の損害賠償請求訴訟、不当利得返還請求訴訟、請求異議
訴訟などの手段を用いることができる。

▼ 最判平22.4.13・平22重判3事件

事案： 前訴被告（X）が、前訴において前訴原告（Y）が虚偽の事実を主張するなど、前訴裁判所を欺罔し、確定判決を詐取したものと主張して、Yに対して、不法行為に基づく損害賠償請求訴訟を提起した。

判旨： 「前訴判決の既判力ある判断と実質的に矛盾する損害賠償請求……は、確定判決の既判力による法的安定を著しく害する結果となるから、原則として許され」ず、「当事者の一方が、相手方の権利を害する意図の下に、作為又は不作為によって相手方が訴訟手続に関与することを妨げ、あるいは虚偽の事実を主張して裁判所を欺罔するなどの不正な行為を行い、その結果本来あり得べからざる内容の確定判決を取得し、かつ、これを執行したなど、その行為が著しく正義に反し、確定判決の既判力による法的安定の要請を考慮してもなお容認し得ないような特別の事情がある場合に限って、許される」。

本件においては、「前訴におけるYの主張や供述が……原審の認定事実に反するというだけでは、Yが前訴において虚偽の事実を主張して裁判所を欺罔したというには足らない。他に、Yの前訴における行為が著しく正義に反し、前訴の確定判決の既判力による法的安定の要請を考慮してもなお容認し得ないような特別の事情があることはうかがわれず、Xが上記損害賠償請求をすることは、前訴判決の既判力による法的安定性を著しく害するものであって、許されない」。

第251条 （言渡期日）

Ⅰ 判決の言渡しは、口頭弁論の終結の日から2月以内にしなければならない。ただし、事件が複雑であるときその他特別の事情があるときは、この限りでない〈同〉。

Ⅱ 判決の言渡しは、当事者が在廷しない場合においても、することができる〈同予書〉。

第252条 （言渡しの方式）

判決の言渡しは、判決書の原本に基づいてする。

第253条 （判決書）

Ⅰ 判決書には、次に掲げる事項を記載しなければならない。

① 主文
② 事実
③ 理由
④ 口頭弁論の終結の日
⑤ 当事者及び法定代理人〈共〉
⑥ 裁判所

Ⅱ 事実の記載においては、請求を明らかにし、かつ、主文が正当であることを示すのに必要な主張を摘示しなければならない〈同〉。

第一審の手続

第254条 （言渡しの方式の特則）

Ⅰ 次に掲げる場合において、原告の請求を認容するときは、判決の言渡しは、第252条の規定にかかわらず、判決書の原本に基づかないですることができる。

① 被告が口頭弁論において原告の主張した事実を争わず、その他何らの防御の方法をも提出しない場合〈同予書〉

② 被告が公示送達による呼出しを受けたにもかかわらず口頭弁論の期日に出頭しない場合（被告の提出した準備書面が口頭弁論において陳述されたものとみなされた場合を除く。）

Ⅱ 前項の規定により判決の言渡しをしたときは、裁判所は、判決書の作成に代えて、裁判所書記官に、当事者及び法定代理人、主文、請求並びに理由の要旨を、判決の言渡しをした口頭弁論期日の調書に記載させなければならない。

[趣旨] 251条は、判決の言渡期日について定める。同条2項は、判決の言渡しをするに当たっては当事者の訴訟行為は必要ないことから、判決の言渡しは、当事者が在廷しない場合であってもすることができるものとした。252条は、判決の言渡しは原本に基づいてしなければならない旨を規定することから、判決書の原本は言渡しの前に完成していることを要する〈予〉。254条は、当事者が迅速に判決を受けることができるようにするため、実質的に当事者間に争いのない事件について原告の請求を認容するときは、判決書の原本作成に代えて期日調書に判決内容を記載することで足りるとした（調書判決）。

第255条 （判決書等の送達）〈予〉

Ⅰ 判決書又は前条第2項の調書は、当事者に送達しなければならない〈同〉。

Ⅱ 前項に規定する送達は、判決書の正本又は前条第2項の調書の謄本によってする。

[趣旨] 判決は、主文を朗読して言い渡されるが、その理由は必ずしも告知されるものではなく（規155ⅠⅡ）〈予〉、当事者が在廷しなくても言渡しをなしうる（251Ⅱ）。そこで、本条は、当事者に対して判決の内容を告知するため、判決書又は254条の判決書に代わる調書は職権で当事者に送達するものとした。

第256条 （変更の判決）

Ⅰ 裁判所は、判決に法令の違反があることを発見したときは、その言渡し後1週間以内に限り、変更の判決をすることができる〈同予書〉。ただし、判決が確定したとき、又は判決を変更するため事件につき更に弁論をする必要があるときは、この限りでない〈書〉。

Ⅱ 変更の判決は、口頭弁論を経ないでする。

Ⅲ 前項の判決の言渡期日の呼出しにおいては、公示送達による場合を除き、送達をすべき場所にあてて呼出状を発した時に、送達があったものとみなす。

[趣旨]判決が言い渡されると、判決の羈束力によって、裁判所はこれに拘束され、みだりに取消し、変更することはできない。しかし、判決に法令の違反がある場合、その瑕疵は重大である一方、その違反は一見して明白である場合が多い。そこで、判決に法令の違反があるときは、判決の法的安定性に考慮して言渡し後1週間以内に限り、当事者の上訴をまたずに職権で変更の判決をすることができるとした。

《注　釈》

一　判決の変更の要件

①　判決に法令の違反があること
②　言渡し後1週間以内であり、かつ、判決が未確定であること
③　判決の変更をするために口頭弁論をする必要がないこと

二　判決の変更の手続

当事者が誤りを発見した場合は上訴による。当事者に判決変更の申立権はなく、常に職権で行う。判決の変更は、判決で行う。

この判決を変更判決という。変更判決も言渡期日に言渡しをしなければならない。

三　判決の変更の効果

変更判決の言渡しによって、前の判決は変更された部分の限りで効力を失うことになる。

上訴期間は、変更判決の送達の時から新たに進行する。上訴された場合には、上級審は変更判決のみを取り消して前の判決を復活させることはできず、変更された判決全体を取り消す。

<判決の更正と判決の変更の異同>

	判決の更正（257）	判決の変更（256）
意義	判決の判断内容を変更することなしに判決書の表示のみを訂正すること 判決書に表現上の誤りがあるにすぎない場合に、いちいち上訴によったのでは不便だから、簡易な決定手続で訂正することにした	判決をした裁判所が自分で法令違反に気付いて、自発的にその判決の判断内容を変更すること 法令違反による上訴を防止し、上級審の負担軽減をねらったものである
要件	①　判決書に違算、書き損じ、その他これに類する表現上の誤りがあること ②　その誤りが明白なこと	①　判決が法令に違反したこと ②　言渡し後1週間以内であること ③　変更するのに口頭弁論を開く必要がないこと
手続	申立て又は職権で、いつでもできる。決定でする（更正決定）	常に職権で行う 判決でする

	判決の更正（257）	判決の変更（256）
効果	更正決定は判決と一体になり、最初から更正された通りの判決があったものとして取り扱われることになる 更正決定に対しては即時抗告ができる	変更判決により前の判決は撤回され、新しい判決がなされたことになる。変更判決に対しては、控訴、上告が許される

第257条 （更正決定）

Ⅰ 判決に計算違い、誤記その他これらに類する明白な誤りがあるときは、裁判所は、申立てにより又は職権で、いつでも更正決定をすることができる〈同予書〉。

Ⅱ 更正決定に対しては、即時抗告をすることができる。ただし、判決に対し適法な控訴があったときは、この限りでない。

［趣旨］判決が言い渡されると、判決の覊束力によって、裁判所はこれに拘束され、みだりに取消し、変更することは許されない。しかし、判決に計算違い、誤記等の軽微な瑕疵がある場合、その是正を常に上訴に委ねるのは迂遠であるため、裁判所は、申立てにより又は職権でいつでも更正決定をすることができるものとして、簡易な是正手続を認めた。

《注 釈》

一 判決の更正の要件〈予H23〉

判決に計算違い、誤記その他これに類する明白な誤りがある場合に、更正決定をすることができる（257Ⅰ）。

ex. 訴訟代理人が選任されている場合において、口頭弁論終結前に当事者が死亡したものの、判決で死者を当事者として表示したときは、その表示を相続人に変更する更正決定が可能である（最判昭42.8.25）

誤りの原因は問われず、判決書の記載から明らかな場合のほか、事件の経過全体から明らかな場合も含まれる。もっとも、判決の実質的内容にわたる変更は、上訴・再審によるべきであるから、判決の内容の同一性を害するような更正決定は許されない（最判昭42.7.21）。

二 判決の更正の手続

更正は、申立てにより又は職権で、いつでもすることができる（257Ⅰ）。上訴提起後でも、判決確定後でも可能である。更正は、自分のした判決を正確にするための権能であるから、更正ができるのは、判決をした裁判所に限られるのが原則である。ただ、判決の審査権限をもつ上訴裁判所も誤りを更正できる（大判大12.4.7）。

更正は決定である。口頭弁論を経るかどうかは任意である。更正決定は、判決原本と正本に付記する（規160Ⅰ）。

三 判決の更正の効果

更正決定は、判決と一体となり、遡って最初から更正されたとおりの判決があ

ったことになる。判決に対する上訴期間は更正があったことによって影響を受けない（大判昭9.11.20）。

第258条　（裁判の脱漏）

Ⅰ　裁判所が請求の一部について裁判を脱漏したときは、訴訟は、その請求の部分については、なおその裁判所に係属する〈団〉。

Ⅱ　訴訟費用の負担の裁判を脱漏したときは、裁判所は、申立てにより又は職権で、その訴訟費用の負担について、決定で、裁判をする。この場合においては、第61条から第66条までの規定を準用する。

Ⅲ　前項の決定に対しては、即時抗告をすることができる。

Ⅳ　第2項の規定による訴訟費用の負担の裁判は、本案判決に対し適法な控訴があったときは、その効力を失う。この場合においては、控訴裁判所は、訴訟の総費用について、その負担の裁判をする。

[趣旨] 1つの訴訟において数個の請求についての審判が求められているにもかかわらず、裁判所が全部判決として行った判決が、結果として一部判決にすぎなかった場合がありうる。本条は、そのような場合について、裁判を脱漏したものとして、訴訟がその部分についてなお裁判所に係属することを規定した。

第259条　（仮執行の宣言）

Ⅰ　財産権上の請求に関する判決については、裁判所は、必要があると認めるときは、申立てにより又は職権で、担保を立てて、又は立てないで仮執行をすることができることを宣言することができる〈司予〉。

Ⅱ　手形又は小切手による金銭の支払の請求及びこれに附帯する法定利率による損害賠償の請求に関する判決については、裁判所は、職権で、担保を立てないで仮執行をすることができることを宣言しなければならない。ただし、裁判所が相当と認めるときは、仮執行を担保を立てることに係らしめることができる。

Ⅲ　裁判所は、申立てにより又は職権で、担保を立てて仮執行を免れることができることを宣言することができる〈団〉。

Ⅳ　仮執行の宣言は、判決の主文に掲げなければならない。前項の規定による宣言についても、同様とする。

Ⅴ　仮執行の宣言の申立てについて裁判をしなかったとき、又は職権で仮執行の宣言をすべき場合においてこれをしなかったときは、裁判所は、申立てにより又は職権で、補充の決定をする。第3項の申立てについて裁判をしなかったときも、同様とする。

Ⅵ　第76条、第77条、第79条及び第80条の規定は、第1項から第3項までの担保について準用する。

> **第260条 （仮執行の宣言の失効及び原状回復等）**
> Ⅰ 仮執行の宣言は、その宣言又は本案判決を変更する判決の言渡しにより、変更の限度においてその効力を失う〈圓〉。
> Ⅱ 本案判決を変更する場合には、裁判所は、被告の申立てにより、その判決において、仮執行の宣言に基づき被告が給付したものの返還及び仮執行により又はこれを免れるために被告が受けた損害の賠償を原告に命じなければならない。
> Ⅲ 仮執行の宣言のみを変更したときは、後に本案判決を変更する判決について、前項の規定を適用する。

［趣旨］ 執行力は確定判決に認められるのが原則である。しかし、敗訴者のために上訴による救済が認められていることとの均衡上、勝訴者の利益のために、一定の場合に、判決が確定する前に執行力を付与することを認めるのが妥当である。そこで、259条以下で仮執行宣言の制度を規定したものである。

《注 釈》
一 執行力の意義
執行力（狭義）とは、確定給付判決の主文に掲げられた給付請求権を民事執行手続によって実現できる根拠となる効力をいう。なお、広義の執行力とは、強制執行以外の方法で判決の内容に適した状態を実現できる効力をいう。

二 執行力の範囲
1 執行力の客観的範囲
　原則として判決主文で確定された、判決の基準時における給付請求権につき生じる。
2 執行力の主観的範囲
(1) 当事者・所持者や訴訟担当の場合の利益主体等の実質的当事者及び口頭弁論終結後の承継人に及ぶ（民執23）。
　当事者以外の第三者に執行力が及ぶ場合、そのことが執行文付与機関に明白であるか、又は文書でそれを証明したときに限り、承継執行文が付与される（民執27Ⅱ）。
(2) 口頭弁論終結後の承継人については、その固有の抗弁との関係で争いがある。すなわち、口頭弁論終結後の承継人に固有の防御方法がある場合に、基準時後に占有や登記名義を取得したことのみで承継人とされ執行文を付与すべきかが問題となる。
　この点について、判例は、既判力拡張は基準時における前主の地位を争えないことだけを意味するのに対して、執行力拡張は前主の受けた執行力がそのまま承継人に及ぶことから、第三者に固有の抗弁が成立する場合、執行力は第三者に及ばないとする（実質説、最判昭48.6.21・百選82事件）。
⇒p.169

三 仮執行宣言

1 仮執行宣言の意義

　未確定の終局判決に、それが確定した場合と同じく執行力を付与する裁判をいう。

2 仮執行宣言の趣旨

　敗訴者の上訴の利益との調和を図りつつ、勝訴者の権利を早期に実現するために認められる。

3 仮執行宣言の効力

　仮執行宣言は、判決言渡により、確定をまたずに執行力を生じさせ、権利の終局的実現まで行われる。本案判決が変更されまた本案判決確定前に仮執行宣言自体が変更されると仮執行宣言はその限度で失効するが（Ⅰ）、失効しても遡及しない。その代わり原告は不当利得返還義務と無過失の（通説）損害賠償義務を負う（ⅡⅢ）。

　貸金の返還を命じる仮執行宣言付判決に対して控訴がされた場合、その判決に基づいて第1審原告が貸金の弁済を受けていたとしても、控訴裁判所は、当該弁済の事実を考慮して、第1審原告の貸金返還請求権が消滅したと判断してはならない回。

▼ **最判平24.4.6・平24重判3事件**

判旨：　仮執行宣言付きの第1審判決に対して控訴があったときは、控訴審は、当該仮執行宣言に基づく強制執行によって給付がされた事実を考慮することなく、請求の当否を判断すべきである。このことは、第1審判決の仮執行宣言に基づく強制執行によって建物が明け渡されているときに、当該建物の明渡請求の当否を判断する場合はもちろん、これと併合されている賃料相当損害金等の支払請求の当否や同請求に対する抗弁において主張されている敷金返還請求権の存否を判断する場合でも、異なるところはない。

・第6章・【裁判によらない訴訟の完結】

第261条　（訴えの取下げ）

Ⅰ　訴えは、判決が確定するまで〈同共予書〉、その全部又は一部を取り下げることができる〈同共予〉。

Ⅱ　訴えの取下げは、相手方が本案について準備書面を提出し、弁論準備手続において申述をし、又は口頭弁論をした後にあっては、相手方の同意を得なければ〈予書〉、その効力を生じない。ただし、本訴の取下げがあった場合における反訴の取下げについては、この限りでない〈同予書〉。

Ⅲ　訴えの取下げは、書面でしなければならない。ただし、口頭弁論、弁論準備手続又は和解の期日（以下この章において「口頭弁論等の期日」という。）においては、口頭ですることを妨げない〈予書〉。

Ⅳ　第2項本文の場合において、訴えの取下げが書面でされたときはその書面を、訴えの取下げが口頭弁論等の期日において口頭でされたとき（相手方がその期日に出頭したときを除く。）はその期日の調書の謄本を相手方に送達しなければならない。

Ⅴ　訴えの取下げの書面の送達を受けた日から2週間以内に相手方が異議を述べないときは、訴えの取下げに同意したものとみなす。訴えの取下げが口頭弁論等の期日において口頭でされた場合において、相手方がその期日に出頭したときは訴えの取下げがあった日から、相手方がその期日に出頭しなかったときは前項の謄本の送達があった日から2週間以内に相手方が異議を述べないときも、同様とする〈書〉。

第262条　（訴えの取下げの効果）

Ⅰ　訴訟は、訴えの取下げがあった部分については、初めから係属していなかったものとみなす〈同予〉。

Ⅱ　本案について終局判決があった後に訴えを取り下げた者は、同一の訴えを提起することができない〈同予〉。

[趣旨] 民事訴訟法は、訴訟の終了における処分権主義の現れとして、訴えの取下げを認める。261条は訴えの取下げについての手続を規定し、262条以下でその効果について規定する。

《注　釈》

一　訴えの取下げの意義

訴えの取下げとは、訴えによる審判申立てを撤回する旨の、裁判所に対する原告の意思表示をいう。

二　訴えの取下げの性質

1　請求の放棄が原告の請求に理由のないことが確定判決と同一の効力をもって確定されるのに対して、訴えの取下げは訴訟終了と再訴禁止の効果以外は生じない。

2　裁判所に対する審判申立ての撤回という点で、上訴の取下げと共通し、訴え

の取下げの方式・効果に関する規定が上訴の取下げに準用されている（292Ⅱ）。

しかし、上訴の取下げは、上訴審での係属のみを遡及的に消滅させるにとどまるため、上訴取下げ時に既に上訴期間が徒過している、又は、上訴取下げ後上訴期間が徒過すると原審判決は確定する。これに対して、訴えの取下げは下級審をも含めた訴訟係属自体を遡及的に消滅させる〈共〉。

<控訴の取下げと訴えの取下げ>

		控訴の取下げ	訴えの取下げ
意義		控訴を撤回する旨の控訴人の意思表示	訴えによる審判申立てを撤回する旨の裁判所に対する原告の意思表示
共通点		処分権主義の一態様 控訴取下げの方式には、訴えの取下げの方式を準用（292Ⅱ、261Ⅲ）	
根本的差異		控訴のみの撤回	訴えそのものの撤回
要件の差異	主体	控訴人（原告・被告）	原告
	時期的限界	控訴審の終局判決があるまで（292Ⅰ）	終局判決確定時まで（261Ⅰ）
	相手方の同意	不要（292Ⅱは261Ⅱを準用せず）	被告が、準備書面の提出等をした後は必要（261Ⅱ）
効果の差異		控訴は遡及的に失効（292Ⅱ、262Ⅰ） 1審判決には影響せず	訴訟係属の遡及的消滅（262Ⅰ）、再訴禁止効（262Ⅱ）

3　訴え取下げは原告の意思表示であり、その効果として訴訟係属の遡及的消滅を生じる。

4　訴えの取下げは裁判所に対する審判申立ての撤回という訴訟行為である。

訴えの取下げに条件を付すことは、訴訟手続の安定を害するので許されず〈予〉、また同様の理由で訴えの取下げを撤回することはできない。

三　訴えの取下げの要件

1　訴えの取下げの自由

訴えに対する終局判決が確定するまで可能である（261Ⅰ）〈予〉。

→上訴審、判決言渡後確定前でも可能〈共〉

職権探知主義が採られ、請求の放棄が許されない事件でも、訴えの取下げは許される（ex. 人事訴訟〈司〉）。共同被告に対して同時審判の申出（41）をした場合でも、一方に対する訴えのみを取り下げることはできる〈司〉。

2　被告の取下げ同意

　訴えの取下げは、相手方が本案について準備書面を提出し、弁論準備手続において申述をし、又は口頭弁論をした後にあっては、相手方の同意を得なければ、その効力を生じない（261Ⅱ本文）**[共]**。ここにいう「本案」とは、請求の当否に関する事項をいう。したがって、たとえ口頭弁論期日が開かれた後であっても、相手方が訴え却下の判決を求めるにとどまるなど、被告が「本案」について争う姿勢を明確に示していないときは、相手方の同意を要しないものと一般に解されている（東京高判平 8.9.26 参照）**[同予書]**

　　→なお、被告が予備的に本案について主張している場合であっても同様である

　　　∵　このような場合に訴えの取下げを認めても、相手方の本案である権利・法律関係の存否に関する利益が侵害されるものではない（前掲東京高判平 8.9.26）

　被告がいったん確定的に同意を拒絶すれば、訴えの取下げも無効と確定することから、後に被告が不同意の意思表示を撤回し、改めて同意しても、その訴えの取下げの効力は生じない（最判昭 37.4.6）**[予書]**。

　被告による反訴の取下げについても相手方の同意が必要であるが（261Ⅱ本文）、本訴の取下げがなされていれば、相手方の訴訟行為の態様にかかわらず、同意なく反訴の取下げをなすことができる**[予]**。

3　訴訟能力・代理権の存在

　訴えの取下げは、訴訟行為であるから、原告本人が行うには、訴訟能力が必要である。代理人がなす場合には、取下げの授権が訴え提起の委任とは別に必要である（32Ⅱ①、55Ⅱ②）。

　ただし、訴訟無能力者も無権代理人が提起した訴えについては、追認がなされるまでは自らこれを取り下げることができる。

　　∵　これらの者によって仮に取り下げられたとしても、法定代理人によって代理されている者や被告の利益が害されるという事態は生じない

4　訴えの一部取下げの可否

(1)　数個の請求のうちの１個の請求の取下げ　→問題なく可能である

(2)　数量的に可分な１個の請求の一部の取下げ、たとえば100万円の貸金返還請求を80万円に減額する場合のように、数量的に可分な１個の請求の一部の取下げをなす場合は「訴えの取下げ」なのか、「請求の放棄」なのかが一部請求の可否と関連して問題となる。

　　A　一部請求肯定説

　　　訴えの一部取下げと考えられる。したがって、被告の同意が必要となり、また、書面は必ずしも必要でなく、口頭でも可能となる。

B　一部請求否定説

　　訴えの取下げではなく、請求を一部放棄したことと同じ効果が生じるから、被告の同意は不要である。ただし、請求の趣旨の変更に当たるから、書面で行い、かつ、これを相手方に送達すべきことになる。

四　訴えの取下げの手続

1　訴えの取下げは、取下書を裁判所に提出して行うのが原則であるが、口頭弁論、弁論準備手続の期日又は和解の期日においては、口頭でも可能である（261Ⅲ）〈共予〉。訴えの取下げが書面でなされたときは、その書面を相手方に送達しなければならない（261Ⅳ）。

2　取下げに対する相手方の同意も、裁判所に対して、書面又は口頭でなされる。同意は、黙示でもよい（最判昭38.1.18、最判昭41.1.21）。

　　また、手続の不安定・遅滞を避けるため、取下書・調書の謄本送達の場合はその日から2週間以内に、相手方出席期日における口頭による取下げの場合はその日から2週間以内に被告が異議を述べないときは同意が擬制される（261Ⅴ）。

3　訴え取下げの有効・無効は職権調査事項である〈同〉。取下げの効果を争って期日指定の申立てがなされた場合には口頭弁論を開いて審理しなければならない。

　　取下げを有効と認めたときは、訴訟終了を宣言する判決をする〈同〉。取下げが不存在・無効の場合は審理を続行し、その旨を中間判決（245）又は、終局判決の理由中で判示しなければならない。

　　終局判決後に訴えを取り下げたが、その無効が争われるに至った場合には、訴え取下げの存否、効力に関する争いは、終局判決の有効・無効の争いになるから上訴により上級審での審理を求めるべきとされる（通説）。

　　上級審は訴えの取下げが有効であると判断すれば原判決を取り消し、訴訟終了を宣言する判決をする。これに対して、訴え取下げが不存在又は無効であると判断した場合には他に上訴の理由がなければ上訴を棄却する。

五　訴えの取下げの効果

1　訴訟係属の遡及的消滅（262Ⅰ）

（1）原則

　　訴訟係属の遡及的消滅効（262Ⅰ）により、当事者、裁判所の訴訟行為も、取り下げた部分に関する限り、その効果が当然に失効する〈共〉。

　　→訴えの取下げが効力を生じた後においては、その訴えが不適法であると認める場合であっても、訴えを却下する判決をすることができない〈予〉

（2）関連裁判籍

　　ある請求の訴訟係属に基づいて他の請求について生じた関連裁判籍（7、47、146Ⅰ）は消滅しない（15）。

（3）　訴訟行為に基づく実体法上の効果が訴えの取下げによって遡及的に消滅するか。

　　　訴訟上の抗弁として形成権（取消権・解除権・相殺権など）を行使した場合にその効果が訴えの取下げによって影響を受けるかは、訴訟行為の法的性質をいかに解するかと関連する。

（a）　判例は、解除については消滅しないとし（大判昭 8.1.24）、相殺の効果については消滅するとしている（大判昭 9.7.11）。

（b）　訴え提起による時効の完成猶予の効果については明文がある（民 147 Ⅰ ①）。

（c）　取下げによって消滅した訴訟を前提とする反訴や中間確認の訴えなどの別訴の係属は、本訴の取下げにより何らの影響も受けない。

2　再訴の禁止（262Ⅱ）〈予R5〉

（1）　再訴の禁止の趣旨

　　　訴えの取下げの遡及的消滅効（262Ⅰ）により、何らの紛争解決基準も示されないから、訴え取下げ後に同一の請求について別訴を提起することは許される。しかし、訴訟経済や相手方の応訴の煩を考慮して、終局判決後は「同一の訴え」を提起することはできないとした。

（2）　再訴が禁止される場合

（a）　終局判決言渡後の訴え取下げであること

　　　ただし、第1審の本案の終局判決が控訴審において取り消され、事件が第1審に差し戻された後に訴えが取り下げられた場合には、訴え取下げによって失効すべき終局判決は存在しないこととなるので、再訴は禁止されない〈判〈予書〉。

（b）　「同一の訴え」に当たること〈予〉

　　　判例・通説によれば、「同一の訴え」（262Ⅱ）とは、①当事者と②訴訟物が同一であるだけでなく、③訴えの利益についての事情も同一である場合をいうとされている。

　　ア　当事者の同一性について

　　　　原告の一般承継人は原告の法的地位を包括承継しているので原告と同視される。

　　　　原告の特定承継人についても原告と同視し、再訴禁止効が及ぶかについては争いがある。

　　イ　訴訟物の同一性について

　　　　その終局判決が確定したとすれば生じたはずの既判力が及ぶ範囲に属する訴え（同一の訴訟物を主張する訴え）は、再訴の禁止に触れる。この点、たとえば、元本請求の訴えの取下げ後にその利息を請求する場合のように、取り下げた訴えの訴訟物たる権利を前提とする権利を訴訟物

とする訴えが禁止されるかに関しては争いがあり、通説は再訴禁止効を肯定している。

　これに対して、再訴の禁じられる権利関係を前提にするものでも、別個の権利主張であれば再訴禁止効には触れないと考えられる。たとえば、取下げ後に発生した利息請求などには再訴禁止効は生じない。

　ウ　訴えの利益の同一性について

　　原告との関係で、被告側に再訴に応じねばならないような理由がある場合や、再訴によって被告側に不当な不利益を生じない場合には、訴えの利益の同一性はないといえる。たとえば、訴え取下げが被告の責めに帰すべき原告の誤解によるといった事情がある場合や、取下げ後に確認の利益を生じた場合などには、再訴が許される《同》。

▼　**最判昭 52.7.19・百選 A27 事件**《予》《予R5》

判旨：　民訴法262条2項は、終局判決を得た後に訴を取下げることにより裁判を徒労に帰せしめたことに対する制裁的趣旨の規定であり、同一紛争をむし返して訴訟制度をもてあそぶような不当な事態の生起を防止する目的に出たものにほかならず、旧訴の取下者に対し、新たな訴の利益又は必要性が生じているにもかかわらず、一律絶対的に司法的救済の道を閉ざすことまで意図しているものでない。したがって、同条項にいう「同一の訴」とは、単に当事者及び訴訟物を同じくするだけではなく、訴の利益又は必要性の点についても事情を一にする訴を意味し、たとえ新訴が旧訴とその訴訟物を同じくする場合であっても、再訴の提起を正当ならしめる新たな利益又は必要性が存するときは、同条項の規定はその適用がないものと解するのが相当である、とした。

六　訴え取下げの撤回の可否

1　意思表示に瑕疵がない場合（単なる撤回）

　いったんなされた取下げの意思表示の撤回を認めることは、法的安定性を著しく阻害するので、認められない。

　ただし、被告の同意を要する場合においては、同意前は、取下げの効果が生じていないので、撤回できる。

2　意思表示に瑕疵がある場合

　原告の瑕疵ある意思表示に基づいて訴えの取下げが行われた場合（原告が錯誤によって訴えを取り下げた場合等）、民法の意思表示の規定（民法95条等）を類推適用して訴え取下げの取消しを主張することができるか。

▼　**最判昭 46.6.25・百選 86 事件**《同予書》

判旨：　訴えの取下げは訴訟行為であるから、一般に行為者の意思の瑕疵がただちにその効力を左右するものではないが、詐欺脅迫等明らかに刑事上

罰すべき他人の行為により訴の取下がなされるにいたったときは、民訴法338条1項5号の法意に照らし、その取下げは無効と解すべきである。また、無効の主張については、いったん確定した判決に対する不服の申立てである再審の訴えを提起する場合とは異なり、同条2項の適用はなく、必ずしも右刑事上罰すべき他人の行為につき、有罪判決の確定ないしこれに準ずべき要件の具備、または告訴の提起等を必要としないものと解するのが相当である。

七　訴え取下げ契約

　　訴訟係属中に原告が訴え取下げをなすべきことを約する当事者間の合意を訴え取下げ契約という。

　　訴え取下げ契約がなされたことの訴訟上の効果について、判例（最判昭44.10.17・百選87事件）は肯定説に立ち、合意の成立が主張立証された場合、原告は権利保護の利益を喪失したものとみることができるから、訴えは却下されるとした〈同共予書〉。

> ### ⚑第263条　（訴えの取下げの擬制）
>
> 　　当事者双方が、口頭弁論若しくは弁論準備手続の期日に出頭せず、又は弁論若しくは弁論準備手続における申述をしないで退廷若しくは退席をした場合において、1月以内に期日指定の申立てをしないときは、訴えの取下げがあったものとみなす〈共予〉。当事者双方が、連続して2回、口頭弁論若しくは弁論準備手続の期日に出頭せず、又は弁論若しくは弁論準備手続における申述をしないで退廷若しくは退席をしたときも、同様とする〈同予書〉。

［趣旨］当事者双方が不熱心な訴訟追行をしている場合、民事訴訟制度の健全な運用を実現するため訴えの取下げを擬制するものとした。

《注　釈》

◆　**審理継続の必要による期日の延期及び新たな口頭弁論期日の指定と訴えの取下げの擬制（263後段）**

　　原告・被告双方ともに第1回・第2回口頭弁論期日に連続して出頭しなかったものの、裁判所が第2回口頭弁論期日において、審理を継続する必要があるとして、期日を延期した上で新たな口頭弁論期日を指定した場合、当該第2回口頭弁論期日が263条後段にいう「期日」に当たるかどうか、すなわち訴えの取下げの擬制が認められるかどうかが問題となる。

　　判例（最決令5.9.27・令5重判3事件）は、民訴法263条後段の趣旨は、「不出頭の事実をもって当事者の訴訟追行が不熱心であるとして、訴訟係属が維持されることにより裁判所の効率的な訴訟運営に支障が生ずることを防ぐことにあると解されるが、同法には、上記の場合〔注：当事者双方が、連続して2回、期日に

出頭しなかった場合］において、同条後段の適用を排除し、審理を継続する根拠
となる規定は見当たらない。そうすると、上記の場合に、審理の継続が必要であ
るとして、期日を延期して新たな口頭弁論又は弁論準備手続の期日を指定する措
置がとられたとしても、直ちに同条後段の適用が否定されるとは解し得ず、同条
後段の『期日』の要件を欠くことになるともいえない」とし、結論として、263
条後段の適用が否定されると解することはできない（訴えの取下げの擬制が認め
られる）旨判示している。

　　→なお、期日の延期（期日を開始したが、弁論等の予定した訴訟行為を行わな
　　　いまま期日を終結し、次回期日を指定すること）と期日の変更（期日の開始
　　　前に、当該期日の指定を取り消し、これに代わる期日を指定すること）は区
　　　別される

第264条　（和解条項案の書面による受諾）〈司予〉

　当事者が遠隔の地に居住していることその他の事由により出頭することが困難であ
ると認められる場合において、その当事者があらかじめ裁判所又は受命裁判官若しく
は受託裁判官から提示された和解条項案を受諾する旨の書面を提出し、他の当事者が
口頭弁論等の期日に出頭してその和解条項案を受諾したときは、当事者間に和解が調
ったものとみなす。

[趣旨] 訴訟上の和解で、いずれかが出頭しない場合、両当事者による和解合意が
確認できるにもかかわらず、一方当事者の不出頭のみを理由に訴訟上の和解の成立
を否定すると、紛争処理の途を不当に閉ざすことになる。そこで本条は、和解条項
案の書面による受諾について規定した（書面和解）。

第265条　（裁判所等が定める和解条項）

Ⅰ　裁判所又は受命裁判官若しくは受託裁判官は、当事者の共同の申立てがあるとき
　は、事件の解決のために適当な和解条項を定めることができる〈予〉。
Ⅱ　前項の申立ては、書面でしなければならない。この場合においては、その書面に
　同項の和解条項に服する旨を記載しなければならない。
Ⅲ　第1項の規定による和解条項の定めは、口頭弁論等の期日における告知その他
　相当と認める方法による告知によってする〈予書〉。
Ⅳ　当事者は、前項の告知前に限り、第1項の申立てを取り下げることができる。
　この場合においては、相手方の同意を得ることを要しない。
Ⅴ　第三項の告知が当事者双方にされたときは、当事者間に和解が調ったものとみな
　す〈予〉。

[趣旨] 本条は、和解内容に両当事者の合意を要する通常の和解とは異なり、当事
者の共同の申立てにより、裁判所等が事件の解決のために適当な和解条項を定める
ことができるものとした（裁定和解）。

第266条　（請求の放棄又は認諾）

Ⅰ　請求の放棄又は認諾は、口頭弁論等の期日においてする〈同書〉。

Ⅱ　請求の放棄又は認諾をする旨の書面を提出した当事者が口頭弁論等の期日に出頭しないときは、裁判所又は受命裁判官若しくは受託裁判官は、その旨の陳述をしたものとみなすことができる〈同予書〉。

《注　釈》

一　請求の放棄・認諾の意義

1　請求の放棄：原告が請求に理由がないことを認める裁判所に対する期日における意思表示のこと

2　請求の認諾：被告が請求に理由があることを認める裁判所に対する期日における意思表示のこと

二　請求の放棄・認諾の性質

1　請求の放棄・認諾は、相手方の主張を認め以後裁判所は審理をしなくてもよくなる点で裁判上の自白と共通する。しかし、自白では事実を前提としてなお判決をしなければならないのに対して、放棄・認諾は請求自体に関するものであり、判決が不要となる点で異なる〈予〉。

2　請求の放棄と訴えの取下げとは、いずれも原告の行為によって訴訟を終了させる点で共通する。しかし、請求の放棄によって訴訟が終了するのは、自己の請求はもはや行わないという原告の自発的意思を理由とするものであり、紛争の解決が可能となるが、訴えの取下げが訴訟を終了させるのは原告が申立てそのものを撤回するからであって、紛争解決になり得ないという違いがある〈書〉。

3　放棄・認諾は一方当事者のみの行為により、判決によらないで訴訟を終了させるから、無条件でなされることを要する〈同予書〉。

＜請求の認諾・裁判上の自白・権利自白の比較＞

	請求の認諾	裁判上の自白	権利自白
意義	被告が請求に理由があることを認める裁判所に対する意思表示	相手方の主張する自己に不利益な事実を認める旨の弁論としての陳述	訴訟物たる権利関係の前提をなす権利関係や法律効果を認める旨の陳述
趣旨	当事者の意思の尊重		当事者の意思の尊重と法適用は裁判所の役割
	（処分権主義）	（弁論主義）	
共通点	相手方の主張に属する内容を容認する旨の陳述である		
効果	当事者が認めた事柄について裁判所の実質的判断の排除		争いあり（⇒ p.323）
対象	訴訟物	事実	訴訟物たる権利関係の前提をなす権利関係や法律効果
その他	① 訴訟終了効あり ② 上告審でも可能	① 訴訟終了効なし 当該自白事実の証拠による認定を不要ならしめるだけ ② 事実審においてのみ可能	―

第一審の手続

三 請求の放棄・認諾の要件

1 当事者が訴訟物についての係争利益を自由に処分できる場合であること〈司〉

放棄・認諾を行うということは、実体法的には、当事者による訴訟物たる権利関係の処分たる実質を有するので、当事者間でその係争利益を自由に処分できることが必要である。

ex.1 人事訴訟

身分関係についての訴訟手続では、当事者が自由に権利・法律関係を処分することはできないから、放棄・認諾及び和解に関する規定は適用除外とされている（人訴19 Ⅱ）。

→婚姻無効確認の訴え等における請求の認諾は許されない〈司〉

もっとも、当事者の意思による協議離縁・離婚は可能であるから離婚・離縁訴訟においては放棄・認諾及び和解が可能である（人訴37 Ⅰ本文、44）〈予〉。

ex.2 会社関係訴訟

会社や一般法人などの団体関係訴訟に関しては、請求認容判決について対世効が認められている（会社838、一般法人273）。したがって、認諾に基づいて訴訟物たる権利関係の存在が争い得ないものとなると、判

決効の拡張を受ける一般第三者の利益が害されるため、通説は、請求の放棄は許されるが、認諾は許されないとしている。

2　請求の認諾（消極的確認請求の放棄も同様）によって認められることになる訴訟物たる権利関係自体が、法律上存在の許されないものでないこと、又は公序良俗に反するものでないこと

3　請求についての訴訟要件の具備

請求の放棄・認諾をなすのに、訴えについて訴訟要件の具備が必要かについては争いがあるが、判例（最判昭30.9.30）・通説はこれを必要と解している〈予〉。

4　訴訟能力・代理権の存在

請求の放棄・認諾は確定判決と同一の効力を生じるので、当事者保護のため、訴訟能力の具備を要し、また代理の場合には特別の授権又は委任を要する（32Ⅱ①、55Ⅱ②）。

四　請求の放棄・認諾の手続

1　口頭弁論期日又は弁論準備手続期日や書面による準備手続期日、和解期日〈予書〉における口頭の陳述である（266Ⅰ）。訴訟が係属中であれば、審級を問わず、上告審でもできる〈同〉。

相手方が欠席していてもできる〈同予〉。ただし、「確定判決と同一の効力」に既判力が生じると考えると、既判力の双面性によって、別訴で被告が不利益を受けることがあるため、請求の放棄は被告の請求棄却の申立てがあるまではできない。請求の放棄には、261条2項のような規定はなく、被告の同意を必要としない〈同予〉。

2　放棄・認諾する旨の書面の提出があり、原告、被告が口頭弁論期日に出頭しなかったときは、裁判所はその旨の陳述がなされたものとみなし、放棄・認諾の効力を認めることができる（266Ⅱ）〈同予〉。

3　放棄・認諾の陳述がなされると、裁判所は前述の要件を具備しているかどうかを調査し、具備していなければ手続をすすめ、具備していれば裁判所書記官をして調書に記載させる（規67Ⅰ①）。

五　請求の放棄・認諾の効果

1　訴訟の終了

原告が被告の請求棄却の申立てを認め（請求の放棄）、又は被告が原告の請求を認める（請求の認諾）場合、放棄・認諾調書の成立により、訴訟は当然に終了する。

2　「確定判決と同一の効力」（267）の意義

（1）執行力・形成力

給付請求の場合は認諾調書に執行力が生じる（民執22）〈同〉。形成請求の場合は形成力が生じる。

(2)　既判力

「確定判決と同一の効力」（267）に既判力も含むか。

判例（大判大 4.12.28、大判昭 19.3.14）は既判力を認めつつ、放棄・認諾の無効・取消しを主張して期日指定を求めうるとする（制限的既判力説）。

第267条　（和解調書等の効力）

和解又は請求の放棄若しくは認諾を調書に記載したときは、その記載は、確定判決と同一の効力を有する〈同予書〉。

[趣旨]訴訟上の和解、請求の放棄又は認諾をした場合、当該当事者間における紛争は実質的に解決し、当該審判対象について訴訟手続を続行する必要性はなくなる。そこで、和解又は請求の放棄若しくは認諾があった調書の記載は、確定判決と同一の効力を有するものとした。

《注　釈》

一　訴訟上の和解の意義

訴訟上の和解とは、訴訟係属中に両当事者が、訴訟物をめぐる主張につき、相互に譲歩することによって訴訟を全部又は一部終了させる旨の期日における合意をいう。

二　訴訟上の和解の性質

1　訴訟係属中の「期日」において〈同〉、「合意」がなされた旨を両当事者が陳述する。

2　両当事者の「互譲」が必要である。

「互譲」の程度・態様は問わないため、被告が債務を認める代わりに、原告がその債務の履行期限を猶予することも「互譲」に当たる〈予〉。

当事者の一方のみの譲歩では、請求の放棄あるいは認諾となるにすぎない。

→被告が訴訟物に関する原告の主張をすべて認めるが、訴訟費用については当事者の各自の負担とする旨の訴訟上の和解をすることは可能である〈同〉

3　訴訟物以外の法律関係を含めて和解することができる（最判昭 27.2.8）〈予〉。

また、当事者以外の第三者も、訴訟上の和解に参加することができ〈同共〉、和解が成立した場合には、その第三者にも和解の効力が及ぶ（大判昭 13.8.9 参照）〈予〉。

三　訴訟上の和解の要件

当事者の意思により争訟処理内容を示して訴訟を終了させる点で訴訟上の和解は請求の放棄・認諾と共通し、要件の点でも放棄・認諾に準じる〈書〉。

1　当事者が訴訟物についての処分権を有していること〈予〉

請求の放棄・認諾の場合と同様、人事訴訟においては、原則として和解は許されない（人訴 19Ⅱ）。

2　和解の内容をなす権利・法律関係が公序良俗に違反しないこと、その他法令の定めに反しないこと

3　訴訟要件の具備〈共書〉

　　訴訟要件は本案判決の要件であるから、当然に訴訟上の和解の要件となるものではないが、和解調書には「確定判決と同様の効力」(267) が生じることから、当事者の実在・当事者能力を具備していることが必要である。

4　和解を締結する当事者に訴訟能力があること、あるいは代理人に必要な授権・委任があること

　　訴訟上の和解は当事者の訴訟行為に基づくので、訴訟能力の存在や代理人への特別授権が要求される (32 Ⅱ①、55 Ⅱ②)。

四　訴訟上の和解の手続

1　期日における両当事者の口頭陳述

(1)　原則

　　訴訟上の和解をする当事者は期日において口頭で陳述しなければならない。

(2)　例外

(a)　和解条項案の書面による受諾制度

　　264 条は、当事者が遠隔の地に居住しているなど、当事者の出頭が困難な場合に、あらかじめ裁判所が書面により和解条項案を提示し、当該当事者がそれを受諾する旨の書面を提出した場合に、相手方当事者が口頭弁論期日等に出席してその和解条項案を受諾することで、和解の成立があったものとみなしている。

(b)　和解条項告知制度

　　265 条は、裁判所は裁判所提示の和解条項に服する旨の両当事者の合意に基づき、書面による両当事者の共同の申立てがあるときには、両当事者の意見を聴いて和解条項を定め、それが相当な方法で双方当事者に告知されたときに、当事者間に和解が調ったものとみなしている。

2　和解の試み (89)

五　訴訟上の和解の効果

1　訴訟の終了

　　和解の成立した範囲で訴訟は当然に終了する。

　　訴訟中に攻撃防御方法として行使された私法上の形成権行使の効果が、和解の効力発生により訴訟が終了した場合に私法上もその効力が消滅するか否かは、第1次的には和解の内容による。

　　→それが不明な場合は、意思解釈の問題として私法上の効果が残るか否か決する

2　「確定判決と同一の効力」(267)〈司〉

(1)　執行力

　　和解調書が特定の具体的な給付義務を内容とする場合には執行力があり、調書を債務名義として強制執行ができる (民執 22 ⑦)。

(2)　既判力〈予R5〉

訴訟上の和解に確定判決と同様に既判力を認めるべきか。

判例（最判昭33.6.14・百選88事件）は、訴訟上の和解の紛争処理機能確保のために既判力を認めつつ、和解に実体法上の無効・取消原因がある場合には裁判上の和解は無効となり、既判力を生じないとする（制限的既判力説）〈同予〉。

▼　**最判昭33.6.14・百選88事件**〈予R5〉

事案：　X会社は、Y会社に対して売掛代金債権62万円余りの支払請求を求める訴えを提起した。第1審の口頭弁論期日において、代金の支払に代えて、Xが仮差押えていた「特選金菊印苺ジャム」を代物弁済することを内容として含む訴訟上の和解が成立した。その後、Xは、代物弁済の目的物である苺ジャムは、下等な品質の物であり、上記和解は錯誤により無効［注：改正前］であると主張し、期日指定の申立てをした。

判旨：　Y会社がX会社に引き渡した苺ジャムが粗悪品であることを認定し、本件ジャムは「粗悪品であったから本件和解に関与したXの訴訟代理人の意思表示にはその重要な部分に錯誤があった」とし、本件和解の実質的確定力（民訴法267条）の有無について、本件和解は錯誤により無効［注：改正前］であるから、「実質的確定力を有しないこと論をまたない」と判断した。

第一審の手続

六　訴訟上の和解の瑕疵を争う方法〈基〉

1　訴訟上の和解に瑕疵がある場合としては、①和解調書の記載の誤り、②和解に無効・取消原因がある場合、③和解内容の債務不履行で和解が解除される場合などが考えられ、瑕疵の種類ごとに争う方法が問題となっている。

2　和解調書の記載の誤り

和解調書に計算間違い、書き損じ等記載の誤りがあるときは、判決の更正（257）に準じて、申立て又は職権で更正決定をすることができる。

3　和解に無効・取消原因がある場合

(1)　和解の無効原因と取消原因

(a)　和解の無効原因

ア　実体的要件を欠く場合（私法上の無効原因）

当事者が実体上の処分権能を有しないこと、和解の内容が公序良俗に違反し又は法律に違反すること等がある。

イ　訴訟法的要件を欠く場合（訴訟法上の無効原因）

当事者が訴訟能力、代理権を有しないこと、除斥原因ある裁判官その他法律により関与できない裁判官が関与したこと等がある。

　(b)　和解の取消原因

　　　当事者の意思表示に錯誤・詐欺・強迫などの瑕疵があること等がある。

(2)　和解に無効・取消原因がある場合の処理〈予R5〉

　　　和解に無効・取消原因がある場合、判例は、期日指定の申立てのほか、別訴（和解無効確認の訴えや請求異議の訴え（民執35））を提起することもできるとする（競合説）〈予〉。

▼　**大決昭 6.4.22**〈審〉

　決旨：　和解に錯誤などがあり私法上無効［注：改正前］であるときは、訴訟上の行為としても無効であり、訴訟はなお存続するから、当事者は和解の無効を主張して期日指定の申立てをし、訴訟の続行を求めることができ、裁判所はこの場合必ず口頭弁論を開いて和解の有効・無効を審理すべきである、とした。

　　なお、当事者が和解の無効を主張して期日指定の申立てをしたのに対して、第1審裁判所が和解の有効性を認めて訴訟終了宣言判決をしたことから、その当事者のみが控訴した場合において、いずれの当事者も和解が無効であることの確認を求めていないにもかかわらず、控訴審裁判所が主文で和解の無効を確認する判決をすることは、処分権主義に違反する（最判平27.11.30・百選A38事件）〈予〉。

(3)　訴訟法上の無効原因と私法上の和解契約の効力

　　　訴訟法上の無効原因は私法上の和解の効力に影響を及ぼさないが、訴訟法上の無効原因が私法上の和解の内容を不特定にするような場合（ex.調書の記載の不特定）や、譲歩の対象・程度に影響を及ぼす疑いのある場合（ex.訴訟能力や訴訟代理権の欠缺）には、例外的に私法上の和解契約も無効となる〈通〉。

　　　表見代表取締役が会社を代表してした裁判上の和解の効力につき、裁判例（広島高判昭40.1.20）は、「裁判上の和解が訴訟行為として無効となっても、その基礎たる私法上の和解の効力については別にそれが実体法上の要件を充足しているか否かを判断してその有効、無効を定むべきものである」旨判示し、裁判上の和解として無効であるが、私法上の和解契約としては表見代表取締役（会354）の規定により有効であるとしたものがある。

4　和解が解除された場合

(1)　和解の解除

　　　和解の解除とは、訴訟上の和解の内容をなす、実体関係についての合意の解除を指す。

(2)　和解が解除された場合の処理

　　　和解で定められた債務を債務者が履行しない場合、和解の解除の効力を争

うため、当事者はどのような方法を採るべきか。

→判例は、和解の解除によっても訴訟終了効は影響を受けず、いったん終了した訴訟は復活しないとする。よって、解除の効力は、新訴の提起によって争うことになる〈司〉

▼ **最判昭43.2.15・百選89事件**〈予〉

判旨： 訴訟が訴訟上の和解によって終了した場合においては、その後その和解の内容たる私法上の契約が債務不履行のため解除されるに至ったとしても、そのことによっては、単にその契約に基づく私法上の権利関係が消滅するのみであって、和解によって一旦終了した訴訟が復活するものではない、とした。

第一審の手続

＜和解が解除された場合の争う方法＞

争う方法 学説	新訴の提起	期日指定の申立て
復活否定説	○	×
復活肯定説	×	○
折衷説	通常型（＊1）の場合は× 更改型（＊2）の場合は○	通常型の場合は○ 更改型の場合は×
選択説	○	○

○：肯定 ×：否定

＊1 通常型とは、和解内容が従前の法律関係を前提に、これを量的に変更する場合をいう。

＊2 更改型とは、和解内容が従前の法律関係を変更するものであり、和解条項によって新たな法律関係が創設される場合をいう。

＜訴えの取下げ・請求の放棄・訴訟上の和解の比較＞〈司H19〉

	訴えの取下げ	請求の放棄	訴訟上の和解
意義	訴えによる審判要求を取り下げる旨の裁判所に対する原告の意思表示	原告が請求に理由がないことを認める裁判所に対する期日における意思表示	訴訟係属中の両当事者が、訴訟物をめぐる主張につき、相互に譲歩することによって訴訟を全部又は一部終了させる旨の期日における合意
共通点	処分権主義に基づく自主的紛争解決手段 訴訟終了効が生じる		

		訴えの取下げ	請求の放棄	訴訟上の和解
相違点	主体	原告		両当事者
	紛争解決基準	なし	あり	
	当事者の同意の要否	一定の場合に被告の同意が必要	不要	両者の同意
	適用場面	限定なし（職権探知主義の領域でも適用される）	① 訴訟物について係争利益を自由に処分できる場合 ② 弁論主義の妥当する場合であること ③ 判決の相対効が妥当する場面であること	
	訴訟要件の具備	不要	必要◀判	不要（＊1）
	既判力の有無	なし	原則あり（＊2）	
	効果	遡及効消滅（262 I）それゆえ、再訴の禁止に触れない限り、再訴可能	同一訴訟の訴え提起は不可能	
	無効原因の主張方法	期日指定の申立て	判例の立場（制限的既判力説）に立つと、①期日指定の申立て、②和解無効確認の訴え、③請求異議の訴え（民執35 I）が可能と解されている	

＊1　和解の本質的要素は当事者の合意であることから、和解当事者の当事者能力・訴訟能力、代理人の代理権・和解権限（55 II②）等を必要とする見解もある。

＊2　判例（大判大4.12.28、大判昭19.3.14、最判昭33.6.14・百選88事件）は、請求の放棄・訴訟上の和解に既判力を認めつつ、無効・取消事由が存在する場合には既判力を否定する立場（制限的既判力説）に立っている。

・第7章・【大規模訴訟等に関する特則】

第268条　（大規模訴訟に係る事件における受命裁判官による証人等の尋問）

　裁判所は、大規模訴訟（当事者が著しく多数で、かつ、尋問すべき証人又は当事者本人が著しく多数である訴訟をいう。）に係る事件について、当事者に異議がないときは、受命裁判官に裁判所内で証人又は当事者本人の尋問をさせることができる◀予。

第269条　（大規模訴訟に係る事件における合議体の構成）

I　地方裁判所においては、前条に規定する事件について、5人の裁判官の合議体で審理及び裁判をする旨の決定をその合議体ですることができる。

II　前項の場合には、判事補は、同時に3人以上合議体に加わり、又は裁判長となることができない。

第一審の手続

第269条の2　（特許権等に関する訴えに係る事件における合議体の構成）

Ⅰ　第6条第1項各号に定める裁判所においては、特許権等に関する訴えに係る事件について、5人の裁判官の合議体で審理及び裁判をする旨の決定をその合議体ですることができる。ただし、第20条の2第1項の規定により移送された訴訟に係る事件については、この限りでない。

Ⅱ　前条第2項の規定は、前項の場合について準用する。

[趣旨] 268条以下では、大規模訴訟に係る事件について証人尋問及び本人尋問の方法に特則を設け、当事者に異議がないときは、受命裁判官に裁判所内で証人又は当事者本人の尋問をさせることができるものとした。

《注　釈》

◆　**大規模訴訟等に関する特則**

1　大規模訴訟に係る事件における受命裁判官による証人などの尋問（268）

　　大規模訴訟の場合には、多数の証人や被害者など当事者本人の尋問を迅速に行うために、直接主義の要請も考慮して当事者に異議がないときに限り、裁判所内で、受命裁判官に証人又は当事者本人の尋問をさせることができる。

2　大規模訴訟に係る事件における合議体の構成（269）

　　大規模訴訟においては、審理が複雑かつ長期間に及ぶものになることが予想される。そこで、現行法は迅速な審理を期するため、大規模訴訟の場合には、例外的に合議体の員数を5人とすることができるようにした（Ⅰ）。

3　特許権等に関する訴えに係る事件における合議体の構成

　　特許権に関する訴えに係る事件において6条1項各号に定める裁判所（東京地裁又は大阪地裁）では、5人の裁判官による合議体で審理判断できる（269の2Ⅰ）。ただし、20条の2による移送の結果、東京地裁又は大阪地裁が管轄権を有することとなった事件ではその適用がない（269の2Ⅱ）。これは、専門技術的事項の審理への対応力を強化するための措置である。なお、控訴審（東京高等裁判所）においても、5人の裁判官で審理・裁判できる（310の2）。

・第8章・【簡易裁判所の訴訟手続に関する特則】

《概　説》

一　**当事者の訴訟行為の簡易化**

1　訴え提起の簡易化

　　口頭による訴えの提起（271）

2　任意の出頭による訴えの提起等（273）

3　弁論の簡略化

（1）原則として審理手続における準備書面は不要（276Ⅰ）

(2)　口頭弁論の続行期日に出頭しない場合の陳述擬制（277）

二　裁判所の訴訟行為の簡略化

1　証拠調べ手続の簡略化

口頭尋問に代えて、供述書・鑑定書の提出を命じることができる（278）。

→少額訴訟以外の簡易裁判所の訴訟手続では、少額訴訟における証拠調べの制限に関する規定（371）が置かれていないから、即時に取り調べることができる証拠でなければ証拠調べできない、といった制限はない〈書〉

2　反訴の提起に基づく移送

被告が反訴で地方裁判所の管轄に属する請求をした場合の移送（274）

3　判決書の簡略化

請求の趣旨及び原因の要旨、その原因の有無並びに請求を排斥する理由たる抗弁の要旨（280）

4　和解に代わる決定（275の2Ⅰ）

第270条　（手続の特色）

簡易裁判所においては、簡易な手続により迅速に紛争を解決するものとする。

第271条　（口頭による訴えの提起）〈予書〉

訴えは、口頭で提起することができる。

第272条　（訴えの提起において明らかにすべき事項）〈同予〉

訴えの提起においては、請求の原因に代えて、紛争の要点を明らかにすれば足りる。

第273条　（任意の出頭による訴えの提起等）

当事者双方は、任意に裁判所に出頭し、訴訟について口頭弁論をすることができる。この場合においては、訴えの提起は、口頭の陳述によってする。

第274条　（反訴の提起に基づく移送）

Ⅰ　被告が反訴で地方裁判所の管轄に属する請求をした場合において、相手方の申立てがあるときは、簡易裁判所は、決定で、本訴及び反訴を地方裁判所に移送しなければならない〈供予書〉。この場合においては、第22条の規定を準用する〈同〉。

Ⅱ　前項の決定に対しては、不服を申し立てることができない。

［趣旨］本条は、反訴の相手方の反訴事件につき地裁で審理を受ける権利の尊重と、本訴・反訴を同一の訴訟手続で審理すべき要請のため、原告（反訴被告）の申立てがあれば本訴・反訴の必要的移送を定めた。

第275条　（訴え提起前の和解）

Ⅰ　民事上の争いについては、当事者は、請求の趣旨及び原因並びに争いの実情を表示して、相手方の普通裁判籍の所在地を管轄する簡易裁判所に和解の申立てをすることができる〔予〕。

Ⅱ　前項の和解が調わない場合において、和解の期日に出頭した当事者双方の申立てがあるときは、裁判所は、直ちに訴訟の弁論を命ずる。この場合においては、和解の申立てをした者は、その申立てをした時に、訴えを提起したものとみなし、和解の費用は、訴訟費用の一部とする。

Ⅲ　申立人又は相手方が第1項の和解の期日に出頭しないときは、裁判所は、和解が調わないものとみなすことができる。

Ⅳ　第1項の和解については、第264条及び第265条の規定は、適用しない。

《注　釈》

◆　起訴前和解（即決和解）

　　起訴前和解（即決和解）とは、訴訟係属を前提としない点で訴訟上の和解とは区別されるが、期日において裁判所の面前で行われ、成立した合意が調書に記載されることによって、訴訟上の和解と同一の効力が付与される。訴訟上の和解と起訴前和解とを合わせて、裁判上の和解という。

第275条の2　（和解に代わる決定）

Ⅰ　金銭の支払の請求を目的とする訴えについては、裁判所は、被告が口頭弁論において原告の主張した事実を争わず、その他何らの防御の方法をも提出しない場合において、被告の資力その他の事情を考慮して相当であると認めるときは、原告の意見を聴いて、第3項の期間の経過時から5年を超えない範囲内において、当該請求に係る金銭の支払について、その時期の定め若しくは分割払の定めをし、又はこれと併せて、その時期の定めに従い支払をしたとき、若しくはその分割払の定めによる期限の利益を次項の規定による定めにより失うことなく支払をしたときは訴え提起後の遅延損害金の支払義務を免除する旨の定めをして、当該請求に係る金銭の支払を命ずる決定をすることができる〔予〕。

Ⅱ　前項の分割払の定めをするときは、被告が支払を怠った場合における期限の利益の喪失についての定めをしなければならない。

Ⅲ　第1項の決定に対しては、当事者は、その決定の告知を受けた日から2週間の不変期間内に、その決定をした裁判所に異議を申し立てることができる〔予〕。

Ⅳ　前項の期間内に異議の申立てがあったときは、第1項の決定は、その効力を失う。

Ⅴ　第3項の期間内に異議の申立てがないときは、第1項の決定は、裁判上の和解と同一の効力を有する。

［趣旨］本条は、金銭の支払を目的とする訴えについて、請求認容判決ができる場合であっても、事情に応じて分割払いの定めを付したうえで、その支払を命じる旨

の和解に代わる決定ができるものとした。

第276条　（準備書面の省略等）

Ⅰ　口頭弁論は、書面で準備することを要しない〈共予〉。

Ⅱ　相手方が準備をしなければ陳述をすることができないと認めるべき事項は、前項の規定にかかわらず、書面で準備し、又は口頭弁論前直接に相手方に通知しなければならない〈予〉。

Ⅲ　前項に規定する事項は、相手方が在廷していない口頭弁論においては、準備書面（相手方に送達されたもの又は相手方からその準備書面を受領した旨を記載した書面が提出されたものに限る。）に記載し、又は同項の規定による通知をしたものでなければ、主張することができない。

第277条　（続行期日における陳述の擬制）〈予〉

第158条の規定は、原告又は被告が口頭弁論の続行の期日に出頭せず、又は出頭したが本案の弁論をしない場合について準用する。

第278条　（尋問等に代わる書面の提出）〈予書〉

裁判所は、相当と認めるときは、証人若しくは当事者本人の尋問又は鑑定人の意見の陳述に代え、書面の提出をさせることができる。

[趣旨]276条は裁判所の利用を容易化するため、書面による口頭弁論の準備を不要とした。277条は、158条の陳述擬制の規定を拡張して、簡易な訴訟手続を認めた。278条は、審理の簡易迅速化と訴訟経済を図るため、尋問等に代えて、書面を提出させることができるものとした。

第279条　（司法委員）

Ⅰ　裁判所は、必要があると認めるときは、和解を試みるについて司法委員に補助をさせ、又は司法委員を審理に立ち会わせて事件につきその意見を聴くことができる〈予書〉。

Ⅱ　司法委員の員数は、各事件について1人以上とする。

Ⅲ　司法委員は、毎年あらかじめ地方裁判所の選任した者の中から、事件ごとに裁判所が指定する。

Ⅳ　前項の規定により選任される者の資格、員数その他同項の選任に関し必要な事項は、最高裁判所規則で定める。

Ⅴ　司法委員には、最高裁判所規則で定める額の旅費、日当及び宿泊料を支給する。

第280条　（判決書の記載事項）〈予書〉

判決書に事実及び理由を記載するには、請求の趣旨及び原因の要旨、その原因の有無並びに請求を排斥する理由である抗弁の要旨を表示すれば足りる。

[趣旨]本条は、簡易迅速な紛争解決を実現するため、判決書の記載を簡略化する

ことを認めた。

 ＜通常訴訟手続と簡易裁判所の手続＞

		通常訴訟手続	簡易裁判所の手続
対象	訴額による対象事件の限定	限定なし	簡易裁判所（270～280）：140万円を超えない事件（裁判所33）少額訴訟（368～381）：訴額60万円以下
当事者の訴訟行為	訴えの提起	訴状を裁判所に提出（134Ⅰ）	口頭での訴え提起が可能（271）任意の出頭による訴えの提起（273）
	訴状の記載	請求の趣旨・原因（134Ⅱ）	請求の原因に代えて紛争の要点を明らかにすれば足りる（272）
	弁論の準備	書面（161Ⅰ）	原則：書面でする必要はない（276Ⅰ）例外：書面が必要（276ⅡⅢ）
	陳述擬制	最初にすべき口頭弁論期日に出頭しない場合に限定（158）	口頭弁論の続行期日に出頭しない場合でも認められる（277）
裁判所の訴訟行為	証拠調べ	口頭によって行われるのが原則（203、215、215の2）	口頭尋問に代えて、供述書・鑑定書の提出を命じることができる（278）
	反訴の提起に基づく移送	――	相手方が反訴で地方裁判所の管轄に属する請求をした場合、相手方の申立てがあるときは簡易裁判所は決定で本訴及び反訴を地方裁判所に移送しなければならない（274）
	判決書の記載事項	主文・事実・理由・口頭弁論終結の日・当事者及び法定代理人・裁判所（253）	請求の趣旨及び原因の要旨、その原因の有無並びに請求を排斥する理由たる抗弁の要旨（280）
	和解に代わる決定	――	金銭の支払請求を目的とする訴えについて、被告が原告の主張を争わず、攻撃防御方法も提出しない場合には、裁判所は、和解に代わる決定をすることができる（275の2Ⅰ）

第一審の手続

第3編　上訴

《概　説》

◆　総説

1　上訴の意義

上訴とは、裁判の確定前に、上級裁判所に対し、原裁判の取消し・変更を求める不服申立てをいう。

2　上訴の目的

(1)　当事者の救済

不当な裁判によって受ける不利益から当事者を救済すること。

(2)　法令の解釈・適用の統一

究極的に最高裁判所の手で法令の解釈・適用が行われうるものとして、その統一を図ること。

3　3審制

わが国では裁判所を3つの審級に分け、原則として2回に限って不服申立てを許すこととした（3審制）。そして、2回とも第1審と同じ方式で審判を行うのではなく、第2審では原審と同様に原裁判を事実の面からも法令の解釈・適用の面からも審理するが（事実審）、第3審では専ら法令の解釈・適用の面から審理することとして（法律審）、それぞれに特色をもたせている。

4　上訴の効果

(1)　確定遮断の効力

適法に上訴がなされると、原裁判は上訴期間経過後も確定しない（116Ⅱ）。

(2)　移審の効力

その事件は原裁判所での係属を離れて上訴裁判所に係属する。

5　上訴提起の効力の及ぶ範囲

原則：確定遮断・移審の効力の及ぶ範囲は、上訴人の申し立てた不服の範囲に限らず、原裁判全体に及ぶ（上訴不可分の原則）　司予

ただし、不服申立ての対象となっていない請求は、上訴審の審判の対象にはならない（296、304、313）ので、不服を申し立てていない部分についてまで争うためには、上訴人は不服申立ての範囲を拡張し、被上訴人は附帯上訴をすることが必要である（293Ⅰ、313）

例外：通常共同訴訟（38）の場合の上訴

∵　共同訴訟人独立の原則（39）

・第1章・【控訴】

《概 説》

一 総説

1 控訴の意義

控訴とは、第1審の終局判決に対する事実審としての上級審への上訴をいう。

控訴の対象となる裁判は地方裁判所又は簡易裁判所が第1審として行った終局判決である（281Ⅰ本文）。中間判決や中間的裁判については、抗告できる裁判（328Ⅰなど）や不服申立てを禁じられた裁判（10Ⅲ、25Ⅳ等）を除いて、終局判決に対する控訴の際に付随的に控訴審の判断の対象になるにすぎない（283）。

2 控訴の要件

(1) 控訴が法定の方式に従い、有効であること ex.訴訟要件の具備

(2) 控訴期間徒過前の控訴であること（285）

(3) 不上訴の合意や上訴権の放棄がないこと（281Ⅰただし書、284）

(4) 原裁判が不服申立てのできる性質の裁判であり、その裁判に適した控訴であること

(5) 控訴人が不服の利益を有すること

3 不服の利益（控訴の利益）

(1) 適法に控訴をなすには控訴人に原判決に対する不服の利益がなければならない。

不服の利益の有無について、判例は形式的不服説に立ち、第1審における当事者の申立てと比べて、第1審裁判の主文が質的又は量的に小さい場合に認められるとする（最判昭31.4.3・百選105事件）⟨共⟩。

(2) 形式的不服説による場合の処理

(a) 全部勝訴の当事者には、原則として不服の利益はない⟨同⟩。

→第1審において、事件が一人の裁判官により審理された後、判決の基本となる口頭弁論に関与していない裁判官が254条1項により判決書の原本に基づかないで第1審判決を言い渡した場合には、例外として、全部勝訴した原告であっても控訴をすることができる（最判令5.3.24・令5重判4事件）

∵① 上記の判決手続は249条1項（直接主義）に違反するものであり、民事訴訟の根幹に関わる重大な違法がある（なお、いわゆる調書判決（254Ⅰ）の場合でも、その言渡しは基本となる口頭弁論に関与した裁判官によってなされなければならない）

② 上記の違反は、訴訟記録により直ちに判明する事柄であり、再審事由（338Ⅰ①）に該当するものであるから、第1審判決によ

上訴

って紛争が最終的に解決されるということはできず、全部勝訴した原告の法的地位は依然として不安定な状態にあるといえる

(b) 請求を一部認容し一部棄却した判決については、原告・被告ともに上訴ができる。

(c) 訴えを却下した判決については、原告に不利益であるばかりでなく、もし被告が請求棄却を求めていたときには、本案判決を得られなかったことで被告にも不利益であるから、原告・被告ともに上訴をすることができる〈共〉

(d) 判決理由中の判断に不服があっても、結局勝訴している場合には、控訴の利益はない（最判昭31.4.3・百選105事件）〈司〉。

しかし、例外的に、予備的に主張した相殺の抗弁を理由に請求棄却判決がされた第一審判決を不服として被告が控訴する場合には、不服の利益があるとされる〈司予〉

∵① 相殺の抗弁が認められたことによって得られた請求棄却判決については、114条2項により、相殺に供した自働債権の不存在について既判力が生じており、これは被告が自働債権を失うことを意味する点で実質的な敗訴に等しい

② 被告としては、原告の請求債権それ自体が存在しないという理由で請求棄却判決を求めることができる

4 不控訴（不上訴）の合意〈司〉

不控訴の合意とは、特定の訴訟事件について一切の上訴をなさず、第1審のみで訴訟を終了させる旨の合意。不控訴の合意の効果として、控訴権が発生せず、又は消滅し、合意に反してなされた控訴が不適法として却下される。

判例（大判昭9.2.26）によれば、終局判決の言渡し前において、当事者の一方のみが控訴しない旨の合意がなされた場合、かかる合意は無効となる。

∵ かかる合意は、社会的・経済的に不利な地位にある者に対して押し付けられるおそれがある

二 控訴審手続のしくみ

1 控訴審の構造

(1) 続審主義

控訴審は第1審で収集された裁判資料を前提として（298Ⅰ）、さらにそれに控訴審で新たに収集される資料を加えて、控訴審の口頭弁論終結時を基準時として、控訴の適否と第1審判決に対する控訴・附帯控訴による不服申立てにつき、その当否を判断する。これを、続審主義という〈司〉。

(2) 弁論の更新

続審主義を採り、第1審の資料を控訴審で利用するについては、当事者が「第1審の弁論の結果の陳述」をしなければならない（296Ⅱ）。

2 控訴審の審判の範囲（利益変更禁止の原則・不利益変更禁止の原則）
⇒ p.444

第281条 （控訴をすることができる判決等）予

Ⅰ 控訴は、地方裁判所が第一審としてした終局判決又は簡易裁判所の終局判決に対してすることができる。ただし、終局判決後、当事者双方が共に上告をする権利を留保して控訴をしない旨の合意をしたときは、この限りでない予。

Ⅱ 第11条第2項及び第3項の規定は、前項の合意について準用する。

[趣旨] 本条は、控訴の対象となる裁判及び飛越上告の合意について規定する。

第282条 （訴訟費用の負担の裁判に対する控訴の制限）

訴訟費用の負担の裁判に対しては、独立して控訴をすることができない共予書。

[趣旨] 訴訟費用についての裁判に対して独立して控訴することを許すと、訴訟費用の裁判のために本案の請求についての判断が蒸し返され、裁判所の負担が過重となり不合理である。そこで、訴訟費用の負担の裁判に対しては独立して控訴することができないものとした。

訴訟費用の裁判は本案の裁判に付随してなされるものであることから、本案の裁判に対する上訴が不適法であるか、若しくは理由のないときは、訴訟費用の裁判に対する不服申立ても許されない（最判昭29.1.28）同。

第283条 （控訴裁判所の判断を受ける裁判）

終局判決前の裁判は、控訴裁判所の判断を受ける。ただし、不服を申し立てることができない裁判及び抗告により不服を申し立てることができる裁判は、この限りでない。

[趣旨] 終局判決に至るまでの第1審の過程において、第1審裁判所がする様々な個々の中間的な裁判に対して上級審に不服申立てができるとすると、著しい訴訟遅延をもたらすため、本条本文は、原則として中間的な裁判の適法性も終局判決に対する控訴審において判断されれば足りるとして、独立して不服申立てできないとした。もっとも、中間的な裁判の中でも、控訴審がその当否を判断できず、その裁判に拘束されるものが、本条ただし書に規定されるものである。

《注 釈》

一 終局判決に対する控訴・上告で判断される裁判（本文）

独立に不服申立ての対象とならず、終局判決と一体のものとして終局判決に対する控訴審・上告審において判断を受けるべきものである。

→中間判決（245）、攻撃防御方法の却下を求める申立てについての裁判（157）、証拠調べの必要性を理由とする証拠申出の採否決定（180、181）書、尋問順序の変更についての異議についての裁判（202Ⅲ）等

二 不服を申し立てることができない裁判（ただし書前段）

高等裁判所の決定・命令については、特別抗告（336）・許可抗告（337）を除

き、最高裁判所に対して抗告することができない。また、個別に不服を申し立てることができないと規定されているものがこれに当たる（10Ⅲ、25Ⅳ、132の8、214Ⅲ、238、274Ⅱ、295本文等）。

三　抗告により不服を申し立てることができる裁判（ただし書後段）

通常抗告（328）　⇒p.458
即時抗告（332、334Ⅰ参照）　⇒p.458、461

第284条　（控訴権の放棄）

控訴をする権利は、放棄することができる。

《注　釈》

◆　控訴権の放棄

控訴権は、第1審判決言渡しに基づいて発生するが、当事者は、控訴権発生後にこれを放棄することができる〈書〉。すでに控訴がなされた後でも控訴権を放棄できるが、控訴の取下げとともにすることが必要である。控訴権を有する全ての当事者が控訴権を放棄したときは、当該時点で判決が確定し〈同〉、その後の控訴は不適法となる。

第285条　（控訴期間）

控訴は、判決書又は第254条第2項の調書の送達を受けた日から2週間の不変期間内に提起しなければならない〈書〉。ただし、その期間前に提起した控訴の効力を妨げない〈予〉。

[趣旨] 本条は、控訴期間について規定し、かつその期間が不変期間である旨規定する。

《注　釈》

◆　控訴期間の満了日

第1審裁判所が、令和3年12月13日（月）、Xの請求を認容する判決を言い渡しその判決正本が、同月15日（水）午後1時に当事者双方に送達されたとすると、Yの控訴期間は令和4年1月4日が満了日となる（95Ⅰ、民138以下参照）〈同〉。

第286条　（控訴提起の方式）

Ⅰ　控訴の提起は、控訴状を第一審裁判所に提出してしなければならない〈同予書〉。

Ⅱ　控訴状には、次に掲げる事項を記載しなければならない〈予〉。

①　当事者及び法定代理人

②　第一審判決の表示及びその判決に対して控訴をする旨

第287条　（第一審裁判所による控訴の却下）

Ⅰ　控訴が不適法でその不備を補正することができないことが明らかであるときは、第一審裁判所は、決定で、控訴を却下しなければならない〈予〉。

Ⅱ　前項の決定に対しては、即時抗告をすることができる。

第288条　（裁判長の控訴状審査権）

第137条の規定は、控訴状が第286条第2項の規定に違反する場合及び民事訴訟費用等に関する法律の規定に従い控訴の提起の手数料を納付しない場合について準用する。

第289条　（控訴状の送達）

Ⅰ　控訴状は、被控訴人に送達しなければならない。

Ⅱ　第137条の規定は、控訴状の送達をすることができない場合（控訴状の送達に必要な費用を予納しない場合を含む。）について準用する。

第290条　（口頭弁論を経ない控訴の却下）

控訴が不適法でその不備を補正することができないときは、控訴裁判所は、口頭弁論を経ないで、判決で、控訴を却下することができる〈書〉。

第291条　（呼出費用の予納がない場合の控訴の却下）

Ⅰ　控訴裁判所は、民事訴訟費用等に関する法律の規定に従い当事者に対する期日の呼出しに必要な費用の予納を相当の期間を定めて控訴人に命じた場合において、その予納がないときは、決定で、控訴を却下することができる。

Ⅱ　前項の決定に対しては、即時抗告をすることができる。

《注　釈》

◆　控訴審の手続

1　控訴の提起

（1）　控訴状の提出

控訴は、控訴人が第1審判決又は判決に代わる調書（254Ⅱ）の送達を受けた日から2週間の控訴期間内に（285本文）、原裁判所に控訴状を提出することによって提起する（286Ⅰ）〈同予書〉。

控訴状には当事者等のほかは第1審判決とこれに対する控訴である旨を表示すれば足りる（286Ⅱ）〈予〉。

（2）　原裁判所の決定による控訴の却下

原裁判所は、控訴提起の段階で控訴が不適法でその不備を補正し得ないことが明らかであれば決定で控訴を却下しなければならない（287）〈抗〉。

（3）　控訴裁判所への送付

(2)の場合を除いて、控訴状は訴訟記録とともに遅滞なく控訴裁判所に送付

される（規174）。
2　控訴裁判所での口頭弁論前の手続
　(1)　被控訴人への送達
　　　　原裁判所より送付された控訴状は控訴裁判所で裁判長の審査を受けた後
　　（288、289Ⅱ、137）、被控訴人に送達される（289Ⅰ）。
　(2)　控訴理由書提出強制
　　　　控訴理由は、控訴状に記載するか（規175）、控訴提起後50日以内に書面
　　（控訴理由書）で控訴裁判所に対して明らかにしなければならない（規
　　182）。これは争点の早期の整理と充実した審理を目標にした規則であるが、
　　上告の場合（316Ⅰ②、315）と異なり、不提出への直接の制裁はない〈同予〉。

第292条　（控訴の取下げ）

Ⅰ　控訴は、控訴審の終局判決があるまで〈共〉、取り下げることができる〈同〉。
Ⅱ　第261条第3項、第262条第1項及び第263条の規定は、控訴の取下げにつ
　いて準用する〈共予書〉。

《注　釈》

◆　控訴の取下げ

　　控訴の取下げとは、控訴による原判決に対する不服申立ての撤回をいう。相手
方の同意は要しない（292条2項は261条2項を準用していない）〈共予〉。
　　控訴の取下げは控訴審の終局判決の言渡しがあるまで（Ⅰ）、訴訟記録の存在
する裁判所に対する一方的な意思表示によりなすことができる（規177Ⅰ）。
　　これにより控訴は初めに遡って効力を失い（Ⅱ、262Ⅰ）、控訴審手続も終了す
る。

第293条　（附帯控訴）

Ⅰ　被控訴人は、控訴権が消滅した後であっても、口頭弁論の終結に至るまで、附帯
　控訴をすることができる〈同予書〉。
Ⅱ　附帯控訴は、控訴の取下げがあったとき、又は不適法として控訴の却下があった
　ときは、その効力を失う。ただし、控訴の要件を備えるものは、独立した控訴とみ
　なす〈予〉。
Ⅲ　附帯控訴については、控訴に関する規定による。ただし、附帯控訴の提起は、附
　帯控訴状を控訴裁判所に提出してすることができる〈予〉。

[趣旨]不利益（利益）変更禁止の原則（304）との関係では、自ら控訴していない
当事者の有利に第1審判決を変更することはできない。しかし、相手方の控訴があ
れば、被控訴人は自己に有利に判決が変更される可能性がないにもかかわらず、相
手方の控訴に応訴しなければならない。また、控訴人は控訴審の口頭弁論終結まで
請求の拡張を行うことが許されている（143、297）。これらとの均衡からすれば、

独立の控訴権を失った被控訴人に全く不服申し立てを許さないのは不公平である。そこで、本条は、自らの上訴権が消滅した被控訴人にも自己に有利に判決を変更する可能性を与えるため、附帯控訴について規定した。

《注　釈》

◆　附帯控訴

1　附帯控訴とは、既に開始された控訴審手続の口頭弁論終結までに、被控訴人が、控訴人の申し立てた審判対象を拡張して、自己に有利な判決を求める不服申立てをいう（Ⅰ）。

　　附帯控訴は、第1審において、全部勝訴の判決を得た当事者も行うことができる（最判昭32.12.13・百選A39事件）予。

　　なお、上告審においても、附帯上告が認められている（⇒p.449）。もっとも、控訴審において全部勝訴の判決を得た当事者は、たとえ第1審判決において棄却された請求の認容を求めることを目的とするものであっても、附帯上告をすることはできない（最判昭54.11.16）同。

　　∵　上告審は法律審であり、請求の拡張は認められないため

2　附帯控訴の本質について、判例・通説は、特殊な攻撃的申立てであり、その提起には控訴の利益は要しないとする同。この立場からは、控訴審での訴えの変更、反訴の提起（300参照）は原判決の変更を招来するから、附帯控訴によらねばならない。

3　被控訴人は、自己の控訴権消滅後でも口頭弁論終結前までは附帯控訴ができる同。また、附帯控訴の取下げを行った後であっても、口頭弁論終結前までは再度の附帯控訴ができる（最判昭38.12.27）予。附帯控訴の方式は、控訴に関する規定による（Ⅲ）。

　　附帯控訴は、控訴に附帯するので、控訴が取り下げられ、又は不適法却下された場合は、効力を失う（Ⅱ本文）。ただし、控訴の要件を具備する附帯控訴は、独立の控訴としての効力が擬制される（Ⅱただし書、独立附帯控訴）共。

　　なお、附帯控訴の取下げの際、控訴人の同意を得る必要はない（最判昭34.9.17）。

▼　最判昭32.12.13・百選A39事件 司共予

事案：　XはYとの間の本件土地についての賃貸借契約を無断転貸を理由に解除し、Xに対して、本件土地の一部の明渡しと、その賃料相当の1ヶ月金250円の割合による遅延損害金の支払を求める訴えを提起した。第1審は、Xの全部勝訴であったところ、Yが控訴。Xは控訴審において請求を拡張し、1ヶ月金500円の割合による損害金の支払を求めた。

判旨：　「第1審において、全部勝訴の判決を得た当事者（原告）も、相手方が該判決に対し控訴した場合、附帯控訴の方式により、その請求の拡張をなし得る」と判示した。

上訴

第294条　（第一審判決についての仮執行の宣言）

　控訴裁判所は、第一審判決について不服の申立てがない部分に限り、申立てにより、決定で、仮執行の宣言をすることができる〈司〉。

第295条　（仮執行に関する裁判に対する不服申立て）

　仮執行に関する控訴審の裁判に対しては、不服を申し立てることができない。ただし、前条の申立てを却下する決定に対しては、即時抗告をすることができる。

[趣旨] 第1審判決について不服の申立てがない部分については、控訴審で変更される可能性の低いことから、申立てにより決定で仮執行の宣言をすることができるものとして、第1審の勝訴当事者の早期の権利実現を図った。

第296条　（口頭弁論の範囲等）

Ⅰ　口頭弁論は、当事者が第一審判決の変更を求める限度においてのみ、これをする〈司〉。

Ⅱ　当事者は、第一審における口頭弁論の結果を陳述しなければならない〈共予〉。

第297条　（第一審の訴訟手続の規定の準用）

　前編第1章から第7章までの規定は、特別の定めがある場合を除き、控訴審の訴訟手続について準用する。ただし、第269条の規定は、この限りでない〈司予〉。

第298条　（第一審の訴訟行為の効力等）

Ⅰ　第一審においてした訴訟行為は、控訴審においてもその効力を有する〈司予〉。

Ⅱ　第167条の規定は、第一審において準備的口頭弁論を終了し、又は弁論準備手続を終結した事件につき控訴審で攻撃又は防御の方法を提出した当事者について、第178条の規定は、第一審において書面による準備手続を終結した事件につき同条の陳述又は確認がされた場合において控訴審で攻撃又は防御の方法を提出した当事者について準用する。

《注　釈》

◆　控訴審の口頭弁論

　1　控訴審の口頭弁論手続

　　控訴が不適法でその不備が補正できない場合を除いて（290）、必ず口頭弁論を開いて審理しなければならない（87Ⅰ本文）。控訴審の口頭弁論は地方裁判所での第1審裁判手続に準ずる（297）。

　2　控訴審の口頭弁論の開始

　　口頭弁論は、控訴人の原判決に対する不服申立てにより開始する。被控訴人は、これに対して控訴の却下又は棄却を申し立て、さらに附帯控訴（293）を提起しうる。

　3　控訴審における訴えの変更・反訴の提起

　　控訴審における訴えの変更（297）は、請求の基礎の同一性が維持される限

り、相手方の審級の利益を害することにはならないため、相手方の同意なくして訴えの変更をすることは許される（143 I 本文）《予》。

　また、控訴審において反訴を提起するには、原則として相手方の同意が必要（300 I）であるが、相手方の審級の利益を害するおそれがない場合であれば、相手方の同意なくして反訴を提起することも許される《司》。

4　第1審の訴訟行為

(1)　第1審の訴訟行為は控訴審でも効力を有する（298 I）。第1審の事実・証拠を利用するには、不服の審判に必要な限度で第1審の口頭弁論の結果を陳述する必要がある（弁論の更新、296 II）。

　判例（最判昭 33.7.22）は、「控訴審において当事者が第一審における口頭弁論の結果を陳述すべき場合、当事者の一方が口頭弁論期日に欠席したときは出頭した方の当事者に双方に係る第一審口頭弁論の結果を陳述させることができる」としている《予》。

　第1審での準備的口頭弁論や弁論準備手続を経た場合は、控訴審でもその効力を有する（298 I）。

(2)　控訴裁判所の裁判長は、当事者の意見を聴取したうえで、攻撃防御方法の提出などにつき期間を定めることができる（301 I）。

　→控訴裁判所は、控訴審において、あるいは控訴審での攻撃防御方法等の提出期間経過後になって、新たな事実や証拠が提出された場合、当事者から第1審での準備的口頭弁論や控訴審での提出期間内に提出できなかった理由を聞いたうえで（298 II、301 II）、理由によっては、それらの事実や証拠を時機に後れたものとして却下することができる（297、157）《司》。

(3)　控訴裁判所は、第1審で提出された資料と控訴審で提出された資料とを基礎として、不服申立ての限度で独自に事実認定を行い、審理の結果と第1審判決とを比較する形で、不服の当否を審理する《司》。

第299条　（第一審の管轄違いの主張の制限）

I　控訴審においては、当事者は、第一審裁判所が管轄権を有しないことを主張することができない。ただし、専属管轄（当事者が第11条の規定により合意で定めたものを除く。）については、この限りでない《予》。

II　前項の第一審裁判所が第6条第1項各号に定める裁判所である場合において、当該訴訟が同項の規定により他の裁判所の専属管轄に属するときは、前項ただし書の規定は、適用しない。

[趣旨]任意管轄違背という比較的軽微な訴訟要件の瑕疵によって第1審を取り消すことは、訴訟経済という観点から妥当ではない。そこで、本条により、控訴審において、第1審裁判所が任意管轄を有しないことを主張することはできないものとした。

第300条 （反訴の提起等）

Ⅰ 控訴審においては、反訴の提起は、相手方の同意がある場合に限り、することができる〈予〉。

Ⅱ 相手方が異議を述べないで反訴の本案について弁論をしたときは、反訴の提起に同意したものとみなす〈共〉。

Ⅲ 前2項の規定は、選定者に係る請求の追加について準用する。

[趣旨] 反訴の提起は、訴えの変更に比べて、その要件が緩和されている（143Ⅰ、146Ⅰ）ため、本訴と反訴とでは審理の範囲に必ずしも同一性が認められない。にもかかわらず、控訴審において反訴を認めると、相手方の第1審裁判所において審理を受ける利益（審級の利益）を奪うことになるため、本条は、控訴審における反訴の提起には、相手方の同意を要するものとした。

第301条 （攻撃防御方法の提出等の期間）〈司〉

Ⅰ 裁判長は、当事者の意見を聴いて、攻撃若しくは防御の方法の提出、請求若しくは請求の原因の変更、反訴の提起又は選定者に係る請求の追加をすべき期間を定めることができる。

Ⅱ 前項の規定により定められた期間の経過後に同項に規定する訴訟行為をする当事者は、裁判所に対し、その期間内にこれをすることができなかった理由を説明しなければならない。

[趣旨] 本条は、控訴審における適時提出主義の実現のため（156参照）、裁判長が攻撃防御方法等の期間について定めうることを規定した。

第302条 （控訴棄却）

Ⅰ 控訴裁判所は、第一審判決を相当とするときは、控訴を棄却しなければならない。

Ⅱ 第一審判決がその理由によれば不当である場合においても、他の理由により正当であるときは、控訴を棄却しなければならない〈共予〉。

《注 釈》

◆ 控訴審の終結

　控訴審は終局判決、訴えの取下げ（261）、請求の放棄・認諾（267）、訴訟上の和解（267）のほか、控訴の取下げによって終了する。

1 控訴の取下げ（292）

2 控訴審の終局判決

　(1) 控訴却下

　　控訴がその要件を欠き不適法であるときには、控訴は却下される（290）。

　(2) 控訴棄却

　　(a) 控訴裁判所が審理の結果、原判決が正当であり、不服に理由がないとす

るときには、控訴棄却の判決をする（Ⅰ）。原判決の理由が不当で理由の
ない場合でも、他の理由が成立するため同一の結論が導かれるときは、こ
れらの理由は判決理由中の判断であり、既判力が及ばないから（114Ⅰ）、
やはり控訴を棄却してよい（Ⅱ）。しかし、判決理由中の判断に既判力の
ある相殺の抗弁の場合は（114Ⅱ）、原判決が確定した相殺の抗弁を否定
し、他の理由を認めたときは、原判決を取り消したうえで請求を棄却す
る。

(b) 判例（最判昭31.12.20）は控訴審において訴えの交換的変更があった場
合、新訴については控訴裁判所が事実上第1審裁判所として裁判するので
あるから、新訴についての判決の結論が第1審判決の主文と全く同一とな
る場合であっても、控訴棄却の裁判をすべきではなく、新訴について請求
棄却をなすべきであるとしている〈司予〉。

(3) 控訴認容

原判決を不当とするとき（305）、あるいは原判決に判決の成立手続の法令
違反（306）や重大な手続法規違反（再審事由の存在など）があるときは、
原判決を取り消し、代わって自判、差戻し、移送のいずれかの判決をする。

(a) 自判

控訴審は事実審であるから、自判すなわち控訴裁判所自らが事実認定を
し、訴えに対する裁判をするのが原則である〈司〉。

(b) 差戻し

ア　原判決が訴え却下判決である場合には、審級の利益を保障するために
必ず第1審に差し戻さなければならない（必要的差戻し・307本文）。
もっとも、事件につきさらに弁論をしなくとも審級の利益を害するおそ
れがない場合（第1審で実質審理がなされている場合や事実関係に争い
がない場合など）には差戻しをせず自判しうる（307ただし書）。

イ　必要的差戻しのほか、事件につき、さらに第1審において弁論をする
必要があると判断するときは、これを第1審に差し戻すことができる
（任意的差戻し・308）。

(c) 移送

原判決に専属管轄違反（ただし、専属的合意管轄は除く）があれば、こ
れを管轄権を有する第1審裁判所へ移送する（299Ⅰただし書、309）。任
意管轄違反は原判決の取消しの理由とならない。

(d) 仮執行

控訴審判決における仮執行宣言については特則があり（310）、金銭支払
請求に関する判決については、申立てがあると原則として無担保で仮執行
宣言をしなければならない。

第303条　（控訴権の濫用に対する制裁）

Ⅰ　控訴裁判所は、前条第1項の規定により控訴を棄却する場合において、控訴人が訴訟の完結を遅延させることのみを目的として控訴を提起したものと認めるときは、控訴人に対し、控訴の提起の手数料として納付すべき金額の10倍以下の金銭の納付を命ずることができる。

Ⅱ　前項の規定による裁判は、判決の主文に掲げなければならない。

Ⅲ　第1項の規定による裁判は、本案判決を変更する判決の言渡しにより、その効力を失う。

Ⅳ　上告裁判所は、上告を棄却する場合においても、第1項の規定による裁判を変更することができる。

Ⅴ　第189条の規定は、第1項の規定による裁判について準用する。

[趣旨] 控訴人が訴訟の完結を遅延させることのみを目的として控訴をする場合がある。本条はそのような目的の控訴を防止するための制裁について規定したものである。

第304条　（第一審判決の取消し及び変更の範囲）

第一審判決の取消し及び変更は、不服申立ての限度においてのみ、これをすることができる。

[趣旨] 民事訴訟においては当事者の申立てがない事項について判断することはできない（246）ので、第1審の当否を判断する控訴審においても当事者の意思が尊重されることとされた。

《注　釈》

◆　第1審判決の取消し及び変更の範囲

1　控訴審で審理の対象になるのは、控訴人が原判決に対して不服を申し立てた範囲に限られる。控訴裁判所は不服申立ての限度で原判決の当否を判断でき、その範囲で原判決を変更できる。

（1）利益変更禁止の原則
　　控訴人の申立て以上に原判決より有利な判断を与えられない。

（2）不利益変更禁止の原則 ◁同R5▷
　　裁判所は、原判決より不利益な判決をなすこともできない。
　　∵　控訴人はより有利な判断を求めて不服を申し立てている
　　→不利益変更禁止の原則に違反するかどうかは、控訴裁判所の判決が確定した場合と原判決が確定した場合の既判力の比較により検討される

▼　**最判昭58.3.22・百選106事件**〈予審〉

判旨：　主位的請求を棄却し予備的請求を認容した第1審判決に対し、第1審の被告のみが控訴し、第1審原告が控訴も附帯控訴もしない場合には、主位的請求に対する第1審の判断の当否は控訴審の審判の対象となるものではない、とした。

2　具体例

(1)　相殺の抗弁と不利益変更の禁止

相殺の抗弁を認めて請求を棄却した第1審判決に原告のみが控訴した事案について、審理の結果、訴求債権がそもそも不存在であることが判明した場合、控訴審は、第1審判決を取り消して改めて請求棄却判決をなすことができるか。

▼　**最判昭61.9.4・百選107事件**〈同共予〉〈同H27〉

判旨：　相殺の抗弁を認めて請求を棄却した第1審判決に対し原告のみが控訴した場合、控訴審が訴求債権の有効な成立を否定し、第1審判決を取り消して改めて請求棄却の判決をすると、被告が相殺に使った反対債権の不存在の既判力が失われ、原告に不利益となるから（114Ⅱ参照）、不利益変更禁止の原則に違反して許されないとした。

→判例に従えば、控訴棄却の判決をするにとどめることになる

(2)　境界確定訴訟と不利益変更の禁止

境界確定訴訟において不利益変更禁止の原則が働くかにつき争いがあるが、境界確定訴訟は形式的形成訴訟であるとする判例（最判昭38.10.15）・通説の立場によれば、裁判所は当事者主張の境界線に拘束されないから、上級審でも不服申立てとは無関係に境界線が定められる〈同予〉　⇒ p.194

(3)　請求の客観的予備的併合と不利益変更の禁止　⇒ p.236

(4)　独立当事者参加における敗訴者1人の上訴と利益変更の禁止　⇒ p.97

(5)　訴訟上の和解による訴訟終了宣言判決と不利益変更禁止の原則

訴訟終了宣言判決とは、訴訟が終了したかどうかについて争いが生じた場合に、訴訟が既に終了したことを宣言する終局判決であり、訴訟が終了したことだけを既判力をもって確定する訴訟判決である。原告の請求の当否について判断した判決ではないため、本案判決とは異なる。また、訴訟係属が存在しないことを前提とした判決であるため、一般的な訴訟判決とも異なるとされる。

では、訴訟上の和解が成立したことを理由とする訴訟終了宣言判決に対して、被告のみが控訴し、原告は控訴も附帯控訴もしなかった場合において、控訴審裁判所が原判決を取り消し、原告の請求の一部を認容することは不利益変更禁止の原則に反しないか。

▼　**最判平27.11.30・百選A38事件**

判旨：　訴訟終了宣言判決と比較すると、「原告の請求の一部を認容する本案判
決は、当該和解の内容にかかわらず、形式的には被告にとってより不利
益であると解される。したがって、和解による訴訟終了判決である第1
審判決に対し、被告のみが控訴し原告が控訴も附帯控訴もしなかった場
合において、控訴審が第1審判決を取り消した上原告の請求の一部を認
容する本案判決をすることは、不利益変更禁止の原則に違反して許され
ないものというべきである。」

そして、「和解による訴訟終了判決に対する控訴の一部のみを棄却する
ことは、和解が対象とした請求の全部について本来生ずべき訴訟終了の
効果をその一部についてだけ生じさせることになり、相当でないから、
……控訴審が訴訟上の和解が無効であり、かつ、第1審に差し戻すこと
なく請求の一部に理由があるとして自判をしようとするときには、控訴
の全部を棄却するほかないというべきである。」

第305条　（第一審判決が不当な場合の取消し）

控訴裁判所は、第一審判決を不当とするときは、これを取り消さなければならない。

第306条　（第一審の判決の手続が違法な場合の取消し）

第一審の判決の手続が法律に違反したときは、控訴裁判所は、第一審判決を取り消
さなければならない。

第307条　（事件の差戻し）

控訴裁判所は、訴えを不適法として却下した第一審判決を取り消す場合には、事件
を第一審裁判所に差し戻さなければならない。ただし、事件につき更に弁論をする必
要がないときは、この限りでない。

［趣旨］ 訴えが不適法である場合には、第1審裁判所は訴えを却下しなければなら
ず、その場合、本案についての審理をすることなく訴え却下判決がなされることに
なる。控訴裁判所が、第1審裁判所のなした訴え却下判決を取り消す場合、控訴裁
判所が自ら本案についての判断を示すことになると、当事者が第1審において審理
を受ける利益を害することになる。そこで、控訴裁判所は、訴えを不適法として却
下した第1審判決を取消す場合には、原則として事件を第1審裁判所に差し戻すも
のとした。

《注　釈》

◆　差戻判決

控訴審が原判決を取り消し、事件を原審に差し戻す判決をした場合において、
従来の判例は、この差戻判決を中間判決と解して、差戻判決に対する上告を認め
なかった（大判昭5.10.4）。しかし、後に、差戻判決は控訴審の手続を終了させる

から、中間判決ではなく終局判決であるとして、上告の対象になるとした（最判昭26.10.16）〈共〉。

第308条

Ⅰ　前条本文に規定する場合のほか、控訴裁判所が第一審判決を取り消す場合において、事件につき更に弁論をする必要があるときは、これを第一審裁判所に差し戻すことができる。

Ⅱ　第一審裁判所における訴訟手続が法律に違反したことを理由として事件を差し戻したときは、その訴訟手続は、これによって取り消されたものとみなす。

第309条　（第一審の管轄違いを理由とする移送）

控訴裁判所は、事件が管轄違いであることを理由として第一審判決を取り消すときは、判決で、事件を管轄裁判所に移送しなければならない。

[趣旨] 本条は、控訴裁判所が、専属管轄違背を理由として第1審判決を取り消す場合には、その後の手続を簡略化するため、事件につき専属管轄を有する第1審裁判所への移送を義務付けた。

第310条　（控訴審の判決における仮執行の宣言）

控訴裁判所は、金銭の支払の請求（第259条第2項の請求を除く。）に関する判決については、申立てがあるときは、不必要と認める場合を除き、担保を立てないで仮執行をすることができることを宣言しなければならない。ただし、控訴裁判所が相当と認めるときは、仮執行を担保を立てることに係らしめることができる。

[趣旨] 控訴審における判決は第1審及び控訴審の手続を経ている一方、上告審においては破棄の可能性が低いことから、迅速な権利実現を図るため、担保を立てないで仮執行の宣言ができる場合を定めた。

第310条の2　（特許権等に関する訴えに係る控訴事件における合議体の構成）

第6条第1項各号に定める裁判所が第一審としてした特許権等に関する訴えについての終局判決に対する控訴が提起された東京高等裁判所においては、当該控訴に係る事件について、5人の裁判官の合議体で審理及び裁判をする旨の決定をその合議体ですることができる。ただし、第20条の2第1項の規定により移送された訴訟に係る訴えについての終局判決に対する控訴に係る事件については、この限りでない。

・第2章・【上告】

《概　説》

一　総説

1　上告の意義

(1)　上告とは、法律審である上告審への不服申立てをいう。

(2)　上告審は法律審であるから、①不服の利益のほか、②上告の理由の主張として、法令違反を主張しなければならない。また、上告審は、事件の事実関係を自ら認定し直さず、原判決が適法に認定した事実に拘束される（321Ⅰ）。

2　不服の利益（上告の利益）

不服の利益の存否は、控訴審におけると同様の原則による。　⇒ p.433

二　上告審の手続

1　上告の提起

(1)　原裁判所での審査

上告期間は控訴と同様に原判決の送達後2週間であり（313、285）、上告状の提出先は原裁判所である（314、315、316）。

原裁判所の裁判長は上告状が適式かどうか点検し、不備があればその補正を命じ、上告人が補正に応じなければ命令によって上告状を却下する（314Ⅱ、288、289Ⅱ、137、規187）。

上告状が適式でも、上告が不適法で補正することができない場合や適法な上告理由書が提出されていない場合には、原裁判所は補正を命じたうえで、補正がなされないときには上告を却下する（316Ⅰ、規196、即時抗告については316Ⅱ）。それ以外の場合には、原裁判所は事件を上告裁判所に送付する。これにより原判決の確定は遮断され（確定遮断効）、事件は上告審に移審する（移審効）。

(2)　上告裁判所での審査

事件の送付を受けた上告裁判所（最高裁判所及び高等裁判所）は、上告に原裁判所の審査によっては明らかにならなかった不備があり、不適法と判断すれば、決定で上告を却下する（317Ⅰ）。

特に最高裁判所の場合は、憲法違反及び絶対的上告理由に当たる上告理由が主張されていないときは上告棄却の決定ができる（317Ⅱ）。

2　上告受理の申立て

上告受理の申立ての手続は上告の提起に準じる。

上告受理の申立期間は原判決の送達後2週間で（318Ⅴ、313、285）、申立書を原裁判所に提出して行う（318Ⅴ、313、314、315、316Ⅰ）。

受理決定がなされると、上告があったものとみなされる（318Ⅳ）。

▼　**最決平 12.7.14・百選〔第三版〕A48 事件**

　　決旨：　上告期間内の上告状を提出した上告人が、続いて上告期間経過後に上
　　　　　　告受理申立理由書を提出した。これによって上告受理申立が認められる
　　　　　　かについて、上告人が提出した上告状に上告受理申立ての趣旨が含まれ
　　　　　　ているとは認めることはできず、上告と上告受理の申立てとは異なる申
　　　　　　立てであるから、上告受理申立期間経過後に、先にした上告を上告受理
　　　　　　の申立てに変更又は訂正することはできないとした。

　3　上告審の審理
　（1）　審判の範囲と附帯上告
　　　　上告審では、職権調査事項を除いて（322）、上告理由書による不服申立て
　　　の範囲で原判決の当否を審理する（320）。
　　　　被上告人が原判決を自らに有利に変更してもらうためには附帯上告が認め
　　　られる。
　　　　上告審では、請求の減縮以外の訴えの変更・反訴の提起は許されない
　　　（143 I、146 I）。
　（2）　上告審の口頭弁論
　　　　上告審では、職権調査事項を除いて（322）、原審までに確定された事実に
　　　基づいて裁判する（321 I）。必ずしも口頭弁論を開いて審理する必要はな
　　　い。提出された上告状、上告理由書、答弁書などから上告に理由がないと認
　　　めれば直ちに上告棄却の判決をすることができる（319）。
　　　　ただし、上告を認容する場合には必ず口頭弁論を開いて審理しなければな
　　　らない。

第３１１条　（上告裁判所）

Ⅰ　上告は、高等裁判所が第二審又は第一審としてした終局判決に対しては最高裁判
　所に、地方裁判所が第二審としてした終局判決に対しては高等裁判所にすることが
　できる。
Ⅱ　第 281 条第１項ただし書の場合には、地方裁判所の判決に対しては最高裁判所
　に、簡易裁判所の判決に対しては高等裁判所に、直ちに上告をすることができる。

《注　釈》

▪上告は通常控訴審の終局判決に対して許される。飛越上告の合意（281 I ただし
　書）がある場合や高等裁判所が第１審として裁判する場合には第１審判決に対し
　て直ちに上告が許される。

> **第312条　（上告の理由）**
>
> Ⅰ　上告は、判決に憲法の解釈の誤りがあることその他憲法の違反があることを理由とするときに、することができる。
>
> Ⅱ　上告は、次に掲げる事由があることを理由とするときも、することができる。ただし、第4号に掲げる事由については、第34条第2項（第59条において準用する場合を含む。）の規定による追認があったときは、この限りでない。
>
> ①　法律に従って判決裁判所を構成しなかったこと〈予〉。
>
> ②　法律により判決に関与することができない裁判官が判決に関与したこと。
>
> ②の2　日本の裁判所の管轄権の専属に関する規定に違反したこと。
>
> ③　専属管轄に関する規定に違反したこと（第6条第1項各号に定める裁判所が第一審の終局判決をした場合において当該訴訟が同項の規定により他の裁判所の専属管轄に属するときを除く。）。
>
> ④　法定代理権、訴訟代理権又は代理人が訴訟行為をするのに必要な授権を欠いたこと。
>
> ⑤　口頭弁論の公開の規定に違反したこと。
>
> ⑥　判決に理由を付せず、又は理由に食違いがあること〈同〉。
>
> Ⅲ　高等裁判所にする上告は、判決に影響を及ぼすことが明らかな法令の違反があることを理由とするときも、することができる〈同〉。

［趣旨］本条は、最高裁の憲法判断と法令の解釈・適用の統一という本来の機能を十分に果たさせるため、上告理由を制限することで、最高裁の審理負担の軽減を図った。

《注　釈》

◆　上告理由〈予〉

上告理由とは、上告審が原判決を破棄すべき事由をいう。上告審は法律審であるから、上告理由は法令違反に限られる。もっとも、すべての法令の解釈・適用に関する誤りが上告理由となるわけではなく、法令違反を理由として最高裁判所に対して上告をする場合には上告受理の申立てをすることになる（318）。

1　憲法違反（312Ⅰ）

原判決に憲法の解釈・適用の誤りがある場合には、常に上告理由となる。

2　絶対的上告理由（312Ⅱ）

①　判決裁判所の構成の違法（312Ⅱ①）

→直接主義に違反し、判決の基本となる口頭弁論に関与していない裁判官が判決をした裁判官として原判決に署名押印した場合も、「法律に従って判決裁判所を構成しなかったこと」に当たる（最判平19.1.16）〈予〉

②　判決に関与できない裁判官の判決への関与（同②）

③　専属管轄違反（同③）

④　代理権の欠缺（同④）

⑤　公開規定の違反（同⑤）

⑥　判決の理由不備又は理由齟齬（同⑥）〈同〉

3　判決に影響を及ぼすことが明らかな法令違反（312Ⅲ）

　　高等裁判所に対する上告は、憲法違反、絶対的上告理由に加え、判決に影響を及ぼすことが明らかな法令違反がある場合も上告理由となる。

　　判決に影響を及ぼすことが明らかな法令違反とは、判決の主文に照らして、その法令違反がなければ判決の結論（主文）が異なったものになったであろう場合をいう。

4　経験則違反　⇒p.393

5　審理不尽・再審事由

（1）審理不尽

　　審理不尽とは、法令解釈・適用以前の問題として、事実認定を尽くさない等、必要な審理を尽くして結審すべき手続規範に対する違反をいう。判例（最判昭36.8.8・百選109事件等）は、独立して又は理由不備・理由の食い違い（312Ⅱ⑥）等に付加して、審理不尽を上告理由として認めている。

　　学説においては、審理不尽は法令の解釈適用の誤り（312Ⅲ）、理由不備・理由の食い違い（312Ⅱ⑥）、釈明義務違反等に解消できるとして明文規定のない審理不尽を独立の上告理由とすることに反対するものが多数であった。しかし、近時は法令違反としての上告理由となるとの見解も有力である（もっとも、現行法の下では法令違反は最高裁判所への上告理由とはならず、高等裁判所への上告理由となるか（312Ⅲ）、上告受理申立て理由となるか（318Ⅰ）が問題となるにすぎない）。

▼　**最判昭35.6.9・百選〔第三版〕A46事件**

判旨：　原告から表見代理および使用者責任に基づく金銭の支払が求められた事案において、原審が民法110条の基本代理権や民法715条の担当業務の判断をする際に、事業の実際の運営状況を審理しなかったことは審理不尽の違法に当たるとして、原審を破棄した。

（2）再審事由

　　絶対的上告理由と再審事由（338Ⅰ）を比較すると、再審についての338条1項4号ないし8号の事由は上告理由に対応するものがない。しかし、訴訟経済の観点等から、これらも法令違反として上告理由になると解されている（最判昭38.4.12・百選〔第三版〕A47事件、通説）。

第313条　（控訴の規定の準用）

　前章の規定は、特別の定めがある場合を除き、上告及び上告審の訴訟手続について準用する〈予〉。

[趣旨]上告と控訴はともに上訴という点で共通するので、控訴の規定が準用されることを規定した。

なお、上告受理の申立てに対して附帯上告を提起すること、又は上告に対して附帯上告受理の申立てをすることはできない（最決平11.4.23）〈囲〉。

第314条 （上告提起の方式等）

Ⅰ　上告の提起は、上告状を原裁判所に提出してしなければならない〈囲〉。
Ⅱ　前条において準用する第288条及び第289条第2項の規定による裁判長の職権は、原裁判所の裁判長が行う。

[趣旨]上告裁判所の負担を軽減するため、上告状の適法性等について審査させ、原裁判所がこれを適法と認めた場合にはじめて、事件を上告裁判所に送付するものとした。

第315条 （上告の理由の記載）

Ⅰ　上告状に上告の理由の記載がないときは、上告人は、最高裁判所規則で定める期間内に、上告理由書を原裁判所に提出しなければならない。
Ⅱ　上告の理由は、最高裁判所規則で定める方式により記載しなければならない。

[趣旨]上告審は法律審として、法律問題について審理するものであることから、上告人に上告理由を書面で記載して提出させるものとした。

第316条 （原裁判所による上告の却下）

Ⅰ　次の各号に該当することが明らかであるときは、原裁判所は、決定で、上告を却下しなければならない。
①　上告が不適法でその不備を補正することができないとき。
②　前条第1項の規定に違反して上告理由書を提出せず、又は上告の理由の記載が同条第2項の規定に違反しているとき。
Ⅱ　前項の決定に対しては、即時抗告をすることができる。

[趣旨]本条は、上告裁判所の負担を軽減するため、原裁判所に上告を受理させ、それが不適法である場合には上告を却下すべきものと規定した。

第317条 （上告裁判所による上告の却下等）

Ⅰ　前条第1項各号に掲げる場合には、上告裁判所は、決定で、上告を却下することができる。
Ⅱ　上告裁判所である最高裁判所は、上告の理由が明らかに第312条第1項及び第2項に規定する事由に該当しない場合には、決定で、上告を棄却することができる。

[趣旨]原裁判所は、上告の適法要件について審査するが、原裁判所が適法要件の

存しないことを看過することもありうる。また、原裁判所が上告を却下することができるのは、上告適法要件の存しないことが明らかである場合に限られる。そこで本条は、上告適法要件についてさらに上告裁判所が審査し、これを欠いているものと認めるときは、決定で上告を却下すべきことを定めた（Ⅰ）。次に、上告の理由が明らかに312条1項及び2項に規定する理由に該当しない場合には、あえて口頭弁論を開いて判決を下さなければならないとするのは、迂遠である。そこで、かかる場合には、口頭弁論を開かず、決定で上告を棄却することができるものとした（Ⅱ）。

第318条 （上告受理の申立て）

Ⅰ　上告をすべき裁判所が最高裁判所である場合には、最高裁判所は、原判決に最高裁判所の判例（これがない場合にあっては、大審院又は上告裁判所若しくは控訴裁判所である高等裁判所の判例）と相反する判断がある事件その他の法令の解釈に関する重要な事項を含むものと認められる事件について、申立てにより、決定で、上告審として事件を受理することができる〈司予〉。

Ⅱ　前項の申立て（以下「上告受理の申立て」という。）においては、第312条第1項及び第2項に規定する事由を理由とすることができない。

Ⅲ　第1項の場合において、最高裁判所は、上告受理の申立ての理由中に重要でないと認めるものがあるときは、これを排除することができる〈司〉。

Ⅳ　第1項の決定があった場合には、上告があったものとみなす。この場合においては、第320条の規定の適用については、上告受理の申立ての理由中前項の規定により排除されたもの以外のものを上告の理由とみなす。

Ⅴ　第313条から第315条まで及び第316条第1項の規定は、上告受理の申立てについて準用する〈予〉。

[趣旨] 民事訴訟法においては、最高裁への上告理由を、憲法違反（312Ⅰ）と絶対的上告理由（同Ⅱ）に限定したが、それ以外の法律問題についても解釈の統一を図る必要がある。そこで本条は、最高裁判所の判例と相反する場合、及び法令の解釈に関する重要な事項について上告受理の申立てをすることができ、最高裁が上告受理決定をすれば、上告があったものとみなすこととした。

《注　釈》

- 上告受理の申立ての手続は、上告の提起に準じる（318Ⅴ）。そのため、上告受理の申立ては、原裁判所に対して行う（318Ⅴ・314Ⅰ）。そして、上告受理の申立てが不適法でその不備を補正することができないときは、原裁判所は、決定で、上告受理の申立てを却下することができる（318Ⅴ・316Ⅰ①）が、当該申立てに係る事件が「法令の解釈に関する重要な事項を含むものと認められる事件」（318Ⅰ柱書）に当たらないことを理由として、原裁判所が自ら上告受理の申立てを却下することは許されない（最決平11.3.9）〈予〉。

∵　当該申立てに係る事件が「法令の解釈に関する重要な事項を含むものと認め

られる事件」（318 I 柱書）に当たるかどうかの判断は、上告裁判所である最
高裁判所のみがなし得る

第319条　（口頭弁論を経ない上告の棄却）

　上告裁判所は、上告状、上告理由書、答弁書その他の書類により、上告を理由がな
いと認めるときは、口頭弁論を経ないで、判決で、上告を棄却することができる。

[趣旨] 判決をするためには原則として口頭弁論を開かねばならない（87 I ）〈司〉。
しかし、上告審は法律審であるうえ、事後審であるから、当該事件の上告状、上告理
由書、答弁書その他の書類により上告に理由があるか否かの審理が可能である場
合もありうる。このような場合にはあえて口頭弁論を開くのは無駄であるから、87
条1項の例外として、上告裁判所は、口頭弁論を経ないで、判決で上告を棄却でき
るものとした〈司〉。　⇒ p.123

　なお、本条の反対解釈により、上告を認容する場合には、必ず口頭弁論が必要と
される。

第320条　（調査の範囲）

　上告裁判所は、上告の理由に基づき、不服の申立てがあった限度においてのみ調査
をする。

[趣旨] 本条は、上告審においても処分権主義、弁論主義が適用され、上告裁判所
は不服申立ての限度においてのみ審理判断を行いうることを定めたものである。

第321条　（原判決の確定した事実の拘束）〈司〉

Ⅰ　原判決において適法に確定した事実は、上告裁判所を拘束する。
Ⅱ　第311条第2項の規定による上告があった場合には、上告裁判所は、原判決に
おける事実の確定が法律に違反したことを理由として、その判決を破棄することが
できない。

[趣旨] 上告審は専ら原判決の憲法問題あるいは法律問題について審理判断するこ
とを目的とする法律審であることから、原判決において適法に確定した事実は、上
告裁判所を拘束するものとした。

第322条　（職権調査事項についての適用除外）〈司〉

　前2条の規定は、裁判所が職権で調査すべき事項には、適用しない。

[趣旨] 職権調査事項は、公益的事項に関わるものであるから、当事者による申立
てや異議がなくても裁判所が進んでその事項を調査しなければならないものであ
る。そこで、裁判所は、職権調査事項については、当事者の申立てがない場合にお
いても職権でこれを調査し、原審において確定した事実も上告裁判所を拘束しない
ものとした。

第323条　（仮執行の宣言）

　上告裁判所は、原判決について不服の申立てがない部分に限り、申立てにより、決定で、仮執行の宣言をすることができる。

[趣旨] 原判決について不服申立てのない部分について、実際上、上告審で破棄される可能性が少ないので、原審で勝訴した当事者の利益を早期に実現するため、仮執行宣言を付することができる場合を定めた。

第324条　（最高裁判所への移送）

　上告裁判所である高等裁判所は、最高裁判所規則で定める事由があるときは、決定で、事件を最高裁判所に移送しなければならない。

[趣旨] 本条は、憲法その他の法令の解釈の統一を図るという上告制度の機能を果たすために、高等裁判所が上告審である事件につき、規則で定める事由があるときは、決定で事件を最高裁判所に移送するものと定めた。

第325条　（破棄差戻し等）

Ⅰ　第312条第1項又は第2項に規定する事由があるときは、上告裁判所は、原判決を破棄し、次条の場合を除き、事件を原裁判所に差し戻し、又はこれと同等の他の裁判所に移送しなければならない。高等裁判所が上告裁判所である場合において、判決に影響を及ぼすことが明らかな法令の違反があるときも、同様とする。

Ⅱ　上告裁判所である最高裁判所は、第312条第1項又は第2項に規定する事由がない場合であっても、判決に影響を及ぼすことが明らかな法令の違反があるときは、原判決を破棄し、次条の場合を除き、事件を原裁判所に差し戻し、又はこれと同等の他の裁判所に移送することができる〈囲〉。

Ⅲ　前2項の規定により差戻し又は移送を受けた裁判所は、新たな口頭弁論に基づき裁判をしなければならない。この場合において、上告裁判所が破棄の理由とした事実上及び法律上の判断は、差戻し又は移送を受けた裁判所を拘束する〈下〉。

Ⅳ　原判決に関与した裁判官は、前項の裁判に関与することができない。

第326条　（破棄自判）

次に掲げる場合には、上告裁判所は、事件について裁判をしなければならない。

①　確定した事実について憲法その他の法令の適用を誤ったことを理由として判決を破棄する場合において、事件がその事実に基づき裁判をするのに熟するとき。

②　事件が裁判所の権限に属しないことを理由として判決を破棄するとき。

《注　釈》

◆　**上告審の終結**

　1　上告審の終了

　⑴　上告却下（317）

(2)　上告棄却（319）

(3)　上告理由あり

　(a)　破棄差戻し、破棄移送（325Ⅰ）

　　　最高裁上告の場合には、312条1項・2項の事由がない場合でも、判決に影響を及ぼすことが明らかな法令の違反があるときは、事件を原裁判所に差し戻し、又はそれと同等の他の裁判所に移送することができる（325Ⅱ）。

　(b)　破棄自判（326）

　　　この場合には、上告理由とされていなかった法令違反が結果として上告理由であったと同様に扱われる。

＜上告審の終了＞

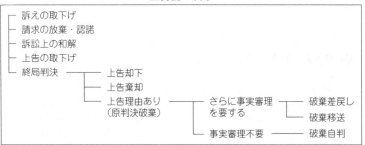

2　破棄判決の拘束力

　　破棄差戻し（又は移送）の判決が確定すると、事件の係属は原裁判所に移り、原裁判所は改めて口頭弁論を開き、従前の口頭弁論の続行の形式で審判し直すことになる（325Ⅲ前段）。

　　差戻審で、破棄された判決と同一内容の判決が繰り返されることを防ぐため、原裁判所は破棄の理由とされた法律上、事実上の判断に拘束される（325Ⅲ後段）。

▼　最判昭43.3.19・百選110事件〈回〉

判旨：　上告審判決の判断が差戻を受けた原裁判所を拘束する効力は、破棄理由たる判断は同一確定事実については民法94条2項の類推適用を否定し得ないという限度でのみ生じるので、差戻審が同一の認定事実を前提にしても別個の法律的見解が成り立ちうると判断すれば、他の法律上の見解にたって判決をすることも許される。

第327条　（特別上告）

Ⅰ　高等裁判所が上告審としてした終局判決に対しては、その判決に憲法の解釈の誤りがあることその他憲法の違反があることを理由とするときに限り、最高裁判所に更に上告をすることができる。

Ⅱ　前項の上告及びその上告審の訴訟手続には、その性質に反しない限り、第二審又は第一審の終局判決に対する上告及びその上告審の訴訟手続に関する規定を準用する。この場合において、第321条第1項中「原判決」とあるのは、「地方裁判所が第二審としてした終局判決（第311条第2項の規定による上告があった場合にあっては、簡易裁判所の終局判決）」と読み替えるものとする。

《注　釈》

◆　特別上告

1　特別上告の意義

　　高等裁判所が上告審としてした判決のうち、その判決に憲法の違反があるものについては、例外的に、最高裁判所の憲法判断を仰ぐ機会を保障する必要がある。そこで、高等裁判所が上告審としてした終局判決に対しては、その判決に憲法の解釈の誤りがあることその他憲法の違反があることを理由とするときに限り、最高裁判所にさらに上告することができるとされている（特別上告）。

　　この特別上告には確定遮断の効力がない（116Ⅰ）。

2　特別上告の手続

　　特別上告は、高等裁判所を上告審とする場合に、最高裁判所の憲法判断を得る機会を保障するために認められたもので、判決に憲法違反があることを理由として提起できる（Ⅰ）。

　　特別上告は高等裁判所の上告審判決に対して判決送達から2週間以内に提起でき、その手続は上告に準じる（Ⅱ）。

＜第1審・控訴審・上告審の相違＞

		第1審	控訴審	上告審
要件		訴訟要件 (ex. 当事者能力、当事者適格)	上訴要件 ①　原裁判が不服申立ての許されている裁判であること ②　上訴提起行為が適式・有効であること ③　上訴提起が上訴期間内になされていること ④　原裁判に対して上訴人が不服の利益をもつこと ⑤　上訴人が上訴権を放棄しておらず、当事者間に上訴しない旨の合意がないこと	

	第1審	控訴審	上告審
効果	①　訴訟法上の効果（ex. 二重起訴の禁止） ②　実体法上の効果（ex. 時効の完成猶予、悪意擬制）	①　確定遮断（原判決が確定しなくなる） ②　移審（事件全体の係属が原審から上訴審に移る）	
審判の対象	原告の権利主張	第1審ないし控訴審を取り消す判決を求める申立て（不服申立ての限度）	
手続	必要的口頭弁論		書面審理可 ただし、上告認容の場合には口頭弁論を要する
審理	事実の認定と法令の解釈適用		法令の解釈適用

・第3章・【抗告】

《概　説》

◆　総説

1　抗告の意義

抗告は、決定・命令に対する独立の上訴方法である。

抗告審手続は決定手続であり、厳格な二当事者対立構造となっているわけではない[司]。

2　抗告の種類

(1)　通常抗告・即時抗告

通常抗告：原裁判の取消しを求める利益がある限りいつでも提起できる抗告[司]

即時抗告：告知から1週間の抗告期間が設定されている抗告（332、334Ⅰ）

(2)　最初の抗告・再抗告

最初の抗告：決定・命令に対して初めてなされる抗告

再抗告：抗告裁判所の決定に対し、さらに憲法違反・法令違反を理由としてなされる抗告（330）

第328条　（抗告をすることができる裁判）

Ⅰ　口頭弁論を経ないで訴訟手続に関する申立てを却下した決定又は命令に対しては、抗告をすることができる[予]。

Ⅱ　決定又は命令により裁判をすることができない事項について決定又は命令がされたときは、これに対して抗告をすることができる。

[趣旨] 本案とは関係の薄い付随的な事項や派生的な事項について、終局判決とともに判断し、上訴することとすると、上訴審の審理が複雑になり妥当でない。そこで、本案に対して付随的な事項あるいは派生的な事項については、本案とは独立した不服申立てを認めることとし、簡易迅速な解決を図った。

《注　釈》

◆　抗告の対象

抗告は、不服のある決定・命令に対し、法律が認めた場合に限り、許される。

① 口頭弁論を経ないで訴訟手続に関する申立てを却下した決定又は命令（Ⅰ）

② 決定又は命令により裁判をすることができない事項についてなされた決定又は命令（違式の決定・命令、Ⅱ）

③ 法律が特に抗告によるべきことを定めている決定・命令（21、25Ⅴ、44Ⅲ、75Ⅶ、86 など）

④ 最高裁への許可抗告（337）

①〜④の場合であっても、個別に不服申立てが禁じられている場合（10Ⅲ、25Ⅳ、214Ⅲ など）、抗告以外の不服申立てを定める場合（支払督促や仮差押決定に対する異議）には抗告できない。

第329条　（受命裁判官等の裁判に対する不服申立て）

Ⅰ　受命裁判官又は受託裁判官の裁判に対して不服がある当事者は、受訴裁判所に異議の申立てをすることができる。ただし、その裁判が受訴裁判所の裁判であるとした場合に抗告をすることができるものであるときに限る。

Ⅱ　抗告は、前項の申立てについての裁判に対してすることができる。

Ⅲ　最高裁判所又は高等裁判所が受訴裁判所である場合における第1項の規定の適用については、同項ただし書中「受訴裁判所」とあるのは、「地方裁判所」とする。

[趣旨] 受命裁判官、受託裁判官の職務の執行については、受訴裁判所の指示に拘束されるから、その裁判に対しては直ちに上級裁判所への抗告を許さず、まず受訴裁判所に異議を申し立てなければならないこととして、受訴裁判所の監督に服させるものとしている。

第330条　（再抗告）〈回〉

抗告裁判所の決定に対しては、その決定に憲法の解釈の誤りがあることその他憲法の違反があること、又は決定に影響を及ぼすことが明らかな法令の違反があることを理由とするときに限り、更に抗告をすることができる。

《注　釈》

◆　再抗告

再抗告とは、抗告審の終局決定に対する法律審への再度の抗告をいう。

　抗告審が地方裁判所のときには、憲法違反又は決定に影響を及ぼすことが明らかな法令違反を理由として、高等裁判所に再抗告をすることが認められる。

　最高裁判所に対する再抗告は認められていない（裁判所7②）。

第３３１条　（控訴又は上告の規定の準用）

　抗告及び抗告裁判所の訴訟手続には、その性質に反しない限り、第1章の規定を準用する。ただし、前条の抗告及びこれに関する訴訟手続には、前章の規定中第二審又は第一審の終局判決に対する上告及びその上告審の訴訟手続に関する規定を準用する。

《注　釈》

◆　抗告の手続

1　抗告の提起

(1)　抗告の手続は控訴審に準じる（本文）。

(2)　抗告は抗告状を原裁判所に提出することによって提起する（331、286）。

(a)　抗告状に抗告の理由が記載されていないときは、抗告提起後14日以内に書面（抗告理由書）で提出しなければならない（抗告理由書提出強制、規207）。

(b)　抗告が不適法でその不備を補正することができないことが明らかな場合には、原裁判所は決定で抗告を却下しなければならない（331、287）。

(3)　原裁判所又は原裁判をした裁判長は、抗告を理由があると認めたときは、その裁判を更正しなければならない（再度の考案、333）。

2　抗告の審判

(1)　審理の範囲は不服申立ての範囲に限定される（331、296Ⅰ）。

(2)　抗告審は決定手続であるから、口頭弁論を開くか否かは抗告裁判所の裁量による（87Ⅰただし書）。

(3)　抗告の裁判は常に決定の形式でなされるが、その決定内容は控訴審判決に準じる（331本文）。

(4)　口頭弁論を開かないときは、抗告人、相手方その他の利害関係人を審尋できる（335）。

▼　最判平 7.2.23・百選 A41 事件

判旨：　第1審が補助参加の申立を終局判決で却下し、申立人からの即時抗告に対し原審が公訴棄却の判決をした場合には、上告審の審理対象は、本来上告審として審理判断し得る事項である本条所定の抗告理由の有無にとどまる。

3　抗告審における手続保障

　抗告及び抗告裁判所の訴訟手続には、その性質に反しない限り、控訴に関す

る規定が準用される（331）。

　控訴状の送達に関する289条1項は抗告手続に準用されるとは一般的に解されていないものの、抗告状を送達しなかったことが抗告裁判所の裁量の範囲を逸脱したものとして違法と判断されることがある。

▼　**最決平23.4.13・百選〔第5版〕A40事件**

　決旨：　文書提出命令に対する即時抗告において、「即時抗告申立書の写しを相手方に送付するなどして攻撃防御の機会を与えることのないまま、原々決定を取り消し、本件申し立てを却下するという相手方に不利益な判断をしたことは、明らかに民事訴訟における手続的正義の要求に反するというべきであり、その審理手続には、裁量の範囲を逸脱した違法があるといわざるを得ない」。

第332条　（即時抗告期間）〈予書〉

　即時抗告は、裁判の告知を受けた日から1週間の不変期間内にしなければならない。

第333条　（原裁判所等による更正）〈同予〉

　原裁判をした裁判所又は裁判長は、抗告を理由があると認めるときは、その裁判を更正しなければならない。

[趣旨] 抗告を申し立てられた原裁判所に、その申立てについて審査し、自らの裁判をもう一度再考する機会を与えることで、上級審の手続を省略し、簡易迅速に事件の処理ができる。そこで本条は、原裁判の自己拘束力を後退させ、原裁判所による裁判の更正を定めた（再度の考案）。　⇒ p.406

第334条　（原裁判の執行停止）

Ⅰ　抗告は、即時抗告に限り、執行停止の効力を有する。

Ⅱ　抗告裁判所又は原裁判をした裁判所若しくは裁判官は、抗告について決定があるまで、原裁判の執行の停止その他必要な処分を命ずることができる。

《注　釈》

◆　原裁判の執行停止

1　即時抗告には抗告期間の定めがあるので、即時抗告の申立てがあると確定遮断の効果が生じ、告知により（119）、決定・命令に生じている執行力が当然に停止する（Ⅰ）。

2　通常抗告の場合は、確定遮断による執行停止は問題とならず、これが必要な場合は、原裁判所が行う（Ⅱ）。

第335条　（口頭弁論に代わる審尋）

　抗告裁判所は、抗告について口頭弁論をしない場合には、抗告人その他の利害関係人を審尋することができる。

第336条 （特別抗告）

Ⅰ 地方裁判所及び簡易裁判所の決定及び命令で不服を申し立てることができないもの並びに高等裁判所の決定及び命令に対しては、その裁判に憲法の解釈の誤りがあることその他憲法の違反があることを理由とするときに、最高裁判所に特に抗告をすることができる🈡。

Ⅱ 前項の抗告は、裁判の告知を受けた日から5日の不変期間内にしなければならない。

Ⅲ 第1項の抗告及びこれに関する訴訟手続には、その性質に反しない限り、第327条第1項の上告及びその上告審の訴訟手続に関する規定並びに第334条第2項の規定を準用する。

[趣旨] 特別上告制度（327）に対応して、決定手続においても、最高裁判所の憲法判断を受ける権利を保障するため（憲81）、憲法問題があれば、最高裁判所への不服申立てをすることができるとした。

▼ **最判平20.5.8・百選〔第4版〕A1事件**

事案： X（妻）は、Y（夫）に対して、家事審判手続において、婚姻費用の分担支払請求をした。Xは原々審の決定に対して即時抗告をしたが、原審はXが即時抗告をした事実をYに知らせず、抗告状等も送付しなかった。これに対してYは、原審の措置は憲法31条、32条に反するとして特別抗告をした。

判旨： 憲法32条の裁判を受ける権利の保障を受けるのは「純然たる訴訟事件」であるとして、「本質的に非訟事件である婚姻費用の分担に関する処分の審判に対する抗告審において手続にかかわる機会を失う利益は、同条所定の『裁判を受ける権利』とは直接の関係がない」とした。

▼ **最決平21.6.30・平21重判3事件**

決旨： 特別抗告の理由として形式的には憲法違反の主張があるが、それが実質的には法令違反の主張にすぎない場合であっても、最高裁判所が当該特別抗告を棄却することができるにとどまり（336Ⅲ、327Ⅱ、317Ⅱ）、原裁判所が336条3項、327条2項、316条1項によりこれを却下することはできない。

第337条 （許可抗告）

Ⅰ 高等裁判所の決定及び命令（第330条の抗告及び次項の申立てについての決定及び命令を除く。）に対しては、前条第1項の規定による場合のほか、その高等裁判所が次項の規定により許可したときに限り、最高裁判所に特に抗告をすることができる🈡。ただし、その裁判が地方裁判所の裁判であるとした場合に抗告をすることができるものであるときに限る。

Ⅱ　前項の高等裁判所は、同項の裁判について、最高裁判所の判例（これがない場合にあっては、大審院又は上告裁判所若しくは抗告裁判所である高等裁判所の判例）と相反する判断がある場合その他の法令の解釈に関する重要な事項を含むと認められる場合には、申立てにより、決定で、抗告を許可しなければならない。

Ⅲ　前項の申立てにおいては、前条第1項に規定する事由を理由とすることはできない。

Ⅳ　第2項の規定による許可があった場合には、第1項の抗告があったものとみなす。

Ⅴ　最高裁判所は、裁判に影響を及ぼすことが明らかな法令の違反があるときは、原裁判を破棄することができる。

Ⅵ　第313条、第315条及び前条第2項の規定は第2項の申立てについて、第318条第3項の規定は第2項の規定による許可をする場合について、同条第4項後段及び前条第3項の規定は第2項の規定による許可があった場合について準用する。

[趣旨]最高裁の負担軽減と、法令解釈の統一の要請との調和の要請から、判決手続きについて上告受理制度（318）が採用されたことに対応して、抗告においても、許可抗告制度が設けられた。

《注　釈》

◆　許可抗告

許可抗告とは、原裁判をした高等裁判所が申立てにより抗告を許可した場合に限って最高裁判所への抗告ができることをいう（337）。

高等裁判所は高等裁判所の裁判が判例違反その他の法令の解釈に関する重要な事項を含むと認められる場合に抗告を許可し（337Ⅱ）、許可があったときに抗告があったものとみなされる（337Ⅳ）。

▼　最決平11.3.12・百選〔第三版〕A50事件

決旨：　許可抗告制度は法令解釈統一を図る趣旨で認められているのであるから、高等裁判所のした保全抗告についての決定も許可抗告の対象から除外されない。

▼　最決平20.11.25・百選65事件

決旨：　法律審である許可抗告審において、原審がインカメラ手続においてした事実認定を争うことは、特段の事情のない限り、許されない。

上訴

第4編　再審

《概　説》

一　再審の意義

　　再審とは、確定した終局判決の訴訟手続、基礎資料に重大な瑕疵があったことが明らかになった場合に、当事者がそれを理由に確定判決の取消しと事件について、当該判決を出した原裁判所に対して再度の審判を求める不服申立方法をいう。

　　→再審には上訴と異なり、判決の確定を防止する効果も移審の効果もない〔同〕

二　再審の趣旨

　　判決が確定すると、既判力が生じ、当事者はこれに拘束されるのが原則であるが、いかなる場合にも確定判決の効力を争えないとすると、裁判の適正と国民の信頼確保、当事者の権利保護の観点からみて妥当でない。そこで、一定の場合に限り、確定判決に対する特別の不服申立方法を認めた。

第３３８条　（再審の事由）

Ⅰ　次に掲げる事由がある場合には、確定した終局判決に対し、再審の訴えをもって、不服を申し立てることができる。ただし、当事者が控訴若しくは上告によりその事由を主張したとき、又はこれを知りながら主張しなかったときは、この限りでない〔同子〕

① 法律に従って判決裁判所を構成しなかったこと。

② 法律により判決に関与することができない裁判官が判決に関与したこと〔珠〕。

③ 法定代理権、訴訟代理権又は代理人が訴訟行為をするのに必要な授権を欠いたこと。

④ 判決に関与した裁判官が事件について職務に関する罪を犯したこと。

⑤ 刑事上罰すべき他人の行為により、自白をするに至ったこと又は判決に影響を及ぼすべき攻撃若しくは防御の方法を提出することを妨げられたこと。

⑥ 判決の証拠となった文書その他の物件が偽造又は変造されたものであったこと。

⑦ 証人、鑑定人、通訳人又は宣誓した当事者若しくは法定代理人の虚偽の陳述が判決の証拠となったこと。

⑧ 判決の基礎となった民事若しくは刑事の判決その他の裁判又は行政処分が後の裁判又は行政処分により変更されたこと。

⑨ 判決に影響を及ぼすべき重要な事項について判断の遺脱があったこと。

⑩ 不服の申立てに係る判決が前に確定した判決と抵触すること。

Ⅱ　前項第４号から第７号までに掲げる事由がある場合においては、罰すべき行為について、有罪の判決若しくは過料の裁判が確定したとき、又は証拠がないという

再

審

　理由以外の理由により有罪の確定判決若しくは過料の確定裁判を得ることができないときに限り、再審の訴えを提起することができる。

Ⅲ　控訴審において事件につき本案判決をしたときは、第一審の判決に対し再審の訴えを提起することができない〈国〉。

《注　釈》

◆　再審事由

1　①　裁判所の構成の違法（Ⅰ①②）

　　②　代理権の欠缺又は代理行為をなすに必要な授権の欠缺の場合（Ⅰ③）

　　③　判決の基礎資料につき可罰的行為があった場合（Ⅰ④⑤⑥⑦）

　　④　判決の基礎となった裁判、行政処分が、後の裁判、行政処分によって確定的に変更された場合（Ⅰ⑧）

▼　**最判平 15.10.31・百選 A40 事件**

事案：　Xらは、特許庁を相手に、特許取消決定の取消しを求める訴えを提起した。原審は、Xの請求を棄却したが、Xは、当該特許についての特許請求の範囲を縮減する旨の訂正審決が確定した場合は、民訴 338 条 1 項 8 号の再審事由があるとして、上告受理申立てをした。

判旨：　「上告審係属中に当該特許について特許出願の願書に添付された明細書を訂正すべき旨の審決が確定し、特許請求の範囲が縮減された場合には、原判決の基礎となった行政処分が後の行政処分により変更されたものとして、原判決には民訴法 338 条 1 項 8 号に規定する再審の事由がある」とした。

---

　　⑤　重要な事項についての判断遺脱（Ⅰ⑨）

　　⑥　不服の申立てにかかる判決が、前に言い渡された確定判決と抵触する場合（Ⅰ⑩）

　　＊　338 条 1 項 3 号の再審事由は、絶対的上告理由の場合と同様、氏名冒用訴訟など、当事者に対する実質的な手続保障が欠ける場合にも拡張して適用されている。

▼　**最判平 4.9.10・百選 111 事件**

判旨：　106 条 1 項にいう「書類の受領について相当のわきまえのあるもの」とは、送達の趣旨を理解して交付を受けた書類を受送達者に交付することを期待することのできる程度の能力を有する者をいい、7 歳 9 か月の幼女は右能力を備えるものとは認められない。そして、有効に訴状の送達がされず、被告が訴訟に関与する機会が与えられないまま判決がされた場合、当事者の代理人として訴訟行為をした者に代理権の欠缺があった場合と別異に扱う理由はないから、338 条 1 項 3 号の事由がある。

再
審

▼ 最決平 19.3.20・百選 38 事件〈同予〉 ⇒ p.150

決旨： 訴訟関係書類の交付を受けた同居者等と受送達者との間に事実上の利害関係があるにすぎない場合でも、当該同居者等に対して書類を交付することにより、受送達者に対する送達の効力が生じるが、当該同居者等から受送達者に対して訴訟関係書類が交付されず、受送達者が訴訟が提起されていることを知らないまま判決がされたときは、民訴法 338 条 1 項 3 号の再審事由がある。

▼ 札幌地決令元 .5.14・百選 A11 事件

決旨： 「公示送達の要件を満たしていないのに、訴状等が公示送達の方法によって送達された結果、被告とされた者が訴訟に関与する機会が与えられないまま判決がされた場合には、当事者の代理人として訴訟行為をした者が代理権を欠いた場合と別異に扱う理由はないから、民事訴訟法 338 条 1 項 3 号の再審事由があるものと解すべきである」。

→判例によれば、再審事由の類推適用も認められる〈同〉

▼ 最決平 25.11.21・百選 113 事件

事案： 新株発行の無効の訴えに係る請求を認容する確定判決の効力を受ける第三者が、当該確定判決は自己の権利を不当に害する詐害判決であり、338 条 1 項 3 号に準じる再審事由があるとして再審の訴えを提起した。再審事由とは、訴訟当事者に対して生じた判決形成上の瑕疵であるところ、本件では、訴訟の当事者ではないが対世効を受ける第三者との関係で再審事由があるかが問題となった。

決旨： 新株発行の無効の訴えは、株式の発行をした株式会社のみが被告適格を有し（会社 834 ②）、その株式会社によって訴訟追行がされている以上、確定判決の効力を受ける第三者が訴訟の審理に関与する機会を与えられなかったとしても、直ちに上記確定判決に 338 条 1 項 3 号の再審事由があるとはいえない。しかし、当事者は、信義則（2）に従って訴訟を追行しなければならず、とりわけ、「株式会社は、事実上、上記確定判決の効力を受ける第三者に代わって手続に関与するという立場にもあることから、上記株式会社には、上記第三者の利益に配慮し、より一層、信義に従った訴訟活動をすることが求められる」。そうすると、「上記株式会社による訴訟活動がおよそいかなるものであったとしても、上記第三者が後に上記確定判決の効力を一切争うことができないと解することは、手続保障の観点から是認することはできないのであって、上記株式会社の訴訟活動が著しく信義に反しており、上記第三者に上記確定判決の効力を及ぼすことが手続保障の観点から看過することができない場合には、上記確定判決には、民訴法 338 条 1 項 3 号の再審事由がある」。

再
審

2　再審の補充性

　　1項に列挙された事由が存在する場合でも、判決確定前に①控訴又は上告によって、既に再審事由を主張したが棄却された場合②再審事由を知りながら主張しなかった場合には、その事由に基づき再審の訴えを提起できない（Ⅰただし書）〈同予〉。

3　有罪確定刑事判決の必要

▼　**最判昭52.5.27・百選A42事件**

　　判旨：　338条1項6号により再審を申し立てる当事者は、被疑者の死亡等の事実だけではなく、有罪の確定判決を得る可能性があることについても立証しなければならない。有罪の確定判決を得る可能性そのものは被疑者の死亡等の時に既に存在すべきものであるから、右再審の訴の除斥期間は、被疑者の死亡などの事実が前審判決確定前に生じたときは、342条2項により右判決確定の時から起算すべきであり、また、右事実が前審判決確定後に生じたときは、同条2項括弧書により右事実の生じた時から起算すべきである。

第339条

　判決の基本となる裁判について前条第1項に規定する事由がある場合（同項第4号から第7号までに掲げる事由がある場合にあっては、同条第2項に規定する場合に限る。）には、その裁判に対し独立した不服申立ての方法を定めているときにおいても、その事由を判決に対する再審の理由とすることができる。

第340条　（管轄裁判所）

Ⅰ　再審の訴えは、不服の申立てに係る判決をした裁判所の管轄に専属する〈予〉。

Ⅱ　審級を異にする裁判所が同一の事件についてした判決に対する再審の訴えは、上級の裁判所が併せて管轄する〈基〉。

第341条　（再審の訴訟手続）

　再審の訴訟手続には、その性質に反しない限り、各審級における訴訟手続に関する規定を準用する。

第342条　（再審期間）

Ⅰ　再審の訴えは、当事者が判決の確定した後再審の事由を知った日から30日の不変期間内に提起しなければならない。

Ⅱ　判決が確定した日（再審の事由が判決の確定した後に生じた場合にあっては、その事由が発生した日）から5年を経過したときは、再審の訴えを提起することができない。

Ⅲ　前2項の規定は、第338条第1項第3号に掲げる事由のうち代理権を欠いたこと及び同項第10号に掲げる事由を理由とする再審の訴えには、適用しない。

再
審

第343条　（再審の訴状の記載事項）

再審の訴状には、次に掲げる事項を記載しなければならない。

① 　当事者及び法定代理人

② 　不服の申立てに係る判決の表示及びその判決に対して再審を求める旨

③ 　不服の理由

第344条　（不服の理由の変更）

再審の訴えを提起した当事者は、不服の理由を変更することができる〈同書〉。

第345条　（再審の訴えの却下等）

Ⅰ 　裁判所は、再審の訴えが不適法である場合には、決定で、これを却下しなければならない〈同〉。

Ⅱ 　裁判所は、再審の事由がない場合には、決定で、再審の請求を棄却しなければならない〈同書〉。

Ⅲ 　前項の決定が確定したときは、同一の事由を不服の理由として、更に再審の訴えを提起することができない。

第346条　（再審開始の決定）

Ⅰ 　裁判所は、再審の事由がある場合には、再審開始の決定をしなければならない。

Ⅱ 　裁判所は、前項の決定をする場合には、相手方を審尋しなければならない。

第347条　（即時抗告）

第345条第1項及び第2項並びに前条第1項の決定に対しては、即時抗告をすることができる〈同〉。

第348条　（本案の審理及び裁判）

Ⅰ 　裁判所は、再審開始の決定が確定した場合には、不服申立ての限度で、本案の審理及び裁判をする。

Ⅱ 　裁判所は、前項の場合において、判決を正当とするときは、再審の請求を棄却しなければならない〈同書〉。

Ⅲ 　裁判所は、前項の場合を除き、判決を取り消した上、更に裁判をしなければならない。

《注　釈》

一　再審の訴えの要件

1 　再審の適用範囲　再審の対象は確定した終局判決に限られる。

2 　再審期間

(1) 　出訴期間：判決確定後「再審の事由を知った日」（342Ⅰ）から30日の不変期間内（342Ⅰ）かつ判決確定後5年以内（342Ⅱ）

　　　　　→再審事由が可罰的行為を理由とするもの（338Ⅰ④〜⑦、同

Ⅱ）である場合、「再審の事由を知った日」（342Ⅰ）とは、可罰的行為自体の認識だけでは足りず、これらの行為について有罪判決が確定したこと等を認識することが必要であると解されている（最判昭47.5.30）⟨予⟩
(2) 除斥期間：判決確定後に再審の事由が発生したときは、5年の期間は発生の時から起算される。
(3) 代理権の欠缺（338Ⅰ③前段）及び確定判決の既判力の抵触（338Ⅰ⑩）は期間制限なし（342Ⅲ）⟨司予審⟩。
3 再審の当事者
(1) 再審の原告は、確定判決の既判力を受け、これに不服の利益を有する者である。
(2) 再審の被告は原則として確定判決の勝訴当事者か、その者が死亡した後は一般承継人である。

▼ 最判昭46.6.3・百選112事件⟨司予審⟩

判旨： 再審の訴えは、判決が確定した後にその判決の効力を是認することができない欠缺がある場合に、具体的正義のために法的安定を犠牲にしても、取消しを許容しようとする非常手段であるから、115条に規定する承継人は一般承継人たると特定承継人たるとを問わず、再審原告たり得る。

▼ 最判平元.11.10・百選〔第三版〕A51事件

判旨： 死後認知請求訴訟が確定した後にこの訴えを知った認知を求められた父の子は、認知の訴えの当事者適格を有せず、右訴えに補助参加することができるにすぎず、独立して訴訟行為をすることができないから、右訴えの確定判決に対する再審の訴えの原告適格を有しない。

▼ 最決平25.11.21・百選113事件⟨予⟩

事案： 事案は前掲（⇒p.466）。ここでは、再審が確定判決を取り消して原訴訟手続を再開・続行する手続であることから、原訴訟手続の当事者ではない第三者が再審の当事者になれるのかが問題となった。

決旨： 第三者は、「確定判決に係る訴訟の当事者ではない以上、上記訴訟の本案についての訴訟行為をすることはできず、上記確定判決の判断を左右できる地位にはない」から、当然には再審の訴えの原告適格を有するとはいえない。しかし、「第三者が上記再審の訴えを提起するとともに独立当事者参加の申出をした場合、上記第三者は、再審開始の決定が確定した後、当該独立当事者参加に係る訴訟行為をすることによって、合一確定の要請を介し、上記確定判決の判断を左右することができる」。したがって、「確定判決の効力を受ける第三者は、上記確定判決に係る訴訟について独立当事者参加の申出をすることによって、上記確定判決に対する再審の訴えの原告適格を有することになる」。

再審

▼ **最決平 26.7.10・百選 A31 事件**

事案： 株式会社の解散の訴えに係る請求を認容する確定判決につき、その効力を受ける会社の株主が、当該訴えについて独立当事者参加の申出をするとともに、再審の訴えを提起したが、当該訴えの原告及び被告に対しては、何らの請求も提出しなかった。

決旨： 「新株発行の無効の訴えに係る請求を認容する確定判決の効力を受ける第三者は、上記確定判決に係る訴訟について独立当事者参加の申出をすることによって、上記確定判決に対する再審の訴えの原告適格を有することになる」という最決平 25.11.21・百選 113 事件を引用した上で、「この理は、新株発行の無効の訴えと同様にその請求を認容する確定判決が第三者に対してもその効力を有する株式会社の解散の訴えの場合においても異ならない」とした。そして、「独立当事者参加の申出は、参加人が参加を申し出た訴訟において裁判を受けるべき請求を提出しなければならず、単に当事者の一方の請求に対して訴え却下又は請求棄却の判決を求めるのみの参加の申出は許されない」とし、本件独立当事者参加の申出は、当該訴えの原告及び被告に対して何らの請求も提出していないため、不適法であるとした〈予〉。

二 再審の訴えの審理と裁判

1 訴えの提起

再審の訴えは、不服の対象である確定判決をした裁判所に訴状を提出してする（340Ⅰ、134Ⅰ）〈予〉。

2 審理の手続

性質に反しない限り、各審級における訴訟手続に関する規定が準用される（341、規211Ⅱ）。

(1) 再審の訴えの適否

訴えとしての一般の訴訟要件と再審の訴えの適法要件を調査

→これを欠いている場合は、決定で、再審の訴えを却下しなければならない（345Ⅰ）

(2) 再審事由の存否

(a) 訴えが適法であれば、裁判所は再審事由の存否を調査する。

(b) 再審の事由がある場合：裁判所は、再審開始の決定をしなければならない（346Ⅰ）

再審の事由がない場合：裁判所は、決定で、再審請求を棄却しなければならない（345Ⅱ）

→これらの決定に対して、当事者は即時抗告ができる（347）

(3) 本案の審理及び裁判

(a) 再審開始の決定が確定した場合、裁判所は本案について裁判する（348Ⅰ）。

本案の審理は、前訴訟の弁論の再開続行であり、従前の訴訟行為ないし手続で再審事由に該当しないものはすべて効力を有する。事実審であれば、当事者は新たな攻撃防御方法を提出することもできる。

審理は、当事者の原判決に対する不服の限度で行われる。

(b) 本案を審理した結果、

原判決を不当と認める場合：不服の限度で原判決を取り消し、新たな判決をする（348Ⅲ）

原判決を正当と認める場合：裁判所は、再審請求を棄却しなければならない（348Ⅱ）

(c) 第1審確定判決に対する再審判決に対しては、控訴、上告ができる。

控訴審判決に対する再審判決は控訴としての判決なので、上告のみ可能である（341）。

第３４９条　（決定又は命令に対する再審）〈同〉

Ⅰ　即時抗告をもって不服を申し立てることができる決定又は命令で確定したものに対しては、再審の申立てをすることができる〈予書〉。

Ⅱ　第338条から前条までの規定は、前項の申立てについて準用する。

《概　説》

◆　準再審（再審抗告、再審の申立て）

1　即時抗告により不服を申し立てることができる決定又は命令が確定した場合に、再審事由に該当する事由があれば、再審の申立てをすることができる（Ⅰ）。

ex.　訴状や上訴状の却下命令、訴訟費用額の確定決定など

2　即時抗告には服さないが、最高裁判所のした終局的裁判の性質を有する決定・命令にも、本条の適用は認められる（判例）。

3　本条による手続にも、再審の訴えの規定が準用される（Ⅱ、規212）。

再
審

第5編　手形訴訟及び小切手訴訟に関する特則

第350条　（手形訴訟の要件）

Ⅰ　手形による金銭の支払の請求及びこれに附帯する法定利率による損害賠償の請求を目的とする訴えについては、手形訴訟による審理及び裁判を求めることができる。

Ⅱ　手形訴訟による審理及び裁判を求める旨の申述は、訴状に記載してしなければならない。

第351条　（反訴の禁止）

手形訴訟においては、反訴を提起することができない。

第352条　（証拠調べの制限）

Ⅰ　手形訴訟においては、証拠調べは、書証に限りすることができる。

Ⅱ　文書の提出の命令又は送付の嘱託は、することができない。対照の用に供すべき筆跡又は印影を備える物件の提出の命令又は送付の嘱託についても、同様とする。

Ⅲ　文書の成立の真否又は手形の提示に関する事実については、申立てにより、当事者本人を尋問することができる。

Ⅳ　証拠調べの嘱託は、することができない。第186条の規定による調査の嘱託についても、同様とする。

Ⅴ　前各項の規定は、裁判所が職権で調査すべき事項には、適用しない。

第353条　（通常の手続への移行）

Ⅰ　原告は、口頭弁論の終結に至るまで、被告の承諾を要しないで、訴訟を通常の手続に移行させる旨の申述をすることができる。

Ⅱ　訴訟は、前項の申述があった時に、通常の手続に移行する。

Ⅲ　前項の場合には、裁判所は、直ちに、訴訟が通常の手続に移行した旨を記載した書面を被告に送付しなければならない。ただし、第1項の申述が被告の出頭した期日において口頭でされたものであるときは、その送付をすることを要しない。

Ⅳ　第2項の場合には、手形訴訟のため既に指定した期日は、通常の手続のために指定したものとみなす。

第354条　（口頭弁論の終結）

裁判所は、被告が口頭弁論において原告が主張した事実を争わず、その他何らの防御の方法をも提出しない場合には、前条第3項の規定による書面の送付前であっても、口頭弁論を終結することができる。

第３５５条 （口頭弁論を経ない訴えの却下）

Ⅰ　請求の全部又は一部が手形訴訟による審理及び裁判をすることができないものであるときは、裁判所は、口頭弁論を経ないで、判決で、訴えの全部又は一部を却下することができる。

Ⅱ　前項の場合において、原告が判決書の送達を受けた日から２週間以内に同項の請求について通常の手続により訴えを提起したときは、第147条の規定の適用については、その訴えの提起は、前の訴えの提起の時にしたものとみなす。

第３５６条 （控訴の禁止）

　手形訴訟の終局判決に対しては、控訴をすることができない。ただし、前条第１項の判決を除き、訴えを却下した判決に対しては、この限りでない。

第３５７条 （異議の申立て）

　手形訴訟の終局判決に対しては、訴えを却下した判決を除き、判決書又は第254条第２項の調書の送達を受けた日から２週間の不変期間内に、その判決をした裁判所に異議を申し立てることができる。ただし、その期間前に申し立てた異議の効力を妨げない。

第３５８条 （異議申立権の放棄）

　異議を申し立てる権利は、その申立て前に限り、放棄することができる。

第３５９条 （口頭弁論を経ない異議の却下）

　異議が不適法でその不備を補正することができないときは、裁判所は、口頭弁論を経ないで、判決で、異議を却下することができる。

第３６０条 （異議の取下げ）

Ⅰ　異議は、通常の手続による第一審の終局判決があるまで、取り下げることができる。

Ⅱ　異議の取下げは、相手方の同意を得なければ、その効力を生じない。

Ⅲ　第261条第３項から第５項まで、第262条第１項及び第263条の規定は、異議の取下げについて準用する。

第３６１条 （異議後の手続）〈回〉

　適法な異議があったときは、訴訟は、口頭弁論の終結前の程度に復する。この場合においては、通常の手続によりその審理及び裁判をする。

第３６２条 （異議後の判決）

Ⅰ　前条の規定によってすべき判決が手形訴訟の判決と符合するときは、裁判所は、手形訴訟の判決を認可しなければならない。ただし、手形訴訟の判決の手続が法律に違反したものであるときは、この限りでない。

Ⅱ　前項の規定により手形訴訟の判決を認可する場合を除き、前条の規定によってすべき判決においては、手形訴訟の判決を取り消さなければならない。

第363条　（異議後の判決における訴訟費用）

Ⅰ　異議を却下し、又は手形訴訟においてした訴訟費用の負担の裁判を認可する場合には、裁判所は、異議の申立てがあった後の訴訟費用の負担について裁判をしなければならない。

Ⅱ　第258条第4項の規定は、手形訴訟の判決に対し適法な異議の申立てがあった場合について準用する。

第364条　（事件の差戻し）

控訴裁判所は、異議を不適法として却下した第一審判決を取り消す場合には、事件を第一審裁判所に差し戻さなければならない。ただし、事件につき更に弁論をする必要がないときは、この限りでない。

第365条　（訴え提起前の和解の手続から手形訴訟への移行）

第275条第2項後段の規定により提起があったものとみなされる訴えについては、手形訴訟による審理及び裁判を求める旨の申述は、同項前段の申立ての際にしなければならない。

第366条　（督促手続から手形訴訟への移行）

Ⅰ　第395条又は第398条第1項（第402条第2項において準用する場合を含む。）の規定により提起があったものとみなされる訴えについては、手形訴訟による審理及び裁判を求める旨の申述は、支払督促の申立ての際にしなければならない。

Ⅱ　第391条第1項の規定による仮執行の宣言があったときは、前項の申述は、なかったものとみなす。

第367条　（小切手訴訟）

Ⅰ　小切手による金銭の支払の請求及びこれに附帯する法定利率による損害賠償の請求を目的とする訴えについては、小切手訴訟による審理及び裁判を求めることができる。

Ⅱ　第350条第2項及び第351条から前条までの規定は、小切手訴訟に関して準用する。

[趣旨]手形・小切手に関する紛争は、手形上当事者と金額はともに明白であるが、手形（小切手）債務の履行がないことだけが紛争の対象であることが多い。この場合、通常の訴訟手続により時間と費用をかけ慎重に審理判断することは、手形・小切手訴訟の経済的機能に鑑み必ずしも妥当でない。そこで、手形・小切手訴訟に関し、特則が置かれている（350〜367）。

《注　釈》

一　手形訴訟

1　手形訴訟の意義

　　手形訴訟とは、手形による金銭支払の請求及びこれに附帯する法定利率による損害賠償の請求を目的とする訴訟をいう（350Ⅰ）。手形の引渡請求や利得償還請求等は含まない。

2　手形訴訟の提起

⑴　原告は手形訴訟によるか通常訴訟によるかを選択できる〈予〉。

⑵　訴状には手形訴訟による審理及び裁判を求める旨の申述を記載する（350Ⅱ）。

⑶　手形訴訟の被告には反訴が許されない（351）。

3　手形訴訟の審理

⑴　口頭弁論の実施に関する特則

(a)　手形訴訟の提起　→裁判長は直ちに口頭弁論の期日を定め当事者を呼び出す（規213Ⅰ）

(b)　原則として弁論は最初の期日で終結しなければならない（規214）。

⑵　証拠制限の特則

(a)　手形訴訟では証拠は原則として書証に限られる（352Ⅰ）。

(b)　文書提出命令、文書送付嘱託はすることができない（352Ⅱ）。

(c)　証拠調べの嘱託も禁止される（352Ⅳ）。

⑶　通常訴訟への移行

　　口頭弁論終結前であれば原告は、被告の承諾なく通常訴訟への移行を申述できる（353Ⅰ）。

4　手形判決

⑴　手形訴訟でされた判決書（又は判決書に代わる調書）には手形判決と表示する（規216）∵　不服申立方法が通常手続と異なる

⑵　手形訴訟の終局判決に対しては、控訴することができない（356）。

　　ただし、訴えを却下した判決に対してはすることができる（356Ⅱただし書）。

⑶　手形訴訟の本案判決に対して不服のある当事者は、通常訴訟手続による第1審の審判を求める異議申立てができる（357、361）。

5　適法な異議があった後の訴訟における判決（新判決）

　　通常訴訟による判断結果が手形判決と合致するときは、終局判決（新判決）で手形判決を認可する（362Ⅰ本文）。手形判決の手続が法律に違反したときは、手形判決を取り消して判決をし直す（362Ⅰただし書）。また、判断結果が手形判決と合致しないときは手形判決を取り消してその判断を示す（362Ⅱ）。

二　小切手訴訟

　　小切手による金銭の支払の請求、これに附帯する法定利率による損害賠償請求を目的とする訴え（小切手訴訟）については、手形訴訟の手続が小切手訴訟にも準用される（367）。

手形・小切手訴訟

第6編　少額訴訟に関する特則

少額訴訟

第368条　（少額訴訟の要件等）

Ⅰ　簡易裁判所においては、訴えの目的の価額が60万円以下の金銭の支払の請求を目的とする訴えについて、少額訴訟による審理及び裁判を求めることができる。ただし、同一の簡易裁判所において同一の年に最高裁判所規則で定める回数を超えてこれを求めることができない〈同書〉。

Ⅱ　少額訴訟による審理及び裁判を求める旨の申述は、訴えの提起の際にしなければならない。

Ⅲ　前項の申述をするには、当該訴えを提起する簡易裁判所においてその年に少額訴訟による審理及び裁判を求めた回数を届け出なければならない。

【規則】第223条　（少額訴訟を求め得る回数）

法第368条（少額訴訟の要件等）第1項ただし書の最高裁判所規則で定める回数は、10回とする。

第369条　（反訴の禁止）〈同予書〉

少額訴訟においては、反訴を提起することができない。

第370条　（一期日審理の原則）

Ⅰ　少額訴訟においては、特別の事情がある場合を除き、最初にすべき口頭弁論の期日において、審理を完了しなければならない〈書〉。

Ⅱ　当事者は、前項の期日前又はその期日において、すべての攻撃又は防御の方法を提出しなければならない。ただし、口頭弁論が続行されたときは、この限りでない。

第371条　（証拠調べの制限）〈同予〉

証拠調べは、即時に取り調べることができる証拠に限りすることができる。

第372条　（証人等の尋問）

Ⅰ　証人の尋問は、宣誓をさせないですることができる〈書〉。

Ⅱ　証人又は当事者本人の尋問は、裁判官が相当と認める順序でする〈書〉。

Ⅲ　裁判所は、相当と認めるときは、最高裁判所規則で定めるところにより、裁判所及び当事者双方と証人とが音声の送受信により同時に通話をすることができる方法によって、証人を尋問することができる〈予書〉。

第373条 （通常の手続への移行）

Ⅰ　被告は、訴訟を通常の手続に移行させる旨の申述をすることができる。ただし、被告が最初にすべき口頭弁論の期日において弁論をし、又はその期日が終了した後は、この限りでない〈回予書〉。

Ⅱ　訴訟は、前項の申述があった時に、通常の手続に移行する。

Ⅲ　次に掲げる場合には、裁判所は、訴訟を通常の手続により審理及び裁判をする旨の決定をしなければならない。

①　第368条第1項の規定に違反して少額訴訟による審理及び裁判を求めたとき〈書〉。

②　第368条第3項の規定によってすべき届出を相当の期間を定めて命じた場合において、その届出がないとき。

③　公示送達によらなければ被告に対する最初にすべき口頭弁論の期日の呼出しをすることができないとき〈予書〉。

④　少額訴訟により審理及び裁判をするのを相当でないと認めるとき。

Ⅳ　前項の決定に対しては、不服を申し立てることができない。

Ⅴ　訴訟が通常の手続に移行したときは、少額訴訟のため既に指定した期日は、通常の手続のために指定したものとみなす。

第374条 （判決の言渡し）〈書〉

Ⅰ　判決の言渡しは、相当でないと認める場合を除き、口頭弁論の終結後直ちにする。

Ⅱ　前項の場合には、判決の言渡しは、判決書の原本に基づかないですることができる。この場合においては、第254条第2項及び第255条の規定を準用する。

第375条 （判決による支払の猶予）

Ⅰ　裁判所は、請求を認容する判決をする場合において、被告の資力その他の事情を考慮して特に必要があると認めるときは、判決の言渡しの日から3年を超えない範囲内において、認容する請求に係る金銭の支払について、その時期の定め若しくは分割払の定めをし、又はこれと併せて、その時期の定めに従い支払をしたとき、若しくはその分割払の定めによる期限の利益を次項の規定による定めにより失うことなく支払をしたときは訴え提起後の遅延損害金の支払義務を免除する旨の定めをすることができる〈回予〉。

Ⅱ　前項の分割払の定めをするときは、被告が支払を怠った場合における期限の利益の喪失についての定めをしなければならない。

Ⅲ　前2項の規定による定めに関する裁判に対しては、不服を申し立てることができない。

第376条 （仮執行の宣言）

Ⅰ　請求を認容する判決については、裁判所は、職権で、担保を立てて、又は立てないで仮執行をすることができることを宣言しなければならない。

少額訴訟

Ⅱ　第76条、第77条、第79条及び第80条の規定は、前項の担保について準用する。

第377条　（控訴の禁止）

少額訴訟の終局判決に対しては、控訴をすることができない◀司書▶。

第378条　（異議）◀司▶

Ⅰ　少額訴訟の終局判決に対しては、判決書又は第254条第2項（第374条第2項において準用する場合を含む。）の調書の送達を受けた日から2週間の不変期間内に、その判決をした裁判所に異議を申し立てることができる。ただし、その期間前に申し立てた異議の効力を妨げない。

Ⅱ　第358条から第360条までの規定は、前項の異議について準用する。

第379条　（異議後の審理及び裁判）

Ⅰ　適法な異議があったときは、訴訟は、口頭弁論の終結前の程度に復する。この場合においては、通常の手続によりその審理及び裁判をする。

Ⅱ　第362条、第363条、第369条、第372条第2項及び第375条の規定は、前項の審理及び裁判について準用する。

第380条　（異議後の判決に対する不服申立て）

Ⅰ　第378条第2項において準用する第359条又は前条第1項の規定によってした終局判決に対しては、控訴をすることができない◀予▶。

Ⅱ　第327条の規定は、前項の終局判決について準用する。

第381条　（過料）

Ⅰ　少額訴訟による審理及び裁判を求めた者が第368条第3項の回数について虚偽の届出をしたときは、裁判所は、決定で、10万円以下の過料に処する。

Ⅱ　前項の決定に対しては、即時抗告をすることができる。

Ⅲ　第189条の規定は、第1項の規定による過料の裁判について準用する。

［趣旨］少額な金銭請求権に関する紛争について、迅速かつ利用し易い紛争解決を可能とするために、簡易な審理手続を定めている。

《注　釈》

◆　少額訴訟に関する特則

　1　少額訴訟の要件

　(1)　訴訟の目的の価額が60万円以下で、金銭の支払の請求を目的とする訴えであること（368Ⅰ本文）

　(2)　同一の簡易裁判所で同一の年に10回を超えて少額訴訟を提起していないこと（368Ⅰただし書、規223）◀司▶

2　原告・被告による手続の選択権

(1)　原告は、少額訴訟手続と簡易裁判所の通常手続とを選択できる（368Ⅱ）〈予〉。

(2)　少額訴訟の被告は通常手続に移行させる旨の申述をすることができる（373Ⅰ本文）。

3　少額訴訟手続の基本構造

(1)　一期日審理の原則・証拠調べの制限

(a)　原則として審理は1回の口頭弁論で終結しなければならない（370Ⅰ）。

(b)　当事者は第1回の期日の前か、その期日にすべての攻撃防御方法を提出しなければならない（370Ⅱ本文）。

(c)　証拠調べも即時に取り調べることができる証拠に限る（371）〈予〉。

(d)　反訴提起は1回の期日で終了できなくなるおそれがあるため、認められない（369）〈予〉。

(2)　審理手続の特則

証人の尋問は宣誓させないですることができる（372Ⅰ）〈同〉。

証人尋問では交互尋問制度を採用せず、証人又は当事者本人に対する尋問は裁判官が相当と認める順序でする（372Ⅱ）。また、裁判所が相当と認めるときは、電話会議システムを利用して法廷から裁判所外にいる証人を尋問することも可能である（372Ⅲ）。

(3)　少額訴訟の判決の確定・控訴の禁止と異議

少額訴訟の終局判決に対しては控訴することができない（377）。

ただし、適正を欠く判決の確定を防止するため、その判決をした裁判所に異議の申立てをすることができる（378Ⅰ本文）。適法な異議があったときは、少額判決の確定が遮断され、訴訟は口頭弁論終結前の状態に復する。この場合、通常の手続により審理及び裁判をする（379Ⅰ）。

異議審の終局判決についても原則として控訴が禁止されている（380Ⅰ）〈予〉。

▼　**最判平 12.3.7**

判旨：　少額訴訟における控訴制限（380）が憲法 32 条の裁判を受ける権利を侵害するものではないかが争われた事案において、憲法 32 条は何人にも裁判所において裁判を受ける権利があることを規定するにすぎないのであって、審級制度をどのように定めるかは憲法 81 条の規定するところを除いて専ら立法政策の問題であるとして、控訴制限が裁判を受ける権利を侵害するものではないとした。

(4)　判決言渡しと判決による支払の猶予

判決の言渡しは、口頭弁論終結後直ちに行う（374Ⅰ）。

また、裁判所が請求認容の判決をする場合には、被告の資力その他の事情

少額訴訟

を考慮し、分割払等支払方法について弾力的な判決を言い渡すことができる（375 Ⅰ）〈予〉。

＜手形・小切手訴訟と少額訴訟の比較＞〈同予書〉

	手形・小切手訴訟	少額訴訟
対象	手形による金銭支払の請求及びこれに附帯する法定利率による損害賠償の請求を目的とする訴訟（350 Ⅰ）	訴訟の目的の価額が60万円以下で、金銭の支払の請求を目的とする訴訟（368 Ⅰ本文） 同一の簡易裁判所で同一年に10回を超えて少額訴訟を提起していないこと（368 Ⅰただし書、規223）
提起	訴状に記載（350 Ⅱ）	訴えの提起の際に申述する（368 Ⅱ）
証拠調べ	原則として書証に限られる（352 Ⅰ） 文書提出命令、送付嘱託はできない（352 Ⅱ） 証拠調べ嘱託はできない（352 Ⅳ）	即時に取り調べることができる証拠に限る（371） 宣誓をさせずに証人尋問が可能（372 Ⅰ） 交互尋問制度を採用していない（372 Ⅱ）
審理	原則として最初の期日で弁論終結（規214）	原則として1回の口頭弁論で終結（370 Ⅰ） 当事者は第1回期日の前かその期日に全ての攻撃防御方法を提出（370 Ⅱ本文）
反訴	不可（351）	不可（369）
通常手続への移行	原告が申述可能であり、被告の承諾は不要（353 Ⅰ）	被告が申述可能。ただし、最初にすべき口頭弁論期日において弁論をし、又はその期日が終了した後はこの限りではない（373 Ⅰ）
控訴	不可（356本文） その判決をした裁判所に異議を申し立てる（357本文）	不可（377） その判決をした裁判所に異議を申し立てる（378 Ⅰ本文）

第7編　督促手続

・第1章・【総則】

第382条　（支払督促の要件）

　金銭その他の代替物又は有価証券の一定の数量の給付を目的とする請求については、裁判所書記官は、債権者の申立てにより、支払督促を発することができる《同》。ただし、日本において公示送達によらないでこれを送達することができる場合に限る《書》。

《注　釈》

一　督促手続の意義

　督促手続とは、金銭その他の代替物の一定の数量の給付請求に限って、債権者の一方的申立てに基づきその主張の真否については実質的な審理をしないで、管轄簡易裁判所の裁判所書記官が支払督促を発する手続をいう《同》。

二　督促手続の趣旨

　被告があえて争わないと思われる特定の請求について、時間・費用のかかる給付訴訟に代わって簡易・迅速な債務名義の付与・執行の実現を図ることを目的とする。

三　督促手続の性質

　督促手続は、給付訴訟の代用物としての機能をもつ略式手続である。

　簡易・迅速な裁判という督促手続の目的を実現するため、当事者平等の原則・口頭弁論・証明による裁判など通常の訴訟手続で必要とされている理念は緩和されている。

　支払督促は、債権者の一方的申立てに基づいて発せられる。ただし、債務者の手続上の利益を考慮し両者の公平を図るため、支払督促に対する債務者の異議が認められる（386Ⅱ）。

四　支払督促の要件

1　金銭その他の代替物又は有価証券の一定数量の給付を目的とする請求

2　債務者に対し、日本国内で、かつ公示送達によらないで支払督促を送達できる場合

督促手続

＜督促手続の流れ＞

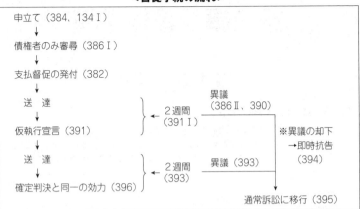

督促手続

第383条　（支払督促の申立て）

Ⅰ　支払督促の申立ては、債務者の普通裁判籍の所在地を管轄する簡易裁判所の裁判所書記官に対してする🈁。

Ⅱ　次の各号に掲げる請求についての支払督促の申立ては、それぞれ当該各号に定める地を管轄する簡易裁判所の裁判所書記官に対してもすることができる。

① 事務所又は営業所を有する者に対する請求でその事務所又は営業所における業務に関するもの　当該事務所又は営業所の所在地

② 手形又は小切手による金銭の支払の請求及びこれに附帯する請求　手形又は小切手の支払地

第384条　（訴えに関する規定の準用）

支払督促の申立てには、その性質に反しない限り、訴えに関する規定を準用する。

第385条　（申立ての却下）

Ⅰ　支払督促の申立てが第382条若しくは第383条の規定に違反するとき、又は申立ての趣旨から請求に理由がないことが明らかなときは、その申立てを却下しなければならない🈁。請求の一部につき支払督促を発することができない場合におけるその一部についても、同様とする。

Ⅱ　前項の規定による処分は、相当と認める方法で告知することによって、その効力を生ずる。

Ⅲ　前項の処分に対する異議の申立ては、その告知を受けた日から1週間の不変期間内にしなければならない。

Ⅳ　前項の異議の申立てについての裁判に対しては、不服を申し立てることができない。

第386条　（支払督促の発付等）

Ⅰ　支払督促は、債務者を審尋しないで発する。

Ⅱ　債務者は、支払督促に対し、これを発した裁判所書記官の所属する簡易裁判所に督促異議の申立てをすることができる。

《注　釈》

◆　支払督促発付の手続

1　申立て

　申立ては、債務者の普通裁判籍の所在地を管轄する簡易裁判所の裁判所書記に対して行う。

2　申立て手続

　支払督促の申立てには、その性質に反しない限り、訴えに関する規定を準用する（384）。

　支払督促の要件を具備する場合には、申立ての趣旨から請求に理由のないことが明らかでない限り、請求の理由の有無につき債務者を審尋しないで（386Ⅰ）支払督促を発付する。

第387条　（支払督促の記載事項）

　支払督促には、次に掲げる事項を記載し、かつ、債務者が支払督促の送達を受けた日から2週間以内に督促異議の申立てをしないときは債権者の申立てにより仮執行の宣言をする旨を付記しなければならない。

① 第382条の給付を命ずる旨

② 請求の趣旨及び原因

③ 当事者及び法定代理人

第388条　（支払督促の送達）

Ⅰ　支払督促は、債務者に送達しなければならない。

Ⅱ　支払督促の効力は、債務者に送達された時に生ずる。

Ⅲ　債権者が申し出た場所に債務者の住所、居所、営業所若しくは事務所又は就業場所がないため、支払督促を送達することができないときは、裁判所書記官は、その旨を債権者に通知しなければならない。この場合において、債権者が通知を受けた日から2月の不変期間内にその申出に係る場所以外の送達をすべき場所の申出をしないときは、支払督促の申立てを取り下げたものとみなす。

第389条　（支払督促の更正）

Ⅰ　第74条第1項及び第2項の規定は、支払督促について準用する。

Ⅱ　仮執行の宣言後に適法な督促異議の申立てがあったときは、前項において準用する第74条第1項の規定による更正の処分に対する異議の申立ては、することができない。

督促手続

第３９０条 （仮執行の宣言前の督促異議）

　仮執行の宣言前に適法な督促異議の申立てがあったときは、支払督促は、その督促異議の限度で効力を失う。

第３９１条 （仮執行の宣言）

Ⅰ　債務者が支払督促の送達を受けた日から２週間以内に督促異議の申立てをしないときは、裁判所書記官は、債権者の申立てにより、支払督促に手続の費用額を付記して仮執行の宣言をしなければならない。ただし、その宣言前に督促異議の申立てがあったときは、この限りでない。

Ⅱ　仮執行の宣言は、支払督促に記載し、これを当事者に送達しなければならない。ただし、債権者の同意があるときは、当該債権者に対しては、当該記載をした支払督促を送付することをもって、送達に代えることができる。

Ⅲ　第385条第２項及び第３項の規定は、第１項の申立てを却下する処分及びこれに対する異議の申立てについて準用する。

Ⅳ　前項の異議の申立てについての裁判に対しては、即時抗告をすることができる。

Ⅴ　第260条及び第388条第２項の規定は、第１項の仮執行の宣言について準用する。

《注　釈》

◆　仮執行宣言付支払督促

　債務者が支払督促の送達を受けた日から２週間以内に督促異議の申立てをしないときは、債権者は支払督促に仮執行宣言を付すよう申し立てることができる（391Ⅰ）。仮執行宣言がなされると、支払督促は直ちに執行力を生ずる（391Ⅱ）。

第３９２条 （期間の徒過による支払督促の失効）

　債権者が仮執行の宣言の申立てをすることができる時から30日以内にその申立てをしないときは、支払督促は、その効力を失う。

第３９３条 （仮執行の宣言後の督促異議）

　仮執行の宣言を付した支払督促の送達を受けた日から２週間の不変期間を経過したときは、債務者は、その支払督促に対し、督促異議の申立てをすることができない。

第３９４条 （督促異議の却下）

Ⅰ　簡易裁判所は、督促異議を不適法であると認めるときは、督促異議に係る請求が地方裁判所の管轄に属する場合においても、決定で、その督促異議を却下しなければならない。

Ⅱ　前項の決定に対しては、即時抗告をすることができる。

第395条　（督促異議の申立てによる訴訟への移行）〈同子〉

適法な督促異議の申立てがあったときは、督促異議に係る請求については、その目的の価額に従い、支払督促の申立ての時に、支払督促を発した裁判所書記官の所属する簡易裁判所又はその所在地を管轄する地方裁判所に訴えの提起があったものとみなす〈書〉。この場合においては、督促手続の費用は、訴訟費用の一部とする。

《注　釈》

◆　支払督促に対する異議（督促異議）

債務者には、権利義務をめぐる請求の当否につき通常訴訟による裁判を受ける保障の回復手段が認められる（督促異議）。

第396条　（支払督促の効力）

仮執行の宣言を付した支払督促に対し督促異議の申立てがないとき、又は督促異議の申立てを却下する決定が確定したときは、支払督促は、確定判決と同一の効力を有する。

《注　釈》

◆　支払督促の効力

仮執行の宣言を付した支払督促に対し督促異議の申立てがないとき、又は督促異議の申立てを却下する決定が確定したときは、支払督促は確定判決と同一の効力を有する。

ただし、支払督促は裁判所書記官の処分であり裁判所の判決ではないので、既判力はなく執行力のみが認められる。

・第２章・【電子情報処理組織による督促手続の特則】

第397条　（電子情報処理組織による支払督促の申立て）

電子情報処理組織を用いて督促手続を取り扱う裁判所として最高裁判所規則で定める簡易裁判所（以下この章において「指定簡易裁判所」という。）の裁判所書記官に対しては、第383条の規定による場合のほか、同条に規定する簡易裁判所が別に最高裁判所規則で定める簡易裁判所である場合にも、最高裁判所規則で定めるところにより、電子情報処理組織を用いて支払督促の申立てをすることができる。

第398条

Ⅰ　第132条の10第1項本文の規定により電子情報処理組織を用いてされた支払督促の申立てに係る督促手続における支払督促に対し適法な督促異議の申立てがあったときは、督促異議に係る請求については、その目的の価額に従い、当該支払督

促の申立ての時に、第383条に規定する簡易裁判所で支払督促を発した裁判所書記官の所属するもの若しくは前条の別に最高裁判所規則で定める簡易裁判所又はその所在地を管轄する地方裁判所に訴えの提起があったものとみなす。

Ⅱ　前項の場合において、同項に規定する簡易裁判所又は地方裁判所が2以上あるときは、督促異議に係る請求については、これらの裁判所中に第383条第1項に規定する簡易裁判所又はその所在地を管轄する地方裁判所がある場合にはその裁判所に、その裁判所がない場合には同条第2項第1号に定める地を管轄する簡易裁判所又はその所在地を管轄する地方裁判所に訴えの提起があったものとみなす。

Ⅲ　前項の規定にかかわらず、債権者が、最高裁判所規則で定めるところにより、第1項に規定する簡易裁判所又は地方裁判所のうち、一の簡易裁判所又は地方裁判所を指定したときは、その裁判所に訴えの提起があったものとみなす。

第399条　（電子情報処理組織による処分の告知）

Ⅰ　第132条の10第1項本文の規定により電子情報処理組織を用いてされた支払督促の申立てに係る督促手続に関する指定簡易裁判所の裁判所書記官の処分の告知のうち、当該処分の告知に関するこの法律その他の法令の規定により書面等をもってするものとされているものについては、当該法令の規定にかかわらず、最高裁判所規則で定めるところにより、電子情報処理組織を用いてすることができる。

Ⅱ　第132条の10第2項から第4項までの規定は、前項の規定により指定簡易裁判所の裁判所書記官がする処分の告知について準用する。

Ⅲ　前項において準用する第132条の10第3項の規定にかかわらず、第1項の規定による処分の告知を受けるべき債権者の同意があるときは、当該処分の告知は、裁判所の使用に係る電子計算機に備えられたファイルに当該処分に係る情報が最高裁判所規則で定めるところにより記録され、かつ、その記録に関する通知が当該債権者に対して発せられた時に、当該債権者に到達したものとみなす。

第400条　（電磁的記録による作成等）

Ⅰ　指定簡易裁判所の裁判所書記官は、第132条の10第1項本文の規定により電子情報処理組織を用いてされた支払督促の申立てに係る督促手続に関し、この法律その他の法令の規定により裁判所書記官が書面等の作成等（作成又は保管をいう。以下この条及び次条第1項において同じ。）をすることとされているものについては、当該法令の規定にかかわらず、書面等の作成等に代えて、最高裁判所規則で定めるところにより、当該書面等に係る電磁的記録の作成等をすることができる。

Ⅱ　第132条の10第2項及び第4項の規定は、前項の規定により指定簡易裁判所の裁判所書記官がする電磁的記録の作成等について準用する。

第401条　（電磁的記録に係る訴訟記録の取扱い）

Ⅰ　督促手続に係る訴訟記録のうち、第132条の10第1項本文の規定により電子情報処理組織を用いてされた申立て等に係る部分又は前条第1項の規定により電

磁的記録の作成等がされた部分（以下この条において「電磁的記録部分」と総称する。）について、第91条第1項又は第3項の規定による訴訟記録の閲覧等の請求があったときは、指定簡易裁判所の裁判所書記官は、当該指定簡易裁判所の使用に係る電子計算機に備えられたファイルに記録された電磁的記録部分の内容を書面に出力した上、当該訴訟記録の閲覧等を当該書面をもってするものとする。電磁的記録の作成等に係る書類の送達又は送付も、同様とする。

II　第132条の10第1項本文の規定により電子情報処理組織を用いてされた支払督促の申立てに係る督促手続における支払督促に対し適法な督促異議の申立てがあったときは、第398条の規定により訴えの提起があったものとみなされる裁判所は、電磁的記録部分の内容を書面に出力した上、当該訴訟記録の閲覧等を当該書面をもってするものとする。

第402条　（電子情報処理組織による督促手続における所定の方式の書面による支払督促の申立て）

I　電子情報処理組織（裁判所の使用に係る複数の電子計算機を相互に電気通信回線で接続した電子情報処理組織をいう。）を用いて督促手続を取り扱う裁判所として最高裁判所規則で定める簡易裁判所の裁判所書記官に対しては、第383条の規定による場合のほか、同条に規定する簡易裁判所が別に最高裁判所規則で定める簡易裁判所である場合にも、最高裁判所規則で定める方式に適合する方式により記載された書面をもって支払督促の申立てをすることができる。

II　第398条の規定は、前項に規定する方式により記載された書面をもってされた支払督促の申立てに係る督促手続における支払督促に対し適法な督促異議の申立てがあったときについて準用する。

督促手続

第8編　執行停止

第403条　（執行停止の裁判）

I　次に掲げる場合には、裁判所は、申立てにより、決定で、担保を立てさせて、若しくは立てさせないで強制執行の一時の停止を命じ、又はこれとともに、担保を立てて強制執行の開始若しくは続行をすべき旨を命じ、若しくは担保を立てさせて既にした執行処分の取消しを命ずることができる。ただし、強制執行の開始又は続行をすべき旨の命令は、第3号から第6号までに掲げる場合に限り、することができる。

① 　第327条第1項（第380条第2項において準用する場合を含む。次条において同じ。）の上告又は再審の訴えの提起があった場合において、不服の理由として主張した事情が法律上理由があるとみえ、事実上の点につき疎明があり、かつ、執行により償うことができない損害が生ずるおそれがあることにつき疎明があったとき。

② 　仮執行の宣言を付した判決に対する上告の提起又は上告受理の申立てがあった場合において、原判決の破棄の原因となるべき事情及び執行により償うことができない損害を生ずるおそれがあることにつき疎明があったとき。

③ 　仮執行の宣言を付した判決に対する控訴の提起又は仮執行の宣言を付した支払督促に対する督促異議の申立て（次号の控訴の提起及び督促異議の申立てを除く。）があった場合において、原判決若しくは支払督促の取消し若しくは変更の原因となるべき事情がないとはいえないこと又は執行により著しい損害を生ずるおそれがあることにつき疎明があったとき。

④ 　手形又は小切手による金銭の支払の請求及びこれに附帯する法定利率による損害賠償の請求について、仮執行の宣言を付した判決に対する控訴の提起又は仮執行の宣言を付した支払督促に対する督促異議の申立てがあった場合において、原判決又は支払督促の取消し又は変更の原因となるべき事情につき疎明があったとき。

⑤ 　仮執行の宣言を付した手形訴訟若しくは小切手訴訟の判決に対する異議の申立て又は仮執行の宣言を付した少額訴訟の判決に対する異議の申立てがあった場合において、原判決の取消し又は変更の原因となるべき事情につき疎明があったとき。

⑥ 　第117条第1項の訴えの提起があった場合において、変更のため主張した事情が法律上理由があるとみえ、かつ、事実上の点につき疎明があったとき。

II　前項に規定する申立てについての裁判に対しては、不服を申し立てることができない。

第404条 （原裁判所による裁判）

Ⅰ　第327条第1項の上告の提起、仮執行の宣言を付した判決に対する上告の提起若しくは上告受理の申立て又は仮執行の宣言を付した判決に対する控訴の提起があった場合において、訴訟記録が原裁判所に存するときは、その裁判所が、前条第1項に規定する申立てについての裁判をする。

Ⅱ　前項の規定は、仮執行の宣言を付した支払督促に対する督促異議の申立てがあった場合について準用する。

第405条 （担保の提供）

Ⅰ　この編の規定により担保を立てる場合において、供託をするには、担保を立てるべきことを命じた裁判所又は執行裁判所の所在地を管轄する地方裁判所の管轄区域内の供託所にしなければならない。

Ⅱ　第76条、第77条、第79条及び第80条の規定は、前項の担保について準用する。

執行停止

— MEMO —

民事執行法

・第1章・【総則】

《概　説》
一　民事執行制度の意義

　　私法上の権利義務や法律関係の紛争が生じた場合、その解決は自力救済の禁止を大前提に、民事訴訟（判決手続）が利用される。しかし、判決を無視する者に対しては、国家によって強制的に判決で確定された権利の実現を図る手続が必要となる。これが強制執行であり、民事執行手続の中核をなす。

　　民事執行には、この強制執行のほかにも、担保権の実行としての競売（担保執行）、形式的競売（民法、商法その他の法律の規定による換価のための競売）、債務者の財産開示がある（民執1）。

<民事執行法と民事訴訟法との比較>

	民事執行法	民事訴訟法
審理形式	任意的口頭弁論（民執4）	必要的口頭弁論
裁判形式	「決定」又は「命令」	「判決」
申立て方式	書面	書面又は口頭
管轄	すべて専属管轄（民執19）	任意管轄又は専属管轄

二　民事執行の概念

　　民事執行とは、国家権力が直接国民生活に関与・介入して、私的紛争の現実的解決を図るために用意された制度である。民事執行には、強制執行、担保権の実行としての競売（担保執行）、形式的競売（広義）、債務者の財産開示の4種類がある（民執1）。

1　強制執行

　　強制執行（民執22〜174）は、金銭執行と非金銭執行に区別される。

(1)　金銭執行

　　金銭執行とは、金銭の支払を目的とする請求権を実現するための強制執行をいう。金銭執行は、執行の対象となる財産の種類に応じて、①不動産執行（民執43以下）、②船舶執行（民執112以下）、航空機執行（民執規84以下）、自動車執行（民執規86以下）、及び建設機械執行（民執規98以下）、③動産執行（民執122以下）、④債権及びその他財産権に対する執行（民執143以下）に区別される。なお、②については、本質的には動産であるが、登記又は登録の制度があるので、動産執行の手続によるのではなく、不動産執行に近似した特別の執行手続が定められている。

(2) 非金銭執行

　非金銭執行とは、金銭の支払を目的としない請求権を実現するための強制執行をいう。非金銭執行は、①物の引渡し等を求める請求権の執行（民執168以下）、②作為・不作為を求める請求権の執行（民執171以下）、③意思表示を求める請求権の執行（民執174）の3つに区別される。

2　担保権実行としての競売

　担保権実行としての競売（民執180〜194）とは、抵当権・質権・先取特権の目的財産を競売その他の方法によって強制的に換価し、又は目的財産から生ずる収益を回収し、それにより被担保債権の満足を図る手続をいう。担保権実行としての競売には、①不動産に関する担保執行（担保不動産競売・担保不動産収益執行＜民執180以下＞）、②船舶の競売（民執189）、③動産の競売（民執190以下）、④債権その他の財産権に対する担保権の実行（民執193以下）がある。

3　形式的競売（広義）

　形式的競売（民執195）とは、請求権の満足を目的としないが、担保権実行としての競売の規定によってされる換価手続をいう。形式的競売には、留置権による競売と、民法・商法その他の法律による換価のための競売（狭義）とがある。

4　財産開示

　財産開示（民執196以下）とは、金銭債権の債権者の申立てにより、裁判所が債務者に財産の開示をさせる手続をいう。

民事執行法

<民事執行の種類>

```
┌ 強制執行（民執22以下）
│   ┌ 金銭執行
│   │   ┌ 不動産執行（民執43以下）─┬ 強制競売（民執45以下）
│   │   │                          └ 強制管理（民執93以下）
│   │   ├ 船舶執行（民執112以下）、航空機執行（民執規84以下）、自動車
│   │   │   執行（民執規86以下）、及び建設機械執行（民執規98以下）
│   │   ├ 動産執行（民執122以下）
│   │   └ 債権及びその他の財産権に対する執行（民執143以下）
│   └ 非金銭執行
│       ┌ 物の引渡し等を求める請求権の執行（民執168以下）
│       ├ 作為・不作為を求める請求権の執行（民執171以下）
│       └ 意思表示を求める請求権の執行（民執177）
├ 担保権実行としての競売（民執180以下）
│   ┌ 不動産に関する担保執行（担保不動産競売・担保不動産収益執行＜民執
│   │   180以下＞）
│   ├ 船舶の競売（民執189）
│   ├ 動産の競売（民執190以下）
│   └ 債権その他の財産権に対する担保権の実行（民執193以下）
├ 形式的競売（民執195）
│   ┌ 留置権に基づく競売
│   └ 民法・商法その他の法律の規定による換価のための競売
└ 財産開示（民執196以下）
```

三 民事執行の関係者

1 執行機関（民執2）

執行機関とは、国家の執行権を行使する権限を有する国家機関であり、裁判所（執行裁判所）及び執行官である。例外的に裁判所書記官も裁判所と並ぶ執行機関となる（少額訴訟・民執167の2）。

2 執行当事者

民事執行の手続は、判決手続と同様、対立当事者の関与を基本とする手続形態で行われる。一般に、執行を求める者を（執行）債権者、執行を受ける者を（執行）債務者という。民事執行の開始は執行機関が職権で行うことはなく、常に債権者の書面による申立てによる（民執2、民執規1）。

第1条 （趣旨）

　強制執行、担保権の実行としての競売及び民法（明治29年法律第89号）、商法（明治32年法律第48号）その他の法律の規定による換価のための競売並びに債務者の<u>財産状況の調査</u>（以下「民事執行」と総称する。）については、他の法令に定めるもののほか、この法律の定めるところによる。

第2条 （執行機関）

　民事執行は、申立てにより、裁判所又は執行官が行う。

第3条 （執行裁判所）

　裁判所が行う民事執行に関してはこの法律の規定により執行処分を行うべき裁判所をもつて、執行官が行う執行処分に関してはその執行官の所属する地方裁判所をもつて執行裁判所とする。

第4条 （任意的口頭弁論）

　執行裁判所のする裁判は、口頭弁論を経ないですることができる。

第5条 （審尋）

　執行裁判所は、執行処分をするに際し、必要があると認めるときは、利害関係を有する者その他参考人を審尋することができる。

第6条 （執行官等の職務の執行の確保）

Ⅰ　執行官は、職務の執行に際し抵抗を受けるときは、その抵抗を排除するために、威力を用い、又は警察上の援助を求めることができる。ただし、第64条の2第5項（第188条において準用する場合を含む。）の規定に基づく職務の執行については、この限りでない。

Ⅱ　執行官以外の者で執行裁判所の命令により民事執行に関する職務を行うものは、職務の執行に際し抵抗を受けるときは、執行官に対し、援助を求めることができる。

第7条 （立会人）

　執行官又は執行裁判所の命令により民事執行に関する職務を行う者（以下「執行官等」という。）は、人の住居に立ち入つて職務を執行するに際し、住居主、その代理人又は同居の親族若しくは使用人その他の従業者で相当のわきまえのあるものに出会わないときは、市町村の職員、警察官その他証人として相当と認められる者を立ち会わせなければならない。執行官が前条第1項の規定により威力を用い、又は警察上の援助を受けるときも、同様とする。

第8条 （休日又は夜間の執行）

Ⅰ　執行官等は、日曜日その他の一般の休日又は午後7時から翌日の午前7時まで

の間に人の住居に立ち入つて職務を執行するには、執行裁判所の許可を受けなければならない。

Ⅱ　執行官等は、職務の執行に当たり、前項の規定により許可を受けたことを証する文書を提示しなければならない。

第9条　（身分証明書等の携帯）

執行官等は、職務を執行する場合には、その身分又は資格を証する文書を携帯し、利害関係を有する者の請求があつたときは、これを提示しなければならない。

第10条　（執行抗告）

Ⅰ　民事執行の手続に関する裁判に対しては、特別の定めがある場合に限り、執行抗告をすることができる。

Ⅱ　執行抗告は、裁判の告知を受けた日から1週間の不変期間内に、抗告状を原裁判所に提出してしなければならない〈補〉。

Ⅲ　抗告状に執行抗告の理由の記載がないときは、抗告人は、抗告状を提出した日から1週間以内に、執行抗告の理由書を原裁判所に提出しなければならない。

Ⅳ　執行抗告の理由は、最高裁判所規則で定めるところにより記載しなければならない。

Ⅴ　次の各号に該当するときは、原裁判所は、執行抗告を却下しなければならない。

①　抗告人が第3項の規定による執行抗告の理由書の提出をしなかつたとき。

②　執行抗告の理由の記載が明らかに前項の規定に違反しているとき。

③　執行抗告が不適法であつてその不備を補正することができないことが明らかであるとき。

④　執行抗告が民事執行の手続を不当に遅延させることを目的としてされたものであるとき。

Ⅵ　抗告裁判所は、執行抗告についての裁判が効力を生ずるまでの間、担保を立てさせ、若しくは立てさせないで原裁判の執行の停止若しくは民事執行の手続の全部若しくは一部の停止を命じ、又は担保を立てさせてこれらの続行を命ずることができる。事件の記録が原裁判所に存する間は、原裁判所も、これらの処分を命ずることができる。

Ⅶ　抗告裁判所は、抗告状又は執行抗告の理由書に記載された理由に限り、調査する。ただし、原裁判に影響を及ぼすべき法令の違反又は事実の誤認の有無については、職権で調査することができる。

Ⅷ　第5項の規定による決定に対しては、執行抗告をすることができる。

Ⅸ　第6項の規定による決定に対しては、不服を申し立てることができない。

Ⅹ　民事訴訟法（平成8年法律第109号）第349条の規定は、執行抗告をすることができる裁判が確定した場合について準用する。

民事執行法

第11条　（執行異議）

Ⅰ　執行裁判所の執行処分で執行抗告をすることができないものに対しては、執行裁判所に執行異議を申し立てることができる。執行官の執行処分及びその遅怠に対しても、同様とする。

Ⅱ　前条第6項前段及び第9項の規定は、前項の規定による申立てがあつた場合について準用する〈礙。

第12条　（取消決定等に対する執行抗告）

Ⅰ　民事執行の手続を取り消す旨の決定に対しては、執行抗告をすることができる。民事執行の手続を取り消す執行官の処分に対する執行異議の申立てを却下する裁判又は執行官に民事執行の手続の取消しを命ずる決定に対しても、同様とする。

Ⅱ　前項の規定により執行抗告をすることができる裁判は、確定しなければその効力を生じない。

第13条　（代理人）

Ⅰ　民事訴訟法第54条第1項の規定により訴訟代理人となることができる者以外の者は、執行裁判所でする手続については、訴え又は執行抗告に係る手続を除き、執行裁判所の許可を受けて代理人となることができる。

Ⅱ　執行裁判所は、いつでも前項の許可を取り消すことができる。

第14条　（費用の予納等）

Ⅰ　執行裁判所に対し民事執行の申立てをするときは、申立人は、民事執行の手続に必要な費用として裁判所書記官の定める金額を予納しなければならない。予納した費用が不足する場合において、裁判所書記官が相当の期間を定めてその不足する費用の予納を命じたときも、同様とする。

Ⅱ　前項の規定による裁判所書記官の処分に対しては、その告知を受けた日から1週間の不変期間内に、執行裁判所に異議を申し立てることができる。

Ⅲ　第1項の規定による裁判所書記官の処分は、確定しなければその効力を生じない。

Ⅳ　申立人が費用を予納しないときは、執行裁判所は、民事執行の申立てを却下し、又は民事執行の手続を取り消すことができる。

Ⅴ　前項の規定により申立てを却下する決定に対しては、執行抗告をすることができる。

第15条　（担保の提供）

Ⅰ　この法律の規定により担保を立てるには、担保を立てるべきことを命じた裁判所（以下この項において「発令裁判所」という。）又は執行裁判所の所在地を管轄する地方裁判所の管轄区域内の供託所に金銭又は発令裁判所が相当と認める有価証券（社債、株式等の振替に関する法律（平成13年法律第75号）第278条第1項に

規定する振替債を含む。）を供託する方法その他最高裁判所規則で定める方法によらなければならない。ただし、当事者が特別の契約をしたときは、その契約による。

Ⅱ　民事訴訟法第77条、第79条及び第80条の規定は、前項の担保について準用する。

第16条　（送達の特例）

Ⅰ　民事執行の手続について、執行裁判所に対し申立て、申出若しくは届出をし、又は執行裁判所から文書の送達を受けた者は、送達を受けるべき場所（日本国内に限る。）を執行裁判所に届け出なければならない。この場合においては、送達受取人をも届け出ることができる。

Ⅱ　民事訴訟法第104条第2項及び第3項並びに第107条の規定は、前項前段の場合について準用する。

Ⅲ　第1項前段の規定による届出をしない者（前項において準用する民事訴訟法第104条第3項に規定する者を除く。）に対する送達は、事件の記録に表れたその者の住所、居所、営業所又は事務所においてする。

Ⅳ　前項の規定による送達をすべき場合において、第20条において準用する民事訴訟法第106条の規定により送達をすることができないときは、裁判所書記官は、同項の住所、居所、営業所又は事務所にあてて、書類を書留郵便又は民間事業者による信書の送達に関する法律（平成14年法律第99号）第2条第6項に規定する一般信書便事業者若しくは同条第9項に規定する特定信書便事業者の提供する同条第2項に規定する信書便の役務のうち書留郵便に準ずるものとして最高裁判所規則で定めるものに付して発送することができる。この場合においては、民事訴訟法第107条第2項及び第3項の規定を準用する。

第17条　（民事執行の事件の記録の閲覧等）

執行裁判所の行う民事執行について、利害関係を有する者は、裁判所書記官に対し、事件の記録の閲覧若しくは謄写、その正本、謄本若しくは抄本の交付又は事件に関する事項の証明書の交付を請求することができる。

第18条　（官庁等に対する援助請求等）

Ⅰ　民事執行のため必要がある場合には、執行裁判所又は執行官は、官庁又は公署に対し、援助を求めることができる。

Ⅱ　前項に規定する場合には、執行裁判所又は執行官は、民事執行の目的である財産（財産が土地である場合にはその上にある建物を、財産が建物である場合にはその敷地を含む。）に対して課される租税その他の公課について、所管の官庁又は公署に対し、必要な証明書の交付を請求することができる。

Ⅲ　前項の規定は、民事執行の申立てをしようとする者がその申立てのため同項の証明書を必要とする場合について準用する。

第19条　（専属管轄）

　この法律に規定する裁判所の管轄は、専属とする。

第20条　（民事訴訟法の準用）〈略〉

　特別の定めがある場合を除き、民事執行の手続に関しては、その性質に反しない限り、民事訴訟法第1編から第4編までの規定（同法第87条の2の規定を除く。）を準用する。

第21条　（最高裁判所規則）

　この法律に定めるもののほか、民事執行の手続に関し必要な事項は、最高裁判所規則で定める。

・第2章・【強制執行】

■第1節　総則

《概　説》

一　強制執行の意義

　強制執行とは、執行機関が、債務名義に基づき、私法上の請求権の強制的実現を図る法的手続・制度である。

二　強制執行の種類

　強制執行は、金銭の支払を目的とする請求権を実現するための金銭執行と、それを目的としない請求権を実現するための非金銭執行に分類できる。

三　強制執行のできない場合

　私法上の給付請求権であっても、強制執行ができない場合がある。たとえば、夫婦の同居義務〈略〉のように債務者の自由意思に反してその履行を強制することが社会観念上是認できない場合や、芸術的創作をすべき義務のように債務者の自由意思を圧迫して強制したのでは債務の本旨に適った給付を実現しがたい場合などである。また、当事者間で当該請求権につき強制執行をしない旨の合意があるときも強制執行はできない。

第22条　（債務名義）

　強制執行は、次に掲げるもの（以下「債務名義」という。）により行う。
①　確定判決
②　仮執行の宣言を付した判決
③　抗告によらなければ不服を申し立てることができない裁判（確定しなければその効力を生じない裁判にあっては、確定したものに限る。）
③の2　仮執行の宣言を付した損害賠償命令

民事執行法

③の3　仮執行の宣言を付した届出債権支払命令

④　仮執行の宣言を付した支払督促〈類〉

④の2　訴訟費用〈類〉、和解の費用若しくは非訟事件（他の法令の規定により非訟事件手続法（平成23年法律第51号）の規定を準用することとされる事件を含む。）、家事事件若しくは国際的な子の奪取の民事上の側面に関する条約の実施に関する法律（平成25年法律第48号）第29条に規定する子の返還に関する事件の手続の費用の負担の額を定める裁判所書記官の処分又は第42条第4項に規定する執行費用及び返還すべき金銭の額を定める裁判所書記官の処分（後者の処分にあつては、確定したものに限る。）

⑤　金銭の一定の額の支払又はその他の代替物若しくは有価証券の一定の数量の給付を目的とする請求について公証人が作成した公正証書で、債務者が直ちに強制執行に服する旨の陳述が記載されているもの（以下「執行証書」という。）〈類〉

⑥　確定した執行判決のある外国裁判所の判決〈類〉

⑥の2　確定した執行決定のある仲裁判断

⑦　確定判決と同一の効力を有するもの（第3号に掲げる裁判を除く。）

第23条　（強制執行をすることができる者の範囲）

Ⅰ　執行証書以外の債務名義による強制執行は、次に掲げる者に対し、又はその者のためにすることができる。

①　債務名義に表示された当事者

②　債務名義に表示された当事者が他人のために当事者となつた場合のその他人

③　前2号に掲げる者の債務名義成立後の承継人（前条第1号、第2号又は第6号に掲げる債務名義にあつては口頭弁論終結後の承継人、同条第3号の2に掲げる債務名義又は同条第7号に掲げる債務名義のうち損害賠償命令に係るものにあつては審理終結後の承継人）

Ⅱ　執行証書による強制執行は、執行証書に表示された当事者又は執行証書作成後のその承継人に対し、若しくはこれらの者のためにすることができる。

Ⅲ　第1項に規定する債務名義による強制執行は、同項各号に掲げる者のために請求の目的物を所持する者に対しても、することができる。

第24条　（外国裁判所の判決の執行判決）

Ⅰ　外国裁判所の判決についての執行判決を求める訴えは、債務者の普通裁判籍の所在地を管轄する地方裁判所（家事事件における裁判に係るものにあつては、家庭裁判所。以下この項において同じ。）が管轄し、この普通裁判籍がないときは、請求の目的又は差し押さえることができる債務者の財産の所在地を管轄する地方裁判所が管轄する。

Ⅱ　前項に規定する地方裁判所は、同項の訴えの全部又は一部が家庭裁判所の管轄に属する場合においても、相当と認めるときは、同項の規定にかかわらず、申立てにより又は職権で、当該訴えに係る訴訟の全部又は一部について自ら審理及び裁判をすることができる。

Ⅲ　第1項に規定する家庭裁判所は、同項の訴えの全部又は一部が地方裁判所の管轄に属する場合においても、相当と認めるときは、同項の規定にかかわらず、申立てにより又は職権で、当該訴えに係る訴訟の全部又は一部について自ら審理及び裁判をすることができる。

Ⅳ　執行判決は、裁判の当否を調査しないでしなければならない。

Ⅴ　第1項の訴えは、外国裁判所の判決が、確定したことが証明されないとき、又は民事訴訟法第118条各号（家事事件手続法（平成23年法律第52号）第79条の2において準用する場合を含む。）に掲げる要件を具備しないときは、却下しなければならない。

Ⅵ　執行判決においては、外国裁判所の判決による強制執行を許す旨を宣言しなければならない。

第25条　（強制執行の実施）

強制執行は、執行文の付された債務名義の正本に基づいて実施する。ただし、少額訴訟における確定判決又は仮執行の宣言を付した少額訴訟の判決若しくは支払督促により、これに表示された当事者に対し、又はその者のためにする強制執行は、その正本に基づいて実施する。

《注　釈》

◆　強制執行の要件

1　序論

　　法は、執行手続の迅速性確保のため、執行機関は、請求権の存在及び範囲を確定して公証した文書を通じて形式的に執行の要件を確認すべきものとした。すなわち、強制執行は、執行力のある債務名義の正本（執行正本）に基づいて実施される（民執25本文）。

2　債務名義

(1)　債務名義の役割

　　債務名義とは、強制執行に適する請求権の存在及び範囲を証明する公正の証書で、法律が強制執行によってその内容を実現できる執行力を与えたものである。

(2)　債務名義の種類（民執22）

(a)　確定した給付判決（①）

(b)　仮執行宣言付判決（②）

(c)　抗告によらなければ不服を申し立てることができない裁判（③）

(d)　仮執行の宣言を付した損害賠償命令（③の2）

　　※損害賠償命令：刑事被告事件にかかる訴因として特定された事実を原因とする不法行為に基づく損害賠償請求について、その賠償を被告人に命ずること（犯罪被害者等の権利利

民事執行法

益の保護を図るための刑事手続に付随する措置に関する法律17条)

(e) 仮執行宣言付支払督促(④)

(f) 訴訟費用等の費用の負担額等を定める裁判所書記官の処分(④の2)

(g) 執行証書(⑤)

(h) 確定した執行判決のある外国裁判所の判決、確定した執行決定のある仲裁判断(⑥、⑥の2)

(i) 確定判決と同一の効力を有するもの(⑦)

    ex. 和解調書(民訴267、275)、和解に代わる決定(民訴275の2)、請求認諾調書(民訴267)、調停調書(民調6、24の3Ⅱ)〈重〉、調停に代わる決定・審判(民調17、18Ⅲ、家事284〜287)

第26条　(執行文の付与)

Ⅰ 執行文は、申立てにより、執行証書以外の債務名義については事件の記録の存する裁判所の裁判所書記官が、執行証書についてはその原本を保存する公証人が付与する。

Ⅱ 執行文の付与は、債権者が債務者に対しその債務名義により強制執行をすることができる場合に、その旨を債務名義の正本の末尾に付記する方法により行う。

第27条

Ⅰ 請求が債権者の証明すべき事実の到来に係る場合においては、執行文は、債権者がその事実の到来したことを証する文書を提出したときに限り、付与することができる。

Ⅱ 債務名義に表示された当事者以外の者を債権者又は債務者とする執行文は、その者に対し、又はその者のために強制執行をすることができることが裁判所書記官若しくは公証人に明白であるとき、又は債権者がそのことを証する文書を提出したときに限り、付与することができる。

Ⅲ 執行文は、債務名義について次に掲げる事由のいずれかがあり、かつ、当該債務名義に基づく不動産の引渡し又は明渡しの強制執行をする前に当該不動産を占有する者を特定することを困難とする特別の事情がある場合において、債権者がこれらを証する文書を提出したときに限り、債務者を特定しないで、付与することができる。

① 債務名義が不動産の引渡し又は明渡しの請求権を表示したものであり、これを本案とする占有移転禁止の仮処分命令(民事保全法(平成元年法律第91号)第25条の2第1項に規定する占有移転禁止の仮処分命令をいう。)が執行され、かつ、同法第62条第1項の規定により当該不動産を占有する者に対して当該債務名義に基づく引渡し又は明渡しの強制執行をすることができるものであること。

② 債務名義が強制競売の手続(担保権の実行としての競売の手続を含む。以下この号において同じ。)における第83条第1項本文(第188条において準用する

民事執行法

場合を含む。）の規定による命令（以下「引渡命令」という。）であり、当該強制
競売の手続において当該引渡命令の引渡義務者に対し次のイからハまでのいずれ
かの保全処分及び公示保全処分（第55条第1項に規定する公示保全処分をい
う。以下この項において同じ。）が執行され、かつ、第83条の2第1項（第
187条第5項又は第188条において準用する場合を含む。）の規定により当該
不動産を占有する者に対して当該引渡命令に基づく引渡しの強制執行をすること
ができるものであること。
　イ　第55条第1項第3号（第188条において準用する場合を含む。）に掲げる
　　保全処分及び公示保全処分
　ロ　第77条第1項第3号（第188条において準用する場合を含む。）に掲げる
　　保全処分及び公示保全処分
　ハ　第187条第1項に規定する保全処分又は公示保全処分（第55条第1項第
　　3号に掲げるものに限る。）
Ⅳ　前項の執行文の付された債務名義の正本に基づく強制執行は、当該執行文の付与
の日から4週間を経過する前であつて、当該強制執行において不動産の占有を解
く際にその占有者を特定することができる場合に限り、することができる。
Ⅴ　第3項の規定により付与された執行文については、前項の規定により当該執行
文の付された債務名義の正本に基づく強制執行がされたときは、当該強制執行によ
つて当該不動産の占有を解かれた者が、債務者となる。

第28条　（執行文の再度付与等）

Ⅰ　執行文は、債権の完全な弁済を得るため執行文の付された債務名義の正本が数通
必要であるとき、又はこれが滅失したときに限り、更に付与することができる。
Ⅱ　前項の規定は、少額訴訟における確定判決又は仮執行の宣言を付した少額訴訟の
判決若しくは支払督促の正本を更に交付する場合について準用する。

《注　釈》

一　執行文の機能と内容

　執行証書以外の債務名義については、事件の記録の存する裁判所の「裁判所書
記官」が、また、執行証書についてはその原本を保存する「公証人」が、執行力
の存否を調査して、債務名義の正本の末尾に執行力がある旨の証明を付記する
（民執26）こととした。これを「執行文」という。

二　執行文の種類

1　単純執行文
　債務名義に表示された当事者につき付与される最も基本的な執行文。
2　条件成就執行文（民執27Ⅰ）
　債務名義の内容が債権者の証明すべき事実の到来にかかる場合に付与される
執行文。

民事執行法

503

3　承継執行文（民執27Ⅱ）

　　債務名義に表示されていない者を当事者として強制執行する場合に、執行文付与機関に同条の要件の充足を証明して付与される執行文。

　　確定判決の執行力は、口頭弁論終結後の承継人にも及ぶ（民執23Ⅰ③、民訴115Ⅰ③）。

第29条　（債務名義等の送達）

　強制執行は、債務名義又は確定により債務名義となるべき裁判の正本又は謄本が、あらかじめ、又は同時に、債務者に送達されたときに限り、開始することができる。第27条の規定により執行文が付与された場合においては、執行文及び同条の規定により債権者が提出した文書の謄本も、あらかじめ、又は同時に、送達されなければならない。

第30条　（期限の到来又は担保の提供に係る場合の強制執行）

Ⅰ　請求が確定期限の到来に係る場合においては、強制執行は、その期限の到来後に限り、開始することができる。

Ⅱ　担保を立てることを強制執行の実施の条件とする債務名義による強制執行は、債権者が担保を立てたことを証する文書を提出したときに限り、開始することができる。

第31条　（反対給付又は他の給付の不履行に係る場合の強制執行）

Ⅰ　債務者の給付が反対給付と引換えにすべきものである場合においては、強制執行は、債権者が反対給付又はその提供のあつたことを証明したときに限り、開始することができる。

Ⅱ　債務者の給付が、他の給付について強制執行の目的を達することができない場合に、他の給付に代えてすべきものであるときは、強制執行は、債権者が他の給付について強制執行の目的を達することができなかつたことを証明したときに限り、開始することができる。

第32条　（執行文の付与等に関する異議の申立て）

Ⅰ　執行文の付与の申立てに関する処分に対しては、裁判所書記官の処分にあつてはその裁判所書記官の所属する裁判所に、公証人の処分にあつてはその公証人の役場の所在地を管轄する地方裁判所に異議を申し立てることができる。

Ⅱ　執行文の付与に対し、異議の申立てがあつたときは、裁判所は、異議についての裁判をするまでの間、担保を立てさせ、若しくは立てさせないで強制執行の停止を命じ、又は担保を立てさせてその続行を命ずることができる。急迫の事情があるときは、裁判長も、これらの処分を命ずることができる。

Ⅲ　第1項の規定による申立てについての裁判及び前項の規定による裁判は、口頭弁論を経ないですることができる。

Ⅳ　前項に規定する裁判に対しては、不服を申し立てることができない。

Ⅴ 前各項の規定は、第28条第2項の規定による少額訴訟における確定判決又は仮執行の宣言を付した少額訴訟の判決若しくは支払督促の正本の交付について準用する。

第33条 （執行文付与の訴え）

Ⅰ 第27条第1項又は第2項に規定する文書の提出をすることができないときは、債権者は、執行文（同条第3項の規定により付与されるものを除く。）の付与を求めるために、執行文付与の訴えを提起することができる。

Ⅱ 前項の訴えは、次の各号に掲げる債務名義の区分に応じ、それぞれ当該各号に定める裁判所が管轄する。

① 第22条第1号から第3号まで、第6号又は第6号の2に掲げる債務名義並びに同条第7号に掲げる債務名義のうち次号、第1号の3及び第6号に掲げるもの以外のもの　第一審裁判所

①の2 第22条第3号の2に掲げる債務名義並びに同条第7号に掲げる債務名義のうち損害賠償命令並びに損害賠償命令事件に関する手続における和解及び請求の認諾に係るもの　損害賠償命令事件が係属していた地方裁判所

①の3 第22条第3号の3に掲げる債務名義並びに同条第7号に掲げる債務名義のうち届出債権支払命令並びに簡易確定手続における届出債権の認否及び和解に係るもの　簡易確定手続が係属していた地方裁判所

② 第22条第4号に掲げる債務名義のうち次号に掲げるもの以外のもの　仮執行の宣言を付した支払督促を発した裁判所書記官の所属する簡易裁判所（仮執行の宣言を付した支払督促に係る請求が簡易裁判所の管轄に属しないものであるときは、その簡易裁判所の所在地を管轄する地方裁判所）

③ 第22条第4号に掲げる債務名義のうち民事訴訟法第132条の10第1項本文の規定による支払督促の申立て又は同法第402条第1項に規定する方式により記載された書面をもつてされた支払督促の申立てによるもの　当該支払督促の申立てについて同法第398条（同法第402条第2項において準用する場合を含む。）の規定により訴えの提起があつたものとみなされる裁判所

④ 第22条第4号の2に掲げる債務名義　同号の処分をした裁判所書記官の所属する裁判所

⑤ 第22条第5号に掲げる債務名義　債務者の普通裁判籍の所在地を管轄する裁判所（この普通裁判籍がないときは、請求の目的又は差し押さえることができる債務者の財産の所在地を管轄する裁判所）

⑥ 第22条第7号に掲げる債務名義のうち和解若しくは調停（上級裁判所において成立した和解及び調停を除く。）又は労働審判に係るもの（第1号の2及び第1号の3に掲げるものを除く。）　和解若しくは調停が成立した簡易裁判所、地方裁判所若しくは家庭裁判所（簡易裁判所において成立した和解又は調停に係る請求が簡易裁判所の管轄に属しないものであるときは、その簡易裁判所の所在地を管轄する地方裁判所）又は労働審判が行われた際に労働審判事件が係属していた地方裁判所

第34条　（執行文付与に対する異議の訴え）

Ⅰ　第27条の規定により執行文が付与された場合において、債権者の証明すべき事実の到来したこと又は債務名義に表示された当事者以外の者に対し、若しくはその者のために強制執行をすることができることについて異議のある債務者は、その執行文の付された債務名義の正本に基づく強制執行の不許を求めるために、執行文付与に対する異議の訴えを提起することができる。

Ⅱ　異議の事由が数個あるときは、債務者は、同時に、これを主張しなければならない。

Ⅲ　前条第2項の規定は、第1項の訴えについて準用する。

第35条　（請求異議の訴え）〈回書〉

Ⅰ　債務名義（第22条第2号又は第3号の2から第4号までに掲げる債務名義で確定前のものを除く。以下この項において同じ。）に係る請求権の存在又は内容について異議のある債務者は、その債務名義による強制執行の不許を求めるために、請求異議の訴えを提起することができる。裁判以外の債務名義の成立について異議のある債務者も、同様とする。

Ⅱ　確定判決についての異議の事由は、口頭弁論の終結後に生じたものに限る。

Ⅲ　第33条第2項及び前条第2項の規定は、第1項の訴えについて準用する。

第36条　（執行文付与に対する異議の訴え等に係る執行停止の裁判）

Ⅰ　執行文付与に対する異議の訴え又は請求異議の訴えの提起があつた場合において、異議のため主張した事情が法律上理由があるとみえ、かつ、事実上の点について疎明があつたときは、受訴裁判所は、申立てにより、終局判決において次条第1項の裁判をするまでの間、担保を立てさせ、若しくは立てさせないで強制執行の停止を命じ、又はこれとともに、担保を立てさせて強制執行の続行を命じ、若しくは担保を立てさせて既にした執行処分の取消しを命ずることができる。急迫の事情があるときは、裁判長も、これらの処分を命ずることができる。

Ⅱ　前項の申立てについての裁判は、口頭弁論を経ないですることができる。

Ⅲ　第1項に規定する事由がある場合において、急迫の事情があるときは、執行裁判所は、申立てにより、同項の規定による裁判の正本を提出すべき期間を定めて、同項に規定する処分を命ずることができる。この裁判は、執行文付与に対する異議の訴え又は請求異議の訴えの提起前においても、することができる。

Ⅳ　前項の規定により定められた期間を経過したとき、又はその期間内に第1項の規定による裁判が執行裁判所若しくは執行官に提出されたときは、前項の裁判は、その効力を失う。

Ⅴ　第1項又は第3項の申立てについての裁判に対しては、不服を申し立てることができない。

民事執行法

第37条　（終局判決における執行停止の裁判等）

Ⅰ　受訴裁判所は、執行文付与に対する異議の訴え又は請求異議の訴えについての終局判決において、前条第1項に規定する処分を命じ、又は既にした同項の規定による裁判を取り消し、変更し、若しくは認可することができる。この裁判については、仮執行の宣言をしなければならない。

Ⅱ　前項の規定による裁判に対しては、不服を申し立てることができない。

第38条　（第三者異議の訴え）

Ⅰ　強制執行の目的物について所有権その他目的物の譲渡又は引渡しを妨げる権利を有する第三者は、債権者に対し、その強制執行の不許を求めるために、第三者異議の訴えを提起することができる〈略〉。

Ⅱ　前項に規定する第三者は、同項の訴えに併合して、債務者に対する強制執行の目的物についての訴えを提起することができる。

Ⅲ　第1項の訴えは、執行裁判所が管轄する。

Ⅳ　前2条の規定は、第1項の訴えに係る執行停止の裁判について準用する。

第39条　（強制執行の停止）

Ⅰ　強制執行は、次に掲げる文書の提出があつたときは、停止しなければならない。

①　債務名義（執行証書を除く。）若しくは仮執行の宣言を取り消す旨又は強制執行を許さない旨を記載した執行力のある裁判の正本

②　債務名義に係る和解、認諾、調停又は労働審判の効力がないことを宣言する確定判決の正本

③　第22条第2号から第4号の2までに掲げる債務名義が訴えの取下げその他の事由により効力を失つたことを証する調書の正本その他の裁判所書記官の作成した文書

④　強制執行をしない旨又はその申立てを取り下げる旨を記載した裁判上の和解若しくは調停の調書の正本又は労働審判法（平成16年法律第45号）第21条第4項の規定により裁判上の和解と同一の効力を有する労働審判の審判書若しくは同法第20条第7項の調書の正本

⑤　強制執行を免れるための担保を立てたことを証する文書

⑥　強制執行の停止及び執行処分の取消しを命ずる旨を記載した裁判の正本

⑦　強制執行の一時の停止を命ずる旨を記載した裁判の正本

⑧　債権者が、債務名義の成立後に、弁済を受け、又は弁済の猶予を承諾した旨を記載した文書

Ⅱ　前項第8号に掲げる文書のうち弁済を受けた旨を記載した文書の提出による強制執行の停止は、4週間に限るものとする。

Ⅲ　第1項第8号に掲げる文書のうち弁済の猶予を承諾した旨を記載した文書の提出による強制執行の停止は、2回に限り、かつ、通じて6月を超えることができない。

民事執行法

《注　釈》

◆　不当執行・違法執行に対する救済

1　執行文付与に関する違法

(1)　執行文付与の拒絶に関する異議（債権者の救済）（民執32）

　　執行文付与の申立てが拒絶された場合に債権者が、付与機関たる裁判所書記官が所属する裁判所に対して異議を申し立てることができる制度。

(2)　執行文付与の訴え（債権者の救済）（民執33）

　　条件成就執行文や承継執行文の付与を受けるために必要とされる条件成就や承継の事実を証明する文書を債権者が提出できない場合に、訴えを提起し実質審理で事実の証明をすることで、その勝訴判決に基づいて執行文の付与が受けられるとする制度。

(3)　執行文付与に対する異議（債務者の救済）（民執32）

　　執行文の付与処分に対して債務者が異議の申立てをできる制度。

(4)　執行文付与に対する異議の訴え（債務者の救済）（民執34）

　　執行文が付与された場合において、異議のある債務者が訴えを提起して条件成就等の事実を争い、強制執行の不許を求める制度。

2　執行処分に関する違法（違法執行）

民事執行法の手続規定に違反してなされた執行に対する救済手段。

(1)　執行抗告（民執10）

　　執行裁判所が行う執行処分の裁判に対する不服申立て。

(2)　執行異議（民執11）

　　執行裁判所の執行処分で執行抗告をすることができないもの、執行官の執行処分及びその懈怠に対する不服申立て。

3　執行処分に関する不当（不当執行）

執行が手続に従って適法になされたが、執行を認めることが実体上許されない場合の救済手段。

(1)　請求異議の訴え（民執35）

　　債務者が、債務名義に表示された請求権の存否や内容、債務名義の成立についての異議を主張して、強制執行の不許を宣言する判決を求める訴え。

(2)　第三者異議の訴え（民執38）

　　執行が認められるとその目的物についての第三者の権利が害され、しかも執行債権者との関係で第三者がそれを受忍する理由がない場合に、第三者が実体法上の権利に基づいて執行の不許を求める訴え。

4　執行の停止・取消し

執行の停止（民執39）とは、法律上の事由により執行機関が執行を開始・続行しないことをいい、執行の取消し（民執40）とは、執行機関が既にした執行処分を除去することをいう。

▼ **最判平 17.7.15・平 17 重判 5 事件**

事案： Y は、A に対する強制執行をなしたが、これに対して、X が強制執行の不許を求めて第三者異議の訴え（民執 38）を提起した。

判旨： 第三者異議の訴えについて、法人格否認の法理の適用を排除すべき理由はなく、原告の法人格が執行債務者に対する強制執行を回避するために濫用されている場合には、原告は、執行債務者と別個の法人格であることを主張して強制執行の不許を求めることは許されないというべきである。

＜民事執行法上の不服申立て＞

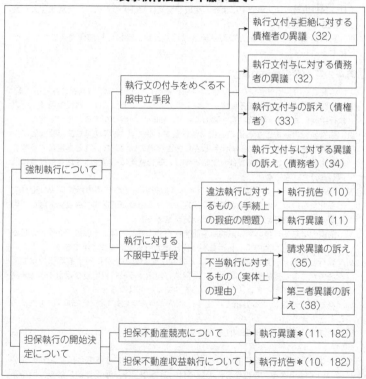

* 実体法上の理由による執行異議・執行抗告が可能（民執 182）

第40条　（執行処分の取消し）

Ⅰ　前条第1項第1号から第6号までに掲げる文書が提出されたときは、執行裁判所又は執行官は、既にした執行処分をも取り消さなければならない。

Ⅱ　第12条の規定は、前項の規定により執行処分を取り消す場合については適用しない。

第41条　（債務者が死亡した場合の強制執行の続行）

Ⅰ　強制執行は、その開始後に債務者が死亡した場合においても、続行することができる。

Ⅱ　前項の場合において、債務者の相続人の存在又はその所在が明らかでないときは、執行裁判所は、申立てにより、相続財産又は相続人のために、特別代理人を選任することができる。

Ⅲ　民事訴訟法第35条第2項及び第3項の規定は、前項の特別代理人について準用する。

第42条　（執行費用の負担）

Ⅰ　強制執行の費用で必要なもの（以下「執行費用」という。）は、債務者の負担とする。

Ⅱ　金銭の支払を目的とする債権についての強制執行にあつては、執行費用は、その執行手続において、債務名義を要しないで、同時に、取り立てることができる。

Ⅲ　強制執行の基本となる債務名義（執行証書を除く。）を取り消す旨の裁判又は債務名義に係る和解、認諾、調停若しくは労働審判の効力がないことを宣言する判決が確定したときは、債権者は、支払を受けた執行費用に相当する金銭を債務者に返還しなければならない。

Ⅳ　第1項の規定により債務者が負担すべき執行費用で第2項の規定により取り立てられたもの以外のもの及び前項の規定により債権者が返還すべき金銭の額は、申立てにより、執行裁判所の裁判所書記官が定める。

Ⅴ　前項の申立てについての裁判所書記官の処分に対しては、その告知を受けた日から1週間の不変期間内に、執行裁判所に異議を申し立てることができる。

Ⅵ　執行裁判所は、第4項の規定による裁判所書記官の処分に対する異議の申立てを理由があると認める場合において、同項に規定する執行費用及び返還すべき金銭の額を定めるべきときは、自らその額を定めなければならない。

Ⅶ　第5項の規定による異議の申立てについての決定に対しては、執行抗告をすることができる。

Ⅷ　第4項の規定による裁判所書記官の処分は、確定しなければその効力を生じない。

Ⅸ　民事訴訟法第74条第1項の規定は、第4項の規定による裁判所書記官の処分について準用する。この場合においては、第5項、第7項及び前項並びに同条第3項の規定を準用する。

■第2節　金銭の支払を目的とする債権についての強制執行
《概　説》

◆　総説

　金銭執行は、執行機関が債務者の財産を強制的に換価してその代金を配当することで債権の満足に充てる強制執行である。原則として差押え→換価→満足（配当など）という流れを経る。

1　差押え

　(1)　効力

　　　差押えは、特定の財産を執行の目的物として確保するために拘束された状態に置く権力的行為、すなわち執行機関が特定の財産に対する債務者の事実上・法律上の処分を禁止する処分である。

　　　差押えによって債務者は特定財産について処分権を制限され、国家が処分権を取得する。この処分禁止に反する債務者の法律的処分は債権者に対する関係で無効（相対的無効）とされ、事実的処分については刑罰の制裁が科される（刑96、242、252Ⅱ、262）。

　(2)　方法

　　　差押えの方法は対象となる財産により異なる。差押えの効力を確保し取引の安全を保護するための公示の方法も、対象財産により異なる。差押えの効力は強制競売開始決定が債務者に送達された時又は差押えの登記がなされた時のいずれか早い時点で発生する（民執46Ⅰ）。

2　換価

　差押え財産を金銭化するために換価の処分が行われる。換価の一般的な方法は売却であり（民執64、134、161）、強制管理での収益の収取・換価（民執95Ⅰ）、債権執行での債権者の取立て（民執155）、債権の転付・譲渡・債権管理（民執160、161）も換価に当たる。

3　満足

　執行力ある債務名義の正本を有する債権者、差押登記後に登記された仮差押債権者及び民事執行法181条1項各号所定の文書により一般の先取特権を有することを証明した債権者は、配当要求をすることにより配当にあずかることができる（民執51Ⅰ、87Ⅰ②）。また、執行正本を有する債権者（有名義債権者）は既に差押債権者のために執行が始まっている財産に対して、重ねて執行手続を申し立てることもでき（二重の執行申立て）、この申立てが配当要求の終期までになされたものであれば配当要求の効力を有する（民執47Ⅰ、87Ⅰ①）。

　債権者が1人か、又は2人以上であっても、債権者全員を満足させることができる換価金がある場合には、債権者に弁済金を交付して執行手続が終了する（残余金は債務者に交付）。そうでない場合には執行裁判所が配当手続を実施す

民事執行法

511

る（民執84～92、142、166）。この場合の換価金の分配方法として、民事執行法は、先に差押えをした債権者と後から執行手続に参加した債権者との間で優劣をつけず、債権額に比例して平等に分配する建前（平等主義）を採用している。

第1款　不動産に対する強制執行
第1目　通則

第43条　（不動産執行の方法）

Ⅰ　不動産（登記することができない土地の定着物を除く。以下この節において同じ。）に対する強制執行（以下「不動産執行」という。）は、強制競売又は強制管理の方法により行う。これらの方法は、併用することができる。

Ⅱ　金銭の支払を目的とする債権についての強制執行については、不動産の共有持分、登記された地上権及び永小作権並びにこれらの権利の共有持分は、不動産とみなす。

第44条　（執行裁判所）

Ⅰ　不動産執行については、その所在地（前条第2項の規定により不動産とみなされるものにあつては、その登記をすべき地）を管轄する地方裁判所が、執行裁判所として管轄する。

Ⅱ　建物が数個の地方裁判所の管轄区域にまたがつて存在する場合には、その建物に対する強制執行については建物の存する土地の所在地を管轄する各地方裁判所が、その土地に対する強制執行については土地の所在地を管轄する地方裁判所又は建物に対する強制執行の申立てを受けた地方裁判所が、執行裁判所として管轄する。

Ⅲ　前項の場合において、執行裁判所は、必要があると認めるときは、事件を他の管轄裁判所に移送することができる。

Ⅳ　前項の規定による決定に対しては、不服を申し立てることができない。

第2目　強制競売
《概　説》

◆　強制競売（不動産強制競売）

1　強制競売は、執行裁判所が債務者の不動産を売却し、その代金をもって債務者の債務の弁済に充てる強制執行手続である。執行裁判所が競売開始決定をし、その中で「債権者のためにこの不動産を差し押さえる。」と宣言して行う（民執45Ⅰ）。この差押えは不動産登記簿に登記される（民執48）。競売不動産の売却方法には、期日入札、期間入札、競り売り、特別売却の4種があり（民執64、民執規34～51）、各事件について執行裁判所が裁量によって選択する。

2　原則的手続である期間入札の場合、買受申出は、定められた入札期間内に、入札書を入れた封筒を執行官に差し出すか郵送する方法によって行う。執行官

は開札期日に開札し、最高額の入札人を「最高価買受申出人」と定める。執行
裁判所は、あらかじめ指定した売却決定期日に、売却の許可・不許可を言い渡
す。法定の売却不許可事由（民執71）が認められなければ売却許可決定が言
い渡され、それが確定すれば換価は終了する。これによって売買が成立したこ
とになり、最高価買受申出人は「買受人」となる。買受人が代金を納付すれば
その時に競売不動産の所有権を取得する（民執79）。

3　　なお、競売不動産には種々の担保権・用益権が付着していることがあるが、
これらの処遇について民事執行法は、①不動産上に存する先取特権、使用収益
をしない旨の定め（民359、不登95Ⅰ⑥）のある質権及び抵当権は、売却代金
から被担保債権の弁済を受けて消滅する（民執59Ⅰ、差押債権者より先に、
順位に応じて売却代金を配当）が、②留置権及び使用収益しない旨の定めのな
い質権で、最優先順位の抵当権等に対抗できるものは売却により消滅せず、買
受人が被担保債権弁済の責任を負い（同Ⅳ）、③用益権（賃借権等）のうち、
売却により消滅する担保権者、差押債権者等に対抗できないものは、売却によ
りその権利の取得は効力を失い（同Ⅱ）、これらの債権者に対抗できる用益権
（民605、借地借家31Ⅰ等）は引受けとなる。代金納付があると執行裁判所は
売却代金（民執86）につき配当又は弁済金交付を行う（民執84〜92）。

＜不動産強制競売手続の流れ＞

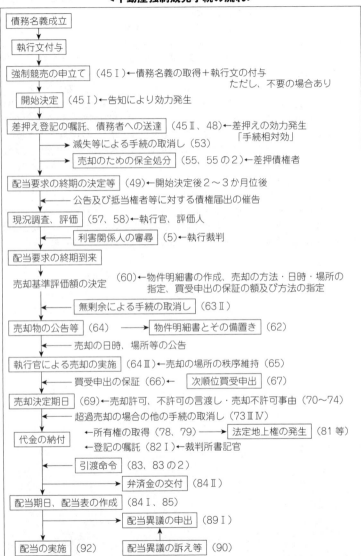

債務名義成立

執行文付与

強制競売の申立て　（45Ⅰ）←債務名義の取得＋執行文の付与
　　　　　　　　　　　　　　　ただし、不要の場合あり

開始決定　（45Ⅰ）←告知により効力発生

差押え登記の嘱託、債務者への送達　（45Ⅱ、48）←差押えの効力発生
　　　　　　　　　　　　　　　　　　　　　　　　「手続相対効」

　　　→　滅失等による手続の取消し（53）

　　　　　売却のための保全処分　（55、55の2）←差押債権者

配当要求の終期の決定等　（49）←開始決定後2〜3か月位後

　　←　公告及び抵当権者等に対する債権届出の催告

現況調査、評価　（57、58）←執行官、評価人

　　←　利害関係人の審尋　（5）←執行裁判

配当要求の終期到来

売却基準評価額の決定　（60）←物件明細書の作成、売却の方法・日時・場所の
　　　　　　　　　　　　　　　　指定、買受申出の保証の額及び方法の指定

　　←　無剰余による手続の取消し（63Ⅱ）

売却物の公告等　（64）　　→　物件明細書とその備置き　（62）

　　←　売却の日時、場所等の公告

執行官による売却の実施　（64Ⅲ）←売却の場所の秩序維持（65）

　　←　買受申出の保証　（66）←　次順位買受申出　（67）

売却決定期日　（69）←売却許可、不許可の言渡し・売却不許可事由（70〜74）

　　←　超過売却の場合の他の手続の取消し（73ⅢⅣ）

代金の納付　　←所有権の取得（78、79）　　→　法定地上権の発生　（81等）
　　　　　　　　←登記の嘱託（82Ⅰ）←裁判所書記官

　　←　引渡命令　（83、83の2）

　　　　　弁済金の交付　（84Ⅱ）

配当期日、配当表の作成　（84Ⅰ、85）

　　　　　　　　　　→　配当異議の申出　（89Ⅰ）

配当の実施　（92）　　配当異議の訴え等　（90）

民事執行法

第45条　（開始決定等）

Ⅰ　執行裁判所は、強制競売の手続を開始するには、強制競売の開始決定をし、その開始決定において、債権者のために不動産を差し押さえる旨を宣言しなければならない。

Ⅱ　前項の開始決定は、債務者に送達しなければならない。

Ⅲ　強制競売の申立てを却下する裁判に対しては、執行抗告をすることができる。

第46条　（差押えの効力）

Ⅰ　差押えの効力は、強制競売の開始決定が債務者に送達された時に生ずる◀罰▶。ただし、差押えの登記がその開始決定の送達前にされたときは、登記がされた時に生ずる。

Ⅱ　差押えは、債務者が通常の用法に従つて不動産を使用し、又は収益することを妨げない。

第47条　（二重開始決定）

Ⅰ　強制競売又は担保権の実行としての競売（以下この節において「競売」という。）の開始決定がされた不動産について強制競売の申立てがあつたときは、執行裁判所は、更に強制競売の開始決定をするものとする◀罰▶。

Ⅱ　先の開始決定に係る強制競売若しくは競売の申立てが取り下げられたとき、又は先の開始決定に係る強制競売若しくは競売の手続が取り消されたときは、執行裁判所は、後の強制競売の開始決定に基づいて手続を続行しなければならない◀罰▶。

Ⅲ　前項の場合において、後の強制競売の開始決定が配当要求の終期後の申立てに係るものであるときは、裁判所書記官は、新たに配当要求の終期を定めなければならない。この場合において、既に第50条第1項（第188条において準用する場合を含む。）の届出をした者に対しては、第49条第2項の規定による催告は、要しない。

Ⅳ　前項の規定による裁判所書記官の処分に対しては、執行裁判所に異議を申し立てることができる。

Ⅴ　第10条第6項前段及び第9項の規定は、前項の規定による異議の申立てがあつた場合について準用する。

Ⅵ　先の開始決定に係る強制競売又は競売の手続が停止されたときは、執行裁判所は、申立てにより、後の強制競売の開始決定（配当要求の終期までにされた申立てに係るものに限る。）に基づいて手続を続行する旨の裁判をすることができる。ただし、先の開始決定に係る強制競売又は競売の手続が取り消されたとすれば、第62条第1項第2号に掲げる事項について変更が生ずるときは、この限りでない。

Ⅶ　前項の申立てを却下する決定に対しては、執行抗告をすることができる。

第48条　（差押えの登記の嘱託等）

Ⅰ　強制競売の開始決定がされたときは、裁判所書記官は、直ちに、その開始決定に係る差押えの登記を嘱託しなければならない。

Ⅱ　登記官は、前項の規定による嘱託に基づいて差押えの登記をしたときは、その登記事項証明書を執行裁判所に送付しなければならない。

民事執行法

515

第49条　（開始決定及び配当要求の終期の公告等）

Ⅰ　強制競売の開始決定に係る差押えの効力が生じた場合（その開始決定前に強制競売又は競売の開始決定がある場合を除く。）においては、裁判所書記官は、物件明細書の作成までの手続に要する期間を考慮して、配当要求の終期を定めなければならない。

Ⅱ　裁判所書記官は、配当要求の終期を定めたときは、開始決定がされた旨及び配当要求の終期を公告し、かつ、次に掲げるものに対し、債権（利息その他の附帯の債権を含む。）の存否並びにその原因及び額を配当要求の終期までに執行裁判所に届け出るべき旨を催告しなければならない。

① 第87条第1項第3号に掲げる債権者

② 第87条第1項第4号に掲げる債権者（抵当証券の所持人にあつては、知れている所持人に限る。）

③ 租税その他の公課を所管する官庁又は公署

Ⅲ　裁判所書記官は、特に必要があると認めるときは、配当要求の終期を延期することができる。

Ⅳ　裁判所書記官は、前項の規定により配当要求の終期を延期したときは、延期後の終期を公告しなければならない。

Ⅴ　第1項又は第3項の規定による裁判所書記官の処分に対しては、執行裁判所に異議を申し立てることができる。

Ⅵ　第10条第6項前段及び第9項の規定は、前項の規定による異議の申立てがあつた場合について準用する。

第50条　（催告を受けた者の債権の届出義務）

Ⅰ　前条第2項の規定による催告を受けた同項第1号又は第2号に掲げる者は、配当要求の終期までに、その催告に係る事項について届出をしなければならない。

Ⅱ　前項の届出をした者は、その届出に係る債権の元本の額に変更があつたときは、その旨の届出をしなければならない。

Ⅲ　前2項の規定により届出をすべき者は、故意又は過失により、その届出をしなかつたとき、又は不実の届出をしたときは、これによつて生じた損害を賠償する責めに任ずる。

第51条　（配当要求）

Ⅰ　第25条の規定により強制執行を実施することができる債務名義の正本（以下「執行力のある債務名義の正本」という。）を有する債権者、強制競売の開始決定に係る差押えの登記後に登記された仮差押債権者及び第181条第1項各号に掲げる文書により一般の先取特権を有することを証明した債権者は、配当要求をすることができる。

Ⅱ　配当要求を却下する裁判に対しては、執行抗告をすることができる。

民事執行法

第52条　（配当要求の終期の変更）

　配当要求の終期から、3月以内に売却許可決定がされないとき、又は3月以内にされた売却許可決定が取り消され、若しくは効力を失つたときは、配当要求の終期は、その終期から3月を経過した日に変更されたものとみなす。ただし、配当要求の終期から3月以内にされた売却許可決定が効力を失つた場合において、第67条の規定による次順位買受けの申出について売却許可決定がされたとき（その決定が取り消され、又は効力を失つたときを除く。）は、この限りでない。

第53条　（不動産の滅失等による強制競売の手続の取消し）

　不動産の滅失その他売却による不動産の移転を妨げる事情が明らかとなつたときは、執行裁判所は、強制競売の手続を取り消さなければならない。

第54条　（差押えの登記の抹消の嘱託）

Ⅰ　強制競売の申立てが取り下げられたとき、又は強制競売の手続を取り消す決定が効力を生じたときは、裁判所書記官は、その開始決定に係る差押えの登記の抹消を嘱託しなければならない。

Ⅱ　前項の規定による嘱託に要する登録免許税その他の費用は、その取下げ又は取消決定に係る差押債権者の負担とする。

第55条　（売却のための保全処分等）

Ⅰ　執行裁判所は、債務者又は不動産の占有者が価格減少行為（不動産の価格を減少させ、又は減少させるおそれがある行為をいう。以下この項において同じ。）をするときは、差押債権者（配当要求の終期後に強制競売又は競売の申立てをした差押債権者を除く。）の申立てにより、買受人が代金を納付するまでの間、次に掲げる保全処分又は公示保全処分（執行官に、当該保全処分の内容を、不動産の所在する場所に公示書その他の標識を掲示する方法により公示させることを内容とする保全処分をいう。以下同じ。）を命ずることができる。ただし、当該価格減少行為による不動産の価格の減少又はそのおそれの程度が軽微であるときは、この限りでない。

①　当該価格減少行為をする者に対し、当該価格減少行為を禁止し、又は一定の行為をすることを命ずる保全処分（執行裁判所が必要があると認めるときは、公示保全処分を含む。）

②　次に掲げる事項を内容とする保全処分（執行裁判所が必要があると認めるときは、公示保全処分を含む。）

　イ　当該価格減少行為をする者に対し、不動産に対する占有を解いて執行官に引き渡すことを命ずること。

　ロ　執行官に不動産の保管をさせること。

③　次に掲げる事項を内容とする保全処分及び公示保全処分

　イ　前号イ及びロに掲げる事項

ロ　前号イに規定する者に対し、不動産の占有の移転を禁止することを命じ、及び当該不動産の使用を許すこと。

Ⅱ　前項第2号又は第3号に掲げる保全処分は、次に掲げる場合のいずれかに該当するときでなければ、命ずることができない。

①　前項の債務者が不動産を占有する場合

②　前項の不動産の占有者の占有の権原が差押債権者、仮差押債権者又は第59条第1項の規定により消滅する権利を有する者に対抗することができない場合

Ⅲ　執行裁判所は、債務者以外の占有者に対し第1項の規定による決定をする場合において、必要があると認めるときは、その者を審尋しなければならない。

Ⅳ　執行裁判所が第1項の規定による決定をするときは、申立人に担保を立てさせることができる。ただし、同項第2号に掲げる保全処分については、申立人に担保を立てさせなければ、同項の規定による決定をしてはならない。

Ⅴ　事情の変更があつたときは、執行裁判所は、申立てにより、第1項の規定による決定を取り消し、又は変更することができる。

Ⅵ　第1項又は前項の申立てについての裁判に対しては、執行抗告をすることができる。

Ⅶ　第5項の規定による決定は、確定しなければその効力を生じない。

Ⅷ　第1項第2号又は第3号に掲げる保全処分又は公示保全処分を命ずる決定は、申立人に告知された日から2週間を経過したときは、執行してはならない。

Ⅸ　前項に規定する決定は、相手方に送達される前であつても、執行することができる。

Ⅹ　第1項の申立て又は同項（第1号を除く。）の規定による決定の執行に要した費用（不動産の保管のために要した費用を含む。）は、その不動産に対する強制競売の手続においては、共益費用とする。

第55条の2　（相手方を特定しないで発する売却のための保全処分等）

Ⅰ　前条第1項第2号又は第3号に掲げる保全処分又は公示保全処分を命ずる決定については、当該決定の執行前に相手方を特定することを困難とする特別の事情があるときは、執行裁判所は、相手方を特定しないで、これを発することができる。

Ⅱ　前項の規定による決定の執行は、不動産の占有を解く際にその占有者を特定することができない場合は、することができない。

Ⅲ　第1項の規定による決定の執行がされたときは、当該執行によつて不動産の占有を解かれた者が、当該決定の相手方となる。

Ⅳ　第1項の規定による決定は、前条第8項の期間内にその執行がされなかつたときは、相手方に対して送達することを要しない。この場合において、第15条第2項において準用する民事訴訟法第79条第1項の規定による担保の取消しの決定で前条第4項の規定により立てさせた担保に係るものは、執行裁判所が相当と認める方法で申立人に告知することによつて、その効力を生ずる。

第56条　（地代等の代払の許可）

Ⅰ　建物に対し強制競売の開始決定がされた場合において、その建物の所有を目的と

する地上権又は賃借権について債務者が地代又は借賃を支払わないときは、執行裁判所は、申立てにより、差押債権者（配当要求の終期後に強制競売又は競売の申立てをした差押債権者を除く。）がその不払の地代又は借賃を債務者に代わつて弁済することを許可することができる。

Ⅱ　第55条第10項の規定は、前項の申立てに要した費用及び同項の許可を得て支払つた地代又は借賃について準用する。

第57条　（現況調査）

Ⅰ　執行裁判所は、執行官に対し、不動産の形状、占有関係その他の現況について調査を命じなければならない。

Ⅱ　執行官は、前項の調査をするに際し、不動産に立ち入り、又は債務者若しくはその不動産を占有する第三者に対し、質問をし、若しくは文書の提示を求めることができる。

Ⅲ　執行官は、前項の規定により不動産に立ち入る場合において、必要があるときは、閉鎖した戸を開くため必要な処分をすることができる。

Ⅳ　執行官は、第1項の調査のため必要がある場合には、市町村（特別区の存する区域にあつては、都）に対し、不動産（不動産が土地である場合にはその上にある建物を、不動産が建物である場合にはその敷地を含む。）に対して課される固定資産税に関して保有する図面その他の資料の写しの交付を請求することができる。

Ⅴ　執行官は、前項に規定する場合には、電気、ガス又は水道水の供給その他これらに類する継続的給付を行う公益事業を営む法人に対し、必要な事項の報告を求めることができる。

第58条　（評価）

Ⅰ　執行裁判所は、評価人を選任し、不動産の評価を命じなければならない。

Ⅱ　評価人は、近傍同種の不動産の取引価格、不動産から生ずべき収益、不動産の原価その他の不動産の価格形成上の事情を適切に勘案して、遅滞なく、評価をしなければならない。この場合において、評価人は、強制競売の手続において不動産の売却を実施するための評価であることを考慮しなければならない。

Ⅲ　評価人は、第6条第2項の規定により執行官に対し援助を求めるには、執行裁判所の許可を受けなければならない。

Ⅳ　第18条第2項並びに前条第2項、第4項及び第5項の規定は、評価人が評価をする場合について準用する。

第59条　（売却に伴う権利の消滅等）

Ⅰ　不動産の上に存する先取特権、使用及び収益をしない旨の定めのある質権並びに抵当権は、売却により消滅する。

Ⅱ　前項の規定により消滅する権利を有する者、差押債権者又は仮差押債権者に対抗することができない不動産に係る権利の取得は、売却によりその効力を失う。

Ⅲ　不動産に係る差押え、仮差押えの執行及び第1項の規定により消滅する権利を有する者、差押債権者又は仮差押債権者に対抗することができない仮処分の執行は、売却によりその効力を失う〈臨〉。

Ⅳ　不動産の上に存する留置権並びに使用及び収益をしない旨の定めのない質権で第2項の規定の適用がないものについては、買受人は、これらによつて担保される債権を弁済する責めに任ずる。

Ⅴ　利害関係を有する者が次条第1項に規定する売却基準価額が定められる時までに第1項、第2項又は前項の規定と異なる合意をした旨の届出をしたときは、売却による不動産の上の権利の変動は、その合意に従う。

第60条　（売却基準価額の決定等）

Ⅰ　執行裁判所は、評価人の評価に基づいて、不動産の売却の額の基準となるべき価額（以下「売却基準価額」という。）を定めなければならない。

Ⅱ　執行裁判所は、必要があると認めるときは、売却基準価額を変更することができる。

Ⅲ　買受けの申出の額は、売却基準価額からその10分の2に相当する額を控除した価額（以下「買受可能価額」という。）以上でなければならない。

第61条　（一括売却）

執行裁判所は、相互の利用上不動産を他の不動産（差押債権者又は債務者を異にするものを含む。）と一括して同一の買受人に買い受けさせることが相当であると認めるときは、これらの不動産を一括して売却することを定めることができる。ただし、1個の申立てにより強制競売の開始決定がされた数個の不動産のうち、あるものの買受可能価額で各債権者の債権及び執行費用の全部を弁済することができる見込みがある場合には、債務者の同意があるときに限る。

第62条　（物件明細書）

Ⅰ　裁判所書記官は、次に掲げる事項を記載した物件明細書を作成しなければならない。

①　不動産の表示

②　不動産に係る権利の取得及び仮処分の執行で売却によりその効力を失わないもの

③　売却により設定されたものとみなされる地上権の概要

Ⅱ　裁判所書記官は、前項の物件明細書の写しを執行裁判所に備え置いて一般の閲覧に供し、又は不特定多数の者が当該物件明細書の内容の提供を受けることができるものとして最高裁判所規則で定める措置を講じなければならない。

Ⅲ　前2項の規定による裁判所書記官の処分に対しては、執行裁判所に異議を申し立てることができる。

Ⅳ　第10条第6項前段及び第9項の規定は、前項の規定による異議の申立てがあつた場合について準用する。

第63条 （剰余を生ずる見込みのない場合等の措置）

Ⅰ 執行裁判所は、次の各号のいずれかに該当すると認めるときは、その旨を差押債権者（最初の強制競売の開始決定に係る差押債権者をいう。ただし、第47条第6項の規定により手続を続行する旨の裁判があつたときは、その裁判を受けた差押債権者をいう。以下この条において同じ。）に通知しなければならない。

① 差押債権者の債権に優先する債権（以下この条において「優先債権」という。）がない場合において、不動産の買受可能価額が執行費用のうち共益費用であるもの（以下「手続費用」という。）の見込額を超えないとき。

② 優先債権がある場合において、不動産の買受可能価額が手続費用及び優先債権の見込額の合計額に満たないとき。

Ⅱ 差押債権者が、前項の規定による通知を受けた日から1週間以内に、優先債権がない場合にあつては手続費用の見込額を超える額、優先債権がある場合にあつては手続費用及び優先債権の見込額の合計額以上の額（以下この項において「申出額」という。）を定めて、次の各号に掲げる区分に応じ、それぞれ当該各号に定める申出及び保証の提供をしないときは、執行裁判所は、差押債権者の申立てに係る強制競売の手続を取り消さなければならない。ただし、差押債権者が、その期間内に、前項各号のいずれにも該当しないことを証明したとき、又は同項第2号に該当する場合であつて不動産の買受可能価額が手続費用の見込額を超える場合において、不動産の売却について優先債権を有する者（買受可能価額で自己の優先債権の全部の弁済を受けることができる見込みがある者を除く。）の同意を得たことを証明したときは、この限りでない。

① 差押債権者が不動産の買受人になることができる場合　申出額に達する買受けの申出がないときは、自ら申出額で不動産を買い受ける旨の申出及び申出額に相当する保証の提供

② 差押債権者が不動産の買受人になることができない場合　買受けの申出の額が申出額に達しないときは、申出額と買受けの申出の額との差額を負担する旨の申出及び申出額と買受可能価額との差額に相当する保証の提供

Ⅲ 前項第2号の申出及び保証の提供があつた場合において、買受可能価額以上の額の買受けの申出がないときは、執行裁判所は、差押債権者の申立てに係る強制競売の手続を取り消さなければならない。

Ⅳ 第2項の保証の提供は、執行裁判所に対し、最高裁判所規則で定める方法により行わなければならない。

第64条 （売却の方法及び公告）

Ⅰ 不動産の売却は、裁判所書記官の定める売却の方法により行う。

Ⅱ 不動産の売却の方法は、入札又は競り売りのほか、最高裁判所規則で定める。

Ⅲ 裁判所書記官は、入札又は競り売りの方法により売却をするときは、売却の日時及び場所を定め、執行官に売却を実施させなければならない。

民事執行法

Ⅳ　前項の場合においては、第20条において準用する民事訴訟法第93条第1項の規定にかかわらず、売却決定期日は、裁判所書記官が、売却を実施させる旨の処分と同時に指定する。

Ⅴ　第3項の場合においては、裁判所書記官は、売却すべき不動産の表示、売却基準価額並びに売却の日時及び場所を公告しなければならない。

Ⅵ　第1項、第3項又は第4項の規定による裁判所書記官の処分に対しては、執行裁判所に異議を申し立てることができる。

Ⅶ　第10条第6項前段及び第9項の規定は、前項の規定による異議の申立てがあつた場合について準用する。

第64条の2　（内覧）

Ⅰ　執行裁判所は、差押債権者（配当要求の終期後に強制競売又は競売の申立てをした差押債権者を除く。）の申立てがあるときは、執行官に対し、内覧（不動産の買受けを希望する者をこれに立ち入らせて見学させることをいう。以下この条において同じ。）の実施を命じなければならない。ただし、当該不動産の占有者の占有の権原が差押債権者、仮差押債権者及び第59条第1項の規定により消滅する権利を有する者に対抗することができる場合で当該占有者が同意しないときは、この限りでない。

Ⅱ　前項の申立ては、最高裁判所規則で定めるところにより、売却を実施させる旨の裁判所書記官の処分の時までにしなければならない。

Ⅲ　第1項の命令を受けた執行官は、売却の実施の時までに、最高裁判所規則で定めるところにより内覧への参加の申出をした者（不動産を買い受ける資格又は能力を有しない者その他最高裁判所規則で定める事由がある者を除く。第5項及び第6項において「内覧参加者」という。）のために、内覧を実施しなければならない。

Ⅳ　執行裁判所は、内覧の円滑な実施が困難であることが明らかであるときは、第1項の命令を取り消すことができる。

Ⅴ　執行官は、内覧の実施に際し、自ら不動産に立ち入り、かつ、内覧参加者を不動産に立ち入らせることができる。

Ⅵ　執行官は、内覧参加者であつて内覧の円滑な実施を妨げる行為をするものに対し、不動産に立ち入ることを制限し、又は不動産から退去させることができる。

第65条　（売却の場所の秩序維持）

執行官は、次に掲げる者に対し、売却の場所に入ることを制限し、若しくはその場所から退場させ、又は買受けの申出をさせないことができる。

①　他の者の買受けの申出を妨げ、若しくは不当に価額を引き下げる目的をもつて連合する等売却の適正な実施を妨げる行為をし、又はその行為をさせた者

②　他の民事執行の手続の売却不許可決定において前号に該当する者と認定され、その売却不許可決定の確定の日から2年を経過しない者

③　民事執行の手続における売却に関し刑法（明治40年法律第45号）第95条から第96条の5まで、第197条から第197条の4まで若しくは第198条、

組織的な犯罪の処罰及び犯罪収益の規制等に関する法律（平成11年法律第136号）第3条第1項第1号から第4号まで若しくは第2項（同条第1項第1号から第4号までに係る部分に限る。）又は公職にある者等のあっせん行為による利得等の処罰に関する法律（平成12年法律第130号）第1条第1項、第2条第1項若しくは第4条の規定により刑に処せられ、その裁判の確定の日から2年を経過しない者

第65条の2　（暴力団員等に該当しないこと等の陳述）

不動産の買受けの申出は、次の各号のいずれにも該当しない旨を買受けの申出をしようとする者（その者に法定代理人がある場合にあつては当該法定代理人、その者が法人である場合にあつてはその代表者）が最高裁判所規則で定めるところにより陳述しなければ、することができない。

① 買受けの申出をしようとする者（その者が法人である場合にあつては、その役員）が暴力団員による不当な行為の防止等に関する法律（平成3年法律第77号）第2条第6号に規定する暴力団員（以下この号において「暴力団員」という。）又は暴力団員でなくなつた日から5年を経過しない者（以下この目において「暴力団員等」という。）であること。

② 自己の計算において当該買受けの申出をさせようとする者（その者が法人である場合にあつては、その役員）が暴力団員等であること。

第66条　（買受けの申出の保証）

不動産の買受けの申出をしようとする者は、最高裁判所規則で定めるところにより、執行裁判所が定める額及び方法による保証を提供しなければならない。

第67条　（次順位買受けの申出）

最高価買受申出人に次いで高額の買受けの申出をした者は、その買受けの申出の額が、買受可能価額以上で、かつ、最高価買受申出人の申出の額から買受けの申出の保証の額を控除した額以上である場合に限り、売却の実施の終了までに、執行官に対し、最高価買受申出人に係る売却許可決定が第80条第1項の規定により効力を失うときは、自己の買受けの申出について売却を許可すべき旨の申出（以下「次順位買受けの申出」という。）をすることができる。

第68条　（債務者の買受けの申出の禁止）

債務者は、買受けの申出をすることができない。

第68条の2　（買受けの申出をした差押債権者のための保全処分等）

Ⅰ　執行裁判所は、裁判所書記官が入札又は競り売りの方法により売却を実施させても買受けの申出がなかつた場合において、債務者又は不動産の占有者が不動産の売却を困難にする行為をし、又はその行為をするおそれがあるときは、差押債権者（配当要求の終期後に強制競売又は競売の申立てをした差押債権者を除く。次項に

おいて同じ。）の申立てにより、買受人が代金を納付するまでの間、担保を立てさせて、次に掲げる事項を内容とする保全処分（執行裁判所が必要があると認めるときは、公示保全処分を含む。）を命ずることができる。

① 債務者又は不動産の占有者に対し、不動産に対する占有を解いて執行官又は申立人に引き渡すことを命ずること。

② 執行官又は申立人に不動産の保管をさせること。

Ⅱ 差押債権者は、前項の申立てをするには、買受可能価額以上の額（以下この項において「申出額」という。）を定めて、次の入札又は競り売りの方法による売却の実施において申出額に達する買受けの申出がないときは自ら申出額で不動産を買い受ける旨の申出をし、かつ、申出額に相当する保証の提供をしなければならない。

Ⅲ 事情の変更があつたときは、執行裁判所は、申立てにより又は職権で、第1項の規定による決定を取り消し、又は変更することができる。

Ⅳ 第55条第2項の規定は第1項に規定する保全処分について、同条第3項の規定は第1項の規定による決定について、同条第6項の規定は第1項の申立てについての裁判、前項の規定による裁判又は同項の申立てを却下する裁判について、同条第7項の規定は前項の規定による決定について、同条第8項及び第9項並びに第55条の2の規定は第1項に規定する保全処分を命ずる決定について、第55条第10項の規定は第1項の申立て又は同項の規定による決定の執行に要した費用について、第63条第4項の規定は第2項の保証の提供について準用する。

第68条の3 （売却の見込みのない場合の措置）

Ⅰ 執行裁判所は、裁判所書記官が入札又は競り売りの方法による売却を3回実施させても買受けの申出がなかつた場合において、不動産の形状、用途、法令による利用の規制その他の事情を考慮して、更に売却を実施させても売却の見込みがないと認めるときは、強制競売の手続を停止することができる。この場合においては、差押債権者に対し、その旨を通知しなければならない。

Ⅱ 差押債権者が、前項の規定による通知を受けた日から3月以内に、執行裁判所に対し、買受けの申出をしようとする者があることを理由として、売却を実施させるべき旨を申し出たときは、裁判所書記官は、第64条の定めるところにより売却を実施させなければならない。

Ⅲ 差押債権者が前項の期間内に同項の規定による売却実施の申出をしないときは、執行裁判所は、強制競売の手続を取り消すことができる。同項の規定により裁判所書記官が売却を実施させた場合において買受けの申出がなかつたときも、同様とする。

第68条の4 （調査の嘱託）

Ⅰ 執行裁判所は、最高価買受申出人（その者が法人である場合にあつては、その役員。以下この項において同じ。）が暴力団員等に該当するか否かについて、必要な調査を執行裁判所の所在地を管轄する都道府県警察に嘱託しなければならない。ただし、最高価買受申出人が暴力団員等に該当しないと認めるべき事情があるものとして最高裁判所規則で定める場合は、この限りでない。

民事執行法

Ⅱ　執行裁判所は、自己の計算において最高価買受申出人に買受けの申出をさせた者があると認める場合には、当該買受けの申出をさせた者（その者が法人である場合にあつては、その役員。以下この項において同じ。）が暴力団員等に該当するか否かについて、必要な調査を執行裁判所の所在地を管轄する都道府県警察に嘱託しなければならない。ただし、買受けの申出をさせた者が暴力団員等に該当しないと認めるべき事情があるものとして最高裁判所規則で定める場合は、この限りでない。

第69条　（売却決定期日）

執行裁判所は、売却決定期日を開き、売却の許可又は不許可を言い渡さなければならない。

第70条　（売却の許可又は不許可に関する意見の陳述）

不動産の売却の許可又は不許可に関し利害関係を有する者は、次条各号に掲げる事由で自己の権利に影響のあるものについて、売却決定期日において意見を陳述することができる。

第71条　（売却不許可事由）

執行裁判所は、次に掲げる事由があると認めるときは、売却不許可決定をしなければならない。
① 　強制競売の手続の開始又は続行をすべきでないこと。
② 　最高価買受申出人が不動産を買い受ける資格若しくは能力を有しないこと又はその代理人がその権限を有しないこと。
③ 　最高価買受申出人が不動産を買い受ける資格を有しない者の計算において買受けの申出をした者であること。
④ 　最高価買受申出人、その代理人又は自己の計算において最高価買受申出人に買受けの申出をさせた者が次のいずれかに該当すること。
　　イ　その強制競売の手続において第65条第1号に規定する行為をした者
　　ロ　その強制競売の手続において、代金の納付をしなかつた者又は自己の計算においてその者に買受けの申出をさせたことがある者
　　ハ　第65条第2号又は第3号に掲げる者
⑤ 　最高価買受申出人又は自己の計算において最高価買受申出人に買受けの申出をさせた者が次のいずれかに該当すること。
　　イ　暴力団員等（買受けの申出がされた時に暴力団員等であつた者を含む。）
　　ロ　法人でその役員のうちに暴力団員等に該当する者があるもの（買受けの申出がされた時にその役員のうちに暴力団員等に該当する者があつたものを含む。）
⑥ 　第75条第1項の規定による売却の不許可の申出があること。
⑦ 　売却基準価額若しくは一括売却の決定、物件明細書の作成又はこれらの手続に重大な誤りがあること。
⑧ 　売却の手続に重大な誤りがあること。

第72条　（売却の実施の終了後に執行停止の裁判等の提出があつた場合の措置）

Ⅰ　売却の実施の終了から売却決定期日の終了までの間に第39条第1項第7号に掲げる文書の提出があつた場合には、執行裁判所は、他の事由により売却不許可決定をするときを除き、売却決定期日を開くことができない。この場合においては、最高価買受申出人又は次順位買受申出人は、執行裁判所に対し、買受けの申出を取り消すことができる。

Ⅱ　売却決定期日の終了後に前項に規定する文書の提出があつた場合には、その期日にされた売却許可決定が取り消され、若しくは効力を失つたとき、又はその期日にされた売却不許可決定が確定したときに限り、第39条の規定を適用する。

Ⅲ　売却の実施の終了後に第39条第1項第8号に掲げる文書の提出があつた場合には、その売却に係る売却許可決定が取り消され、若しくは効力を失つたとき、又はその売却に係る売却不許可決定が確定したときに限り、同条の規定を適用する。

第73条　（超過売却となる場合の措置）

Ⅰ　数個の不動産を売却した場合において、あるものの買受けの申出の額で各債権者の債権及び執行費用の全部を弁済することができる見込みがあるときは、執行裁判所は、他の不動産についての売却許可決定を留保しなければならない。

Ⅱ　前項の場合において、その買受けの申出の額で各債権者の債権及び執行費用の全部を弁済することができる見込みがある不動産が数個あるときは、執行裁判所は、売却の許可をすべき不動産について、あらかじめ、債務者の意見を聴かなければならない。

Ⅲ　第1項の規定により売却許可決定が留保された不動産の最高価買受申出人又は次順位買受申出人は、執行裁判所に対し、買受けの申出を取り消すことができる。

Ⅳ　売却許可決定のあつた不動産について代金が納付されたときは、執行裁判所は、前項の不動産に係る強制競売の手続を取り消さなければならない。

第74条　（売却の許可又は不許可の決定に対する執行抗告）

Ⅰ　売却の許可又は不許可の決定に対しては、その決定により自己の権利が害されることを主張するときに限り、執行抗告をすることができる【論】。

Ⅱ　売却許可決定に対する執行抗告は、第71条各号に掲げる事由があること又は売却許可決定の手続に重大な誤りがあることを理由としなければならない【論】。

Ⅲ　民事訴訟法第338条第1項各号に掲げる事由は、前2項の規定にかかわらず、売却の許可又は不許可の決定に対する執行抗告の理由とすることができる。

Ⅳ　抗告裁判所は、必要があると認めるときは、抗告人の相手方を定めることができる。

Ⅴ　売却の許可又は不許可の決定は、確定しなければその効力を生じない。

第75条　（不動産が損傷した場合の売却の不許可の申出等）

Ⅰ　最高価買受申出人又は買受人は、買受けの申出をした後天災その他自己の責めに帰することができない事由により不動産が損傷した場合には、執行裁判所に対し、

売却許可決定前にあつては売却の不許可の申出をし、売却許可決定後にあつては代金を納付する時までにその決定の取消しの申立てをすることができる。ただし、不動産の損傷が軽微であるときは、この限りでない📖。

Ⅱ　前項の規定による売却許可決定の取消しの申立てについての決定に対しては、執行抗告をすることができる。

Ⅲ　前項に規定する申立てにより売却許可決定を取り消す決定は、確定しなければその効力を生じない。

第76条　（買受けの申出後の強制競売の申立ての取下げ等）

Ⅰ　買受けの申出があつた後に強制競売の申立てを取り下げるには、最高価買受申出人又は買受人及び次順位買受申出人の同意を得なければならない📖。ただし、他に差押債権者（配当要求の終期後に強制競売又は競売の申立てをした差押債権者を除く。）がある場合において、取下げにより第62条第1項第2号に掲げる事項について変更が生じないときは、この限りでない。

Ⅱ　前項の規定は、買受けの申出があつた後に第39条第1項第4号又は第5号に掲げる文書を提出する場合について準用する。

第77条　（最高価買受申出人又は買受人のための保全処分等）

Ⅰ　執行裁判所は、債務者又は不動産の占有者が、価格減少行為等（不動産の価格を減少させ、又は不動産の引渡しを困難にする行為をいう。以下この項において同じ。）をし、又は価格減少行為等をするおそれがあるときは、最高価買受申出人又は買受人の申立てにより、引渡命令の執行までの間、その買受けの申出の額（金銭により第66条の保証を提供した場合にあつては、当該保証の額を控除した額）に相当する金銭を納付させ、又は代金を納付させて、次に掲げる保全処分又は公示保全処分を命ずることができる。

①　債務者又は不動産の占有者に対し、価格減少行為等を禁止し、又は一定の行為をすることを命ずる保全処分（執行裁判所が必要があると認めるときは、公示保全処分を含む。）

②　次に掲げる事項を内容とする保全処分（執行裁判所が必要があると認めるときは、公示保全処分を含む。）

　　イ　当該価格減少行為等をし、又はそのおそれがある者に対し、不動産に対する占有を解いて執行官に引き渡すことを命ずること。

　　ロ　執行官に不動産の保管をさせること。

③　次に掲げる事項を内容とする保全処分及び公示保全処分

　　イ　前号イ及びロに掲げる事項

　　ロ　前号イに規定する者に対し、不動産の占有の移転を禁止することを命じ、及び不動産の使用を許すこと。

Ⅱ　第55条第2項（第1号に係る部分に限る。）の規定は前項第2号又は第3号に掲げる保全処分について、同条第2項（第2号に係る部分に限る。）の規定は前項

に掲げる保全処分について、同条第3項、第4項本文及び第5項の規定は前項の規定による決定について、同条第6項の規定は前項の申立て又はこの項において準用する同条第5項の申立てについての裁判について、同条第7項の規定はこの項において準用する同条第5項の規定による決定について、同条第8項及び第9項並びに第55条の2の規定は前項第2号又は第3号に掲げる保全処分を命ずる決定について準用する。

第78条　（代金の納付）

Ⅰ　売却許可決定が確定したときは、買受人は、裁判所書記官の定める期限までに代金を執行裁判所に納付しなければならない。

Ⅱ　買受人が買受けの申出の保証として提供した金銭及び前条第1項の規定により納付した金銭は、代金に充てる。

Ⅲ　買受人が第63条第2項第1号又は第68条の2第2項の保証を金銭の納付以外の方法で提供しているときは、執行裁判所は、最高裁判所規則で定めるところによりこれを換価し、その換価代金から換価に要した費用を控除したものを代金に充てる。この場合において、換価に要した費用は、買受人の負担とする。

Ⅳ　買受人は、売却代金から配当又は弁済を受けるべき債権者であるときは、売却許可決定が確定するまでに執行裁判所に申し出て、配当又は弁済を受けるべき額を差し引いて代金を配当期日又は弁済金の交付の日に納付することができる。ただし、配当期日において、買受人の受けるべき配当の額について異議の申出があつたときは、買受人は、当該配当期日から1週間以内に、異議に係る部分に相当する金銭を納付しなければならない。

Ⅴ　裁判所書記官は、特に必要があると認めるときは、第1項の期限を変更することができる。

Ⅵ　第1項又は前項の規定による裁判所書記官の処分に対しては、執行裁判所に異議を申し立てることができる。

Ⅶ　第10条第6項前段及び第9項の規定は、前項の規定による異議の申立てがあつた場合について準用する。

第79条　（不動産の取得の時期）

買受人は、代金を納付した時に不動産を取得する。

第80条　（代金不納付の効果）

Ⅰ　買受人が代金を納付しないときは、売却許可決定は、その効力を失う《論》。この場合においては、買受人は、第66条の規定により提供した保証の返還を請求することができない。

Ⅱ　前項前段の場合において、次順位買受けの申出があるときは、執行裁判所は、その申出について売却の許可又は不許可の決定をしなければならない。

第81条　（法定地上権）

　土地及びその上にある建物が債務者の所有に属する場合において、その土地又は建物の差押えがあり、その売却により所有者を異にするに至つたときは、その建物について、地上権が設定されたものとみなす。この場合においては、地代は、当事者の請求により、裁判所が定める。

第82条　（代金納付による登記の嘱託）

Ⅰ　買受人が代金を納付したときは、裁判所書記官は、次に掲げる登記及び登記の抹消を嘱託しなければならない〈書〉。
① 　買受人の取得した権利の移転の登記
② 　売却により消滅した権利又は売却により効力を失つた権利の取得若しくは仮処分に係る登記の抹消
③ 　差押え又は仮差押えの登記の抹消

Ⅱ　買受人及び買受人から不動産の上に抵当権の設定を受けようとする者が、最高裁判所規則で定めるところにより、代金の納付の時までに申出をしたときは、前項の規定による嘱託は、登記の申請の代理を業とすることができる者で申出人の指定するものに嘱託情報を提供して登記所に提供させる方法によつてしなければならない〈書〉。この場合において、申出人の指定する者は、遅滞なく、その嘱託情報を登記所に提供しなければならない。

Ⅲ　第1項の規定による嘱託をするには、その嘱託情報と併せて売却許可決定があつたことを証する情報を提供しなければならない。

Ⅳ　第1項の規定による嘱託に要する登録免許税その他の費用は、買受人の負担とする。

第83条　（引渡命令）

Ⅰ　執行裁判所は、代金を納付した買受人の申立てにより、債務者又は不動産の占有者に対し、不動産を買受人に引き渡すべき旨を命ずることができる〈書〉。ただし、事件の記録上買受人に対抗することができる権原により占有していると認められる者に対しては、この限りでない〈書〉。

Ⅱ　買受人は、代金を納付した日から6月（買受けの時に民法第395条第1項に規定する抵当建物使用者が占有していた建物の買受人にあつては、9月）を経過したときは、前項の申立てをすることができない。

Ⅲ　執行裁判所は、債務者以外の占有者に対し第1項の規定による決定をする場合には、その者を審尋しなければならない。ただし、事件の記録上その者が買受人に対抗することができる権原により占有しているものでないことが明らかであるとき、又は既にその者を審尋しているときは、この限りでない。

Ⅳ　第1項の申立てについての裁判に対しては、執行抗告をすることができる。

Ⅴ　第1項の規定による決定は、確定しなければその効力を生じない。

民事執行法

第83条の2　（占有移転禁止の保全処分等の効力）

Ⅰ　強制競売の手続において、第55条第1項第3号又は第77条第1項第3号に掲げる保全処分及び公示保全処分を命ずる決定の執行がされ、かつ、買受人の申立てにより当該決定の被申立人に対して引渡命令が発せられたときは、買受人は、当該引渡命令に基づき、次に掲げる者に対し、不動産の引渡しの強制執行をすることができる。

①　当該決定の執行がされたことを知つて当該不動産を占有した者

②　当該決定の執行後に当該執行がされたことを知らないで当該決定の被申立人の占有を承継した者

Ⅱ　前項の決定の執行後に同項の不動産を占有した者は、その執行がされたことを知つて占有したものと推定する。

Ⅲ　第1項の引渡命令について同項の決定の被申立人以外の者に対する執行文が付与されたときは、その者は、執行文の付与に対する異議の申立てにおいて、買受人に対抗することができる権原により不動産を占有していること、又は自己が同項各号のいずれにも該当しないことを理由とすることができる。

第84条　（売却代金の配当等の実施）

Ⅰ　執行裁判所は、代金の納付があつた場合には、次項に規定する場合を除き、配当表に基づいて配当を実施しなければならない。

Ⅱ　債権者が1人である場合又は債権者が2人以上であつて売却代金で各債権者の債権及び執行費用の全部を弁済することができる場合には、執行裁判所は、売却代金の交付計算書を作成して、債権者に弁済金を交付し、剰余金を債務者に交付する。

Ⅲ　代金の納付後に第39条第1項第1号から第6号までに掲げる文書の提出があつた場合において、他に売却代金の配当又は弁済金の交付（以下「配当等」という。）を受けるべき債権者があるときは、執行裁判所は、その債権者のために配当等を実施しなければならない。

Ⅳ　代金の納付後に第39条第1項第7号又は第8号に掲げる文書の提出があつた場合においても、執行裁判所は、配当等を実施しなければならない。

第85条　（配当表の作成）

Ⅰ　執行裁判所は、配当期日において、第87条第1項各号に掲げる各債権者について、その債権の元本及び利息その他の附帯の債権の額、執行費用の額並びに配当の順位及び額を定める。ただし、配当の順位及び額については、配当期日においてすべての債権者間に合意が成立した場合は、この限りでない。

Ⅱ　執行裁判所は、前項本文の規定により配当の順位及び額を定める場合には、民法、商法その他の法律の定めるところによらなければならない。

Ⅲ　配当期日には、第1項に規定する債権者及び債務者を呼び出さなければならない。

Ⅳ　執行裁判所は、配当期日において、第1項本文に規定する事項を定めるため必要があると認めるときは、出頭した債権者及び債務者を審尋し、かつ、即時に取り調べることができる書証の取調べをすることができる。

Ⅴ　第1項の規定により同項本文に規定する事項（同項ただし書に規定する場合には、配当の順位及び額を除く。）が定められたときは、裁判所書記官は、配当期日において、配当表を作成しなければならない。

Ⅵ　配当表には、売却代金の額及び第1項本文に規定する事項についての執行裁判所の定めの内容（同項ただし書に規定する場合にあつては、配当の順位及び額については、その合意の内容）を記載しなければならない。

Ⅶ　第16条第3項及び第4項の規定は、第1項に規定する債権者（同条第1項前段に規定する者を除く。）に対する呼出状の送達について準用する。

第86条　（売却代金）

Ⅰ　売却代金は、次に掲げるものとする。

①　不動産の代金

②　第63条第2項第2号の規定により提供した保証のうち申出額から代金の額を控除した残額に相当するもの

③　第80条第1項後段の規定により買受人が返還を請求することができない保証

Ⅱ　第61条の規定により不動産が一括して売却された場合において、各不動産ごとに売却代金の額を定める必要があるときは、その額は、売却代金の総額を各不動産の売却基準価額に応じて案分して得た額とする。各不動産ごとの執行費用の負担についても、同様とする。

Ⅲ　第78条第3項の規定は、第1項第2号又は第3号に規定する保証が金銭の納付以外の方法で提供されている場合の換価について準用する。

第87条　（配当等を受けるべき債権者の範囲）

Ⅰ　売却代金の配当等を受けるべき債権者は、次に掲げる者とする。

①　差押債権者（配当要求の終期までに強制競売又は一般の先取特権の実行としての競売の申立てをした差押債権者に限る。）

②　配当要求の終期までに配当要求をした債権者

③　差押え（最初の強制競売の開始決定に係る差押えをいう。次号において同じ。）の登記前に登記された仮差押えの債権者

④　差押えの登記前に登記（民事保全法第53条第2項に規定する仮処分による仮登記を含む。）がされた先取特権（第1号又は第2号に掲げる債権者が有する一般の先取特権を除く。）、質権又は抵当権で売却により消滅するものを有する債権者（その抵当権に係る抵当証券の所持人を含む。）

Ⅱ　前項第4号に掲げる債権者の権利が仮差押えの登記後に登記されたものである場合には、その債権者は、仮差押債権者が本案の訴訟において敗訴し、又は仮差押えがその効力を失つたときに限り、配当等を受けることができる。

Ⅲ　差押えに係る強制競売の手続が停止され、第47条第6項の規定による手続を続行する旨の裁判がある場合において、執行を停止された差押債権者がその停止に係る訴訟等において敗訴したときは、差押えの登記後続行の裁判に係る差押えの登記前に登記された第1項第4号に規定する権利を有する債権者は、配当等を受けることができる。

第88条　（期限付債権の配当等）

Ⅰ　確定期限の到来していない債権は、配当等については、弁済期が到来したものとみなす。

Ⅱ　前項の債権が無利息であるときは、配当等の日から期限までの配当等の日における法定利率による利息との合算額がその債権の額となるべき元本額をその債権の額とみなして、配当等の額を計算しなければならない。

第89条　（配当異議の申出）

Ⅰ　配当表に記載された各債権者の債権又は配当の額について不服のある債権者及び債務者は、配当期日において、異議の申出（以下「配当異議の申出」という。）をすることができる。

Ⅱ　執行裁判所は、配当異議の申出のない部分に限り、配当を実施しなければならない。

第90条　（配当異議の訴え等）

Ⅰ　配当異議の申出をした債権者及び執行力のある債務名義の正本を有しない債権者に対し配当異議の申出をした債務者は、配当異議の訴えを提起しなければならない⟨論⟩。

Ⅱ　前項の訴えは、執行裁判所が管轄する。

Ⅲ　第1項の訴えは、原告が最初の口頭弁論期日に出頭しない場合には、その責めに帰することができない事由により出頭しないときを除き、却下しなければならない。

Ⅳ　第1項の訴えの判決においては、配当表を変更し、又は新たな配当表の調製のために、配当表を取り消さなければならない。

Ⅴ　執行力のある債務名義の正本を有する債権者に対し配当異議の申出をした債務者は、請求異議の訴え又は民事訴訟法第117条第1項の訴えを提起しなければならない。

Ⅵ　配当異議の申出をした債権者又は債務者が、配当期日（知れていない抵当証券の所持人に対する配当異議の申出にあつては、その所持人を知つた日）から1週間以内（買受人が第78条第4項ただし書の規定により金銭を納付すべき場合にあつては、2週間以内）に、執行裁判所に対し、第1項の訴えを提起したことの証明をしないとき、又は前項の訴えを提起したことの証明及びその訴えに係る執行停止の裁判の正本の提出をしないときは、配当異議の申出は、取り下げたものとみなす。

第91条　（配当等の額の供託）

Ⅰ　配当等を受けるべき債権者の債権について次に掲げる事由があるときは、裁判所書記官は、その配当等の額に相当する金銭を供託しなければならない。

① 停止条件付又は不確定期限付であるとき。

② 仮差押債権者の債権であるとき。

③ 第39条第1項第7号又は第183条第1項第6号に掲げる文書が提出されているとき。

④ その債権に係る先取特権、質権又は抵当権（以下この項において「先取特権等」という。）の実行を一時禁止する裁判の正本が提出されているとき。

⑤ その債権に係る先取特権等につき仮登記又は民事保全法第53条第2項に規定する仮処分による仮登記がされたものであるとき。

⑥ 仮差押え又は執行停止に係る差押えの登記後に登記された先取特権等があるため配当額が定まらないとき。

⑦ 配当異議の訴えが提起されたとき。

Ⅱ　裁判所書記官は、配当等の受領のために執行裁判所に出頭しなかつた債権者（知れていない抵当証券の所持人を含む。）に対する配当等の額に相当する金銭を供託しなければならない。

第92条　（権利確定等に伴う配当等の実施）

Ⅰ　前条第1項の規定による供託がされた場合において、その供託の事由が消滅したときは、執行裁判所は、供託金について配当等を実施しなければならない。

Ⅱ　前項の規定により配当を実施すべき場合において、前条第1項第1号から第5号までに掲げる事由による供託に係る債権者若しくは同項第6号に掲げる事由による供託に係る仮差押債権者若しくは執行を停止された差押債権者に対して配当を実施することができなくなつたとき、又は同項第7号に掲げる事由による供託に係る債権者が債務者の提起した配当異議の訴えにおいて敗訴したときは、執行裁判所は、配当異議の申出をしなかつた債権者のためにも配当表を変更しなければならない。

第3目　強制管理

《概　説》

◆　強制管理（不動産強制管理）

強制管理は、債務者の不動産の収益を全体として執行の目的とし、執行裁判所が選任する管理人による不動産の管理並びに収益の収取、換価及び配当等の実施により金銭債権の満足に充てる強制執行手続である。強制管理は不動産が既に他者に賃貸されている場合に有効である。もっとも、この場合でも強制競売は可能であり、強制管理と強制競売は併用することもできる（民執43Ⅰ）。

なお、強制競売では債務者は不動産を使用収益することができるが、強制管理では債務者は管理収益権を失う。

民事執行法

第93条　（開始決定等）

Ⅰ　執行裁判所は、強制管理の手続を開始するには、強制管理の開始決定をし、その開始決定において、債権者のために不動産を差し押さえる旨を宣言し、かつ、債務者に対し収益の処分を禁止し、及び債務者が賃貸料の請求権その他の当該不動産の収益に係る給付を求める権利（以下「給付請求権」という。）を有するときは、債務者に対して当該給付をする義務を負う者（以下「給付義務者」という。）に対しその給付の目的物を管理人に交付すべき旨を命じなければならない。

Ⅱ　前項の収益は、後に収穫すべき天然果実及び既に弁済期が到来し、又は後に弁済期が到来すべき法定果実とする。

Ⅲ　第1項の開始決定は、債務者及び給付義務者に送達しなければならない。

Ⅳ　給付義務者に対する第1項の開始決定の効力は、開始決定が当該給付義務者に送達された時に生ずる。

Ⅴ　強制管理の申立てについての裁判に対しては、執行抗告をすることができる。

第93条の2　（二重開始決定）

既に強制管理の開始決定がされ、又は第180条第2号に規定する担保不動産収益執行の開始決定がされた不動産について強制管理の申立てがあつたときは、執行裁判所は、更に強制管理の開始決定をするものとする。

第93条の3　（給付義務者に対する競合する債権差押命令等の陳述の催告）

裁判所書記官は、給付義務者に強制管理の開始決定を送達するに際し、当該給付義務者に対し、開始決定の送達の日から2週間以内に給付請求権に対する差押命令又は差押処分の存否その他の最高裁判所規則で定める事項について陳述すべき旨を催告しなければならない。この場合においては、第147条第2項の規定を準用する。

第93条の4　（給付請求権に対する競合する債権差押命令等の効力の停止等）

Ⅰ　第93条第4項の規定により強制管理の開始決定の効力が給付義務者に対して生じたときは、給付請求権に対する差押命令又は差押処分であつて既に効力が生じていたものは、その効力を停止する。ただし、強制管理の開始決定の給付義務者に対する効力の発生が第165条各号（第167条の14第1項において第165条各号（第3号及び第4号を除く。）の規定を準用する場合及び第193条第2項において準用する場合を含む。）に掲げる時後であるときは、この限りでない。

Ⅱ　第93条第4項の規定により強制管理の開始決定の効力が給付義務者に対して生じたときは、給付請求権に対する仮差押命令であつて既に効力が生じていたものは、その効力を停止する。

Ⅲ　第1項の差押命令又は差押処分の債権者、同項の差押命令又は差押処分が効力を停止する時までに当該債権執行（第143条に規定する債権執行をいう。）又は少額訴訟債権執行（第167条の2第2項に規定する少額訴訟債権執行をいう。）の

手続において配当要求をした債権者及び前項の仮差押命令の債権者は、第107条第4項の規定にかかわらず、前2項の強制管理の手続において配当等を受けることができる。

第94条　（管理人の選任）

Ⅰ　執行裁判所は、強制管理の開始決定と同時に、管理人を選任しなければならない。

Ⅱ　信託会社（信託業法（平成16年法律第154号）第3条又は第53条第1項の免許を受けた者をいう。）、銀行その他の法人は、管理人となることができる。

第95条　（管理人の権限）

Ⅰ　管理人は、強制管理の開始決定がされた不動産について、管理並びに収益の収取及び換価をすることができる。

Ⅱ　管理人は、民法第602条に定める期間を超えて不動産を賃貸するには、債務者の同意を得なければならない。

Ⅲ　管理人が数人あるときは、共同してその職務を行う。ただし、執行裁判所の許可を受けて、職務を分掌することができる。

Ⅳ　管理人が数人あるときは、第三者の意思表示は、その1人に対してすれば足りる。

第96条　（強制管理のための不動産の占有等）

Ⅰ　管理人は、不動産について、債務者の占有を解いて自らこれを占有することができる。

Ⅱ　管理人は、前項の場合において、閉鎖した戸を開く必要があると認めるときは、執行官に対し援助を求めることができる。

Ⅲ　第57条第3項の規定は、前項の規定により援助を求められた執行官について準用する。

第97条　（建物使用の許可）

Ⅰ　債務者の居住する建物について強制管理の開始決定がされた場合において、債務者が他に居住すべき場所を得ることができないときは、執行裁判所は、申立てにより、債務者及びその者と生計を一にする同居の親族（婚姻又は縁組の届出をしていないが債務者と事実上夫婦又は養親子と同様の関係にある者を含む。以下「債務者等」という。）の居住に必要な限度において、期間を定めて、その建物の使用を許可することができる。

Ⅱ　債務者が管理人の管理を妨げたとき、又は事情の変更があつたときは、執行裁判所は、申立てにより、前項の規定による決定を取り消し、又は変更することができる。

Ⅲ　前2項の申立てについての決定に対しては、執行抗告をすることができる。

第98条　（収益等の分与）

Ⅰ　強制管理により債務者の生活が著しく困窮することとなるときは、執行裁判所

は、申立てにより、管理人に対し、収益又はその換価代金からその困窮の程度に応じ必要な金銭又は収益を債務者に分与すべき旨を命ずることができる。

II　前条第2項の規定は前項の規定による決定について、同条第3項の規定は前項の申立て又はこの項において準用する前条第2項の申立てについての決定について準用する。

第99条　（管理人の監督）

管理人は、執行裁判所が監督する。

第100条　（管理人の注意義務）

I　管理人は、善良な管理者の注意をもつてその職務を行わなければならない。

II　管理人が前項の注意を怠つたときは、その管理人は、利害関係を有する者に対し、連帯して損害を賠償する責めに任ずる。

第101条　（管理人の報酬等）

I　管理人は、強制管理のため必要な費用の前払及び執行裁判所の定める報酬を受けることができる。

II　前項の規定による決定に対しては、執行抗告をすることができる。

第102条　（管理人の解任）

重要な事由があるときは、執行裁判所は、利害関係を有する者の申立てにより、又は職権で、管理人を解任することができる。この場合においては、その管理人を審尋しなければならない。

第103条　（計算の報告義務）

管理人の任務が終了した場合においては、管理人又はその承継人は、遅滞なく、執行裁判所に計算の報告をしなければならない。

第104条　（強制管理の停止）

I　第39条第1項第7号又は第8号に掲げる文書の提出があつた場合においては、強制管理は、配当等の手続を除き、その時の態様で継続することができる。この場合においては、管理人は、配当等に充てるべき金銭を供託し、その事情を執行裁判所に届け出なければならない。

II　前項の規定により供託された金銭の額で各債権者の債権及び執行費用の全部を弁済することができるときは、執行裁判所は、配当等の手続を除き、強制管理の手続を取り消さなければならない。

第105条　（配当要求）

I　執行力のある債務名義の正本を有する債権者及び第181条第1項各号に掲げる文書により一般の先取特権を有することを証明した債権者は、執行裁判所に対し、配当要求をすることができる。

民事執行法

Ⅱ　配当要求を却下する裁判に対しては、執行抗告をすることができる。

第106条　（配当等に充てるべき金銭等）

Ⅰ　配当等に充てるべき金銭は、第98条第1項の規定による分与をした後の収益又はその換価代金から、不動産に対して課される租税その他の公課及び管理人の報酬その他の必要な費用を控除したものとする。

Ⅱ　配当等に充てるべき金銭を生ずる見込みがないときは、執行裁判所は、強制管理の手続を取り消さなければならない。

第107条　（管理人による配当等の実施）

Ⅰ　管理人は、前条第1項に規定する費用を支払い、執行裁判所の定める期間ごとに、配当等に充てるべき金銭の額を計算して、配当等を実施しなければならない。

Ⅱ　債権者が1人である場合又は債権者が2人以上であつて配当等に充てるべき金銭で各債権者の債権及び執行費用の全部を弁済することができる場合には、管理人は、債権者に弁済金を交付し、剰余金を債務者に交付する。

Ⅲ　前項に規定する場合を除き、配当等に充てるべき金銭の配当について債権者間に協議が調つたときは、管理人は、その協議に従い配当を実施する。

Ⅳ　配当等を受けるべき債権者は、次に掲げる者とする。

①　差押債権者のうち次のイからハまでのいずれかに該当するもの

イ　第1項の期間の満了までに強制管理の申立てをしたもの

ロ　第1項の期間の満了までに一般の先取特権の実行として第180条第2号に規定する担保不動産収益執行の申立てをしたもの

ハ　第1項の期間の満了までに第180条第2号に規定する担保不動産収益執行の申立てをしたもの（ロに掲げるものを除く。）であつて、当該申立てが最初の強制管理の開始決定に係る差押えの登記前に登記（民事保全法第53条第2項に規定する保全仮登記を含む。）がされた担保権に基づくもの

②　仮差押債権者（第1項の期間の満了までに、強制管理の方法による仮差押えの執行の申立てをしたものに限る。）

③　第1項の期間の満了までに配当要求をした債権者

Ⅴ　第3項の協議が調わないときは、管理人は、その事情を執行裁判所に届け出なければならない。

第108条　（管理人による配当等の額の供託）

配当等を受けるべき債権者の債権について第91条第1項各号（第7号を除く。）に掲げる事由があるときは、管理人は、その配当等の額に相当する金銭を供託し、その事情を執行裁判所に届け出なければならない。債権者が配当等の受領のために出頭しなかつたときも、同様とする。

第109条　（執行裁判所による配当等の実施）

執行裁判所は、第107条第5項の規定による届出があつた場合には直ちに、第

104条第1項又は前条の規定による届出があつた場合には供託の事由が消滅したときに、配当等の手続を実施しなければならない。

第110条　（弁済による強制管理の手続の取消し）

各債権者が配当等によりその債権及び執行費用の全部の弁済を受けたときは、執行裁判所は、強制管理の手続を取り消さなければならない。

第111条　（強制競売の規定の準用）

第46条第1項、第47条第2項、第6項本文及び第7項、第48条、第53条、第54条、第84条第3項及び第4項、第87条第2項及び第3項並びに第88条の規定は強制管理について、第84条第1項及び第2項、第85条並びに第89条から第92条までの規定は第109条の規定により執行裁判所が実施する配当等の手続について準用する。この場合において、第84条第3項及び第4項中「代金の納付後」とあるのは、「第107条第1項の期間の経過後」と読み替えるものとする。

第2款　船舶に対する強制執行

第112条　（船舶執行の方法）

総トン数20トン以上の船舶（端舟その他ろかい又は主としてろかいをもつて運転する舟を除く。以下この節及び次章において「船舶」という。）に対する強制執行（以下「船舶執行」という。）は、強制競売の方法により行う。

第113条　（執行裁判所）

船舶執行については、強制競売の開始決定の時の船舶の所在地を管轄する地方裁判所が、執行裁判所として管轄する。

第114条　（開始決定等）

I　執行裁判所は、強制競売の手続を開始するには、強制競売の開始決定をし、かつ、執行官に対し、船舶の国籍を証する文書その他の船舶の航行のために必要な文書（以下「船舶国籍証書等」という。）を取り上げて執行裁判所に提出すべきことを命じなければならない。ただし、その開始決定前にされた開始決定により船舶国籍証書等が取り上げられているときは、執行官に対する命令を要しない。

II　強制競売の開始決定においては、債権者のために船舶を差し押さえる旨を宣言し、かつ、債務者に対し船舶の出航を禁止しなければならない。

III　強制競売の開始決定の送達又は差押えの登記前に執行官が船舶国籍証書等を取り上げたときは、差押えの効力は、その取上げの時に生ずる。

第115条　（船舶執行の申立て前の船舶国籍証書等の引渡命令）

I　船舶執行の申立て前に船舶国籍証書等を取り上げなければ船舶執行が著しく困難となるおそれがあるときは、その船舶の船籍の所在地（船籍のない船舶にあつて

は、最高裁判所の指定する地）を管轄する地方裁判所は、申立てにより、債務者に対し、船舶国籍証書等を執行官に引き渡すべき旨を命ずることができる。急迫の事情があるときは、船舶の所在地を管轄する地方裁判所も、この命令を発することができる。

Ⅱ　前項の規定による裁判は、口頭弁論を経ないですることができる。

Ⅲ　第1項の申立てをするには、執行力のある債務名義の正本を提示し、かつ、同項に規定する事由を疎明しなければならない。

Ⅳ　執行官は、船舶国籍証書等の引渡しを受けた日から5日以内に債権者が船舶執行の申立てをしたことを証する文書を提出しないときは、その船舶国籍証書等を債務者に返還しなければならない。

Ⅴ　第1項の規定による決定に対しては、即時抗告をすることができる。

Ⅵ　前項の即時抗告は、執行停止の効力を有しない。

Ⅶ　第55条第8項から第10項までの規定は、第1項の規定による決定について準用する。

第116条　（保管人の選任等）

Ⅰ　執行裁判所は、差押債権者の申立てにより、必要があると認めるときは、強制競売の開始決定がされた船舶について保管人を選任することができる。

Ⅱ　前項の保管人が船舶の保管のために要した費用（第4項において準用する第101条第1項の報酬を含む。）は、手続費用とする。

Ⅲ　第1項の申立てについての決定に対しては、執行抗告をすることができる。

Ⅳ　第94条第2項、第96条及び第99条から第103条までの規定は、第1項の保管人について準用する。

第117条　（保証の提供による強制競売の手続の取消し）

Ⅰ　差押債権者の債権について、第39条第1項第7号又は第8号に掲げる文書が提出されている場合において、債務者が差押債権者及び保証の提供の時（配当要求の終期後にあつては、その終期）までに配当要求をした債権者の債権及び執行費用の総額に相当する保証を買受けの申出前に提供したときは、執行裁判所は、申立てにより、配当等の手続を除き、強制競売の手続を取り消さなければならない。

Ⅱ　前項に規定する文書の提出による執行停止がその効力を失つたときは、執行裁判所は、同項の規定により提供された保証について、同項の債権者のために配当等を実施しなければならない。この場合において、執行裁判所は、保証の提供として供託された有価証券を取り戻すことができる。

Ⅲ　第1項の申立てを却下する裁判に対しては、執行抗告をすることができる。

Ⅳ　第12条の規定は、第1項の規定による決定については適用しない。

Ⅴ　第15条の規定は第1項の保証の提供について、第78条第3項の規定は第1項の保証が金銭の供託以外の方法で提供されている場合の換価について準用する。

第118条　（航行許可）

Ⅰ　執行裁判所は、営業上の必要その他相当の事由があると認める場合において、各債権者並びに最高価買受申出人又は買受人及び次順位買受申出人の同意があるときは、債務者の申立てにより、船舶の航行を許可することができる。

Ⅱ　前項の申立てについての裁判に対しては、執行抗告をすることができる。

Ⅲ　第1項の規定による決定は、確定しなければその効力を生じない。

第119条　（事件の移送）

Ⅰ　執行裁判所は、強制競売の開始決定がされた船舶が管轄区域外の地に所在することとなつた場合には、船舶の所在地を管轄する地方裁判所に事件を移送することができる。

Ⅱ　前項の規定による決定に対しては、不服を申し立てることができない。

第120条　（船舶国籍証書等の取上げができない場合の強制競売の手続の取消し）

執行官が強制競売の開始決定の発せられた日から2週間以内に船舶国籍証書等を取り上げることができないときは、執行裁判所は、強制競売の手続を取り消さなければならない。

第121条　（不動産に対する強制競売の規定の準用）

前款第2目（第45条第1項、第46条第2項、第48条、第54条、<u>第55条第1項第2号</u>、第56条、第64条の2、<u>第65条の2、第68条の4、第71条第5号</u>、第81条及び第82条を除く。）の規定は船舶執行について、第48条、第54条及び第82条の規定は船舶法（明治32年法律第46号）第1条に規定する日本船舶に対する強制執行について、<u>それぞれ準用する</u>。この場合において、第51条第1項中「第181条第1項各号に掲げる文書」とあるのは「文書」と、「一般の先取特権」とあるのは「先取特権」と読み替えるものとする。

第3款　動産に対する強制執行

《概　説》

◆　動産執行

動産執行は、債務者の占有する動産を換価し、それによって得た金銭を債務の弁済に充てる強制執行手続である。差押えの方法は執行官の占有による。

第122条　（動産執行の開始等）

Ⅰ　動産（登記することができない土地の定着物、土地から分離する前の天然果実で1月以内に収穫することが確実であるもの及び裏書の禁止されている有価証券以外の有価証券を含む。以下この節、次章及び第4章において同じ。）に対する強制執行（以下「動産執行」という。）は、執行官の目的物に対する差押えにより開始する。

II　動産執行においては、執行官は、差押債権者のためにその債権及び執行費用の弁済を受領することができる。

第123条　（債務者の占有する動産の差押え）

I　債務者の占有する動産の差押えは、執行官がその動産を占有して行う。

II　執行官は、前項の差押えをするに際し、債務者の住居その他債務者の占有する場所に立ち入り、その場所において、又は債務者の占有する金庫その他の容器について目的物を捜索することができる。この場合において、必要があるときは、閉鎖した戸及び金庫その他の容器を開くため必要な処分をすることができる。

III　執行官は、相当であると認めるときは、債務者に差し押さえた動産（以下「差押物」という。）を保管させることができる。この場合においては、差押えは、差押物について封印その他の方法で差押えの表示をしたときに限り、その効力を有する。

IV　執行官は、前項の規定により債務者に差押物を保管させる場合において、相当であると認めるときは、その使用を許可することができる。

V　執行官は、必要があると認めるときは、第3項の規定により債務者に保管させた差押物を自ら保管し、又は前項の規定による許可を取り消すことができる。

第124条　（債務者以外の者の占有する動産の差押え）

前条第1項及び第3項から第5項までの規定は、債権者又は提出を拒まない第三者の占有する動産の差押えについて準用する。

第125条　（二重差押えの禁止及び事件の併合）

I　執行官は、差押物又は仮差押えの執行をした動産を更に差し押さえることができない。

II　差押えを受けた債務者に対しその差押えの場所について更に動産執行の申立てがあつた場合においては、執行官は、まだ差し押さえていない動産があるときはこれを差し押さえ、差し押さえるべき動産がないときはその旨を明らかにして、その動産執行事件と先の動産執行事件とを併合しなければならない。仮差押えの執行を受けた債務者に対しその執行の場所について更に動産執行の申立てがあつたときも、同様とする。

III　前項前段の規定により2個の動産執行事件が併合されたときは、後の事件において差し押さえられた動産は、併合の時に、先の事件において差し押さえられたものとみなし、後の事件の申立ては、配当要求の効力を生ずる。先の差押債権者が動産執行の申立てを取り下げたとき、又はその申立てに係る手続が停止され、若しくは取り消されたときは、先の事件において差し押さえられた動産は、併合の時に、後の事件のために差し押さえられたものとみなす。

IV　第2項後段の規定により仮差押執行事件と動産執行事件とが併合されたときは、仮差押えの執行がされた動産は、併合の時に、動産執行事件において差し押さえられたものとみなし、仮差押執行事件の申立ては、配当要求の効力を生ずる。差押債権者が動産執行の申立てを取り下げたとき、又はその申立てに係る手続が取り消さ

民事執行法

れたときは、動産執行事件において差し押さえられた動産は、併合の時に、仮差押執行事件において仮差押えの執行がされたものとみなす。

第126条　（差押えの効力が及ぶ範囲）

差押えの効力は、差押物から生ずる天然の産出物に及ぶ。

第127条　（差押物の引渡命令）

Ⅰ　差押物を第三者が占有することとなつたときは、執行裁判所は、差押債権者の申立てにより、その第三者に対し、差押物を執行官に引き渡すべき旨を命ずることができる。

Ⅱ　前項の申立ては、差押物を第三者が占有していることを知つた日から1週間以内にしなければならない。

Ⅲ　第1項の申立てについての裁判に対しては、執行抗告をすることができる。

Ⅳ　第55条第8項から第10項までの規定は、第1項の規定による決定について準用する。

第128条　（超過差押えの禁止等）

Ⅰ　動産の差押えは、差押債権者の債権及び執行費用の弁済に必要な限度を超えてはならない。

Ⅱ　差押えの後にその差押えが前項の限度を超えることが明らかとなつたときは、執行官は、その超える限度において差押えを取り消さなければならない。

第129条　（剰余を生ずる見込みのない場合の差押えの禁止等）

Ⅰ　差し押さえるべき動産の売得金の額が手続費用の額を超える見込みがないときは、執行官は、差押えをしてはならない。

Ⅱ　差押物の売得金の額が手続費用及び差押債権者の債権に優先する債権の額の合計額以上となる見込みがないときは、執行官は、差押えを取り消さなければならない。

第130条　（売却の見込みのない差押物の差押えの取消し）

差押物について相当な方法による売却の実施をしてもなお売却の見込みがないときは、執行官は、その差押物の差押えを取り消すことができる。

第131条　（差押禁止動産）

次に掲げる動産は、差し押さえてはならない。

①　債務者等の生活に欠くことができない衣服、寝具、家具、台所用具、畳及び建具

②　債務者等の1月間の生活に必要な食料及び燃料

③　標準的な世帯の2月間の必要生計費を勘案して政令で定める額の金銭

④　主として自己の労力により農業を営む者の農業に欠くことができない器具、肥料、労役の用に供する家畜及びその飼料並びに次の収穫まで農業を続行するために欠くことができない種子その他これに類する農産物

⑤　主として自己の労力により漁業を営む者の水産物の採捕又は養殖に欠くことができない漁網その他の漁具、えさ及び稚魚その他これに類する水産物

⑥　技術者、職人、労務者その他の主として自己の知的又は肉体的な労働により職業又は営業に従事する者（前2号に規定する者を除く。）のその業務に欠くことができない器具その他の物（商品を除く。）

⑦　実印その他の印で職業又は生活に欠くことができないもの

⑧　仏像、位牌その他礼拝又は祭祀に直接供するため欠くことができない物

⑨　債務者に必要な系譜、日記、商業帳簿及びこれらに類する書類

⑩　債務者又はその親族が受けた勲章その他の名誉を表章する物

⑪　債務者等の学校その他の教育施設における学習に必要な書類及び器具

⑫　発明又は著作に係る物で、まだ公表していないもの

⑬　債務者等に必要な義手、義足その他の身体の補足に供する物

⑭　建物その他の工作物について、災害の防止又は保安のため法令の規定により設備しなければならない消防用の機械又は器具、避難器具その他の備品

《注　釈》

◆　差押禁止動産

差押禁止動産として、①債務者等の生活に欠くことができない衣服・寝具・家具・台所用具・畳・建具、②債務者等の生活に必要な1か月の食料と燃料、③標準的な世帯の2か月間の必要生計費を勘案して政令で定める額の金銭（平成19年現在、66万円）等、一定の動産が定められている（民執131）。さらに、債務者保護のために超過差押えの禁止、無剰余差押えの禁止の規定もある（民執128、129）。

第132条　（差押禁止動産の範囲の変更）

Ⅰ　執行裁判所は、申立てにより、債務者及び債権者の生活の状況その他の事情を考慮して、差押えの全部若しくは一部の取消しを命じ、又は前条各号に掲げる動産の差押えを許すことができる。

Ⅱ　事情の変更があつたときは、執行裁判所は、申立てにより、前項の規定により差押えが取り消された動産の差押えを許し、又は同項の規定による差押えの全部若しくは一部の取消しを命ずることができる。

Ⅲ　前2項の規定により差押えの取消しの命令を求める申立てがあつたときは、執行裁判所は、その裁判が効力を生ずるまでの間、担保を立てさせ、又は立てさせないで強制執行の停止を命ずることができる。

Ⅳ　第1項又は第2項の申立てを却下する決定及びこれらの規定により差押えを許す決定に対しては、執行抗告をすることができる。

Ⅴ　第3項の規定による決定に対しては、不服を申し立てることができない。

民事執行法

第133条　（先取特権者等の配当要求）

　先取特権又は質権を有する者は、その権利を証する文書を提出して、配当要求をすることができる。

第134条　（売却の方法）

　執行官は、差押物を売却するには、入札又は競り売りのほか、最高裁判所規則で定める方法によらなければならない。

第135条　（売却の場所の秩序維持等に関する規定の準用）

　第65条及び第68条の規定は、差押物を売却する場合について準用する。

第136条　（手形等の提示義務）

　執行官は、手形、小切手その他の金銭の支払を目的とする有価証券でその権利の行使のため定められた期間内に引受け若しくは支払のための提示又は支払の請求（以下「提示等」という。）を要するもの（以下「手形等」という。）を差し押さえた場合において、その期間の始期が到来したときは、債務者に代わつて手形等の提示等をしなければならない。

第137条　（執行停止中の売却）

Ⅰ　第39条第1項第7号又は第8号に掲げる文書の提出があつた場合において、差押物について著しい価額の減少を生ずるおそれがあるとき、又はその保管のために不相応な費用を要するときは、執行官は、その差押物を売却することができる。

Ⅱ　執行官は、前項の規定により差押物を売却したときは、その売得金を供託しなければならない。

第138条　（有価証券の裏書等）

　執行官は、有価証券を売却したときは、買受人のために、債務者に代わつて裏書又は名義書換えに必要な行為をすることができる。

第139条　（執行官による配当等の実施）

Ⅰ　債権者が1人である場合又は債権者が2人以上であつて売得金、差押金銭若しくは手形等の支払金（以下「売得金等」という。）で各債権者の債権及び執行費用の全部を弁済することができる場合には、執行官は、債権者に弁済金を交付し、剰余金を債務者に交付する。

Ⅱ　前項に規定する場合を除き、売得金等の配当について債権者間に協議が調つたときは、執行官は、その協議に従い配当を実施する。

Ⅲ　前項の協議が調わないときは、執行官は、その事情を執行裁判所に届け出なければならない。

Ⅳ　第84条第3項及び第4項並びに第88条の規定は、第1項又は第2項の規定により配当等を実施する場合について準用する。

第140条　（配当等を受けるべき債権者の範囲）

　配当等を受けるべき債権者は、差押債権者のほか、売得金については執行官がその交付を受けるまで（第137条又は民事保全法第49条第3項の規定により供託された売得金については、動産執行が続行されることとなるまで）に、差押金銭についてはその差押えをするまでに、手形等の支払金についてはその支払を受けるまでに配当要求をした債権者とする。

第141条　（執行官の供託）

Ⅰ　第139条第1項又は第2項の規定により配当等を実施する場合において、配当等を受けるべき債権者の債権について次に掲げる事由があるときは、執行官は、その配当等の額に相当する金銭を供託し、その事情を執行裁判所に届け出なければならない。
① 停止条件付又は不確定期限付であるとき。
② 仮差押債権者の債権であるとき。
③ 第39条第1項第7号又は第192条において準用する第183条第1項第6号に掲げる文書が提出されているとき。
④ その債権に係る先取特権又は質権の実行を一時禁止する裁判の正本が提出されているとき。
Ⅱ　執行官は、配当等の受領のために出頭しなかつた債権者に対する配当等の額に相当する金銭を供託しなければならない。

第142条　（執行裁判所による配当等の実施）

Ⅰ　執行裁判所は、第139条第3項の規定による届出があつた場合には直ちに、前条第1項の規定による届出があつた場合には供託の事由が消滅したときに、配当等の手続を実施しなければならない。
Ⅱ　第84条、第85条及び第88条から第92条までの規定は、前項の規定により執行裁判所が実施する配当等の手続について準用する。

第4款　債権及びその他財産権に対する強制執行
第1目　債権執行等
《概　説》
◆　債権執行
　1　債権執行の手続
　　債権執行は債務者の第三債務者に対する債権を差し押さえ、これを債務者の債務の弁済に充てる強制執行手続である（少額訴訟債権執行を除く）。手続は執行裁判所の差押命令により開始する（民執143）。差押命令では、被差押債権を特定してそれを差し押さえる旨宣言すると同時に、債務者に対しては取立て等の処分の禁止、第三債務者に対しては債務者への弁済禁止を命ずる（民執

145Ⅰ）。差押えの効力は第三債務者への送達があった時に生ずる（同Ⅳ）。よって、差押えの効力が生じた後に、債務者が当該債権を譲渡したり免除したりしても、当該債権執行手続との関係においては、その効力は無視される（手続的相対効）。差押えの効力が生ずると、第三債務者は、債務者へ弁済することができなくなり、差押債権者への支払（民執155ⅠⅡ）又は供託（権利供託、民執156Ⅰ）によらなければ債務を免れることができない。

2　差し押さえた債権を換価する方法

原則：被差押債権者自らが取り立てる方法、転付命令によって債権者に転付する方法

例外：取立てが困難な場合には譲渡命令・売却命令・管理命令等特別な換価方法が認められている（民執161）。

第143条　（債権執行の開始）

　金銭の支払又は船舶若しくは動産の引渡しを目的とする債権（動産執行の目的となる有価証券が発行されている債権を除く。以下この節において「債権」という。）に対する強制執行（第167条の2第2項に規定する少額訴訟債権執行を除く。以下この節において「債権執行」という。）は、執行裁判所の差押命令により開始する。

第144条　（執行裁判所）

Ⅰ　債権執行については、債務者の普通裁判籍の所在地を管轄する地方裁判所が、この普通裁判籍がないときは差し押さえるべき債権の所在地を管轄する地方裁判所が、執行裁判所として管轄する。

Ⅱ　差し押さえるべき債権は、その債権の債務者（以下「第三債務者」という。）の普通裁判籍の所在地にあるものとする。ただし、船舶又は動産の引渡しを目的とする債権及び物上の担保権により担保される債権は、その物の所在地にあるものとする。

Ⅲ　差押えに係る債権（差押命令により差し押さえられた債権に限る。以下この目において同じ。）について更に差押命令が発せられた場合において、差押命令を発した執行裁判所が異なるときは、執行裁判所は、事件を他の執行裁判所に移送することができる。

Ⅳ　前項の規定による決定に対しては、不服を申し立てることができない。

第145条　（差押命令）

Ⅰ　執行裁判所は、差押命令において、債務者に対し債権の取立てその他の処分を禁止し、かつ、第三債務者に対し債務者への弁済を禁止しなければならない。

Ⅱ　差押命令は、債務者及び第三債務者を審尋しないで発する。

Ⅲ　差押命令は、債務者及び第三債務者に送達しなければならない。

Ⅳ　裁判所書記官は、差押命令を送達するに際し、債務者に対し、最高裁判所規則で定めるところにより、第153条第1項又は第2項の規定による当該差押命令の取

けなければならない。
Ⅴ　差押えの効力は、差押命令が第三債務者に送達された時に生ずる。
Ⅵ　差押命令の申立てについての裁判に対しては、執行抗告をすることができる。
Ⅶ　執行裁判所は、債務者に対する差押命令の送達をすることができない場合には、差押債権者に対し、相当の期間を定め、その期間内に債務者の住所、居所その他差押命令の送達をすべき場所の申出（第20条において準用する民事訴訟法第110条第1項各号に掲げる場合にあつては、公示送達の申立て。次項において同じ。）をすべきことを命ずることができる。
Ⅷ　執行裁判所は、前項の申出を命じた場合において、差押債権者が同項の申出をしないときは、差押命令を取り消すことができる。

第146条　（差押えの範囲）

Ⅰ　執行裁判所は、差し押さえるべき債権の全部について差押命令を発することができる。
Ⅱ　差し押さえた債権の価額が差押債権者の債権及び執行費用の額を超えるときは、執行裁判所は、他の債権を差し押さえてはならない。

第147条　（第三債務者の陳述の催告）

Ⅰ　差押債権者の申立てがあるときは、裁判所書記官は、差押命令を送達するに際し、第三債務者に対し、差押命令の送達の日から2週間以内に差押えに係る債権の存否その他の最高裁判所規則で定める事項について陳述すべき旨を催告しなければならない。
Ⅱ　第三債務者は、前項の規定による催告に対して、故意又は過失により、陳述をしなかつたとき、又は不実の陳述をしたときは、これによつて生じた損害を賠償する責めに任ずる。

《注　釈》
◆　陳述催告の申立て
　差押債権者は、債権差押命令正本が第三債務者に発送される前までに、第三債務者に対する陳述催告の申立てを行うことができる（民執147Ⅰ）。これによって、差押えの対象たる債権が本当に存在するかどうか、弁済の見込みがあるか等を第三債務者に確かめることができる。この申立てがなされると、執行裁判所の書記官が、第三債務者に対して2週間以内に債権の存否、弁済の意思等（民執規135）を陳述するよう催告する陳述催告書を送ることになる。

第148条　（債権証書の引渡し）

Ⅰ　差押えに係る債権について証書があるときは、債務者は、差押債権者に対し、その証書を引き渡さなければならない。

II　差押債権者は、差押命令に基づいて、第169条に規定する動産の引渡しの強制執行の方法により前項の証書の引渡しを受けることができる。

第149条　（差押えが一部競合した場合の効力）

債権の一部が差し押さえられ、又は仮差押えの執行を受けた場合において、その残余の部分を超えて差押命令が発せられたときは、各差押え又は仮差押えの執行の効力は、その債権の全部に及ぶ。債権の全部が差し押さえられ、又は仮差押えの執行を受けた場合において、その債権の一部について差押命令が発せられたときのその差押えの効力も、同様とする〈判〉。

第150条　（先取特権等によつて担保される債権の差押えの登記等の嘱託）

登記又は登録（以下「登記等」という。）のされた先取特権、質権又は抵当権によつて担保される債権に対する差押命令が効力を生じたときは、裁判所書記官は、申立てにより、その債権について差押えがされた旨の登記等を嘱託しなければならない。

第151条　（継続的給付の差押え）

給料その他継続的給付に係る債権に対する差押えの効力は、差押債権者の債権及び執行費用の額を限度として、差押えの後に受けるべき給付に及ぶ。

第151条の2　（扶養義務等に係る定期金債権を請求する場合の特例）

I　債権者が次に掲げる義務に係る確定期限の定めのある定期金債権を有する場合において、その一部に不履行があるときは、第30条第1項の規定にかかわらず、当該定期金債権のうち確定期限が到来していないものについても、債権執行を開始することができる〈判〉。

① 民法第752条の規定による夫婦間の協力及び扶助の義務

② 民法第760条の規定による婚姻から生ずる費用の分担の義務

③ 民法第766条（同法第749条、第771条及び第788条において準用する場合を含む。）の規定による子の監護に関する義務

④ 民法第877条から第880条までの規定による扶養の義務

II　前項の規定により開始する債権執行においては、各定期金債権について、その確定期限の到来後に弁済期が到来する給料その他継続的給付に係る債権のみを差し押さえることができる。

第152条　（差押禁止債権）

I　次に掲げる債権については、その支払期に受けるべき給付の4分の3に相当する部分（その額が標準的な世帯の必要生計費を勘案して政令で定める額を超えるときは、政令で定める額に相当する部分）は、差し押さえてはならない〈判〉。

① 債務者が国及び地方公共団体以外の者から生計を維持するために支給を受ける継続的給付に係る債権

民事執行法

② 給料、賃金、俸給、退職年金及び賞与並びにこれらの性質を有する給与に係る債権

Ⅱ 退職手当及びその性質を有する給与に係る債権については、その給付の4分の3に相当する部分は、差し押さえてはならない。

Ⅲ 債権者が前条第1項各号に掲げる義務に係る金銭債権（金銭の支払を目的とする債権をいう。以下同じ。）を請求する場合における前2項の規定の適用については、前2項中「4分の3」とあるのは、「2分の1」とする。

第153条　（差押禁止債権の範囲の変更）

Ⅰ 執行裁判所は、申立てにより、債務者及び債権者の生活の状況その他の事情を考慮して、差押命令の全部若しくは一部を取り消し、又は前条の規定により差し押さえてはならない債権の部分について差押命令を発することができる。

Ⅱ 事情の変更があつたときは、執行裁判所は、申立てにより、前項の規定により差押命令が取り消された債権を差し押さえ、又は同項の規定による差押命令の全部若しくは一部を取り消すことができる。

Ⅲ 前2項の申立てがあつたときは、執行裁判所は、その裁判が効力を生ずるまでの間、担保を立てさせ、又は立てさせないで、第三債務者に対し、支払その他の給付の禁止を命ずることができる。

Ⅳ 第1項又は第2項の規定による差押命令の取消しの申立てを却下する決定に対しては、執行抗告をすることができる。

Ⅴ 第3項の規定による決定に対しては、不服を申し立てることができない。

《注　釈》

◆ 差押禁止債権

152条が定めるように、給料・賞与・退職年金等の性質をもつ債権は債務者の生計維持のため、差押禁止とされている。

さらに、社会政策的な観点から、受給者の生活を保護する必要がある場合や、国家的公益的な業務に従事する人の生活を保障するために、差押えが禁止されているものもある。具体的には、恩給・国民年金・厚生年金等の給付金請求権、生活保護・福祉・援護・扶養を目的とする給付請求権、労災補償等の請求権等である。

第154条　（配当要求）

Ⅰ 執行力のある債務名義の正本を有する債権者及び文書により先取特権を有することを証明した債権者は、配当要求をすることができる。

Ⅱ 前項の配当要求があつたときは、その旨を記載した文書は、第三債務者に送達しなければならない。

Ⅲ 配当要求を却下する裁判に対しては、執行抗告をすることができる。

第155条　（差押債権者の金銭債権の取立て）

Ⅰ　金銭債権を差し押さえた債権者は、債務者に対して差押命令が送達された日から1週間を経過したときは、その債権を取り立てることができる〔岡〕。ただし、差押債権者の債権及び執行費用の額を超えて支払を受けることができない。

Ⅱ　差し押さえられた金銭債権が第152条第1項各号に掲げる債権又は同条第2項に規定する債権である場合（差押債権者の債権に第151条の2第1項各号に掲げる義務に係る金銭債権が含まれているときを除く。）における前項の規定の適用については、同項中「1週間」とあるのは、「4週間」とする。

Ⅲ　差押債権者が第三債務者から支払を受けたときは、その債権及び執行費用は、支払を受けた額の限度で、弁済されたものとみなす。

Ⅳ　差押債権者は、前項の支払を受けたときは、直ちに、その旨を執行裁判所に届け出なければならない。

Ⅴ　差押債権者は、第1項の規定により金銭債権を取り立てることができることとなつた日（前項又はこの項の規定による届出をした場合にあつては、最後に当該届出をした日。次項において同じ。）から第3項の支払を受けることなく2年を経過したときは、同項の支払を受けていない旨を執行裁判所に届け出なければならない。

Ⅵ　第1項の規定により金銭債権を取り立てることができることとなつた日から2年を経過した後4週間以内に差押債権者が前2項の規定による届出をしないときは、執行裁判所は、差押命令を取り消すことができる。

Ⅶ　差押債権者が前項の規定により差押命令を取り消す旨の決定の告知を受けてから1週間の不変期間内に第4項の規定による届出（差し押さえられた金銭債権の全部の支払を受けた旨の届出を除く。）又は第5項の規定による届出をしたときは、当該決定は、その効力を失う。

Ⅷ　差押債権者が第5項に規定する期間を経過する前に執行裁判所に第3項の支払を受けていない旨の届出をしたときは、第5項及び第6項の規定の適用については、第5項の規定による届出があつたものとみなす。

《注　釈》

◆　取立て

　金銭債権を差し押さえた債権者は、差押命令が執行債務者に送達された日から1週間経てば、さらに特別な裁判を要することなく第三債務者に請求して被差押債権を取り立てることができ、これにより執行債権の弁済があったものとみなされる（民執155）。第三債務者が任意に取立てに応じなければ第三債務者を被告として取立訴訟（民執157）を提起することになる。なお、第三債務者は、差押えにかかる金銭債権の全額を供託して債務を免れることができる（権利供託、民執156Ⅰ）。

第156条　（第三債務者の供託）

Ⅰ　第三債務者は、差押えに係る金銭債権（差押命令により差し押さえられた金銭債権に限る。以下この条及び第161条の2において同じ。）の全額に相当する金銭を債務の履行地の供託所に供託することができる〈略〉。

Ⅱ　第三債務者は、次条第1項に規定する訴えの訴状の送達を受ける時までに、差押えに係る金銭債権のうち差し押さえられていない部分を超えて発せられた差押命令、差押処分又は仮差押命令の送達を受けたときはその債権の全額に相当する金銭を、配当要求があつた旨を記載した文書の送達を受けたときは差し押さえられた部分に相当する金銭を債務の履行地の供託所に供託しなければならない。

Ⅲ　第三債務者は、第161条の2第1項に規定する供託命令の送達を受けたときは、差押えに係る金銭債権の全額に相当する金銭を債務の履行地の供託所に供託しなければならない。

Ⅳ　第三債務者は、前3項の規定による供託をしたときは、その事情を執行裁判所に届け出なければならない。

第157条　（取立訴訟）

Ⅰ　差押債権者が第三債務者に対し差し押さえた債権に係る給付を求める訴え（以下「取立訴訟」という。）を提起したときは、受訴裁判所は、第三債務者の申立てにより、他の債権者で訴状の送達の時までにその債権を差し押さえたものに対し、共同訴訟人として原告に参加すべきことを命ずることができる。

Ⅱ　前項の裁判は、口頭弁論を経ないですることができる。

Ⅲ　取立訴訟の判決の効力は、第1項の規定により参加すべきことを命じられた差押債権者で参加しなかつたものにも及ぶ。

Ⅳ　前条第2項又は第3項の規定により供託の義務を負う第三債務者に対する取立訴訟において、原告の請求を認容するときは、受訴裁判所は、請求に係る金銭の支払は供託の方法によりすべき旨を判決の主文に掲げなければならない。

Ⅴ　強制執行又は競売において、前項に規定する判決の原告が配当等を受けるべきときは、その配当等の額に相当する金銭は、供託しなければならない。

第158条　（債権者の損害賠償）

差押債権者は、債務者に対し、差し押さえた債権の行使を怠つたことによつて生じた損害を賠償する責めに任ずる。

第159条　（転付命令）

Ⅰ　執行裁判所は、差押債権者の申立てにより、支払に代えて券面額で差し押さえられた金銭債権を差押債権者に転付する命令（以下「転付命令」という。）を発することができる〈略〉。

Ⅱ　転付命令は、債務者及び第三債務者に送達しなければならない。

Ⅲ　転付命令が第三債務者に送達される時までに、転付命令に係る金銭債権につい

て、他の債権者が差押え、仮差押えの執行又は配当要求をしたときは、転付命令は、その効力を生じない<書>。

Ⅳ　第1項の申立てについての決定に対しては、執行抗告をすることができる。

Ⅴ　転付命令は、確定しなければその効力を生じない。

Ⅵ　差し押さえられた金銭債権が第152条第1項各号に掲げる債権又は同条第2項に規定する債権である場合（差押債権者の債権に第151条の2第1項各号に掲げる義務に係る金銭債権が含まれているときを除く。）における前項の規定の適用については、同項中「確定しなければ」とあるのは、「確定し、かつ、債務者に対して差押命令が送達された日から4週間を経過するまでは、」とする。

Ⅶ　転付命令が発せられた後に第39条第1項第7号又は第8号に掲げる文書を提出したことを理由として執行抗告がされたときは、抗告裁判所は、他の理由により転付命令を取り消す場合を除き、執行抗告についての裁判を留保しなければならない。

第160条　（転付命令の効力）

　転付命令が効力を生じた場合においては、差押債権者の債権及び執行費用は、転付命令に係る金銭債権が存する限り、その券面額で、転付命令が第三債務者に送達された時に弁済されたものとみなす。

《注　釈》

◆　転付命令

1　転付は代物弁済に似た手続で、差押債権者が転付命令を申し立て、転付命令が発せられて確定すると、被差押債権の券面額で執行債権が弁済されたものとみなされる（民執159、160）。

2　転付命令が発令されるための要件

(1)　被差押債権が譲渡可能なものであること

　譲渡制限特約があっても、転付命令の発令は妨げられない。また、譲渡制限特約の存在についての差押債権者の善意・悪意も関係ない（最判昭45.4.10）。

(2)　被差押債権が券面額を有すること

　債権の名目額として表示されている一定の金額があれば、これが肯定される。

　否定例：将来の給料債権・賃料債権、生前の保険金請求権、明渡し前の敷金返還請求権

(3)　転付命令が第三債務者に送達される時までに、被差押債権について他の債権者が差押え・仮差押えの執行又は配当要求をしていないこと（159Ⅲ）

　転付命令を得た者が優先権を有する債権者であるときは、民事執行法159条3項の規定にもかかわらず転付命令は有効である（最判昭60.7.19）。

3　転付命令の要件がみたされているときは、執行裁判所は決定で転付命令を発

する（159Ⅰ）。

第161条　（譲渡命令等）

Ⅰ　差し押さえられた債権が、条件付若しくは期限付であるとき、又は反対給付に係ることその他の事由によりその取立てが困難であるときは、執行裁判所は、差押債権者の申立てにより、その債権を執行裁判所が定めた価額で支払に代えて差押債権者に譲渡する命令（以下「譲渡命令」という。）、取立てに代えて、執行裁判所の定める方法によりその債権の売却を執行官に命ずる命令（以下「売却命令」という。）又は管理人を選任してその債権の管理を命ずる命令（以下「管理命令」という。）その他相当な方法による換価を命ずる命令（第167条の10第1項において「譲渡命令等」と総称する。）を発することができる。

Ⅱ　執行裁判所は、前項の規定による決定をする場合には、債務者を審尋しなければならない。ただし、債務者が外国にあるとき、又はその住所が知れないときは、この限りでない。

Ⅲ　第1項の申立てについての決定に対しては、執行抗告をすることができる。

Ⅳ　第1項の規定による決定は、確定しなければその効力を生じない。

Ⅴ　差し押さえられた債権が第152条第1項各号に掲げる債権又は同条第2項に規定する債権である場合（差押債権者の債権に第151条の2第1項各号に掲げる義務に係る金銭債権が含まれているときを除く。）における前項の規定の適用については、同項中「確定しなければ」とあるのは「確定し、かつ、債務者に対して差押命令が送達された日から4週間を経過するまでは、」とする。

Ⅵ　執行官は、差し押さえられた債権を売却したときは、債務者に代わり、第三債務者に対し、確定日付のある証書によりその譲渡の通知をしなければならない。

Ⅶ　第159条第2項及び第3項並びに前条の規定は譲渡命令について、第159条第7項の規定は譲渡命令に対する執行抗告について、第65条及び第68条の規定は売却命令に基づく執行官の売却について、第159条第2項の規定は管理命令について、第84条第3項及び第4項、第88条、第94条第2項、第95条第1項、第3項及び第4項、第98条から第104条まで並びに第106条から第110条までの規定は管理命令に基づく管理について、それぞれ準用する。この場合において、第84条第3項及び第4項中「代金の納付後」とあるのは、「第161条第7項において準用する第107条第1項の期間の経過後」と読み替えるものとする。

第161条の2　（供託命令）

Ⅰ　次の各号のいずれかに掲げる場合には、執行裁判所は、差押債権者の申立てにより、差押えに係る金銭債権の全額に相当する金銭を債務の履行地の供託所に供託すべきことを第三債務者に命ずる命令（以下この条及び第167条の10において「供託命令」という。）を発することができる。

①　差押債権者又はその法定代理人の住所又は氏名について第20条において準用する民事訴訟法第133条第1項の決定がされたとき。

②　債務名義に民事訴訟法第133条第5項（他の法律において準用する場合を含

む。）の規定により定められた差押債権者又はその法定代理人の住所又は氏名に代わる事項が表示されているとき。

Ⅱ　供託命令は、第三債務者に送達しなければならない。

Ⅲ　第1項の申立てを却下する決定に対しては、執行抗告をすることができる。

Ⅳ　供託命令に対しては、不服を申し立てることができない。

第162条　（船舶の引渡請求権の差押命令の執行）

Ⅰ　船舶の引渡請求権を差し押さえた債権者は、債務者に対して差押命令が送達された日から1週間を経過したときは、第三債務者に対し、船舶の所在地を管轄する地方裁判所の選任する保管人にその船舶を引き渡すべきことを請求することができる。

Ⅱ　前項の規定により保管人が引渡しを受けた船舶の強制執行は、船舶執行の方法により行う。

Ⅲ　第1項に規定する保管人が船舶の引渡しを受けた場合において、その船舶について強制競売の開始決定がされたときは、その保管人は、第116条第1項の規定により選任された保管人とみなす。

第163条　（動産の引渡請求権の差押命令の執行）

Ⅰ　動産の引渡請求権を差し押さえた債権者は、債務者に対して差押命令が送達された日から1週間を経過したときは、第三債務者に対し、差押債権者の申立てを受けた執行官にその動産を引き渡すべきことを請求することができる。

Ⅱ　執行官は、動産の引渡しを受けたときは、動産執行の売却の手続によりこれを売却し、その売得金を執行裁判所に提出しなければならない。

第164条　（移転登記等の嘱託）

Ⅰ　第150条に規定する債権について、転付命令若しくは譲渡命令が効力を生じたとき、又は売却命令による売却が終了したときは、裁判所書記官は、申立てにより、その債権を取得した差押債権者又は買受人のために先取特権、質権又は抵当権の移転の登記等を嘱託し、及び同条の規定による登記等の抹消を嘱託しなければならない。

Ⅱ　前項の規定による嘱託をする場合（次項に規定する場合を除く。）においては、嘱託書に、転付命令若しくは譲渡命令の正本又は売却命令に基づく売却について執行官が作成した文書の謄本を添付しなければならない。

Ⅲ　第1項の規定による嘱託をする場合において、不動産登記法（平成16年法律第123号）第16条第2項（他の法令において準用する場合を含む。）において準用する同法第18条の規定による嘱託をするときは、その嘱託情報と併せて転付命令若しくは譲渡命令があつたことを証する情報又は売却命令に基づく売却について執行官が作成した文書の内容を証する情報を提供しなければならない。

Ⅳ　第1項の規定による嘱託に要する登録免許税その他の費用は、同項に規定する差押債権者又は買受人の負担とする。

Ⅴ　第150条の規定により登記等がされた場合において、差し押さえられた債権について支払又は供託があつたことを証する文書が提出されたときは、裁判所書記官は、申立てにより、その登記等の抹消を嘱託しなければならない。債権執行の申立てが取り下げられたとき、又は差押命令の取消決定が確定したときも、同様とする。

Ⅵ　前項の規定による嘱託に要する登録免許税その他の費用は、同項前段の場合にあつては債務者の負担とし、同項後段の場合にあつては差押債権者の負担とする。

第165条　（配当等を受けるべき債権者の範囲）

　配当等を受けるべき債権者は、次に掲げる時までに差押え、仮差押えの執行又は配当要求をした債権者とする。

① 第三債務者が第156条第1項から第3項までの規定による供託をした時

② 取立訴訟の訴状が第三債務者に送達された時

③ 売却命令により執行官が売得金の交付を受けた時

④ 動産引渡請求権の差押えの場合にあつては、執行官がその動産の引渡しを受けた時

第166条　（配当等の実施）

Ⅰ　執行裁判所は、第161条第7項において準用する第109条に規定する場合のほか、次に掲げる場合には、配当等を実施しなければならない。

① 第156条第1項から第3項まで又は第157条第5項の規定による供託がされた場合

② 売却命令による売却がされた場合

③ 第163条第2項の規定により売得金が提出された場合

Ⅱ　第84条、第85条及び第88条から第92条までの規定は、前項の規定により執行裁判所が実施する配当等の手続について準用する。

Ⅲ　差し押さえられた債権が第152条第1項各号に掲げる債権又は同条第2項に規定する債権である場合（差押債権者（数人あるときは、そのうち少なくとも1人以上）の債権に第151条の2第1項各号に掲げる義務に係る金銭債権が含まれているときを除く。）には、債務者に対して差押命令が送達された日から4週間を経過するまでは、配当等を実施してはならない。

第167条　（その他の財産権に対する強制執行）

Ⅰ　不動産、船舶、動産及び債権以外の財産権（以下この条において「その他の財産権」という。）に対する強制執行については、特別の定めがあるもののほか、債権執行の例による。

Ⅱ　その他の財産権で権利の移転について登記等を要するものは、強制執行の管轄については、その登記等の地にあるものとする。

Ⅲ　その他の財産権で第三債務者又はこれに準ずる者がないものに対する差押えの効力は、差押命令が債務者に送達された時に生ずる。

Ⅳ　その他の財産権で権利の移転について登記等を要するものについて差押えの登記等が差押命令の送達前にされた場合には、差押えの効力は、差押えの登記等がされた時に生ずる。ただし、その他の財産権で権利の処分の制限について登記等をしなければその効力が生じないものに対する差押えの効力は、差押えの登記等が差押命令の送達後にされた場合においても、差押えの登記等がされた時に生ずる。

Ⅴ　第48条、第54条及び第82条の規定は、権利の移転について登記等を要するその他の財産権の強制執行に関する登記等について準用する。

《注　釈》

◆　その他の財産権に対する強制執行

賃借権等の不動産の利用権、著作権等の無体財産権などは無形の財産権という点で債権と共通性を有し、強制執行については債権執行の例による（民執167Ⅰ）。

第2目　少額訴訟債権執行

第167条の2　（少額訴訟債権執行の開始等）

Ⅰ　次に掲げる少額訴訟に係る債務名義による金銭債権に対する強制執行は、前目の定めるところにより裁判所が行うほか、第2条の規定にかかわらず、申立てにより、この目の定めるところにより裁判所書記官が行う。

① 少額訴訟における確定判決

② 仮執行の宣言を付した少額訴訟の判決

③ 少額訴訟における訴訟費用又は和解の費用の負担の額を定める裁判所書記官の処分

④ 少額訴訟における和解又は認諾の調書

⑤ 少額訴訟における民事訴訟法第275条の2第1項の規定による和解に代わる決定

Ⅱ　前項の規定により裁判所書記官が行う同項の強制執行（以下この目において「少額訴訟債権執行」という。）は、裁判所書記官の差押処分により開始する。

Ⅲ　少額訴訟債権執行の申立ては、次の各号に掲げる債務名義の区分に応じ、それぞれ当該各号に定める簡易裁判所の裁判所書記官に対してする。

① 第1項第1号に掲げる債務名義　同号の判決をした簡易裁判所

② 第1項第2号に掲げる債務名義　同号の判決をした簡易裁判所

③ 第1項第3号に掲げる債務名義　同号の処分をした裁判所書記官の所属する簡易裁判所

④ 第1項第4号に掲げる債務名義　同号の和解が成立し、又は同号の認諾がされた簡易裁判所

⑤ 第1項第5号に掲げる債務名義　同号の和解に代わる決定をした簡易裁判所

Ⅳ　第144条第3項及び第4項の規定は、差押えに係る金銭債権（差押処分により差し押さえられた金銭債権に限る。以下この目において同じ。）について更に差押処分がされた場合について準用する。この場合において、同条第3項中「差押命

令を発した執行裁判所」とあるのは「差押処分をした裁判所書記官の所属する簡易裁判所」と、「執行裁判所は」とあるのは「裁判所書記官」と、「他の執行裁判所」とあるのは「他の簡易裁判所の裁判所書記官」と、同条第4項中「決定」とあるのは「裁判所書記官の処分」と読み替えるものとする。

第167条の3　（執行裁判所）

　少額訴訟債権執行の手続において裁判所書記官が行う執行処分に関しては、その裁判所書記官の所属する簡易裁判所をもつて執行裁判所とする。

第167条の4　（裁判所書記官の執行処分の効力等）

Ⅰ　少額訴訟債権執行の手続において裁判所書記官が行う執行処分は、特別の定めがある場合を除き、相当と認める方法で告知することによつて、その効力を生ずる。

Ⅱ　前項に規定する裁判所書記官が行う執行処分に対しては、執行裁判所に執行異議を申し立てることができる。

Ⅲ　第10条第6項前段及び第9項の規定は、前項の規定による執行異議の申立てがあつた場合について準用する。

第167条の5　（差押処分）

Ⅰ　裁判所書記官は、差押処分において、債務者に対し金銭債権の取立てその他の処分を禁止し、かつ、第三債務者に対し債務者への弁済を禁止しなければならない。

Ⅱ　第145条第2項、第3項、第5項、第7項及び第8項の規定は差押処分について、同条第4項の規定は差押処分を送達する場合について、それぞれ準用する。この場合において、同項中「第153条第1項又は第2項」とあるのは「第167条の8第1項又は第2項」と、同条第7項及び第8項中「執行裁判所」とあるのは「裁判所書記官」と読み替えるものとする。

Ⅲ　差押処分の申立てについての裁判所書記官の処分に対する執行異議の申立ては、その告知を受けた日から1週間の不変期間内にしなければならない。

Ⅳ　前項の執行異議の申立てについての裁判に対しては、執行抗告をすることができる。

Ⅴ　民事訴訟法第74条第1項の規定は、差押処分の申立てについての裁判所書記官の処分について準用する。この場合においては、前2項及び同条第3項の規定を準用する。

Ⅵ　第2項において読み替えて準用する第145条第8項の規定による裁判所書記官の処分に対する執行異議の申立ては、その告知を受けた日から1週間の不変期間内にしなければならない。

Ⅶ　前項の執行異議の申立てを却下する裁判に対しては、執行抗告をすることができる。

Ⅷ　第2項において読み替えて準用する第145条第8項の規定による裁判所書記官の処分は、確定しなければその効力を生じない。

第167条の6　（費用の予納等）

Ⅰ　少額訴訟債権執行についての第14条第1項及び第4項の規定の適用については、これらの規定中「執行裁判所」とあるのは、「裁判所書記官」とする。

Ⅱ　第14条第2項及び第3項の規定は、前項の規定により読み替えて適用する同条第1項の規定による裁判所書記官の処分については、適用しない。

Ⅲ　第1項の規定により読み替えて適用する第14条第4項の規定による裁判所書記官の処分に対する執行異議の申立ては、その告知を受けた日から1週間の不変期間内にしなければならない。

Ⅳ　前項の執行異議の申立てを却下する裁判に対しては、執行抗告をすることができる。

Ⅴ　第1項の規定により読み替えて適用する第14条第4項の規定により少額訴訟債権執行の手続を取り消す旨の裁判所書記官の処分は、確定しなければその効力を生じない。

第167条の7　（第三者異議の訴えの管轄裁判所）

少額訴訟債権執行の不許を求める第三者異議の訴えは、第38条第3項の規定にかかわらず、執行裁判所の所在地を管轄する地方裁判所が管轄する。

第167条の8　（差押禁止債権の範囲の変更）

Ⅰ　執行裁判所は、申立てにより、債務者及び債権者の生活の状況その他の事情を考慮して、差押処分の全部若しくは一部を取り消し、又は第167条の14第1項において準用する第152条の規定により差し押さえてはならない金銭債権の部分について差押処分をすべき旨を命ずることができる。

Ⅱ　事情の変更があつたときは、執行裁判所は、申立てにより、前項の規定により差押処分が取り消された金銭債権について差押処分をすべき旨を命じ、又は同項の規定によりされた差押処分の全部若しくは一部を取り消すことができる。

Ⅲ　第153条第3項から第5項までの規定は、前2項の申立てがあつた場合について準用する。この場合において、同条第4項中「差押命令」とあるのは、「差押処分」と読み替えるものとする。

第167条の9　（配当要求）

Ⅰ　執行力のある債務名義の正本を有する債権者及び文書により先取特権を有することを証明した債権者は、裁判所書記官に対し、配当要求をすることができる。

Ⅱ　第154条第2項の規定は、前項の配当要求があつた場合について準用する。

Ⅲ　第1項の配当要求を却下する旨の裁判所書記官の処分に対する執行異議の申立ては、その告知を受けた日から1週間の不変期間内にしなければならない。

Ⅳ　前項の執行異議の申立てを却下する裁判に対しては、執行抗告をすることができる。

第167条の10　（転付命令等のための移行）

Ⅰ　差押えに係る金銭債権について転付命令、譲渡命令等又は供託命令（以下この条

において「転付命令等」という。）のいずれかの命令を求めようとするときは、差押債権者は、執行裁判所に対し、転付命令等のうちいずれの命令を求めるかを明らかにして、債権執行の手続に事件を移行させることを求める旨の申立てをしなければならない。

Ⅱ　前項に規定する命令の種別を明らかにしてされた同項の申立てがあつたときは、執行裁判所は、その所在地を管轄する地方裁判所における債権執行の手続に事件を移行させなければならない。

Ⅲ　前項の規定による決定が効力を生ずる前に、既にされた執行処分について執行異議の申立て又は執行抗告があつたときは、当該決定は、当該執行異議の申立て又は執行抗告についての裁判が確定するまでは、その効力を生じない。

Ⅳ　第2項の規定による決定に対しては、不服を申し立てることができない。

Ⅴ　第1項の申立てを却下する決定に対しては、執行抗告をすることができる。

Ⅵ　第2項の規定による決定が効力を生じたときは、差押処分の申立て又は第1項の申立てがあつた時に第2項に規定する地方裁判所にそれぞれ差押命令の申立て又は転付命令等の申立てがあつたものとみなし、既にされた執行処分その他の行為は債権執行の手続においてされた執行処分その他の行為とみなす。

第167条の11　（配当等のための移行等）

Ⅰ　<u>第167条の14第1項</u>において準用する第156条第1項若しくは第2項又は第157条第5項の規定により供託がされた場合において、債権者が2人以上であつて供託金で各債権者の債権及び執行費用の全部を弁済することができないため配当を実施すべきときは、執行裁判所は、その所在地を管轄する地方裁判所における債権執行の手続に事件を移行させなければならない。

Ⅱ　前項に規定する場合において、差押えに係る金銭債権について更に差押命令又は差押処分が発せられたときは、執行裁判所は、同項に規定する地方裁判所における債権執行の手続のほか、当該差押命令を発した執行裁判所又は当該差押処分をした裁判所書記官の所属する簡易裁判所の所在地を管轄する地方裁判所における債権執行の手続にも事件を移行させることができる。

Ⅲ　第1項に規定する供託がされた場合において、債権者が1人であるとき、又は債権者が2人以上であつて供託金で各債権者の債権及び執行費用の全部を弁済することができるときは、裁判所書記官は、供託金の交付計算書を作成して、債権者に弁済金を交付し、剰余金を債務者に交付する。

Ⅳ　前項に規定する場合において、差押えに係る金銭債権について更に差押命令が発せられたときは、執行裁判所は、同項の規定にかかわらず、その所在地を管轄する地方裁判所又は当該差押命令を発した執行裁判所における債権執行の手続に事件を移行させることができる。

Ⅴ　差押えに係る金銭債権について更に差押命令が発せられた場合において、当該差押命令を発した執行裁判所が<u>第161条第7項</u>において準用する第109条の規定又は第166条第1項第2号の規定により配当等を実施するときは、執行裁判所は、

当該差押命令を発した執行裁判所における債権執行の手続に事件を移行させなければならない。

Ⅵ　第1項、第2項、第4項又は前項の規定による決定に対しては、不服を申し立てることができない。

Ⅶ　第84条第3項及び第4項、第88条、第91条（第1項第6号及び第7号を除く。）、<u>第92条第1項並びに第166条第3項</u>の規定は第3項の規定により裁判所書記官が実施する弁済金の交付の手続について、前条第3項の規定は第1項、第2項、第4項又は第5項の規定による決定について、同条第6項の規定は第1項、第2項、第4項又は第5項の規定による決定が効力を生じた場合について、<u>それぞれ準用する。この場合において、第166条第3項中「差押命令」とあるのは、「差押処分」</u>と読み替えるものとする。

第167条の12　（裁量移行）

Ⅰ　執行裁判所は、差し押さえるべき金銭債権の内容その他の事情を考慮して相当と認めるときは、その所在地を管轄する地方裁判所における債権執行の手続に事件を移行させることができる。

Ⅱ　前項の規定による決定に対しては、不服を申し立てることができない。

Ⅲ　第167条の10第3項の規定は第1項の規定による決定について、同条第6項の規定は第1項の規定による決定が効力を生じた場合について準用する。この場合において、同条第6項中「差押処分の申立て又は第1項の申立て」とあるのは「差押処分の申立て」と、「それぞれ差押命令の申立て又は転付命令等の申立て」とあるのは「差押命令の申立て」と読み替えるものとする。

第167条の13　（総則規定の適用関係）

少額訴訟債権執行についての第1章及び第2章第1節の規定の適用については、第13条第1項中「執行裁判所でする手続」とあるのは「第167条の2第2項に規定する少額訴訟債権執行の手続」と、第16条第1項中「執行裁判所」とあるのは「裁判所書記官」と、第17条中「執行裁判所の行う民事執行」とあるのは「第167条の2第2項に規定する少額訴訟債権執行」と、第40条第1項中「執行裁判所又は執行官」とあるのは「裁判所書記官」と、第42条第4項中「執行裁判所の裁判所書記官」とあるのは「裁判所書記官」とする。

第167条の14　（債権執行の規定の準用）

Ⅰ　第146条から第152条まで、第155条から<u>第156条（第3項を除く。）、第157条、第158条</u>、第164条第5項及び第6項並びに第165条（第3号及び第4号を除く。）の規定は、少額訴訟債権執行について準用する。この場合において、第146条、<u>第155条第4項から第6項まで及び第8項並びに第156条第4項</u>中「執行裁判所」とあるのは「裁判所書記官」と、第146条第1項中「差押命令を発する」とあるのは「差押処分をする」と、第147条第1項、第148条第2項、第150条、<u>第155条第1項、第6項及び第7項並びに第156条第1項</u>中「差押命

令」とあるのは「差押処分」と、第147条第1項及び第148条第1項中「差押え
に係る債権」とあるのは「差押えに係る金銭債権」と、第149条中「差押命令が
発せられたとき」とあるのは「差押処分がされたとき」と、<u>第155条第7項中
「決定」とあるのは「裁判所書記官の処分」</u>と、第164条第5項中「差押命令の取
消決定」とあるのは「差押処分の取消決定若しくは差押処分を取り消す旨の裁判所
書記官の処分」と、第165条（見出しを含む。）中「配当等」とあるのは「弁済金
の交付」と読み替えるものとする。

Ⅱ　<u>第167条の5第6項から第8項までの規定は、前項において読み替えて準用す
る第155条第6項の規定による裁判所書記官の処分がされた場合について準用す
る。</u>

第5款　扶養義務等に係る金銭債権についての強制執行の特例

第167条の15　（扶養義務等に係る金銭債権についての間接強制）

Ⅰ　第151条の2第1項各号に掲げる義務に係る金銭債権についての強制執行は、
前各款の規定により行うほか、債権者の申立てがあるときは、執行裁判所が第
172条第1項に規定する方法により行う◆。ただし、債務者が、支払能力を欠く
ためにその金銭債権に係る債務を弁済することができないとき、又はその債務を弁
済することによつてその生活が著しく窮迫するときは、この限りでない。

Ⅱ　前項の規定により同項に規定する金銭債権について第172条第1項に規定する
方法により強制執行を行う場合において、債務者が債権者に支払うべき金銭の額を
定めるに当たつては、執行裁判所は、債務不履行により債権者が受けるべき不利益
並びに債務者の資力及び従前の債務の履行の態様を特に考慮しなければならない。

Ⅲ　事情の変更があつたときは、執行裁判所は、債務者の申立てにより、その申立て
があつた時（その申立てがあつた後に事情の変更があつたときは、その事情の変更
があつた時）までさかのぼつて、第1項の規定による決定を取り消すことができる。

Ⅳ　前項の申立てがあつたときは、執行裁判所は、その裁判が効力を生ずるまでの
間、担保を立てさせ、又は立てさせないで、第1項の規定による決定の執行の停
止を命ずることができる。

Ⅴ　前項の規定による決定に対しては、不服を申し立てることができない。

Ⅵ　第172条第2項から第5項までの規定は第1項の場合について、同条第3項及
び第5項の規定は第3項の場合について、第173条第2項の規定は第1項の執行
裁判所について準用する。

第167条の16　（扶養義務等に係る定期金債権を請求する場合の特例）

債権者が第151条の2第1項各号に掲げる義務に係る確定期限の定めのある定期
金債権を有する場合において、その一部に不履行があるときは、第30条第1項の規
定にかかわらず、当該定期金債権のうち6月以内に確定期限が到来するものについ
ても、前条第1項に規定する方法による強制執行を開始することができる。

■第3節　金銭の支払を目的としない請求権についての強制執行

第168条　（不動産の引渡し等の強制執行）

Ⅰ　不動産等（不動産又は人の居住する船舶等をいう。以下この条及び次条において同じ。）の引渡し又は明渡しの強制執行は、執行官が債務者の不動産等に対する占有を解いて債権者にその占有を取得させる方法により行う。

Ⅱ　執行官は、前項の強制執行をするため同項の不動産等の占有者を特定する必要があるときは、当該不動産等に在る者に対し、当該不動産等又はこれに近接する場所において、質問をし、又は文書の提示を求めることができる。

Ⅲ　第1項の強制執行は、債権者又はその代理人が執行の場所に出頭したときに限り、することができる。

Ⅳ　執行官は、第1項の強制執行をするに際し、債務者の占有する不動産等に立ち入り、必要があるときは、閉鎖した戸を開くため必要な処分をすることができる。

Ⅴ　執行官は、第1項の強制執行においては、その目的物でない動産を取り除いて、債務者、その代理人又は同居の親族若しくは使用人その他の従業者で相当のわきまえのあるものに引き渡さなければならない。この場合において、その動産をこれらの者に引き渡すことができないときは、執行官は、最高裁判所規則で定めるところにより、これを売却することができる。

Ⅵ　執行官は、前項の動産のうちに同項の規定による引渡し又は売却をしなかつたものがあるときは、これを保管しなければならない。この場合においては、前項後段の規定を準用する。

Ⅶ　前項の規定による保管の費用は、執行費用とする。

Ⅷ　第5項（第6項後段において準用する場合を含む。）の規定により動産を売却したときは、執行官は、その売得金から売却及び保管に要した費用を控除し、その残余を供託しなければならない。

Ⅸ　第57条第5項の規定は、第1項の強制執行について準用する。

《注　釈》

◆　不動産等の引渡し・明渡しの強制執行

　　不動産又は人の居住する船舶・工作物等の引渡し・明渡しの強制執行は、これらの物の現実的支配を債権者等に得させることを目的とする。その方法は、債権者の申立てに従い、直接強制又は間接強制による（民執168Ⅰ、173）。直接強制は、執行官が債務者の目的物に対する占有を排除して債権者にその占有を取得させる方法により行う（同168Ⅰ。債権者又は代理人が引渡し等を受けるため執行の場所に出頭しなければ実施できない（同168Ⅲ））。

民事執行法

第168条の2　（明渡しの催告）

Ⅰ　執行官は、不動産等の引渡し又は明渡しの強制執行の申立てがあつた場合において、当該強制執行を開始することができるときは、次項に規定する引渡し期限を定めて、明渡しの催告（不動産等の引渡し又は明渡しの催告をいう。以下この条において同じ。）をすることができる。ただし、債務者が当該不動産等を占有していないときは、この限りでない。

Ⅱ　引渡し期限（明渡しの催告に基づき第6項の規定による強制執行をすることができる期限をいう。以下この条において同じ。）は、明渡しの催告があつた日から1月を経過する日とする。ただし、執行官は、執行裁判所の許可を得て、当該日以後の日を引渡し期限とすることができる。

Ⅲ　執行官は、明渡しの催告をしたときは、その旨、引渡し期限及び第5項の規定により債務者が不動産等の占有を移転することを禁止されている旨を、当該不動産等の所在する場所に公示書その他の標識を掲示する方法により、公示しなければならない。

Ⅳ　執行官は、引渡し期限が経過するまでの間においては、執行裁判所の許可を得て、引渡し期限を延長することができる。この場合においては、執行官は、引渡し期限の変更があつた旨及び変更後の引渡し期限を、当該不動産等の所在する場所に公示書その他の標識を掲示する方法により、公示しなければならない。

Ⅴ　明渡しの催告があつたときは、債務者は、不動産等の占有を移転してはならない。ただし、債権者に対して不動産等の引渡し又は明渡しをする場合は、この限りでない。

Ⅵ　明渡しの催告後に不動産等の占有の移転があつたときは、引渡し期限が経過するまでの間においては、占有者（第1項の不動産等を占有する者であつて債務者以外のものをいう。以下この条において同じ。）に対して、第1項の申立てに基づく強制執行をすることができる。この場合において、第42条及び前条の規定の適用については、当該占有者を債務者とみなす。

Ⅶ　明渡しの催告後に不動産等の占有の移転があつたときは、占有者は、明渡しの催告があつたことを知らず、かつ、債務者の占有の承継人でないことを理由として、債権者に対し、強制執行の不許を求める訴えを提起することができる。この場合においては、第36条、第37条及び第38条第3項の規定を準用する。

Ⅷ　明渡しの催告後に不動産等を占有した占有者は、明渡しの催告があつたことを知つて占有したものと推定する。

Ⅸ　第6項の規定により占有者に対して強制執行がされたときは、当該占有者は、執行異議の申立てにおいて、債権者に対抗することができる権原により目的物を占有していること、又は明渡しの催告があつたことを知らず、かつ、債務者の占有の承継人でないことを理由とすることができる。

Ⅹ　明渡しの催告に要した費用は、執行費用とする。

《注　釈》

◆　明渡しの催告の制度

　　不動産等の引渡し・明渡しの強制執行は、債権者への現実的支配の移転を目的とするので、当然、目的不動産等を占有している債務者も排除される（ただし、債務者以外の者が占有しているときはこの執行はできない）。債務者のみならずその家族・雇い人など債務者に付随して居住している者も強制的に退去させられる（ただし、賃借人など権原による独立の占有者に対しては別途債務名義が必要。東京高判昭32.9.11）。また、執行に際して、執行官は、債務者の占有する不動産等に立ち入り、必要があれば閉鎖した戸を開くため必要な処分をすることができる他（民執168Ⅳ）、執行に際し抵抗を受けるときは威力を用い又は警察上の援助を求めることができる（民執6）。

　　このように不動産等の引渡し・明渡しの強制執行は債務者にとって過酷な処分となるので、債務者の事情にも配慮する必要がある。そこで、従来の実務慣行を立法化する形で、明渡しの催告の制度が設けられた（民執168の2）。これにより執行官は、不動産の引渡し・明渡しの強制執行の申立てがあった場合、債務者が占有していることがわかれば、引渡期限を定めて明渡しの催告をすることができる。突然の退去強制という債務者の負担を軽くしつつ執行妨害を防ぐための手続上の手当てである。

第169条　（動産の引渡しの強制執行）

Ⅰ　第168条第1項に規定する動産以外の動産（有価証券を含む。）の引渡しの強制執行は、執行官が債務者からこれを取り上げて債権者に引き渡す方法により行う。

Ⅱ　第122条第2項、第123条第2項及び第168条第5項から第8項までの規定は、前項の強制執行について準用する。

《注　釈》

◆　動産の引渡しの強制執行

　　動産（有価証券を含む）の引渡しの強制執行は、執行官が債務者から目的動産等を取り上げて債権者に引き渡す方法で行う（民執169Ⅰ）。不動産等の引渡執行と異なり、債権者又はその代理人の出頭を要しない。間接強制も認められる（民執173）。

第170条　（目的物を第三者が占有する場合の引渡しの強制執行）

Ⅰ　第三者が強制執行の目的物を占有している場合においてその物を債務者に引き渡すべき義務を負つているときは、物の引渡しの強制執行は、執行裁判所が、債務者の第三者に対する引渡請求権を差し押さえ、請求権の行使を債権者に許す旨の命令を発する方法により行う。

Ⅱ　第144条、第145条（第4項を除く。）、第147条、第148条、第155条第1項及び第3項並びに第158条の規定は、前項の強制執行について準用する。

第171条　（代替執行）

Ⅰ　次の各号に掲げる強制執行は、執行裁判所がそれぞれ当該各号に定める旨を命ずる方法により行う。

① 作為を目的とする債務についての強制執行　債務者の費用で第三者に当該作為をさせること。

② 不作為を目的とする債務についての強制執行　債務者の費用で、債務者がした行為の結果を除去し、又は将来のため適当な処分をすべきこと。

Ⅱ　前項の執行裁判所は、第33条第2項第1号又は第6号に掲げる債務名義の区分に応じ、それぞれ当該各号に定める裁判所とする。

Ⅲ　執行裁判所は、第1項の規定による決定をする場合には、債務者を審尋しなければならない。

Ⅳ　執行裁判所は、第1項の規定による決定をする場合には、申立てにより、債務者に対し、その決定に掲げる行為をするために必要な費用をあらかじめ債権者に支払うべき旨を命ずることができる。

Ⅴ　第1項の強制執行の申立て又は前項の申立てについての裁判に対しては、執行抗告をすることができる。

Ⅵ　第6条第2項の規定は、第1項の規定による決定を執行する場合について準用する。

第172条　（間接強制）

Ⅰ　作為又は不作為を目的とする債務で前条第1項の強制執行ができないものについての強制執行は、執行裁判所が、債務者に対し、遅延の期間に応じ、又は相当と認める一定の期間内に履行しないときは直ちに、債務の履行を確保するために相当と認める一定の額の金銭を債権者に支払うべき旨を命ずる方法により行う〈語〉。

Ⅱ　事情の変更があつたときは、執行裁判所は、申立てにより、前項の規定による決定を変更することができる。

Ⅲ　執行裁判所は、前2項の規定による決定をする場合には、申立ての相手方を審尋しなければならない。

Ⅳ　第1項の規定により命じられた金銭の支払があつた場合において、債務不履行により生じた損害の額が支払額を超えるときは、債権者は、その超える額について損害賠償の請求をすることを妨げられない。

Ⅴ　第1項の強制執行の申立て又は第2項の申立てについての裁判に対しては、執行抗告をすることができる。

Ⅵ　前条第2項の規定は、第1項の執行裁判所について準用する。

第173条

Ⅰ　第168条第1項、第169条第1項、第170条第1項及び第171条第1項に規定する強制執行は、それぞれ第168条から第171条までの規定により行うほか、債権者の申立てがあるときは、執行裁判所が前条第1項に規定する方法によ

民事執行法

り行う。この場合においては、同条第2項から第5項までの規定を準用する。

Ⅱ　前項の執行裁判所は、第33条第2項各号（第1号の2、第1号の3及び第4号を除く。）に掲げる債務名義の区分に応じ、それぞれ当該債務名義についての執行文付与の訴えの管轄裁判所とする。

《注　釈》

一　代替的作為義務の執行

　　代替的作為債権とは、債権の目的である給付が債務者以外の第三者によってなされても、債務者自身によってなされたのと同様な経済的・法律的効果が生じる性質を有する債権をいう（ex. 建物収去、目隠しの設置等機械的な労務を内容とする義務、謝罪広告を特定の新聞に掲載すべき義務）。代替的作為義務の強制執行の方法は、代替執行と間接強制であり、債権者が選択する（民414Ⅱ、民執171、173）。

　　代替執行は、執行裁判所に対する授権決定の申立てによる。執行裁判所は、債権者の申立てを認める場合は、債務者の費用をもってその作為を債務者以外の者に実施させることを債権者に授権する決定（授権決定）をする。債権者はこの授権決定に基づいて代替行為を実施し、実施費用は債務者に負担させる。実務上は、執行官を行為者に指定している授権決定が多く、債権者は執行官に執行行為の申立てをすることになる。

二　不代替的作為義務の執行

　　作為義務の目的が代替性を有せず、代替執行が許されないもの（ex. 手形行為として手形に署名する義務、財産管理をする者の計算報告義務、株式の名義書換をする株式会社の義務）については、性質の許す限り間接強制の方法により執行がなされる。

　　間接強制とは、債務の履行を確保するために相当と認められる一定の金銭を債務者に支払うべきことを命じ、債務者に心理的な強制を加えて請求の内容を実現させる方法をいう。具体的には、執行裁判所が債務者に対し債務の履行を確保するために相当と認める一定の金額を債権者に支払うべき旨の命令を発する方法により行う（民執172Ⅰ）。

三　不作為義務の執行

　　不作為義務には、債務者の積極的行為の禁止を内容とするものや、債権者や第三者による一定の行為の受忍を内容とするものがあり、また、一回的な不作為を内容とするもの、継続的な不作為を内容とするもの、反復的な不作為を内容とするもの、に区別することができる。不作為義務はその義務違反がない間は一応義務の履行がなされていることになるが、義務違反のおそれがある場合には不作為義務の執行として間接強制をなしうる（最決平17.12.9、東京高決平3.5.29）。不作為義務の違反が現に行われている場合は、強制執行が許されるが、執行方法は不

作為請求権の内容や違反行為の具体的状況により様々である。

　たとえば、義務違反による物的状態（建築禁止義務に違反して建てられた建物等）が残存している場合は代替執行により、債務者の費用をもってこれを除去する。単純な禁止違反が継続している場合は間接強制によることもできる（民執172）。また、債権者は、執行裁判所に、将来のため適当な処分をなすことを命ずる旨の決定を申し立てることもできる（民執171Ⅰ、民414Ⅲ）。

第174条　（子の引渡しの強制執行）

Ⅰ　子の引渡しの強制執行は、次の各号に掲げる方法のいずれかにより行う。
① 　執行裁判所が決定により執行官に子の引渡しを実施させる方法
② 　第172条第1項に規定する方法
Ⅱ　前項第1号に掲げる方法による強制執行の申立ては、次の各号のいずれかに該当するときでなければすることができない。
① 　第172条第1項の規定による決定が確定した日から2週間を経過したとき（当該決定において定められた債務を履行すべき一定の期間の経過がこれより後である場合にあつては、その期間を経過したとき）。
② 　前項第2号に掲げる方法による強制執行を実施しても、債務者が子の監護を解く見込みがあるとは認められないとき。
③ 　子の急迫の危険を防止するため直ちに強制執行をする必要があるとき。
Ⅲ　執行裁判所は、第1項第1号の規定による決定をする場合には、債務者を審尋しなければならない。ただし、子に急迫した危険があるときその他の審尋をすることにより強制執行の目的を達することができない事情があるときは、この限りでない。
Ⅳ　執行裁判所は、第1項第1号の規定による決定において、執行官に対し、債務者による子の監護を解くために必要な行為をすべきことを命じなければならない。
Ⅴ　第171条第2項の規定は第1項第1号の執行裁判所について、同条第4項の規定は同号の規定による決定をする場合について、それぞれ準用する。
Ⅵ　第2項の強制執行の申立て又は前項において準用する第171条第4項の申立てについての裁判に対しては、執行抗告をすることができる。

第175条　（執行官の権限等）

Ⅰ　執行官は、債務者による子の監護を解くために必要な行為として、債務者に対し説得を行うほか、債務者の住居その他債務者の占有する場所において、次に掲げる行為をすることができる。
① 　その場所に立ち入り、子を捜索すること。この場合において、必要があるときは、閉鎖した戸を開くため必要な処分をすること。
② 　債権者若しくはその代理人と子を面会させ、又は債権者若しくはその代理人と債務者を面会させること。
③ 　その場所に債権者又はその代理人を立ち入らせること。
Ⅱ　執行官は、子の心身に及ぼす影響、当該場所及びその周囲の状況その他の事情を

考慮して相当と認めるときは、前項に規定する場所以外の場所においても、債務者による子の監護を解くために必要な行為として、当該場所の占有者の同意を得て又は次項の規定による許可を受けて、前項各号に掲げる行為をすることができる。

Ⅲ　執行裁判所は、子の住居が第1項に規定する場所以外の場所である場合において、債務者と当該場所の占有者との関係、当該占有者の私生活又は業務に与える影響その他の事情を考慮して相当と認めるときは、債権者の申立てにより、当該占有者の同意に代わる許可をすることができる。

Ⅳ　執行官は、前項の規定による許可を受けて第1項各号に掲げる行為をするときは、職務の執行に当たり、当該許可を受けたことを証する文書を提示しなければならない。

Ⅴ　第1項又は第2項の規定による債務者による子の監護を解くために必要な行為は、債権者が第1項又は第2項に規定する場所に出頭した場合に限り、することができる。

Ⅵ　執行裁判所は、債権者が第1項又は第2項に規定する場所に出頭することができない場合であつても、その代理人が債権者に代わつて当該場所に出頭することが、当該代理人と子との関係、当該代理人の知識及び経験その他の事情に照らして子の利益の保護のために相当と認めるときは、前項の規定にかかわらず、債権者の申立てにより、当該代理人が当該場所に出頭した場合においても、第1項又は第2項の規定による債務者による子の監護を解くために必要な行為をすることができる旨の決定をすることができる。

Ⅶ　執行裁判所は、いつでも前項の決定を取り消すことができる。

Ⅷ　執行官は、第6条第1項の規定にかかわらず、子に対して威力を用いることはできない。子以外の者に対して威力を用いることが子の心身に有害な影響を及ぼすおそれがある場合においては、当該子以外の者についても、同様とする。

Ⅸ　執行官は、第1項又は第2項の規定による債務者による子の監護を解くために必要な行為をするに際し、債権者又はその代理人に対し、必要な指示をすることができる。

第176条　（執行裁判所及び執行官の責務）

執行裁判所及び執行官は、第174条第1項第1号に掲げる方法による子の引渡しの強制執行の手続において子の引渡しを実現するに当たつては、子の年齢及び発達の程度その他の事情を踏まえ、できる限り、当該強制執行が子の心身に有害な影響を及ぼさないように配慮しなければならない。

第177条　（意思表示の擬制）〈囫〉

Ⅰ　意思表示をすべきことを債務者に命ずる判決その他の裁判が確定し、又は和解、認諾、調停若しくは労働審判に係る債務名義が成立したときは、債務者は、その確定又は成立の時に意思表示をしたものとみなす。ただし、債務者の意思表示が、債権者の証明すべき事実の到来に係るときは第27条第1項の規定により執行文が付

与された時に、反対給付との引換え又は債務の履行その他の債務者の証明すべき事実のないことに係るときは次項又は第3項の規定により執行文が付与された時に意思表示をしたものとみなす。

Ⅱ　債務者の意思表示が反対給付との引換えに係る場合においては、執行文は、債権者が反対給付又はその提供のあつたことを証する文書を提出したときに限り、付与することができる。

Ⅲ　債務者の意思表示が債務者の証明すべき事実のないことに係る場合において、執行文の付与の申立てがあつたときは、裁判所書記官は、債務者に対し一定の期間を定めてその事実を証明する文書を提出すべき旨を催告し、債務者がその期間内にその文書を提出しないときに限り、執行文を付与することができる。

第178条～179条　削除

《注　釈》

◆　意思表示義務の強制執行（民執177）

　債務者が意思表示をなすべき債務（ex.移転登記義務、債権譲渡の通知）は、実際にこのような行為が必要なのではなく、このような行為をしたのと同一の法的効果が生じれば足りることから、意思表示をすべきことを債務者に命じる判決が確定した場合等に、債務者が意思表示をしたとみなされる。たとえば、XがYに対し、Xへの所有権移転登記手続を求めて訴え提起して勝訴した場合、判決が確定したときに債務者が意思表示をしたものとみなされる。よって、その判決書正本を登記原因証明情報として登記所に提出すれば、共同申請（不登60）によることなく、債権者単独の申請により移転登記手続をすることができる（不登63Ⅰ）。

　確定証明書は、判決をした裁判所の裁判所書記官に申し立てることによって受領できる（規48Ⅰ）。

・第3章・【担保権の実行としての競売等】

《概　説》

　民事執行法上、担保権の実行としての競売（担保執行）は、抵当権、質権、先取特権などの担保権の有する優先弁済権に内在する換価権に基づき、担保権の目的財産を競売その他の方法によって強制的に換価し又は収益を回収し、被担保債権の満足を担保権者に与える手続である。換価権を根拠とすることから、実行に当たり新たな公権力による権限付与を必要としないため、債務名義は不要である。しかし、この点を除けばほとんど金銭債権の強制執行の手続に準ずることになる。

＜強制執行と担保執行の相違点＞

	強制執行	担保執行
権利実行の根拠	債務名義の執行力	実体的換価権
競売手続の開始要件	執行文を付した債務名義の提出	債務名義不要（不動産競売では法定文書（ex. 抵当権登記のされている登記簿謄本等）提出／動産競売では担保目的動産・占有者の差押承諾書・執行裁判所の許可決定書の提出）
実体に対する不服申立方法	訴訟手続（請求異議訴訟・執行文付与異議訴訟など）	執行異議・執行抗告による主張が可能

第180条 （不動産担保権の実行の方法）

　不動産（登記することができない土地の定着物を除き、第43条第2項の規定により不動産とみなされるものを含む。以下この章において同じ。）を目的とする担保権（以下この章において「不動産担保権」という。）の実行は、次に掲げる方法であつて債権者が選択したものにより行う。

① 担保不動産競売（競売による不動産担保権の実行をいう。以下この章において同じ。）の方法

② 担保不動産収益執行（不動産から生ずる収益を被担保債権の弁済に充てる方法による不動産担保権の実行をいう。以下この章において同じ。）の方法

第181条 （不動産担保権の実行の開始）

Ⅰ　不動産担保権の実行は、次に掲げる文書が提出されたときに限り、開始する。

① 担保権の存在を証する確定判決若しくは家事事件手続法第75条の審判又はこれらと同一の効力を有するものの謄本

② 担保権の存在を証する公証人が作成した公正証書の謄本

③ 担保権の登記（仮登記を除く。）に関する登記事項証明書

④ 一般の先取特権にあつては、その存在を証する文書

Ⅱ　抵当証券の所持人が不動産担保権の実行の申立てをするには、抵当証券を提出しなければならない。

Ⅲ　担保権について承継があつた後不動産担保権の実行の申立てをする場合には、相続その他の一般承継にあつてはその承継を証する文書を、その他の承継にあつてはその承継を証する裁判の謄本その他の公文書を提出しなければならない。

Ⅳ　不動産担保権の実行の開始決定がされたときは、裁判所書記官は、開始決定の送達に際し、不動産担保権の実行の申立てにおいて提出された前3項に規定する文書の目録及び第1項第4号に掲げる文書の写しを相手方に送付しなければならない。

《注　釈》

一　不動産に関する担保執行

不動産に関する担保権執行には、担保不動産競売と担保不動産収益執行がある。

二　担保不動産競売

担保不動産競売は、不動産を目的とする担保権の実行のうち、競売によって不動産担保権を実行する制度である（民執180）。

手続開始の要件としては、債務名義は要しないものの、担保権の存否についての実質的審理を省くために、担保権の存在を証する一定の法定文書の提出が要求されている（民執181Ⅰ）。

これに対し、債務者又は不動産所有者の救済制度として、これらの者が担保権の不存在又は消滅という実体法上の事由を執行異議により主張することが認められている（民執182、189等）。

債権者の申立て、差押え、強制換価、配当という流れは強制競売と同様であり、強制競売に関する規定が準用される（民執188）。なお、担保不動産の買受人が代金を納付した以上は、その不動産の取得の効力は担保権の不存在又は消滅により妨げられない（民執184）。

三　担保不動産収益執行

担保不動産収益執行は、不動産から生じる収益を被担保債権の弁済に充てる方法による不動産担保権の実行であり、平成15年法改正により創設された制度（民執180②）である。

開始要件、開始決定に対する不服申立て等については、担保不動産競売と同様である（民執181～183）。その他手続については強制管理に関する規定が大幅に準用されている（民執188）。

本制度と物上代位による賃料差押えは並存するので、担保権者はどちらの申立てをするか選択することができる。また、担保不動産競売と選択していずれか又は双方を申し立てることができる（民執180）。

第182条　（開始決定に対する執行抗告等）

不動産担保権の実行の開始決定に対する執行抗告又は執行異議の申立てにおいては、債務者又は不動産の所有者（不動産とみなされるものにあつては、その権利者。以下同じ。）は、担保権の不存在又は消滅を理由とすることができる。

《注　釈》

◆　執行異議による救済

被担保債権が既に弁済により消滅し、抵当権は附従性により消滅したものと思われる場合、債務者は競売開始決定に対して執行異議の申立てができる。執行異議は、本来、執行手続が適式でないことを異議事由とするものである（民執11Ⅰ）

が、不動産競売の競売開始決定に対する執行異議については、実体法上の事由である「担保権の不存在又は消滅」を異議事由とすることができる（民執182）。

これに対し、抵当権が偽造文書により設定されたものと思われる場合、債務者は担保不存在確認等の訴えによる他ない。執行異議においては簡易・迅速な審理が要求され、実体法上の異議の場合も、「弁済」のように書面によって容易に立証することができる場合に限って認められる。口頭弁論による本格的な証拠調べを必要とする場合には、担保権不存在確認等の訴えとなる。

ただし、債務者がその権利を行使するためには、債権者に対し損害賠償請求権の存在を認める確定判決又はこれと同一の効力を有する和解調書等を添付して還付請求の手続を行わなければならないため、債務者がこの権利を実行することは比較的少ない。

担保を立てる方法は、金銭を供託することが多い。その場合、担保を立てるべきことを命じた裁判所又は保全執行裁判所の所在地を管轄する地方裁判所の管轄区域内の供託所に対して供託する必要がある（民保4Ⅰ）。

第183条　（不動産担保権の実行の手続の停止）

Ⅰ　不動産担保権の実行の手続は、次に掲げる文書の提出があつたときは、停止しなければならない《略》。

①　担保権のないことを証する確定判決（確定判決と同一の効力を有するものを含む。次号において同じ。）の謄本

②　第181条第1項第1号に掲げる裁判若しくはこれと同一の効力を有するものを取り消し、若しくはその効力がないことを宣言し、又は同項第3号に掲げる登記を抹消すべき旨を命ずる確定判決の謄本

③　担保権の実行をしない旨、その実行の申立てを取り下げる旨又は債権者が担保権によつて担保される債権の弁済を受け、若しくはその債権の弁済の猶予をした旨を記載した裁判上の和解の調書その他の公文書の謄本

④　担保権の登記の抹消に関する登記事項証明書

⑤　不動産担保権の実行の手続の停止及び執行処分の取消しを命ずる旨を記載した裁判の謄本

⑥　不動産担保権の実行の手続の一時の停止を命ずる旨を記載した裁判の謄本

⑦　担保権の実行を一時禁止する裁判の謄本

Ⅱ　前項第1号から第5号までに掲げる文書が提出されたときは、執行裁判所は、既にした執行処分をも取り消さなければならない。

Ⅲ　第12条の規定は、前項の規定による決定については適用しない。

第184条　（代金の納付による不動産取得の効果）《略》

担保不動産競売における代金の納付による買受人の不動産の取得は、担保権の不存在又は消滅により妨げられない。

第185条〜第186条　削除

第187条　（担保不動産競売の開始決定前の保全処分等）

Ⅰ 執行裁判所は、担保不動産競売の開始決定前であつても、債務者又は不動産の所有者若しくは占有者が価格減少行為（第55条第1項に規定する価格減少行為をいう。以下この項において同じ。）をする場合において、特に必要があるときは、当該不動産につき担保不動産競売の申立てをしようとする者の申立てにより、買受人が代金を納付するまでの間、同条第1項各号に掲げる保全処分又は公示保全処分を命ずることができる[補]。ただし、当該価格減少行為による価格の減少又はそのおそれの程度が軽微であるときは、この限りでない。

Ⅱ 前項の場合において、第55条第1項第2号又は第3号に掲げる保全処分は、次に掲げる場合のいずれかに該当するときでなければ、命ずることができない。

① 前項の債務者又は同項の不動産の所有者が当該不動産を占有する場合

② 前項の不動産の占有者の占有の権原が同項の規定による申立てをした者に対抗することができない場合

Ⅲ 第1項の規定による申立てをするには、担保不動産競売の申立てをする場合において第181条第1項から第3項までの規定により提出すべき文書を提示しなければならない。

Ⅳ 執行裁判所は、申立人が第1項の保全処分を命ずる決定の告知を受けた日から3月以内に同項の担保不動産競売の申立てをしたことを証する文書を提出しないときは、被申立人又は同項の不動産の所有者の申立てにより、その決定を取り消さなければならない。

Ⅴ 第55条第3項から第5項までの規定は第1項の規定による決定について、同条第6項の規定は第1項又はこの項において準用する同条第5項の申立てについての裁判について、同条第7項の規定はこの項において準用する同条第5項の規定による決定について、同条第8項及び第9項並びに第55条の2の規定は第1項の規定による決定（第55条第1項第1号に掲げる保全処分又は公示保全処分を命ずるものを除く。）について、第55条第10項の規定は第1項の申立て又は同項の規定による決定（同条第1項第1号に掲げる保全処分又は公示保全処分を命ずるものを除く。）の執行に要した費用について、第83条の2の規定は第1項の規定による決定（第55条第1項第3号に掲げる保全処分及び公示保全処分を命ずるものに限る。）の執行がされた場合について準用する。この場合において、第55条第3項中「債務者以外の占有者」とあるのは、「債務者及び不動産の所有者以外の占有者」と読み替えるものとする。

第188条　（不動産執行の規定の準用）

第44条の規定は不動産担保権の実行について、前章第2節第1款第2目（第81条を除く。）の規定は担保不動産競売について、同款第3目の規定は担保不動産収益執行について準用する。

第189条　（船舶の競売）

　前章第2節第2款及び第181条から第184条までの規定は、船舶を目的とする担保権の実行としての競売について準用する。この場合において、第115条第3項中「執行力のある債務名義の正本」とあるのは「第189条において準用する第181条第1項から第3項までに規定する文書」と、第181条第1項第4号中「一般の先取特権」とあるのは「先取特権」と読み替えるものとする。

第190条　（動産競売の要件）

Ⅰ　動産を目的とする担保権の実行としての競売（以下「動産競売」という。）は、次に掲げる場合に限り、開始する。
①　債権者が執行官に対し当該動産を提出した場合
②　債権者が執行官に対し当該動産の占有者が差押えを承諾することを証する文書を提出した場合
③　債権者が執行官に対し次項の許可の決定書の謄本を提出し、かつ、第192条において準用する第123条第2項の規定による捜索に先立つて又はこれと同時に当該許可の決定が債務者に送達された場合
Ⅱ　執行裁判所は、担保権の存在を証する文書を提出した債権者の申立てがあつたときは、当該担保権についての動産競売の開始を許可することができる。ただし、当該動産が第123条第2項に規定する場所又は容器にない場合は、この限りでない。
Ⅲ　前項の許可の決定は、債務者に送達しなければならない。
Ⅳ　第2項の申立てについての裁判に対しては、執行抗告をすることができる。

《注　釈》

◆　動産の競売

　動産に対する担保権の実行としての競売は、①債権者が執行官に動産を提出したとき、又は、②動産の占有者が差押えを承諾することを証する文書を提出したときに開始することができる（民執190Ⅰ①②）。さらに、③債権者が担保権の存在を証する文書を提出して競売開始の申立てを行い、執行裁判所がその許可をした場合にも、動産競売を開始することができることとなった（民執190Ⅰ③）。その他、動産競売の手続については、動産執行に関する規定（民執122〜142）が多く準用されている（民執192）。

第191条　（動産の差押えに対する執行異議）

　動産競売に係る差押えに対する執行異議の申立てにおいては、債務者又は動産の所有者は、担保権の不存在若しくは消滅又は担保権によつて担保される債権の一部の消滅を理由とすることができる。

第192条　（動産執行の規定の準用）

　前章第2節第3款（第123条第2項、第128条、第131条及び第132条を除

く。）及び第183条の規定は動産競売について、第128条、第131条及び第132条の規定は一般の先取特権の実行としての動産競売について、第123条第2項の規定は第190条第1項第3号に掲げる場合における動産競売について準用する。

第193条　（債権及びその他の財産権についての担保権の実行の要件等）

Ⅰ　第143条に規定する債権及び第167条第1項に規定する財産権（以下この項において「その他の財産権」という。）を目的とする担保権の実行は、担保権の存在を証する文書（権利の移転について登記等を要するその他の財産権を目的とする担保権で一般の先取特権以外のものについては、第181条第1項第1号から第3号まで、第2項又は第3項に規定する文書）が提出されたときに限り、開始する。担保権を有する者が目的物の売却、賃貸、滅失若しくは損傷又は目的物に対する物権の設定若しくは土地収用法（昭和26年法律第219号）による収用その他の行政処分により債務者が受けるべき金銭その他の物に対して民法その他の法律の規定によつてするその権利の行使についても、同様とする。

Ⅱ　前章第2節第4款第1目（第146条第2項、第152条及び第153条を除く。）及び第182条から第184条までの規定は前項に規定する担保権の実行及び行使について、第146条第2項、第152条及び第153条の規定は前項に規定する一般の先取特権の実行及び行使について準用する。

《注　釈》

◆　債権その他の財産権に対する担保権の実行としての競売

　　債権その他の財産権に対する担保権の実行としての競売は、「担保権の存在を証する文書」が提出されたときに限り、開始される（民執193Ⅰ）。

　　その手続は債権執行（民執143以下）に関する規定を原則として準用する（民執193Ⅱ）。

　　ここで「債権」とは、民事執行法143条に規定する債権、「その他の財産権」とは、同法167条に規定する財産権をいう。これらを目的とする「担保権」には、債権質（民362）と一般先取特権（民306）がある。

第194条　（担保権の実行についての強制執行の総則規定の準用）

　　第38条、第41条及び第42条の規定は、担保権の実行としての競売、担保不動産収益執行並びに前条第1項に規定する担保権の実行及び行使について準用する。

第195条　（留置権による競売及び民法、商法その他の法律の規定による換価のための競売）

　　留置権による競売及び民法、商法その他の法律の規定による換価のための競売については、担保権の実行としての競売の例による。

民事執行法

《注　釈》
一　留置権による競売

留置権による競売は、留置権者を、債務の弁済があるまで留置物の留置を継続しなければならない負担から解放することを目的とするものである。この競売の手続については「担保権の実行としての競売の例による」（民執195）ことになる。しかし、留置権には優先弁済的効力がないため、担保権実行としての競売ではなく、留置物を換金するためだけの競売である。したがって、換価までの手続は不動産や動産に対する担保権の実行手続とほぼ同じだが、配当要求は認められない。

二　民法・商法その他の法律の規定による換価のための競売（狭義の形式的競売）

民法・商法等によっても換価のための競売の規定（狭義の形式的競売）が定められている。担保権の実行としての競売のように、目的物に強制処分を行うことにより、自己の債権の満足を図るものではなく、特定の財産を換価する必要がある場合に、その財産の権利者を保護するため、裁判所又は執行官による競売の手続によって換価を行うものをいう。主要なものとして、次のものがある。

① 共有物分割のための競売（民258Ⅱ）
② 換金して弁済供託するための競売（民497）
③ 商人間の売買の目的物保管のための競売（商524、527等）
④ 株式会社の特別清算に伴う清算株式会社の財産清算のための競売（会538）

この手続もまた担保権の実行としての競売の例による（民執195）。

・第4章・【債務者の財産状況の調査】

■第1節　財産開示手続
《概　説》
◆　財産開示制度

1　財産開示制度とは、金銭債権についての執行力ある債務名義を有する債権者（債務名義が仮執行宣言付判決・執行証書・支払督促である債権者を除く）又は一般先取特権者の申立てにより（民執197）、裁判所が債務者に対し、財産の開示をさせ責任財産を特定可能なものとする制度をいう。これにより債権者は国家権力によって債務者の責任財産に関する情報を入手できるようになった（ただし、債務者のプライバシーへの配慮に基づく制限はある）。

2　財産開示の手続は、開示手続実施決定の手続と開示期日における手続との2段階からなる。手続実施決定の要件としては、上記の申立適格のほかに、強制執行又は担保執行における配当等の手続で①完全な弁済を受けることができな

かったこと、又は②知れている財産に強制執行（担保執行）をしても完全な弁済を受けられないことの疎明があったこと、のいずれかを要する（民執197）。財産開示手続実施決定が確定すると、債務者（開示義務者）は財産開示期日に出頭し、その有する積極財産について、強制執行又は担保執行の申立てをするのに必要となる事項その他民事執行規則で定める事項を明示して陳述する義務が課されることになる（民執198Ⅱ、199参照）。

第196条　（管轄）

この節の規定による債務者の財産の開示に関する手続（以下「財産開示手続」という。）については、債務者の普通裁判籍の所在地を管轄する地方裁判所が、執行裁判所として管轄する。

第197条　（実施決定）

Ⅰ　執行裁判所は、次の各号のいずれかに該当するときは、執行力のある債務名義の正本を有する金銭債権の債権者の申立てにより、債務者について、財産開示手続を実施する旨の決定をしなければならない。ただし、当該執行力のある債務名義の正本に基づく強制執行を開始することができないときは、この限りでない。
① 強制執行又は担保権の実行における配当等の手続（申立ての日より6月以上前に終了したものを除く。）において、申立人が当該金銭債権の完全な弁済を得ることができなかつたとき。
② 知れている財産に対する強制執行を実施しても、申立人が当該金銭債権の完全な弁済を得られないことの疎明があつたとき。

Ⅱ　執行裁判所は、次の各号のいずれかに該当するときは、債務者の財産について一般の先取特権を有することを証する文書を提出した債権者の申立てにより、当該債務者について、財産開示手続を実施する旨の決定をしなければならない。
① 強制執行又は担保権の実行における配当等の手続（申立ての日より6月以上前に終了したものを除く。）において、申立人が当該先取特権の被担保債権の完全な弁済を得ることができなかつたとき。
② 知れている財産に対する担保権の実行を実施しても、申立人が前号の被担保債権の完全な弁済を得られないことの疎明があつたとき。

Ⅲ　前2項の規定にかかわらず、債務者（債務者に法定代理人がある場合にあつては当該法定代理人、債務者が法人である場合にあつてはその代表者。第1号において同じ。）が前2項の申立ての日前3年以内に財産開示期日（財産を開示すべき期日をいう。以下同じ。）においてその財産について陳述をしたものであるときは、財産開示手続を実施する旨の決定をすることができない。ただし、次の各号に掲げる事由のいずれかがある場合は、この限りでない。
① 債務者が当該財産開示期日において一部の財産を開示しなかつたとき。
② 債務者が当該財産開示期日の後に新たに財産を取得したとき。
③ 当該財産開示期日の後に債務者と使用者との雇用関係が終了したとき。

Ⅳ　第1項又は第2項の決定がされたときは、当該決定（同項の決定にあつては、当該決定及び同項の文書の写し）を債務者に送達しなければならない。

Ⅴ　第1項又は第2項の申立てについての裁判に対しては、執行抗告をすることができる。

Ⅵ　第1項又は第2項の決定は、確定しなければその効力を生じない。

第198条　（期日指定及び期日の呼出し）

Ⅰ　執行裁判所は、前条第1項又は第2項の決定が確定したときは、財産開示期日を指定しなければならない。

Ⅱ　財産開示期日には、次に掲げる者を呼び出さなければならない。

　①　申立人

　②　債務者（債務者に法定代理人がある場合にあつては当該法定代理人、債務者が法人である場合にあつてはその代表者）

第199条　（財産開示期日）

Ⅰ　開示義務者（前条第2項第2号に掲げる者をいう。以下同じ。）は、財産開示期日に出頭し、債務者の財産（第131条第1号又は第2号に掲げる動産を除く。）について陳述しなければならない。

Ⅱ　前項の陳述においては、陳述の対象となる財産について、第2章第2節の規定による強制執行又は前章の規定による担保権の実行の申立てをするのに必要となる事項その他申立人に開示する必要があるものとして最高裁判所規則で定める事項を明示しなければならない。

Ⅲ　執行裁判所は、財産開示期日において、開示義務者に対し質問を発することができる。

Ⅳ　申立人は、財産開示期日に出頭し、債務者の財産の状況を明らかにするため、執行裁判所の許可を得て開示義務者に対し質問を発することができる。

Ⅴ　執行裁判所は、申立人が出頭しないときであつても、財産開示期日における手続を実施することができる。

Ⅵ　財産開示期日における手続は、公開しない。

Ⅶ　民事訴訟法第195条及び第206条の規定は前各項の規定による手続について、同法第201条第1項及び第2項の規定は開示義務者について準用する。

第200条　（陳述義務の一部の免除）

Ⅰ　財産開示期日において債務者の財産の一部を開示した開示義務者は、申立人の同意がある場合又は当該開示によつて第197条第1項の金銭債権若しくは同条第2項各号の被担保債権の完全な弁済に支障がなくなつたことが明らかである場合において、執行裁判所の許可を受けたときは、前条第1項の規定にかかわらず、その余の財産について陳述することを要しない。

Ⅱ　前項の許可の申立てについての裁判に対しては、執行抗告をすることができる。

第201条　（財産開示事件の記録の閲覧等の制限）

　財産開示事件の記録中財産開示期日に関する部分についての第17条の規定による請求は、次に掲げる者に限り、することができる。

① 　申立人

② 　債務者に対する金銭債権について執行力のある債務名義の正本を有する債権者

③ 　債務者の財産について一般の先取特権を有することを証する文書を提出した債権者

④ 　債務者又は開示義務者

第202条　（財産開示事件に関する情報の目的外利用の制限）

Ⅰ　申立人は、財産開示手続において得られた債務者の財産又は債務に関する情報を、当該債務者に対する債権をその本旨に従つて行使する目的以外の目的のために利用し、又は提供してはならない。

Ⅱ　前条第2号又は第3号に掲げる者であつて、財産開示事件の記録中の財産開示期日に関する部分の情報を得たものは、当該情報を当該財産開示事件の債務者に対する債権をその本旨に従つて行使する目的以外の目的のために利用し、又は提供してはならない。

第203条　（強制執行及び担保権の実行の規定の準用）

　第39条及び第40条の規定は執行力のある債務名義の正本に基づく財産開示手続について、第42条（第2項を除く。）の規定は財産開示手続について、第182条及び第183条の規定は一般の先取特権に基づく財産開示手続について準用する。

■第2節　第三者からの情報取得手続

第204条　（管轄）

　この節の規定による債務者の財産に係る情報の取得に関する手続（以下「第三者からの情報取得手続」という。）については、債務者の普通裁判籍の所在地を管轄する地方裁判所が、この普通裁判籍がないときはこの節の規定により情報の提供を命じられるべき者の所在地を管轄する地方裁判所が、執行裁判所として管轄する。

第205条　（債務者の不動産に係る情報の取得）

Ⅰ　執行裁判所は、次の各号のいずれかに該当するときは、それぞれ当該各号に定める者の申立てにより、法務省令で定める登記所に対し、債務者が所有権の登記名義人である土地又は建物その他これらに準ずるものとして法務省令で定めるものに対する強制執行又は担保権の実行の申立てをするのに必要となる事項として最高裁判所規則で定めるものについて情報の提供をすべき旨を命じなければならない。ただし、第1号に掲げる場合において、同号に規定する執行力のある債務名義の正本に基づく強制執行を開始することができないときは、この限りでない。

①　第197条第1項各号のいずれかに該当する場合　執行力のある債務名義の正本を有する金銭債権の債権者

②　第197条第2項各号のいずれかに該当する場合　債務者の財産について一般の先取特権を有することを証する文書を提出した債権者

Ⅱ　前項の申立ては、財産開示期日における手続が実施された場合（当該財産開示期日に係る財産開示手続において第200条第1項の許可がされたときを除く。）において、当該財産開示期日から3年以内に限り、することができる。

Ⅲ　第1項の申立てを認容する決定がされたときは、当該決定（同項第2号に掲げる場合にあつては、当該決定及び同号に規定する文書の写し）を債務者に送達しなければならない。

Ⅳ　第1項の申立てについての裁判に対しては、執行抗告をすることができる。

Ⅴ　第1項の申立てを認容する決定は、確定しなければその効力を生じない。

第206条　（債務者の給与債権に係る情報の取得）

Ⅰ　執行裁判所は、第197条第1項各号のいずれかに該当するときは、第151条の2第1項各号に掲げる義務に係る請求権又は人の生命若しくは身体の侵害による損害賠償請求権について執行力のある債務名義の正本を有する債権者の申立てにより、次の各号に掲げる者であつて最高裁判所規則で定めるところにより当該債権者が選択したものに対し、それぞれ当該各号に定める事項について情報の提供をすべき旨を命じなければならない。ただし、当該執行力のある債務名義の正本に基づく強制執行を開始することができないときは、この限りでない。

①　市町村（特別区を含む。以下この号において同じ。）　債務者が支払を受ける地方税法（昭和25年法律第226号）第317条の2第1項ただし書に規定する給与に係る債権に対する強制執行又は担保権の実行の申立てをするのに必要となる事項として最高裁判所規則で定めるもの（当該市町村が債務者の市町村民税（特別区民税を含む。）に係る事務に関して知り得たものに限る。）

②　日本年金機構、国家公務員共済組合、国家公務員共済組合連合会、地方公務員共済組合、全国市町村職員共済組合連合会又は日本私立学校振興・共済事業団債務者（厚生年金保険の被保険者であるものに限る。以下この号において同じ。）が支払を受ける厚生年金保険法（昭和29年法律第115号）第3条第1項第3号に規定する報酬又は同項第4号に規定する賞与に係る債権に対する強制執行又は担保権の実行の申立てをするのに必要となる事項として最高裁判所規則で定めるもの（情報の提供を命じられた者が債務者の厚生年金保険に係る事務に関して知り得たものに限る。）

Ⅱ　前条第2項から第5項までの規定は、前項の申立て及び当該申立てについての裁判について準用する。

民事執行法

第207条　（債務者の預貯金債権等に係る情報の取得）

Ⅰ　執行裁判所は、第197条第1項各号のいずれかに該当するときは、執行力のある債務名義の正本を有する金銭債権の債権者の申立てにより、次の各号に掲げる者であつて最高裁判所規則で定めるところにより当該債権者が選択したものに対し、それぞれ当該各号に定める事項について情報の提供をすべき旨を命じなければならない。ただし、当該執行力のある債務名義の正本に基づく強制執行を開始することができないときは、この限りでない。

①　銀行等（銀行、信用金庫、信用金庫連合会、労働金庫、労働金庫連合会、信用協同組合、信用協同組合連合会、農業協同組合、農業協同組合連合会、漁業協同組合、漁業協同組合連合会、水産加工業協同組合、水産加工業協同組合連合会、農林中央金庫、株式会社商工組合中央金庫又は独立行政法人郵便貯金簡易生命保険管理・郵便局ネットワーク支援機構をいう。以下この号において同じ。）　債務者の当該銀行等に対する預貯金債権（民法第466条の5第1項に規定する預貯金債権をいう。）に対する強制執行又は担保権の実行の申立てをするのに必要となる事項として最高裁判所規則で定めるもの

②　振替機関等（社債、株式等の振替に関する法律第2条第5項に規定する振替機関等をいう。以下この号において同じ。）　債務者の有する振替社債等（同法第279条に規定する振替社債等であつて、当該振替機関等の備える振替口座簿における債務者の口座に記載され、又は記録されたものに限る。）に関する強制執行又は担保権の実行の申立てをするのに必要となる事項として最高裁判所規則で定めるもの

Ⅱ　執行裁判所は、第197条第2項各号のいずれかに該当するときは、債務者の財産について一般の先取特権を有することを証する文書を提出した債権者の申立てにより、前項各号に掲げる者であつて最高裁判所規則で定めるところにより当該債権者が選択したものに対し、それぞれ当該各号に定める事項について情報の提供をすべき旨を命じなければならない。

Ⅲ　前2項の申立てを却下する裁判に対しては、執行抗告をすることができる。

第208条　（情報の提供の方法等）

Ⅰ　第205条第1項、第206条第1項又は前条第1項若しくは第2項の申立てを認容する決定により命じられた情報の提供は、執行裁判所に対し、書面でしなければならない。

Ⅱ　前項の情報の提供がされたときは、執行裁判所は、最高裁判所規則で定めるところにより、申立人に同項の書面の写しを送付し、かつ、債務者に対し、同項に規定する決定に基づいてその財産に関する情報の提供がされた旨を通知しなければならない。

民事執行法

第209条　（第三者からの情報取得手続に係る事件の記録の閲覧等の制限）

Ⅰ　第205条又は第207条の規定による第三者からの情報取得手続に係る事件の記録中前条第1項の情報の提供に関する部分についての第17条の規定による請求は、次に掲げる者に限り、することができる。

① 申立人

② 債務者に対する金銭債権について執行力のある債務名義の正本を有する債権者

③ 債務者の財産について一般の先取特権を有することを証する文書を提出した債権者

④ 債務者

⑤ 当該情報の提供をした者

Ⅱ　第206条の規定による第三者からの情報取得手続に係る事件の記録中前条第1項の情報の提供に関する部分についての第17条の規定による請求は、次に掲げる者に限り、することができる。

① 申立人

② 債務者に対する第151条の2第1項各号に掲げる義務に係る請求権又は人の生命若しくは身体の侵害による損害賠償請求権について執行力のある債務名義の正本を有する債権者

③ 債務者

④ 当該情報の提供をした者

第210条　（第三者からの情報取得手続に係る事件に関する情報の目的外利用の制限）

Ⅰ　申立人は、第三者からの情報取得手続において得られた債務者の財産に関する情報を、当該債務者に対する債権をその本旨に従つて行使する目的以外の目的のために利用し、又は提供してはならない。

Ⅱ　前条第1項第2号若しくは第3号又は第2項第2号に掲げる者であつて、第三者からの情報取得手続に係る事件の記録中の第208条第1項の情報の提供に関する部分の情報を得たものは、当該情報を当該事件の債務者に対する債権をその本旨に従つて行使する目的以外の目的のために利用し、又は提供してはならない。

第211条　（強制執行及び担保権の実行の規定の準用）

第39条及び第40条の規定は執行力のある債務名義の正本に基づく第三者からの情報取得手続について、第42条（第2項を除く。）の規定は第三者からの情報取得手続について、第182条及び第183条の規定は一般の先取特権に基づく第三者からの情報取得手続について、それぞれ準用する。

・第5章・【罰則】

第212条　（公示書等損壊罪）

　次の各号のいずれかに該当する者は、1年以下の懲役又は100万円以下の罰金に処する。

① 　第55条第1項（第1号に係る部分に限る。）、第68条の2第1項若しくは第77条第1項（第1号に係る部分に限る。）（これらの規定を第121条（第189条（第195条の規定によりその例によることとされる場合を含む。）において準用する場合を含む。）及び第188条（第195条の規定によりその例によることとされる場合を含む。）において準用する場合を含む。）又は第187条第1項（第195条の規定によりその例によることとされる場合を含む。）の規定による命令に基づき執行官が公示するために施した公示書その他の標識（刑法第96条に規定する封印及び差押えの表示を除く。）を損壊した者

② 　第168条の2第3項又は第4項の規定により執行官が公示するために施した公示書その他の標識を損壊した者

第213条　（陳述等拒絶の罪）

Ⅰ　次の各号のいずれかに該当する者は、6月以下の懲役又は50万円以下の罰金に処する。

① 　売却基準価額の決定に関し、執行裁判所の呼出しを受けた審尋の期日において、正当な理由なく、出頭せず、若しくは陳述を拒み、又は虚偽の陳述をした者

② 　第57条第2項（第121条（第189条（第195条の規定によりその例によることとされる場合を含む。）において準用する場合を含む。）及び第188条（第195条の規定によりその例によることとされる場合を含む。）において準用する場合を含む。）の規定による執行官の質問又は文書の提出の要求に対し、正当な理由なく、陳述をせず、若しくは文書の提示を拒み、又は虚偽の陳述をし、若しくは虚偽の記載をした文書を提示した者

③ 　第65条の2（第188条（第195条の規定によりその例によることとされる場合を含む。）において準用する場合を含む。）の規定により陳述すべき事項について虚偽の陳述をした者

④ 　第168条第2項の規定による執行官の質問又は文書の提出の要求に対し、正当な理由なく、陳述をせず、若しくは文書の提示を拒み、又は虚偽の陳述をし、若しくは虚偽の記載をした文書を提示した債務者又は同項に規定する不動産等を占有する第三者

⑤ 　執行裁判所の呼出しを受けた財産開示期日において、正当な理由なく、出頭せず、又は宣誓を拒んだ開示義務者

⑥　第199条第7項において準用する民事訴訟法第201条第1項の規定により財産開示期日において宣誓した開示義務者であつて、正当な理由なく第199条第1項から第4項までの規定により陳述すべき事項について陳述をせず、又は虚偽の陳述をしたもの

Ⅱ　不動産（登記することができない土地の定着物を除く。以下この項において同じ。）の占有者であつて、その占有の権原を差押債権者、仮差押債権者又は第59条第1項（第188条（第195条の規定によりその例によることとされる場合を含む。）において準用する場合を含む。）の規定により消滅する権利を有する者に対抗することができないものが、正当な理由なく、第64条の2第5項（第188条（第195条の規定によりその例によることとされる場合を含む。）において準用する場合を含む。）の規定による不動産の立入りを拒み、又は妨げたときは、30万円以下の罰金に処する。

第214条　（過料に処すべき場合）

Ⅰ　第202条の規定に違反して、同条の情報を同条に規定する目的以外の目的のために利用し、又は提供した者は、30万円以下の過料に処する。

Ⅱ　第210条の規定に違反して、同条の情報を同条に規定する目的以外の目的のために利用し、又は提供した者も、前項と同様とする。

第215条　（管轄）

前条に規定する過料の事件は、執行裁判所の管轄とする。

民事執行法

完全整理　択一六法

民事保全法

・第 1 章・【通則】

《概　説》

一　意義・手続の構造

　　民事保全とは民事保全法上の仮差押え及び仮処分のことをいう（民保 1）。

　　保全命令手続：申立てを受けて民事保全をするかどうかを判断する手続

　　保全執行手続：保全命令手続で発せられた保全命令の内容を実現する手続

二　種類

1　仮差押え

　　仮差押えとは、将来の金銭債権の強制執行を保全するため、あらかじめ債務者の財産を仮に差し押さえて確保し、債務者の責任財産の現状維持を図る手続をいう（民保 20 Ⅰ）。

2　係争物に関する仮処分

　　係争物に関する仮処分とは、特定物に関する給付請求権の強制執行を保全するため、目的物の現状を維持する手続をいう（民保 23 Ⅰ）。将来の強制執行の保全を目的とする点は、仮差押えと共通する。そして、係争物に関する仮処分は、処分禁止の仮処分と占有転禁止の仮処分の 2 つに区別される。

3　仮の地位を定める仮処分

　　仮の地位を定める仮処分とは、争いのある権利関係について、暫定的な処分を行うことによって、債権者の現在の危険を除去し、将来における終局的な権利の実現が不可能になることを防止する手続をいう（民保 23 Ⅱ）。権利の種類を問わず、また、強制執行の保全を目的としない点で、前二者と異なる。

＜民事保全の種類＞

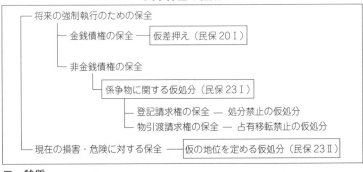

三　特質

1　暫定性：仮差押え・仮処分は、本案訴訟で権利関係が確定するまでの暫定的な処分である。

処分の内容は暫定的な保全という目的の達成に必要な限度にとどまる（例外：満足的仮処分）。

2　緊急性：債務名義が作成されるのをまっていたのでは権利の実現が不能又は困難になる場合に仮の救済を与える制度であるから、迅速に行わなければならない。

3　付随性：本案訴訟・執行手続とは別個独立の手続だが、本案訴訟を前提とし、これに付随する。

本案が提起されないときは債務者の申立てにより取り消されることになる（民保37）。

→保全命令に関する裁判は、口頭弁論を経ないで決定手続で行われ（オール決定主義、民保3）、保全命令の発令要件については疎明で足りる（民保13Ⅱ）

第1条　（趣旨）

　民事訴訟の本案の権利の実現を保全するための仮差押え及び係争物に関する仮処分並びに民事訴訟の本案の権利関係につき仮の地位を定めるための仮処分（以下「民事保全」と総称する。）については、他の法令に定めるもののほか、この法律の定めるところによる。

第2条　（民事保全の機関及び保全執行裁判所）

Ⅰ　民事保全の命令（以下「保全命令」という。）は、申立てにより、裁判所が行う。

Ⅱ　民事保全の執行（以下「保全執行」という。）は、申立てにより、裁判所又は執行官が行う。

Ⅲ　裁判所が行う保全執行に関してはこの法律の規定により執行処分を行うべき裁判所をもって、執行官が行う保全執行の執行処分に関してはその執行官の所属する地方裁判所をもって保全執行裁判所とする。

第3条　（任意的口頭弁論）

　民事保全の手続に関する裁判は、口頭弁論を経ないですることができる。

第4条　（担保の提供）

Ⅰ　この法律の規定により担保を立てるには、担保を立てるべきことを命じた裁判所又は保全執行裁判所の所在地を管轄する地方裁判所の管轄区域内の供託所に金銭又は担保を立てるべきことを命じた裁判所が相当と認める有価証券（社債、株式等の振替に関する法律（平成13年法律第75号）第278条第1項に規定する振替債を含む。）を供託する方法その他最高裁判所規則で定める方法によらなければならない。ただし、当事者が特別の契約をしたときは、その契約による。

Ⅱ　民事訴訟法（平成8年法律第109号）第77条、第79条及び第80条の規定は、前項の担保について準用する。

民事保全法

第５条　（事件の記録の閲覧等）

　保全命令に関する手続又は保全執行に関し裁判所が行う手続について、利害関係を有する者は、裁判所書記官に対し、事件の記録の閲覧若しくは謄写、その正本、謄本若しくは抄本の交付又は事件に関する事項の証明書の交付を請求することができる。ただし、債権者以外の者にあっては、保全命令の申立てに関し口頭弁論若しくは債務者を呼び出す審尋の期日の指定があり、又は債務者に対する保全命令の送達があるまでの間は、この限りでない。

第６条　（専属管轄）

　この法律に規定する裁判所の管轄は、専属とする。

第７条　（民事訴訟法の準用）

　特別の定めがある場合を除き、民事保全の手続に関しては、<u>その性質に反しない限り</u>、民事訴訟法<u>第１編から第４編までの規定（同法第87条の２の規定を除く。）</u>を準用する。

第８条　（最高裁判所規則）

　この法律に定めるもののほか、民事保全の手続に関し必要な事項は、最高裁判所規則で定める。

・第２章・【保全命令に関する手続】

《概　説》

◆　保全命令手続

　１　保全命令の申立て

　（1）　保全命令手続は、裁判所に書面（民保規１①）で申し立てることで開始される（民保２Ⅰ）。

　（2）　管轄裁判所：①　仮に差し押さえるべき物・係争物の所在地を管理する地方裁判所（民保12Ⅰ）

　　　　　　　　　　②　本案の管轄裁判所（民保12Ⅱ）

　　　債権者はいずれかを選んで申し立てることができる（専属管轄である、民保６）。

　２　審理

　（1）　審理対象：①　訴訟要件

　　　　　　　　　②　実体的要件：被保全権利の存在、保全の必要性（疎明を要する、民保13Ⅱ）

　（2）　審理方式

　　　保全命令の申立てに関する裁判はすべて決定手続となる（民保３）。

民事保全法

任意的口頭弁論（民訴87Iただし書）であるから、決定手続で口頭弁論が開かれない場合は、書面審理の補充として、裁判所は裁量により当事者を審尋することができる（民訴87II）。審尋では、口頭弁論と異なり公開法廷で行われる必要はなく、また当事者双方の対席も必要ではないので、一方のみを呼び出して陳述の機会を与えることもできる（例外：仮の地位を定める仮処分命令（民保23IV））。

＜手続の種類ごとの実体的要件＞

	保全すべき権利又は権利関係（被保全権利）	保全の必要性
仮差押え	金銭債権（民保20I）	債務者の責任財産の減少により金銭債権の強制執行が不能又は著しく困難になるおそれのあること（民保20I）
係争物に関する仮処分	係争物（金銭債権以外の物又は権利に関する給付を目的とする請求権、民保23I）	係争物の現状の変更により給付請求権を執行することが不能又は著しく困難になるおそれのあること（民保23I）
仮の地位を定める仮処分	格別の制限なし（「争いがある権利関係」で足りる、民保23II）	係争関係に争いがあることによって債権者が著しい損害を被り又は急迫の危険に直面しているため、本案の確定判決をまたずに暫定的に権利関係又は法的地位を形成する必要のあること（民保23II）

3　担保

保全命令は、債権者に担保を立てさせて、又は立てさせないで行うことができる（民保4）。担保は、違法な民事保全により債務者の被る可能性のある損害を担保する性質を有する。担保額は裁判所の自由な裁量によって決定される。債権者が立てた担保につき債務者は他の債権者に先立ち弁済を受ける権利を有する（民保4II、民訴77）。

4　決定

(1)　保全命令の申立てについての裁判は決定でなされる（民保16）。

仮差押命令においては、主文で債務者所有の財産を仮に差し押さえる旨を宣言し（仮差押宣言、民保21）仮差押解放金の額を定める（民保22I）。

仮処分命令においては、主文で仮処分の方法を定め（具体的内容は裁判官の裁量、民保24）、特別の事情が存在する場合に例外的に仮処分解放金を定めることができる（民保25I）。

(2)　保全命令は当事者に送達される（民保17）。ただし、保全命令の執行は、緊急性・密行性の要請から、保全命令が債務者に送達される前にもできるとされ（民保43III）、実務では、執行完了後又は執行が行われる相当な期間を

経過した後に送達する運用となっている。債務者は保全命令に対して保全異議（民保26以下）や保全取消し（民保37〜40）を申し立てることができる。

　訴訟要件をみたしていない場合又は保全命令の実体的要件を欠いている場合、民事訴訟法137条2項の訴状却下に準ずる裁判長の命令がなされた場合には申立て却下の裁判がなされる。

5　不服申立手続

　不服申立手続としての保全異議、保全取消し及び保全抗告は、真実発見の要請が強いため、口頭弁論又は当事者双方が立ち会うことができる審尋の機会を経なければ決定を下すことができないものとして当事者の主張立証の機会を確保し（民保29、40 I、41 IV）、審理の終結日を決定することで証拠提出時期を制限して不意打ちを防止している（民保31本文、40 I、41 IV）。また、当事者双方が立ち会うことができる審尋の期日においては、直ちに不服申立手続の審理を終結することができる（民保31ただし書、40 I、41 IV）。

(1)　即時抗告（債権者の救済）（民保19）

　保全命令の申立てが却下された場合、債権者は即時抗告できる。抗告期間は裁判の告知を受けた日から2週間の不変期間であり、即時抗告を却下する裁判に対しては、再抗告できない。

(2)　保全異議（債務者の救済）（民保26）

　債務者は保全命令を発した裁判所に保全異議を申し立てることができる。保全異議は上訴ではなく、同一審級における再審理の申立てである。

(3)　保全取消し（債務者の救済）（民保37〜40）

　債務者の申立てによって、保全命令発令の基礎となる保全すべき権利又は権利関係・保全の必要性がその発令当時に存在していたことを前提とし、その後に生じた事情変更、特別事情等を斟酌して、保全命令を取り消す制度である。保全取消しが行われるのは、仮差押え、仮処分に共通するものとして、本案の訴えが定められた期間内に提起されない場合（民保37）と保全の要件・保全の必要性の消滅等の事情の変更による場合（民保38）があり、仮処分については、その他に、償うことができない損害のおそれある等の特別な事情がある場合（民保39）の保全取消しが認められている。

<債務者による不服申立手続>

	保全異議	保全取消し
手続の性格	保全命令発令についての同一審級における再審理申立て	保全命令発令後に生じた事情により保全命令を取り消す手続
異議・取消事由	保全命令発令当時、被保全権利又は保全の必要性がなかったこと	① 本案訴訟の不起訴 ② 事情の変更 ③ 仮処分命令についての特別の事情の存在
管轄裁判所	保全命令を発令した裁判所（ただし、事情の変更による保全取消し・特別な事情の変更による保全取消しの場合は本案の裁判所も選択できる）	
審理の構造	保全命令発令の直前の状態に復して審理続行。審理終結時点での資料に基づいて裁判	保全命令発令当時の要件の存在を前提として、その後に生じた事情を斟酌して審理
審理手続	決定手続。ただし、一度は当事者双方が立ち会う機会を与える必要がある（民保29、40Ⅰ）	
裁判（決定）	保全命令の認可・変更・取消し（民保32Ⅰ）	申立て却下・保全命令の取消し（民保37Ⅲ、38Ⅰ、39Ⅰ）
再審査	保全抗告（民保41Ⅰ）	

(4) 保全抗告

保全異議・保全取消しの裁判がなされた場合、保全抗告を申し立てることができる（民保41Ⅰ本文）。この申立ては、裁判の送達を受けた日から2週間の不変期間内にする必要がある。

保全抗告の裁判に対する再抗告はできない（民保41Ⅲ）。

(5) 不服申立ての裁判に伴う保全執行の停止等の裁判

保全命令や保全命令を取り消す決定に対して不服を申し立てただけでは、申立てをした目的を十分に達成できない場合の救済を図っている。

(a) 保全執行停止の裁判

保全手続は暫定性・緊急性を有することから、保全異議、保全取消し及び保全抗告を申し立てただけでは当然に手続は停止せず、保全執行がなされてしまう。そこで、債務者の申立てにより「保全命令の取消原因となることが明らかな事情及び保全執行により償うことができない損害を生ずるおそれがあることにつき疎明があったときに限り」保全執行の停止又は既にした執行処分の取消しを命ずることができる（民保27、40Ⅰ、41Ⅳ）。

(b) 保全命令を取り消す決定の効力停止の裁判（民保42）

保全異議・保全取消しの裁判で保全命令を取り消す決定が発せられ、保

全抗告が申し立てられた場合も、(a)の保全執行停止の裁判と同様の要件の下に、裁判によって保全命令を取り消す決定の効力の停止を命ずることができる。

(c) 原状回復の裁判

　仮処分命令の中には、債務者に対し一定の仮の給付を命ずるものがあり、これを債務名義として保全執行することも認められている（民保52Ⅱ）。これに基づき債権者が給付を受けた後に保全異議・保全取消し・保全抗告により仮処分命令が取り消された場合、債権者の受けた給付はその根拠を欠くことになる。しかし、このような場合に不当利得の返還を別訴で請求しなければ原状回復ができないのでは債務者にとって酷であるから、裁判所は、債務者の申立てにより、仮処分命令を取り消す決定において、債権者に対し、債務者による給付の返還を命ずることができる（民保33、40Ⅰ、41Ⅳ）。

■第1節　総則

第9条　（釈明処分の特例）

　裁判所は、争いに係る事実関係に関し、当事者の主張を明瞭にさせる必要があるときは、口頭弁論又は審尋の期日において、当事者のため事務を処理し、又は補助する者で、裁判所が相当と認めるものに陳述をさせることができる。

第10条　削除

■第2節　保全命令

第1款　通則

第11条　（保全命令事件の管轄）

　保全命令の申立ては、日本の裁判所に本案の訴えを提起することができるとき、又は仮に差し押さえるべき物若しくは係争物が日本国内にあるときに限り、することができる。

第12条

Ⅰ　保全命令事件は、本案の管轄裁判所又は仮に差し押さえるべき物若しくは係争物の所在地を管轄する地方裁判所が管轄する。

Ⅱ　本案の訴えが民事訴訟法第6条第1項に規定する特許権等に関する訴えである場合には、保全命令事件は、前項の規定にかかわらず、本案の管轄裁判所が管轄する。ただし、仮に差し押さえるべき物又は係争物の所在地を管轄する地方裁判所が同条第1項各号に定める裁判所であるときは、その裁判所もこれを管轄する。

Ⅲ　本案の管轄裁判所は、第一審裁判所とする。ただし、本案が控訴審に係属するときは、控訴裁判所とする。

Ⅳ　仮に差し押さえるべき物又は係争物が債権（民事執行法（昭和54年法律第4号）第143条に規定する債権をいう。以下この条において同じ。）であるときは、その債権は、その債権の債務者（以下「第三債務者」という。）の普通裁判籍の所在地にあるものとする。ただし、船舶（同法第112条に規定する船舶をいう。以下同じ。）又は動産（同法第122条に規定する動産をいう。以下同じ。）の引渡しを目的とする債権及び物上の担保権により担保される債権は、その物の所在地にあるものとする。

Ⅴ　前項本文の規定は、仮に差し押さえるべき物又は係争物が民事執行法第167条第1項に規定する財産権（以下「その他の財産権」という。）で第三債務者又はこれに準ずる者があるものである場合（次項に規定する場合を除く。）について準用する。

Ⅵ　仮に差し押さえるべき物又は係争物がその他の財産権で権利の移転について登記又は登録を要するものであるときは、その財産権は、その登記又は登録の地にあるものとする。

第13条　（申立て及び疎明）

Ⅰ　保全命令の申立ては、その趣旨並びに保全すべき権利又は権利関係及び保全の必要性を明らかにして、これをしなければならない。

Ⅱ　保全すべき権利又は権利関係及び保全の必要性は、疎明しなければならない〈司書〉。

第14条　（保全命令の担保）

Ⅰ　保全命令は、担保を立てさせて、若しくは相当と認める一定の期間内に担保を立てることを保全執行の実施の条件として、又は担保を立てさせないで発することができる〈書〉。

Ⅱ　前項の担保を立てる場合において、遅滞なく第4条第1項の供託所に供託することが困難な事由があるときは、裁判所の許可を得て、債権者の住所地又は事務所の所在地その他裁判所が相当と認める地を管轄する地方裁判所の管轄区域内の供託所に供託することができる。

第15条　（裁判長の権限）〈書〉

保全命令は、急迫の事情があるときに限り、裁判長が発することができる。

第16条　（決定の理由）

保全命令の申立てについての決定には、理由を付さなければならない〈書〉。ただし、口頭弁論を経ないで決定をする場合には、理由の要旨を示せば足りる〈書〉。

第17条　（送達）〈書〉

保全命令は、当事者に送達しなければならない。

第18条　（保全命令の申立ての取下げ）

保全命令の申立てを取り下げるには、保全異議又は保全取消しの申立てがあった後においても、債務者の同意を得ることを要しない〈書〉。

第19条　（却下の裁判に対する即時抗告）

Ⅰ　保全命令の申立てを却下する裁判に対しては、債権者は、告知を受けた日から2週間の不変期間内に、即時抗告をすることができる。

Ⅱ　前項の即時抗告を却下する裁判に対しては、更に抗告をすることができない。

Ⅲ　第16条本文の規定は、第1項の即時抗告についての決定について準用する。

第2款　仮差押命令

第20条　（仮差押命令の必要性）

Ⅰ　仮差押命令は、金銭の支払を目的とする債権について、強制執行をすることができなくなるおそれがあるとき、又は強制執行をするのに著しい困難を生ずるおそれがあるときに発することができる〈司〉。

Ⅱ　仮差押命令は、前項の債権が条件付又は期限付である場合においても、これを発することができる〈書〉。

第21条　（仮差押命令の対象）

仮差押命令は、特定の物について発しなければならない。ただし、動産の仮差押命令は、目的物を特定しないで発することができる〈書〉。

第22条　（仮差押解放金）

Ⅰ　仮差押命令においては、仮差押えの執行の停止を得るため、又は既にした仮差押えの執行の取消しを得るために債務者が供託すべき金銭の額を定めなければならない。

Ⅱ　前項の金銭の供託は、仮差押命令を発した裁判所又は保全執行裁判所の所在地を管轄する地方裁判所の管轄区域内の供託所にしなければならない。

民事保全法

第3款　仮処分命令

《概　説》

一　係争物に関する仮処分（民保23Ⅰ）

金銭債権以外の特定物の給付請求権（物の引渡請求権・明渡請求権、移転登記手続請求権等）の執行を保全するため、その物の現状を維持しておく手続である。

1　不動産に関する登記請求権を保全するための処分禁止の仮処分（民保53・58～60）

所有権に関する権利についての登記請求権を保全するための仮処分。

処分禁止の登記後の権利取得・処分の制限の登記は、仮処分債権者に対抗す

ることができない。

　2　建物収去土地明渡請求権を保全するための処分禁止の仮処分（民保55・64）

　　　債務者による建物の処分を禁止して建物収去土地明渡の強制執行に備える仮処分。

　　　処分禁止の登記後に当該建物を譲り受けた者に対して、債権者は本案の債務名義に基づき、承継執行文の付与を受けて建物収去土地明渡しの強制執行ができる（当事者恒定効）。

　3　占有移転禁止の仮処分（民保62）〈予〉

　　　物の引渡し・明渡しの強制執行をする際に債務者の交替により執行不能となることを防止することを目的とする仮処分。

　　　善意・悪意の占有承継人、悪意の非承継占有者に対して債権者は本案の債務名義により強制執行ができる（当事者恒定効）。

二　仮の地位を定める仮処分（民保23Ⅱ）

　　争いがある権利関係について、暫定的な法律上の地位を定める手続である。

　　多様な類型が存するが、主要なものとしては抵当権実行禁止の仮処分、金員仮払いの仮処分、建築等禁止の仮処分、動産引渡しの仮処分がある。

三　仮処分執行の効力

　1　当事者恒定効

　　　係争物に関する仮処分の第1次的意義は債務者についての当事者恒定効である。民事訴訟法の規定によれば、事実審の口頭弁論終結後の承継人に対しては確定判決の効力が及ぶ（民訴115Ⅰ③、民執23Ⅰ③）。

　　　これに対して、訴え提起後、口頭弁論終結前に被告が係争物を移転してしまうと、原告は訴訟引受けの申立て（民訴50）をするか、新たに訴えを提起しなければならなくなる。この煩瑣を避けるため、不動産の登記請求権保全のための処分禁止の仮処分や動産・不動産の占有移転禁止の仮処分には、本案訴訟に関して債務者につき当事者恒定効が認められている。よって、仮処分の効力として、債務者（被告）及びその者から権利を譲り受け又は占有を承継した第三者は、権利の譲渡又は占有の移転をもって債権者（原告）に対抗できないことになる。

　2　処分禁止の相対的効力

　　　係争物に関する処分禁止の仮処分は、将来の執行の保全のために目的物の現状維持を目的としてなされる。したがって、処分禁止の効力は相対的であり、仮処分が本執行に移行する限りにおいて認められ、かつ、これに違反する債務者の処分行為は仮処分の被保全権利に対する関係において、仮処分に基づく本執行に当たって無効とされる。

民事保全法

第23条　（仮処分命令の必要性等）

Ⅰ　係争物に関する仮処分命令は、その現状の変更により、債権者が権利を実行することができなくなるおそれがあるとき、又は権利を実行するのに著しい困難を生ずるおそれがあるときに発することができる〈司書〉。

Ⅱ　仮の地位を定める仮処分命令は、争いがある権利関係について債権者に生ずる著しい損害又は急迫の危険を避けるためこれを必要とするときに発することができる〈書〉。

Ⅲ　第20条第2項の規定は、仮処分命令について準用する。

Ⅳ　第2項の仮処分命令は、口頭弁論又は債務者が立ち会うことができる審尋の期日を経なければ、これを発することができない。ただし、その期日を経ることにより仮処分命令の申立ての目的を達することができない事情があるときは、この限りでない〈書〉。

第24条　（仮処分の方法）

裁判所は、仮処分命令の申立ての目的を達するため、債務者に対し一定の行為を命じ、若しくは禁止し、若しくは給付を命じ、又は保管人に目的物を保管させる処分その他の必要な処分をすることができる。

第25条　（仮処分解放金）

Ⅰ　裁判所は、保全すべき権利が金銭の支払を受けることをもってその行使の目的を達することができるものであるときに限り、債権者の意見を聴いて、仮処分の執行の停止を得るため、又は既にした仮処分の執行の取消しを得るために債務者が供託すべき金銭の額を仮処分命令において定めることができる〈書〉。

Ⅱ　第22条第2項の規定は、前項の金銭の供託について準用する。

第25条の2　（債務者を特定しないで発する占有移転禁止の仮処分命令）

Ⅰ　占有移転禁止の仮処分命令（係争物の引渡し又は明渡しの請求権を保全するための仮処分命令のうち、次に掲げる事項を内容とするものをいう。以下この条、第54条の2及び第62条において同じ。）であって、係争物が不動産であるものについては、その執行前に債務者を特定することを困難とする特別の事情があるときは、裁判所は、債務者を特定しないで、これを発することができる〈書〉。

①　債務者に対し、係争物の占有の移転を禁止し、及び係争物の占有を解いて執行官に引き渡すべきことを命ずること。

②　執行官に、係争物の保管をさせ、かつ、債務者が係争物の占有の移転を禁止されている旨及び執行官が係争物を保管している旨を公示させること。

Ⅱ　前項の規定による占有移転禁止の仮処分命令の執行がされたときは、当該執行によって係争物である不動産の占有を解かれた者が、債務者となる。

Ⅲ　第1項の規定による占有移転禁止の仮処分命令は、第43条第2項の期間内にその執行がされなかったときは、債務者に対して送達することを要しない。この場

合において、第4条第2項において準用する民事訴訟法第79条第1項の規定による担保の取消しの決定で第14条第1項の規定により立てさせた担保に係るものは、裁判所が相当と認める方法で申立人に告知することによって、その効力を生ずる。

■第3節　保全異議

第26条　（保全異議の申立て）〈書〉

　保全命令に対しては、債務者は、その命令を発した裁判所に保全異議を申し立てることができる。

第27条　（保全執行の停止の裁判等）

Ⅰ　保全異議の申立てがあった場合において、保全命令の取消しの原因となることが明らかな事情及び保全執行により償うことができない損害を生ずるおそれがあることにつき疎明があったときに限り、裁判所は、申立てにより、保全異議の申立てについての決定において第3項の規定による裁判をするまでの間、担保を立てさせて、又は担保を立てることを条件として保全執行の停止又は既にした執行処分の取消しを命ずることができる。

Ⅱ　抗告裁判所が保全命令を発した場合において、事件の記録が原裁判所に存するときは、その裁判所も、前項の規定による裁判をすることができる。

Ⅲ　裁判所は、保全異議の申立てについての決定において、既にした第1項の規定による裁判を取り消し、変更し、又は認可しなければならない。

Ⅳ　第1項及び前項の規定による裁判に対しては、不服を申し立てることができない。

Ⅴ　第15条の規定は、第1項の規定による裁判について準用する。

第28条　（事件の移送）

　裁判所は、当事者、尋問を受けるべき証人及び審尋を受けるべき参考人の住所その他の事情を考慮して、保全異議事件につき著しい遅滞を避け、又は当事者間の衡平を図るために必要があるときは、申立てにより又は職権で、当該保全命令事件につき管轄権を有する他の裁判所に事件を移送することができる。

第29条　（保全異議の審理）〈書〉

　裁判所は、口頭弁論又は当事者双方が立ち会うことができる審尋の期日を経なければ、保全異議の申立てについての決定をすることができない。

第30条　削除

第31条　（審理の終結）

　裁判所は、審理を終結するには、相当の猶予期間を置いて、審理を終結する日を決定しなければならない。ただし、口頭弁論又は当事者双方が立ち会うことができる審

民事保全法

尋の期日においては、直ちに審理を終結する旨を宣言することができる。

第32条　（保全異議の申立てについての決定）

Ⅰ　裁判所は、保全異議の申立てについての決定においては、保全命令を認可し、変更し、又は取り消さなければならない。

Ⅱ　裁判所は、前項の決定において、相当と認める一定の期間内に債権者が担保を立てること又は第14条第1項の規定による担保の額を増加した上、相当と認める一定の期間内に債権者がその増加額につき担保を立てることを保全執行の実施又は続行の条件とする旨を定めることができる。

Ⅲ　裁判所は、第1項の規定による保全命令を取り消す決定について、債務者が担保を立てることを条件とすることができる。

Ⅳ　第16条本文及び第17条の規定は、第1項の決定について準用する〈観〉。

第33条　（原状回復の裁判）

仮処分命令に基づき、債権者が物の引渡し若しくは明渡し若しくは金銭の支払を受け、又は物の使用若しくは保管をしているときは、裁判所は、債務者の申立てにより、前条第1項の規定により仮処分命令を取り消す決定において、債権者に対し、債務者が引き渡し、若しくは明け渡した物の返還、債務者が支払った金銭の返還又は債権者が使用若しくは保管をしている物の返還を命ずることができる。

第34条　（保全命令を取り消す決定の効力）

裁判所は、第32条第1項の規定により保全命令を取り消す決定において、その送達を受けた日から2週間を超えない範囲内で相当と認める一定の期間を経過しなければその決定の効力が生じない旨を宣言することができる。ただし、その決定に対して保全抗告をすることができないときは、この限りでない。

第35条　（保全異議の申立ての取下げ）〈観〉

保全異議の申立てを取り下げるには、債権者の同意を得ることを要しない。

第36条　（判事補の権限の特例）

保全異議の申立てについての裁判は、判事補が単独ですることができない。

■第4節　保全取消し

第37条　（本案の訴えの不提起等による保全取消し）

Ⅰ　保全命令を発した裁判所は、債務者の申立てにより、債権者に対し、相当と認める一定の期間内に、本案の訴えを提起するとともにその提起を証する書面を提出し、既に本案の訴えを提起しているときはその係属を証する書面を提出すべきことを命じなければならない〈観〉。

Ⅱ　前項の期間は、2週間以上でなければならない。

Ⅲ　債権者が第1項の規定により定められた期間内に同項の書面を提出しなかったときは、裁判所は、債務者の申立てにより、保全命令を取り消さなければならない〈書〉。

Ⅳ　第1項の書面が提出された後に、同項の本案の訴えが取り下げられ、又は却下された場合には、その書面を提出しなかったものとみなす。

Ⅴ　第1項及び第3項の規定の適用については、本案が家事事件手続法（平成23年法律第52号）第257条第1項に規定する事件であるときは家庭裁判所に対する調停の申立てを、本案が労働審判法（平成16年法律第45号）第1条に規定する事件であるときは地方裁判所に対する労働審判手続の申立てを、本案に関し仲裁合意があるときは仲裁手続の開始の手続を、本案が公害紛争処理法（昭和45年法律第108号）第2条に規定する公害に係る被害についての損害賠償の請求に関する事件であるときは同法第42条の12第1項に規定する損害賠償の責任に関する裁定（次項において「責任裁定」という。）の申請を本案の訴えの提起とみなす。

Ⅵ　前項の調停の事件、同項の労働審判手続、同項の仲裁手続又は同項の責任裁定の手続が調停の成立、労働審判（労働審判法第29条第2項において準用する民事調停法（昭和26年法律第222号）第16条の規定による調停の成立及び労働審判法第24条第1項の規定による労働審判事件の終了を含む。）、仲裁判断又は責任裁定（公害紛争処理法第42条の24第2項の当事者間の合意の成立を含む。）によらないで終了したときは、債権者は、その終了の日から第1項の規定により定められた期間と同一の期間内に本案の訴えを提起しなければならない。

Ⅶ　第3項の規定は債権者が前項の規定による本案の訴えの提起をしなかった場合について、第4項の規定は前項の本案の訴えが提起され、又は労働審判法第22条第1項（同法第23条第2項及び第24条第2項において準用する場合を含む。）の規定により訴えの提起があったものとみなされた後にその訴えが取り下げられ、又は却下された場合について準用する〈書〉。

Ⅷ　第16条本文及び第17条の規定は、第3項（前項において準用する場合を含む。）の規定による決定について準用する。

第38条　（事情の変更による保全取消し）

Ⅰ　保全すべき権利若しくは権利関係又は保全の必要性の消滅その他の事情の変更があるときは、保全命令を発した裁判所又は本案の裁判所は、債務者の申立てにより、保全命令を取り消すことができる〈書〉。

Ⅱ　前項の事情の変更は、疎明しなければならない。

Ⅲ　第16条本文、第17条並びに第32条第2項及び第3項の規定は、第1項の申立てについての決定について準用する〈書〉。

第39条　（特別の事情による保全取消し）

Ⅰ　仮処分命令により償うことができない損害を生ずるおそれがあるときその他の特別の事情があるときは、仮処分命令を発した裁判所又は本案の裁判所は、債務者の申立てにより、担保を立てることを条件として仮処分命令を取り消すことができる〈書〉。

Ⅱ　前項の特別の事情は、疎明しなければならない。

民事保全法

Ⅲ　第16条本文及び第17条の規定は、第1項の申立てについての決定について準用する《**》。

第40条　（保全異議の規定の準用等）

Ⅰ　第27条から第29条まで、第31条及び第33条から第36条までの規定は、保全取消しに関する裁判について準用する《**》。ただし、第27条から第29条まで、第31条、第33条、第34条及び第36条の規定は、第37条第1項の規定による裁判については、この限りでない。

Ⅱ　前項において準用する第27条第1項の規定による裁判は、保全取消しの申立てが保全命令を発した裁判所以外の本案の裁判所にされた場合において、事件の記録が保全命令を発した裁判所に存するときは、その裁判所も、これをすることができる。

■第5節　保全抗告

第41条　（保全抗告）

Ⅰ　保全異議又は保全取消しの申立てについての裁判（第33条（前条第1項において準用する場合を含む。）の規定による裁判を含む。）に対しては、その送達を受けた日から2週間の不変期間内に、保全抗告をすることができる。ただし、抗告裁判所が発した保全命令に対する保全異議の申立てについての裁判に対しては、この限りでない。

Ⅱ　原裁判所は、保全抗告を受けた場合には、保全抗告の理由の有無につき判断しないで、事件を抗告裁判所に送付しなければならない。

Ⅲ　保全抗告についての裁判に対しては、更に抗告をすることができない。

Ⅳ　第16条本文、第17条並びに第32条第2項及び第3項の規定は保全抗告についての決定について、第27条第1項、第4項及び第5項、第29条、第31条並びに第33条の規定は保全抗告に関する裁判について、民事訴訟法第349条の規定は保全抗告をすることができる裁判が確定した場合について準用する。

Ⅴ　前項において準用する第27条第1項の規定による裁判は、事件の記録が原裁判所に存するときは、その裁判所も、これをすることができる。

第42条　（保全命令を取り消す決定の効力の停止の裁判）

Ⅰ　保全命令を取り消す決定に対して保全抗告があった場合において、原決定の取消しの原因となることが明らかな事情及びその命令の取消しにより償うことができない損害を生ずるおそれがあることにつき疎明があったときに限り、抗告裁判所は、申立てにより、保全抗告についての裁判をするまでの間、担保を立てさせて、又は担保を立てることを条件として保全命令を取り消す決定の効力の停止を命ずることができる。

Ⅱ　第15条、第27条第4項及び前条第5項の規定は、前項の規定による裁判について準用する。

・第3章・【保全執行に関する手続】

■第1節　総則

《概　説》

◆　保全執行手続

1　手続の特徴

保全執行を行う機関は、民事執行と同じく裁判所と執行官であり、保全執行はこれらの保全執行機関に対する書面による申立てによって行われる（民保2Ⅱ）。

保全執行に関する手続には、民事執行法の規定の多くが準用される（民保46）が、保全執行の暫定性、迅速性の要請から、以下のような特則が置かれている。

2　執行文不要

保全執行は迅速性の要請から、原則として保全命令の正本に基づいて実施する（民保43Ⅰ）。執行文の付与を要するのは、保全命令に表示された当事者以外の者に対し、又はその者のためにする保全執行の場合に限られる（同条ただし書）。

3　執行期間の制限・送達前の執行

保全執行は債権者に保全命令が送達された日から2週間以内に着手しなければならない（民保43Ⅱ）。保全執行は保全命令が債務者に送達（民保17）される前でも実施することができる（同Ⅲ）。

第43条　（保全執行の要件）

Ⅰ　保全執行は、保全命令の正本に基づいて実施する。ただし、保全命令に表示された当事者以外の者に対し、又はその者のためにする保全執行は、執行文の付された保全命令の正本に基づいて実施する。

Ⅱ　保全執行は、債権者に対して保全命令が送達された日から2週間を経過したときは、これをしてはならない《論》。

Ⅲ　保全執行は、保全命令が債務者に送達される前であっても、これをすることができる《論》。

第44条　（追加担保を提供しないことによる保全執行の取消し）

Ⅰ　第32条第2項（第38条第3項及び第41条第4項において準用する場合を含む。以下この項において同じ。）の規定により担保を立てることを保全執行の続行の条件とする旨の裁判があったときは、債権者は、第32条第2項の規定により定められた期間内に担保を立てたことを証する書面をその期間の末日から1週間以内に保全執行裁判所又は執行官に提出しなければならない。

Ⅱ　債権者が前項の規定による書面の提出をしない場合において、債務者が同項の裁判の正本を提出したときは、保全執行裁判所又は執行官は、既にした執行処分を取り消さなければならない。

Ⅲ　民事執行法第40条第2項の規定は、前項の規定により執行処分を取り消す場合について準用する。

第45条　（第三者異議の訴えの管轄裁判所の特例）

高等裁判所が保全執行裁判所としてした保全執行に対する第三者異議の訴えは、仮に差し押さえるべき物又は係争物の所在地を管轄する地方裁判所が管轄する。

第46条　（民事執行法の準用）

この章に特別の定めがある場合を除き、民事執行法第5条から第14条まで、第16条、第18条、第23条第1項、第26条、第27条第2項、第28条、第30条第2項、第32条から第34条まで、第36条から第38条まで、第39条第1項第1号から第4号まで、第6号及び第7号、第40条並びに第41条の規定は、保全執行について準用する。

■第2節　仮差押えの執行

《概　説》

◆　仮差押えの執行

1　総説

　　仮差押えは、金銭債権の執行保全を目的とするから、債務者の責任財産の処分を制限し、これを確保すれば足りる。そこで、仮差押えの執行は、換価・満足手続には進まない。

2　仮差押執行の手続

(1)　不動産に対する仮差押えの執行

　　仮差押えの登記をする方法と強制管理の方法とがあり、両者は併用できる（民保47Ⅰ）。

(2)　船舶に対する仮差押えの執行

　　仮差押えの登記をする方法と執行官に対し船舶国籍証書等を取り上げて、提出すべきことを命ずる方法があり、両者は併用できる（民保48Ⅰ）。

(3)　動産に対する仮差押えの執行

　　動産執行と同じく執行官が目的物を占有する方法による（民保49Ⅰ）。執行官は、差し押さえた動産に、差押えの表示をした上で、債務者に保管させることができ（同Ⅳ、民執123Ⅲ）、さらに、債務者にその使用を許すこともできる（民保49Ⅳ、民執123Ⅲ）。

　　なお、目的動産を債権者が占有する場合や、第三者が占有する場合であって第三者が執行官に対する動産の提出を拒まない場合は仮差押えの対象にすることができる（民保49Ⅳ、民執124）。第三者が動産の提出を拒む場合は、動産仮差押えはできず、債務者の第三者に対する動産引渡請求権を仮差押え

しなければならない（民執143、163）。

(4)　債権及びその他の財産権に対する仮差押えの執行

　　　保全執行裁判所が第三債務者に対し債務者への弁済を禁止する命令を発する方法による（民保50Ⅰ）。

3　仮差押執行の効力

　　仮差押えの執行により債務者は目的財産についての処分を禁止される。

　　これに反する債務者の処分行為は、当事者間では有効だが、仮差押債権者には対抗できず、仮差押えに基づく本執行においては効力が否定される。

　　不動産の仮差押えの執行後に債務者が第三者に所有権を譲渡したり、抵当権設定登記をしても、仮差押債権者は、それらの登記に関係なく、本執行として債務者を相手として不動産強制競売の申立てをすることができる。仮差押執行後の抵当権者は、この本執行としての不動産強制競売手続において配当にあずかることはできない（民執87Ⅱ）。

　　動産の仮差押執行後に債務者の処分行為がされても、即時取得（民192）の適用される場合を除き、仮差押債権者による本執行は債務者の処分行為を無視して続行される。また、仮差押の目的物を第三者が占有することとなったときは、仮差押債権者の申立てにより、執行裁判所は、その第三者に対し仮差押えの目的物を執行官に引き渡すよう命ずることができる（民保49Ⅳ、民執169）。

第47条　（不動産に対する仮差押えの執行）

Ⅰ　民事執行法第43条第1項に規定する不動産（同条第2項の規定により不動産とみなされるものを含む。）に対する仮差押えの執行は、仮差押えの登記をする方法又は強制管理の方法により行う。これらの方法は、併用することができる。

Ⅱ　仮差押えの登記をする方法による仮差押えの執行については、仮差押命令を発した裁判所が、保全執行裁判所として管轄する。

Ⅲ　仮差押えの登記は、裁判所書記官が嘱託する。

Ⅳ　強制管理の方法による仮差押えの執行においては、管理人は、次項において準用する民事執行法第107条第1項の規定により計算した配当等に充てるべき金銭を供託し、その事情を保全執行裁判所に届け出なければならない。

Ⅴ　民事執行法第46条第2項、第47条第1項、第48条第2項、第53条及び第54条の規定は仮差押えの登記をする方法による仮差押えの執行について、同法第44条、第46条第1項、第47条第2項、第6項本文及び第7項、第48条、第53条、第54条、第93条から第93条の3まで、第94条から第104条まで、第106条並びに第107条第1項の規定は強制管理の方法による仮差押えの執行について準用する。

第48条　（船舶に対する仮差押えの執行）

Ⅰ　船舶に対する仮差押えの執行は、仮差押えの登記をする方法又は執行官に対し船舶の国籍を証する文書その他の船舶の航行のために必要な文書（以下この条において「船舶国籍証書等」という。）を取り上げて保全執行裁判所に提出すべきことを命ずる方法により行う。これらの方法は、併用することができる。

Ⅱ　仮差押えの登記をする方法による仮差押えの執行は仮差押命令を発した裁判所が、船舶国籍証書等の取上げを命ずる方法による仮差押えの執行は船舶の所在地を管轄する地方裁判所が、保全執行裁判所として管轄する。

Ⅲ　前条第3項並びに民事執行法第46条第2項、第47条第1項、第48条第2項、第53条及び第54条の規定は仮差押えの登記をする方法による仮差押えの執行について、同法第45条第3項、第47条第1項、第53条、第116条及び第118条の規定は船舶国籍証書等の取上げを命ずる方法による仮差押えの執行について準用する。

第49条　（動産に対する仮差押えの執行）

Ⅰ　動産に対する仮差押えの執行は、執行官が目的物を占有する方法により行う。

Ⅱ　執行官は、仮差押えの執行に係る金銭を供託しなければならない。仮差押えの執行に係る手形、小切手その他の金銭の支払を目的とする有価証券でその権利の行使のため定められた期間内に引受け若しくは支払のための提示又は支払の請求を要するものについて執行官が支払を受けた金銭についても、同様とする。

Ⅲ　仮差押えの執行に係る動産について著しい価額の減少を生ずるおそれがあるとき、又はその保管のために不相応な費用を要するときは、執行官は、民事執行法の規定による動産執行の売却の手続によりこれを売却し、その売得金を供託しなければならない。

Ⅳ　民事執行法第123条から第129条まで、第131条、第132条及び第136条の規定は、動産に対する仮差押えの執行について準用する。

第50条　（債権及びその他の財産権に対する仮差押えの執行）

Ⅰ　民事執行法第143条に規定する債権に対する仮差押えの執行は、保全執行裁判所が第三債務者に対し債務者への弁済を禁止する命令を発する方法により行う。

Ⅱ　前項の仮差押えの執行については、仮差押命令を発した裁判所が、保全執行裁判所として管轄する。

Ⅲ　第三債務者が仮差押えの執行がされた金銭の支払を目的とする債権の額に相当する金銭を供託した場合には、債務者が第22条第1項の規定により定められた金銭の額に相当する金銭を供託したものとみなす。ただし、その金銭の額を超える部分については、この限りでない。

Ⅳ　第1項及び第2項の規定は、その他の財産権に対する仮差押えの執行について準用する。

民事保全法

Ⅴ　民事執行法第145条第2項から<u>第6項</u>まで、第146条から第153条まで、第156条<u>（第3項を除く。）</u>、第164条第5項及び第6項並びに第167条の規定は、第1項の債権及びその他の財産権に対する仮差押えの執行について準用する。

第51条　（仮差押解放金の供託による仮差押えの執行の取消し）

Ⅰ　債務者が第22条第1項の規定により定められた金銭の額に相当する金銭を供託したことを証明したときは、保全執行裁判所は、仮差押えの執行を取り消さなければならない〈曬〉。

Ⅱ　前項の規定による決定は、第46条において準用する民事執行法第12条第2項の規定にかかわらず、即時にその効力を生ずる。

■第3節　仮処分の執行

第52条　（仮処分の執行）

Ⅰ　仮処分の執行については、この節に定めるもののほか、仮差押えの執行又は強制執行の例による。

Ⅱ　物の給付その他の作為又は不作為を命ずる仮処分の執行については、仮処分命令を債務名義とみなす。

第53条　（不動産の登記請求権を保全するための処分禁止の仮処分の執行）〈囻〉

Ⅰ　不動産に関する権利についての登記（仮登記を除く。）を請求する権利（以下「登記請求権」という。）を保全するための処分禁止の仮処分の執行は、処分禁止の登記をする方法により行う。

Ⅱ　不動産に関する所有権以外の権利の保存、設定又は変更についての登記請求権を保全するための処分禁止の仮処分の執行は、前項の処分禁止の登記とともに、仮処分による仮登記（以下「保全仮登記」という。）をする方法により行う。

Ⅲ　第47条第2項及び第3項並びに民事執行法第48条第2項、第53条及び第54条の規定は、前2項の処分禁止の仮処分の執行について準用する。

第54条　（不動産に関する権利以外の権利についての登記又は登録請求権を保全するための処分禁止の仮処分の執行）

前条の規定は、不動産に関する権利以外の権利で、その処分の制限につき登記又は登録を対抗要件又は効力発生要件とするものについての登記（仮登記を除く。）又は登録（仮登録を除く。）を請求する権利を保全するための処分禁止の仮処分の執行について準用する。

第54条の2　（債務者を特定しないで発された占有移転禁止の仮処分命令の執行）

第25条の2第1項の規定による占有移転禁止の仮処分命令の執行は、係争物である不動産の占有を解く際にその占有者を特定することができない場合は、することができない。

第55条　（建物収去土地明渡請求権を保全するための建物の処分禁止の仮処分の執行）

Ⅰ　建物の収去及びその敷地の明渡しの請求権を保全するため、その建物の処分禁止の仮処分命令が発せられたときは、その仮処分の執行は、処分禁止の登記をする方法により行う。

Ⅱ　第47条第2項及び第3項並びに民事執行法第48条第2項、第53条及び第54条の規定は、前項の処分禁止の仮処分の執行について準用する。

第56条　（法人の代表者の職務執行停止の仮処分等の登記の嘱託）

法人を代表する者その他法人の役員として登記された者について、その職務の執行を停止し、若しくはその職務を代行する者を選任する仮処分命令又はその仮処分命令を変更し、若しくは取り消す決定がされた場合には、裁判所書記官は、法人の本店又は主たる事務所及び支店又は従たる事務所の所在地（外国法人にあっては、各事務所の所在地）を管轄する登記所にその登記を嘱託しなければならない。ただし、これらの事項が登記すべきものでないときは、この限りでない。

第57条　（仮処分解放金の供託による仮処分の執行の取消し）

Ⅰ　債務者が第25条第1項の規定により定められた金銭の額に相当する金銭を供託したことを証明したときは、保全執行裁判所は、仮処分の執行を取り消さなければならない。

Ⅱ　第51条第2項の規定は、前項の規定による決定について準用する。

・第4章・【仮処分の効力】

第58条　（不動産の登記請求権を保全するための処分禁止の仮処分の効力）

Ⅰ　第53条第1項の処分禁止の登記の後にされた登記に係る権利の取得又は処分の制限は、同項の仮処分の債権者が保全すべき登記請求権に係る登記をする場合には、その登記に係る権利の取得又は消滅と抵触する限度において、その債権者に対抗することができない。

Ⅱ　前項の場合においては、第53条第1項の仮処分の債権者（同条第2項の仮処分の債権者を除く。）は、同条第1項の処分禁止の登記に後れる登記を抹消することができる。

Ⅲ　第53条第2項の仮処分の債権者が保全すべき登記請求権に係る登記をするには、保全仮登記に基づく本登記をする方法による。

Ⅳ　第53条第2項の仮処分の債権者は、前項の規定により登記をする場合において、その仮処分により保全すべき登記請求権に係る権利が不動産の使用又は収益をするものであるときは、不動産の使用若しくは収益をする権利（所有権を除く。）又はその権利を目的とする権利の取得に関する登記で、同条第1項の処分禁止の登記に後れるものを抹消することができる。

第59条 （登記の抹消の通知）

Ⅰ 仮処分の債権者が前条第2項又は第4項の規定により登記を抹消するには、あらかじめ、その登記の権利者に対し、その旨を通知しなければならない。

Ⅱ 前項の規定による通知は、これを発する時の同項の権利者の登記簿上の住所又は事務所にあてて発することができる。この場合には、その通知は、遅くとも、これを発した日から1週間を経過した時に到達したものとみなす。

第60条 （仮処分命令の更正等）

Ⅰ 保全仮登記に係る権利の表示がその保全仮登記に基づく本登記をすべき旨の本案の債務名義における権利の表示と符合しないときは、第53条第2項の処分禁止の仮処分の命令を発した裁判所は、債権者の申立てにより、その命令を更正しなければならない。

Ⅱ 前項の規定による更正決定に対しては、即時抗告をすることができる。

Ⅲ 第1項の規定による更正決定が確定したときは、裁判所書記官は、保全仮登記の更正を嘱託しなければならない。

第61条 （不動産に関する権利以外の権利についての登記又は登録請求権を保全するための処分禁止の仮処分の効力）

前3条の規定は、第54条に規定する処分禁止の仮処分の効力について準用する。

第62条 （占有移転禁止の仮処分命令の効力）〈司書〉

Ⅰ 占有移転禁止の仮処分命令の執行がされたときは、債権者は、本案の債務名義に基づき、次に掲げる者に対し、係争物の引渡し又は明渡しの強制執行をすることができる。

① 当該占有移転禁止の仮処分命令の執行がされたことを知って当該係争物を占有した者

② 当該占有移転禁止の仮処分命令の執行後にその執行がされたことを知らないで当該係争物について債務者の占有を承継した者

Ⅱ 占有移転禁止の仮処分命令の執行後に当該係争物を占有した者は、その執行がされたことを知って占有したものと推定する。

第63条 （執行文の付与に対する異議の申立ての理由）〈書〉

前条第1項の本案の債務名義につき同項の債務者以外の者に対する執行文が付与されたときは、その者は、執行文の付与に対する異議の申立てにおいて、債権者に対抗することができる権原により当該物を占有していること、又はその仮処分の執行がされたことを知らず、かつ、債務者の占有の承継人でないことを理由とすることができる。

第64条 （建物収去土地明渡請求権を保全するための建物の処分禁止の仮処分の効力）

　第55条第1項の処分禁止の登記がされたときは、債権者は、本案の債務名義に基づき、その登記がされた後に建物を譲り受けた者に対し、建物の収去及びその敷地の明渡しの強制執行をすることができる。

第65条 （詐害行為取消権を保全するための仮処分における解放金に対する権利の行使）

　民法（明治29年法律第89号）第424条第1項の規定による詐害行為取消権を保全するための仮処分命令において定められた第25条第1項の金銭の額に相当する金銭が供託されたときは、同法第424条第1項の債権者は、供託金の還付を請求する権利（以下「還付請求権」という。）を取得する。この場合において、その還付請求権は、その仮処分の執行が第57条第1項の規定により取り消され、かつ、保全すべき権利についての本案の判決が確定した後に、その仮処分の債権者が同法第424条第1項の債務者に対する債務名義によりその還付請求権に対し強制執行をするときに限り、これを行使することができる。

《注　釈》

◆　仮処分の執行・効力（民保52～65）

　　仮処分の執行は、仮処分命令の主文で定められた仮処分の内容に応じ、仮差押えの執行又は強制執行の例によって行う（民保52Ⅰ）。

1　不動産に関する登記請求権を保全するための処分禁止の仮処分

　(1)　執行方法

　　　処分禁止の登記をする方法により行う（民保53Ⅰ）。なお、所有権以外の権利の保存、設定又は変更についての登記請求権（抵当権設定登記が典型）を保全するための処分禁止の仮処分の執行は、処分禁止の登記と併せて、保全仮登記もなされる（同Ⅱ）。

　　　具体的な執行方法は、裁判所書記官が登記所に処分禁止の登記（又は保全仮登記）を嘱託し（同Ⅲ、47ⅡⅢ）、登記所は、登記簿に処分禁止の登記（又は保全仮登記）をする。

　(2)　効力

　　　処分禁止の登記の後になされた登記にかかる権利の取得等は、被保全権利とされた登記をする場合には、その登記内容と抵触する限度において、仮処分債権者に対抗することができない（民保58Ⅰ）。たとえば、抵当権設定登記請求権を保全するために保全仮登記がされた土地が譲渡された場合、本案の権利は、保全仮登記の本登記請求権であり、保全仮登記に基づく本登記をする方法によって実現し、原則として後順位登記は抹消されない（同Ⅲ）。

2　建物収去土地明渡請求権を保全するための処分禁止の仮処分

(1)　執行方法

　　建物について処分禁止の登記をする方法により行う（民保55Ⅰ）。

　　なお、本仮処分は、建物の処分を禁止するにとどまり、建物の占有関係を固定する効力はない。したがって、建物所有者が建物の占有を移転するおそれのあるときは、建物所有者を債務者として占有移転禁止の仮処分を得ておく必要がある。

　　執行方法は、具体的には、裁判所書記官が登記所に処分禁止の登記を嘱託する（民保55Ⅱ、47Ⅲ）。登記所は、この嘱託に従い、登記簿に処分禁止の登記及び保全仮登記をする。登記請求権を保全するための処分禁止の登記と区別するため、仮処分命令にも登記の目的にも建物収去請求権保全である旨が記載される。

(2)　効力

　　この仮処分後に建物を譲り受けた者がいるときは、債権者は、本案の債務名義に基づき、民事執行法27条2項により承継執行文の付与を受けて、建物譲受人に対し、建物収去及びその敷地の明渡しの強制執行をすることができる（民保64）。本仮処分の処分禁止の登記については、登記請求権を保全する処分禁止の仮処分の登記と異なり、処分禁止の登記に後れる登記を抹消する効力はない（民保58参照）。

3　占有移転禁止の仮処分

(1)　執行方法

　　債務者に対し、その物の占有の移転を禁止し（占有移転禁止命令）、その占有を解いて執行官に引き渡すべきことを命ずる（引渡命令）とともに、執行官にその物を保管させ（保管命令）、かつ、その旨を公示することを内容とする。

(2)　効力

　　占有移転禁止の仮処分の効力は、仮処分執行後に占有を承継した者に対してはその者の善意・悪意を問わず及ぶ（民保62Ⅰ）。また、悪意の非承継占有者に対しても及ぶ（同Ⅰ前段）。

　　債権者に対抗することができる権原により目的物を占有する者（正権原者）及び善意の非承継占有者には及ばない（民保63参照）。しかし、仮処分執行後に当該物を占有した者は、悪意で占有したものと推定される（民保62Ⅱ）。

　　よって、本案の勝訴判決を受けた債権者は、仮処分執行後の占有者に対しては、本案の債務名義に承継執行文の付与（民執27Ⅱ）を受けた上で、引渡し、明渡しの強制執行を行うことができる。この際、占有している者が仮処分執行後に占有を開始したことを証明する必要があるが、この証明は容易である（仮処分の執行調書と点検調書又は強制執行の不能調書により証明しうる）。なお、占有者が正権原者又は善意の非承継占有者である場合、執行

文付与に対する異議の申立て（民執32）又は執行文付与に対する異議の訴え（民執34）によって救済される。

・第５章・【罰則】

第66条　（公示書等損壊罪）

第52条第1項の規定によりその例によることとされる民事執行法第168条の2第3項又は第4項の規定により執行官が公示するために施した公示書その他の標識を損壊した者は、1年以下の懲役又は100万円以下の罰金に処する。

第67条　（陳述等拒絶の罪）

第52条第1項の規定によりその例によることとされる民事執行法第168条第2項の規定による執行官の質問又は文書の提出の要求に対し、正当な理由なく、陳述をせず、若しくは文書の提示を拒み、又は虚偽の陳述をし、若しくは虚偽の記載をした文書を提示した債務者又は同項に規定する不動産等を占有する第三者は、6月以下の懲役又は50万円以下の罰金に処する。

民事保全法

判例索引

明治

大判明 37.6.6 ・・・・・・・・・・・・・・・・・・・ 400
大判明 41.9.25 ・・・・・・・・・・・・・・・・・・ 74
大判明 44.12.11 ・・・・・・・・・・・・・・・・・ 377
大正 ・・・・・・・・・・・・・・・・・・・・・・・・
大判大 2.3.26 ・・・・・・・・・・・・・・・・・・・ 372
大判大 4.9.29 (百選 53 事件) ・・・・・・・・ 321
大判大 4.12.28 ・・・・・・・・・・・・・ 421, 426
大判大 5.11.8 ・・・・・・・・・・・・・・・・・・・ 227
大判大 7.3.19 ・・・・・・・・・・・・・・・・・・・ 73
大判大 8.2.6 ・・・・・・・・・・・・・・・・・・・・ 375
大判大 9.10.14 ・・・・・・・・・・・・・・・・・・ 24
大判大 10.5.27 ・・・・・・・・・・・・・・・・・・ 311
大判大 10.9.28 ・・・・・・・・・・・・・・・・・・ 68
大判大 12.4.7 ・・・・・・・・・・・・・・・・・・・ 406

昭和

大判昭 3.10.20 ・・・・・・・・・・・・・・・・・・ 19
大判昭 3.11.7 ・・・・・・・・・・・・・・・・・・・ 43
大決昭 5.6.28 ・・・・・・・・・・・・・・・・・・・ 60
大決昭 5.8.2 ・・・・・・・・・・・・・・・・・・・・ 34
大判昭 5.10.4 ・・・・・・・・・・・・・・・・・・・ 446
大決昭 6.4.22 ・・・・・・・・・・・・・・・・・・・ 424
大判昭 6.5.28 ・・・・・・・・・・・・・・・・・・・ 290
大判昭 6.9.14 ・・・・・・・・・・・・・・・・・・・ 289
大判昭 6.11.4 ・・・・・・・・・・・・・・・・・・・ 289
大判昭 6.11.24 ・・・・・・・・・・・・・・・・・・ 205
大判昭 7.6.2 ・・・・・・・・・・・・・・・・・・・・ 377
大決昭 7.9.10 ・・・・・・・・・・・・・・・・・・・ 238
大判昭 7.9.22 ・・・・・・・・・・・・・・・・・・・ 242
大判昭 8.1.24 ・・・・・・・・・・・・・・・・・・・ 414
大判昭 8.2.3 ・・・・・・・・・・・・・・・・・・・・ 395
大判昭 8.2.7 ・・・・・・・・・・・・・・・・・・・・ 284
大決昭 8.4.14 ・・・・・・・・・・・・・・・・・・・ 28
大判昭 8.6.16 ・・・・・・・・・・・・・・・・・・・ 151
大決昭 8.6.30 ・・・・・・・・・・・・・・・・・・・ 255
大決昭 8.7.4 ・・・・・・・・・・・・・・・・・・・・ 147
大判昭 9.2.26 ・・・・・・・・・・・・・・・・・・・ 434
大判昭 9.7.11 ・・・・・・・・・・・・・・・・・・・ 414
大判昭 9.11.20 ・・・・・・・・・・・・・・・・・・ 407

大判昭 10.10.28 (百選 4 事件) ・・・・・・・・・ 38
大判昭 10.12.17 ・・・・・・・・・・・・・・・・・・ 200
大判昭 11.3.11 (百選 5 事件) ・・・・・・・・・ 40
大判昭 11.5.22 ・・・・・・・・・・・・・・・・・・・ 99
大決昭 11.7.15 ・・・・・・・・・・・・・・・・・・・ 60
大判昭 13.3.1 ・・・・・・・・・・・・・・・・・・・・ 311
大判昭 13.8.9 ・・・・・・・・・・・・・・・・・・・・ 421
大判昭 13.12.26 ・・・・・・・・・・・・・・・・・・ 103
大判昭 14.3.29 ・・・・・・・・・・・・・・・・・・・ 158
大判昭 14.8.10 ・・・・・・・・・・・・・・・・・・・ 400
大判昭 14.9.14 ・・・・・・・・・・・・・・・・・・・ 135
大判昭 14.10.31 ・・・・・・・・・・・・・・・・・・ 135
大判昭 15.4.9 ・・・・・・・・・・・・・・・・・・・・ 51
大判昭 15.4.24 ・・・・・・・・・・・・・・・・・・・ 328
大判昭 15.6.28 ・・・・・・・・・・・・・・・・・・・ 366
大判昭 15.12.6 ・・・・・・・・・・・・・・・・・・・ 151
大判昭 15.12.20 ・・・・・・・・・・・・・・・・・・ 225
大判昭 16.3.15 ・・・・・・・・・・・・・・・・・・・ 400
大判昭 16.4.5 ・・・・・・・・・・・・・・・・・・・・ 62
大決昭 16.4.15 ・・・・・・・・・・・・・・・・・・・ 103
大判昭 16.5.3 ・・・・・・・・・・・・・・・・・・・・ 201
大判昭 19.3.14 ・・・・・・・・・・・・・・・ 421, 426
最判昭 23.5.18 ・・・・・・・・・・・・・・・・・・・ 143
最判昭 25.6.23 ・・・・・・・・・・・・・・・・・・・ 146
最判昭 25.7.11 ・・・・・・・・・・・・・・・・・・・ 321
最判昭 25.11.10 ・・・・・・・・・・・・・・ 128, 129
最判昭 25.11.17 ・・・・・・・・・・・・・・・・・・ 28
最判昭 26.3.29 ・・・・・・・・・・・・・・・・・・・ 396
最判昭 26.6.29 ・・・・・・・・・・・・・・・・・・・ 395
最判昭 26.10.16 ・・・・・・・・・・・・・・・・・・ 447
最判昭 27.2.8 ・・・・・・・・・・・・・・・・・・・・ 421
最大判昭 27.10.8 ・・・・・・・・・・・・・・・・・・ 202
最判昭 27.10.21 ・・・・・・・・・・・・・・・ 344, 389
最判昭 27.11.20 ・・・・・・・・・・・・・・・・・・ 232
最判昭 27.11.27 (百選 47 事件) ・・・ 267, 277
最判昭 27.12.25 ・・・・・・・・・・・・ 252, 375, 396
最判昭 28.9.25 ・・・・・・・・・・・・・・・・・・・ 312
最判昭 28.10.15 ・・・・・・・・・・・・・・・・・・ 232
最大判昭 28.12.23 (百選〔第三版〕37 事
　件) ・・・・・・・・・・・・・・・・・・・・・・・・・ 218
最判昭 28.12.14 ・・・・・・・・・・・・・・・・・・ 248

最判昭 28.12.24 ・・・・・・・・・・・・・・・ 147, 232
最判昭 29.1.28 ・・・・・・・・・・・・・・・・・・・・・ 435
最判昭 29.2.11 ・・・・・・・・・・・・・・・・・・・・・ 135
最判昭 29.6.8 ・・・・・・・・・・・・・・・・・・・・・・ 252
最判昭 29.6.11（百選 A 4 事件）・・・・・・・ 53
大阪地判昭 29.6.26（百選〔第 5 版〕A 3 事
　件）・・・・・・・・・・・・・・・・・・・・・・・・・・・・・ 40
最判昭 29.7.27 ・・・・・・・・・・・・・・・・・・・・・ 251
最判昭 29.9.17 ・・・・・・・・・・・・・・・・・・・・・・ 67
最判昭 29.10.26 ・・・・・・・・・・・・・・・・・・・・・ 34
最判昭 29.12.16 ・・・・・・・・・・・・・・・・・・・・ 210
最判昭 30.1.28（百選 3 事件）・・・・・・・・・・ 34
最判昭 30.4.5 ・・・・・・・・・・・・・・・・・・・・・・・ 284
最判昭 30.5.10 ・・・・・・・・・・・・・・・・・・・・・ 227
最判昭 30.5.20（百選〔第三版〕35 事件）
　・・・・・・・・・・・・・・・・・・・・・・・・・・・・・・・・ 232
最判昭 30.7.5（百選 52 事件）・・・・・・・・・ 323
最判昭 30.9.30 ・・・・・・・・・・・・・・・・・・・・・ 420
東京地判昭 30.11.30・・・・・・・・・・・・・・・・・ 154
最判昭 30.12.1 ・・・・・・・・・・・・・・・・・・・・・ 159
最判昭 30.12.26 ・・・・・・・・・・・・・・・ 209, 216
最判昭 31.4.3（百選 105 事件）・・・・・ 433, 434
最判昭 31.4.13 ・・・・・・・・・・・・・・・・・・・・・ 396
最判昭 31.5.10（百選〔第 4 版〕99 事件）
　・・・・・・・・・・・・・・・・・・・・・・・・・・・・・・・・・ 72
最判昭 31.6.19 ・・・・・・・・・・・・・・・・・・・・・ 135
最判昭 31.9.18 ・・・・・・・・・・・・・・・・・ 59, 226
最判昭 31.10.4 ・・・・・・・・・・・・・・・・・・・・・ 216
最判昭 31.12.20 ・・・・・・・・・・・・・・・・・・・・ 443
最判昭 31.12.28 ・・・・・・・・・・・・・・・・・・・・ 194
最判昭 32.2.8（百選 62 事件）・・・・・・・・・ 390
最判昭 32.2.28（百選 31 事件）・・・・・ 251, 252
最判昭 32.5.10（百選〔第三版〕68 事件）
　・・・・・・・・・・・・・・・・・・・・・・・・・・・・・・・・ 314
最判昭 32.6.7（百選 76 事件）・・・・・・・・・ 155
最判昭 32.6.25（百選 A 19 事件）・・・・・・・ 325
最大判昭 32.7.20 ・・・・・・・・・・・・・・・ 211, 217
東京地判昭 32.7.25・・・・・・・・・・・・・・・・・・ 243
東京高判昭 32.9.11・・・・・・・・・・・・・・・・・・ 564
最判昭 32.12.13（百選 A 39 事件）・・・・・ 439
最判昭 33.4.17（百選〔第三版〕16 事件）
　・・・・・・・・・・・・・・・・・・・・・・・・・・・・・・・・・ 50
最判昭 33.6.6 ・・・・・・・・・・・・・・・・・・・・・・ 377
最判昭 33.6.14（百選 88 事件）・・・・・ 423, 426

最判昭 33.7.8（百選 43 事件）・・・・・・・・・ 131
最判昭 33.7.22（共同訴訟関係）・・・・・・・・ 72
最判昭 33.7.22（控訴審関係）・・・・・・・・・ 441
最判昭 33.7.25（百選 15 事件）・・・・・ 60, 62
最判昭 33.10.14 ・・・・・・・・・・・・・・・・・・・・ 237
最判昭 33.11.4（百選〔第三版〕50 事件）
　・・・・・・・・・・・・・・・・・・・・・・・・・・・ 291, 396
最判昭 34.1.8 ・・・・・・・・・・・・・・・・・・・・・・ 310
最判昭 34.2.20 ・・・・・・・・・・・・・・・・・・・・・ 384
最判昭 34.7.3 ・・・・・・・・・・・・・・・・・・・・・・・ 67
最判昭 34.9.17 ・・・・・・・・・・・・・・・・・ 320, 439
最判昭 35.2.2（百選〔第 5 版〕63 事件）
　・・・・・・・・・・・・・・・・・・・・・・・・・・・・・・・・ 309
最判昭 35.3.1 ・・・・・・・・・・・・・・・・・・・・・・ 310
最判昭 35.5.24 ・・・・・・・・・・・・・・・・・・・・・ 254
最大判昭 35.6.8 ・・・・・・・・・・・・・・・・・・・・ 203
最判昭 35.6.9（百選〔第三版〕A 46 事件）
　・・・・・・・・・・・・・・・・・・・・・・・・・・・・・・・・ 451
最大判昭 35.10.19（憲法百選 181 事件）
　・・・・・・・・・・・・・・・・・・・・・・・・・・・・・・・・ 203
最判昭 36.3.24 ・・・・・・・・・・・・・・・・・・・・・ 374
最判昭 36.4.7（百選〔第三版〕A 24 事件）
　・・・・・・・・・・・・・・・・・・・・・・・・・・・・・・・・ 389
最判昭 36.4.27（百選 44 事件）・・・・・・・・ 132
最判昭 36.8.8（百選 109 事件）・・・・ 393, 451
東京地八王子支判昭 36.8.31（百選〔第三
　版〕4 事件）・・・・・・・・・・・・・・・・・・・・・・ 19
最判昭 36.10.5 ・・・・・・・・・・・・・・・・・・・・・ 320
最判昭 36.11.9 ・・・・・・・・・・・・・・・・・・・・・ 115
最判昭 36.11.24（百選 A 32 事件）
　・・・・・・・・・・・・・・・・・・・・・・・・・・・ 106, 221
最判昭 36.12.15 ・・・・・・・・・・・・・・・・・・・・・ 74
最判昭 37.1.19 ・・・・・・・・・・・・・・・・・・・・・ 218
最判昭 37.1.19（百選 A 33 ①事件）・・・・・ 90
最判昭 37.4.6 ・・・・・・・・・・・・・・・・・・・・・・ 412
最判昭 37.8.10（百選〔第 4 版〕81 ①事件）
　・・・・・・・・・・・・・・・・・・・・・・・・・・・ 381, 384
最判昭 37.10.12 ・・・・・・・・・・・・・・・・・・・・ 103
最判昭 37.12.18（百選 8 事件）・・・・・・・・・ 49
最判昭 38.1.18 ・・・・・・・・・・・・・・・・・・・・・ 413
最判昭 38.2.21 ・・・・・・・・・・・・・・・・・・・・・ 259
最判昭 38.2.21（百選 17 事件）・・・・・・・・ 113
最判昭 38.2.22 ・・・・・・・・・・・・・・・・・・・・・ 377

最判昭 38.4.12（百選〔第三版〕A 47 事件）
　　・・・・・・・・・・・・・・・・・・・・・・・・・・・・451
最判昭 38.8.8 ・・・・・・・・・・・・・・・・・・・・212
最判昭 38.10.15 ・・・・・・・・・・・・・310, 445
最大判昭 38.10.30 ・・・・・・・・・・・・・・・・262
最大判昭 38.10.30（百選 18 事件）・・・・・111
最判昭 38.12.27 ・・・・・・・・・・・・・・・・・・439
最判昭 39.5.12（百選 68 事件）・・・・・・・・・343
最判昭 39.6.26（百選 49 事件）・・・・・・・・・276
最判昭 39.7.10 ・・・・・・・・・・・・・・・・・・・252
最判昭 39.7.28（百選 56 事件）・・・・・・・・・314
最判昭 39.10.13（百選〔第三版〕8 事件）
　　・・・・・・・・・・・・・・・・・・・・・・・・・・・・・・32
最判昭 39.10.15 ・・・・・・・・・・・・・・・・・・・44
広島高判昭 40.1.20 ・・・・・・・・・・・・・・・・424
最判昭 40.3.4（百選 32 事件）・・・・・・・・・258
最判昭 40.4.2 ・・・・・・・・・・・・・・・・・・・・157
最大判昭 40.4.28 ・・・・・・・・・・・・・・・・・217
最判昭 40.5.20 ・・・・・・・・・・・・・・・・・・・・72
最大決昭 40.6.30（百選 1 事件）・・・・・・・・4
最判昭 40.8.2 ・・・・・・・・・・・・・・・・・・・・218
最判昭 40.9.17（百選 71 事件）
　　・・・・・・・・・・・・・231, 378, 379, 380
最判昭 41.1.21 ・・・・・・・・・・・・・・253, 413
最判昭 41.1.27（百選 A 18 事件）・・・・・・・312
最判昭 41.3.18（百選 19 事件）・・・・・・・・・206
最判昭 41.3.22（百選 104 事件）・・・103, 169
最判昭 41.4.12 ・・・・・・・・・・・・・・211, 279
最判昭 41.4.12（百選 A 14 事件）・・・・・・131
最判昭 41.7.14 ・・・・・・・・・・・・・・・・・・・・39
最判昭 41.7.28 ・・・・・・・・・・・・・・・・・・・・60
最判昭 41.9.8 ・・・・・・・・・・・・・・127, 319
札幌高決昭 41.9.19（百選 A 2 事件）・・・・・20
最判昭 41.9.22（百選 51 事件）・・・・・・・・・322
最判昭 41.11.10 ・・・・・・・・・・・・・・・・・・259
最判昭 41.11.25 ・・・・・・・・・・・・・・・45, 74
最判昭 42.2.23 ・・・・・・・・・・・・・・・・・・・・94
最判昭 42.2.24（百選〔第 5 版〕A 12 事
　　件）・・・・・・・・・・・・・・・・・・・・・・・・・・147
東京地判昭 42.3.28 ・・・・・・・・・・・・・・・・270
最判昭 42.3.31 ・・・・・・・・・・・・・・・・・・・396
最大判昭 42.5.24（憲法百選 131 事件）・・179
最判昭 42.6.9 ・・・・・・・・・・・・・・・・・・・・309
最判昭 42.6.30 ・・・・・・・・・・・・・・・・・・・201

最判昭 42.7.18（百選 77 事件）・・・・・・・・・385
最判昭 42.7.21 ・・・・・・・・・・・・・・・・・・・406
最判昭 42.8.25 ・・・・・・・・・・・・・・・・・・・406
最大判昭 42.9.27（百選 A 6 事件）・・・・・112
最判昭 42.10.12 ・・・・・・・・・・・・・・・・・・253
最判昭 42.10.19（百選 7 事件）・・・・・・・・・44
最判昭 43.2.15（百選 89 事件）・・・・・・・・・425
最判昭 43.2.16（百選 60 事件）・・・・・・・・・312
最判昭 43.2.22（百選 33 事件）・・・・194, 195
最判昭 43.3.8（百選 A28 事件）・・・・80, 81
最判昭 43.3.15（百選 94 事件）・・・・・・・・・73
最判昭 43.3.19（百選 110 事件）・・・・・・・・456
最判昭 43.3.28（百選 A16 事件）・・・・・・・290
最判昭 43.4.12 ・・・・・・・・・・・・・・・96, 97
最判昭 43.4.16（百選〔第 5 版〕A 6 事件）
　　・・・・・・・・・・・・・・・・・・・・・・・・・・・・・64
最判昭 43.5.31 ・・・・・・・・・59, 225, 227
最判昭 43.6.21 ・・・・・・・・・・・・・・・・・・・110
最判昭 43.8.27(百選 A3 事件)・・・・・・・・51
最判昭 43.9.12（百選 90 事件）・・・・69, 70
最判昭 43.10.15 ・・・・・・・・・・・・・・・・・・254
最判昭 43.11.1 ・・・・・・・・・・・・・・・・・・・258
最判昭 43.11.13（百選〔第三版〕44 ①事
　　件）・・・・・・・・・・・・・・・・・・・・・・・・・・261
最判昭 43.12.24（百選 57 事件）・・・・・・・315
最判昭 43.12.24（百選 A15 事件）・・・・・・132
最判昭 44.4.17 ・・・・・・・・・・・・・・・・・・・・74
最判昭 44.6.24（百選 79 事件）・・・・・・・・・165
最判昭 44.7.8（百選 81 事件）・・・・・・・・・402
最判昭 44.7.10（百選 14 事件）・・・・・・・・・221
最判昭 44.7.15 ・・・・・・・・・・・・・・・・・・・・95
最判昭 44.7.24 ・・・・・・・・・・・・・・・・・・・・72
最判昭 44.10.17（百選 87 事件）・・・269, 416
最判昭 45.1.22 ・・・・・・・・・・・・・・・・・・・・87
最判昭 45.3.26 ・・・・・・・・・・・・・・・・・・・328
最判昭 45.4.2（百選 28 事件）・・・・・・・・・218
最判昭 45.4.10 ・・・・・・・・・・・・・・・・・・・552
大阪地判昭 45.5.28（百選〔第 4 版〕88 事
　　件）・・・・・・・・・・・・・・・・・・・・・・・・・・168
最判昭 45.6.11（百選 48 事件）・・・・・・・・・275
最大判昭 45.6.24 ・・・・・・・・・・・・・・・・・132
東京地判昭 45.6.29 ・・・・・・・・・・・・・・・・316
最大判昭 45.7.15（百選 A8 事件）・・・・・・212

最大判昭 45.7.15（百選 A 35 事件）
・・・・・・・・・・・・・・・・・・・・・・・・ 104, 180
最判昭 45.7.24（百選〔第三版〕44 ②事件）
・・・・・・・・・・・・・・・・・・・・・・・・ 261, 384
最判昭 45.10.22（百選 98 事件）・・・・・・・・ 92
東京地判昭 45.10.31（百選〔第 5 版〕43 事件）・・・・・・・・・・・・・・・・・・・・・・・・ 272
最大判昭 45.11.11（百選 12 事件）・・・・・ 228
最判昭 45.12.15（百選 16 事件）・・・・・・・・ 64
大阪高判昭 46.4.8（百選 A26 事件）・・・・ 167
最判昭 46.4.23（百選〔第 5 版〕45 事件）
・・・・・・・・・・・・・・・・・・・・・・・・・・・・・ 284
最判昭 46.6.3（百選 112 事件）・・・・・・・・・ 469
最判昭 46.6.25（百選 86 事件）・・・・・・・・ 415
最判昭 46.6.29（百選 A13 事件）・・・・・・・ 129
新潟地判昭 46.9.29・・・・・・・・・・・ 314, 390
最判昭 46.10.7（百選 A29 事件）・・・・ 72, 77
最判昭 46.11.25（百選 70 事件）・・・ 376, 377
最判昭 47.2.15（百選 21 事件）・・・・・・・・・ 213
東京地決昭 47.3.18・・・・・・・・・・・・・・・・・・ 347
東京高決昭 47.5.22（百選〔第三版〕81 事件）・・・・・・・・・・・・・・・・・・・・・・・・・・・・ 357
最判昭 47.5.30・・・・・・・・・・・・・・・・・・・・・ 469
最判昭 47.6.2（百選〔第 4 版〕9 事件）
・・・・・・・・・・・・・・・・・・・・・・・・・・ 45, 47
最判昭 47.11.9（百選〔第 5 版〕A 5 事件）
・・・・・・・・・・・・・・・・・・・・・・・・・・・・・ 227
最判昭 47.11.9（百選 A 9 事件）・・・・・・・・ 212
最判昭 47.11.16・・・・・・・・・・・・・・・・・・・・ 377
最判昭 48.4.5（百選 69 事件）・・ 196, 197, 386
最判昭 48.4.24（百選 103 事件）・・・ 248, 249
最判昭 48.6.21（百選 82 事件）
・・・・・・・・・・・・・ 105, 169, 173, 408
最判昭 48.7.20（百選 101 事件）・・・・・・・・ 97
最判昭 48.10.11（百選〔第三版〕122 事件）
・・・・・・・・・・・・・・・・・・・・・・・・・・・・・ 118
最判昭 48.10.26（百選 6 事件）・・・・・・・・・ 41
最判昭 49.2.5（百選〔第 5 版〕A 1 事件）
・・・・・・・・・・・・・・・・・・・・・・・・・・・・・・ 21
最判昭 49.2.8・・・・・・・・・・・・・・・・・・・・・・ 242
東京地判昭 49.3.1（百選〔第 5 版〕A 18 事件）・・・・・・・・・・・・・・・・・・・・・・・・・・・・ 323
最判昭 49.4.26（百選 80 事件）
・・・・・・・・・・・・・・・・・ 158, 159, 196

最判昭 50.1.17（百選 A12 事件）・・・・・・・ 135
最判昭 50.3.13・・・・・・・・・・・・・・・・・・・・・・ 97
最判昭 50.10.24（百選 54 事件）・・・・・・・ 393
最判昭 50.11.28・・・・・・・・・・・・・・・・・・・・ 261
最判昭 51.3.23（百選〔第 5 版〕42 事件）・・ 6
最判昭 51.3.30（百選 A30 事件）・・・・ 84, 86
最判昭 51.7.19（百選 11 事件）・・・・・・・・ 225
最判昭 51.9.30（百選 74 事件）・・・・・・・・ 165
最判昭 51.10.21（百選 85 事件）・・・・・・・ 173
札幌高決昭 51.11.12・・・・・・・・・・・・・・・・・・ 33
最判昭 51.12.24（百選〔第三版〕A 14 事件）・・・・・・・・・・・・・・・・・・・・・・・・・・・・ 283
最判昭 52.3.15（憲法百選 182 事件）・・・・ 203
名古屋高判昭 52.3.28・・・・・・・・・・・・・・・・ 277
最判昭 52.3.31・・・・・・・・・・・・・・・・・・・・・ 311
最判昭 52.4.15・・・・・・・・・・・・・・・・・・・・・ 322
最判昭 52.5.27（百選 A42 事件）・・・・・・・ 467
東京高判昭 52.7.15（百選〔第三版〕71 事件）・・・・・・・・・・・・・・・・・・・・・・・・・・・・ 391
最判昭 52.7.19（百選 A27 事件）・・・・・・・ 415
大阪高決昭 53.3.6・・・・・・・・・・・・・・・・・・ 342
最判昭 53.3.23・・・・・・・・・・・・・・・・・・・・・ 326
最判昭 53.3.23（百選 84 事件）・・・・・・・・ 174
最判昭 53.7.10（百選 29 事件）・・・・・・・・・ 7
最判昭 53.9.14（百選 83 事件）・・・・・・・・ 167
最判昭 54.4.17・・・・・・・・・・・・・・・・・・・・・ 156
東京高決昭 54.9.28（百選 A 36 事件）
・・・・・・・・・・・・・・・・・・・・・ 104, 105
最判昭 54.11.16・・・・・・・・・・・・・・・・・・・・ 439
最判昭 55.1.11（百選 2 事件）・・・・・・・・・ 203
仙台高判昭 55.1.28・・・・・・・・・・・・・・・・・・ 109
最判昭 55.2.7（百選 42 事件）・・・・・・・・・ 129
最判昭 55.2.8・・・・・・・・・・・・・・・・・・・・・・・ 45
仙台高判昭 55.5.30（百選 102 事件）・・・・・ 96
最判昭 55.9.11・・・・・・・・・・・・・・・・・・・・・ 290
最判昭 55.10.23（百選 72 事件）・・・・・・・ 156
最判昭 55.10.28（百選〔第三版〕47 事件）
・・・・・・・・・・・・・・・・・・・・・ 145, 402
最判昭 56.3.20・・・・・・・・・・・・・・・・・・・・・ 143
最判昭 56.4.7・・・・・・・・・・・・・・・・・・・・・・ 203
最判昭 56.4.14（百選〔第 5 版〕73 事件）
・・・・・・・・・・・・・・・・・・・・・・・・・・・・・ 295
最判昭 56.9.24（百選 39 事件）・・・・・・・・ 280

最判昭 56.10.16（百選〔第三版〕123 事件）
　　· 9

最大判昭 56.12.16（百選 20 事件）
　　· 206, 207

最大判昭 56.12.16（百選〔第三版〕3 事件）
　　· 2

最判昭 57.2.23（百選〔第三版〕38 事件）
　　· 204

最判昭 57.3.30（百選 A23 事件）· · · · · · · 156

最判昭 57.7.1 · · · · · · · · · · · · · · · · · · · 71

最判昭 57.9.7（百選〔第三版〕A 15 事件）
　　· 142

最判昭 57.9.28 · · · · · · · · · · · · · · · · · 217

最判昭 57.9.28（百選〔第三版〕29 事件）
　　· 206

最判昭 57.12.2 · · · · · · · · · · · · · · · · · 256

最判昭 58.3.22（百選 106 事件）· · · 237, 445

最判昭 58.4.1 · · · · · · · · · · · · · · · · · · · 78

最判昭 58.4.14 · · · · · · · · · · · · · · 235, 236

最決昭 58.6.25 · · · · · · · · · · · · · · · · · · 88

最判昭 58.10.18（百選〔第三版〕42 事件）
　　· 195

最判昭 59.1.19 · · · · · · · · · · · · · · · · · 156

仙台高判昭 59.1.20（百選 A5 事件）· · · · · 111

東京高決昭 59.9.17 · · · · · · · · · · · · · · · 346

最判昭 59.9.28 · · · · · · · · · · · · · · · · · · 63

最判昭 60.3.15 · · · · · · · · · · · · · · · · · · 98

名古屋高判昭 60.4.12（百選 30 事件）
　　· 231, 376

最判昭 60.7.19 · · · · · · · · · · · · · · · · · 552

東京地決昭 61.1.14（百選〔第三版〕A 3 事
　　件）· 31

最判昭 61.3.13（百選 22 事件）· · · · · · · · 213

最判昭 61.5.30 · · · · · · · · · · · · · · · · · 197

最判昭 61.7.17（百選 78 事件）· · · · · · · · 158

最判昭 61.9.4（百選 107 事件）· · · · · · · · 445

広島地決昭 61.11.21（百選〔第 5 版〕72 事
　　件）· 363

最判昭 62.2.6（百選 A22 事件）· · · · · · · · 176

最判昭 62.4.23 · · · · · · · · · · · · · · · · · 227

大阪高判昭 62.7.16（百選〔第 5 版〕37 事
　　件）· 242

最判昭 62.7.17（百選 91 事件）· · · · · · · · · 82

最判昭 62.7.17（百選〔第三版〕A 12 事件）
　　· 217

最判昭 63.1.26（百選 34 事件）· · · · · · · · · · 3

最判昭 63.2.25（百選〔第三版〕A 41 事件）
　　· 88

最判昭 63.3.1 · · · · · · · · · · · · · · · · · · 222

最判昭 63.3.15 · · · · · · · · · · · · · · · · · 244

最判昭 63.3.31 · · · · · · · · · · · · · · · · · 208

平成

名古屋高金沢支判平元 .1.30（百選 A 37 事
　　件）· 385

最判平元 .3.28（百選 95 事件）· · · · · · · · · 75

最判平元 .10.13 · · · · · · · · · · · · · · · · · 180

最判平元 .11.10（百選〔第三版〕A 51 事
　　件）· 469

最判平元 .11.20 · · · · · · · · · · · · · · · · · · 8

東京高決平 2.1.16 · · · · · · · · · · · · · · · · 86

大阪地判平 2.3.22（百選〔第三版〕A 16 事
　　件）· 291

最判平 2.12.4 · · · · · · · · · · · · · · · · · · · 38

東京高判平 3.1.30（百選 58 事件）· · · · · 360

最判平 3.4.19（民法百選〔第三版〕87 事件）
　　· 226

東京高判平 3.5.29 · · · · · · · · · · · · · · · 566

最判平 3.9.13 · · · · · · · · · · · · · · · · · · 209

最判平 3.12.17（百選 35 ①事件）· · 243, 244

東京高判平 3.12.17 · · · · · · · · · · · · · · · 96

最判平 4.4.28（平 4 重判 1 事件）· · · · · · 147

東京高判平 4.7.29（百選〔第三版〕A 13 事
　　件）· 205

最判平 4.9.10（百選 111 事件）· · · · · · · · 465

最判平 4.10.29（百選 59 事件）· · · · · · · · 316

最判平 5.2.25（百選〔第三版〕39 事件）
　　· 231, 376

最判平 5.11.11（百選〔第三版〕A 30 事件）
　　· 206, 375

最判平 5.12.2（平 5 重判 2 事件）· · · · · · 253

最判平 6.1.25（平 6 重判 4 事件）· · · · · · · 77

最判平 6.5.31（百選 10 事件）· · · 46, 48, 219

最判平 6.9.27（百選 100 事件）· · · · · · · · 94

最判平 6.11.22（百選 108 事件）· · · · · · · 388

最判平 7.2.21（百選〔第 5 版〕14 事件）
　　· 220, 221

最判平 7.2.23（百選 A 41 事件）‥‥‥‥460
最判平 7.3.7（確認の利益）‥‥‥‥‥‥217
最判平 7.3.7（境界確定訴訟）‥‥‥‥‥195
最判平 7.7.18 ‥‥‥‥‥‥‥‥‥‥‥‥195
最判平 7.12.15（百選 73 事件）‥‥‥‥157
大阪地判平 8.1.26 ‥‥‥‥‥‥‥‥‥‥243
最判平 8.2.22（百選〔第三版〕61 事件）
‥‥‥‥‥‥‥‥‥‥‥‥‥‥‥‥276
東京高判平 8.4.8 ‥‥‥‥‥‥‥‥‥‥‥243
最判平 8.5.28 ‥‥‥‥‥‥‥‥‥202, 240
最判平 8.6.24（百選〔第三版〕A 8②事件）
‥‥‥‥‥‥‥‥‥‥‥‥‥‥‥‥205
最判平 8.6.24（百選〔第三版〕A 53 事件）
‥‥‥‥‥‥‥‥‥‥‥‥‥‥‥‥‥9
最判平 9.3.14（百選 A 24 事件）‥‥‥‥155
最大判平 9.4.2 ‥‥‥‥‥‥‥‥‥‥‥‥78
最判平 9.7.11（百選〔第三版〕A 54 事件）
‥‥‥‥‥‥‥‥‥‥‥‥‥‥‥‥176
最判平 9.7.17（百選 46 事件）‥‥‥‥‥127
最判平 10.2.27 ‥‥‥‥‥‥‥‥‥‥‥‥226
最判平 10.3.27（百選〔第三版〕A 7 事件）
‥‥‥‥‥‥‥‥‥‥‥‥‥‥‥‥‥71
最判平 10.4.28（百選〔第三版〕124 事件）
‥‥‥‥‥‥‥‥‥‥‥‥‥‥‥‥176
最判平 10.4.30（百選 41 事件）‥‥‥‥‥164
最判平 10.6.12（百選 75 事件）‥‥‥165, 381
最判平 10.6.30（百選 36 事件）‥‥‥247, 381
最判平 10.9.10（百選 37②事件）‥‥‥‥160
最判平 11.1.21（百選 25 事件）‥‥‥‥‥215
最決平 11.3.9 ‥‥‥‥‥‥‥‥‥‥‥‥453
最決平 11.3.12（百選〔第三版〕A 50 事件）
‥‥‥‥‥‥‥‥‥‥‥‥‥‥‥‥463
東京地決平 11.3.17（百選〔第三版〕6 事
件）‥‥‥‥‥‥‥‥‥‥‥‥‥28, 29
最決平 11.4.23 ‥‥‥‥‥‥‥‥‥‥‥‥452
最判平 11.6.11（百選 24 事件）‥‥‥‥‥216
大阪地決平 11.8.30（百選〔第三版〕A 17
事件）‥‥‥‥‥‥‥‥‥‥‥‥‥138
東京地判平 11.8.31（百選〔第三版〕69 事
件）‥‥‥‥‥‥‥‥‥‥‥‥‥‥394
最判平 11.11.9（百選〔第三版〕102 事件）
‥‥‥‥‥‥‥‥‥‥‥‥‥‥72, 75
最決平 11.11.12（百選 66 事件）
‥‥‥‥‥‥‥‥‥‥346, 350, 352

最判平 11.12.16 ‥‥‥‥‥‥‥‥‥‥‥226
最判平 12.2.24（百選 23 事件）‥‥‥‥‥217
最判平 12.3.7（百選〔第三版〕A 52 事件）
‥‥‥‥‥‥‥‥‥‥‥‥‥‥‥‥479
最決平 12.3.10（百選 A 20 事件）
‥‥‥‥‥‥‥‥‥‥‥349, 352, 359
最決平 12.3.10（百選〔第三版〕78 事件）
‥‥‥‥‥‥‥‥‥‥‥‥‥‥‥‥347
最判平 12.7.7（百選 96 事件）‥‥‥‥76, 78
最決平 12.7.14（百選〔第三版〕A 48 事件）
‥‥‥‥‥‥‥‥‥‥‥‥‥‥‥‥449
最決平 12.12.14（百選〔第三版〕A 28 事
件）‥‥‥‥‥‥‥‥‥‥‥‥‥‥359
最決平 12.12.14（平 12 重判 4 事件）‥‥‥352
最決平 13.1.30（百選〔第三版〕A 40 事件）
‥‥‥‥‥‥‥‥‥‥‥‥‥‥85, 87
最決平 13.2.22（百選〔第三版〕A 27 事件）
‥‥‥‥‥‥‥‥‥‥‥‥‥‥‥‥357
最決平 13.12.7（平 13 重判 1 事件）‥‥‥352
最判平 14.1.22（百選 99 事件）‥‥92, 108, 109
最判平 14.2.22（百選〔第三版〕2 事件）
‥‥‥‥‥‥‥‥‥‥‥‥‥‥‥‥203
最判平 14.6.7（百選〔第三版〕13 事件）‥‥44
最判平 14.7.9（百選〔第三版〕A 1 事件）
‥‥‥‥‥‥‥‥‥‥‥‥‥‥‥‥205
最判平 15.7.11（百選 93 事件）‥‥‥72, 73
最判平 15.10.31（百選 A 40 事件）‥‥‥‥465
最判平 15.11.13（百選 A 34 事件）‥‥‥‥90
最判平 16.3.25（百選 26 事件）
‥‥‥‥‥‥‥‥‥‥216, 242, 257
最判平 16.5.25（百選 67 事件）‥‥‥‥‥355
最判平 16.7.6（平 16 重判 4 事件）‥‥71, 74
最決平 16.11.26（平 16 重判 3 事件）
‥‥‥‥‥‥‥‥‥‥‥‥‥‥348, 353
最判平 17.7.15（平 17 重判 5 事件）‥‥‥509
最判平 17.7.22（平 17 重判 1 事件）‥‥‥355
最判平 17.10.14（百選 A 21 事件）‥‥‥‥347
最決平 17.11.10（平 17 重判 4 事件）‥‥‥353
最判平 17.12.9 ‥‥‥‥‥‥‥‥‥‥‥‥566
最決平 18.2.17（平 18 重判 3 事件）‥‥‥353
最判平 18.4.14（百選 A〔第 5 版〕11 事件）
‥‥‥‥‥‥‥‥‥‥‥‥‥243, 245
最決平 18.10.3（百選 64 事件）‥‥‥329, 333
最判平 19.1.16 ‥‥‥‥‥‥‥‥‥‥‥‥450

大阪高判平 19.1.30 ······················· 328
最判平 19.3.20（百選 38 事件）····· 150, 466
東京地判平 19.3.26（百選 A10 事件）··· 214
最判平 19.3.27 ··································· 63
最判平 19.5.29（平 19 重判 3 事件）····· 207
最判平 19.8.23（平 19 重判 4 事件）····· 353
最決平 19.11.30（平 19 重判 5 事件）···· 353
最決平 19.12.11（百選〔第 4 版〕A 23 事
　件）······························· 349, 350
最決平 19.12.12（平 20 重判 5 事件）···· 355
東京高決平 20.4.30（百選 97 事件）····· 85
最判平 20.5.8（百選〔第 4 版〕A 1 事件）
　··· 462
最判平 20.6.10（平 20 重判 6 事件）····· 394
最判平 20.7.10（平 20 重判 7 事件）····· 381
最判平 20.7.17（百選 92 事件）······· 45, 71
最決平 20.7.18（百選 A 1 事件）····· 27, 28
最判平 20.11.25（百選 65 事件）··· 349, 463
東京高判平 21.5.28（百選〔第 5 版〕58 事
　件）······························· 395
最判平 21.6.30（平 21 重判 3 事件）····· 462
最判平 22.3.16（平 22 重判 5 事件）····· 78
最判平 22.4.13（平 22 重判 3 事件）····· 403
最判平 22.6.29（平 22 重判 6 事件）····· 49
最判平 22.7.16（平 22 重判 4 事件）····· 160
最判平 22.10.8 ································· 213
最判平 22.10.14（平 22 重判 2 事件）···· 276
最判平 22.10.19 ······························· 251
最判平 23.2.15（平 23 重判 2 事件）···· 219
最決平 23.2.17（平 23 重判 4 事件）······ 79
最決平 23.4.13（百選〔第 5 版〕A 40 事件）
　··· 461
最決平 23.5.18（平 23 重判 1 事件）····· 21
最判平 23.9.30 ································· 89
最判平 23.10.11（平 23 重判 3 事件）
　····································· 350, 354
東京地判平 23.10.28（平 24 重判 4 事件）
　··· 158
最判平 24.1.31（平 24 重判 2 事件）····· 376
最判平 24.4.6（平 24 重判 3 事件）······ 409
最判平 24.12.21（平 25 重判 2 事件）···· 208
仙台高判平 25.1.24（平 25 重判 4 事件）·· 87
最判平 25.4.19（平 25 重判 3 事件）···· 348

最判平 25.6.6（平 25 重判 1 事件）
　····································· 261, 384
最決平 25.11.21（百選 113 事件）
　···························· 466, 469, 470
最決平 25.12.19（平 26 重判 3 事件）
　····································· 351, 354
最判平 26.2.14（平 26 重判 1 事件）······ 76
最判平 26.2.27（百選 9 事件）······· 47, 219
最判平 26.7.10（百選 A31 事件）··· 93, 470
最決平 26.10.29（平 26 重判 4 事件）
　····································· 351, 354
最決平 26.11.27（平 27 重判 3 事件）···· 117
最判平 27.5.19（平 27 重判 1 事件）······ 21
最判平 27.11.30（百選 A38 事件）·· 424, 446
最判平 27.12.14（平 28 重判 3 事件）···· 246
最判平 27.12.17（平 28 重判 2 事件）···· 238
最決平 28.2.26（百選 A33 ②事件）······· 88
東京高判平 28.5.19（百選 63 事件）···· 391
最判平 28.6.2（百選 13 事件）············ 228
東京高判平 28.12.26（平 30 重判 1 事件）
　··· 203
最決平 29.5.9 ································· 204
知財高判平 29.9.5（平 29 重判 2 事件）··· 95
最判平 29.10.4（平 29 重判 4 事件）···· 351
最判平 29.10.5（百選 A 7 事件）········ 111
最判平 30.10.11（百選 55 事件）········ 394
最判平 30.12.18（令元重判 5 事件）····· 31
最判平 30.12.21（百選 27 事件）········ 210
最判平 31.1.22（令元重判 4 事件）······ 356
最判平 31.3.5（令元重判 2 事件）······· 222

令和

札幌地決令元 .5.14（百選 A11 事件）··· 466
最判令元 .7.5（百選 40 事件）·············· 6
最決令 2.3.24（令 2 重判 3 ①事件）··· 346
最決令 2.3.24（令 2 重判 3 ②事件）··· 354
最判令 2.7.9（百選 A25 事件）·········· 176
最判令 2.9.11（百選 35 ②事件）········ 244
最判令 3.3.18（令 3 重判 4 事件）······ 333
最判令 4.4.12（令 4 重判 2 事件）······· 47
最判令 4.6.24（令 4 重判 3 事件）······ 222
大阪地判令 5.1.19 ···························· 248
最判令 5.3.24（令 5 重判 4 事件）······ 433
最判令 5.5.19（令 5 重判 2 事件）······· 226

最決令 5.9.27（令 5 重判 3 事件）‥‥‥‥ 416

事項索引

ア行

按分説・・・・・・・・・・・・・・・・・・・・386, 387
異議権・・・・・・・・・・・・・・・・・・・・・・・・・134
遺言執行者・・・・・・・・・・・・・・・・・・・・・・225
遺言無効確認の訴え・・・・・・・・・・・213, 216
遺産確認の訴え・・・・・・・・・・・・・・75, 213
違式の決定・命令・・・・・・・・・・・・・・・・459
意思説・・・・・・・・・・・・・・・・・・・・・・・・・・36
意思能力・・・・・・・・・・・・・・・・・・・・・・・・53
移審の効力・・・・・・・・・・・・・・・・・・・・・432
移送・・・・・・・・・・・・・・・・・・・・・・・・・・・・26
依存関係説・・・・・・・・・・・・・・・・・・・・・169
一応の推定・・・・・・・・・・・・・・・・・314, 316
一期日審理の原則・・・・・・・・・・・476, 479
一部請求・・・・・・・・・・・・・・・・・・・・・・・380
一部請求と過失相殺・・・・・・・・・・・・・・386
一部請求と相殺・・・・・・・・・・・・247, 387
一部認容判決・・・・・・・・・・・・・・・・・・・376
一部判決・・・・・・・・・・・・・・・・・・・・・・・369
一般条項・・・・・・・・・・・・・・・・・・130, 322
一般的な提出義務・・・・・・・・・・・・・・・346
違法執行・・・・・・・・・・・・・・・・・・・・・・・508
違法収集証拠・・・・・・・・・・・・・・・・・・・390
入会権・・・・・・・・・・・・・・・・・・・・・・・・・74
入会団体・・・・・・・・・・・・・・・・・・・・・・・46
イン・カメラ手続・・・・・・・・・・・・・・・・359
引用文書・・・・・・・・・・・・・・・・・・・・・・・346
内側説・・・・・・・・・・・・・・・・・・・・・・・・・386
訴え・・・・・・・・・・・・・・・・・・・・・・・・・・・191
訴え提起の効果・・・・・・・・・・・・・・・・・239
訴え提起前の和解・・・・・・・・・・・・・・・429
訴え取下げ契約・・・・・・・・・・・・・・・・・416
訴え取下げの合意・・・・・・・・・・269, 271
訴えの客観的併合・・・・・・・・・・・19, 233
訴えの提起前における照会・・・・183, 184
訴えの提起前における証拠収集の処分
・・・・・・・・・・・・・・・・・・・・・・・・・・・・・185
訴えの取下げ・・・・・・・・・・・・・・410, 425
訴えの取下げの擬制・・・・・・・・・288, 416
訴えの取下げの効果・・・・・・・・410, 413
訴えの取下げの手続・・・・・・・・・・・・・413
訴えの取下げの要件・・・・・・・・・・・・・411
訴えの変更・・・・・・・・・・・・・・・・250, 260
訴えの変更の手続・・・・・・・・・・・・・・・253
訴えの変更の要件・・・・・・・・・・・・・・・252
訴えの利益・・・・・・・・・・・・・・・・・・・・・202
疫学的証明・・・・・・・・・・・・・・・・・・・・・315
応訴管轄・・・・・・・・・・・・・・・・・・・・・・・・24
大阪国際空港事件・・・・・・・・・・・・・・・207
オール決定主義・・・・・・・・・・・・・・・・・587

カ行

外国裁判所の確定判決の効力・・・・・・・176
解除権・・・・・・・・・・・・・・・・・・・・・・・・・156
回避・・・・・・・・・・・・・・・・・・・・・・・・・・・33
確定遮断の効力・・・・・・・・・・・・・・・・・432
確定判決の効力・・・・・・・・・・・・・・・・・397
確定判決の騙取・・・・・・・・・・・・・・・・・401
確認の訴え・・・・・・・・・・・・・・・・・・・・・191
確認の訴えの利益（確認の利益）・・・・・・209
確認判決・・・・・・・・・・・・・・191, 192, 193
過去の権利又は法律関係・・・・・・・・・・192
瑕疵ある判決・・・・・・・・・・・・・・・・・・・400
家事事件手続法・・・・・・・・・・・・・・・・・・5
貸出稟議書・・・・・・・・・・・・・・・・・・・・・352
過失相殺・・・・・・・・・・・・・・・・・131, 386
株主総会決議取消しの訴え
・・・・・・・・・・・・・・・76, 105, 193, 283
株主総会決議不存在確認の訴え・・・・・・212
株主総会決議無効確認の訴え・・・・・・・・76
株主代表訴訟・・・・・・・・・・・・78, 87, 224
仮差押え・・・・・・・・・・・・・・・・・・・・・・・586
仮差押命令・・・・・・・・・・・・・・・・・・・・・594
仮執行宣言・・・・・・・・・・・・・・・・・・・・・409
仮執行宣言付支払督促・・・・・・・・・・・・484
仮処分の執行・・・・・・・・・・・・・・605, 608
仮処分命令・・・・・・・・・・・・・・・・・・・・・594
仮の地位を定める仮処分・・・・586, 589, 595
簡易却下・・・・・・・・・・・・・・・・・・・・・・・・35
簡易裁判所の裁量移送・・・・・・・・・・・・・28
簡易裁判所の手続・・・・・・・・・・・・・・・431

管轄 ・・・・・・・・・・・・・・・・・・・・・ 13
管轄原因の不法取得・・・・・・・・・・・・ 27
管轄違いに基づく移送・・・・・・・・・・・ 27
管轄の合意・・・・・・・・・・・・・・・・・・ 22
管轄の指定・・・・・・・・・・・・・・・・・・ 22
管轄の種類・・・・・・・・・・・・・・・・・・ 15
管轄の標準時 ・・・・・・・・・・・・・・・・ 25
関係者公開・・・・・・・・・・・・・・・・・・ 298
間接事実・・・・・・・・・・・・・・・・・・・ 130
間接事実についての自白・・・・・・・・ 322
間接証拠・・・・・・・・・・・・・・・・・・・ 306
間接反証・・・・・・・・・・・・・・・・・・・ 314
間接否認・・・・・・・・・・・・・・・・・・・ 321
鑑定・・・・・・・・・・・・・・・・・・・・・・ 339
鑑定義務・・・・・・・・・・・・・・・・・・・ 340
鑑定証人・・・・・・・・・・・・・・・・・・・ 341
鑑定人・・・・・・・・・・・・・・・・・・・・ 339
鑑定人質問・・・・・・・・・・・・・・・・・ 341
鑑定の嘱託・・・・・・・・・・・・・・・・・ 342
関連裁判籍・・・・・・・・・・・・・・・・・・ 19
期間・・・・・・・・・・・・・・・・・・・・・・ 144
棄却判決・・・・・・・・・・・・・・・・・・・ 194
期日・・・・・・・・・・・・・・・・・・・・・・ 141
期日の変更・・・・・・・・・・・・・・・・・ 142
期日の呼出し・・・・・・・・・・・・・・・ 142
基準時・・・・・・・・・・・・・・・・・・・・ 155
擬制自白・・・・・・・・・・・・・・ 286, 289
起訴前和解・・・・・・・・・・・・・・・・・ 429
規範分類説・・・・・・・・・・・ 36, 38, 39
既判力・・・・・・・・・・・・・・・ 152, 398
既判力に準ずる効力・・・・・・・・・・・ 158
既判力の客観的範囲・・・・・・・・・・・ 154
既判力の作用・性格・・・・・・・・・・・ 153
既判力の時的限界・・・・・・・・・・・・ 155
既判力の物的限界・・・・・・・・・・・・ 158
忌避・・・・・・・・・・・・・・・・・・・・・・ 32
忌避申立権の濫用・・・・・・・・・・・・・ 35
義務承継人の訴訟参加・・・・・・・・・・ 99
客観的証明責任・・・・・・・・・・・・・・ 308
旧訴訟物理論・・・・・・・・・・・・・・・ 196
給付の訴え・・・・・・・・・・・・・・・・・ 191
給付の訴えの利益・・・・・・・・・・・・ 205
境界確定の訴え・・・・・・・・・・・・・・ 194
強制管理・・・・・・・・・・・・・・・・・・・ 533

強制競売・・・・・・・・・・・・・・・・・・・ 512
強制執行・・・・・・・・・・・・・・・・・・・ 499
共同訴訟・・・・・・・・・・・・・ 65, 66, 77
共同訴訟参加・・・・・・・・・・・・・・・ 105
共同訴訟的補助参加・・・・・・・・・・・・ 87
共同訴訟人独立の原則・・・・・・・・・・ 68
許可抗告・・・・・・・・・・・・・・・・・・・ 463
金銭執行・・・・・・・・・・・・・・・・・・・ 492
計画審理・・・・・・・・・・・・・・・・・・・ 262
経験則・・・・・・・・・・・・・・・・・・・・ 318
形式的確定力 ・・・・・・・・・・・・ 397, 401
形式的形成訴訟・・・・・・・・・・・・・・ 194
形式的競売・・・・・・・・・・・・・・・・・ 493
形式的証拠力・・・・・・・・・・・・・・・ 343
形式的当事者概念・・・・・・・・・・・・・ 35
形式的不服説・・・・・・・・・・・・・・・ 433
形成の訴え・・・・・・・・・・・・・・・・・ 193
形成の訴えの利益・・・・・・・・・・・・ 217
形成力 ・・・・・・・・・・・・・・・ 193, 398
係争物に関する仮処分・・・・・・・・ 586, 594
継続審理主義 ・・・・・・・・・・・・・・・ 125
決定 ・・・・・・・・・・・・・・・・・ 365, 366
厳格な証明・・・・・・・・・・・・・・・・・ 307
現在の給付の訴え・・・・・・・・・・・・ 205
検証・・・・・・・・・・・・・・・・・・・・・・ 362
顕著な事実・・・・・・・・・・・・・・・・・ 318
限定承認・・・・・・・・・・・・・・・・・・・ 158
権利抗弁・・・・・・・・・・・・・・・・・・・ 267
権利根拠規定 ・・・・・・・・・・・・・・・ 309
権利失効の原則 ・・・・・・・・・・・・・・・ 3
権利自白 ・・・・・・・・・・・・・・・ 323, 419
権利主張参加・・・・・・・・・・・・・・・・ 94
権利障害規定 ・・・・・・・・・・・・・・・ 309
権利消滅規定 ・・・・・・・・・・・・・・・ 309
権利能力なき社団・・・・・・・・・・・・・ 44
合意管轄・・・・・・・・・・・・・・・・・・・ 22
行為期間・・・・・・・・・・・・・・・・・・・ 144
合一確定の必要・・・・・・・・・・・・・・ 76
公開主義・・・・・・・・・・・・・・・・・・・ 123
交換的変更・・・・・・・・・・・・・・・・・ 251
攻撃防御方法・・・・・・・・・・・・・・・ 266
抗告・・・・・・・・・・・・・・・・・・・・・・ 458
交互尋問・・・・・・・・・・・・・・・・・・・ 330
公示送達・・・・・・・・・・・・・・・・・・・ 147

更正決定・・・・・・・・・・・・・・・・・・・・・・406
更正権・・・・・・・・・・・・・・・・・・・・・・・・115
控訴・・・・・・・・・・・・・・・・・・・・・・・・・・433
控訴期間・・・・・・・・・・・・・・・・・・・・・・436
控訴権の放棄・・・・・・・・・・・・・・・・・436
控訴の取下げ・・・・・・・・・・・・411, 438
控訴の利益・・・・・・・・・・・・・・・・・・433
公知の事実・・・・・・・・・・・・・・・・・・318
口頭主義・・・・・・・・・・・・・・・・・・・・124
口頭弁論・・・・・・・・・・・・・・・・・・・・122
口頭弁論終結後の承継人・・・・105, 168, 170
口頭弁論調書・・・・・・・・・・・・・・・・290
口頭弁論の一体性・・・・・・・・・・・・282
口頭弁論の再開・・・・・・・・・・・・・・280
交付送達・・・・・・・・・・・・・・・・・・・・146
公文書・・・・・・・・・・・・・・・・・・・・・・342
抗弁・・・・・・・・・・・・・・・・・・・266, 267
抗弁事項・・・・・・・・・・・・・・・198, 200
公務秘密文書・・・・・・・・・・・・・・・347
小切手訴訟・・・・・・・・・・・・・・・・・・475
国際裁判管轄・・・・・・・・・・・・・・・・・・8
個別代理の原則・・・・・・・・・・・・・・113
固有の訴えの客観的併合・・・・・・233
固有必要的共同訴訟・・・・・・・・・・70

サ行

債権執行・・・・・・・・・・・・・・・・・・・・545
債権者代位訴訟・・・・・・・・・・・・・・248
再抗告・・・・・・・・・・・・・・・・・・458, 459
財産開示制度・・・・・・・・・・・・・・・・576
再審・・・・・・・・・・・・・・・・・・・・・・・・464
再審事由・・・・・・・・・・・・・・・451, 465
再審の補充性・・・・・・・・・・・・・・・467
再訴の禁止・・・・・・・・・・・・・・・・・・414
裁定期間・・・・・・・・・・・・・・・・・・・・145
裁判・・・・・・・・・・・・・・・・・・・・・・・・365
裁判上の自白・・・・・・・・・・・319, 419
裁判上の自白の撤回・・・・・・・・・・320
裁判資料・・・・・・・・・・・・・・・・・・・・266
裁判の羈束力・・・・・・・・・・・・・・・400
裁判の脱漏・・・・・・・・・・・・369, 407
裁判費用・・・・・・・・・・・・・・・・・・・・117
債務不存在確認・・・・・・・231, 378, 379
債務名義・・・・・・・・・・・・・・・499, 501

詐害防止参加・・・・・・・・・・・・・・・・・93
差置送達・・・・・・・・・・・・・・・149, 150
差押え・・・・・・・・・・・・・・・・・・・・・・511
差押禁止債権・・・・・・・・・・・549, 550
差押禁止動産・・・・・・・・・・・542, 543
参加承継・・・・・・・・・・・・・・・102, 103
参加的効力・・・・・・・・・・・・・・92, 108
参加的効力説・・・・・・・・・・・・・・・・91
参加の利益・・・・・・・・・・・・・・・・・・84
暫定真実・・・・・・・・・・・・・・・・・・・・314
事案解明義務・・・・・・・・・・・・・・・316
時機に後れた攻撃防御方法の却下
・・・・・・・・・・・・・・・・・・・・・283, 284
時効の完成猶予・・・・・・・・・・・・・260
自己利用文書・・・・・・・・・346, 350, 352
事実抗弁・・・・・・・・・・・・・・・・・・・・267
事実上の主張・・・・・・・・・・・・・・・266
事実上の推定・・・・・・・・・・・313, 389
事実の来歴・経過・・・・・・・・・・・131
死者に対する訴え・・・・・・・・・・・・38
自庁処理・・・・・・・・・・・・・・・・・・・・27
執行異議・・・・・・・・・・・・・・・497, 508
執行機関・・・・・・・・・・・・・・・・・・・・494
執行抗告・・・・・・・・・・・・・・・496, 508
執行停止・・・・・・・・・・・・・・・461, 488
執行当事者・・・・・・・・・・・・・・・・・494
執行の停止・・・・・・・・・・・・・・・・・508
執行の取消し・・・・・・・・・・・・・・・508
執行文・・・・・・・・・・・・・・・・・・・・・・503
執行文付与に対する異議・・・・・・508
執行文付与に対する異議の訴え・・506, 508
執行文付与の訴え・・・・・・・505, 508
執行文付与の拒絶に関する異議・・・・・・・508
執行力・・・・・・・・・・・・191, 398, 408
実質（実体）的確定力・・・・・・・・・153
実質的証拠力・・・・・・・・・・・・・・・344
指定管轄・・・・・・・・・・・・・・・・14, 15
自白・・・・・・・・・・・・・・・・・・・・・・・・266
自白契約・・・・・・・・・・・・・・・269, 271
自白の裁判所拘束力・・・・・・128, 320
自白の当事者拘束力・・・・・・・・・320
支払督促・・・・・・・・・・・・・・・・・・・・481
自判・・・・・・・・・・・・・・・・・・・・・・・・443
事物管轄・・・・・・・・・・・・・・・・・・・・14

私文書・・・・・・・・・・・・・・・・・・・・342
私法契約説・・・・・・・・・・・・・・269, 271
司法権・・・・・・・・・・・・・・・・・・・・・8
氏名冒用訴訟・・・・・・・・・・・・・・・36
釈明義務・・・・・・・・・・・・・・・・・・276
釈明権・・・・・・・・・・・・・・・・・・・274
釈明処分・・・・・・・・・・・・・・・・・278
遮断効・・・・・・・・・・・・・・・・・・・155
主位的請求・・・・・・・・・・・・・・・・234
終局判決・・・・・・・・・・・・・・・・・368
自由心証主義・・・・・・・・・・・・・・388
集中証拠調べ・・・・・・・・・・・・・・326
自由な証明・・・・・・・・・・・・・・・307
主観的証明責任・・・・・・・・・・・・309
主観的選択的併合・・・・・・・・・・81
主観的追加的併合・・・・・・・・・・81
主観的併合・・・・・・・・・・・・・・・・65
主観的予備的併合・・・・・・・・65, 80
受継申立て・・・・・・・・・・・・・・・181
取効的訴訟行為・・・・・・・・264, 265
受託裁判官・・・・・・・・・・・・・・・133
主張・・・・・・・・・・・・・・・・・・・・264
主張共通の原則・・・・・・・・・68, 127
主張責任・・・・・・・・・・・・・127, 308
出頭義務・・・・・・・・・329, 331, 339
受命裁判官・・・・・・・・・・・・・・・133
主要事実・・・・・・・・・・・・・・・・130
準再審・・・・・・・・・・・・・・・・・・471
準備書面・・・・・・・・・・・・・・・・291
準備的口頭弁論・・・・・・・・・・・295
準文書・・・・・・・・・・・・・・・・・・342
少額訴訟に関する特則・・・・476, 478
消極的確認の訴え・・・・・・・・・・192
消極的釈明・・・・・・・・・・・・・・・274
承継執行文・・・・・・・・・・・・・・・504
証言拒絶権・・・・・・・・・・329, 332
条件成就執行文・・・・・・・・・・・503
条件付法律関係の確認・・・・・・215
証拠共通の原則・・・・・・・・68, 390
上告・・・・・・・・・・・・・・・・・・・448
上告受理の申立て・・・・・・448, 453
上告理由・・・・・・・・・・・・・・・450
証拠契約・・・・・・・・・・・・・・・・392
証拠原因・・・・・・・・・・・・・・・・305

証拠資料・・・・・・・・・・・・・・・・305
証拠制限契約・・・・・・・・・・・・・270
証拠能力・・・・・・・・・・・・・・・・306
証拠方法・・・・・・・・・・・・・・・・305
証拠方法の制限・・・・・・・・・・・390
証拠保全・・・・・・・・・・・・・・・・363
証拠申出・・・・・・・・・・・・・・・・324
証拠力・・・・・・・・・・・・・・・・・306
証書真否確認の訴え・・・・・・・・232
上訴・・・・・・・・・・・・・・・・・・・432
上訴不可分の原則・・・・・・・・・432
証人・・・・・・・・・・・・・・・・・・・329
証人義務・・・・・・・・・・・329, 331
証人尋問・・・・・・・・・・・・・・・329
証人能力・・・・・・・・・・・・・・・329
証明・・・・・・・・・・・・・・・・・・・307
証明効・・・・・・・・・・・・・・・・・398
証明責任・・・・・・・・・・・・・・・・308
証明責任説・・・・・・・・・・・・・・320
証明責任の転換・・・・・・・・・・・313
証明責任の配分・・・・・・・・・・・309
証明の対象・・・・・・・・・・・・・・317
証明不要効・・・・・・・・・・・・・・320
証明妨害・・・・・・・・・・・316, 392
将来給付の判決・・・・・・・・・・・377
将来の給付の訴え・・・・・・206, 233
職業の秘密・・・・・・・・・・・・・・333
職分管轄・・・・・・・・・・・・・・・・14
職務上顕著な事実・・・・・・・・・318
職務上の当事者・・・・・・・・・・・228
書証・・・・・・・・・・・・・・・・・・・342
除斥・・・・・・・・・・・・・・・・・・・32
職権証拠調べの禁止・・・・・・・・128
職権進行主義・・・・・・・・・・・・272
職権探知主義・・・・・・・・・・・・199
職権調査事項・・・・・・・・・・・・198
処分禁止の仮処分・・・・・・・・・586
処分権主義・・・・・・・・・・159, 372
処分証書・・・・・・・・・・・・・・・342
書面による準備手続・・・・・・・・301
白地補充権・・・・・・・・・・・・・・156
信義則・・・・・・・・・・・・・・2, 6, 165
真偽不明・・・・・・・・・・・・・・・・308
進行協議期日・・・・・・・・・・・・295

新訴訟物理論 ・・・・・・・・・・・・・・・・・・・ 196
審理不尽・・・・・・・・・・・・・・・・・・・・・・・・ 451
随時提出主義 ・・・・・・・・・・・・・・・・・・・ 282
請求異議の訴え ・・・・・・・・・・・ 506, 508
請求適格・・・・・・・・・・・・・・・・・・・・・・・・ 206
請求の基礎・・・・・・・・・・・・・・・・・・・・・・ 252
請求の原因・・・・・・・・・・・・・・・・・ 230, 372
請求の趣旨・・・・・・・・・・・・・・・・・・・・・・ 230
請求の認諾・・・・・・・・・・・・・・・ 418, 419
請求の放棄・・・・・・・・・・・・・・・・・・・・・・ 418
請求の目的物の所持者・・・・・・・・ 166, 170
制限付自白・・・・・・・・・・・・・・・・・・・・・・ 321
制限的訴訟能力者 ・・・・・・・・・・・・・・ 54
責問権・・・・・・・・・・・・・・・・・・・・・・・・・・ 134
責問権の放棄・喪失・・・・・・・・・・・・ 134
積極的の確認の訴え ・・・・・・・・・・・・ 192
積極的釈明 ・・・・・・・・・・・・・・・・・・・・・ 274
絶対的上告理由 ・・・・・・・・・・・・・・・・ 450
先行自白 ・・・・・・・・・・・・・・・・・・・・・・・ 319
宣誓・・・・・・・・・・・・・・・・・・・・・・・・・・・・ 335
専属管轄 ・・・・・・・・・・・・・・・・・・・・・・・ 15
専属的の合意 ・・・・・・・・・・・・・・・・・・ 23
選択的併合 ・・・・・・・・・・・・・・・ 234, 235
選定当事者 ・・・・・・・・・・・・・・・・・・・・・ 50
全部判決・・・・・・・・・・・・・・・・・・・・・・・・ 368
専門委員 ・・・・・・・・・・・・・・・・・・・・・・・ 138
占有移転禁止の仮処分・・・・・・・ 595, 609
相殺権・・・・・・・・・・・・・・・・・・・・・・・・・・ 157
相殺の抗弁・・・・・・・・・・・ 160, 243, 284
送達・・・・・・・・・・・・・・・・・・・・・・・・・・・・ 146
争点効・・・・・・・・・・・・・・・・・・・・・・・・・・ 164
双方審尋主義 ・・・・・・・・・・・・・・・・・・・ 123
訴額・・・・・・・・・・・・・・・・・・・・・・・・・・・・ 14
即時確定の利益 ・・・・・・・・・・・・・・・・ 216
即時抗告・・・・・・・・・・・・・・・・・・・・・・・・ 458
続審主義・・・・・・・・・・・・・・・・・・・・・・・・ 434
訴状・・・・・・・・・・・・・・・・・・・・・・・・・・・・ 229
訴訟委任・・・・・・・・・・・・・・・・・・・・・・・・ 112
訴訟委任に基づく訴訟代理人 ・・・・・・ 110
訴訟記録の閲覧 ・・・・・・・・・・・・・・・・ 136
訴訟係属・・・・・・・・・・・・・・・・・・・・・・・・ 238
訴訟契約・・・・・・・・・・・・・・・・・・・・・・・・ 269
訴訟契約説・・・・・・・・・・・・・・・・ 269, 271
訴訟行為・・・・・・・・・・・・・・・・・・・・・・・・ 263

訴訟行為の追完 ・・・・・・・・・・・・・ 144, 268
訴訟告知・・・・・・・・・・・・・・・・・・・・・・・・ 107
訴訟参加・・・・・・・・・・・・・・・・・・・・・・・・ 83
訴訟指揮権 ・・・・・・・・・・・・・・・・・・・・・ 272
訴訟終了宣言判決 ・・・・・・・・・・・・・・ 445
訴訟承継・・・・・・・・・・・・・・・・・・・・・・・・ 101
訴訟承継主義 ・・・・・・・・・・・・・・・・・・ 102
訴訟状態承認義務 ・・・・・・・・・・・・・・ 104
訴訟上の救助 ・・・・・・・・・・・・・・・・・・ 121
訴訟上の禁反言 ・・・・・・・・・・・・・・・ 2, 6
訴訟上の代理人 ・・・・・・・・・ 59, 61, 223
訴訟上の和解 ・・・・・・・・・・・・・・・・・・ 421
訴訟資料・・・・・・・・・・・・・・・・・・・・・・・・ 125
訴訟資料と証拠資料の峻別 ・・・・・・ 128
訴訟代理人 ・・・・・・・・・・・・・・・・・・・・・ 109
訴訟脱退・・・・・・・・・・・・・・・・・・・・・・・・ 98
訴訟手続の中止 ・・・・・・・・・・・・・・・・ 182
訴訟手続の中断 ・・・・・・・・・・・・・・・・ 178
訴訟手続の停止 ・・・・・・・・・・・・ 34, 177
訴訟能力・・・・・・・・・・・・・・・・・・・・・・・・ 52
訴訟能力欠缺 ・・・・・・・・・・・・・・・・・・ 55
訴訟判決・・・・・・・・・・・・・・・・・・・・・・・・ 369
訴訟費用・・・・・・・・・・・・・・・・・・・・・・・・ 116
訴訟物・・・・・・・・・・・・・・・・・・・・・・・・・・ 196
訴訟物理論 ・・・・・・・・・・・・・・・・・・・・・ 196
訴訟無能力者 ・・・・・・・・・・・・・・・・・・ 53
訴訟要件・・・・・・・・・・・・・・・・・・・・・・・・ 198
即決和解・・・・・・・・・・・・・・・・・・・・・・・・ 429
外側説・・・・・・・・・・・・・・・・・・・・・・・・・・ 386
疎明・・・・・・・・・・・・・・・・・・・・・・・ 307, 328
損害額の認定 ・・・・・・・・・・・・・・・・・・ 393

タ行

大規模訴訟・・・・・・・・・・・・・・・・・・・・・・ 426
第三者異議の訴え ・・・・・・・・・・ 507, 508
第三者の訴訟担当 ・・・・・・・・・・・・・・ 223
代償請求・・・・・・・・・・・・・・・・・・・・ 20, 234
対象選択の適否 ・・・・・・・・・・・・・・・・ 210
対世効・・・・・・・・・・・・・・・・・・・・・・・・・・ 170
建物買取請求権 ・・・・・・・・・・・・ 157, 284
単純執行文 ・・・・・・・・・・・・・・・・・・・・・ 503
単純反訴・・・・・・・・・・・・・・・・・・・・・・・・ 257
単純否認・・・・・・・・・・・・・・・・・・・・・・・・ 266
単純併合・・・・・・・・・・・・・・・・・・・・・・・・ 234

担保権実行としての競売・・・・・・・・・・・ 493
担保不動産競売・・・・・・・・・・・・・・・・ 571
担保不動産収益執行・・・・・・・・・・・・・ 571
遅滞を避ける等のための移送・・・・・・・ 28
中間確認の訴え・・・・・・・・・・・・・・・・ 255
中間の争い・・・・・・・・・・・・・・・・・・・・ 371
中間判決・・・・・・・・・・・・・・・・・・・・・・ 371
抽象的不作為請求訴訟・・・・・・・・ 231, 375
調査の嘱託・・・・・・・・・・・・・・・・ 328, 524
調書判決・・・・・・・・・・・・・・・・・・・・・・ 404
直接主義・・・・・・・・・・・・・・・・・・ 125, 395
直接証拠・・・・・・・・・・・・・・・・・・・・・・ 306
陳述擬制・・・・・・・・・・・・・・・・・・ 285, 287
沈黙・・・・・・・・・・・・・・・・・・・・・・・・・・ 266
追加的選定・・・・・・・・・・・・・・・・・・・・ 50
追加の変更・・・・・・・・・・・・・・・・・・・・ 251
追加判決・・・・・・・・・・・・・・・・・・・・・・ 369
追認・・・・・・・・・・・・・・・・・・・・・ 56, 268
通常期間・・・・・・・・・・・・・・・・・・・・・・ 145
通常共同訴訟・・・・・・・・・・・・・・・・・・ 65
通常抗告・・・・・・・・・・・・・・・・・・・・・・ 458
出会送達・・・・・・・・・・・・・・・・・・ 149, 150
手形訴訟・・・・・・・・・・・・・・・・・・ 249, 475
手形判決・・・・・・・・・・・・・・・・・・・・・・ 475
適格承継説・・・・・・・・・・・・・・・・・・・・ 169
適格説・・・・・・・・・・・・・・・・・・・・・・・・ 36
適時提出主義・・・・・・・・・・・・・・・・・・ 282
撤回制限効・・・・・・・・・・・・・・・・・・・・ 320
手続裁量論・・・・・・・・・・・・・・・・・・・・ 272
手続保障説・・・・・・・・・・・・・・・・・・・・ 153
転付命令・・・・・・・・・・・・・・・・・・・・・・ 551
動産執行・・・・・・・・・・・・・・・・・・・・・・ 540
当事者・・・・・・・・・・・・・・・・・・・・・・・・ 35
当事者権・・・・・・・・・・・・・・・・・・・・・・ 36
当事者恒定効・・・・・・・・・・・・・・・・・・ 595
当事者照会・・・・・・・・・・・・・・・・・・・・ 294
当事者尋問・・・・・・・・・・・・・・・・・・・・ 337
当事者適格・・・・・・・・・・・・・・・・ 42, 218
当事者能力・・・・・・・・・・・・・・・・・・・・ 42
当事者の確定・・・・・・・・・・・・・・・・・・ 36
当事者の同一性・・・・・・・・・・・・・・・・ 241
当事者の表示の訂正・・・・・・・・・・・・・ 40
当事者の変更・・・・・・・・・・・・・・ 40, 100
当事者費用・・・・・・・・・・・・・・・・・・・・ 117

同時審判申出共同訴訟・・・・・・・・・・・ 79
当然承継・・・・・・・・・・・・・・・・ 101, 179
謄本・・・・・・・・・・・・・・・・・・・・・・・・・ 342
督促異議・・・・・・・・・・・・・・・・・・・・・・ 485
督促手続・・・・・・・・・・・・・・・・・・・・・・ 481
特別委任事項・・・・・・・・・・・・・・・・・・ 113
特別抗告・・・・・・・・・・・・・・・・・・・・・・ 462
特別裁判籍・・・・・・・・・・・・・・・・・・・・ 16
特別上告・・・・・・・・・・・・・・・・・・・・・・ 457
特別代理人・・・・・・・・・・・・・・・・・・・・ 58
独立裁判籍・・・・・・・・・・・・・・・・・・・・ 18
独立当事者参加・・・・・・・・・・・・・・・・ 93
独立附帯控訴・・・・・・・・・・・・・・・・・・ 439
土地管轄・・・・・・・・・・・・・・・・・・・・・・ 14
飛越上告の合意・・・・・・・・・・・・・・・・ 435
取消権・・・・・・・・・・・・・・・・・・・・・・・・ 155
取立訴訟・・・・・・・・・・・・・・・・・・・・・・ 551

ナ行

内容的効力・・・・・・・・・・・・・・・・・・・・ 397
二重起訴の禁止・・・・・・・・・・・・・・・・ 241
二段の推定・・・・・・・・・・・・・・・・・・・・ 343
二当事者対立の原則・・・・・・・・・・・・・ 35
任意管轄・・・・・・・・・・・・・・・・・・・・・・ 15
任意代理人・・・・・・・・・・・・・・・・・・・・ 59
任意的口頭弁論・・・・・・・・・・・・・・・・ 122
任意的差戻し・・・・・・・・・・・・・・・・・・ 443
任意的訴訟担当・・・・・・・・・・・・・・・・ 228
任意的当事者変更・・・・・・・・・・・・・・ 100

ハ行

敗訴可能性説・・・・・・・・・・・・・・・・・・ 320
破棄差戻し・・・・・・・・・・・・・・・・・・・・ 456
破棄自判・・・・・・・・・・・・・・・・・・・・・・ 456
波及効・・・・・・・・・・・・・・・・・・・・・・・・ 398
判決・・・・・・・・・・・・・・・・・・・・・・・・・ 365
判決事項・・・・・・・・・・・・・・・・・・・・・・ 372
判決書・・・・・・・・・・・・・・・・・・・・・・・・ 367
判決の言渡し・・・・・・・・・・・・・・・・・・ 368
判決の確定・・・・・・・・・・・・・・・・・・・・ 174
判決の更正・・・・・・・・・・・・・・・・ 405, 406
判決の自己拘束力・・・・・・・・・・・・・・ 396
判決の不存在・・・・・・・・・・・・・・・・・・ 400
判決の変更・・・・・・・・・・・・・・・・・・・・ 405

反射効 ・・・・・・・・・・・・・・・・・・・ 171
反証 ・・・・・・・・・・・・・・・・・・・・・ 306
反訴 ・・・・・・・・・・・・・・・・・・・・・ 257
反訴の要件 ・・・・・・・・・・・・・・・・ 258
引受承継 ・・・・・・・・・・・・・・ 102, 103
引換給付判決 ・・・・・・・・・・・ 159, 377
非金銭執行 ・・・・・・・・・・・・・・・・ 493
非訟事件 ・・・・・・・・・・・・・・・・・・・ 3
非訟事件手続法 ・・・・・・・・・・・・・・・ 5
必要的移送 ・・・・・・・・・・・・・・・・・ 29
必要的記載事項 ・・・・・・・・・・・・・ 229
必要的共同訴訟 ・・・・・・・・・・ 65, 70
必要的口頭弁論 ・・・・・・・・・・・・・ 133
必要的差戻し ・・・・・・・・・・・・・・・ 443
否認 ・・・・・・・・・・・・・・・・・・・・・ 266
非判決 ・・・・・・・・・・・・・・・・・・・ 400
表見証明 ・・・・・・・・・・・・・・ 314, 316
表示説 ・・・・・・・・・・・・・・・・・・・・ 36
付加的の合意 ・・・・・・・・・・・・・・・ 23
不起訴の合意 ・・・・・・・・・・・・・・・ 269
不控訴の合意 ・・・・・・・・・・・ 270, 434
不告不理の原則 ・・・・・・・・・・・・・ 373
不執行の合意 ・・・・・・・・・・・・・・・ 206
不上訴の合意 ・・・・・・・・・・・・・・・ 434
附帯控訴 ・・・・・・・・・・・・・・・・・・ 439
不知 ・・・・・・・・・・・・・・・・・・・・・ 266
普通裁判籍 ・・・・・・・・・・・・・・・・・ 16
不当執行 ・・・・・・・・・・・・・・・・・・ 508
不服の利益 ・・・・・・・・・・・・・ 433, 448
不変期間 ・・・・・・・・・・・・・・・・・・ 145
付郵便送達 ・・・・・・・・・・・・・・・・ 146
不要証事実 ・・・・・・・・・・・・・・・・ 318
不利益変更禁止の原則 ・・・・・・・・ 444
文書送付の嘱託 ・・・・・・・・・・・・・ 360
文書提出義務 ・・・・・・・・・・・・・・・ 346
文書提出命令 ・・・・・・・・・・・・・・・ 358
文書の成立の真正 ・・・・・・・・・・・ 343
変更の判決 ・・・・・・・・・・・・・・・・ 404
弁護士会照会 ・・・・・・・・・・・・・・・ 295
弁護士代理の原則 ・・・・・・・・・・・ 110
弁論主義 ・・・・・・・・・・・・・・・・・・ 125
弁論準備手続 ・・・・・・・・・・・・・・・ 298
弁論能力 ・・・・・・・・・・・・・・・・・・ 281
弁論の更新 ・・・・・・・・・ 395, 434, 441

弁論の全趣旨 ・・・・・・・・・・・ 289, 389
弁論の分離 ・・・・・・・・・・・・・・・・ 279
弁論の併合 ・・・・・・・・・・・・・・・・ 278
報告文書 ・・・・・・・・・・・・・・・・・・ 342
法定証拠主義 ・・・・・・・・・・・ 388, 389
法定訴訟担当 ・・・・・・・・・・・・・・・ 224
法定代理人 ・・・・・・・・・・・・・・・・・ 59
法的観点指摘義務 ・・・・・・・・・・・ 277
方法選択の適否 ・・・・・・・・・・・・・ 210
法律関係文書 ・・・・・・・・・・・・・・・ 346
法律上の権利推定 ・・・・・・・・・・・ 313
法律上の事実推定 ・・・・・・・・・・・ 313
法律上の主張 ・・・・・・・・・・・・・・・ 266
法律上の推定 ・・・・・・・・・・・・・・・ 313
法律上の争訟性 ・・・・・・・・・・・・・ 202
法律要件分類説 ・・・・・・・・・・・・・ 309
法令上の訴訟代理人 ・・・・・・・・・ 110
補佐人 ・・・・・・・・・・・・・・・・・・・ 115
補充送達 ・・・・・・・・・・・・・・・・・・ 150
補助参加 ・・・・・・・・・・・・・・・・・・ 83
補助事実 ・・・・・・・・・・・・・・・・・・ 322
補助事実についての自白 ・・・・・・ 322
保全異議 ・・・・・・・・・・・・・・ 590, 597
保全抗告 ・・・・・・・・・・・・・・ 591, 600
保全執行手続 ・・・・・・・・・・・ 586, 601
保全取消し ・・・・・・・・・・・・ 590, 598
保全命令 ・・・・・・・・・・・・・・・・・・ 592
保全命令手続 ・・・・・・・・・・・ 586, 588
本案判決 ・・・・・・・・・・・・・・・・・・ 370
本質説 ・・・・・・・・・・・・・・・・・・・ 125
本証 ・・・・・・・・・・・・・・・・・・・・・ 306

マ行

民事裁判権 ・・・・・・・・・・・・・・・・・ 8
民事執行 ・・・・・・・・・・・・・・・・・・ 492
民事訴訟の目的 ・・・・・・・・・・・・・・ 2
民事保全 ・・・・・・・・・・・・・・・・・・ 586
無効判決 ・・・・・・・・・・・・・・・・・・ 400
矛盾挙動禁止の原則 ・・・・・・・・・・・ 2
命令 ・・・・・・・・・・・・・・・・・・・・・ 366
申立て ・・・・・・・・・・・・・・・・・・・ 264
申立権 ・・・・・・・・・・・・・・・・・・・ 273
申立事項 ・・・・・・・・・・・・・・・・・・ 374
模索的証明 ・・・・・・・・・・・・・・・・ 316

ヤ行

唯一の証拠方法 ····················· 326
猶予期間 ························· 144
要証事実 ························· 367
与効的訴訟行為 ················· 264, 265
予備的請求 ······················ 234
予備的反訴 ······················ 257
予備的併合 ····················· 234, 236

ラ行

利益文書 ························· 346
利益変更禁止の原則 ················· 444
理由中の判断 ····················· 160
理由付否認 ······················ 321
留保付判決 ······················ 377
類似必要的共同訴訟 ················· 76

ワ行

和解 ····················· 113, 421, 425
和解の試み ······················ 133

司法試験&予備試験対策シリーズ

2025年版 司法試験&予備試験 完全整理択一六法　民事訴訟法

2009年 9月15日　第 1 版　第 1 刷発行
2024年11月25日　第16版　第 1 刷発行

　　　　　編著者●株式会社　東京リーガルマインド
　　　　　　　　　LEC総合研究所　司法試験部

　　　　　発行所●株式会社　東京リーガルマインド
　　　　　〒164-0001　東京都中野区中野4-11-10
　　　　　　　　　　　アーバンネット中野ビル
　　　　　LECコールセンター　📞 0570-064-464
　　　　　　　　　受付時間　平日9：30〜19：30/土・日・祝10：00〜18：00
　　　　　　　　　※このナビダイヤルは通話料お客様ご負担となります。
　　　　　書店様専用受注センター　　TEL 048-999-7581 / FAX 048-999-7591
　　　　　　　　　受付時間　平日9：00〜17：00/土・日・祝休み
　　　　　www.lec-jp.com/

　　　　　カバーデザイン●桂川 潤
　　　　　本文デザイン●グレート・ローク・アソシエイツ
　　　　　印刷・製本●株式会社 シナノパブリッシングプレス

司法試験＆予備試験対策テキストの決定版

4

「短答式試験の過去問を解いてみよう」
では実際に出題された**本試験問題**を掲載。
該当箇所とリンクしているので、効率良く学んだ
知識を確認できます。

巻末には「論点一覧表」が付
いているので、知識の確認、
総復習に役立ちます。

5

C-Bookラインナップ

1	憲法Ⅰ〈総論・人権〉	本体3,600円＋税
2	憲法Ⅱ〈統治〉	本体3,200円＋税
3	民法Ⅰ〈総則〉	本体3,200円＋税
4	民法Ⅱ〈物権〉	本体3,500円＋税
5	民法Ⅲ〈債権総論〉	本体3,200円＋税
6	民法Ⅳ〈債権各論〉	本体3,800円＋税
7	民法Ⅴ〈親族・相続〉	本体3,500円＋税
8	刑法Ⅰ〈総論〉	本体3,800円＋税
9	刑法Ⅱ〈各論〉	本体3,800円＋税
10	会社法[2025年5月発刊予定]	

 今後の発刊予定は
こちらでご覧になれます（随時更新）
https://www.lec-jp.com/shihou/book/
※上記の内容は事前の告知なしに変更する場合があります。

LEC司法試験・予備試験

書籍のご紹介

INPUT

司法試験&予備試験対策シリーズ
司法試験&予備試験
完全整理択一六法

徹底した判例と条文の整理・理解に！
逐条型テキストの究極形『完択』シリーズ。

	定価
憲法	本体2,700円+税
民法	本体3,500円+税
刑法	本体2,700円+税
商法	本体3,500円+税
民事訴訟法	本体2,700円+税
刑事訴訟法	本体2,700円+税
行政法	本体2,700円+税

※定価は2025年版です。

司法試験&予備試験対策シリーズ
C-Book【改訂新版】

短答式・論文式試験に必要な知識を整理！
初学者にもわかりやすい法律独習用テキストの決定版。

	定価
憲法Ⅰ〈総論・人権〉	本体3,600円+税
憲法Ⅱ〈統治〉	本体3,200円+税
民法Ⅰ〈総則〉	本体3,200円+税
民法Ⅱ〈物権〉	本体3,500円+税
民法Ⅲ〈債権総論〉	本体3,200円+税
民法Ⅳ〈債権各論〉	本体3,800円+税
民法Ⅴ〈親族・相続〉	本体3,500円+税
刑法Ⅰ〈総論〉	本体3,800円+税
刑法Ⅱ〈各論〉	本体3,800円+税
会社法	[2025年5月発刊予定]

ラインナップと今後の発刊予定は
こちらでご覧になれます。(随時更新)
https://www.lec-jp.com/
shihou/book/

※画像はイメージです。※上記の内容は事前の告知なしに変更する場合があります。

OUTPUT

司法試験＆予備試験 単年度版
短答過去問題集
（法律基本科目）

短答式試験（法律基本科目のみ）
の問題と解説集。

	定価
令和元年	本体2,600円+税
令和2年	本体2,600円+税
令和3年	本体2,600円+税
令和4年	本体3,000円+税
令和5年	本体3,000円+税
令和6年	本体3,000円+税

司法試験＆予備試験
体系別短答過去問題集【第3版】

平成18年から令和5年までの
司法試験および平成23年から
令和5年までの予備試験の短
答式試験を体系別に収録。

	定価
憲法	本体3,800円+税
民法(上) 総則・物権	本体3,600円+税
民法(下) 債権・親族・相続	本体4,300円+税
刑法	本体4,300円+税

司法試験＆予備試験 論文過去問
再現答案から出題趣旨を読み解く。
※単年度版

出題趣旨を制することで論文式
試験を制する！
各年度再現答案を収録。

	定価
令和元年	本体3,500円+税
令和2年	本体3,500円+税
令和3年	本体3,500円+税
令和4年	本体3,500円+税
令和5年	本体3,700円+税

司法試験＆予備試験 論文5年過去問
再現答案から出題趣旨を読み解く。
※平成27年～令和元年

5年分の論文式
試験再現答案
を収録。

	定価		定価
憲法	本体2,900円+税	刑事訴訟法	本体2,900円+税
民法	本体3,500円+税	行政法	本体2,900円+税
刑法	本体2,900円+税	法律実務基礎科目・	本体2,900円+税
商法	本体2,900円+税	一般教養科目(予備試験)	
民事訴訟法	本体2,900円+税		

LEC Webサイト ▷▷ www.lec-jp.com/

情報盛りだくさん！

資格を選ぶときも，
講座を選ぶときも，
最新情報でサポートします！

最新情報
各試験の試験日程や法改正情報，対策講座，模擬試験の最新情報を日々更新しています。

資料請求
講座案内など無料でお届けいたします。

受講・受験相談
メールでのご質問を随時受付けております。

よくある質問
LECのシステムから，資格試験についてまで，よくある質問をまとめました。疑問を今すぐ解決したいなら，まずチェック！

書籍・問題集（LEC書籍部）
LECが出版している書籍・問題集・レジュメをこちらで紹介しています。

充実の動画コンテンツ！

ガイダンスや講演会動画，
講義の無料試聴まで
Webで今すぐCheck！

動画視聴OK
パンフレットやWebサイトを見てもわかりづらいところを動画で説明。いつでもすぐに問題解決！

Web無料試聴
講座の第1回目を動画で無料試聴！気になる講義内容をすぐに確認できます。

LEC 全国学校案内

*講座のお問合せ，受講相談は最寄りのLEC各校へ

LEC本校

■ 北海道・東北

札 幌本校 ☎011(210)5002
〒060-0004 北海道札幌市中央区北4条西5-1　アスティ45ビル

仙 台本校 ☎022(380)7001
〒980-0022 宮城県仙台市青葉区五橋1-1-10　第二河北ビル

■ 関東

渋谷駅前本校 ☎03(3464)5001
〒150-0043 東京都渋谷区道玄坂2-6-17　渋東シネタワー

池 袋本校 ☎03(3984)5001
〒171-0022 東京都豊島区南池袋1-25-11　第15野萩ビル

水道橋本校 ☎03(3265)5001
〒101-0061 東京都千代田区神田三崎町2-2-15　Daiwa三崎町ビル

新宿エルタワー本校 ☎03(5325)6001
〒163-1518 東京都新宿区西新宿1-6-1　新宿エルタワー

早稲田本校 ☎03(5155)5501
〒162-0045 東京都新宿区馬場下町62　三朝庵ビル

中 野本校 ☎03(5913)6005
〒164-0001 東京都中野区中野4-11-10　アーバンネット中野ビル

立 川本校 ☎042(524)5001
〒190-0012 東京都立川市曙町1-14-13　立川MKビル

町 田本校 ☎042(709)0581
〒194-0013 東京都町田市原町田4-5-8　MIキューブ町田イースト

横 浜本校 ☎045(311)5001
〒220-0004 神奈川県横浜市西区北幸2-4-3　北幸GM21ビル

千 葉本校 ☎043(222)5009
〒260-0015 千葉県千葉市中央区富士見2-3-1　塚本大千葉ビル

大 宮本校 ☎048(740)5501
〒330-0802 埼玉県さいたま市大宮区宮町1-24　大宮GSビル

■ 東海

名古屋駅前本校 ☎052(586)5001
〒450-0002 愛知県名古屋市中村区名駅4-6-23　第三堀内ビル

静 岡本校 ☎054(255)5001
〒420-0857 静岡県静岡市葵区御幸町3-21　ペガサート

■ 北陸

富 山本校 ☎076(443)5810
〒930-0002 富山県富山市新富町2-4-25　カーニープレイス富山

■ 関西

梅田駅前本校 ☎06(6374)5001
〒530-0013 大阪府大阪市北区茶屋町1-27　ABC-MART梅田ビル

難波駅前本校 ☎06(6646)6911
〒556-0017 大阪府大阪市浪速区湊町1-4-1
大阪シティエアーターミナルビル

京都駅前本校 ☎075(353)9531
〒600-8216 京都府京都市下京区東洞院通七条下ル2丁目
東塩小路町680-2　木村食品ビル

四条烏丸本校 ☎075(353)2531
〒600-8413　京都府京都市下京区烏丸通仏光寺下ル
大政所町680-1　第八長谷ビル

神 戸本校 ☎078(325)0511
〒650-0021 兵庫県神戸市中央区三宮町1-1-2　三宮セントラルビル

■ 中国・四国

岡 山本校 ☎086(227)5001
〒700-0901 岡山県岡山市北区本町10-22　本町ビル

広 島本校 ☎082(511)7001
〒730-0011 広島県広島市中区基町11-13　合人社広島紙屋町アネクス

山 口本校 ☎083(921)8911
〒753-0814 山口県山口市吉敷下東 3-4-7　リアライズⅢ

高 松本校 ☎087(851)3411
〒760-0023 香川県高松市寿町2-4-20　高松センタービル

松 山本校 ☎089(961)1333
〒790-0003 愛媛県松山市三番町7-13-13　ミツネビルディング

■ 九州・沖縄

福 岡本校 ☎092(715)5001
〒810-0001 福岡県福岡市中央区天神4-4-11
天神ショッパーズ福岡

那 覇本校 ☎098(867)5001
〒902-0067 沖縄県那覇市安里2-9-10　丸姫産業第2ビル

■ EYE関西

EYE 大阪本校 ☎06(7222)3655
〒530-0013　大阪府大阪市北区茶屋町1-27　ABC-MART梅田ビル

EYE 京都本校 ☎075(353)2531
〒600-8413　京都府京都市下京区烏丸通仏光寺下ル
大政所町680-1　第八長谷ビル

【LEC公式サイト】www.lec-jp.com/

スマホから
簡単アクセス!

LEC提携校

* 提携校はLECとは別の経営母体が運営をしております。
* 提携校は実施講座およびサービスにおいてLECと異なる部分がございます。

■ 北海道・東北 ■

八戸中央校 [提携校]   ☎0178(47)5011
〒031-0035 青森県八戸市寺横町13 第1朋友ビル
新教育センター内

弘前校 [提携校]   ☎0172(55)8831
〒036-8093 青森県弘前市城東中央1-5-2
まなびの森 弘前城東予備校内

秋田校 [提携校]   ☎018(863)9341
〒010-0964 秋田県秋田市八橋鯲沼町1-60
株式会社アキタシステムマネジメント内

■ 関東 ■

水戸校 [提携校]   ☎029(297)6611
〒310-0912 茨城県水戸市見川2-3079-5

所沢校 [提携校]   ☎050(6865)6996
〒359-0037 埼玉県所沢市くすのき台3-18-4 所沢K・Sビル
合同会社LPエデュケーション内

日本橋校 [提携校]   ☎03(6661)1188
〒103-0025 東京都中央区日本橋馬喰町2-5-6 日本橋大江戸ビル
株式会社大江戸コンサルタント内

■ 北陸 ■

新潟校 [提携校]   ☎025(240)7781
〒950-0901 新潟県新潟市中央区弁天3-2-20 弁天501ビル
株式会社大江戸コンサルタント内

金沢校 [提携校]   ☎076(237)3925
〒920-8217 石川県金沢市近岡町845-1
株式会社アイ・アイ・ピー金沢内

福井南校 [提携校]   ☎0776(35)8230
〒918-8114 福井県福井市羽水2-701
株式会社ヒューマン・デザイン内

■ 中国・四国 ■

松江殿町校 [提携校]   ☎0852(31)1661
〒690-0887 島根県松江市殿町517 アルファステイツ殿町
山路イングリッシュスクール内

岩国駅前校 [提携校]   ☎0827(23)7424
〒740-0018 山口県岩国市麻里布町1-3-3 岡村ビル 英光学院内

新居浜駅前校 [提携校]   ☎0897(32)5356
〒792-0812 愛媛県新居浜市坂井町2-3-8
パルティフジ新居浜駅前店内

■ 九州・沖縄 ■

佐世保駅前校 [提携校]   ☎0956(22)8623
〒857-0862 長崎県佐世保市白南風町5-15 智翔館内

日野校 [提携校]   ☎0956(48)2239
〒858-0925 長崎県佐世保市椎木町336-1 智翔館日野校内

長崎駅前校 [提携校]   ☎095(895)5917
〒850-0057 長崎県長崎市大黒町10-10 KoKoRoビル
minatoコワーキングスペース内

高原校 [提携校]   ☎098(989)8009
〒904-2163 沖縄県沖縄市大里2-24-1
有限会社スキップヒューマンワーク内

※上記は2024年10月1日現在のものです。

書籍の訂正情報について

このたびは，弊社発行書籍をご購入いただき，誠にありがとうございます。
万が一誤りの箇所がございましたら，以下の方法にてご確認ください。

1 訂正情報の確認方法

書籍発行後に判明した訂正情報を順次掲載しております。
下記Webサイトよりご確認ください。

www.lec-jp.com/system/correct/

2 ご連絡方法

上記Webサイトに訂正情報の掲載がない場合は，下記Webサイトの
入力フォームよりご連絡ください。

lec.jp/system/soudan/web.html

フォームのご入力にあたりましては，「Web教材・サービスのご利用について」の
最下部の「ご質問内容」に下記事項をご記載ください。

- ・対象書籍名(○○年版，第○版の記載がある書籍は併せてご記載ください)
- ・ご指摘箇所(具体的にページ数と内容の記載をお願いいたします)

ご連絡期限は，次の改訂版の発行日までとさせていただきます。
また，改訂版を発行しない書籍は，販売終了日までとさせていただきます。

※上記「2ご連絡方法」のフォームをご利用になれない場合は，①書籍名，②発行年月日，③ご指摘箇所，を記載の上，郵送にて下記送付先にご送付ください。確認した上で，内容理解の妨げとなる誤りについては，訂正情報として掲載させていただきます。なお，郵送でご連絡いただいた場合は個別に返信しておりません。

送付先：〒164-0001 東京都中野区中野4-11-10 アーバンネット中野ビル
株式会社東京リーガルマインド 出版部 訂正情報係

- ・誤りの箇所のご連絡以外の書籍の内容に関する質問は受け付けておりません。
  また，書籍の内容に関する解説，受験指導等は一切行っておりませんので，あらかじめ
  ご了承ください。
- ・お電話でのお問合せは受け付けておりません。

講座・資料のお問合せ・お申込み

LECコールセンター 📞 0570-064-464

受付時間：平日9:30〜19:30/土・日・祝10:00〜18:00

※このナビダイヤルの通話料はお客様のご負担となります。
※このナビダイヤルは講座のお申込みや資料のご請求に関するお問合せ専用ですので，書籍の正誤に関
するご質問をいただいた場合，上記「2ご連絡方法」のフォームをご案内させていただきます。